J - V Code   2043

DELPHI

MORTGAGE

YIELD   TABLES

(YIELDS, DISCOUNTS & ANNUAL PERCENTAGE RATES)

First Edition
Publication No. 986

Computed & Published by:

DELPHI INFORMATION SCIENCES CORPORATION
P.O. Box 3066
Santa Monica, California 90403
(213) 451-8591 • 393-7731

TABLE OF CONTENTS

INTRODUCTION

This new, easy-to-use, MORTGAGE YIELD TABLES book is designed to rapidly determine yields on discounted mortgages. It is also used to find the Annual Percentage Rate (APR) and to calculate complete disclosure for Truth-In-Lending on a mortgage loan where a brokerage fee has been charged to the borrower by the arranger of the loan.

There are 25 interest rates from 6% through 12%, and 10 maturities from 12 months through 120 months; plus a NO DUE DATE section for loans where the due date is unknown. The first payback rate column shows the interest only payback rate and the last column shows the fully amortized payback rate; the in-between payback rates have been selected in generally equal intervals. This is not applicable, however, to the NO DUE DATE sections where the payback rates were chosen on a commonly used basis only. For any situation where the payback rate is not precisely shown in this book, interpolation between columns will give excellent accuracy.

The range of discount percentages for each page (the left-hand column) differs for each maturity. For shorter maturities, the discount is shown in smaller intervals; for longer maturities, the discount is shown in greater intervals. It is unlikely that any problem will fall outside of the ranges shown. However, if this should occur, the publisher of this book will calculate the problem in a few seconds for a modest fee. Simply call the phone number on the front page of this book for "Instant" call-in service.

At the bottom of each page with a due date — under each payback rate column — the unpaid balance remaining percentage is shown for that particular payback rate. The pages with NO DUE DATE show the number of monthly payments needed to pay off the loan under each payback rate at the bottom of each page.

Each monthly payback rate column and discount percentage row intersect to give the correct yield. If the table is used to calculate the Annual Percentage Rate (APR), the discount percentage row is used as the percentage of the brokerage fee (Points). The correct APR is found where the payback rate and points intersect.

Keep in mind this simple rule: When the brokerage fee is substituted for the discount when calculating a Truth-In-Lending statement, the APR is read where the yield is normally found. In other words, yield is to discount for the purchaser of a note, as the APR is to brokerage fee to a borrower making a loan.

DEFINITIONS

AMORTIZED LOAN
A note that will be completely paid off during its term.

ANNUAL PERCENTAGE RATE
Commonly known as APR. True annualized cost of a loan, considering brokerage fee and total interest. Required by Federal Reserve Regulation "Z" as part of Truth-In-Lending.

BALANCE REMAINING
Amount of note left unpaid at the end of a given term.

BALLOON PAYMENT
One monthly payment, plus balance remaining due at end of term.

BROKERAGE FEE
Commission paid to the arranger of a loan by a borrower.

BROKERAGE FEE PERCENTAGE
Brokerage fee divided by amount of note (also known as points).

DISCOUNT
Present amount of note less purchase price.

DISCOUNT PERCENTAGE
Discount divided by present amount of note.

INTEREST ONLY PAYMENT
Monthly payment which does not reduce the principal balance of a note. The payment is calculated by multiplying the amount of note by the interest rate and dividing result by 12 months.

PAYBACK RATE PERCENTAGE
Monthly payment divided by present amount of note.

PURCHASE PRICE
Present amount of note less discount.

TOTAL AMOUNT FINANCED
Amount of note less brokerage fee.

TOTAL FINANCE CHARGE
Total interest, plus brokerage fee.

TOTAL INTEREST
All interest to be paid during entire term of note.

TOTAL OF PAYMENTS
Monthly payment multiplied by number of months in term, plus any balance remaining.

YIELD
The annualized percentage return on invested dollars, considering the interest to be received and the amount of discount.

HOW TO FIND THE YIELD FOR A GIVEN DISCOUNT

1. Subtract Purchase Price from Amount of Note to get DISCOUNT.
2. Divide Discount by Amount of Note to get DISCOUNT PERCENTAGE.
3. Divide Monthly Payment by Amount of Note to get PAYBACK RATE PERCENTAGE.
4. Locate Payback Rate Percentage at top of desired page in this book, as well as the Discount Percentage in the left-hand column; find the YIELD where they intersect.

EXAMPLE: Amount of Loan is $4,500 • Interest Rate is 7% • Term is 48 Months
Monthly Payment is $90 • Purchase Price of Note is $3,600

SOLUTION: 1) $4,500   — $3,600   = $900
2) $ 900   ÷ $4,500   =   20%
3) $ 90   ÷ $4,500   =   2%
4) Turn to Page 57 — YIELD is: 17.24%

HOW TO FIND THE DISCOUNT FOR A GIVEN YIELD

1. Divide Monthly Payment by Amount of Note to get PAYBACK RATE PERCENTAGE.
2. Locate Payback Rate Percentage at top of desired page in this book and read down the column until desired yield is found; then, read across the table to the left-hand column to get DISCOUNT PERCENTAGE.
3. Multiply Discount Percentage by Amount of Note to get DISCOUNT.
4. Subtract Discount from Amount of Note to get PURCHASE PRICE.

EXAMPLE: Amount of Loan is $3,000 • Interest Rate is 7% • Term is 48 Months
Monthly Payment is $54 • Desired Yield is 10%

SOLUTION: 1) $ 54   ÷ $3,000   =   1.8%
2) Turn to Page 57 — Discount is: 7%
3) 7%   X $3,000   = $ 210
4) $3,000   — $ 210   = $2,790 (PURCHASE PRICE)

HOW TO FIND THE BALANCE REMAINING OF A NOTE AT A GIVEN DUE DATE (BALLOON)

1. Divide Monthly Payment by Amount of Note to get PAYBACK RATE PERCENTAGE.
2. Locate Payback Rate Percentage at top of desired page in this book and read down to the very bottom of the column to get PERCENTAGE OF LOAN AMOUNT LEFT UNPAID AT DUE DATE.
3. Multiply this percentage by Amount of Note to get BALANCE REMAINING.
4. Add balance Remaining to Final Monthly Payment to get FINAL BALLOON PAYMENT.

EXAMPLE: Amount of Loan is $4,000 • Interest Rate is 7% • Term is 48 Months
Monthly Payment is $40 • What is Balance Remaining after 48 Payments?

SOLUTION: 1) $ 40   ÷ $4,000   =   1%
2) Turn to Page 57 — Unpaid Percentage is 77%
3) .77   X $4,000   = $3,080 (BALANCE REMAINING)
4) $ 40   + $3,080   = $3,120 (FINAL BALLOON)

HOW TO FIND TOTAL OF PAYMENTS AND TOTAL INTEREST
ON A NOTE <u>WITH</u> A DUE DATE

1. Divide Monthly Payment by Amount of Note to get PAYBACK RATE PERCENTAGE.
2. Locate Payback Rate Percentage at top of desired page in this book and read down to the very bottom of the column to get PERCENTAGE OF LOAN AMOUNT LEFT UNPAID AT DUE DATE.
3. Multiply this percentage by Amount of Note to get BALANCE REMAINING.
4. Multiply Monthly Payment by Number of Months in Term, and add result to Balance Remaining to get TOTAL OF PAYMENTS.
5. Subtract Amount of Note from Total of Payments to get TOTAL INTEREST.

EXAMPLE: Amount of Loan is $4,000 • Interest Rate is 7% • Term is 48 Months
Monthly Payment is $40 • What is Total of Payments and Total Interest?

SOLUTION: 1) $ 40 ÷ $4,000 = 1%
2) Turn to Page 57 — Unpaid Percentage is 77%
3) .77 X $4,000 = $3,080
4) $ 40 X 48 + $3,080 = $5,000 (TOTAL OF PAYMENTS)
5) $5,000 — $4,000 = $1,000 (TOTAL INTEREST)

HOW TO FIND THE NUMBER OF REMAINING PAYMENTS
ON A NOTE WITH <u>NO DUE DATE</u>

1. Divide Monthly Payment by Amount of Note to get PAYBACK RATE PERCENTAGE.
2. Locate Payback Rate Percentage at top of desired "NO DUE DATE" page in this book and read down to the very bottom of the column to get NUMBER OF MONTHLY PAYMENTS NEEDED TO PAY OFF LOAN.

EXAMPLE: Amount of Loan is $2,000 • Interest Rate is 6.75% • Term is "Until Paid"
Monthly Payment is $30 • What is the number of remaining Payments?

SOLUTION: 1) $ 30 ÷ $2,000 = 1.5%
2) Turn to Page 53 — Number of Remaining Payments is 83.8 Months.

HOW TO FIND TOTAL OF PAYMENTS AND TOTAL INTEREST
ON A NOTE WITH <u>NO DUE DATE</u>

1. Divide Monthly Payment by Amount of Note to get PAYBACK RATE PERCENTAGE.
2. Locate Payback Rate Percentage at top of desired "NO DUE DATE" page in this book and read down to the very bottom of the column to get NUMBER OF MONTHLY PAYMENTS NEEDED TO PAY OFF LOAN.
3. Multiply this figure by Monthly Payment to get TOTAL OF PAYMENTS.
4. Subtract Amount of Note from Total of Payments to get TOTAL INTEREST.

EXAMPLE: Amount of Loan is $2,000 • Interest Rate is 6.75% • Term is "Until Paid"
Monthly Payment is $30 • What is Total of Payments and Total Interest?

SOLUTION: 1) $ 30 ÷ $2,000 = 1.5%
2) Turn to Page 53 — Number of Remaining Payments is 83.8 Months
3) $ 30 X 83.8 = $2,514 (TOTAL OF PAYMENTS)
4) $2,514 — $2,000 = $ 514 (TOTAL INTEREST)

HOW TO CALCULATE A TRUTH-IN-LENDING STATEMENT WHEN A BROKERAGE FEE IS CHARGED AND THERE IS A BALLOON PAYMENT

1. Divide Monthly Payment by Amount of Note to get PAYBACK RATE PERCENTAGE.
2. Locate Payback Rate Percentage at top of desired page in this book and read down to the very bottom of the column to get PERCENTAGE OF LOAN AMOUNT LEFT UNPAID AT DUE DATE.
3. Multiply this percentage by Amount of Note to get BALANCE REMAINING.
4. Add Balance Remaining to Final Monthly Payment to get FINAL BALLOON PAYMENT.
5. Multiply Monthly Payment by Number of Months in Term, and add result to Balance Remaining to get TOTAL OF PAYMENTS.
6. Subtract Amount of Note from Total of Payments to get TOTAL INTEREST.
7. Subtract Brokerage Fee from Amount of Note to get TOTAL AMOUNT FINANCED.
8. Add Brokerage Fee to Total Interest to get TOTAL FINANCE CHARGE.
9. Divide Brokerage Fee by Amount of Note to get BROKERAGE FEE PERCENTAGE.
10. Locate Brokerage Fee Percentage in the left-hand (Discount %) column, and the Payback Rate Percentage at top of the desired page in this book; find the Annual Percentage Rate (APR) where they intersect.

EXAMPLE: Amount of Loan is $5,000 • Interest Rate is 10% • Term is 72 Months
Monthly Payment is $70 • Brokerage Fee is $750 • How is complete disclosure calculated?

SOLUTION:
1) $ 70 ÷ $5,000 = 1.4%
2) Turn to Page 191 — Unpaid Percentage is 44.40%
3) 44.40% X $5,000 = $2,220 (BALANCE REMAINING)
4) $2,220 + $ 70 = $2,290 (FINAL BALLOON PAYMENT)
5) $ 70 X 72 + $2,220 = $7,260 (TOTAL OF PAYMENTS)
6) $7,260 — $5,000 = $2,260 (TOTAL INTEREST)
7) $5,000 — $ 750 = $4,250 (TOTAL AMOUNT FINANCED)
8) $ 750 + $2,260 = $3,010 (TOTAL FINANCE CHARGE)
9) $ 750 ÷ $5,000 = 15%
10) Turn to Page 191 — Annual Percentage Rate (APR) is 14.77%

HOW TO CALCULATE A TRUTH-IN-LENDING STATEMENT WHEN A BROKERAGE FEE IS CHARGED FOR A FULLY AMORTIZED LOAN

1. Turn to Page 9 and calculate MONTHLY PAYMENT using given instructions.
2. Multiply Monthly Payment by Number of Months in Term to get TOTAL OF PAYMENTS.
3. Subtract Amount of Note from Total of Payments to get TOTAL INTEREST.
4. Subtract Brokerage Fee from Amount of Note to get TOTAL AMOUNT FINANCED.
5. Add Brokerage Fee to Total Interest to get TOTAL FINANCE CHARGE.
6. Divide Brokerage Fee by Amount of Note to get BROKERAGE FEE PERCENTAGE.
7. Locate Brokerage Fee Percentage in the left-hand column (same column as Discount %) of the desired page in this book, and read over to the extreme right-hand column to find the ANNUAL PERCENTAGE RATE (APR).

EXAMPLE: Amount of Loan is $5,000 • Interest Rate is 10% • Term is 72 Months
Monthly Payment is Unknown • Note to be fully amortized
Brokerage Fee is $750 • How is complete disclosure calculated?

SOLUTION:
1) Turn to Page 9 — Calculated Monthly Payment is $92.63
2) $ 92.63 X 72 = $6,669.36 (TOTAL OF PAYMENTS)
3) $6,669.36 — $5,000 = $1,669.36 (TOTAL INTEREST)
4) $5,000.00 — $ 750 = $4,250.00 (TOTAL AMOUNT FINANCED)
5) $1,669.36 + $ 750 = $2,419.36 (TOTAL FINANCE CHARGE)
6) $ 750.00 ÷ $5,000 = 15%
7) Turn to Page 191 — Annual Percentage Rate (APR) is 16.19%

HOW TO CALCULATE THE MONTHLY PAYMENT
FOR A FULLY AMORTIZED LOAN

INTEREST RATES	NUMBER OF MONTHS IN TERM				
	12	24	36	48	60
6.00%	.086066	.044321	.030422	.023485	.019333
6.25%	.086181	.044433	.030535	.023600	.019449
6.50%	.086296	.044546	.030649	.023715	.019566
6.75%	.086412	.044659	.030763	.023830	.019683
7.00%	.086527	.044773	.030877	.023946	.019801
7.25%	.086642	.044886	.030992	.024062	.019919
7.50%	.086757	.045000	.031106	.024179	.020038
7.75%	.086873	.045113	.031221	.024296	.020157
8.00%	.086988	.045227	.031336	.024413	.020276
8.25%	.087104	.045341	.031452	.024530	.020396
8.50%	.087220	.045456	.031568	.024648	.020517
8.75%	.087336	.045570	.031684	.024767	.020637
9.00%	.087451	.045685	.031800	.024885	.020758
9.25%	.087567	.045800	.031916	.025004	.020880
9.50%	.087684	.045914	.032033	.025123	.021002
9.75%	.087800	.046030	.032150	.025243	.021124
10.00%	.087916	.046145	.032267	.025363	.021247
10.25%	.088032	.046260	.032385	.025483	.021370
10.50%	.088149	.046376	.032502	.025603	.021494
10.75%	.088265	.046492	.032620	.025724	.021618
11.00%	.088382	.046608	.032739	.025846	.021742
11.25%	.088498	.046724	.032857	.025967	.021867
11.50%	.088615	.046840	.032976	.026089	.021993
11.75%	.088732	.046957	.033095	.026211	.022118
12.00%	.088849	.047073	.033214	.026334	.022244

INTEREST RATES	NUMBER OF MONTHS IN TERM				
	72	84	96	108	120
6.00%	.016573	.014609	.013141	.012006	.011102
6.25%	.016691	.014729	.013263	.012130	.011228
6.50%	.016810	.014849	.013386	.012255	.011355
6.75%	.016929	.014971	.013510	.012380	.011482
7.00%	.017049	.015093	.013634	.012506	.011611
7.25%	.017169	.015215	.013758	.012633	.011740
7.50%	.017290	.015338	.013884	.012761	.011870
7.75%	.017411	.015462	.014010	.012889	.012001
8.00%	.017533	.015586	.014137	.013019	.012133
8.25%	.017656	.015711	.014264	.013149	.012265
8.50%	.017778	.015836	.014392	.013279	.012399
8.75%	.017902	.015962	.014521	.013411	.012533
9.00%	.018026	.016089	.014650	.013543	.012668
9.25%	.018150	.016216	.014780	.013676	.012803
9.50%	.018275	.016344	.014911	.013809	.012940
9.75%	.018400	.016472	.015042	.013944	.013077
10.00%	.018526	.016601	.015174	.014079	.013215
10.25%	.018652	.016731	.015307	.014214	.013354
10.50%	.018779	.016861	.015440	.014351	.013493
10.75%	.018906	.016991	.015574	.014488	.013634
11.00%	.019034	.017122	.015708	.014626	.013775
11.25%	.019162	.017254	.015844	.014764	.013917
11.50%	.019291	.017386	.015979	.014904	.014060
11.75%	.019420	.017519	.016116	.015044	.014203
12.00%	.019550	.017653	.016253	.015184	.014347

INSTRUCTIONS
1. Locate term of loan across the top of chart.
2. Locate interest rate in the left hand column.
3. Find the payment factor where they intersect and multiply by Amount of Loan to get MONTHLY PAYMENT.

MONTHLY PAYBACK RATE (%)
(MONTHLY PAYMENT DIVIDED BY LOAN AMOUNT)

DISCOUNT %	.50	1.00	1.50	2.00	3.00	4.00	5.00	6.00	7.00	8.00	8.61
.5	6.52	6.53	6.55	6.56	6.60	6.64	6.69	6.74	6.81	6.89	6.94
1.0	7.04	7.07	7.10	7.13	7.21	7.29	7.38	7.49	7.62	7.78	7.89
1.5	7.56	7.61	7.65	7.70	7.81	7.94	8.08	8.25	8.44	8.68	8.84
2.0	8.09	8.15	8.21	8.28	8.43	8.59	8.79	9.01	9.27	9.58	9.80
2.5	8.62	8.69	8.77	8.86	9.04	9.25	9.49	9.78	10.10	10.49	10.77
3.0	9.15	9.24	9.34	9.44	9.66	9.92	10.21	10.55	10.94	11.41	11.74
3.5	9.69	9.79	9.91	10.02	10.29	10.58	10.93	11.32	11.79	12.34	12.72
4.0	10.22	10.35	10.48	10.61	10.91	11.26	11.65	12.10	12.64	13.27	13.71
4.5	10.77	10.90	11.05	11.21	11.55	11.93	12.38	12.89	13.49	14.21	14.71
5.0	11.31	11.47	11.63	11.80	12.18	12.61	13.11	13.68	14.36	15.15	15.71
5.5	11.86	12.03	12.21	12.40	12.82	13.30	13.85	14.48	15.23	16.11	16.73
6.0	12.41	12.60	12.80	13.00	13.46	13.99	14.59	15.29	16.10	17.07	17.75
6.5	12.96	13.17	13.38	13.61	14.11	14.68	15.34	16.10	16.98	18.04	18.77
7.0	13.52	13.74	13.98	14.22	14.77	15.38	16.09	16.91	17.87	19.01	19.81
7.5	14.08	14.32	14.57	14.84	15.42	16.09	16.85	17.73	18.77	20.00	20.86
8.0	14.65	14.90	15.17	15.46	16.08	16.80	17.61	18.56	19.67	20.99	21.91
8.5	15.22	15.49	15.77	16.08	16.75	17.51	18.38	19.40	20.58	21.99	22.97
9.0	15.79	16.08	16.38	16.71	17.42	18.23	19.16	20.24	21.50	22.99	24.04
9.5	16.36	16.67	16.99	17.34	18.09	18.95	19.94	21.08	22.42	24.01	25.12
10.0	16.94	17.26	17.61	17.97	18.77	19.68	20.73	21.94	23.35	25.03	26.20
10.5	17.52	17.86	18.23	18.61	19.45	20.41	21.52	22.80	24.29	26.06	27.30
11.0	18.11	18.47	18.85	19.25	20.14	21.15	22.32	23.66	25.24	27.10	28.40
11.5	18.70	19.08	19.48	19.90	20.84	21.90	23.12	24.53	26.19	28.15	29.52
12.0	19.29	19.69	20.11	20.55	21.53	22.65	23.93	25.41	27.15	29.20	30.64
12.5	19.89	20.30	20.74	21.21	22.24	23.40	24.75	26.30	28.12	30.27	31.77
13.0	20.49	20.92	21.38	21.87	22.94	24.16	25.57	27.19	29.10	31.34	32.91
13.5	21.09	21.54	22.02	22.53	23.65	24.93	26.40	28.09	30.08	32.43	34.07
14.0	21.70	22.17	22.67	23.20	24.37	25.70	27.23	29.00	31.07	33.52	35.23
14.5	22.31	22.80	23.32	23.88	25.09	26.48	28.07	29.92	32.07	34.62	36.40
15.0	22.93	23.44	23.98	24.56	25.82	27.26	28.92	30.84	33.08	35.73	37.58
15.5	23.55	24.08	24.64	25.24	26.56	28.05	29.78	31.77	34.10	36.85	38.77
16.0	24.17	24.72	25.31	25.93	27.29	28.85	30.64	32.71	35.13	37.98	39.98
16.5	24.80	25.37	25.98	26.62	28.04	29.65	31.51	33.65	36.16	39.13	41.19
17.0	25.43	26.02	26.65	27.32	28.79	30.46	32.38	34.61	37.21	40.28	42.41
17.5	26.07	26.68	27.33	28.02	29.54	31.27	33.26	35.57	38.26	41.44	43.65
18.0	26.71	27.34	28.02	28.73	30.30	32.09	34.15	36.54	39.32	42.61	44.89
18.5	27.35	28.01	28.71	29.44	31.07	32.92	35.05	37.51	40.39	43.79	46.15
19.0	28.00	28.68	29.40	30.16	31.84	33.75	35.95	38.50	41.48	44.98	47.42
19.5	28.66	29.36	30.10	30.89	32.62	34.59	36.87	39.49	42.57	46.19	48.70
20.0	29.31	30.04	30.80	31.62	33.40	35.44	37.78	40.50	43.67	47.40	49.99
20.5	29.98	30.72	31.51	32.35	34.19	36.30	38.71	41.51	44.78	48.63	51.30
21.0	30.65	31.41	32.23	33.09	34.99	37.16	39.65	42.53	45.90	49.86	52.62
21.5	31.32	32.11	32.94	33.83	35.79	38.02	40.59	43.56	47.03	51.11	53.95
22.0	32.00	32.81	33.67	34.59	36.60	38.90	41.54	44.60	48.17	52.37	55.29
22.5	32.68	33.51	34.40	35.34	37.41	39.78	42.50	45.65	49.32	53.64	56.64
23.0	33.36	34.22	35.14	36.10	38.24	40.67	43.47	46.71	50.48	54.93	58.01
23.5	34.06	34.94	35.88	36.87	39.06	41.57	44.44	47.77	51.66	56.23	59.39
24.0	34.75	35.66	36.62	37.65	39.90	42.47	45.43	48.85	52.84	57.54	60.79
24.5	35.45	36.39	37.38	38.43	40.74	43.38	46.42	49.94	54.04	58.86	62.20
25.0	36.16	37.12	38.13	39.21	41.59	44.30	47.42	51.03	55.25	60.20	63.62
25.5	36.87	37.86	38.90	40.01	42.45	45.23	48.43	52.14	56.47	61.55	65.06
26.0	37.59	38.60	39.67	40.81	43.31	46.17	49.45	53.26	57.70	62.91	66.51
26.5	38.31	39.35	40.44	41.61	44.18	47.11	50.48	54.39	58.94	64.28	67.98
27.0	39.04	40.10	41.23	42.42	45.06	48.06	51.52	55.53	60.20	65.68	69.46
27.5	39.78	40.86	42.02	43.24	45.94	49.03	52.57	56.68	61.47	67.08	70.96
28.0	40.52	41.63	42.81	44.07	46.83	50.00	53.63	57.84	62.75	68.50	72.48
28.5	41.26	42.40	43.61	44.90	47.73	50.97	54.70	59.02	64.04	69.94	74.00
29.0	42.01	43.18	44.42	45.74	48.64	51.96	55.78	60.20	65.35	71.39	75.55
29.5	42.77	43.97	45.23	46.58	49.56	52.96	56.87	61.40	66.67	72.85	77.11
30.0	43.53	44.76	46.06	47.44	50.48	53.96	57.97	62.61	68.01	74.33	78.69

PERCENTAGE OF LOAN AMOUNT LEFT UNPAID AT DUE DATE

∇φ	100.0	93.83	87.66	81.50	69.16	56.83	44.49	32.15	19.82	7.48	.00

DISCOUNT %	MONTHLY PAYBACK RATE (%) (MONTHLY PAYMENT DIVIDED BY LOAN AMOUNT)										
	.50	.75	1.00	1.25	1.50	2.00	2.50	3.00	3.50	4.00	4.43
.5	6.27	6.27	6.28	6.29	6.30	6.32	6.35	6.38	6.41	6.45	6.49
1.0	6.53	6.55	6.57	6.59	6.61	6.65	6.70	6.76	6.82	6.91	6.99
1.5	6.80	6.83	6.85	6.88	6.91	6.98	7.05	7.14	7.24	7.36	7.49
2.0	7.07	7.11	7.14	7.18	7.22	7.31	7.41	7.52	7.66	7.82	7.99
2.5	7.35	7.39	7.43	7.48	7.53	7.64	7.76	7.91	8.08	8.29	8.50
3.0	7.62	7.67	7.72	7.78	7.84	7.97	8.12	8.30	8.51	8.76	9.01
3.5	7.90	7.96	8.02	8.08	8.15	8.31	8.48	8.69	8.94	9.23	9.53
4.0	8.17	8.24	8.31	8.39	8.47	8.64	8.85	9.09	9.37	9.70	10.05
4.5	8.45	8.53	8.61	8.69	8.78	8.98	9.21	9.48	9.80	10.18	10.57
5.0	8.73	8.82	8.91	9.00	9.10	9.33	9.58	9.88	10.24	10.66	11.10
5.5	9.01	9.11	9.21	9.31	9.42	9.67	9.96	10.29	10.68	11.15	11.63
6.0	9.30	9.40	9.51	9.62	9.75	10.02	10.33	10.69	11.12	11.63	12.16
6.5	9.58	9.69	9.81	9.94	10.07	10.37	10.71	11.10	11.57	12.13	12.70
7.0	9.87	9.99	10.12	10.25	10.40	10.72	11.08	11.51	12.02	12.62	13.24
7.5	10.16	10.29	10.43	10.57	10.73	11.07	11.47	11.93	12.47	13.12	13.79
8.0	10.45	10.59	10.73	10.89	11.06	11.43	11.85	12.35	12.93	13.62	14.34
8.5	10.74	10.89	11.05	11.21	11.39	11.78	12.24	12.77	13.39	14.13	14.90
9.0	11.03	11.19	11.36	11.54	11.73	12.14	12.63	13.19	13.85	14.64	15.46
9.5	11.33	11.50	11.67	11.86	12.06	12.51	13.02	13.62	14.32	15.16	16.02
10.0	11.63	11.80	11.99	12.19	12.40	12.87	13.41	14.05	14.79	15.68	16.59
10.5	11.93	12.11	12.31	12.52	12.74	13.24	13.81	14.48	15.26	16.20	17.16
11.0	12.23	12.42	12.63	12.85	13.09	13.61	14.21	14.92	15.74	16.73	17.74
11.5	12.53	12.74	12.95	13.19	13.43	13.98	14.62	15.36	16.22	17.26	18.32
12.0	12.83	13.05	13.28	13.52	13.78	14.36	15.02	15.80	16.71	17.79	18.91
12.5	13.14	13.37	13.61	13.86	14.13	14.74	15.43	16.24	17.20	18.33	19.50
13.0	13.45	13.69	13.94	14.20	14.49	15.12	15.85	16.69	17.69	18.88	20.10
13.5	13.76	14.01	14.27	14.55	14.84	15.50	16.26	17.15	18.19	19.43	20.70
14.0	14.07	14.33	14.60	14.89	15.20	15.89	16.68	17.60	18.69	19.98	21.30
14.5	14.38	14.65	14.94	15.24	15.56	16.28	17.10	18.06	19.19	20.54	21.92
15.0	14.70	14.98	15.27	15.59	15.93	16.67	17.53	18.53	19.70	21.10	22.53
15.5	15.02	15.31	15.62	15.94	16.29	17.06	17.96	18.99	20.22	21.67	23.15
16.0	15.34	15.64	15.96	16.30	16.66	17.46	18.39	19.47	20.73	22.24	23.78
16.5	15.66	15.97	16.30	16.65	17.03	17.86	18.82	19.94	21.25	22.82	24.41
17.0	15.99	16.31	16.65	17.01	17.40	18.27	19.26	20.42	21.78	23.40	25.05
17.5	16.31	16.65	17.00	17.38	17.78	18.67	19.70	20.90	22.31	23.99	25.70
18.0	16.64	16.99	17.35	17.74	18.16	19.08	20.15	21.39	22.85	24.58	26.35
18.5	16.97	17.33	17.71	18.11	18.54	19.50	20.60	21.88	23.39	25.17	27.00
19.0	17.31	17.67	18.06	18.48	18.93	19.91	21.05	22.37	23.93	25.78	27.66
19.5	17.64	18.02	18.42	18.85	19.31	20.33	21.50	22.87	24.48	26.38	28.33
20.0	17.98	18.37	18.79	19.23	19.70	20.75	21.96	23.38	25.03	27.00	29.00
21.0	18.66	19.08	19.52	19.99	20.49	21.61	22.90	24.39	26.15	28.24	30.37
22.0	19.35	19.79	20.26	20.76	21.29	22.48	23.84	25.43	27.30	29.51	31.76
23.0	20.05	20.52	21.01	21.54	22.11	23.36	24.80	26.49	28.46	30.80	33.17
24.0	20.76	21.26	21.78	22.34	22.93	24.25	25.78	27.56	29.64	32.11	34.62
25.0	21.49	22.01	22.56	23.14	23.77	25.17	26.78	28.65	30.85	33.45	36.09
26.0	22.22	22.76	23.34	23.96	24.63	26.09	27.79	29.76	32.08	34.81	37.59
27.0	22.96	23.54	24.15	24.80	25.49	27.04	28.82	30.90	33.33	36.21	39.12
28.0	23.72	24.32	24.96	25.64	26.37	28.00	29.87	32.05	34.61	37.63	40.68
29.0	24.48	25.11	25.79	26.50	27.27	28.97	30.94	33.23	35.91	39.08	42.27
30.0	25.26	25.92	26.63	27.38	28.18	29.97	32.03	34.43	37.24	40.56	43.90
31.0	26.05	26.74	27.48	28.27	29.11	30.98	33.14	35.66	38.60	42.07	45.57
32.0	26.85	27.58	28.35	29.17	30.05	32.01	34.27	36.91	39.99	43.61	47.27
33.0	27.67	28.42	29.23	30.09	31.01	33.06	35.43	38.18	41.40	45.19	49.00
34.0	28.50	29.29	30.13	31.03	31.99	34.13	36.60	39.48	42.85	46.81	50.78
35.0	29.34	30.16	31.04	31.98	32.99	35.22	37.81	40.81	44.33	48.46	52.60
36.0	30.20	31.06	31.97	32.95	34.00	36.33	39.03	42.17	45.84	50.15	54.46
37.0	31.07	31.97	32.92	33.94	35.04	37.47	40.29	43.56	47.39	51.87	56.36
38.0	31.96	32.89	33.89	34.95	36.09	38.63	41.57	44.98	48.97	53.65	58.31
39.0	32.86	33.83	34.87	35.98	37.17	39.81	42.87	46.44	50.60	55.46	60.31
40.0	33.78	34.79	35.87	37.03	38.27	41.02	44.21	47.92	52.26	57.32	62.37
▽Φ	PERCENTAGE OF LOAN AMOUNT LEFT UNPAID AT DUE DATE										
	100.0	93.64	87.28	80.93	74.57	61.85	49.14	36.42	23.70	10.99	.00

11

MONTHLY PAYBACK RATE (%)
(MONTHLY PAYMENT DIVIDED BY LOAN AMOUNT)

DISCOUNT %	.50	.75	1.00	1.25	1.50	1.75	2.00	2.25	2.50	2.75	3.04
.5	6.18	6.19	6.20	6.21	6.22	6.24	6.25	6.27	6.29	6.31	6.33
1.0	6.37	6.38	6.40	6.42	6.45	6.47	6.50	6.54	6.57	6.62	6.67
1.5	6.55	6.58	6.61	6.64	6.67	6.71	6.76	6.81	6.86	6.93	7.02
2.0	6.74	6.77	6.81	6.85	6.90	6.95	7.01	7.08	7.15	7.24	7.36
2.5	6.92	6.97	7.02	7.07	7.13	7.20	7.27	7.35	7.45	7.56	7.71
3.0	7.11	7.17	7.22	7.29	7.36	7.44	7.53	7.63	7.74	7.88	8.06
3.5	7.30	7.36	7.43	7.51	7.59	7.68	7.79	7.91	8.04	8.20	8.41
4.0	7.49	7.56	7.64	7.73	7.82	7.93	8.05	8.19	8.34	8.52	8.76
4.5	7.68	7.76	7.85	7.95	8.06	8.18	8.32	8.47	8.64	8.84	9.12
5.0	7.88	7.97	8.07	8.17	8.30	8.43	8.58	8.75	8.95	9.17	9.48
5.5	8.07	8.17	8.28	8.40	8.53	8.68	8.85	9.04	9.25	9.50	9.84
6.0	8.26	8.37	8.49	8.63	8.77	8.94	9.12	9.33	9.56	9.83	10.20
6.5	8.46	8.58	8.71	8.85	9.01	9.19	9.39	9.62	9.87	10.17	10.57
7.0	8.66	8.79	8.93	9.08	9.26	9.45	9.66	9.91	10.19	10.51	10.94
7.5	8.85	8.99	9.15	9.31	9.50	9.71	9.94	10.20	10.50	10.85	11.31
8.0	9.05	9.20	9.37	9.55	9.74	9.97	10.22	10.50	10.82	11.19	11.69
8.5	9.25	9.41	9.59	9.78	9.99	10.23	10.50	10.80	11.14	11.53	12.07
9.0	9.46	9.63	9.81	10.01	10.24	10.49	10.78	11.10	11.46	11.88	12.45
9.5	9.66	9.84	10.03	10.25	10.49	10.76	11.06	11.40	11.79	12.23	12.83
10.0	9.86	10.05	10.26	10.49	10.74	11.03	11.35	11.71	12.12	12.58	13.22
11.0	10.28	10.49	10.72	10.97	11.25	11.57	11.92	12.32	12.78	13.30	14.01
12.0	10.69	10.92	11.18	11.46	11.77	12.12	12.51	12.95	13.45	14.02	14.80
13.0	11.11	11.37	11.65	11.95	12.29	12.68	13.10	13.59	14.13	14.76	15.61
14.0	11.54	11.82	12.12	12.46	12.83	13.24	13.71	14.23	14.83	15.51	16.44
15.0	11.98	12.27	12.60	12.96	13.37	13.82	14.32	14.89	15.53	16.27	17.27
16.0	12.41	12.74	13.09	13.48	13.91	14.40	14.94	15.56	16.25	17.05	18.13
17.0	12.86	13.20	13.58	14.00	14.47	14.99	15.57	16.23	16.98	17.83	18.99
18.0	13.31	13.68	14.09	14.53	15.03	15.59	16.22	16.92	17.72	18.64	19.87
19.0	13.77	14.16	14.59	15.07	15.61	16.20	16.87	17.62	18.48	19.45	20.77
20.0	14.23	14.65	15.11	15.62	16.19	16.82	17.53	18.34	19.24	20.28	21.68
21.0	14.70	15.14	15.63	16.18	16.78	17.45	18.21	19.06	20.03	21.13	22.61
22.0	15.17	15.65	16.17	16.74	17.38	18.09	18.90	19.80	20.82	21.99	23.56
23.0	15.66	16.16	16.71	17.31	17.99	18.75	19.59	20.55	21.63	22.86	24.52
24.0	16.14	16.67	17.25	17.90	18.61	19.41	20.30	21.31	22.46	23.75	25.51
25.0	16.64	17.20	17.81	18.49	19.24	20.08	21.03	22.09	23.30	24.66	26.51
26.0	17.14	17.73	18.38	19.09	19.88	20.77	21.77	22.89	24.15	25.59	27.53
27.0	17.66	18.27	18.95	19.70	20.54	21.47	22.52	23.69	25.03	26.54	28.57
28.0	18.18	18.82	19.53	20.32	21.20	22.18	23.28	24.52	25.92	27.50	29.63
29.0	18.70	19.38	20.13	20.96	21.88	22.91	24.06	25.36	26.83	28.49	30.72
30.0	19.24	19.95	20.73	21.60	22.56	23.64	24.85	26.21	27.75	29.49	31.83
31.0	19.78	20.53	21.35	22.25	23.27	24.40	25.66	27.09	28.70	30.52	32.96
32.0	20.34	21.11	21.97	22.92	23.98	25.16	26.49	27.98	29.67	31.57	34.12
33.0	20.90	21.71	22.61	23.60	24.71	25.94	27.33	28.89	30.65	32.64	35.30
34.0	21.47	22.32	23.25	24.29	25.45	26.74	28.19	29.82	31.66	33.74	36.51
35.0	22.05	22.94	23.91	25.00	26.21	27.56	29.07	30.77	32.69	34.86	37.74
36.0	22.64	23.56	24.58	25.72	26.98	28.39	29.97	31.75	33.75	36.01	39.01
37.0	23.24	24.21	25.27	26.45	27.77	29.24	30.89	32.74	34.83	37.18	40.30
38.0	23.85	24.86	25.97	27.20	28.57	30.10	31.82	33.76	35.93	38.38	41.63
39.0	24.48	25.52	26.68	27.96	29.39	30.99	32.78	34.80	37.06	39.61	42.99
40.0	25.11	26.20	27.40	28.74	30.23	31.90	33.77	35.86	38.22	40.88	44.38
41.0	25.76	26.89	28.14	29.54	31.09	32.82	34.77	36.96	39.41	42.17	45.81
42.0	26.42	27.60	28.90	30.35	31.97	33.77	35.80	38.08	40.63	43.50	47.28
43.0	27.09	28.31	29.67	31.18	32.86	34.75	36.86	39.22	41.88	44.86	48.79
44.0	27.77	29.05	30.46	32.03	33.78	35.74	37.94	40.40	43.17	46.26	50.34
45.0	28.47	29.80	31.27	32.90	34.72	36.76	39.05	41.61	44.49	47.70	51.93
46.0	29.19	30.56	32.09	33.79	35.69	37.81	40.19	42.86	45.84	49.19	53.57
47.0	29.92	31.35	32.93	34.70	36.67	38.88	41.36	44.13	47.24	50.71	55.26
48.0	30.66	32.15	33.80	35.63	37.69	39.99	42.56	45.45	48.68	52.28	56.99
49.0	31.42	32.96	34.68	36.59	38.73	41.12	43.80	46.80	50.16	53.90	58.78
50.0	32.20	33.80	35.58	37.57	39.80	42.28	45.07	48.19	51.68	55.57	60.63
PERCENTAGE OF LOAN AMOUNT LEFT UNPAID AT DUE DATE											
	100.0	90.17	80.33	70.50	60.66	50.83	41.00	31.16	21.33	11.49	.00

DISCOUNT %	MONTHLY PAYBACK RATE (%) (MONTHLY PAYMENT DIVIDED BY LOAN AMOUNT)										
	.50	.60	.80	1.00	1.20	1.40	1.60	1.80	2.00	2.20	2.35
.5	6.14	6.14	6.15	6.16	6.17	6.18	6.19	6.21	6.22	6.24	6.26
1.0	6.28	6.29	6.31	6.32	6.34	6.36	6.39	6.41	6.45	6.48	6.52
1.5	6.43	6.44	6.46	6.49	6.51	6.55	6.58	6.62	6.67	6.73	6.78
2.0	6.57	6.58	6.62	6.65	6.69	6.73	6.78	6.83	6.90	6.97	7.04
2.5	6.71	6.73	6.77	6.81	6.86	6.92	6.98	7.05	7.13	7.22	7.30
3.0	6.86	6.88	6.93	6.98	7.04	7.10	7.18	7.26	7.36	7.47	7.57
3.5	7.00	7.03	7.09	7.15	7.22	7.29	7.38	7.48	7.59	7.72	7.84
4.0	7.15	7.18	7.24	7.31	7.39	7.48	7.58	7.69	7.83	7.98	8.11
4.5	7.30	7.33	7.40	7.48	7.57	7.67	7.78	7.91	8.06	8.23	8.38
5.0	7.45	7.49	7.57	7.65	7.75	7.86	7.99	8.13	8.30	8.49	8.65
5.5	7.60	7.64	7.73	7.82	7.93	8.06	8.20	8.35	8.54	8.75	8.93
6.0	7.75	7.79	7.89	8.00	8.12	8.25	8.40	8.58	8.78	9.01	9.21
6.5	7.90	7.95	8.05	8.17	8.30	8.45	8.61	8.80	9.02	9.27	9.49
7.0	8.05	8.11	8.22	8.34	8.49	8.64	8.82	9.03	9.26.	9.54	9.77
7.5	8.20	8.26	8.38	8.52	8.67	8.84	9.04	9.25	9.51	9.80	10.06
8.0	8.36	8.42	8.55	8.70	8.86	9.04	9.25	9.48	9.76	10.07	10.34
8.5	8.51	8.58	8.72	8.87	9.05	9.24	9.46	9.72	10.01	10.34	10.63
9.0	8.67	8.74	8.89	9.05	9.24	9.45	9.68	9.95	10.26	10.62	10.92
9.5	8.83	8.90	9.06	9.23	9.43	9.65	9.90	10.18	10.51	10.89	11.22
10.0	8.98	9.06	9.23	9.42	9.62	9.86	10.12	10.42	10.77	11.17	11.51
11.0	9.30	9.39	9.58	9.78	10.01	10.27	10.57	10.90	11.28	11.73	12.11
12.0	9.63	9.72	9.93	10.15	10.41	10.69	11.02	11.38	11.81	12.30	12.72
13.0	9.95	10.06	10.28	10.53	10.81	11.12	11.48	11.88	12.34	12.88	13.34
14.0	10.28	10.40	10.64	10.91	11.21	11.56	11.94	12.38	12.89	13.47	13.96
15.0	10.62	10.74	11.00	11.30	11.63	12.00	12.41	12.89	13.44	14.07	14.60
16.0	10.96	11.09	11.37	11.69	12.04	12.44	12.89	13.41	14.00	14.67	15.25
17.0	11.30	11.44	11.75	12.09	12.47	12.90	13.38	13.93	14.57	15.29	15.91
18.0	11.65	11.80	12.13	12.49	12.90	13.36	13.88	14.47	15.14	15.92	16.58
19.0	12.00	12.17	12.52	12.90	13.34	13.83	14.38	15.01	15.73	16.56	17.27
20.0	12.36	12.53	12.91	13.32	13.78	14.30	14.89	15.56	16.33	17.22	17.96
21.0	12.72	12.91	13.30	13.74	14.24	14.79	15.42	16.13	16.94	17.88	18.67
22.0	13.09	13.29	13.71	14.17	14.69	15.28	15.95	16.70	17.57	18.56	19.40
23.0	13.47	13.67	14.12	14.61	15.16	15.78	16.49	17.28	18.20	19.25	20.13
24.0	13.85	14.06	14.53	15.05	15.64	16.29	17.03	17.88	18.84	19.95	20.88
25.0	14.23	14.46	14.95	15.50	16.12	16.81	17.59	18.48	19.50	20.66	21.64
26.0	14.62	14.86	15.38	15.96	16.61	17.34	18.16	19.10	20.17	21.39	22.42
27.0	15.02	15.27	15.82	16.43	17.11	17.87	18.74	19.73	20.85	22.14	23.22
28.0	15.42	15.69	16.26	16.90	17.62	18.42	19.33	20.37	21.55	22.90	24.03
29.0	15.83	16.11	16.71	17.38	18.13	18.98	19.94	21.02	22.26	23.67	24.86
30.0	16.25	16.54	17.17	17.87	18.66	19.55	20.55	21.69	22.98	24.46	25.70
31.0	16.67	16.98	17.63	18.37	19.20	20.13	21.18	22.37	23.72	25.27	26.57
32.0	17.10	17.42	18.11	18.88	19.74	20.72	21.81	23.06	24.48	26.10	27.45
33.0	17.54	17.87	18.59	19.40	20.30	21.32	22.47	23.77	25.25	26.94	28.35
34.0	17.98	18.33	19.08	19.92	20.87	21.93	23.13	24.49	26.04	27.80	29.27
35.0	18.43	18.80	19.58	20.46	21.45	22.56	23.81	25.23	26.85	28.69	30.21
36.0	18.89	19.27	20.09	21.01	22.04	23.20	24.51	25.99	27.68	29.59	31.18
37.0	19.36	19.75	20.61	21.57	22.64	23.85	25.22	26.76	28.52	30.51	32.17
38.0	19.83	20.25	21.14	22.14	23.26	24.52	25.95	27.56	29.39	31.46	33.18
39.0	20.32	20.75	21.68	22.72	23.89	25.20	26.69	28.37	30.28	32.43	34.22
40.0	20.81	21.26	22.23	23.31	24.53	25.90	27.45	29.20	31.19	33.43	35.28
41.0	21.32	21.78	22.79	23.92	25.19	26.62	28.23	30.05	32.12	34.45	36.37
42.0	21.83	22.32	23.37	24.54	25.86	27.35	29.03	30.92	33.07	35.50	37.49
43.0	22.36	22.86	23.95	25.17	26.55	28.10	29.85	31.82	34.06	36.57	38.64
44.0	22.89	23.41	24.55	25.82	27.25	28.87	30.69	32.74	35.06	37.68	39.83
45.0	23.44	23.98	25.16	26.49	27.98	29.65	31.55	33.68	36.10	38.81	41.04
46.0	23.99	24.56	25.79	27.17	28.71	30.46	32.43	34.65	37.17	39.98	42.29
47.0	24.56	25.15	26.43	27.86	29.47	31.29	33.34	35.65	38.26	41.19	43.58
48.0	25.14	25.76	27.08	28.57	30.25	32.14	34.27	36.68	39.39	42.42	44.90
49.0	25.74	26.37	27.75	29.30	31.05	33.02	35.24	37.74	40.55	43.70	46.27
50.0	26.35	27.01	28.44	30.05	31.87	33.92	36.23	38.83	41.75	45.02	47.68
PERCENTAGE OF LOAN AMOUNT LEFT UNPAID AT DUE DATE											
	100.0	94.59	83.77	72.95	62.13	51.31	40.49	29.67	18.85	8.03	.00

DISCOUNT %	MONTHLY PAYBACK RATE (%) (MONTHLY PAYMENT DIVIDED BY LOAN AMOUNT)										
	.50	.60	.70	.80	.90	1.00	1.20	1.40	1.60	1.80	1.93
.5	6.12	6.12	6.12	6.13	6.13	6.14	6.15	6.16	6.18	6.19	6.21
1.0	6.23	6.24	6.25	6.26	6.26	6.28	6.30	6.32	6.35	6.39	6.42
1.5	6.35	6.36	6.37	6.39	6.40	6.42	6.45	6.49	6.53	6.58	6.63
2.0	6.47	6.48	6.50	6.52	6.53	6.56	6.60	6.65	6.71	6.78	6.84
2.5	6.59	6.61	6.63	6.65	6.67	6.70	6.75	6.82	6.89	6.98	7.06
3.0	6.71	6.73	6.75	6.78	6.81	6.84	6.90	6.98	7.08	7.18	7.27
3.5	6.83	6.85	6.88	6.91	6.94	6.98	7.06	7.15	7.26	7.39	7.49
4.0	6.95	6.98	7.01	7.05	7.08	7.12	7.21	7.32	7.44	7.59	7.71
4.5	7.07	7.11	7.14	7.18	7.22	7.27	7.37	7.49	7.63	7.80	7.93
5.0	7.19	7.23	7.27	7.32	7.36	7.42	7.53	7.66	7.82	8.00	8.15
5.5	7.32	7.36	7.41	7.45	7.50	7.56	7.69	7.83	8.01	8.21	8.38
6.0	7.44	7.49	7.54	7.59	7.65	7.71	7.85	8.01	8.20	8.42	8.60
6.5	7.56	7.62	7.67	7.73	7.79	7.86	8.01	8.18	8.39	8.63	8.83
7.0	7.69	7.75	7.80	7.87	7.93	8.01	8.17	8.36	8.58	8.85	9.06
7.5	7.82	7.88	7.94	8.01	8.08	8.16	8.33	8.54	8.78	9.06	9.29
8.0	7.94	8.01	8.08	8.15	8.22	8.31	8.50	8.71	8.97	9.28	9.52
8.5	8.07	8.14	8.21	8.29	8.37	8.46	8.66	8.89	9.17	9.50	9.76
9.0	8.20	8.27	8.35	8.43	8.52	8.62	8.83	9.08	9.37	9.72	9.99
9.5	8.33	8.41	8.49	8.58	8.67	8.77	8.99	9.26	9.57	9.94	10.23
10.0	8.46	8.54	8.63	8.72	8.82	8.93	9.16	9.44	9.77	10.16	10.47
11.0	8.72	8.81	8.91	9.01	9.12	9.24	9.50	9.81	10.18	10.62	10.96
12.0	8.99	9.09	9.19	9.31	9.43	9.56	9.85	10.19	10.59	11.07	11.45
13.0	9.26	9.37	9.48	9.61	9.74	9.88	10.20	10.58	11.02	11.54	11.95
14.0	9.53	9.65	9.78	9.91	10.05	10.21	10.56	10.96	11.44	12.02	12.46
15.0	9.81	9.94	10.07	10.22	10.37	10.54	10.92	11.36	11.88	12.50	12.98
16.0	10.09	10.23	10.37	10.53	10.70	10.88	11.29	11.76	12.32	12.99	13.51
17.0	10.37	10.52	10.68	10.85	11.03	11.23	11.66	12.17	12.77	13.49	14.04
18.0	10.66	10.82	10.99	11.17	11.36	11.57	12.04	12.59	13.23	14.00	14.59
19.0	10.95	11.12	11.30	11.50	11.70	11.93	12.43	13.01	13.70	14.51	15.15
20.0	11.25	11.43	11.62	11.83	12.05	12.29	12.82	13.44	14.17	15.04	15.71
21.0	11.55	11.74	11.95	12.16	12.40	12.65	13.22	13.88	14.65	15.57	16.29
22.0	11.85	12.06	12.27	12.51	12.75	13.02	13.62	14.32	15.14	16.12	16.87
23.0	12.16	12.38	12.61	12.85	13.12	13.40	14.03	14.77	15.64	16.67	17.47
24.0	12.47	12.70	12.95	13.21	13.48	13.78	14.45	15.23	16.15	17.24	18.08
25.0	12.79	13.03	13.29	13.56	13.86	14.17	14.88	15.70	16.67	17.82	18.70
26.0	13.12	13.37	13.64	13.93	14.24	14.57	15.31	16.18	17.20	18.41	19.33
27.0	13.44	13.71	14.00	14.30	14.62	14.97	15.76	16.67	17.74	19.01	19.98
28.0	13.78	14.06	14.36	14.68	15.02	15.38	16.21	17.16	18.29	19.62	20.64
29.0	14.12	14.41	14.72	15.06	15.42	15.80	16.67	17.67	18.85	20.24	21.31
30.0	14.46	14.77	15.10	15.45	15.82	16.23	17.13	18.19	19.42	20.88	22.00
31.0	14.81	15.13	15.48	15.84	16.24	16.66	17.61	18.71	20.01	21.53	22.70
32.0	15.17	15.51	15.86	16.25	16.66	17.10	18.10	19.25	20.61	22.20	23.41
33.0	15.53	15.88	16.26	16.66	17.09	17.56	18.59	19.80	21.22	22.88	24.15
34.0	15.90	16.27	16.66	17.08	17.53	18.01	19.10	20.36	21.84	23.57	24.90
35.0	16.27	16.66	17.07	17.51	17.98	18.48	19.62	20.94	22.48	24.29	25.66
36.0	16.66	17.06	17.48	17.94	18.43	18.96	20.14	21.52	23.13	25.02	26.45
37.0	17.04	17.46	17.91	18.39	18.90	19.45	20.68	22.12	23.80	25.76	27.25
38.0	17.44	17.88	18.34	18.84	19.37	19.95	21.23	22.73	24.48	26.53	28.07
39.0	17.84	18.30	18.78	19.30	19.86	20.46	21.80	23.36	25.18	27.31	28.92
40.0	18.25	18.73	19.23	19.77	20.35	20.98	22.38	24.00	25.90	28.11	29.78
41.0	18.67	19.17	19.69	20.25	20.86	21.51	22.97	24.66	26.64	28.94	30.67
42.0	19.10	19.61	20.16	20.75	21.37	22.05	23.57	25.34	27.39	29.78	31.58
43.0	19.54	20.07	20.64	21.25	21.90	22.61	24.19	26.03	28.17	30.65	32.52
44.0	19.98	20.54	21.13	21.76	22.45	23.18	24.83	26.74	28.96	31.54	33.48
45.0	20.44	21.01	21.63	22.29	23.00	23.77	25.48	27.47	29.78	32.46	34.47
46.0	20.90	21.50	22.14	22.83	23.57	24.37	26.15	28.22	30.62	33.40	35.48
47.0	21.38	22.00	22.67	23.38	24.15	24.98	26.83	28.99	31.49	34.38	36.53
48.0	21.86	22.51	23.20	23.95	24.75	25.61	27.54	29.78	32.38	35.38	37.61
49.0	22.36	23.03	23.75	24.53	25.36	26.26	28.26	30.60	33.30	36.41	38.72
50.0	22.87	23.57	24.32	25.12	25.99	26.92	29.01	31.44	34.25	37.47	39.87
◁Φ▽	PERCENTAGE OF LOAN AMOUNT LEFT UNPAID AT DUE DATE										
	100.0	93.02	86.05	79.07	72.09	65.11	51.16	37.21	23.25	9.30	.00

DISCOUNT %	MONTHLY PAYBACK RATE (%) (MONTHLY PAYMENT DIVIDED BY LOAN AMOUNT)										
	.50	.60	.70	.80	.90	1.00	1.10	1.20	1.40	1.60	1.66
1.0	6.20	6.21	6.22	6.23	6.23	6.25	6.26	6.27	6.30	6.34	6.35
2.0	6.40	6.42	6.44	6.45	6.47	6.50	6.52	6.55	6.61	6.69	6.71
3.0	6.61	6.63	6.66	6.68	6.71	6.75	6.78	6.83	6.92	7.04	7.07
4.0	6.81	6.85	6.88	6.92	6.96	7.00	7.05	7.11	7.23	7.39	7.44
5.0	7.02	7.06	7.11	7.16	7.21	7.26	7.32	7.39	7.55	7.75	7.82
6.0	7.23	7.28	7.34	7.40	7.46	7.53	7.60	7.68	7.88	8.12	8.20
7.0	7.45	7.51	7.57	7.64	7.71	7.79	7.88	7.98	8.21	8.49	8.58
8.0	7.67	7.73	7.81	7.89	7.97	8.06	8.16	8.28	8.54	8.87	8.97
9.0	7.89	7.96	8.05	8.13	8.23	8.34	8.45	8.58	8.88	9.25	9.37
10.0	8.11	8.20	8.29	8.39	8.50	8.62	8.74	8.89	9.22	9.64	9.78
11.0	8.33	8.43	8.53	8.64	8.76	8.90	9.04	9.20	9.57	10.04	10.19
12.0	8.56	8.67	8.78	8.90	9.04	9.18	9.34	9.52	9.93	10.44	10.60
13.0	8.79	8.91	9.03	9.17	9.31	9.47	9.65	9.84	10.29	10.85	11.03
14.0	9.03	9.16	9.29	9.44	9.59	9.77	9.96	10.17	10.66	11.26	11.46
15.0	9.27	9.40	9.55	9.71	9.88	10.07	10.27	10.50	11.03	11.68	11.90
16.0	9.51	9.65	9.81	9.98	10.17	10.37	10.59	10.84	11.41	12.11	12.34
17.0	9.75	9.91	10.08	10.26	10.46	10.68	10.92	11.18	11.79	12.55	12.80
18.0	10.00	10.17	10.35	10.55	10.76	10.99	11.25	11.53	12.19	12.99	13.26
19.0	10.25	10.43	10.62	10.83	11.06	11.31	11.58	11.89	12.58	13.44	13.73
20.0	10.51	10.70	10.90	11.13	11.37	11.64	11.93	12.25	12.99	13.90	14.20
21.0	10.77	10.97	11.19	11.42	11.68	11.97	12.27	12.61	13.40	14.37	14.69
22.0	11.03	11.24	11.47	11.73	12.00	12.30	12.63	12.99	13.82	14.85	15.19
23.0	11.29	11.52	11.77	12.03	12.32	12.64	12.99	13.37	14.25	15.34	15.69
24.0	11.56	11.80	12.06	12.34	12.65	12.99	13.35	13.76	14.69	15.83	16.21
25.0	11.84	12.09	12.37	12.66	12.98	13.34	13.72	14.15	15.13	16.34	16.73
26.0	12.12	12.38	12.67	12.98	13.32	13.70	14.10	14.55	15.59	16.85	17.27
27.0	12.40	12.68	12.98	13.31	13.67	14.06	14.49	14.96	16.05	17.38	17.81
28.0	12.69	12.98	13.30	13.65	14.02	14.43	14.88	15.38	16.52	17.92	18.37
29.0	12.98	13.29	13.62	13.99	14.38	14.81	15.28	15.80	17.00	18.46	18.94
30.0	13.28	13.60	13.95	14.33	14.74	15.20	15.69	16.24	17.49	19.02	19.52
31.0	13.58	13.92	14.29	14.68	15.12	15.59	16.11	16.68	18.00	19.59	20.11
32.0	13.89	14.24	14.63	15.04	15.50	15.99	16.54	17.13	18.51	20.18	20.72
33.0	14.20	14.57	14.97	15.41	15.88	16.40	16.97	17.60	19.03	20.78	21.34
34.0	14.52	14.91	15.33	15.78	16.28	16.82	17.41	18.07	19.57	21.39	21.97
35.0	14.84	15.25	15.69	16.16	16.68	17.25	17.87	18.55	20.12	22.01	22.62
36.0	15.17	15.60	16.05	16.55	17.09	17.68	18.33	19.04	20.68	22.65	23.28
37.0	15.51	15.95	16.43	16.95	17.51	18.13	18.80	19.55	21.25	23.30	23.96
38.0	15.85	16.31	16.81	17.35	17.94	18.58	19.29	20.06	21.84	23.98	24.66
39.0	16.20	16.68	17.20	17.76	18.38	19.05	19.78	20.59	22.44	24.66	25.37
40.0	16.56	17.06	17.60	18.18	18.82	19.53	20.29	21.13	23.06	25.37	26.11
41.0	16.92	17.44	18.00	18.62	19.28	20.01	20.81	21.68	23.69	26.09	26.86
42.0	17.29	17.83	18.42	19.06	19.75	20.51	21.34	22.25	24.34	26.83	27.63
43.0	17.67	18.23	18.84	19.51	20.23	21.02	21.89	22.84	25.01	27.60	28.42
44.0	18.06	18.64	19.28	19.97	20.72	21.55	22.45	23.43	25.69	28.38	29.24
45.0	18.45	19.06	19.72	20.44	21.22	22.08	23.02	24.05	26.40	29.19	30.07
46.0	18.86	19.49	20.18	20.93	21.74	22.63	23.61	24.68	27.12	30.02	30.93
47.0	19.27	19.93	20.64	21.42	22.27	23.20	24.21	25.33	27.87	30.87	31.82
48.0	19.69	20.38	21.12	21.93	22.81	23.78	24.84	26.00	28.63	31.75	32.74
49.0	20.13	20.84	21.61	22.45	23.37	24.38	25.48	26.68	29.43	32.66	33.68
50.0	20.57	21.31	22.11	22.99	23.95	25.00	26.14	27.39	30.24	33.60	34.65
51.0	21.02	21.79	22.63	23.54	24.54	25.63	26.82	28.12	31.08	34.56	35.65
52.0	21.49	22.29	23.16	24.11	25.14	26.28	27.52	28.88	31.96	35.56	36.69
53.0	21.97	22.80	23.70	24.69	25.77	26.95	28.24	29.65	32.86	36.60	37.77
54.0	22.46	23.32	24.26	25.29	26.42	27.65	28.99	30.46	33.79	37.67	38.88
55.0	22.96	23.86	24.84	25.91	27.08	28.37	29.76	31.29	34.75	38.78	40.03
56.0	23.48	24.41	25.44	26.55	27.77	29.11	30.56	32.15	35.75	39.93	41.23
57.0	24.01	24.99	26.05	27.21	28.48	29.87	31.39	33.05	36.79	41.12	42.47
58.0	24.56	25.57	26.68	27.89	29.22	30.67	32.25	33.97	37.87	42.37	43.76
59.0	25.12	26.18	27.34	28.60	29.98	31.49	33.14	34.94	38.99	43.66	45.10
60.0	25.71	26.81	28.01	29.33	30.77	32.35	34.06	35.94	40.16	45.00	46.50
PERCENTAGE OF LOAN AMOUNT LEFT UNPAID AT DUE DATE											
	100.0	91.36	82.72	74.08	65.44	56.80	48.15	39.51	22.23	4.95	.00

DISCOUNT %	MONTHLY PAYBACK RATE (%) (MONTHLY PAYMENT DIVIDED BY LOAN AMOUNT)										
	.50	.60	.70	.80	.90	1.00	1.10	1.20	1.30	1.40	1.46
1.0	6.18	6.18	6.19	6.20	6.21	6.23	6.24	6.26	6.27	6.29	6.31
2.0	6.35	6.37	6.39	6.41	6.43	6.46	6.48	6.51	6.55	6.59	6.62
3.0	6.53	6.56	6.59	6.62	6.65	6.69	6.73	6.78	6.83	6.89	6.93
4.0	6.72	6.75	6.79	6.83	6.87	6.92	6.98	7.04	7.11	7.20	7.25
5.0	6.90	6.95	6.99	7.04	7.10	7.16	7.23	7.31	7.40	7.51	7.58
6.0	7.09	7.14	7.20	7.26	7.33	7.41	7.49	7.59	7.70	7.82	7.91
7.0	7.28	7.34	7.41	7.48	7.56	7.65	7.75	7.87	7.99	8.14	8.24
8.0	7.47	7.54	7.62	7.70	7.80	7.90	8.02	8.15	8.30	8.47	8.58
9.0	7.66	7.74	7.83	7.93	8.03	8.15	8.29	8.44	8.60	8.80	8.93
10.0	7.86	7.95	8.05	8.16	8.28	8.41	8.56	8.73	8.92	9.13	9.28
11.0	8.06	8.16	8.27	8.39	8.52	8.67	8.84	9.02	9.23	9.47	9.64
12.0	8.26	8.37	8.49	8.63	8.77	8.94	9.12	9.32	9.55	9.82	10.00
13.0	8.47	8.59	8.72	8.86	9.02	9.20	9.40	9.63	9.88	10.17	10.37
14.0	8.67	8.81	8.95	9.11	9.28	9.48	9.69	9.94	10.21	10.53	10.74
15.0	8.88	9.03	9.18	9.35	9.54	9.75	9.99	10.25	10.55	10.89	11.12
16.0	9.10	9.25	9.42	9.60	9.81	10.04	10.29	10.57	10.89	11.26	11.51
17.0	9.31	9.48	9.66	9.86	10.07	10.32	10.59	10.90	11.24	11.64	11.90
18.0	9.53	9.71	9.90	10.11	10.35	10.61	10.90	11.23	11.60	12.02	12.30
19.0	9.76	9.94	10.15	10.38	10.63	10.91	11.22	11.57	11.96	12.41	12.71
20.0	9.98	10.18	10.40	10.64	10.91	11.21	11.54	11.91	12.33	12.81	13.13
21.0	10.21	10.42	10.66	10.91	11.20	11.51	11.86	12.26	12.71	13.21	13.55
22.0	10.44	10.67	10.91	11.19	11.49	11.82	12.20	12.62	13.09	13.62	13.98
23.0	10.68	10.92	11.18	11.47	11.78	12.14	12.53	12.98	13.48	14.04	14.42
24.0	10.92	11.17	11.45	11.75	12.09	12.46	12.88	13.35	13.87	14.47	14.86
25.0	11.16	11.43	11.72	12.04	12.39	12.79	13.23	13.73	14.28	14.90	15.32
26.0	11.41	11.69	11.99	12.33	12.71	13.12	13.59	14.11	14.69	15.35	15.79
27.0	11.66	11.95	12.28	12.63	13.02	13.46	13.95	14.50	15.11	15.80	16.26
28.0	11.91	12.22	12.56	12.94	13.35	13.81	14.32	14.90	15.54	16.26	16.75
29.0	12.17	12.50	12.85	13.25	13.68	14.17	14.70	15.31	15.98	16.74	17.24
30.0	12.44	12.78	13.15	13.56	14.02	14.53	15.09	15.72	16.42	17.22	17.74
31.0	12.71	13.06	13.45	13.89	14.36	14.89	15.48	16.15	16.88	17.71	18.26
32.0	12.98	13.35	13.76	14.21	14.71	15.27	15.89	16.58	17.35	18.21	18.79
33.0	13.26	13.65	14.08	14.55	15.07	15.65	16.30	17.02	17.83	18.73	19.33
34.0	13.54	13.95	14.40	14.89	15.44	16.04	16.72	17.47	18.31	19.26	19.88
35.0	13.83	14.26	14.72	15.24	15.81	16.44	17.15	17.94	18.81	19.79	20.44
36.0	14.12	14.57	15.06	15.59	16.19	16.85	17.59	18.41	19.32	20.35	21.02
37.0	14.42	14.89	15.40	15.96	16.58	17.27	18.04	18.90	19.85	20.91	21.61
38.0	14.73	15.21	15.74	16.33	16.98	17.70	18.50	19.39	20.38	21.49	22.22
39.0	15.04	15.54	16.10	16.71	17.38	18.14	18.97	19.90	20.93	22.08	22.84
40.0	15.36	15.88	16.46	17.10	17.80	18.59	19.45	20.42	21.50	22.69	23.48
41.0	15.68	16.23	16.83	17.49	18.23	19.05	19.95	20.96	22.08	23.32	24.13
42.0	16.01	16.58	17.21	17.90	18.66	19.52	20.46	21.51	22.67	23.96	24.80
43.0	16.35	16.94	17.59	18.32	19.11	20.00	20.98	22.07	23.28	24.62	25.49
44.0	16.70	17.31	17.99	18.74	19.57	20.49	21.51	22.65	23.91	25.29	26.20
45.0	17.05	17.69	18.40	19.18	20.04	21.00	22.06	23.25	24.55	25.99	26.93
46.0	17.41	18.08	18.81	19.63	20.52	21.53	22.63	23.86	25.21	26.71	27.68
47.0	17.78	18.47	19.24	20.09	21.02	22.06	23.21	24.49	25.90	27.45	28.46
48.0	18.16	18.88	19.68	20.56	21.53	22.61	23.81	25.14	26.60	28.21	29.25
49.0	18.55	19.30	20.13	21.04	22.06	23.18	24.43	25.81	27.32	28.99	30.07
50.0	18.94	19.72	20.59	21.54	22.60	23.77	25.06	26.50	28.07	29.80	30.92
51.0	19.35	20.16	21.06	22.05	23.15	24.37	25.72	27.21	28.85	30.64	31.80
52.0	19.77	20.61	21.55	22.58	23.72	25.00	26.40	27.95	29.64	31.50	32.70
53.0	20.20	21.08	22.05	23.12	24.32	25.64	27.10	28.71	30.47	32.40	33.64
54.0	20.64	21.55	22.57	23.69	24.93	26.30	27.82	29.50	31.33	33.32	34.61
55.0	21.09	22.04	23.10	24.26	25.56	26.99	28.57	30.31	32.21	34.28	35.62
56.0	21.56	22.55	23.65	24.86	26.21	27.70	29.35	31.16	33.13	35.28	36.66
57.0	22.04	23.07	24.21	25.48	26.88	28.44	30.15	32.04	34.09	36.31	37.74
58.0	22.53	23.61	24.80	26.12	27.58	29.21	30.99	32.95	35.08	37.39	38.87
59.0	23.04	24.16	25.41	26.78	28.31	30.00	31.86	33.90	36.12	38.51	40.04
60.0	23.57	24.74	26.03	27.47	29.06	30.83	32.76	34.89	37.19	39.68	41.26
⌀	PERCENTAGE OF LOAN AMOUNT LEFT UNPAID AT DUE DATE										
	100.0	89.59	79.19	68.78	58.37	47.96	37.56	27.15	16.74	6.33	.00

DISCOUNT %	MONTHLY PAYBACK RATE (%) (MONTHLY PAYMENT DIVIDED BY LOAN AMOUNT)										
	.50	.55	.60	.65	.70	.80	.90	1.00	1.10	1.20	1.31
1.0	6.16	6.16	6.17	6.17	6.18	6.19	6.20	6.21	6.23	6.25	6.27
2.0	6.32	6.33	6.34	6.34	6.36	6.38	6.40	6.43	6.46	6.50	6.55
3.0	6.48	6.49	6.51	6.52	6.54	6.57	6.60	6.65	6.69	6.75	6.83
4.0	6.64	6.66	6.68	6.70	6.72	6.76	6.81	6.87	6.93	7.01	7.11
5.0	6.81	6.83	6.86	6.88	6.91	6.96	7.02	7.10	7.18	7.27	7.40
6.0	6.98	7.01	7.03	7.06	7.09	7.16	7.24	7.32	7.42	7.54	7.69
7.0	7.15	7.18	7.22	7.25	7.29	7.37	7.45	7.56	7.67	7.81	7.99
8.0	7.32	7.36	7.40	7.44	7.48	7.57	7.67	7.79	7.92	8.08	8.29
9.0	7.50	7.54	7.58	7.63	7.68	7.78	7.90	8.03	8.18	8.36	8.59
10.0	7.68	7.72	7.77	7.82	7.87	7.99	8.12	8.27	8.44	8.64	8.91
11.0	7.86	7.91	7.96	8.02	8.08	8.21	8.35	8.52	8.71	8.93	9.22
12.0	8.04	8.09	8.15	8.21	8.28	8.42	8.58	8.77	8.98	9.22	9.54
13.0	8.22	8.28	8.35	8.42	8.49	8.65	8.82	9.02	9.25	9.52	9.87
14.0	8.41	8.48	8.55	8.62	8.70	8.87	9.06	9.28	9.53	9.82	10.20
15.0	8.60	8.67	8.75	8.83	8.91	9.10	9.31	9.54	9.81	10.12	10.54
16.0	8.79	8.87	8.95	9.04	9.13	9.33	9.55	9.81	10.10	10.44	10.88
17.0	8.99	9.07	9.16	9.25	9.35	9.56	9.81	10.08	10.39	10.75	11.23
18.0	9.18	9.27	9.37	9.47	9.57	9.80	10.06	10.36	10.69	11.07	11.58
19.0	9.38	9.48	9.58	9.69	9.80	10.05	10.32	10.64	10.99	11.40	11.95
20.0	9.59	9.69	9.80	9.91	10.03	10.29	10.59	10.92	11.30	11.74	12.31
21.0	9.80	9.90	10.02	10.14	10.27	10.54	10.86	11.21	11.61	12.08	12.69
22.0	10.01	10.12	10.24	10.37	10.51	10.80	11.13	11.51	11.93	12.42	13.07
23.0	10.22	10.34	10.47	10.60	10.75	11.06	11.41	11.81	12.26	12.78	13.46
24.0	10.44	10.56	10.70	10.84	10.99	11.32	11.69	12.11	12.59	13.14	13.86
25.0	10.66	10.79	10.93	11.08	11.24	11.59	11.98	12.43	12.93	13.51	14.26
26.0	10.88	11.02	11.17	11.33	11.50	11.87	12.28	12.75	13.27	13.88	14.68
27.0	11.11	11.26	11.42	11.58	11.76	12.15	12.58	13.07	13.62	14.26	15.10
28.0	11.34	11.50	11.66	11.84	12.02	12.43	12.88	13.40	13.98	14.65	15.53
29.0	11.57	11.74	11.91	12.10	12.29	12.72	13.20	13.74	14.35	15.05	15.97
30.0	11.81	11.99	12.17	12.36	12.57	13.01	13.51	14.08	14.72	15.46	16.41
31.0	12.06	12.24	12.43	12.63	12.85	13.31	13.84	14.43	15.10	15.87	16.87
32.0	12.30	12.49	12.70	12.91	13.13	13.62	14.17	14.79	15.50	16.30	17.34
33.0	12.56	12.76	12.97	13.19	13.42	13.93	14.51	15.16	15.89	16.73	17.82
34.0	12.81	13.02	13.24	13.47	13.72	14.25	14.85	15.53	16.30	17.17	18.31
35.0	13.08	13.29	13.52	13.76	14.02	14.58	15.21	15.92	16.72	17.63	18.81
36.0	13.34	13.57	13.81	14.06	14.33	14.91	15.57	16.31	17.15	18.09	19.32
37.0	13.61	13.85	14.10	14.36	14.64	15.25	15.94	16.71	17.58	18.57	19.85
38.0	13.89	14.14	14.40	14.67	14.97	15.60	16.31	17.12	18.03	19.06	20.39
39.0	14.18	14.43	14.70	14.99	15.30	15.96	16.70	17.54	18.49	19.56	20.94
40.0	14.46	14.73	15.02	15.31	15.63	16.32	17.10	17.97	18.96	20.07	21.51
41.0	14.76	15.04	15.33	15.64	15.98	16.70	17.50	18.42	19.44	20.60	22.09
42.0	15.06	15.35	15.66	15.98	16.33	17.08	17.92	18.87	19.94	21.14	22.68
43.0	15.37	15.67	15.99	16.33	16.69	17.47	18.35	19.34	20.45	21.70	23.30
44.0	15.68	16.00	16.33	16.68	17.06	17.87	18.78	19.81	20.97	22.27	23.93
45.0	16.01	16.33	16.68	17.05	17.44	18.28	19.23	20.31	21.51	22.85	24.58
46.0	16.34	16.68	17.04	17.42	17.82	18.71	19.70	20.81	22.06	23.46	25.24
47.0	16.67	17.03	17.41	17.80	18.22	19.14	20.17	21.33	22.63	24.08	25.93
48.0	17.02	17.39	17.78	18.19	18.63	19.59	20.66	21.87	23.21	24.72	26.64
49.0	17.37	17.76	18.17	18.59	19.05	20.05	21.16	22.42	23.82	25.39	27.37
50.0	17.74	18.14	18.56	19.01	19.48	20.52	21.68	22.99	24.44	26.07	28.13
52.0	18.49	18.93	19.39	19.87	20.39	21.51	22.77	24.18	25.75	27.51	29.71
54.0	19.29	19.76	20.26	20.78	21.34	22.56	23.92	25.46	27.16	29.04	31.41
56.0	20.14	20.64	21.19	21.75	22.36	23.68	25.16	26.82	28.66	30.70	33.24
58.0	21.03	21.59	22.17	22.79	23.45	24.89	26.50	28.30	30.29	32.48	35.21
60.0	21.99	22.59	23.23	23.90	24.62	26.18	27.93	29.89	32.05	34.41	37.34
62.0	23.01	23.67	24.36	25.10	25.88	27.59	29.49	31.62	33.96	36.52	39.67
64.0	24.11	24.83	25.59	26.39	27.24	29.11	31.20	33.52	36.06	38.83	42.22
66.0	25.30	26.08	26.92	27.79	28.73	30.78	33.06	35.60	38.38	41.38	45.03
68.0	26.59	27.45	28.37	29.33	30.37	32.62	35.13	37.91	40.94	44.20	48.15
70.0	28.01	28.95	29.96	31.03	32.17	34.66	37.44	40.50	43.82	47.37	51.64
PERCENTAGE OF LOAN AMOUNT LEFT UNPAID AT DUE DATE											
	100.0	93.86	87.72	81.58	75.43	63.15	50.87	38.59	26.30	14.02	.00

DISCOUNT %	MONTHLY PAYBACK RATE (%) (MONTHLY PAYMENT DIVIDED BY LOAN AMOUNT)										
	.50	.55	.60	.65	.70	.75	.80	.90	1.00	1.10	1.20
1.0	6.14	6.15	6.15	6.16	6.16	6.17	6.18	6.19	6.20	6.22	6.24
2.0	6.29	6.30	6.31	6.32	6.33	6.34	6.35	6.38	6.41	6.45	6.49
3.0	6.44	6.45	6.47	6.48	6.50	6.52	6.53	6.53	6.62	6.68	6.74
4.0	6.59	6.61	6.63	6.65	6.67	6.69	6.72	6.77	6.84	6.91	7.00
5.0	6.74	6.76	6.79	6.81	6.84	6.87	6.90	6.97	7.05	7.14	7.26
6.0	6.90	6.92	6.95	6.98	7.02	7.05	7.09	7.17	7.27	7.38	7.52
7.0	7.05	7.08	7.12	7.15	7.19	7.24	7.28	7.38	7.49	7.63	7.79
8.0	7.21	7.25	7.29	7.33	7.37	7.42	7.47	7.59	7.72	7.87	8.06
9.0	7.37	7.41	7.46	7.50	7.56	7.61	7.67	7.80	7.95	8.12	8.33
10.0	7.53	7.58	7.63	7.68	7.74	7.74	7.87	8.01	8.18	8.38	8.61
11.0	7.70	7.75	7.81	7.87	7.93	8.00	8.07	8.23	8.42	8.64	8.90
12.0	7.86	7.92	7.98	8.05	8.12	8.20	8.28	8.45	8.66	8.90	9.19
13.0	8.03	8.10	8.17	8.24	8.31	8.40	8.48	8.68	8.90	9.17	9.48
14.0	8.20	8.27	8.35	8.43	8.51	8.60	8.70	8.91	9.15	9.44	9.78
15.0	8.38	8.45	8.53	8.62	8.71	8.81	8.91	9.14	9.41	9.71	10.08
16.0	8.55	8.63	8.72	8.81	8.91	9.02	9.13	9.37	9.66	10.00	10.39
17.0	8.73	8.82	8.91	9.01	9.12	9.23	9.35	9.61	9.92	10.28	10.71
18.0	8.91	9.01	9.11	9.21	9.33	9.45	9.57	9.86	10.19	10.57	11.03
19.0	9.10	9.20	9.31	9.42	9.54	9.67	9.80	10.11	10.46	10.87	11.35
20.0	9.29	9.39	9.51	9.62	9.75	9.89	10.04	10.36	10.74	11.17	11.68
21.0	9.48	9.59	9.71	9.84	9.97	10.12	10.27	10.62	11.02	11.48	12.02
22.0	9.67	9.79	9.92	10.05	10.20	10.35	10.51	10.88	11.30	11.79	12.37
23.0	9.86	9.99	10.13	10.27	10.42	10.59	10.76	11.15	11.59	12.11	12.72
24.0	10.06	10.20	10.34	10.49	10.65	10.83	11.01	11.42	11.89	12.43	13.07
25.0	10.27	10.41	10.56	10.72	10.89	11.07	11.26	11.69	12.19	12.77	13.44
26.0	10.47	10.62	10.78	10.95	11.13	11.32	11.52	11.98	12.50	13.10	13.81
27.0	10.68	10.84	11.00	11.18	11.37	11.57	11.79	12.26	12.81	13.45	14.19
28.0	10.89	11.06	11.23	11.42	11.62	11.83	12.06	12.56	13.14	13.80	14.58
29.0	11.11	11.28	11.47	11.66	11.87	12.09	12.33	12.86	13.46	14.16	14.97
30.0	11.33	11.51	11.70	11.91	12.13	12.36	12.61	13.16	13.80	14.53	15.38
31.0	11.55	11.74	11.95	12.16	12.39	12.63	12.90	13.47	14.14	14.90	15.79
32.0	11.78	11.98	12.19	12.42	12.66	12.91	13.19	13.79	14.49	15.29	16.21
33.0	12.02	12.22	12.45	12.68	12.93	13.20	13.48	14.12	14.84	15.68	16.64
34.0	12.25	12.47	12.70	12.95	13.21	13.49	13.79	14.45	15.21	16.08	17.09
35.0	12.49	12.72	12.96	13.22	13.49	13.79	14.10	14.79	15.58	16.49	17.54
36.0	12.74	12.98	13.23	13.50	13.78	14.09	14.42	15.14	15.96	16.91	18.00
37.0	12.99	13.24	13.50	13.78	14.08	14.40	14.74	15.49	16.36	17.34	18.48
38.0	13.25	13.51	13.78	14.07	14.38	14.72	15.07	15.86	16.76	17.78	18.96
39.0	13.51	13.78	14.07	14.37	14.70	15.04	15.41	16.23	17.17	18.23	19.46
40.0	13.78	14.06	14.36	14.67	15.01	15.37	15.76	16.61	17.59	18.70	19.97
41.0	14.05	14.34	14.65	14.98	15.34	15.71	16.12	17.00	18.02	19.18	20.50
42.0	14.33	14.63	14.96	15.30	15.67	16.06	16.48	17.41	18.46	19.66	21.04
43.0	14.61	14.93	15.27	15.63	16.01	16.42	16.86	17.82	18.92	20.17	21.59
44.0	14.90	15.23	15.59	15.96	16.36	16.79	17.24	18.24	19.39	20.68	22.16
45.0	15.20	15.55	15.91	16.30	16.72	17.16	17.64	18.68	19.87	21.22	22.75
46.0	15.51	15.87	16.25	16.65	17.09	17.55	18.04	19.13	20.37	21.76	23.35
47.0	15.82	16.19	16.59	17.01	17.47	17.95	18.46	19.59	20.88	22.33	23.97
48.0	16.14	16.53	16.94	17.38	17.85	18.35	18.89	20.06	21.40	22.91	24.61
49.0	16.47	16.88	17.31	17.76	18.25	18.77	19.33	20.55	21.95	23.51	25.27
50.0	16.81	17.23	17.68	18.15	18.66	19.21	19.79	21.06	22.51	24.13	25.96
52.0	17.51	17.97	18.46	18.97	19.52	20.11	20.74	22.12	23.68	25.43	27.39
54.0	18.26	18.75	19.28	19.84	20.44	21.08	21.76	23.25	24.94	26.83	28.93
56.0	19.05	19.58	20.15	20.76	21.41	22.11	22.84	24.47	26.29	28.33	30.58
58.0	19.89	20.47	21.09	21.75	22.46	23.21	24.01	25.77	27.75	29.95	32.36
60.0	20.78	21.41	22.09	22.81	23.58	24.40	25.28	27.19	29.34	31.70	34.30
62.0	21.74	22.43	23.17	23.96	24.80	25.69	26.65	28.73	31.06	33.62	36.41
64.0	22.78	23.53	24.34	25.20	26.12	27.10	28.14	30.42	32.95	35.72	38.72
66.0	23.90	24.73	25.61	26.55	27.56	28.64	29.78	32.27	35.04	38.04	41.27
68.0	25.12	26.03	27.01	28.04	29.16	30.34	31.60	34.33	37.35	40.61	44.11
70.0	26.46	27.47	28.54	29.69	30.92	32.23	33.62	36.63	39.95	43.50	47.28
	PERCENTAGE OF LOAN AMOUNT LEFT UNPAID AT DUE DATE										
	100.0	92.86	85.73	78.59	71.45	64.32	57.18	42.90	28.63	14.36	.00

DISCOUNT %	MONTHLY PAYBACK RATE (%) (MONTHLY PAYMENT DIVIDED BY LOAN AMOUNT)										
	.50	.55	.60	.65	.70	.75	.80	.85	.90	1.00	1.11
1.0	6.13	6.14	6.14	6.15	6.15	6.16	6.17	6.17	6.18	6.20	6.22
2.0	6.27	6.28	6.29	6.30	6.31	6.32	6.34	6.35	6.36	6.40	6.45
3.0	6.41	6.42	6.44	6.45	6.47	6.49	6.51	6.53	6.55	6.61	6.68
4.0	6.54	6.56	6.58	6.60	6.63	6.65	6.68	6.71	6.74	6.81	6.91
5.0	6.69	6.71	6.74	6.76	6.79	6.82	6.86	6.89	6.93	7.02	7.15
6.0	6.83	6.86	6.89	6.92	6.96	6.99	7.04	7.08	7.13	7.24	7.39
7.0	6.97	7.01	7.04	7.08	7.12	7.17	7.22	7.27	7.32	7.46	7.63
8.0	7.12	7.16	7.20	7.24	7.29	7.34	7.40	7.46	7.52	7.68	7.88
9.0	7.27	7.31	7.36	7.41	7.47	7.52	7.59	7.66	7.73	7.90	8.13
10.0	7.42	7.47	7.52	7.58	7.64	7.71	7.78	7.85	7.94	8.13	8.38
11.0	7.57	7.63	7.69	7.75	7.82	7.89	7.97	8.05	8.15	8.36	8.64
12.0	7.73	7.79	7.85	7.92	8.00	8.08	8.16	8.26	8.36	8.59	8.90
13.0	7.88	7.95	8.02	8.10	8.18	8.27	8.36	8.47	8.58	8.83	9.17
14.0	8.04	8.11	8.19	8.27	8.36	8.46	8.56	8.68	8.80	9.08	9.44
15.0	8.20	8.28	8.37	8.45	8.55	8.66	8.77	8.89	9.02	9.32	9.72
16.0	8.37	8.45	8.54	8.64	8.74	8.86	8.98	9.11	9.25	9.57	10.00
17.0	8.53	8.62	8.72	8.82	8.94	9.06	9.19	9.33	9.48	9.83	10.29
18.0	8.70	8.80	8.90	9.01	9.14	9.26	9.40	9.55	9.72	10.09	10.58
19.0	8.87	8.98	9.09	9.21	9.34	9.47	9.62	9.78	9.96	10.35	10.88
20.0	9.04	9.16	9.28	9.40	9.54	9.69	9.85	10.02	10.20	10.62	11.18
21.0	9.22	9.34	9.47	9.60	9.75	9.90	10.07	10.25	10.45	10.90	11.49
22.0	9.40	9.53	9.66	9.80	9.96	10.12	10.30	10.50	10.70	11.18	11.80
23.0	9.58	9.71	9.86	10.01	10.17	10.35	10.54	10.74	10.96	11.46	12.12
24.0	9.77	9.91	10.06	10.22	10.39	10.58	10.78	10.99	11.22	11.76	12.45
25.0	9.96	10.10	10.26	10.43	10.61	10.81	11.02	11.25	11.49	12.05	12.78
26.0	10.15	10.30	10.47	10.65	10.84	11.05	11.27	11.51	11.77	12.35	13.12
27.0	10.34	10.51	10.68	10.87	11.07	11.29	11.52	11.77	12.05	12.66	13.47
28.0	10.54	10.71	10.90	11.09	11.31	11.53	11.78	12.05	12.33	12.98	13.82
29.0	10.74	10.92	11.12	11.32	11.55	11.79	12.04	12.32	12.62	13.30	14.18
30.0	10.95	11.14	11.34	11.56	11.79	12.04	12.31	12.60	12.92	13.63	14.55
31.0	11.16	11.35	11.57	11.79	12.04	12.30	12.59	12.89	13.22	13.96	14.93
32.0	11.37	11.58	11.80	12.04	12.29	12.57	12.87	13.19	13.53	14.31	15.31
33.0	11.59	11.80	12.04	12.28	12.55	12.84	13.15	13.49	13.85	14.66	15.71
34.0	11.81	12.03	12.28	12.54	12.82	13.12	13.45	13.79	14.17	15.02	16.11
35.0	12.03	12.27	12.53	12.80	13.09	13.41	13.74	14.11	14.50	15.39	16.53
36.0	12.26	12.51	12.78	13.06	13.37	13.70	14.05	14.43	14.84	15.76	16.95
37.0	12.50	12.76	13.03	13.33	13.65	13.99	14.36	14.76	15.19	16.15	17.38
38.0	12.74	13.01	13.30	13.61	13.94	14.30	14.68	15.10	15.54	16.54	17.83
39.0	12.98	13.26	13.57	13.89	14.24	14.61	15.01	15.44	15.91	16.95	18.28
40.0	13.23	13.52	13.84	14.18	14.54	14.93	15.35	15.80	16.28	17.37	18.75
41.0	13.49	13.79	14.12	14.47	14.85	15.26	15.69	16.16	16.66	17.79	19.23
42.0	13.75	14.07	14.41	14.77	15.17	15.59	16.05	16.54	17.06	18.23	19.72
43.0	14.02	14.35	14.70	15.08	15.50	15.94	16.41	16.92	17.46	18.68	20.23
44.0	14.29	14.63	15.01	15.40	15.83	16.29	16.78	17.31	17.88	19.15	20.75
45.0	14.57	14.93	15.32	15.73	16.17	16.65	17.17	17.72	18.31	19.62	21.29
46.0	14.86	15.23	15.63	16.06	16.53	17.03	17.56	18.13	18.75	20.11	21.84
47.0	15.15	15.54	15.96	16.41	16.89	17.41	17.96	18.56	19.20	20.62	22.41
48.0	15.45	15.86	16.29	16.76	17.26	17.80	18.38	19.00	19.67	21.14	22.99
49.0	15.76	16.18	16.64	17.12	17.65	18.21	18.81	19.46	20.15	21.68	23.60
50.0	16.08	16.52	16.99	17.50	18.04	18.63	19.26	19.93	20.65	22.24	24.22
52.0	16.74	17.22	17.73	18.28	18.87	19.51	20.19	20.91	21.69	23.41	25.54
54.0	17.44	17.96	18.52	19.11	19.76	20.44	21.18	21.97	22.81	24.66	26.95
56.0	18.19	18.75	19.36	20.00	20.70	21.45	22.25	23.10	24.01	26.01	28.46
58.0	18.98	19.59	20.25	20.96	21.72	22.53	23.40	24.32	25.31	27.46	30.10
60.0	19.83	20.50	21.22	21.98	22.81	23.69	24.64	25.65	26.71	29.04	31.87
62.0	20.75	21.47	22.26	23.09	24.00	24.96	25.99	27.09	28.25	30.77	33.81
64.0	21.73	22.53	23.39	24.30	25.29	26.34	27.47	28.66	29.93	32.66	35.93
66.0	22.81	23.68	24.62	25.62	26.71	27.86	29.10	30.40	31.78	34.75	38.28
68.0	23.98	24.94	25.97	27.08	28.28	29.55	30.90	32.34	33.84	37.07	40.89
70.0	25.27	26.33	27.48	28.70	30.02	31.43	32.92	34.50	36.15	39.67	43.81
PERCENTAGE OF LOAN AMOUNT LEFT UNPAID AT DUE DATE											
	100.0	91.81	83.61	75.42	67.22	59.03	50.84	42.64	34.45	18.06	.00

MONTHLY PAYBACK RATE (%)

(MONTHLY PAYMENT DIVIDED BY LOAN AMOUNT)

DISCOUNT %	.75	1.00	1.25	1.50	1.75	2.00	2.25	2.50	3.00	3.50	4.00
1.0	6.13	6.20	6.26	6.32	6.38	6.43	6.49	6.55	6.67	6.78	6.89
2.0	6.27	6.39	6.52	6.64	6.76	6.87	6.99	7.11	7.34	7.57	7.80
3.0	6.41	6.60	6.78	6.96	7.14	7.32	7.50	7.68	8.03	8.38	8.72
4.0	6.55	6.80	7.05	7.29	7.53	7.77	8.01	8.25	8.72	9.19	9.65
5.0	6.69	7.01	7.32	7.63	7.93	8.23	8.54	8.83	9.43	10.02	10.60
6.0	6.83	7.22	7.60	7.97	8.34	8.70	9.07	9.43	10.14	10.86	11.56
7.0	6.98	7.43	7.88	8.31	8.75	9.18	9.60	10.03	10.87	11.71	12.53
8.0	7.13	7.65	8.16	8.66	9.16	9.66	10.15	10.64	11.61	12.57	13.52
9.0	7.28	7.87	8.45	9.02	9.58	10.14	10.70	11.26	12.36	13.45	14.53
10.0	7.43	8.10	8.74	9.38	10.01	10.64	11.27	11.89	13.12	14.34	15.55
11.0	7.59	8.32	9.04	9.75	10.45	11.14	11.84	12.53	13.89	15.25	16.59
12.0	7.75	8.56	9.34	10.12	10.89	11.66	12.42	13.18	14.68	16.17	17.64
13.0	7.91	8.79	9.65	10.50	11.34	12.18	13.01	13.84	15.48	17.10	18.71
14.0	8.08	9.03	9.96	10.88	11.80	12.71	13.61	14.51	16.29	18.05	19.80
15.0	8.25	9.28	10.28	11.28	12.26	13.24	14.22	15.19	17.11	19.02	20.91
16.0	8.42	9.52	10.61	11.68	12.74	13.79	14.84	15.88	17.95	20.01	22.04
17.0	8.59	9.78	10.94	12.08	13.22	14.35	15.47	16.59	18.81	21.01	23.18
18.0	8.77	10.03	11.27	12.49	13.71	14.91	16.11	17.31	19.67	22.02	24.35
19.0	8.95	10.30	11.61	12.91	14.21	15.49	16.77	18.04	20.56	23.06	25.53
20.0	9.13	10.56	11.96	13.34	14.71	16.08	17.43	18.78	21.46	24.11	26.74
21.0	9.32	10.83	12.31	13.78	15.23	16.67	18.11	19.54	22.37	25.19	27.97
22.0	9.51	11.11	12.67	14.22	15.76	17.28	18.80	20.31	23.31	26.28	29.23
23.0	9.71	11.39	13.04	14.67	16.29	17.90	19.50	21.09	24.26	27.39	30.50
24.0	9.91	11.68	13.42	15.13	16.84	18.53	20.22	21.89	25.23	28.53	31.80
25.0	10.11	11.97	13.80	15.60	17.40	19.18	20.95	22.71	26.21	29.69	33.13
26.0	10.32	12.27	14.19	16.08	17.96	19.83	21.69	23.54	27.22	30.87	34.48
27.0	10.53	12.58	14.59	16.57	18.54	20.50	22.45	24.39	28.25	32.07	35.86
28.0	10.75	12.89	14.99	17.07	19.13	21.19	23.23	25.26	29.29	33.30	37.27
29.0	10.97	13.21	15.41	17.58	19.74	21.88	24.02	26.14	30.36	34.55	38.71
30.0	11.19	13.54	15.83	18.10	20.35	22.60	24.83	27.05	31.46	35.83	40.17
31.0	11.43	13.87	16.26	18.63	20.98	23.32	25.65	27.97	32.57	37.14	41.67
32.0	11.66	14.21	16.71	19.17	21.63	24.07	26.49	28.91	33.71	38.48	43.20
33.0	11.91	14.56	17.16	19.73	22.28	24.83	27.35	29.87	34.88	39.84	44.77
34.0	12.16	14.92	17.62	20.30	22.96	25.60	28.24	30.86	36.07	41.24	46.37
35.0	12.41	15.28	18.09	20.88	23.65	26.41	29.14	31.86	37.29	42.67	48.01
36.0	12.67	15.65	18.58	21.47	24.35	27.21	30.06	32.90	38.53	44.13	49.68
37.0	12.94	16.04	19.08	22.08	25.07	28.04	31.00	33.95	39.81	45.63	51.40
38.0	13.22	16.43	19.58	22.71	25.81	28.90	31.97	35.03	41.12	47.16	53.16
39.0	13.50	16.83	20.11	23.35	26.57	29.77	32.96	36.14	42.46	48.73	54.96
40.0	13.79	17.25	20.64	24.00	27.35	30.67	33.98	37.28	43.83	50.34	56.81
41.0	14.09	17.67	21.19	24.68	28.14	31.59	35.02	38.44	45.24	52.00	58.70
42.0	14.39	18.11	21.76	25.37	28.96	32.53	36.09	39.64	46.69	53.69	60.65
43.0	14.71	18.56	22.34	26.08	29.80	33.50	37.19	40.87	48.17	55.44	62.64
44.0	15.04	19.02	22.93	26.81	30.66	34.50	38.32	42.13	49.70	57.23	64.70
45.0	15.37	19.49	23.54	27.56	31.55	35.53	39.48	43.43	51.27	59.07	66.81
46.0	15.72	19.98	24.18	28.33	32.47	36.58	40.68	44.76	52.88	60.96	68.98
47.0	16.08	20.49	24.83	29.13	33.41	37.67	41.91	46.14	54.55	62.91	71.21
48.0	16.44	21.01	25.50	29.95	34.38	38.78	43.18	47.55	56.26	64.92	73.51
49.0	16.83	21.55	26.19	30.80	35.38	39.94	44.48	49.01	58.02	66.98	75.89
50.0	17.22	22.10	26.90	31.67	36.41	41.13	45.83	50.52	59.84	69.12	78.33
51.0	17.63	22.67	27.64	32.57	37.47	42.36	47.22	52.07	61.72	71.32	80.86
52.0	18.05	23.27	28.40	33.50	38.57	43.62	48.66	53.67	63.66	73.60	83.47
53.0	18.49	23.88	29.19	34.47	39.71	44.94	50.14	55.33	65.67	75.95	86.17
54.0	18.94	24.52	30.01	35.46	40.89	46.30	51.68	57.05	67.75	78.39	88.96
55.0	19.42	25.18	30.86	36.50	42.11	47.70	53.28	58.83	69.90	80.91	91.85
56.0	19.91	25.86	31.74	37.57	43.38	49.16	54.93	60.68	72.13	83.52	94.85
57.0	20.42	26.58	32.65	38.69	44.69	50.68	56.64	62.59	74.44	86.24	97.97
58.0	20.96	27.32	33.60	39.85	46.06	52.25	58.43	64.58	76.85	89.06	101.20
59.0	21.51	28.09	34.59	41.05	47.48	53.89	60.28	66.65	79.35	91.99	104.56
60.0	22.10	28.90	35.63	42.31	48.96	55.60	62.21	68.81	81.95	95.04	108.06
NUMBER OF MONTHLY PAYMENTS NEEDED TO PAY OFF LOAN	220.3	139.0	102.4	81.3	67.5	57.7	50.4	44.7	36.6	30.9	26.8

DISCOUNT %	MONTHLY PAYBACK RATE (%) (MONTHLY PAYMENT DIVIDED BY LOAN AMOUNT)										
	.52	1.00	1.50	2.00	3.00	4.00	5.00	6.00	7.00	8.00	8.62
.5	6.77	6.78	6.80	6.81	6.85	6.89	6.94	6.99	7.06	7.14	7.19
1.0	7.29	7.32	7.35	7.38	7.46	7.54	7.63	7.74	7.87	8.03	8.14
1.5	7.81	7.86	7.90	7.95	8.06	8.19	8.33	8.50	8.69	8.93	9.09
2.0	8.34	8.40	8.46	8.53	8.68	8.84	9.04	9.26	9.52	9.83	10.05
2.5	8.87	8.94	9.02	9.11	9.29	9.50	9.74	10.02	10.35	10.74	11.02
3.0	9.40	9.49	9.59	9.69	9.91	10.17	10.46	10.79	11.19	11.66	11.99
3.5	9.94	10.04	10.16	10.27	10.54	10.83	11.18	11.57	12.03	12.58	12.98
4.0	10.48	10.60	10.73	10.86	11.16	11.51	11.90	12.35	12.88	13.52	13.97
4.5	11.02	11.16	11.30	11.46	11.80	12.18	12.63	13.14	13.74	14.45	14.97
5.0	11.57	11.72	11.88	12.05	12.43	12.86	13.36	13.93	14.60	15.40	15.97
5.5	12.12	12.28	12.46	12.65	13.07	13.55	14.10	14.73	15.47	16.35	16.98
6.0	12.67	12.85	13.05	13.26	13.72	14.24	14.84	15.53	16.35	17.31	18.00
6.5	13.22	13.42	13.63	13.86	14.36	14.93	15.59	16.34	17.23	18.28	19.03
7.0	13.78	13.99	14.23	14.47	15.02	15.63	16.34	17.16	18.12	19.26	20.07
7.5	14.35	14.57	14.82	15.09	15.67	16.34	17.10	17.98	19.01	20.24	21.11
8.0	14.91	15.15	15.42	15.71	16.33	17.04	17.86	18.81	19.92	21.23	22.17
8.5	15.48	15.74	16.03	16.33	17.00	17.76	18.63	19.64	20.83	22.23	23.23
9.0	16.05	16.33	16.63	16.96	17.67	18.48	19.41	20.48	21.74	23.23	24.30
9.5	16.63	16.92	17.24	17.59	18.34	19.20	20.19	21.33	22.67	24.25	25.38
10.0	17.21	17.52	17.86	18.22	19.02	19.93	20.97	22.18	23.60	25.27	26.47
10.5	17.79	18.12	18.48	18.86	19.70	20.66	21.77	23.04	24.53	26.30	27.56
11.0	18.37	18.72	19.10	19.51	20.39	21.40	22.56	23.91	25.48	27.34	28.67
11.5	18.96	19.33	19.73	20.15	21.09	22.15	23.37	24.78	26.43	28.39	29.78
12.0	19.56	19.94	20.36	20.80	21.78	22.90	24.18	25.66	27.39	29.44	30.91
12.5	20.16	20.55	20.99	21.46	22.49	23.65	24.99	26.55	28.36	30.51	32.04
13.0	20.76	21.17	21.63	22.12	23.19	24.41	25.82	27.44	29.34	31.58	33.18
13.5	21.36	21.80	22.28	22.79	23.91	25.18	26.64	28.34	30.32	32.67	34.33
14.0	21.97	22.42	22.92	23.46	24.62	25.95	27.48	29.25	31.31	33.76	35.50
14.5	22.58	23.06	23.58	24.13	25.35	26.73	28.32	30.16	32.32	34.86	36.67
15.0	23.20	23.69	24.23	24.81	26.07	27.51	29.17	31.08	33.32	35.97	37.85
15.5	23.82	24.33	24.89	25.49	26.81	28.30	30.02	32.01	34.34	37.09	39.04
16.0	24.45	24.98	25.56	26.18	27.54	29.10	30.88	32.95	35.37	38.22	40.25
16.5	25.08	25.62	26.23	26.87	28.29	29.90	31.75	33.90	36.40	39.36	41.46
17.0	25.71	26.28	26.91	27.57	29.04	30.71	32.63	34.85	37.45	40.51	42.69
17.5	26.35	26.93	27.58	28.28	29.79	31.52	33.51	35.81	38.50	41.67	43.92
18.0	26.99	27.60	28.27	28.98	30.55	32.34	34.40	36.78	39.56	42.84	45.17
18.5	27.63	28.26	28.96	29.70	31.32	33.17	35.30	37.76	40.63	44.02	46.43
19.0	28.28	28.93	29.65	30.41	32.09	34.00	36.20	38.74	41.71	45.21	47.70
19.5	28.94	29.61	30.35	31.14	32.87	34.84	37.11	39.74	42.80	46.42	48.98
20.0	29.60	30.29	31.06	31.87	33.65	35.69	38.03	40.74	43.90	47.63	50.27
20.5	30.26	30.98	31.76	32.60	34.44	36.54	38.96	41.75	45.01	48.86	51.58
21.0	30.93	31.67	32.48	33.34	35.24	37.40	39.89	42.77	46.13	50.09	52.90
21.5	31.61	32.36	33.20	34.09	36.04	38.27	40.83	43.80	47.26	51.34	54.23
22.0	32.28	33.06	33.92	34.84	36.85	39.15	41.78	44.84	48.41	52.60	55.57
22.5	32.97	33.77	34.65	35.59	37.67	40.03	42.74	45.89	49.56	53.87	56.93
23.0	33.65	34.48	35.39	36.36	38.49	40.92	43.71	46.95	50.72	55.16	58.30
23.5	34.35	35.19	36.13	37.13	39.32	41.81	44.68	48.01	51.89	56.45	59.68
24.0	35.05	35.92	36.88	37.90	40.15	42.72	45.67	49.09	53.08	57.76	61.07
24.5	35.75	36.64	37.63	38.68	40.99	43.63	46.66	50.18	54.27	59.08	62.49
25.0	36.46	37.37	38.39	39.47	41.84	44.55	47.67	51.27	55.48	60.42	63.91
25.5	37.17	38.11	39.15	40.26	42.70	45.48	48.68	52.38	56.70	61.77	65.35
26.0	37.89	38.85	39.92	41.06	43.56	46.41	49.70	53.50	57.93	63.13	66.80
26.5	38.61	39.60	40.70	41.86	44.43	47.36	50.73	54.63	59.17	64.51	68.27
27.0	39.34	40.36	41.48	42.68	45.31	48.31	51.77	55.77	60.43	65.90	69.75
27.5	40.08	41.12	42.27	43.49	46.19	49.27	52.82	56.92	61.70	67.30	71.25
28.0	40.82	41.89	43.07	44.32	47.08	50.24	53.87	58.08	62.98	68.72	72.77
28.5	41.57	42.66	43.87	45.15	47.98	51.22	54.94	59.25	64.27	70.16	74.30
29.0	42.32	43.44	44.67	45.99	48.89	52.21	56.02	60.44	65.58	71.60	75.85
29.5	43.08	44.22	45.49	46.84	49.81	53.21	57.11	61.63	66.90	73.07	77.41
30.0	43.84	45.01	46.31	47.69	50.73	54.21	58.21	62.84	68.24	74.55	78.99
▽∅	PERCENTAGE OF LOAN AMOUNT LEFT UNPAID AT DUE DATE										
	100.0	94.08	87.91	81.73	69.38	57.03	44.68	32.33	19.98	7.63	.00

21

DISCOUNT %	MONTHLY PAYBACK RATE (%) (MONTHLY PAYMENT DIVIDED BY LOAN AMOUNT)										
	.52	.75	1.00	1.25	1.50	2.00	2.50	3.00	3.50	4.00	4.44
.5	6.52	6.52	6.53	6.54	6.55	6.57	6.60	6.63	6.66	6.70	6.74
1.0	6.79	6.80	6.82	6.84	6.86	6.90	6.95	7.01	7.07	7.15	7.24
1.5	7.06	7.08	7.10	7.13	7.16	7.23	7.30	7.39	7.49	7.61	7.74
2.0	7.33	7.36	7.39	7.43	7.47	7.56	7.66	7.77	7.91	8.07	8.25
2.5	7.60	7.64	7.68	7.73	7.78	7.89	8.01	8.16	8.33	8.54	8.75
3.0	7.88	7.92	7.97	8.03	8.09	8.22	8.37	8.55	8.76	9.00	9.27
3.5	8.15	8.21	8.27	8.33	8.40	8.56	8.73	8.94	9.18	9.47	9.78
4.0	8.43	8.49	8.56	8.64	8.72	8.89	9.10	9.33	9.61	9.95	10.30
4.5	8.71	8.78	8.86	8.94	9.03	9.23	9.46	9.73	10.05	10.42	10.83
5.0	8.99	9.07	9.16	9.25	9.35	9.57	9.83	10.13	10.48	10.91	11.35
5.5	9.27	9.36	9.46	9.56	9.67	9.92	10.20	10.53	10.92	11.39	11.88
6.0	9.56	9.65	9.76	9.87	10.00	10.27	10.58	10.94	11.37	11.88	12.42
6.5	9.84	9.95	10.06	10.19	10.32	10.61	10.95	11.35	11.81	12.37	12.96
7.0	10.13	10.24	10.37	10.50	10.65	10.97	11.33	11.76	12.26	12.86	13.50
7.5	10.42	10.54	10.68	10.82	10.98	11.32	11.71	12.17	12.72	13.36	14.05
8.0	10.71	10.84	10.98	11.14	11.31	11.67	12.10	12.59	13.17	13.87	14.60
8.5	11.00	11.14	11.30	11.46	11.64	12.03	12.48	13.01	13.63	14.37	15.16
9.0	11.30	11.44	11.61	11.79	11.97	12.39	12.87	13.44	14.10	14.88	15.72
9.5	11.59	11.75	11.92	12.11	12.31	12.76	13.27	13.86	14.56	15.40	16.28
10.0	11.89	12.05	12.24	12.44	12.65	13.12	13.66	14.29	15.03	15.92	16.85
10.5	12.19	12.36	12.56	12.77	12.99	13.49	14.06	14.72	15.51	16.44	17.42
11.0	12.49	12.67	12.88	13.10	13.34	13.86	14.46	15.16	15.98	16.96	18.00
11.5	12.80	12.99	13.20	13.44	13.68	14.23	14.86	15.60	16.46	17.50	18.58
12.0	13.10	13.30	13.53	13.77	14.03	14.61	15.27	16.04	16.95	18.03	19.17
12.5	13.41	13.62	13.86	14.11	14.38	14.98	15.68	16.49	17.44	18.57	19.76
13.0	13.72	13.94	14.19	14.45	14.74	15.37	16.09	16.94	17.93	19.11	20.36
13.5	14.03	14.26	14.52	14.80	15.09	15.75	16.51	17.39	18.43	19.66	20.96
14.0	14.34	14.58	14.85	15.14	15.45	16.14	16.93	17.85	18.93	20.21	21.57
14.5	14.66	14.90	15.19	15.49	15.81	16.52	17.35	18.31	19.43	20.77	22.18
15.0	14.98	15.23	15.52	15.84	16.17	16.92	17.77	18.77	19.94	21.33	22.80
15.5	15.29	15.56	15.87	16.19	16.54	17.31	18.20	19.24	20.45	21.90	23.42
16.0	15.62	15.89	16.21	16.55	16.91	17.71	18.63	19.71	20.97	22.47	24.05
16.5	15.94	16.22	16.55	16.90	17.28	18.11	19.07	20.18	21.49	23.05	24.68
17.0	16.26	16.56	16.90	17.26	17.65	18.51	19.50	20.66	22.02	23.63	25.32
17.5	16.59	16.90	17.25	17.63	18.03	18.92	19.95	21.14	22.55	24.21	25.97
18.0	16.92	17.24	17.60	17.99	18.41	19.33	20.39	21.63	23.08	24.81	26.62
18.5	17.25	17.58	17.96	18.36	18.79	19.74	20.84	22.12	23.62	25.40	27.27
19.0	17.59	17.92	18.31	18.73	19.17	20.16	21.29	22.61	24.16	26.00	27.94
19.5	17.92	18.27	18.67	19.10	19.56	20.58	21.75	23.11	24.71	26.61	28.60
20.0	18.26	18.62	19.04	19.48	19.95	21.00	22.21	23.61	25.27	27.22	29.28
21.0	18.95	19.33	19.77	20.24	20.74	21.85	23.14	24.63	26.39	28.47	30.64
22.0	19.64	20.04	20.51	21.01	21.54	22.72	24.08	25.67	27.53	29.73	32.03
23.0	20.34	20.77	21.26	21.79	22.35	23.60	25.04	26.72	28.69	31.02	33.45
24.0	21.06	21.51	22.03	22.59	23.18	24.50	26.02	27.79	29.87	32.33	34.90
25.0	21.78	22.26	22.81	23.39	24.02	25.41	27.02	28.89	31.08	33.67	36.37
26.0	22.52	23.02	23.59	24.21	24.87	26.34	28.03	30.00	32.31	35.03	37.87
27.0	23.26	23.79	24.39	25.04	25.74	27.28	29.06	31.13	33.56	36.42	39.41
28.0	24.02	24.57	25.21	25.89	26.62	28.24	30.11	32.29	34.84	37.84	40.97
29.0	24.79	25.36	26.03	26.75	27.52	29.22	31.18	33.46	36.14	39.29	42.57
30.0	25.57	26.17	26.87	27.62	28.43	30.21	32.27	34.66	37.47	40.77	44.20
31.0	26.36	26.99	27.73	28.51	29.35	31.22	33.38	35.89	38.82	42.28	45.86
32.0	27.16	27.83	28.60	29.42	30.30	32.25	34.51	37.13	40.21	43.82	47.56
33.0	27.98	28.68	29.48	30.34	31.26	33.30	35.66	38.41	41.62	45.40	49.30
34.0	28.81	29.54	30.38	31.28	32.24	34.37	36.84	39.71	43.07	47.01	51.08
35.0	29.66	30.42	31.29	32.23	33.23	35.46	38.04	41.04	44.55	48.66	52.90
36.0	30.52	31.31	32.22	33.20	34.25	36.57	39.27	42.40	46.06	50.35	54.76
37.0	31.39	32.22	33.17	34.19	35.28	37.71	40.52	43.79	47.60	52.07	56.67
38.0	32.29	33.14	34.14	35.20	36.34	38.87	41.80	45.21	49.18	53.84	58.63
39.0	33.19	34.08	35.12	36.23	37.41	40.05	43.11	46.66	50.80	55.65	60.63
40.0	34.11	35.04	36.12	37.27	38.51	41.26	44.44	48.14	52.46	57.51	62.68
PERCENTAGE OF LOAN AMOUNT LEFT UNPAID AT DUE DATE											
	100.0	94.16	87.78	81.41	75.04	62.29	49.54	36.80	24.05	11.30	.00

DISCOUNT %	MONTHLY PAYBACK RATE (%) (MONTHLY PAYMENT DIVIDED BY LOAN AMOUNT)										
	.52	.75	1.00	1.25	1.50	1.75	2.00	2.25	2.50	2.75	3.05
.5	6.43	6.44	6.45	6.46	6.47	6.49	6.50	6.52	6.54	6.56	6.59
1.0	6.62	6.63	6.65	6.67	6.70	6.72	6.75	6.79	6.82	6.87	6.93
1.5	6.80	6.83	6.86	6.89	6.92	6.96	7.01	7.06	7.11	7.18	7.27
2.0	6.99	7.02	7.06	7.10	7.15	7.20	7.26	7.33	7.40	7.49	7.61
2.5	7.18	7.22	7.27	7.32	7.38	7.44	7.52	7.60	7.70	7.80	7.96
3.0	7.37	7.42	7.47	7.54	7.61	7.69	7.78	7.88	7.99	8.12	8.31
3.5	7.56	7.61	7.68	7.76	7.84	7.93	8.04	8.15	8.29	8.44	8.66
4.0	7.75	7.81	7.89	7.98	8.07	8.18	8.30	8.43	8.59	8.76	9.02
4.5	7.94	8.01	8.10	8.20	8.31	8.43	8.56	8.72	8.89	9.09	9.37
5.0	8.13	8.22	8.31	8.42	8.54	8.68	8.83	9.00	9.19	9.42	9.73
5.5	8.33	8.42	8.53	8.65	8.78	8.93	9.10	9.28	9.50	9.75	10.10
6.0	8.52	8.62	8.74	8.87	9.02	9.18	9.37	9.57	9.81	10.08	10.46
6.5	8.72	8.83	8.96	9.10	9.26	9.44	9.64	9.86	10.12	10.41	10.83
7.0	8.92	9.04	9.18	9.33	9.50	9.70	9.91	10.15	10.43	10.75	11.20
7.5	9.12	9.24	9.39	9.56	9.75	9.95	10.19	10.45	10.75	11.09	11.57
8.0	9.32	9.45	9.61	9.79	9.99	10.21	10.46	10.74	11.06	11.43	11.95
8.5	9.52	9.66	9.84	10.03	10.24	10.48	10.74	11.04	11.38	11.77	12.33
9.0	9.72	9.87	10.06	10.26	10.49	10.74	11.02	11.34	11.70	12.12	12.71
9.5	9.92	10.09	10.28	10.50	10.74	11.01	11.31	11.64	12.03	12.47	13.10
10.0	10.13	10.30	10.51	10.74	10.99	11.27	11.59	11.95	12.36	12.82	13.48
11.0	10.54	10.74	10.96	11.22	11.50	11.81	12.17	12.57	13.02	13.53	14.27
12.0	10.96	11.17	11.43	11.71	12.02	12.36	12.75	13.19	13.69	14.26	15.07
13.0	11.39	11.62	11.89	12.20	12.54	12.92	13.35	13.83	14.37	14.99	15.88
14.0	11.81	12.07	12.37	12.70	13.07	13.49	13.95	14.47	15.06	15.74	16.70
15.0	12.25	12.52	12.85	13.21	13.61	14.06	14.56	15.13	15.77	16.50	17.54
16.0	12.69	12.99	13.34	13.73	14.16	14.64	15.18	15.79	16.49	17.28	18.40
17.0	13.14	13.45	13.83	14.25	14.71	15.23	15.81	16.47	17.21	18.06	19.26
18.0	13.59	13.93	14.33	14.78	15.28	15.83	16.46	17.16	17.95	18.86	20.15
19.0	14.05	14.41	14.84	15.32	15.85	16.44	17.11	17.86	18.71	19.68	21.04
20.0	14.51	14.90	15.36	15.87	16.43	17.06	17.77	18.57	19.47	20.50	21.96
21.0	14.98	15.39	15.88	16.42	17.02	17.69	18.45	19.29	20.25	21.35	22.89
22.0	15.46	15.89	16.41	16.99	17.62	18.33	19.13	20.03	21.05	22.21	23.84
23.0	15.95	16.40	16.95	17.56	18.23	18.99	19.83	20.78	21.86	23.08	24.80
24.0	16.44	16.92	17.50	18.14	18.85	19.65	20.54	21.54	22.68	23.97	25.79
25.0	16.94	17.45	18.06	18.73	19.48	20.32	21.26	22.32	23.52	24.88	26.79
26.0	17.44	17.98	18.62	19.33	20.12	21.01	22.00	23.11	24.38	25.81	27.81
27.0	17.96	18.52	19.20	19.94	20.78	21.71	22.75	23.92	25.25	26.75	28.86
28.0	18.48	19.07	19.78	20.57	21.44	22.42	23.51	24.74	26.14	27.71	29.92
29.0	19.01	19.63	20.37	21.20	22.12	23.14	24.29	25.58	27.04	28.70	31.01
30.0	19.55	20.20	20.98	21.84	22.80	23.88	25.08	26.44	27.97	29.70	32.12
31.0	20.09	20.77	21.59	22.50	23.50	24.63	25.89	27.31	28.91	30.73	33.25
32.0	20.65	21.36	22.22	23.16	24.22	25.40	26.72	28.20	29.88	31.77	34.41
33.0	21.21	21.96	22.85	23.84	24.95	26.18	27.56	29.11	30.86	32.84	35.60
34.0	21.79	22.56	23.50	24.53	25.69	26.97	28.42	30.04	31.87	33.94	36.81
35.0	22.37	23.18	24.16	25.24	26.44	27.79	29.30	30.99	32.90	35.06	38.05
36.0	22.96	23.81	24.83	25.96	27.21	28.62	30.19	31.96	33.95	36.20	39.31
37.0	23.57	24.45	25.51	26.69	28.00	29.47	31.11	32.95	35.03	37.37	40.61
38.0	24.18	25.10	26.21	27.44	28.80	30.33	32.05	33.97	36.14	38.57	41.94
39.0	24.81	25.77	26.92	28.20	29.63	31.22	33.00	35.01	37.27	39.80	43.30
40.0	25.45	26.45	27.65	28.98	30.46	32.12	33.99	36.07	38.42	41.06	44.70
41.0	26.10	27.14	28.39	29.77	31.32	33.05	34.99	37.17	39.61	42.36	46.13
42.0	26.76	27.84	29.14	30.59	32.20	34.00	36.02	38.28	40.83	43.68	47.61
43.0	27.44	28.56	29.91	31.42	33.09	34.97	37.07	39.43	42.08	45.04	49.12
44.0	28.13	29.29	30.70	32.27	34.01	35.96	38.15	40.61	43.36	46.44	50.67
45.0	28.83	30.04	31.51	33.13	34.95	36.98	39.26	41.81	44.68	47.88	52.26
46.0	29.55	30.81	32.33	34.02	35.91	38.03	40.40	43.06	46.03	49.36	53.91
47.0	30.28	31.59	33.17	34.93	36.90	39.10	41.57	44.33	47.43	50.88	55.60
48.0	31.03	32.39	34.04	35.87	37.91	40.20	42.77	45.64	48.86	52.45	57.34
49.0	31.79	33.21	34.92	36.82	38.95	41.34	44.00	46.99	50.34	54.06	59.13
50.0	32.57	34.05	35.82	37.81	40.02	42.50	45.28	48.39	51.86	55.73	60.98
PERCENTAGE OF LOAN AMOUNT LEFT UNPAID AT DUE DATE											
	100.0	90.95	81.08	71.21	61.34	51.47	41.60	31.73	21.86	11.98	.00

23

DISCOUNT %	MONTHLY PAYBACK RATE (%) (MONTHLY PAYMENT DIVIDED BY LOAN AMOUNT)										
	.52	.60	.80	1.00	1.20	1.40	1.60	1.80	2.00	2.20	2.36
.5	6.39	6.39	6.40	6.41	6.42	6.43	6.44	6.45	6.47	6.49	6.51
1.0	6.53	6.54	6.56	6.57	6.59	6.61	6.64	6.66	6.70	6.73	6.77
1.5	6.68	6.69	6.71	6.74	6.76	6.80	6.83	6.87	6.92	6.97	7.03
2.0	6.82	6.83	6.86	6.90	6.94	6.98	7.03	7.08	7.15	7.22	7.29
2.5	6.97	6.98	7.02	7.06	7.11	7.17	7.23	7.29	7.38	7.47	7.55
3.0	7.11	7.13	7.18	7.23	7.29	7.35	7.43	7.51	7.61	7.72	7.82
3.5	7.26	7.28	7.34	7.40	7.46	7.54	7.63	7.72	7.84	7.97	8.09
4.0	7.41	7.43	7.49	7.56	7.64	7.73	7.83	7.94	8.07	8.22	8.36
4.5	7.56	7.58	7.65	7.73	7.82	7.92	8.03	8.16	8.31	8.47	8.63
5.0	7.71	7.74	7.81	7.90	8.00	8.11	8.24	8.38	8.54	8.73	8.91
5.5	7.86	7.89	7.98	8.07	8.18	8.30	8.44	8.60	8.78	8.99	9.18
6.0	8.01	8.04	8.14	8.25	8.36	8.50	8.65	8.82	9.02	9.25	9.46
6.5	8.16	8.20	8.30	8.42	8.55	8.69	8.86	9.04	9.26	9.51	9.74
7.0	8.31	8.35	8.47	8.59	8.73	8.89	9.07	9.27	9.51	9.78	10.03
7.5	8.47	8.51	8.63	8.77	8.92	9.09	9.28	9.50	9.75	10.04	10.31
8.0	8.62	8.67	8.80	8.94	9.11	9.29	9.49	9.73	10.00	10.31	10.60
8.5	8.78	8.83	8.97	9.12	9.30	9.49	9.71	9.96	10.25	10.58	10.89
9.0	8.93	8.99	9.14	9.30	9.49	9.69	9.93	10.19	10.50	10.85	11.18
9.5	9.09	9.15	9.31	9.48	9.68	9.90	10.14	10.43	10.75	11.13	11.47
10.0	9.25	9.31	9.48	9.66	9.87	10.10	10.36	10.66	11.01	11.40	11.77
11.0	9.57	9.64	9.82	10.03	10.26	10.52	10.81	11.14	11.52	11.96	12.37
12.0	9.89	9.97	10.17	10.40	10.65	10.94	11.26	11.62	12.05	12.53	12.98
13.0	10.22	10.31	10.53	10.78	11.05	11.36	11.72	12.12	12.58	13.11	13.60
14.0	10.56	10.65	10.89	11.16	11.46	11.80	12.18	12.62	13.12	13.70	14.23
15.0	10.89	10.99	11.25	11.54	11.87	12.24	12.65	13.12	13.67	14.29	14.87
16.0	11.23	11.34	11.62	11.94	12.29	12.69	13.13	13.64	14.23	14.90	15.52
17.0	11.58	11.69	12.00	12.33	12.71	13.14	13.62	14.17	14.80	15.52	16.18
18.0	11.93	12.05	12.38	12.74	13.14	13.60	14.12	14.70	15.37	16.15	16.85
19.0	12.29	12.41	12.76	13.15	13.58	14.07	14.62	15.24	15.96	16.79	17.54
20.0	12.65	12.78	13.15	13.56	14.03	14.54	15.13	15.80	16.56	17.44	18.24
21.0	13.01	13.16	13.55	13.99	14.48	15.03	15.65	16.36	17.17	18.10	18.95
22.0	13.38	13.54	13.95	14.42	14.94	15.52	16.18	16.93	17.79	18.77	19.67
23.0	13.76	13.92	14.36	14.85	15.40	16.02	16.72	17.51	18.42	19.46	20.41
24.0	14.14	14.31	14.78	15.30	15.88	16.53	17.27	18.10	19.06	20.16	21.16
25.0	14.53	14.71	15.20	15.75	16.36	17.05	17.82	18.71	19.72	20.87	21.92
26.0	14.92	15.11	15.63	16.20	16.85	17.57	18.39	19.32	20.39	21.60	22.71
27.0	15.32	15.52	16.06	16.67	17.35	18.11	18.97	19.95	21.07	22.34	23.50
28.0	15.72	15.93	16.51	17.14	17.85	18.66	19.56	20.59	21.76	23.10	24.32
29.0	16.14	16.36	16.96	17.62	18.37	19.21	20.16	21.24	22.47	23.87	25.14
30.0	16.55	16.79	17.41	18.11	18.90	19.78	20.78	21.91	23.20	24.66	25.99
31.0	16.98	17.22	17.88	18.61	19.43	20.36	21.40	22.58	23.93	25.47	26.86
32.0	17.41	17.66	18.35	19.12	19.98	20.95	22.04	23.28	24.69	26.29	27.74
33.0	17.85	18.12	18.83	19.64	20.54	21.55	22.69	23.98	25.46	27.14	28.65
34.0	18.30	18.57	19.33	20.16	21.10	22.16	23.36	24.71	26.25	28.00	29.57
35.0	18.75	19.04	19.82	20.70	21.68	22.79	24.03	25.45	27.05	28.88	30.52
36.0	19.22	19.52	20.33	21.25	22.27	23.43	24.73	26.20	27.88	29.78	31.48
37.0	19.69	20.00	20.85	21.81	22.87	24.08	25.44	26.97	28.72	30.70	32.47
38.0	20.17	20.49	21.38	22.38	23.49	24.75	26.16	27.76	29.59	31.65	33.49
39.0	20.65	21.00	21.92	22.96	24.12	25.43	26.90	28.57	30.47	32.61	34.53
40.0	21.15	21.51	22.47	23.55	24.76	26.12	27.66	29.40	31.38	33.61	35.60
41.0	21.66	22.03	23.03	24.16	25.42	26.84	28.44	30.25	32.31	34.62	36.69
42.0	22.18	22.56	23.61	24.78	26.09	27.57	29.24	31.13	33.26	35.67	37.81
43.0	22.70	23.10	24.19	25.41	26.78	28.32	30.06	32.02	34.24	36.74	38.97
44.0	23.24	23.66	24.79	26.06	27.48	29.08	30.89	32.94	35.25	37.85	40.15
45.0	23.79	24.22	25.40	26.72	28.20	29.87	31.75	33.88	36.28	38.98	41.37
46.0	24.35	24.80	26.03	27.40	28.94	30.68	32.64	34.85	37.35	40.15	42.62
47.0	24.93	25.39	26.67	28.09	29.70	31.50	33.54	35.84	38.44	41.35	43.91
48.0	25.51	26.00	27.32	28.80	30.47	32.36	34.48	36.87	39.57	42.58	45.23
49.0	26.11	26.62	27.99	29.54	31.27	33.23	35.44	37.92	40.73	43.86	46.61
50.0	26.73	27.25	28.68	30.28	32.09	34.13	36.43	39.01	41.92	45.17	48.03
⌀	PERCENTAGE OF LOAN AMOUNT LEFT UNPAID AT DUE DATE										
	100.0	95.70	84.82	73.95	63.07	52.20	41.32	30.45	19.57	8.70	.00

DISCOUNT %	MONTHLY PAYBACK RATE (%) (MONTHLY PAYMENT DIVIDED BY LOAN AMOUNT)										
	.52	.60	.70	.80	.90	1.00	1.20	1.40	1.60	1.80	1.94
.5	6.37	6.37	6.37	6.38	6.38	6.39	6.40	6.41	6.43	6.44	6.46
1.0	6.48	6.49	6.50	6.51	6.51	6.53	6.55	6.57	6.60	6.64	6.67
1.5	6.60	6.61	6.62	6.64	6.65	6.66	6.70	6.74	6.78	6.83	6.88
2.0	6.72	6.73	6.75	6.77	6.78	6.80	6.85	6.90	6.96	7.03	7.09
2.5	6.84	6.86	6.88	6.90	6.92	6.95	7.00	7.06	7.14	7.23	7.31
3.0	6.96	6.98	7.00	7.03	7.06	7.09	7.15	7.23	7.32	7.43	7.53
3.5	7.08	7.10	7.13	7.16	7.19	7.23	7.31	7.40	7.51	7.63	7.74
4.0	7.20	7.23	7.26	7.30	7.33	7.37	7.46	7.57	7.69	7.84	7.96
4.5	7.33	7.36	7.39	7.43	7.47	7.52	7.62	7.74	7.88	8.04	8.19
5.0	7.45	7.48	7.52	7.57	7.61	7.66	7.78	7.91	8.06	8.25	8.41
5.5	7.57	7.61	7.65	7.70	7.75	7.81	7.93	8.08	8.25	8.46	8.63
6.0	7.70	7.74	7.79	7.84	7.89	7.96	8.09	8.25	8.44	8.66	8.86
6.5	7.82	7.87	7.92	7.98	8.04	8.11	8.25	8.43	8.63	8.88	9.09
7.0	7.95	8.00	8.05	8.12	8.18	8.25	8.42	8.60	8.82	9.09	9.32
7.5	8.08	8.13	8.19	8.26	8.33	8.41	8.58	8.78	9.02	9.30	9.55
8.0	8.21	8.26	8.32	8.40	8.47	8.56	8.74	8.96	9.21	9.52	9.78
8.5	8.33	8.39	8.46	8.54	8.62	8.71	8.91	9.14	9.41	9.74	10.02
9.0	8.46	8.52	8.60	8.68	8.77	8.86	9.07	9.32	9.61	9.96	10.25
9.5	8.59	8.65	8.74	8.82	8.92	9.02	9.24	9.50	9.81	10.18	10.49
10.0	8.72	8.79	8.88	8.97	9.06	9.17	9.41	9.68	10.01	10.40	10.73
11.0	8.99	9.06	9.16	9.26	9.37	9.49	9.75	10.06	10.42	10.85	11.22
12.0	9.26	9.34	9.44	9.55	9.67	9.80	10.09	10.43	10.83	11.31	11.72
13.0	9.53	9.61	9.73	9.85	9.98	10.13	10.44	10.82	11.25	11.77	12.22
14.0	9.80	9.90	10.02	10.16	10.30	10.46	10.80	11.20	11.68	12.24	12.73
15.0	10.08	10.18	10.32	10.47	10.62	10.79	11.16	11.60	12.11	12.73	13.25
16.0	10.36	10.47	10.62	10.78	10.94	11.13	11.53	12.00	12.56	13.21	13.78
17.0	10.65	10.77	10.93	11.09	11.27	11.47	11.90	12.41	13.00	13.71	14.32
18.0	10.94	11.07	11.23	11.42	11.61	11.82	12.28	12.82	13.46	14.22	14.86
19.0	11.23	11.37	11.55	11.74	11.95	12.17	12.67	13.24	13.92	14.73	15.42
20.0	11.53	11.68	11.87	12.07	12.29	12.53	13.06	13.67	14.40	15.26	15.99
21.0	11.83	11.99	12.19	12.41	12.64	12.89	13.45	14.11	14.88	15.79	16.56
22.0	12.14	12.30	12.52	12.75	13.00	13.26	13.86	14.55	15.37	16.33	17.15
23.0	12.45	12.62	12.85	13.10	13.36	13.64	14.27	15.00	15.87	16.89	17.75
24.0	12.77	12.95	13.19	13.45	13.72	14.02	14.69	15.46	16.37	17.45	18.36
25.0	13.09	13.28	13.53	13.81	14.10	14.41	15.11	15.93	16.89	18.03	18.98
26.0	13.42	13.62	13.88	14.17	14.48	14.81	15.55	16.41	17.42	18.61	19.62
27.0	13.75	13.96	14.24	14.54	14.86	15.21	15.99	16.89	17.96	19.21	20.27
28.0	14.08	14.30	14.60	14.92	15.26	15.62	16.44	17.39	18.51	19.82	20.93
29.0	14.42	14.66	14.97	15.30	15.65	16.04	16.90	17.89	19.07	20.44	21.60
30.0	14.77	15.01	15.34	15.69	16.06	16.46	17.36	18.41	19.64	21.08	22.29
31.0	15.12	15.38	15.72	16.09	16.48	16.90	17.84	18.94	20.22	21.73	22.99
32.0	15.48	15.75	16.11	16.49	16.90	17.34	18.32	19.47	20.82	22.39	23.71
33.0	15.85	16.13	16.50	16.90	17.33	17.79	18.82	20.02	21.42	23.07	24.45
34.0	16.22	16.51	16.90	17.32	17.76	18.25	19.33	20.58	22.05	23.77	25.20
35.0	16.60	16.90	17.31	17.74	18.21	18.72	19.84	21.15	22.68	24.48	25.97
36.0	16.98	17.30	17.72	18.18	18.67	19.19	20.37	21.74	23.33	25.20	26.75
37.0	17.37	17.70	18.15	18.62	19.13	19.68	20.91	22.33	24.00	25.95	27.56
38.0	17.77	18.12	18.58	19.08	19.61	20.18	21.46	22.94	24.68	26.71	28.39
39.0	18.18	18.54	19.02	19.54	20.09	20.69	22.02	23.57	25.38	27.49	29.23
40.0	18.59	18.97	19.47	20.01	20.58	21.21	22.60	24.21	26.10	28.29	30.10
41.0	19.02	19.41	19.93	20.49	21.09	21.74	23.19	24.87	26.83	29.11	30.99
42.0	19.45	19.85	20.40	20.98	21.61	22.28	23.79	25.54	27.58	29.95	31.90
43.0	19.89	20.31	20.88	21.48	22.13	22.84	24.41	26.23	28.36	30.82	32.84
44.0	20.34	20.78	21.37	22.00	22.67	23.41	25.04	26.94	29.15	31.71	33.81
45.0	20.80	21.25	21.87	22.52	23.23	23.99	25.69	27.67	29.97	32.62	34.80
46.0	21.27	21.74	22.38	23.06	23.80	24.59	26.36	28.42	30.80	33.56	35.82
47.0	21.75	22.24	22.90	23.61	24.38	25.20	27.04	29.18	31.67	34.53	36.87
48.0	22.24	22.75	23.44	24.18	24.97	25.83	27.75	29.98	32.56	35.53	37.95
49.0	22.74	23.27	23.99	24.76	25.58	26.48	28.47	30.79	33.47	36.56	39.07
50.0	23.25	23.80	24.55	25.35	26.21	27.14	29.22	31.63	34.42	37.62	40.22
▽∅	PERCENTAGE OF LOAN AMOUNT LEFT UNPAID AT DUE DATE										
	100.0	94.44	87.42	80.40	73.37	66.35	52.31	38.26	24.22	10.18	.00

DISCOUNT %	MONTHLY PAYBACK RATE (%) (MONTHLY PAYMENT DIVIDED BY LOAN AMOUNT)										
	.52	.60	.70	.80	.90	1.00	1.10	1.20	1.40	1.60	1.67
1.0	6.45	6.46	6.47	6.48	6.48	6.50	6.51	6.52	6.55	6.59	6.60
2.0	6.65	6.67	6.68	6.70	6.72	6.74	6.77	6.79	6.86	6.93	6.96
3.0	6.86	6.88	6.91	6.93	6.96	7.00	7.03	7.07	7.17	7.28	7.33
4.0	7.07	7.10	7.13	7.17	7.21	7.25	7.30	7.35	7.48	7.64	7.70
5.0	7.28	7.31	7.36	7.40	7.45	7.51	7.57	7.64	7.80	7.99	8.07
6.0	7.49	7.53	7.59	7.64	7.70	7.77	7.85	7.93	8.12	8.36	8.46
7.0	7.71	7.76	7.82	7.89	7.96	8.04	8.13	8.22	8.45	8.73	8.84
8.0	7.93	7.98	8.05	8.13	8.22	8.31	8.41	8.52	8.78	9.10	9.24
9.0	8.15	8.21	8.29	8.38	8.48	8.58	8.70	8.82	9.12	9.49	9.63
10.0	8.38	8.44	8.54	8.63	8.74	8.86	8.99	9.13	9.46	9.87	10.04
11.0	8.60	8.68	8.78	8.89	9.01	9.14	9.28	9.44	9.81	10.27	10.45
12.0	8.83	8.92	9.03	9.15	9.28	9.43	9.58	9.76	10.17	10.67	10.87
13.0	9.07	9.16	9.28	9.41	9.56	9.72	9.89	10.08	10.52	11.07	11.29
14.0	9.30	9.40	9.54	9.68	9.84	10.01	10.20	10.41	10.89	11.49	11.73
15.0	9.54	9.65	9.80	9.95	10.12	10.31	10.51	10.74	11.26	11.91	12.17
16.0	9.79	9.90	10.06	10.23	10.41	10.61	10.83	11.08	11.64	12.33	12.61
17.0	10.03	10.16	10.32	10.51	10.70	10.92	11.16	11.42	12.02	12.77	13.07
18.0	10.28	10.41	10.59	10.79	11.00	11.23	11.49	11.77	12.41	13.21	13.53
19.0	10.54	10.68	10.87	11.08	11.30	11.55	11.82	12.12	12.81	13.66	14.00
20.0	10.79	10.94	11.15	11.37	11.61	11.87	12.16	12.48	13.22	14.12	14.48
21.0	11.05	11.21	11.43	11.67	11.92	12.20	12.51	12.85	13.63	14.59	14.97
22.0	11.32	11.49	11.72	11.97	12.24	12.54	12.86	13.22	14.05	15.06	15.47
23.0	11.59	11.77	12.01	12.27	12.56	12.88	13.22	13.60	14.47	15.55	15.97
24.0	11.86	12.05	12.31	12.59	12.89	13.22	13.58	13.98	14.91	16.04	16.49
25.0	12.14	12.34	12.61	12.90	13.22	13.57	13.95	14.38	15.35	16.54	17.02
26.0	12.42	12.63	12.91	13.22	13.56	13.93	14.33	14.78	15.80	17.06	17.55
27.0	12.70	12.92	13.23	13.55	13.91	14.30	14.72	15.19	16.26	17.58	18.10
28.0	12.99	13.23	13.54	13.88	14.26	14.67	15.11	15.60	16.73	18.11	18.66
29.0	13.29	13.53	13.86	14.22	14.61	15.04	15.51	16.03	17.21	18.66	19.23
30.0	13.59	13.84	14.19	14.57	14.98	15.43	15.92	16.46	17.70	19.22	19.81
31.0	13.89	14.16	14.53	14.92	15.35	15.82	16.34	16.90	18.20	19.79	20.41
32.0	14.20	14.49	14.87	15.28	15.73	16.22	16.76	17.35	18.71	20.37	21.02
33.0	14.52	14.81	15.21	15.64	16.11	16.63	17.19	17.81	19.24	20.96	21.64
34.0	14.84	15.15	15.56	16.02	16.51	17.05	17.64	18.28	19.77	21.57	22.27
35.0	15.17	15.49	15.92	16.40	16.91	17.47	18.09	18.76	20.32	22.19	22.93
36.0	15.50	15.84	16.29	16.78	17.32	17.91	18.55	19.25	20.88	22.83	23.59
37.0	15.84	16.19	16.66	17.18	17.74	18.35	19.02	19.76	21.45	23.48	24.27
38.0	16.19	16.55	17.05	17.58	18.17	18.81	19.50	20.27	22.03	24.15	24.97
39.0	16.54	16.92	17.43	17.99	18.60	19.27	20.00	20.80	22.63	24.83	25.69
40.0	16.90	17.30	17.83	18.42	19.05	19.75	20.50	21.34	23.25	25.54	26.43
41.0	17.27	17.68	18.24	18.85	19.51	20.23	21.02	21.89	23.88	26.26	27.18
42.0	17.64	18.07	18.65	19.29	19.97	20.73	21.55	22.46	24.53	27.00	27.95
43.0	18.03	18.47	19.08	19.74	20.45	21.24	22.10	23.04	25.19	27.76	28.75
44.0	18.42	18.88	19.51	20.20	20.94	21.76	22.65	23.63	25.87	28.54	29.57
45.0	18.82	19.30	19.95	20.67	21.44	22.30	23.23	24.25	26.57	29.34	30.41
46.0	19.22	19.73	20.41	21.15	21.96	22.85	23.81	24.88	27.30	30.17	31.27
47.0	19.64	20.16	20.87	21.65	22.49	23.41	24.42	25.52	28.04	31.02	32.16
48.0	20.07	20.61	21.35	22.15	23.03	23.99	25.04	26.19	28.81	31.90	33.08
49.0	20.51	21.07	21.84	22.68	23.59	24.59	25.68	26.87	29.59	32.80	34.03
50.0	20.96	21.54	22.34	23.21	24.16	25.20	26.34	27.58	30.41	33.73	35.00
51.0	21.41	22.02	22.86	23.76	24.75	25.83	27.01	28.31	31.25	34.70	36.01
52.0	21.89	22.52	23.38	24.33	25.36	26.49	27.71	29.06	32.11	35.70	37.06
53.0	22.37	23.03	23.93	24.91	25.98	27.16	28.43	29.84	33.01	36.73	38.13
54.0	22.87	23.55	24.49	25.51	26.63	27.85	29.18	30.64	33.94	37.79	39.25
55.0	23.38	24.09	25.06	26.13	27.29	28.56	29.95	31.47	34.90	38.90	40.41
56.0	23.90	24.64	25.66	26.77	27.98	29.30	30.75	32.33	35.90	40.05	41.61
57.0	24.44	25.21	26.27	27.42	28.69	30.07	31.57	33.22	36.93	41.24	42.86
58.0	25.00	25.80	26.90	28.11	29.42	30.86	32.43	34.14	38.01	42.48	44.15
59.0	25.57	26.41	27.55	28.81	30.18	31.68	33.32	35.10	39.13	43.77	45.50
60.0	26.16	27.03	28.23	29.54	30.97	32.53	34.24	36.10	40.29	45.11	46.91
⟁Φ	PERCENTAGE OF LOAN AMOUNT LEFT UNPAID AT DUE DATE										
	100.0	93.11	84.40	75.69	66.98	58.27	49.56	40.85	23.44	6.02	.00

DISCOUNT %	MONTHLY PAYBACK RATE (%) (MONTHLY PAYMENT DIVIDED BY LOAN AMOUNT)										
	.52	.60	.70	.80	.90	1.00	1.10	1.20	1.30	1.40	1.47
1.0	6.43	6.43	6.44	6.45	6.46	6.48	6.49	6.50	6.52	6.54	6.56
2.0	6.61	6.62	6.64	6.66	6.68	6.70	6.73	6.76	6.80	6.84	6.87
3.0	6.79	6.81	6.84	6.87	6.90	6.94	6.98	7.02	7.08	7.14	7.19
4.0	6.97	7.00	7.04	7.08	7.12	7.17	7.23	7.29	7.36	7.44	7.51
5.0	7.16	7.19	7.24	7.29	7.35	7.41	7.48	7.56	7.65	7.75	7.83
6.0	7.35	7.39	7.45	7.51	7.57	7.65	7.74	7.83	7.94	8.06	8.16
7.0	7.54	7.59	7.65	7.73	7.81	7.90	8.00	8.11	8.24	8.38	8.50
8.0	7.73	7.79	7.87	7.95	8.04	8.15	8.26	8.39	8.54	8.71	8.84
9.0	7.93	7.99	8.08	8.17	8.28	8.40	8.53	8.68	8.84	9.03	9.19
10.0	8.13	8.20	8.30	8.40	8.52	8.65	8.80	8.97	9.15	9.37	9.54
11.0	8.33	8.41	8.52	8.64	8.77	8.91	9.08	9.26	9.47	9.71	9.90
12.0	8.53	8.62	8.74	8.87	9.01	9.18	9.36	9.56	9.79	10.05	10.26
13.0	8.74	8.83	8.96	9.11	9.27	9.44	9.64	9.86	10.11	10.40	10.63
14.0	8.95	9.05	9.19	9.35	9.52	9.72	9.93	10.17	10.44	10.75	11.01
15.0	9.16	9.27	9.43	9.60	9.78	9.99	10.22	10.49	10.78	11.12	11.39
16.0	9.38	9.50	9.66	9.85	10.05	10.27	10.52	10.81	11.12	11.48	11.78
17.0	9.59	9.72	9.90	10.10	10.31	10.56	10.83	11.13	11.47	11.86	12.17
18.0	9.81	9.95	10.15	10.36	10.59	10.85	11.14	11.46	11.82	12.24	12.57
19.0	10.04	10.19	10.39	10.62	10.86	11.14	11.45	11.80	12.18	12.63	12.98
20.0	10.27	10.43	10.64	10.88	11.15	11.44	11.77	12.14	12.55	13.02	13.40
21.0	10.50	10.67	10.90	11.15	11.43	11.75	12.09	12.49	12.92	13.42	13.82
22.0	10.73	10.91	11.16	11.43	11.72	12.06	12.42	12.84	13.30	13.83	14.26
23.0	10.97	11.16	11.42	11.70	12.02	12.37	12.76	13.20	13.69	14.25	14.70
24.0	11.21	11.41	11.69	11.99	12.32	12.69	13.10	13.57	14.09	14.67	15.15
25.0	11.46	11.67	11.96	12.28	12.63	13.02	13.45	13.94	14.49	15.11	15.60
26.0	11.71	11.93	12.23	12.57	12.94	13.35	13.81	14.33	14.90	15.55	16.07
27.0	11.96	12.20	12.52	12.87	13.26	13.69	14.17	14.72	15.32	16.00	16.55
28.0	12.22	12.47	12.80	13.17	13.58	14.04	14.54	15.11	15.75	16.46	17.03
29.0	12.48	12.74	13.09	13.48	13.91	14.39	14.92	15.52	16.18	16.93	17.53
30.0	12.75	13.02	13.39	13.80	14.25	14.75	15.31	15.93	16.63	17.41	18.04
31.0	13.02	13.30	13.69	14.12	14.59	15.12	15.70	16.35	17.08	17.90	18.56
32.0	13.30	13.59	14.00	14.45	14.94	15.49	16.10	16.79	17.55	18.40	19.09
33.0	13.58	13.89	14.31	14.78	15.30	15.87	16.51	17.23	18.02	18.92	19.63
34.0	13.87	14.19	14.63	15.12	15.66	16.26	16.93	17.68	18.51	19.44	20.18
35.0	14.16	14.49	14.96	15.47	16.03	16.66	17.36	18.14	19.01	19.98	20.75
36.0	14.45	14.81	15.29	15.82	16.41	17.07	17.80	18.61	19.51	20.52	21.33
37.0	14.76	15.12	15.63	16.19	16.80	17.49	18.25	19.09	20.04	21.09	21.92
38.0	15.07	15.45	15.97	16.56	17.20	17.91	18.70	19.59	20.57	21.66	22.53
39.0	15.38	15.78	16.33	16.93	17.60	18.35	19.17	20.10	21.12	22.25	23.16
40.0	15.70	16.12	16.69	17.32	18.02	18.80	19.66	20.62	21.68	22.86	23.80
41.0	16.03	16.46	17.06	17.72	18.44	19.25	20.15	21.15	22.25	23.48	24.45
42.0	16.37	16.82	17.44	18.12	18.88	19.72	20.66	21.70	22.84	24.12	25.13
43.0	16.71	17.18	17.82	18.54	19.33	20.21	21.18	22.26	23.45	24.78	25.82
44.0	17.06	17.55	18.22	18.96	19.78	20.70	21.71	22.83	24.08	25.45	26.53
45.0	17.41	17.92	18.62	19.40	20.25	21.21	22.26	23.43	24.72	26.14	27.27
46.0	17.78	18.31	19.04	19.84	20.73	21.73	22.82	24.04	25.38	26.86	28.02
47.0	18.15	18.70	19.46	20.30	21.23	22.26	23.40	24.67	26.06	27.59	28.80
48.0	18.54	19.11	19.90	20.77	21.74	22.81	24.00	25.31	26.76	28.35	29.60
49.0	18.93	19.53	20.35	21.26	22.26	23.38	24.61	25.98	27.48	29.13	30.42
50.0	19.33	19.95	20.81	21.75	22.80	23.96	25.25	26.67	28.23	29.94	31.28
51.0	19.75	20.39	21.28	22.27	23.35	24.56	25.90	27.38	29.00	30.77	32.16
52.0	20.17	20.84	21.77	22.79	23.93	25.19	26.57	28.11	29.79	31.63	33.07
53.0	20.61	21.30	22.27	23.33	24.51	25.83	27.27	28.87	30.62	32.52	34.01
54.0	21.05	21.78	22.78	23.89	25.12	26.49	27.99	29.65	31.47	33.45	34.98
55.0	21.51	22.27	23.31	24.47	25.75	27.17	28.74	30.47	32.35	34.40	35.99
56.0	21.99	22.77	23.86	25.07	26.40	27.88	29.51	31.31	33.27	35.40	37.04
57.0	22.47	23.29	24.43	25.68	27.07	28.62	30.32	32.19	34.22	36.43	38.13
58.0	22.98	23.83	25.01	26.32	27.77	29.38	31.15	33.10	35.21	37.50	39.26
59.0	23.49	24.38	25.62	26.98	28.49	30.17	32.02	34.04	36.24	38.61	40.44
60.0	24.03	24.96	26.24	27.67	29.25	31.00	32.92	35.03	37.31	39.74	41.67
◁Φ	PERCENTAGE OF LOAN AMOUNT LEFT UNPAID AT DUE DATE										
	100.0	91.68	81.18	70.68	60.17	49.67	39.17	28.66	18.16	7.65	.00

DISCOUNT %	MONTHLY PAYBACK RATE (%) (MONTHLY PAYMENT DIVIDED BY LOAN AMOUNT)										
	.52	.55	.60	.65	.70	.80	.90	1.00	1.10	1.20	1.33
1.0	6.41	6.41	6.42	6.42	6.43	6.44	6.45	6.46	6.48	6.50	6.52
2.0	6.57	6.58	6.59	6.59	6.60	6.63	6.65	6.68	6.71	6.74	6.80
3.0	6.74	6.74	6.76	6.77	6.79	6.82	6.85	6.90	6.94	7.00	7.08
4.0	6.90	6.91	6.93	6.95	6.97	7.01	7.06	7.12	7.18	7.25	7.36
5.0	7.07	7.08	7.11	7.13	7.15	7.21	7.27	7.34	7.42	7.51	7.65
6.0	7.24	7.25	7.28	7.31	7.34	7.41	7.48	7.57	7.66	7.78	7.95
7.0	7.41	7.43	7.46	7.50	7.53	7.61	7.70	7.80	7.91	8.05	8.24
8.0	7.59	7.61	7.65	7.68	7.73	7.82	7.92	8.03	8.17	8.32	8.55
9.0	7.76	7.79	7.83	7.87	7.92	8.02	8.14	8.27	8.42	8.60	8.85
10.0	7.94	7.97	8.02	8.07	8.12	8.24	8.36	8.51	8.68	8.88	9.17
11.0	8.12	8.15	8.21	8.26	8.32	8.45	8.59	8.76	8.94	9.16	9.48
12.0	8.31	8.34	8.40	8.46	8.53	8.67	8.83	9.01	9.21	9.45	9.81
13.0	8.49	8.53	8.59	8.66	8.73	8.89	9.06	9.26	9.49	9.75	10.13
14.0	8.68	8.72	8.79	8.86	8.94	9.11	9.30	9.52	9.76	10.05	10.47
15.0	8.87	8.92	8.99	9.07	9.16	9.34	9.54	9.78	10.04	10.35	10.81
16.0	9.07	9.11	9.20	9.28	9.37	9.57	9.79	10.04	10.33	10.66	11.15
17.0	9.27	9.31	9.40	9.49	9.59	9.80	10.04	10.31	10.62	10.98	11.50
18.0	9.47	9.52	9.61	9.71	9.82	10.04	10.30	10.59	10.92	11.30	11.86
19.0	9.67	9.72	9.83	9.93	10.04	10.29	10.56	10.87	11.22	11.62	12.22
20.0	9.88	9.93	10.04	10.15	10.27	10.53	10.82	11.15	11.52	11.96	12.59
21.0	10.08	10.15	10.26	10.38	10.51	10.78	11.09	11.44	11.84	12.29	12.97
22.0	10.30	10.36	10.48	10.61	10.74	11.04	11.36	11.74	12.15	12.64	13.35
23.0	10.51	10.58	10.71	10.84	10.99	11.29	11.64	12.03	12.48	12.99	13.74
24.0	10.73	10.81	10.94	11.08	11.23	11.56	11.92	12.34	12.81	13.35	14.14
25.0	10.95	11.03	11.18	11.32	11.48	11.83	12.21	12.65	13.15	13.71	14.55
26.0	11.18	11.26	11.41	11.57	11.74	12.10	12.50	12.97	13.49	14.09	14.96
27.0	11.41	11.50	11.66	11.82	12.00	12.38	12.80	13.29	13.84	14.47	15.38
28.0	11.65	11.74	11.90	12.07	12.26	12.66	13.11	13.62	14.20	14.85	15.82
29.0	11.88	11.98	12.15	12.33	12.53	12.95	13.42	13.96	14.56	15.25	16.26
30.0	12.13	12.23	12.41	12.60	12.80	13.24	13.74	14.30	14.93	15.65	16.71
31.0	12.37	12.48	12.67	12.87	13.08	13.54	14.06	14.65	15.31	16.07	17.17
32.0	12.62	12.73	12.93	13.14	13.36	13.85	14.39	15.01	15.70	16.49	17.64
33.0	12.88	12.99	13.20	13.42	13.65	14.16	14.73	15.37	16.10	16.92	18.12
34.0	13.14	13.26	13.48	13.71	13.95	14.48	15.07	15.75	16.50	17.36	18.61
35.0	13.40	13.53	13.76	14.00	14.25	14.80	15.42	16.13	16.92	17.82	19.11
36.0	13.67	13.81	14.04	14.29	14.56	15.14	15.78	16.52	17.34	18.28	19.63
37.0	13.95	14.09	14.34	14.60	14.87	15.48	16.15	16.92	17.78	18.75	20.16
38.0	14.23	14.37	14.63	14.90	15.19	15.82	16.53	17.33	18.22	19.24	20.70
39.0	14.52	14.67	14.94	15.22	15.52	16.18	16.91	17.75	18.68	19.74	21.26
40.0	14.81	14.97	15.25	15.54	15.86	16.54	17.31	18.17	19.15	20.25	21.82
41.0	15.11	15.27	15.57	15.87	16.20	16.91	17.71	18.62	19.63	20.77	22.41
42.0	15.42	15.58	15.89	16.21	16.55	17.29	18.13	19.07	20.12	21.31	23.01
43.0	15.73	15.90	16.22	16.55	16.91	17.68	18.55	19.53	20.63	21.86	23.63
44.0	16.05	16.23	16.56	16.91	17.28	18.08	18.99	20.01	21.15	22.43	24.26
45.0	16.37	16.56	16.91	17.27	17.66	18.50	19.44	20.50	21.68	23.02	24.91
46.0	16.71	16.91	17.27	17.64	18.04	18.92	19.90	21.00	22.23	23.62	25.58
47.0	17.05	17.26	17.63	18.02	18.44	19.35	20.37	21.52	22.80	24.24	26.28
48.0	17.40	17.62	18.01	18.41	18.85	19.79	20.86	22.05	23.38	24.88	26.99
49.0	17.76	17.99	18.39	18.81	19.27	20.25	21.36	22.60	23.99	25.54	27.72
50.0	18.13	18.36	18.78	19.23	19.70	20.72	21.87	23.17	24.61	26.22	28.48
52.0	18.90	19.15	19.61	20.09	20.60	21.71	22.95	24.35	25.91	27.65	30.08
54.0	19.71	19.98	20.48	21.00	21.55	22.76	24.11	25.62	27.31	29.18	31.79
56.0	20.57	20.87	21.40	21.97	22.57	23.88	25.34	26.99	28.81	30.82	33.62
58.0	21.48	21.80	22.39	23.00	23.65	25.08	26.67	28.45	30.43	32.60	35.61
60.0	22.46	22.81	23.44	24.11	24.82	26.37	28.10	30.04	32.18	34.52	37.76
62.0	23.50	23.88	24.57	25.30	26.07	27.76	29.65	31.77	34.09	36.62	40.10
64.0	24.62	25.04	25.79	26.59	27.43	29.28	31.35	33.65	36.18	38.92	42.66
66.0	25.84	26.29	27.12	27.99	28.92	30.95	33.21	35.73	38.48	41.46	45.50
68.0	27.15	27.65	28.56	29.52	30.55	32.78	35.27	38.03	41.04	44.28	48.46
70.0	28.60	29.15	30.15	31.21	32.35	34.81	37.57	40.61	43.90	47.44	52.16
⏷Φ	PERCENTAGE OF LOAN AMOUNT LEFT UNPAID AT DUE DATE										
	100.0	96.38	90.17	83.96	77.76	65.34	52.93	40.51	28.10	15.69	.00

DISCOUNT %	MONTHLY PAYBACK RATE (%) (MONTHLY PAYMENT DIVIDED BY LOAN AMOUNT)										
	.52	.55	.60	.65	.70	.75	.80	.90	1.00	1.10	1.21
1.0	6.40	6.40	6.40	6.41	6.41	6.42	6.42	6.44	6.45	6.47	6.49
2.0	6.54	6.55	6.56	6.57	6.58	6.59	6.60	6.63	6.66	6.69	6.74
3.0	6.69	6.70	6.72	6.73	6.75	6.76	6.78	6.82	6.87	6.92	7.00
4.0	6.85	6.86	6.88	6.89	6.92	6.94	6.96	7.02	7.08	7.15	7.25
5.0	7.00	7.01	7.04	7.06	7.09	7.12	7.15	7.22	7.30	7.39	7.51
6.0	7.16	7.17	7.20	7.23	7.26	7.30	7.34	7.42	7.51	7.62	7.78
7.0	7.31	7.33	7.37	7.40	7.44	7.48	7.53	7.62	7.74	7.87	8.04
8.0	7.47	7.49	7.53	7.57	7.62	7.67	7.72	7.83	7.96	8.11	8.32
9.0	7.64	7.66	7.70	7.75	7.80	7.86	7.91	8.04	8.19	8.36	8.59
10.0	7.80	7.83	7.88	7.93	7.99	8.05	8.11	8.25	8.42	8.61	8.87
11.0	7.97	8.00	8.05	8.11	8.17	8.24	8.31	8.47	8.66	8.87	9.16
12.0	8.13	8.17	8.23	8.29	8.36	8.44	8.52	8.69	8.90	9.13	9.45
13.0	8.31	8.34	8.41	8.48	8.56	8.64	8.72	8.92	9.14	9.40	9.75
14.0	8.48	8.52	8.59	8.67	8.75	8.84	8.94	9.14	9.39	9.67	10.05
15.0	8.65	8.70	8.78	8.86	8.95	9.05	9.15	9.37	9.64	9.94	10.35
16.0	8.83	8.88	8.97	9.06	9.15	9.26	9.37	9.61	9.89	10.22	10.66
17.0	9.01	9.06	9.16	9.25	9.36	9.47	9.59	9.85	10.15	10.50	10.98
18.0	9.20	9.25	9.35	9.45	9.57	9.68	9.81	10.09	10.42	10.79	11.30
19.0	9.38	9.44	9.55	9.66	9.78	9.90	10.04	10.34	10.69	11.09	11.63
20.0	9.57	9.63	9.75	9.86	9.99	10.13	10.27	10.59	10.96	11.39	11.96
21.0	9.77	9.83	9.95	10.08	10.21	10.35	10.51	10.85	11.24	11.69	12.30
22.0	9.96	10.03	10.16	10.29	10.43	10.59	10.75	11.11	11.52	12.00	12.64
23.0	10.16	10.23	10.37	10.51	10.66	10.82	10.99	11.37	11.81	12.32	13.00
24.0	10.36	10.44	10.58	10.73	10.89	11.06	11.24	11.64	12.11	12.64	13.36
25.0	10.57	10.65	10.80	10.95	11.12	11.30	11.49	11.92	12.41	12.97	13.72
26.0	10.77	10.86	11.02	11.18	11.36	11.55	11.75	12.20	12.72	13.31	14.10
27.0	10.99	11.08	11.24	11.42	11.60	11.80	12.02	12.48	13.03	13.65	14.48
28.0	11.20	11.30	11.47	11.65	11.85	12.06	12.28	12.78	13.35	14.00	14.87
29.0	11.42	11.52	11.70	11.90	12.10	12.32	12.56	13.07	13.67	14.36	15.27
30.0	11.64	11.75	11.94	12.14	12.36	12.59	12.84	13.38	14.01	14.72	15.67
31.0	11.87	11.98	12.18	12.39	12.62	12.86	13.12	13.69	14.34	15.10	16.09
32.0	12.10	12.22	12.43	12.65	12.89	13.14	13.41	14.00	14.69	15.48	16.51
33.0	12.34	12.46	12.68	12.91	13.16	13.42	13.71	14.33	15.05	15.87	16.95
34.0	12.58	12.70	12.93	13.18	13.44	13.71	14.01	14.66	15.41	16.27	17.39
35.0	12.82	12.96	13.20	13.45	13.72	14.01	14.32	15.00	15.78	16.67	17.84
36.0	13.07	13.21	13.46	13.73	14.01	14.31	14.63	15.34	16.16	17.09	18.31
37.0	13.33	13.47	13.73	14.01	14.31	14.62	14.96	15.70	16.55	17.52	18.79
38.0	13.59	13.74	14.01	14.30	14.61	14.94	15.29	16.06	16.95	17.96	19.28
39.0	13.85	14.01	14.29	14.59	14.92	15.26	15.63	16.43	17.36	18.41	19.78
40.0	14.12	14.29	14.58	14.90	15.23	15.59	15.97	16.81	17.78	18.87	20.29
41.0	14.40	14.57	14.88	15.21	15.56	15.93	16.33	17.20	18.21	19.35	20.82
42.0	14.69	14.86	15.18	15.52	15.89	16.28	16.69	17.60	18.65	19.83	21.36
43.0	14.97	15.15	15.49	15.85	16.23	16.63	17.06	18.01	19.10	20.33	21.92
44.0	15.27	15.46	15.81	16.18	16.58	17.00	17.45	18.44	19.57	20.85	22.49
45.0	15.57	15.77	16.14	16.52	16.93	17.37	17.84	18.87	20.05	21.38	23.08
46.0	15.89	16.09	16.47	16.87	17.30	17.76	18.24	19.32	20.54	21.92	23.69
47.0	16.20	16.42	16.81	17.23	17.68	18.15	18.66	19.78	21.05	22.48	24.32
48.0	16.53	16.76	17.17	17.60	18.06	18.56	19.09	20.25	21.57	23.06	24.96
49.0	16.86	17.10	17.53	17.98	18.46	18.98	19.53	20.74	22.11	23.66	25.63
50.0	17.21	17.45	17.90	18.37	18.87	19.41	19.98	21.24	22.67	24.27	26.31
52.0	17.92	18.19	18.67	19.18	19.73	20.31	20.93	22.29	23.84	25.57	27.76
54.0	18.68	18.97	19.49	20.04	20.64	21.27	21.94	23.42	25.09	26.96	29.30
56.0	19.49	19.80	20.36	20.96	21.61	22.30	23.03	24.63	26.44	28.45	30.97
58.0	20.34	20.68	21.30	21.95	22.65	23.40	24.19	25.93	27.89	30.06	32.77
60.0	21.26	21.62	22.30	23.01	23.77	24.58	25.45	27.34	29.47	31.81	34.71
62.0	22.24	22.64	23.37	24.15	24.98	25.87	26.81	28.87	31.18	33.72	36.84
64.0	23.30	23.74	24.54	25.38	26.30	27.27	28.30	30.55	33.06	35.81	39.17
66.0	24.44	24.93	25.80	26.74	27.74	28.80	29.93	32.40	35.14	38.12	41.74
68.0	25.70	26.23	27.19	28.22	29.32	30.49	31.74	34.45	37.45	40.69	44.60
70.0	27.07	27.66	28.72	29.86	31.08	32.38	33.76	36.74	40.03	43.56	47.80
▽Φ	PERCENTAGE OF LOAN AMOUNT LEFT UNPAID AT DUE DATE										
	100.0	95.79	88.56	81.34	74.11	66.89	59.67	45.22	30.77	16.32	.00

DISCOUNT %	MONTHLY PAYBACK RATE (%) (MONTHLY PAYMENT DIVIDED BY LOAN AMOUNT)										
	.52	.55	.60	.65	.70	.75	.80	.85	.90	1.00	1.12
1.0	6.39	6.39	6.39	6.40	6.40	6.41	6.42	6.42	6.43	6.45	6.47
2.0	6.52	6.53	6.54	6.55	6.56	6.57	6.58	6.60	6.61	6.65	6.70
3.0	6.66	6.67	6.68	6.70	6.72	6.74	6.75	6.78	6.80	6.85	6.93
4.0	6.80	6.81	6.83	6.85	6.88	6.90	6.93	6.96	6.99	7.06	7.16
5.0	6.94	6.96	6.98	7.01	7.04	7.07	7.10	7.14	7.18	7.27	7.40
6.0	7.09	7.10	7.14	7.17	7.20	7.24	7.28	7.32	7.37	7.48	7.64
7.0	7.24	7.25	7.29	7.33	7.37	7.41	7.46	7.51	7.57	7.70	7.89
8.0	7.38	7.41	7.45	7.49	7.54	7.59	7.64	7.70	7.77	7.91	8.14
9.0	7.53	7.56	7.61	7.65	7.71	7.77	7.83	7.90	7.97	8.14	8.39
10.0	7.69	7.71	7.77	7.82	7.88	7.95	8.02	8.09	8.17	8.36	8.64
11.0	7.84	7.87	7.93	7.99	8.06	8.13	8.21	8.29	8.38	8.59	8.90
12.0	8.00	8.03	8.10	8.16	8.24	8.32	8.40	8.50	8.60	8.83	9.17
13.0	8.16	8.19	8.26	8.34	8.42	8.51	8.60	8.70	8.81	9.06	9.44
14.0	8.32	8.36	8.44	8.52	8.61	8.70	8.80	8.91	9.03	9.30	9.71
15.0	8.48	8.52	8.61	8.70	8.79	8.90	9.01	9.13	9.25	9.55	9.99
16.0	8.65	8.69	8.78	8.88	8.98	9.09	9.21	9.34	9.48	9.80	10.27
17.0	8.81	8.87	8.96	9.06	9.18	9.30	9.42	9.56	9.71	10.05	10.56
18.0	8.98	9.04	9.14	9.25	9.37	9.50	9.64	9.79	9.95	10.31	10.85
19.0	9.16	9.22	9.33	9.44	9.57	9.71	9.86	10.01	10.18	10.57	11.15
20.0	9.33	9.40	9.52	9.64	9.78	9.92	10.08	10.25	10.43	10.84	11.46
21.0	9.51	9.58	9.71	9.84	9.98	10.14	10.30	10.48	10.67	11.12	11.77
22.0	9.69	9.77	9.90	10.04	10.19	10.36	10.53	10.72	10.93	11.39	12.08
23.0	9.88	9.95	10.10	10.24	10.41	10.58	10.77	10.97	11.18	11.68	12.40
24.0	10.07	10.15	10.30	10.45	10.62	10.81	11.00	11.22	11.44	11.97	12.73
25.0	10.26	10.34	10.50	10.66	10.85	11.04	11.25	11.47	11.71	12.26	13.07
26.0	10.45	10.54	10.71	10.88	11.07	11.27	11.49	11.73	11.98	12.56	13.41
27.0	10.65	10.74	10.92	11.10	11.30	11.51	11.75	11.99	12.26	12.87	13.76
28.0	10.85	10.95	11.13	11.32	11.54	11.76	12.00	12.26	12.54	13.18	14.11
29.0	11.05	11.16	11.35	11.55	11.77	12.01	12.26	12.54	12.83	13.50	14.48
30.0	11.26	11.37	11.57	11.79	12.02	12.27	12.53	12.82	13.13	13.83	14.85
31.0	11.47	11.59	11.80	12.02	12.27	12.53	12.80	13.11	13.43	14.16	15.23
32.0	11.69	11.81	12.03	12.27	12.52	12.79	13.08	13.40	13.74	14.50	15.61
33.0	11.91	12.04	12.27	12.51	12.78	13.06	13.37	13.70	14.05	14.85	16.01
34.0	12.14	12.27	12.51	12.76	13.04	13.34	13.66	14.00	14.37	15.21	16.42
35.0	12.36	12.50	12.75	13.02	13.31	13.62	13.96	14.32	14.70	15.57	16.83
36.0	12.60	12.74	13.01	13.28	13.59	13.91	14.26	14.64	15.04	15.95	17.26
37.0	12.84	12.99	13.26	13.55	13.87	14.21	14.57	14.96	15.38	16.33	17.69
38.0	13.08	13.24	13.52	13.83	14.16	14.51	14.89	15.30	15.74	16.72	18.14
39.0	13.33	13.49	13.79	14.11	14.45	14.82	15.22	15.64	16.10	17.13	18.60
40.0	13.58	13.75	14.06	14.40	14.76	15.14	15.55	16.00	16.47	17.54	19.07
41.0	13.64	14.02	14.34	14.69	15.06	15.46	15.90	16.36	16.85	17.96	19.55
42.0	14.11	14.29	14.63	14.99	15.38	15.80	16.25	16.73	17.24	18.40	20.05
43.0	14.38	14.57	14.93	15.30	15.71	16.14	16.61	17.11	17.65	18.85	20.56
44.0	14.66	14.86	15.23	15.62	16.04	16.49	16.98	17.50	18.06	19.31	21.08
45.0	14.94	15.15	15.53	15.94	16.38	16.85	17.36	17.90	18.49	19.78	21.62
46.0	15.23	15.45	15.85	16.28	16.73	17.23	17.75	18.32	18.92	20.27	22.18
47.0	15.53	15.76	16.18	16.62	17.10	17.61	18.16	18.74	19.37	20.77	22.75
48.0	15.84	16.08	16.51	16.97	17.47	18.00	18.57	19.18	19.84	21.29	23.34
49.0	16.16	16.40	16.85	17.33	17.85	18.40	19.00	19.64	20.32	21.83	23.95
50.0	16.48	16.74	17.21	17.70	18.24	18.82	19.44	20.10	20.81	22.38	24.58
52.0	17.16	17.43	17.94	18.48	19.07	19.69	20.37	21.08	21.85	23.54	25.91
54.0	17.87	18.17	18.73	19.31	19.95	20.63	21.35	22.13	22.96	24.79	27.33
56.0	18.63	18.96	19.56	20.20	20.89	21.63	22.42	23.26	24.16	26.13	28.85
58.0	19.45	19.80	20.45	21.15	21.90	22.70	23.56	24.47	25.45	27.58	30.50
60.0	20.31	20.70	21.41	22.17	22.99	23.86	24.79	25.79	26.85	29.15	32.29
62.0	21.25	21.67	22.45	23.27	24.17	25.12	26.14	27.22	28.37	30.87	34.25
64.0	22.26	22.72	23.57	24.48	25.45	26.50	27.61	28.79	30.04	32.75	36.39
66.0	23.36	23.87	24.80	25.79	26.87	28.01	29.23	30.52	31.89	34.83	38.75
68.0	24.56	25.12	26.15	27.24	28.43	29.69	31.03	32.45	33.95	37.14	41.39
70.0	25.89	26.51	27.64	28.86	30.17	31.56	33.04	34.60	36.24	39.74	44.33
⌥	PERCENTAGE OF LOAN AMOUNT LEFT UNPAID AT DUE DATE										
	100.0	95.15	86.85	78.54	70.24	61.93	53.62	45.32	37.01	20.40	.00

MONTHLY PAYBACK RATE (%)
(MONTHLY PAYMENT DIVIDED BY LOAN AMOUNT)

DISCOUNT %	.75	1.00	1.25	1.50	1.75	2.00	2.25	2.50	3.00	3.50	4.00
1.0	6.38	6.44	6.50	6.56	6.62	6.68	6.74	6.80	6.91	7.03	7.14
2.0	6.51	6.64	6.76	6.88	7.00	7.12	7.24	7.36	7.59	7.82	8.05
3.0	6.65	6.84	7.02	7.21	7.39	7.57	7.74	7.92	8.27	8.62	8.96
4.0	6.79	7.04	7.29	7.53	7.78	8.02	8.26	8.49	8.97	9.43	9.90
5.0	6.93	7.25	7.56	7.87	8.17	8.48	8.78	9.08	9.67	10.26	10.84
6.0	7.07	7.46	7.83	8.21	8.57	8.94	9.30	9.67	10.38	11.10	11.80
7.0	7.21	7.67	8.11	8.55	8.98	9.41	9.84	10.27	11.11	11.95	12.77
8.0	7.36	7.88	8.39	8.90	9.40	9.89	10.38	10.87	11.85	12.81	13.76
9.0	7.51	8.10	8.68	9.25	9.82	10.38	10.94	11.49	12.59	13.69	14.77
10.0	7.66	8.32	8.97	9.61	10.24	10.87	11.50	12.12	13.35	14.58	15.78
11.0	7.81	8.55	9.27	9.98	10.68	11.37	12.07	12.76	14.12	15.48	16.82
12.0	7.97	8.78	9.57	10.35	11.12	11.88	12.65	13.40	14.91	16.40	17.87
13.0	8.13	9.01	9.87	10.72	11.57	12.40	13.23	14.06	15.70	17.33	18.94
14.0	8.29	9.25	10.18	11.11	12.02	12.93	13.83	14.73	16.51	18.28	20.03
15.0	8.46	9.49	10.50	11.50	12.48	13.47	14.44	15.41	17.34	19.25	21.14
16.0	8.62	9.74	10.82	11.89	12.96	14.01	15.06	16.10	18.17	20.23	22.26
17.0	8.80	9.99	11.15	12.30	13.43	14.57	15.69	16.81	19.03	21.23	23.40
18.0	8.97	10.24	11.48	12.71	13.92	15.13	16.33	17.52	19.89	22.24	24.57
19.0	9.15	10.50	11.82	13.13	14.42	15.70	16.98	18.25	20.77	23.28	25.75
20.0	9.33	10.77	12.17	13.55	14.92	16.29	17.64	18.99	21.67	24.33	26.96
21.0	9.51	11.04	12.52	13.98	15.44	16.88	18.32	19.75	22.59	25.40	28.19
22.0	9.70	11.31	12.88	14.43	15.96	17.49	19.01	20.52	23.52	26.49	29.44
23.0	9.89	11.59	13.24	14.88	16.50	18.11	19.71	21.30	24.46	27.60	30.71
24.0	10.09	11.87	13.61	15.33	17.04	18.74	20.42	22.10	25.43	28.74	32.01
25.0	10.29	12.17	13.99	15.80	17.59	19.38	21.15	22.91	26.42	29.89	33.34
26.0	10.50	12.46	14.38	16.28	18.16	20.03	21.89	23.74	27.42	31.07	34.69
27.0	10.70	12.77	14.78	16.76	18.74	20.70	22.65	24.59	28.45	32.27	36.06
28.0	10.92	13.07	15.18	17.26	19.33	21.38	23.42	25.45	29.49	33.50	37.47
29.0	11.14	13.39	15.59	17.77	19.93	22.07	24.21	26.34	30.56	34.75	38.90
30.0	11.36	13.71	16.01	18.29	20.54	22.78	25.01	27.24	31.65	36.03	40.37
31.0	11.59	14.04	16.44	18.81	21.17	23.51	25.84	28.16	32.76	37.33	41.87
32.0	11.82	14.38	16.88	19.35	21.81	24.25	26.68	29.10	33.90	38.67	43.39
33.0	12.06	14.73	17.33	19.91	22.46	25.01	27.54	30.06	35.06	40.03	44.96
34.0	12.31	15.08	17.79	20.47	23.13	25.78	28.42	31.04	36.25	41.43	46.56
35.0	12.56	15.44	18.26	21.05	23.82	26.57	29.31	32.04	37.47	42.85	48.19
36.0	12.82	15.81	18.74	21.64	24.52	27.38	30.23	33.07	38.71	44.31	49.87
37.0	13.08	16.19	19.24	22.25	25.24	28.22	31.18	34.13	39.99	45.81	51.58
38.0	13.36	16.58	19.74	22.87	25.98	29.07	32.14	35.20	41.29	47.34	53.34
39.0	13.63	16.98	20.26	23.51	26.73	29.94	33.13	36.31	42.63	48.91	55.13
40.0	13.92	17.39	20.79	24.16	27.51	30.83	34.14	37.44	44.00	50.52	56.98
41.0	14.22	17.82	21.34	24.83	28.30	31.75	35.18	38.61	45.41	52.17	58.87
42.0	14.52	18.25	21.90	25.52	29.12	32.69	36.25	39.80	46.85	53.86	60.81
43.0	14.83	18.69	22.48	26.23	29.95	33.66	37.35	41.02	48.33	55.60	62.81
44.0	15.16	19.15	23.07	26.95	30.81	34.65	38.47	42.28	49.86	57.39	64.86
45.0	15.49	19.62	23.68	27.70	31.70	35.67	39.63	43.58	51.42	59.22	66.97
46.0	15.83	20.11	24.31	28.47	32.61	36.73	40.82	44.91	53.04	61.11	69.13
47.0	16.18	20.61	24.96	29.27	33.55	37.81	42.05	46.28	54.69	63.06	71.37
48.0	16.55	21.13	25.63	30.08	34.51	38.92	43.32	47.69	56.40	65.06	73.67
49.0	16.93	21.66	26.31	30.92	35.51	40.07	44.62	49.15	58.16	67.13	76.03
50.0	17.32	22.21	27.02	31.79	36.54	41.26	45.96	50.65	59.98	69.26	78.48
51.0	17.72	22.78	27.76	32.69	37.60	42.48	47.35	52.20	61.86	71.46	81.00
52.0	18.14	23.37	28.52	33.62	38.70	43.75	48.78	53.81	63.79	73.73	83.61
53.0	18.57	23.98	29.30	34.58	39.83	45.06	50.27	55.46	65.80	76.08	86.31
54.0	19.03	24.62	30.12	35.58	41.01	46.41	51.80	57.18	67.87	78.52	89.09
55.0	19.49	25.27	30.96	36.61	42.22	47.82	53.39	58.95	70.02	81.04	91.98
56.0	19.98	25.96	31.84	37.68	43.49	49.27	55.04	60.79	72.25	83.65	94.98
57.0	20.49	26.67	32.75	38.79	44.80	50.79	56.75	62.71	74.56	86.36	98.09
58.0	21.02	27.40	33.70	39.94	46.16	52.36	58.53	64.69	76.96	89.17	101.32
59.0	21.58	28.17	34.68	41.15	47.58	53.99	60.38	66.76	79.46	92.10	104.68
60.0	22.15	28.98	35.71	42.40	49.06	55.69	62.31	68.91	82.06	95.15	108.18

NUMBER OF MONTHLY PAYMENTS NEEDED TO PAY OFF LOAN

	.75	1.00	1.25	1.50	1.75	2.00	2.25	2.50	3.00	3.50	4.00
	228.2	141.6	103.8	82.1	68.0	58.1	50.7	45.0	36.7	31.0	26.9

DISCOUNT %	MONTHLY PAYBACK RATE (%) (MONTHLY PAYMENT DIVIDED BY LOAN AMOUNT)										
	.54	1.00	1.50	2.00	3.00	4.00	5.00	6.00	7.00	8.00	8.63
.5	7.02	7.03	7.05	7.06	7.10	7.14	7.19	7.24	7.31	7.39	7.44
1.0	7.54	7.57	7.60	7.63	7.71	7.79	7.88	7.99	8.12	8.28	8.39
1.5	8.07	8.11	8.15	8.20	8.31	8.44	8.58	8.75	8.94	9.17	9.34
2.0	8.59	8.65	8.71	8.78	8.93	9.09	9.29	9.51	9.77	10.08	10.30
2.5	9.12	9.19	9.27	9.36	9.54	9.75	9.99	10.27	10.60	10.99	11.27
3.0	9.66	9.74	9.84	9.94	10.16	10.42	10.71	11.04	11.44	11.91	12.25
3.5	10.20	10.29	10.41	10.53	10.79	11.08	11.42	11.82	12.28	12.83	13.23
4.0	10.74	10.85	10.98	11.11	11.41	11.76	12.15	12.60	13.13	13.76	14.22
4.5	11.28	11.41	11.55	11.71	12.05	12.43	12.87	13.39	13.99	14.70	15.22
5.0	11.83	11.97	12.13	12.30	12.68	13.11	13.61	14.18	14.85	15.65	16.23
5.5	12.37	12.53	12.71	12.90	13.32	13.80	14.34	14.98	15.72	16.60	17.24
6.0	12.93	13.10	13.30	13.51	13.97	14.49	15.09	15.78	16.59	17.56	18.26
6.5	13.48	13.67	13.89	14.11	14.61	15.18	15.84	16.59	17.48	18.53	19.29
7.0	14.04	14.25	14.48	14.72	15.27	15.88	16.59	17.41	18.36	19.50	20.33
7.5	14.61	14.82	15.07	15.34	15.92	16.59	17.35	18.23	19.26	20.48	21.37
8.0	15.17	15.41	15.67	15.96	16.58	17.29	18.11	19.06	20.16	21.47	22.43
8.5	15.74	15.99	16.28	16.58	17.25	18.01	18.88	19.89	21.07	22.47	23.49
9.0	16.31	16.58	16.88	17.21	17.92	18.73	19.65	20.73	21.99	23.48	24.56
9.5	16.89	17.17	17.50	17.84	18.59	19.45	20.44	21.58	22.91	24.49	25.64
10.0	17.47	17.77	18.11	18.47	19.27	20.18	21.22	22.43	23.84	25.51	26.73
10.5	18.05	18.37	18.73	19.11	19.95	20.91	22.01	23.29	24.78	26.54	27.82
11.0	18.64	18.97	19.35	19.76	20.64	21.65	22.81	24.15	25.72	27.58	28.93
11.5	19.23	19.58	19.98	20.40	21.34	22.40	23.62	25.03	26.68	28.63	30.05
12.0	19.83	20.19	20.61	21.06	22.03	23.15	24.43	25.91	27.64	29.68	31.17
12.5	20.42	20.81	21.25	21.71	22.74	23.90	25.24	26.79	28.60	30.75	32.30
13.0	21.03	21.43	21.89	22.37	23.44	24.66	26.06	27.68	29.58	31.82	33.45
13.5	21.63	22.05	22.53	23.04	24.16	25.43	26.89	28.58	30.56	32.90	34.60
14.0	22.24	22.68	23.18	23.71	24.87	26.20	27.73	29.49	31.56	33.99	35.76
14.5	22.86	23.31	23.83	24.38	25.60	26.98	28.57	30.41	32.56	35.10	36.94
15.0	23.47	23.94	24.49	25.06	26.32	27.76	29.42	31.33	33.57	36.21	38.12
15.5	24.10	24.58	25.15	25.74	27.06	28.55	30.27	32.26	34.58	37.33	39.31
16.0	24.72	25.23	25.81	26.43	27.80	29.35	31.13	33.20	35.61	38.45	40.52
16.5	25.35	25.88	26.48	27.13	28.54	30.15	32.00	34.14	36.64	39.59	41.73
17.0	25.99	26.53	27.16	27.82	29.29	30.96	32.87	35.09	37.69	40.74	42.96
17.5	26.62	27.19	27.84	28.53	30.04	31.77	33.76	36.05	38.74	41.90	44.20
18.0	27.27	27.85	28.52	29.24	30.80	32.59	34.65	37.02	39.80	43.07	45.44
18.5	27.91	28.52	29.21	29.95	31.57	33.42	35.54	38.00	40.87	44.25	46.70
19.0	28.57	29.19	29.91	30.67	32.34	34.25	36.45	38.99	41.95	45.45	47.97
19.5	29.22	29.86	30.60	31.39	33.12	35.09	37.36	39.98	43.04	46.65	49.26
20.0	29.88	30.54	31.31	32.12	33.90	35.94	38.28	40.98	44.14	47.86	50.55
20.5	30.55	31.23	32.02	32.85	34.69	36.79	39.20	41.99	45.25	49.09	51.86
21.0	31.22	31.92	32.73	33.59	35.49	37.65	40.14	43.01	46.37	50.32	53.18
21.5	31.89	32.62	33.45	34.34	36.29	38.52	41.08	44.04	47.50	51.57	54.51
22.0	32.57	33.32	34.18	35.09	37.10	39.39	42.03	45.08	48.64	52.83	55.85
22.5	33.25	34.02	34.91	35.85	37.92	40.28	42.99	46.13	49.79	54.10	57.21
23.0	33.94	34.73	35.64	36.61	38.74	41.17	43.96	47.19	50.95	55.38	58.58
23.5	34.64	35.45	36.38	37.38	39.57	42.06	44.93	48.25	52.13	56.68	59.96
24.0	35.34	36.17	37.13	38.15	40.40	42.97	45.92	49.33	53.31	57.99	61.36
24.5	36.04	36.90	37.88	38.93	41.24	43.88	46.91	50.42	54.51	59.31	62.77
25.0	36.75	37.63	38.64	39.72	42.09	44.80	47.91	51.51	55.71	60.64	64.20
25.5	37.47	38.37	39.41	40.51	42.95	45.73	48.92	52.62	56.93	61.99	65.64
26.0	38.19	39.11	40.18	41.31	43.81	46.66	49.94	53.74	58.16	63.35	67.09
26.5	38.91	39.86	40.95	42.12	44.68	47.61	50.97	54.87	59.41	64.73	68.56
27.0	39.64	40.61	41.74	42.93	45.56	48.56	52.01	56.00	60.66	66.12	70.04
27.5	40.38	41.37	42.52	43.75	46.44	49.52	53.06	57.16	61.93	67.52	71.54
28.0	41.12	42.14	43.32	44.57	47.34	50.49	54.12	58.32	63.21	68.94	73.06
28.5	41.87	42.91	44.12	45.41	48.24	51.47	55.19	59.49	64.50	70.38	74.59
29.0	42.62	43.69	44.93	46.25	49.14	52.46	56.27	60.67	65.81	71.82	76.14
29.5	43.38	44.48	45.74	47.09	50.06	53.45	57.35	61.87	67.13	73.29	77.71
30.0	44.15	45.27	46.57	47.94	50.98	54.46	58.45	63.08	68.46	74.77	79.29
⌀	PERCENTAGE OF LOAN AMOUNT LEFT UNPAID AT DUE DATE										
	100.0	94.33	88.15	81.97	69.61	57.24	44.88	32.51	20.15	7.78	.00

DISCOUNT %	MONTHLY PAYBACK RATE (%) (MONTHLY PAYMENT DIVIDED BY LOAN AMOUNT)										
	.54	.75	1.00	1.25	1.50	2.00	2.50	3.00	3.50	4.00	4.45
.5	6.77	6.77	6.78	6.79	6.80	6.82	6.85	6.88	6.91	6.95	6.99
1.0	7.04	7.05	7.07	7.09	7.11	7.15	7.20	7.26	7.32	7.40	7.49
1.5	7.31	7.33	7.35	7.38	7.41	7.48	7.55	7.64	7.74	7.86	7.99
2.0	7.58	7.61	7.64	7.68	7.72	7.80	7.90	8.02	8.16	8.32	8.50
2.5	7.85	7.89	7.93	7.98	8.03	8.14	8.26	8.41	8.58	8.78	9.01
3.0	8.13	8.17	8.22	8.28	8.34	8.47	8.62	8.80	9.00	9.25	9.52
3.5	8.41	8.46	8.52	8.58	8.65	8.80	8.98	9.19	9.43	9.72	10.04
4.0	8.69	8.74	8.81	8.89	8.97	9.14	9.35	9.58	9.86	10.19	10.56
4.5	8.97	9.03	9.11	9.19	9.28	9.48	9.71	9.98	10.29	10.67	11.08
5.0	9.25	9.32	9.41	9.50	9.60	9.82	10.08	10.38	10.73	11.15	11.61
5.5	9.53	9.61	9.71	9.81	9.92	10.17	10.45	10.78	11.17	11.63	12.14
6.0	9.82	9.90	10.01	10.12	10.24	10.51	10.83	11.19	11.61	12.12	12.68
6.5	10.10	10.20	10.31	10.44	10.57	10.86	11.20	11.60	12.06	12.61	13.21
7.0	10.39	10.49	10.62	10.75	10.90	11.21	11.58	12.01	12.51	13.11	13.76
7.5	10.68	10.79	10.93	11.07	11.22	11.57	11.96	12.42	12.96	13.60	14.31
8.0	10.97	11.09	11.23	11.39	11.56	11.92	12.35	12.84	13.42	14.11	14.86
8.5	11.27	11.39	11.55	11.71	11.89	12.28	12.73	13.26	13.88	14.61	15.42
9.0	11.56	11.69	11.86	12.04	12.22	12.64	13.12	13.68	14.34	15.12	15.98
9.5	11.86	12.00	12.17	12.36	12.56	13.00	13.51	14.11	14.80	15.64	16.54
10.0	12.16	12.30	12.49	12.69	12.90	13.37	13.91	14.54	15.27	16.15	17.11
10.5	12.46	12.61	12.81	13.02	13.24	13.74	14.31	14.97	15.75	16.68	17.69
11.0	12.76	12.92	13.13	13.35	13.59	14.11	14.71	15.40	16.23	17.20	18.26
11.5	13.06	13.24	13.45	13.69	13.93	14.48	15.11	15.84	16.71	17.73	18.85
12.0	13.37	13.55	13.78	14.02	14.28	14.85	15.52	16.29	17.19	18.27	19.44
12.5	13.68	13.87	14.11	14.36	14.63	15.23	15.92	16.73	17.68	18.81	20.03
13.0	13.99	14.19	14.44	14.70	14.98	15.61	16.34	17.18	18.17	19.35	20.63
13.5	14.30	14.51	14.77	15.04	15.34	16.00	16.75	17.63	18.67	19.90	21.23
14.0	14.61	14.83	15.10	15.39	15.70	16.38	17.17	18.09	19.17	20.45	21.84
14.5	14.93	15.15	15.44	15.74	16.06	16.77	17.59	18.55	19.67	21.00	22.45
15.0	15.25	15.48	15.77	16.09	16.42	17.16	18.02	19.01	20.18	21.57	23.07
15.5	15.57	15.81	16.12	16.44	16.79	17.56	18.45	19.48	20.69	22.13	23.69
16.0	15.89	16.14	16.46	16.80	17.16	17.96	18.88	19.95	21.21	22.70	24.32
16.5	16.21	16.47	16.80	17.15	17.53	18.36	19.31	20.42	21.73	23.28	24.95
17.0	16.54	16.81	17.15	17.51	17.90	18.76	19.75	20.90	22.25	23.86	25.59
17.5	16.87	17.15	17.50	17.88	18.28	19.17	20.19	21.38	22.78	24.44	26.24
18.0	17.20	17.49	17.85	18.24	18.66	19.57	20.63	21.87	23.32	25.04	26.89
18.5	17.53	17.83	18.21	18.61	19.04	19.99	21.08	22.36	23.86	25.63	27.55
19.0	17.87	18.17	18.56	18.98	19.42	20.40	21.54	22.85	24.40	26.23	28.21
19.5	18.20	18.52	18.92	19.35	19.81	20.82	21.99	23.35	24.95	26.84	28.88
20.0	18.54	18.87	19.29	19.73	20.20	21.24	22.45	23.85	25.50	27.45	29.55
21.0	19.23	19.58	20.02	20.49	20.99	22.10	23.38	24.87	26.62	28.69	30.92
22.0	19.93	20.29	20.76	21.26	21.79	22.97	24.32	25.90	27.76	29.95	32.31
23.0	20.63	21.02	21.51	22.04	22.60	23.85	25.29	26.96	28.92	31.24	33.73
24.0	21.35	21.76	22.28	22.83	23.43	24.74	26.26	28.03	30.10	32.55	35.18
25.0	22.07	22.51	23.06	23.64	24.27	25.65	27.26	29.12	31.31	33.89	36.65
26.0	22.81	23.27	23.84	24.46	25.12	26.58	28.27	30.23	32.53	35.25	38.15
27.0	23.56	24.04	24.64	25.29	25.99	27.52	29.30	31.36	33.78	36.64	39.69
28.0	24.32	24.82	25.46	26.14	26.87	28.48	30.35	32.52	35.06	38.06	41.26
29.0	25.09	25.62	26.28	27.00	27.76	29.46	31.42	33.69	36.36	39.50	42.86
30.0	25.87	26.42	27.12	27.87	28.67	30.45	32.50	34.89	37.69	40.98	44.49
31.0	26.67	27.24	27.98	28.76	29.60	31.46	33.61	36.12	39.04	42.49	46.16
32.0	27.47	28.08	28.85	29.67	30.54	32.49	34.74	37.36	40.43	44.03	47.86
33.0	28.29	28.93	29.73	30.59	31.50	33.54	35.90	38.64	41.84	45.60	49.60
34.0	29.13	29.79	30.63	31.52	32.48	34.61	37.07	39.94	43.29	47.21	51.38
35.0	29.98	30.67	31.54	32.48	33.48	35.70	38.27	41.27	44.76	48.86	53.21
36.0	30.84	31.56	32.47	33.45	34.49	36.81	39.50	42.62	46.27	50.55	55.07
37.0	31.72	32.47	33.42	34.44	35.53	37.95	40.75	44.01	47.82	52.27	56.98
38.0	32.61	33.39	34.38	35.45	36.58	39.11	42.03	45.43	49.40	54.04	58.94
39.0	33.52	34.33	35.37	36.47	37.66	40.29	43.34	46.88	51.01	55.85	60.94
40.0	34.45	35.29	36.37	37.52	38.75	41.50	44.67	48.36	52.67	57.70	63.00
PERCENTAGE OF LOAN AMOUNT LEFT UNPAID AT DUE DATE											
	100.0	94.68	88.29	81.90	75.51	62.73	49.95	37.17	24.40	11.62	.00

DISCOUNT %	MONTHLY PAYBACK RATE (%) (MONTHLY PAYMENT DIVIDED BY LOAN AMOUNT)										
	.54	.75	1.00	1.25	1.50	1.75	2.00	2.25	2.50	2.75	3.06
.5	6.68	6.69	6.70	6.71	6.72	6.74	6.75	6.77	6.78	6.81	6.84
1.0	6.87	6.88	6.90	6.92	6.95	6.97	7.00	7.03	7.07	7.11	7.18
1.5	7.06	7.08	7.11	7.14	7.17	7.21	7.26	7.30	7.36	7.42	7.52
2.0	7.24	7.27	7.31	7.35	7.40	7.45	7.51	7.58	7.65	7.74	7.87
2.5	7.43	7.47	7.52	7.57	7.63	7.69	7.77	7.85	7.94	8.05	8.21
3.0	7.62	7.67	7.72	7.79	7.86	7.94	8.03	8.13	8.24	8.37	8.56
3.5	7.81	7.86	7.93	8.01	8.09	8.18	8.29	8.40	8.54	8.69	8.92
4.0	8.00	8.06	8.14	8.23	8.32	8.43	8.55	8.68	8.83	9.01	9.27
4.5	8.20	8.26	8.35	8.45	8.56	8.68	8.81	8.96	9.14	9.33	9.63
5.0	8.39	8.47	8.56	8.67	8.79	8.93	9.08	9.25	9.44	9.66	9.99
5.5	8.59	8.67	8.78	8.90	9.03	9.18	9.34	9.53	9.74	9.99	10.35
6.0	8.78	8.87	8.99	9.12	9.27	9.43	9.61	9.82	10.05	10.32	10.72
6.5	8.98	9.08	9.21	9.35	9.51	9.69	9.88	10.11	10.36	10.65	11.09
7.0	9.18	9.29	9.43	9.58	9.75	9.94	10.16	10.40	10.67	10.99	11.46
7.5	9.38	9.49	9.64	9.81	9.99	10.20	10.43	10.69	10.99	11.33	11.83
8.0	9.58	9.70	9.86	10.04	10.24	10.46	10.71	10.99	11.31	11.67	12.21
8.5	9.78	9.91	10.09	10.28	10.49	10.72	10.99	11.29	11.62	12.01	12.59
9.0	9.98	10.12	10.31	10.51	10.74	10.99	11.27	11.59	11.95	12.36	12.97
9.5	10.19	10.34	10.53	10.75	10.99	11.25	11.55	11.89	12.27	12.71	13.36
10.0	10.39	10.55	10.76	10.99	11.24	11.52	11.84	12.19	12.60	13.06	13.75
11.0	10.81	10.98	11.21	11.47	11.75	12.06	12.41	12.81	13.26	13.77	14.53
12.0	11.23	11.42	11.68	11.95	12.26	12.61	13.00	13.43	13.93	14.49	15.33
13.0	11.65	11.87	12.14	12.45	12.79	13.16	13.59	14.07	14.61	15.23	16.15
14.0	12.09	12.32	12.62	12.95	13.32	13.73	14.19	14.71	15.30	15.98	16.97
15.0	12.52	12.77	13.10	13.46	13.86	14.30	14.80	15.37	16.00	16.73	17.81
16.0	12.97	13.23	13.59	13.97	14.40	14.88	15.42	16.03	16.72	17.51	18.67
17.0	13.41	13.70	14.08	14.50	14.96	15.48	16.05	16.71	17.45	18.29	19.53
18.0	13.87	14.18	14.58	15.03	15.52	16.08	16.70	17.39	18.19	19.09	20.42
19.0	14.33	14.66	15.09	15.57	16.09	16.69	17.35	18.09	18.94	19.90	21.32
20.0	14.79	15.15	15.60	16.11	16.68	17.30	18.01	18.80	19.70	20.73	22.23
21.0	15.27	15.64	16.13	16.67	17.27	17.93	18.68	19.53	20.48	21.57	23.17
22.0	15.75	16.14	16.66	17.23	17.87	18.57	19.37	20.26	21.28	22.43	24.12
23.0	16.23	16.65	17.20	17.80	18.48	19.22	20.07	21.01	22.08	23.30	25.08
24.0	16.73	17.17	17.75	18.38	19.09	19.89	20.77	21.77	22.91	24.19	26.07
25.0	17.23	17.69	18.30	18.98	19.72	20.56	21.50	22.55	23.74	25.10	27.07
26.0	17.74	18.23	18.87	19.58	20.37	21.25	22.23	23.34	24.60	26.02	28.10
27.0	18.25	18.77	19.44	20.19	21.02	21.94	22.98	24.15	25.47	26.96	29.15
28.0	18.78	19.32	20.03	20.81	21.68	22.65	23.74	24.97	26.36	27.93	30.21
29.0	19.31	19.88	20.62	21.44	22.36	23.38	24.52	25.81	27.26	28.91	31.30
30.0	19.85	20.44	21.22	22.08	23.04	24.11	25.31	26.66	28.18	29.91	32.41
31.0	20.40	21.02	21.84	22.74	23.74	24.86	26.12	27.53	29.13	30.93	33.55
32.0	20.96	21.61	22.46	23.40	24.46	25.63	26.94	28.42	30.09	31.98	34.71
33.0	21.53	22.20	23.10	24.08	25.18	26.41	27.79	29.33	31.08	33.05	35.90
34.0	22.10	22.81	23.74	24.77	25.92	27.21	28.64	30.26	32.08	34.14	37.11
35.0	22.69	23.43	24.40	25.48	26.68	28.02	29.52	31.21	33.11	35.25	38.35
36.0	23.29	24.06	25.07	26.20	27.45	28.85	30.42	32.18	34.16	36.40	39.62
37.0	23.89	24.70	25.76	26.93	28.24	29.70	31.33	33.17	35.24	37.57	40.92
38.0	24.51	25.35	26.45	27.68	29.04	30.56	32.27	34.18	36.34	38.76	42.25
39.0	25.14	26.01	27.16	28.44	29.86	31.45	33.22	35.22	37.47	39.99	43.62
40.0	25.78	26.69	27.89	29.22	30.70	32.35	34.20	36.28	38.62	41.25	45.02
41.0	26.44	27.38	28.63	30.01	31.55	33.28	35.21	37.37	39.81	42.54	46.45
42.0	27.10	28.09	29.38	30.82	32.43	34.22	36.23	38.49	41.02	43.86	47.93
43.0	27.78	28.81	30.15	31.65	33.32	35.19	37.29	39.64	42.27	45.22	49.44
44.0	28.47	29.54	30.94	32.50	34.24	36.19	38.37	40.81	43.55	46.62	51.00
45.0	29.18	30.29	31.75	33.37	35.18	37.21	39.47	42.02	44.87	48.06	52.60
46.0	29.90	31.05	32.57	34.26	36.14	38.25	40.61	43.26	46.22	49.53	54.24
47.0	30.64	31.84	33.41	35.17	37.13	39.32	41.78	44.53	47.61	51.05	55.93
48.0	31.39	32.63	34.27	36.10	38.14	40.42	42.98	45.84	49.04	52.62	57.68
49.0	32.16	33.45	35.15	37.06	39.18	41.55	44.21	47.19	50.52	54.23	59.48
50.0	32.95	34.29	36.06	38.04	40.25	42.72	45.48	48.58	52.04	55.89	61.33
▽ɸ	PERCENTAGE OF LOAN AMOUNT LEFT UNPAID AT DUE DATE										
	100.0	91.74	81.84	71.93	62.02	52.11	42.20	32.30	22.39	12.48	.00

DISCOUNT %	MONTHLY PAYBACK RATE (%) (MONTHLY PAYMENT DIVIDED BY LOAN AMOUNT)										
	.54	.60	.80	1.00	1.20	1.40	1.60	1.80	2.00	2.20	2.37
.5	6.64	6.64	6.65	6.66	6.67	6.68	6.69	6.70	6.72	6.74	6.76
1.0	6.79	6.79	6.81	6.82	6.84	6.86	6.89	6.91	6.94	6.98	7.02
1.5	6.93	6.94	6.96	6.98	7.01	7.05	7.08	7.12	7.17	7.22	7.28
2.0	7.07	7.08	7.11	7.15	7.19	7.23	7.28	7.33	7.40	7.47	7.54
2.5	7.22	7.23	7.27	7.31	7.36	7.41	7.48	7.54	7.62	7.71	7.81
3.0	7.37	7.38	7.43	7.48	7.54	7.60	7.67	7.76	7.85	7.96	8.07
3.5	7.52	7.53	7.59	7.65	7.71	7.79	7.87	7.97	8.08	8.21	8.34
4.0	7.66	7.68	7.74	7.81	7.89	7.98	8.08	8.19	8.32	8.46	8.61
4.5	7.81	7.83	7.90	7.98	8.07	8.17	8.28	8.40	8.55	8.72	8.89
5.0	7.96	7.99	8.06	8.15	8.25	8.36	8.48	8.62	8.79	8.97	9.16
5.5	8.11	8.14	8.23	8.32	8.43	8.55	8.69	8.84	9.03	9.23	9.44
6.0	8.27	8.29	8.39	8.49	8.61	8.75	8.90	9.07	9.26	9.49	9.72
6.5	8.42	8.45	8.55	8.67	8.80	8.94	9.10	9.29	9.51	9.75	10.00
7.0	8.57	8.60	8.72	8.84	8.98	9.14	9.31	9.52	9.75	10.02	10.28
7.5	8.73	8.76	8.88	9.02	9.17	9.34	9.53	9.74	9.99	10.28	10.57
8.0	8.88	8.92	9.05	9.19	9.35	9.54	9.74	9.97	10.24	10.55	10.86
8.5	9.04	9.08	9.22	9.37	9.54	9.74	9.95	10.20	10.49	10.82	11.15
9.0	9.20	9.24	9.39	9.55	9.73	9.94	10.17	10.43	10.74	11.09	11.44
9.5	9.36	9.40	9.56	9.73	9.92	10.14	10.39	10.67	10.99	11.36	11.73
10.0	9.51	9.56	9.73	9.91	10.12	10.35	10.61	10.90	11.25	11.64	12.03
11.0	9.84	9.89	10.07	10.28	10.50	10.76	11.05	11.38	11.76	12.20	12.63
12.0	10.16	10.22	10.42	10.65	10.90	11.18	11.50	11.86	12.28	12.76	13.24
13.0	10.49	10.55	10.78	11.02	11.30	11.61	11.96	12.36	12.81	13.34	13.86
14.0	10.83	10.89	11.14	11.40	11.70	12.04	12.42	12.85	13.35	13.93	14.49
15.0	11.17	11.24	11.50	11.79	12.12	12.48	12.89	13.36	13.90	14.52	15.13
16.0	11.51	11.59	11.87	12.18	12.53	12.93	13.37	13.88	14.46	15.13	15.79
17.0	11.86	11.94	12.24	12.58	12.96	13.38	13.86	14.40	15.03	15.74	16.45
18.0	12.21	12.30	12.62	12.98	13.39	13.84	14.35	14.93	15.60	16.37	17.12
19.0	12.57	12.66	13.01	13.39	13.82	14.31	14.86	15.48	16.19	17.01	17.81
20.0	12.93	13.03	13.40	13.81	14.27	14.78	15.37	16.03	16.79	17.66	18.51
21.0	13.30	13.40	13.80	14.23	14.72	15.27	15.89	16.59	17.39	18.32	19.22
22.0	13.67	13.78	14.20	14.66	15.18	15.76	16.41	17.16	18.01	18.99	19.95
23.0	14.05	14.17	14.61	15.10	15.64	16.26	16.95	17.74	18.64	19.67	20.69
24.0	14.43	14.56	15.02	15.54	16.12	16.77	17.50	18.33	19.28	20.37	21.44
25.0	14.82	14.96	15.44	15.99	16.60	17.28	18.06	18.93	19.94	21.09	22.21
26.0	15.22	15.36	15.87	16.45	17.09	17.81	18.62	19.55	20.60	21.81	22.99
27.0	15.62	15.77	16.31	16.91	17.59	18.34	19.20	20.17	21.28	22.55	23.79
28.0	16.03	16.18	16.75	17.38	18.09	18.89	19.79	20.81	21.98	23.31	24.60
29.0	16.44	16.60	17.20	17.86	18.61	19.45	20.39	21.46	22.69	24.08	25.43
30.0	16.86	17.03	17.66	18.35	19.13	20.01	21.00	22.13	23.41	24.87	26.28
31.0	17.29	17.47	18.12	18.85	19.67	20.59	21.63	22.80	24.14	25.67	27.15
32.0	17.72	17.91	18.60	19.36	20.21	21.18	22.26	23.49	24.90	26.49	28.04
33.0	18.17	18.36	19.08	19.88	20.77	21.78	22.91	24.20	25.67	27.33	28.94
34.0	18.62	18.82	19.57	20.40	21.34	22.39	23.58	24.92	26.45	28.19	29.87
35.0	19.07	19.29	20.07	20.94	21.92	23.01	24.26	25.66	27.26	29.07	30.82
36.0	19.54	19.76	20.58	21.49	22.51	23.65	24.95	26.41	28.08	29.97	31.79
37.0	20.01	20.25	21.09	22.04	23.11	24.30	25.66	27.18	28.92	30.89	32.78
38.0	20.50	20.74	21.62	22.61	23.72	24.97	26.38	27.97	29.78	31.83	33.80
39.0	20.99	21.24	22.16	23.19	24.35	25.65	27.12	28.78	30.67	32.79	34.84
40.0	21.49	21.75	22.71	23.79	24.99	26.35	27.88	29.61	31.57	33.79	35.91
41.0	22.00	22.27	23.27	24.39	25.65	27.06	28.66	30.46	32.50	34.80	37.01
42.0	22.52	22.81	23.85	25.01	26.32	27.79	29.45	31.33	33.45	35.84	38.13
43.0	23.05	23.35	24.43	25.64	27.00	28.54	30.27	32.22	34.43	36.91	39.29
44.0	23.59	23.90	25.03	26.29	27.71	29.30	31.10	33.13	35.43	38.01	40.48
45.0	24.15	24.47	25.64	26.95	28.43	30.09	31.96	34.08	36.46	39.15	41.70
46.0	24.71	25.05	26.26	27.63	29.17	30.89	32.84	35.04	37.52	40.31	42.96
47.0	25.29	25.64	26.90	28.32	29.92	31.72	33.75	36.04	38.62	41.51	44.25
48.0	25.88	26.24	27.56	29.04	30.70	32.57	34.68	37.06	39.74	42.74	45.58
49.0	26.49	26.86	28.23	29.77	31.49	33.44	35.64	38.11	40.90	44.01	46.96
50.0	27.10	27.49	28.92	30.51	32.31	34.34	36.62	39.20	42.09	45.32	48.38
PERCENTAGE OF LOAN AMOUNT LEFT UNPAID AT DUE DATE											
	100.0	96.81	85.88	74.95	64.02	53.09	42.16	31.23	20.30	9.37	.00

DISCOUNT %	MONTHLY PAYBACK RATE (%) (MONTHLY PAYMENT DIVIDED BY LOAN AMOUNT)										
	.54	.60	.70	.80	.90	1.00	1.20	1.40	1.60	1.80	1.96
.5	6.62	6.62	6.62	6.63	6.63	6.64	6.65	6.66	6.68	6.69	6.71
1.0	6.74	6.74	6.75	6.76	6.76	6.78	6.80	6.82	6.85	6.89	6.92
1.5	6.85	6.86	6.87	6.89	6.90	6.91	6.95	7.03	7.08	7.13	7.13
2.0	6.97	6.98	7.00	7.02	7.03	7.05	7.10	7.15	7.21	7.28	7.35
2.5	7.09	7.11	7.13	7.15	7.17	7.19	7.25	7.31	7.39	7.48	7.56
3.0	7.22	7.23	7.25	7.28	7.31	7.34	7.40	7.48	7.57	7.68	7.78
3.5	7.34	7.35	7.38	7.41	7.44	7.48	7.56	7.65	7.75	7.88	8.00
4.0	7.46	7.48	7.51	7.55	7.58	7.62	7.71	7.81	7.94	8.08	8.22
4.5	7.58	7.60	7.64	7.68	7.72	7.77	7.87	7.98	8.12	8.28	8.44
5.0	7.71	7.73	7.77	7.82	7.86	7.91	8.02	8.15	8.31	8.49	8.66
5.5	7.83	7.86	7.90	7.95	8.00	8.06	8.18	8.33	8.50	8.70	8.89
6.0	7.96	7.99	8.04	8.09	8.14	8.20	8.34	8.50	8.68	8.91	9.12
6.5	8.08	8.11	8.17	8.23	8.29	8.35	8.50	8.67	8.88	9.12	9.35
7.0	8.21	8.24	8.30	8.36	8.43	8.50	8.66	8.85	9.07	9.33	9.58
7.5	8.34	8.37	8.44	8.50	8.57	8.65	8.82	9.02	9.26	9.54	9.81
8.0	8.47	8.51	8.57	8.64	8.72	8.80	8.99	9.20	9.46	9.76	10.04
8.5	8.60	8.64	8.71	8.79	8.87	8.96	9.15	9.38	9.65	9.97	10.28
9.0	8.73	8.77	8.85	8.93	9.01	9.11	9.32	9.56	9.85	10.19	10.51
9.5	8.86	8.90	8.98	9.07	9.16	9.26	9.48	9.74	10.05	10.41	10.75
10.0	8.99	9.04	9.12	9.22	9.31	9.42	9.65	9.93	10.25	10.63	11.00
11.0	9.26	9.31	9.40	9.51	9.61	9.73	9.99	10.30	10.66	11.08	11.48
12.0	9.53	9.58	9.69	9.80	9.92	10.05	10.34	10.68	11.07	11.54	11.98
13.0	9.80	9.86	9.98	10.10	10.23	10.37	10.69	11.06	11.49	12.00	12.48
14.0	10.07	10.15	10.27	10.40	10.55	10.70	11.04	11.44	11.91	12.47	13.00
15.0	10.36	10.43	10.57	10.71	10.86	11.03	11.40	11.84	12.35	12.95	13.52
16.0	10.64	10.72	10.87	11.02	11.19	11.37	11.77	12.24	12.79	13.44	14.05
17.0	10.93	11.02	11.17	11.34	11.52	11.71	12.14	12.64	13.24	13.94	14.59
18.0	11.22	11.31	11.48	11.66	11.85	12.06	12.52	13.06	13.69	14.44	15.14
19.0	11.52	11.62	11.79	11.99	12.19	12.41	12.90	13.48	14.15	14.95	15.69
20.0	11.82	11.92	12.11	12.32	12.53	12.77	13.29	13.91	14.62	15.48	16.26
21.0	12.12	12.23	12.44	12.65	12.88	13.13	13.69	14.34	15.10	16.01	16.84
22.0	12.43	12.55	12.76	12.99	13.24	13.50	14.10	14.78	15.59	16.55	17.43
23.0	12.74	12.87	13.10	13.34	13.60	13.88	14.51	15.23	16.09	17.10	18.03
24.0	13.06	13.20	13.44	13.69	13.97	14.26	14.92	15.69	16.60	17.66	18.64
25.0	13.38	13.53	13.78	14.05	14.34	14.65	15.35	16.16	17.11	18.24	19.27
26.0	13.71	13.86	14.13	14.41	14.72	15.05	15.78	16.64	17.64	18.82	19.90
27.0	14.05	14.20	14.48	14.78	15.10	15.45	16.22	17.12	18.17	19.42	20.55
28.0	14.38	14.55	14.84	15.16	15.49	15.86	16.67	17.61	18.72	20.03	21.22
29.0	14.73	14.90	15.21	15.54	15.89	16.28	17.13	18.12	19.28	20.65	21.89
30.0	15.08	15.26	15.58	15.93	16.30	16.70	17.59	18.63	19.85	21.28	22.58
31.0	15.43	15.62	15.96	16.33	16.71	17.13	18.07	19.16	20.43	21.93	23.29
32.0	15.80	15.99	16.35	16.73	17.13	17.57	18.55	19.69	21.03	22.59	24.01
33.0	16.16	16.37	16.74	17.14	17.56	18.02	19.05	20.24	21.63	23.27	24.75
34.0	16.54	16.75	17.14	17.56	18.00	18.48	19.55	20.80	22.25	23.96	25.50
35.0	16.92	17.14	17.55	17.98	18.45	18.95	20.07	21.37	22.89	24.67	26.27
36.0	17.31	17.54	17.96	18.42	18.90	19.43	20.59	21.95	23.54	25.39	27.06
37.0	17.70	17.95	18.39	18.86	19.37	19.91	21.13	22.55	24.20	26.13	27.87
38.0	18.10	18.36	18.82	19.31	19.84	20.41	21.68	23.16	24.88	26.89	28.70
39.0	18.51	18.78	19.26	19.77	20.32	20.92	22.24	23.78	25.58	27.67	29.55
40.0	18.93	19.21	19.71	20.24	20.82	21.44	22.82	24.42	26.29	28.47	30.42
41.0	19.36	19.65	20.17	20.72	21.32	21.97	23.40	25.08	27.02	29.29	31.31
42.0	19.79	20.09	20.64	21.22	21.84	22.51	24.01	25.75	27.77	30.13	32.23
43.0	20.24	20.55	21.11	21.72	22.36	23.06	24.62	26.44	28.54	30.99	33.17
44.0	20.69	21.02	21.60	22.23	22.90	23.63	25.26	27.14	29.34	31.88	34.14
45.0	21.16	21.49	22.10	22.76	23.46	24.22	25.91	27.87	30.15	32.79	35.13
46.0	21.63	21.98	22.61	23.29	24.02	24.81	26.57	28.61	30.99	33.73	36.16
47.0	22.11	22.48	23.14	23.84	24.60	25.42	27.26	29.38	31.85	34.69	37.21
48.0	22.61	22.99	23.67	24.41	25.20	26.05	27.96	30.17	32.73	35.69	38.30
49.0	23.11	23.51	24.22	24.99	25.81	26.70	28.68	30.98	33.65	36.71	39.42
50.0	23.63	24.04	24.78	25.58	26.44	27.36	29.42	31.82	34.59	37.77	40.57
PERCENTAGE OF LOAN AMOUNT LEFT UNPAID AT DUE DATE											
	100.0	95.88	88.81	81.74	74.68	67.61	53.47	39.34	25.20	11.07	.00

DISCOUNT %	MONTHLY PAYBACK RATE (%) (MONTHLY PAYMENT DIVIDED BY LOAN AMOUNT)										
	.54	.60	.70	.80	.90	1.00	1.10	1.20	1.40	1.60	1.68
1.0	6.70	6.71	6.72	6.72	6.73	6.75	6.76	6.77	6.80	6.84	6.85
2.0	6.91	6.92	6.93	6.95	6.97	6.99	7.02	7.04	7.10	7.18	7.21
3.0	7.11	7.13	7.16	7.18	7.21	7.25	7.28	7.32	7.41	7.53	7.58
4.0	7.33	7.34	7.38	7.42	7.46	7.50	7.55	7.60	7.73	7.88	7.95
5.0	7.54	7.56	7.61	7.65	7.70	7.76	7.82	7.89	8.04	8.24	8.33
6.0	7.75	7.78	7.83	7.89	7.95	8.02	8.09	8.18	8.36	8.60	8.71
7.0	7.97	8.01	8.07	8.13	8.21	8.29	8.37	8.47	8.69	8.97	9.10
8.0	8.19	8.23	8.30	8.38	8.46	8.56	8.65	8.77	9.02	9.34	9.49
9.0	8.41	8.46	8.54	8.63	8.72	8.83	8.94	9.07	9.36	9.72	9.89
10.0	8.64	8.69	8.78	8.88	8.99	9.11	9.23	9.37	9.70	10.11	10.30
11.0	8.87	8.93	9.03	9.14	9.25	9.39	9.53	9.68	10.05	10.50	10.71
12.0	9.10	9.16	9.28	9.40	9.53	9.67	9.83	10.00	10.40	10.90	11.13
13.0	9.34	9.41	9.53	9.66	9.80	9.96	10.13	10.32	10.76	11.30	11.56
14.0	9.58	9.65	9.78	9.93	10.08	10.25	10.44	10.65	11.12	11.71	11.99
15.0	9.82	9.90	10.04	10.20	10.36	10.55	10.75	10.98	11.49	12.13	12.43
16.0	10.06	10.15	10.30	10.47	10.65	10.85	11.07	11.31	11.87	12.56	12.88
17.0	10.31	10.40	10.57	10.75	10.95	11.16	11.39	11.65	12.25	12.99	13.34
18.0	10.56	10.66	10.84	11.03	11.24	11.47	11.72	12.00	12.64	13.43	13.80
19.0	10.82	10.92	11.11	11.32	11.54	11.79	12.06	12.35	13.04	13.88	14.27
20.0	11.08	11.19	11.39	11.61	11.85	12.11	12.40	12.71	13.44	14.33	14.75
21.0	11.34	11.46	11.67	11.91	12.16	12.44	12.74	13.08	13.85	14.80	15.24
22.0	11.61	11.73	11.96	12.21	12.48	12.77	13.09	13.45	14.27	15.27	15.74
23.0	11.88	12.01	12.25	12.52	12.80	13.11	13.45	13.83	14.69	15.76	16.25
24.0	12.15	12.29	12.55	12.83	13.13	13.46	13.82	14.21	15.13	16.25	16.77
25.0	12.43	12.58	12.85	13.14	13.46	13.81	14.19	14.61	15.57	16.75	17.30
26.0	12.72	12.87	13.16	13.46	13.80	14.17	14.56	15.00	16.02	17.26	17.84
27.0	13.00	13.17	13.47	13.79	14.14	14.53	14.95	15.41	16.48	17.78	18.39
28.0	13.30	13.47	13.78	14.12	14.49	14.90	15.34	15.83	16.95	18.31	18.95
29.0	13.59	13.78	14.10	14.46	14.85	15.28	15.74	16.25	17.43	18.86	19.52
30.0	13.90	14.09	14.43	14.81	15.21	15.66	16.15	16.68	17.91	19.41	20.10
31.0	14.21	14.40	14.77	15.16	15.58	16.05	16.56	17.12	18.41	19.98	20.70
32.0	14.52	14.73	15.10	15.52	15.96	16.45	16.98	17.57	18.92	20.56	21.31
33.0	14.84	15.06	15.45	15.88	16.35	16.86	17.42	18.03	19.44	21.15	21.94
34.0	15.16	15.39	15.80	16.25	16.74	17.28	17.86	18.50	19.97	21.75	22.57
35.0	15.49	15.73	16.16	16.63	17.14	17.70	18.31	18.98	20.52	22.37	23.23
36.0	15.83	16.08	16.53	17.02	17.55	18.13	18.77	19.47	21.07	23.01	23.90
37.0	16.17	16.43	16.90	17.41	17.97	18.58	19.24	19.97	21.64	23.66	24.58
38.0	16.52	16.79	17.28	17.81	18.39	19.03	19.72	20.48	22.23	24.32	25.28
39.0	16.88	17.16	17.67	18.23	18.83	19.49	20.21	21.01	22.83	25.01	26.00
40.0	17.24	17.53	18.07	18.65	19.28	19.97	20.72	21.55	23.44	25.71	26.74
41.0	17.61	17.92	18.47	19.08	19.73	20.45	21.23	22.10	24.07	26.42	27.50
42.0	17.99	18.31	18.89	19.51	20.20	20.95	21.76	22.66	24.71	27.16	28.28
43.0	18.38	18.71	19.31	19.96	20.68	21.46	22.31	23.24	25.37	27.92	29.07
44.0	18.77	19.12	19.74	20.42	21.16	21.98	22.86	23.83	26.05	28.70	29.89
45.0	19.18	19.53	20.19	20.89	21.67	22.51	23.43	24.45	26.75	29.50	30.74
46.0	19.59	19.96	20.64	21.38	22.18	23.06	24.02	25.07	27.47	30.32	31.61
47.0	20.01	20.40	21.10	21.87	22.71	23.62	24.62	25.72	28.21	31.17	32.50
48.0	20.45	20.85	21.58	22.38	23.25	24.20	25.24	26.38	28.98	32.04	33.42
49.0	20.89	21.30	22.07	22.90	23.80	24.80	25.88	27.06	29.76	32.94	34.37
50.0	21.34	21.77	22.57	23.43	24.38	25.41	26.54	27.77	30.57	33.87	35.36
51.0	21.81	22.26	23.08	23.98	24.96	26.04	27.21	28.49	31.41	34.84	36.37
52.0	22.28	22.75	23.61	24.55	25.57	26.69	27.91	29.24	32.28	35.83	37.42
53.0	22.77	23.26	24.15	25.13	26.19	27.36	28.63	30.02	33.17	36.86	38.50
54.0	23.27	23.78	24.71	25.73	26.84	28.05	29.37	30.82	34.10	37.92	39.62
55.0	23.79	24.32	25.29	26.35	27.50	28.76	30.14	31.65	35.05	39.02	40.78
56.0	24.32	24.87	25.88	26.98	28.18	29.50	30.93	32.50	36.05	40.17	41.99
57.0	24.87	25.44	26.49	27.64	28.89	30.26	31.76	33.39	37.08	41.35	43.24
58.0	25.43	26.03	27.12	28.32	29.62	31.05	32.61	34.31	38.15	42.59	44.54
59.0	26.01	26.63	27.77	29.02	30.38	31.87	33.50	35.27	39.27	43.87	45.90
60.0	26.61	27.26	28.45	29.75	31.17	32.72	34.42	36.27	40.43	45.21	47.31
▽𝜙	PERCENTAGE OF LOAN AMOUNT LEFT UNPAID AT DUE DATE										
	100.0	94.88	86.10	77.33	68.55	59.77	50.99	42.22	24.66	7.11	.00

DISCOUNT %	MONTHLY PAYBACK RATE (%) (MONTHLY PAYMENT DIVIDED BY LOAN AMOUNT)										
	.54	.60	.70	.80	.90	1.00	1.10	1.20	1.30	1.40	1.48
1.0	6.68	6.68	6.69	6.70	6.71	6.73	6.74	6.75	6.77	6.79	6.81
2.0	6.86	6.87	6.89	6.91	6.93	6.95	6.98	7.01	7.04	7.08	7.12
3.0	7.04	7.06	7.09	7.12	7.15	7.18	7.22	7.27	7.32	7.38	7.44
4.0	7.23	7.25	7.29	7.33	7.37	7.42	7.47	7.54	7.60	7.69	7.76
5.0	7.42	7.44	7.49	7.54	7.59	7.66	7.72	7.80	7.89	7.99	8.09
6.0	7.61	7.64	7.69	7.76	7.82	7.90	7.98	8.08	8.18	8.30	8.42
7.0	7.80	7.84	7.90	7.97	8.05	8.14	8.24	8.35	8.48	8.62	8.76
8.0	8.00	8.04	8.11	8.20	8.29	8.39	8.50	8.63	8.78	8.94	9.10
9.0	8.19	8.24	8.33	8.42	8.52	8.64	8.77	8.92	9.08	9.27	9.45
10.0	8.39	8.45	8.54	8.65	8.76	8.90	9.04	9.21	9.39	9.60	9.80
11.0	8.60	8.65	8.76	8.88	9.01	9.16	9.32	9.50	9.70	9.94	10.16
12.0	8.80	8.87	8.98	9.11	9.26	9.42	9.60	9.80	10.02	10.28	10.53
13.0	9.01	9.08	9.21	9.35	9.51	9.69	9.88	10.10	10.35	10.63	10.90
14.0	9.22	9.30	9.44	9.59	9.76	9.96	10.17	10.41	10.67	10.98	11.27
15.0	9.44	9.52	9.67	9.84	10.02	10.23	10.46	10.72	11.01	11.34	11.66
16.0	9.65	9.74	9.91	10.09	10.29	10.51	10.76	11.04	11.35	11.71	12.05
17.0	9.87	9.97	10.15	10.34	10.55	10.80	11.06	11.36	11.70	12.08	12.44
18.0	10.10	10.20	10.39	10.60	10.83	11.08	11.37	11.69	12.05	12.46	12.85
19.0	10.32	10.43	10.64	10.86	11.10	11.38	11.68	12.02	12.41	12.84	13.26
20.0	10.55	10.67	10.89	11.12	11.38	11.68	12.00	12.37	12.77	13.24	13.68
21.0	10.79	10.91	11.14	11.39	11.67	11.98	12.32	12.71	13.14	13.64	14.10
22.0	11.02	11.16	11.40	11.67	11.96	12.29	12.65	13.06	13.52	14.04	14.54
23.0	11.26	11.40	11.66	11.94	12.25	12.60	12.99	13.42	13.91	14.46	14.98
24.0	11.51	11.66	11.93	12.23	12.56	12.92	13.33	13.79	14.30	14.88	15.43
25.0	11.76	11.91	12.20	12.51	12.86	13.25	13.68	14.16	14.70	15.31	15.89
26.0	12.01	12.17	12.47	12.81	13.17	13.58	14.03	14.54	15.11	15.75	16.36
27.0	12.26	12.44	12.75	13.10	13.49	13.92	14.40	14.93	15.53	16.20	16.84
28.0	12.53	12.71	13.04	13.41	13.81	14.26	14.77	15.33	15.95	16.66	17.32
29.0	12.79	12.98	13.33	13.72	14.14	14.62	15.14	15.73	16.39	17.13	17.82
30.0	13.06	13.26	13.63	14.03	14.48	14.97	15.53	16.14	16.83	17.60	18.33
31.0	13.33	13.54	13.93	14.35	14.82	15.34	15.92	16.56	17.28	18.09	18.85
32.0	13.61	13.83	14.23	14.68	15.17	15.71	16.32	16.99	17.75	18.59	19.38
33.0	13.90	14.13	14.55	15.01	15.52	16.09	16.73	17.43	18.22	19.10	19.93
34.0	14.19	14.43	14.87	15.35	15.89	16.48	17.14	17.88	18.70	19.62	20.48
35.0	14.48	14.73	15.19	15.70	16.26	16.88	17.57	18.34	19.20	20.16	21.05
36.0	14.78	15.04	15.52	16.05	16.64	17.29	18.01	18.81	19.71	20.70	21.64
37.0	15.09	15.36	15.86	16.41	17.02	17.70	18.45	19.29	20.22	21.26	22.23
38.0	15.40	15.68	16.21	16.78	17.42	18.13	18.91	19.79	20.76	21.84	22.84
39.0	15.72	16.02	16.56	17.16	17.82	18.56	19.38	20.29	21.30	22.43	23.47
40.0	16.05	16.35	16.92	17.55	18.24	19.01	19.86	20.81	21.86	23.03	24.11
41.0	16.38	16.70	17.29	17.94	18.66	19.46	20.35	21.34	22.43	23.65	24.77
42.0	16.72	17.05	17.67	18.35	19.10	19.93	20.86	21.88	23.02	24.28	25.45
43.0	17.06	17.41	18.05	18.76	19.54	20.41	21.37	22.44	23.63	24.94	26.15
44.0	17.42	17.78	18.45	19.18	20.00	20.90	21.90	23.02	24.25	25.61	26.86
45.0	17.78	18.16	18.85	19.62	20.47	21.41	22.45	23.61	24.89	26.30	27.60
46.0	18.15	18.54	19.26	20.06	20.95	21.93	23.01	24.22	25.54	27.01	28.36
47.0	18.53	18.94	19.69	20.52	21.44	22.46	23.59	24.84	26.22	27.74	29.14
48.0	18.92	19.34	20.12	20.99	21.95	23.01	24.18	25.49	26.92	28.50	29.94
49.0	19.32	19.76	20.57	21.47	22.47	23.58	24.80	26.15	27.64	29.27	30.77
50.0	19.72	20.18	21.03	21.97	23.00	24.16	25.43	26.84	28.38	30.08	31.63
51.0	20.14	20.62	21.50	22.48	23.56	24.76	26.08	27.54	29.15	30.91	32.52
52.0	20.57	21.07	21.99	23.00	24.13	25.38	26.75	28.27	29.94	31.76	33.43
53.0	21.01	21.53	22.49	23.54	24.71	26.01	27.45	29.03	30.76	32.65	34.38
54.0	21.47	22.00	23.00	24.10	25.32	26.67	28.17	29.81	31.61	33.57	35.36
55.0	21.93	22.49	23.53	24.68	25.95	27.36	28.91	30.62	32.49	34.52	36.37
56.0	22.41	23.00	24.08	25.27	26.59	28.06	29.68	31.46	33.40	35.51	37.43
57.0	22.91	23.51	24.64	25.89	27.27	28.80	30.48	32.33	34.35	36.54	38.52
58.0	23.42	24.05	25.22	26.52	27.96	29.56	31.31	33.24	35.34	37.61	39.66
59.0	23.95	24.60	25.83	27.18	28.68	30.35	32.17	34.18	36.36	38.72	40.85
60.0	24.49	25.18	26.45	27.87	29.43	31.17	33.07	35.17	37.43	39.88	42.08
⏀	PERCENTAGE OF LOAN AMOUNT LEFT UNPAID AT DUE DATE										
	100.0	93.82	83.21	72.61	62.01	51.41	40.81	30.21	19.61	9.01	.00

DISCOUNT %	MONTHLY PAYBACK RATE (%) (MONTHLY PAYMENT DIVIDED BY LOAN AMOUNT)										
	.54	.55	.60	.65	.70	.80	.90	1.00	1.10	1.20	1.34
1.0	6.66	6.66	6.67	6.67	6.68	6.69	6.70	6.71	6.73	6.74	6.77
2.0	6.82	6.83	6.84	6.84	6.85	6.88	6.90	6.93	6.96	6.99	7.05
3.0	6.99	6.99	7.01	7.02	7.03	7.07	7.10	7.14	7.19	7.24	7.33
4.0	7.16	7.16	7.18	7.20	7.22	7.26	7.31	7.36	7.42	7.50	7.62
5.0	7.33	7.33	7.35	7.38	7.40	7.46	7.52	7.59	7.66	7.76	7.91
6.0	7.50	7.50	7.53	7.56	7.59	7.66	7.73	7.81	7.91	8.02	8.20
7.0	7.67	7.68	7.71	7.74	7.78	7.86	7.94	8.04	8.16	8.29	8.50
8.0	7.85	7.85	7.89	7.93	7.97	8.06	8.16	8.28	8.41	8.56	8.81
9.0	8.03	8.03	8.08	8.12	8.17	8.27	8.38	8.51	8.66	8.83	9.11
10.0	8.21	8.22	8.26	8.31	8.37	8.48	8.61	8.75	8.92	9.11	9.43
11.0	8.39	8.40	8.45	8.51	8.57	8.69	8.84	9.00	9.18	9.40	9.75
12.0	8.58	8.59	8.65	8.70	8.77	8.91	9.07	9.25	9.45	9.68	10.07
13.0	8.77	8.78	8.84	8.91	8.98	9.13	9.30	9.50	9.72	9.98	10.40
14.0	8.96	8.97	9.04	9.11	9.19	9.35	9.54	9.75	10.00	10.28	10.73
15.0	9.15	9.16	9.24	9.32	9.40	9.58	9.78	10.01	10.28	10.58	11.07
16.0	9.35	9.36	9.44	9.52	9.62	9.81	10.03	10.28	10.56	10.89	11.42
17.0	9.55	9.56	9.65	9.74	9.83	10.04	10.28	10.55	10.85	11.20	11.77
18.0	9.75	9.76	9.86	9.95	10.06	10.28	10.53	10.82	11.14	11.52	12.13
19.0	9.95	9.97	10.07	10.17	10.28	10.52	10.79	11.10	11.44	11.84	12.49
20.0	10.16	10.18	10.28	10.39	10.51	10.77	11.06	11.38	11.75	12.17	12.87
21.0	10.37	10.39	10.50	10.62	10.75	11.02	11.32	11.67	12.06	12.51	13.24
22.0	10.59	10.61	10.73	10.85	10.98	11.27	11.59	11.96	12.38	12.85	13.63
23.0	10.81	10.83	10.95	11.08	11.23	11.53	11.87	12.26	12.70	13.20	14.02
24.0	11.03	11.05	11.18	11.32	11.47	11.79	12.15	12.57	13.03	13.56	14.42
25.0	11.25	11.27	11.42	11.56	11.72	12.06	12.44	12.87	13.36	13.92	14.83
26.0	11.48	11.50	11.65	11.81	11.97	12.33	12.73	13.19	13.70	14.29	15.25
27.0	11.71	11.74	11.90	12.06	12.23	12.61	13.03	13.51	14.05	14.67	15.67
28.0	11.95	11.98	12.14	12.31	12.50	12.89	13.34	13.84	14.41	15.06	16.11
29.0	12.19	12.22	12.39	12.57	12.76	13.18	13.64	14.17	14.77	15.45	16.55
30.0	12.44	12.47	12.65	12.83	13.04	13.47	13.96	14.52	15.14	15.85	17.00
31.0	12.69	12.72	12.91	13.10	13.31	13.77	14.28	14.86	15.52	16.26	17.46
32.0	12.94	12.97	13.17	13.38	13.60	14.08	14.61	15.22	15.90	16.68	17.94
33.0	13.20	13.23	13.44	13.65	13.89	14.39	14.95	15.58	16.30	17.11	18.42
34.0	13.46	13.50	13.71	13.94	14.18	14.70	15.29	15.96	16.70	17.55	18.92
35.0	13.73	13.77	13.99	14.23	14.48	15.03	15.64	16.34	17.12	18.00	19.42
36.0	14.00	14.04	14.28	14.52	14.79	15.36	16.00	16.73	17.54	18.46	19.94
37.0	14.28	14.32	14.57	14.83	15.10	15.70	16.37	17.12	17.97	18.94	20.47
38.0	14.57	14.61	14.87	15.13	15.42	16.04	16.74	17.53	18.42	19.42	21.01
39.0	14.86	14.90	15.17	15.45	15.75	16.40	17.13	17.95	18.87	19.91	21.57
40.0	15.16	15.20	15.48	15.77	16.08	16.76	17.52	18.38	19.34	20.42	22.15
41.0	15.46	15.51	15.80	16.10	16.43	17.13	17.92	18.81	19.81	20.94	22.73
42.0	15.77	15.82	16.12	16.44	16.76	17.51	18.33	19.26	20.31	21.48	23.34
43.0	16.09	16.14	16.45	16.78	17.13	17.90	18.76	19.73	20.81	22.03	23.96
44.0	16.41	16.46	16.79	17.13	17.50	18.30	19.20	20.20	21.33	22.60	24.59
45.0	16.74	16.80	17.14	17.50	17.88	18.71	19.64	20.69	21.86	23.18	25.25
46.0	17.08	17.14	17.49	17.87	18.26	19.13	20.10	21.19	22.41	23.78	25.92
47.0	17.43	17.49	17.86	18.25	18.66	19.56	20.57	21.70	22.97	24.39	26.62
48.0	17.78	17.85	18.23	18.63	19.07	20.00	21.05	22.23	23.55	25.03	27.34
49.0	18.15	18.21	18.61	19.03	19.48	20.46	21.55	22.78	24.15	25.69	28.08
50.0	18.52	18.59	19.01	19.45	19.91	20.93	22.07	23.35	24.77	26.36	28.84
52.0	19.30	19.38	19.83	20.30	20.81	21.91	23.14	24.53	26.07	27.79	30.44
54.0	20.13	20.21	20.70	21.21	21.76	22.95	24.29	25.79	27.46	29.31	32.16
56.0	21.00	21.09	21.62	22.18	22.77	24.07	25.52	27.15	28.95	30.95	34.01
58.0	21.93	22.02	22.60	23.21	23.86	25.27	26.84	28.61	30.56	32.72	36.01
60.0	22.92	23.02	23.65	24.31	25.02	26.55	28.27	30.19	32.31	34.64	38.17
62.0	23.99	24.10	24.78	25.50	26.27	27.94	29.82	31.91	34.21	36.73	40.53
64.0	25.13	25.25	26.00	26.78	27.63	29.46	31.51	33.79	36.29	39.02	43.11
66.0	26.37	26.50	27.32	28.18	29.10	31.11	33.36	35.86	38.59	41.15	45.96
68.0	27.72	27.86	28.76	29.71	30.73	32.94	35.41	38.15	41.14	44.36	49.13
70.0	29.19	29.35	30.34	31.40	32.52	34.97	37.70	40.72	43.99	47.51	52.68
PERCENTAGE OF LOAN AMOUNT LEFT UNPAID AT DUE DATE											
	100.0	98.95	92.68	86.41	80.13	67.59	55.04	42.49	29.94	17.39	.00

DISCOUNT %	MONTHLY PAYBACK RATE (%) (MONTHLY PAYMENT DIVIDED BY LOAN AMOUNT)										
	.54	.55	.60	.65	.70	.75	.80	.90	1.00	1.10	1.23
1.0	6.65	6.65	6.65	6.66	6.66	6.67	6.67	6.69	6.70	6.72	6.75
2.0	6.80	6.80	6.81	6.82	6.83	6.84	6.85	6.88	6.91	6.94	7.00
3.0	6.95	6.95	6.97	6.98	7.00	7.01	7.03	7.07	7.12	7.17	7.25
4.0	7.10	7.10	7.12	7.14	7.17	7.19	7.21	7.26	7.33	7.40	7.51
5.0	7.26	7.26	7.29	7.31	7.34	7.37	7.40	7.46	7.54	7.63	7.77
6.0	7.41	7.42	7.45	7.48	7.51	7.55	7.58	7.66	7.76	7.87	8.03
7.0	7.57	7.58	7.61	7.65	7.69	7.73	7.77	7.87	7.98	8.11	8.30
8.0	7.74	7.74	7.78	7.82	7.87	7.91	7.96	8.07	8.20	8.35	8.58
9.0	7.90	7.91	7.95	8.00	8.05	8.10	8.16	8.28	8.43	8.60	8.85
10.0	8.07	8.07	8.12	8.17	8.23	8.29	8.36	8.49	8.66	8.85	9.14
11.0	8.23	8.24	8.30	8.36	8.42	8.48	8.56	8.71	8.89	9.10	9.42
12.0	8.40	8.41	8.48	8.54	8.61	8.68	8.76	8.93	9.13	9.36	9.72
13.0	8.58	8.59	8.65	8.72	8.80	8.88	8.97	9.15	9.37	9.63	10.01
14.0	8.75	8.76	8.84	8.91	9.00	9.08	9.18	9.38	9.62	9.89	10.31
15.0	8.93	8.94	9.02	9.10	9.19	9.29	9.39	9.61	9.87	10.17	10.62
16.0	9.11	9.12	9.21	9.30	9.39	9.50	9.60	9.84	10.12	10.45	10.93
17.0	9.29	9.31	9.40	9.49	9.60	9.71	9.82	10.08	10.38	10.73	11.25
18.0	9.48	9.49	9.59	9.69	9.81	9.92	10.05	10.32	10.65	11.01	11.57
19.0	9.67	9.68	9.79	9.90	10.02	10.14	10.28	10.57	10.91	11.31	11.90
20.0	9.86	9.88	9.99	10.10	10.23	10.36	10.51	10.82	11.19	11.60	12.24
21.0	10.05	10.07	10.19	10.31	10.45	10.59	10.74	11.08	11.46	11.91	12.58
22.0	10.25	10.27	10.40	10.53	10.67	10.82	10.98	11.33	11.75	12.22	12.92
23.0	10.45	10.47	10.61	10.75	10.90	11.05	11.22	11.60	12.03	12.53	13.28
24.0	10.66	10.68	10.82	10.97	11.12	11.29	11.47	11.87	12.33	12.85	13.64
25.0	10.86	10.89	11.04	11.19	11.36	11.54	11.72	12.14	12.63	13.18	14.01
26.0	11.08	11.10	11.26	11.42	11.60	11.78	11.98	12.42	12.93	13.51	14.38
27.0	11.29	11.32	11.48	11.65	11.84	12.03	12.24	12.71	13.24	13.86	14.77
28.0	11.51	11.54	11.71	11.89	12.08	12.29	12.51	13.00	13.56	14.20	15.16
29.0	11.73	11.76	11.94	12.13	12.33	12.55	12.78	13.29	13.88	14.56	15.56
30.0	11.96	11.99	12.18	12.37	12.59	12.82	13.06	13.60	14.21	14.92	15.97
31.0	12.19	12.22	12.42	12.63	12.85	13.09	13.34	13.90	14.55	15.29	16.39
32.0	12.42	12.45	12.66	12.88	13.12	13.37	13.63	14.22	14.90	15.67	16.81
33.0	12.66	12.69	12.91	13.14	13.39	13.66	13.93	14.54	15.25	16.06	17.25
34.0	12.90	12.94	13.17	13.41	13.66	13.94	14.23	14.87	15.61	16.45	17.70
35.0	13.15	13.19	13.43	13.68	13.95	14.23	14.54	15.21	15.98	16.86	18.15
36.0	13.41	13.45	13.69	13.95	14.24	14.53	14.85	15.55	16.36	17.28	18.62
37.0	13.66	13.71	13.96	14.24	14.53	14.84	15.17	15.90	16.75	17.70	19.10
38.0	13.93	13.97	14.24	14.52	14.83	15.16	15.50	16.27	17.14	18.14	19.59
39.0	14.20	14.24	14.52	14.82	15.14	15.48	15.84	16.64	17.55	18.59	20.10
40.0	14.47	14.52	14.81	15.12	15.45	15.81	16.18	17.01	17.97	19.04	20.61
41.0	14.75	14.80	15.11	15.43	15.78	16.15	16.54	17.40	18.39	19.52	21.14
42.0	15.04	15.09	15.41	15.75	16.11	16.49	16.90	17.80	18.83	20.00	21.69
43.0	15.34	15.39	15.72	16.07	16.45	16.85	17.27	18.21	19.28	20.50	22.25
44.0	15.64	15.69	16.04	16.40	16.79	17.21	17.65	18.63	19.75	21.01	22.83
45.0	15.94	16.00	16.36	16.74	17.15	17.58	18.04	19.06	20.22	21.54	23.42
46.0	16.26	16.32	16.69	17.09	17.51	17.97	18.45	19.51	20.71	22.08	24.03
47.0	16.58	16.65	17.04	17.45	17.89	18.36	18.86	19.96	21.22	22.64	24.66
48.0	16.92	16.98	17.39	17.81	18.28	18.76	19.29	20.43	21.74	23.21	25.31
49.0	17.26	17.32	17.75	18.19	18.67	19.18	19.72	20.92	22.28	23.80	25.98
50.0	17.61	17.68	18.12	18.58	19.08	19.61	20.18	21.42	22.83	24.42	26.67
52.0	18.33	18.41	18.89	19.39	19.93	20.51	21.12	22.47	24.00	25.71	28.13
54.0	19.11	19.19	19.70	20.25	20.84	21.46	22.13	23.59	25.24	27.09	29.68
56.0	19.92	20.01	20.57	21.17	21.81	22.49	23.21	24.79	26.58	28.57	31.36
58.0	20.80	20.89	21.50	22.15	22.84	23.58	24.37	26.09	28.03	30.18	33.17
60.0	21.73	21.84	22.50	23.20	23.96	24.76	25.62	27.49	29.60	31.92	35.13
62.0	22.73	22.85	23.57	24.34	25.17	26.04	26.98	29.02	31.31	33.82	37.27
64.0	23.81	23.94	24.73	25.57	26.48	27.44	28.46	30.69	33.18	35.90	39.62
66.0	24.99	25.13	25.99	26.92	27.91	28.96	30.08	32.53	35.25	38.20	42.22
68.0	26.27	26.42	27.38	28.40	29.49	30.65	31.88	34.57	37.54	40.76	45.10
70.0	27.68	27.85	28.91	30.03	31.24	32.53	33.89	36.85	40.12	43.63	48.33
▽ɸ	PERCENTAGE OF LOAN AMOUNT LEFT UNPAID AT DUE DATE										
	100.0	98.78	91.47	84.16	76.84	69.53	62.22	47.60	32.97	18.35	.00

DISCOUNT %	MONTHLY PAYBACK RATE (%) (MONTHLY PAYMENT DIVIDED BY LOAN AMOUNT)										
	.54	.55	.60	.65	.70	.75	.80	.85	.90	1.00	1.14
1.0	6.64	6.64	6.64	6.65	6.65	6.66	6.67	6.67	6.68	6.70	6.72
2.0	6.78	6.78	6.79	6.80	6.81	6.82	6.83	6.85	6.86	6.90	6.95
3.0	6.92	6.92	6.93	6.95	6.97	6.98	7.00	7.02	7.04	7.10	7.18
4.0	7.06	7.06	7.08	7.10	7.12	7.15	7.17	7.20	7.23	7.30	7.42
5.0	7.20	7.21	7.23	7.26	7.29	7.32	7.35	7.38	7.42	7.51	7.66
6.0	7.35	7.35	7.38	7.41	7.45	7.49	7.53	7.57	7.61	7.72	7.90
7.0	7.50	7.50	7.54	7.57	7.62	7.66	7.71	7.76	7.81	7.94	8.14
8.0	7.65	7.65	7.69	7.74	7.78	7.83	7.89	7.95	8.01	8.15	8.39
9.0	7.80	7.80	7.85	7.90	7.95	8.01	8.07	8.14	8.21	8.37	8.65
10.0	7.95	7.96	8.01	8.07	8.13	8.19	8.26	8.33	8.41	8.60	8.90
11.0	8.11	8.12	8.18	8.24	8.30	8.37	8.45	8.53	8.62	8.83	9.17
12.0	8.27	8.28	8.34	8.41	8.48	8.56	8.64	8.74	8.83	9.06	9.43
13.0	8.43	8.44	8.51	8.58	8.66	8.75	8.84	8.94	9.05	9.29	9.70
14.0	8.59	8.60	8.68	8.76	8.85	8.94	9.04	9.15	9.26	9.53	9.98
15.0	8.76	8.77	8.85	8.94	9.03	9.13	9.24	9.36	9.49	9.78	10.26
16.0	8.92	8.94	9.03	9.12	9.22	9.33	9.45	9.58	9.71	10.02	10.54
17.0	9.09	9.11	9.20	9.30	9.42	9.53	9.66	9.80	9.94	10.28	10.83
18.0	9.27	9.28	9.39	9.49	9.61	9.74	9.87	10.02	10.17	10.53	11.13
19.0	9.44	9.46	9.57	9.68	9.81	9.94	10.09	10.24	10.41	10.79	11.43
20.0	9.62	9.64	9.76	9.88	10.01	10.16	10.31	10.48	10.65	11.06	11.73
21.0	9.80	9.82	9.95	10.08	10.22	10.37	10.53	10.71	10.90	11.33	12.04
22.0	9.99	10.01	10.14	10.28	10.43	10.59	10.76	10.95	11.15	11.61	12.36
23.0	10.17	10.19	10.33	10.48	10.64	10.81	10.99	11.19	11.40	11.89	12.68
24.0	10.36	10.39	10.53	10.69	10.86	11.04	11.23	11.44	11.66	12.18	13.01
25.0	10.56	10.58	10.74	10.90	11.08	11.27	11.47	11.69	11.93	12.47	13.35
26.0	10.75	10.78	10.94	11.11	11.30	11.50	11.72	11.95	12.20	12.77	13.69
27.0	10.95	10.98	11.15	11.33	11.53	11.74	11.97	12.21	12.48	13.07	14.04
28.0	11.16	11.19	11.37	11.56	11.76	11.99	12.22	12.48	12.76	13.38	14.40
29.0	11.37	11.39	11.58	11.78	12.00	12.24	12.49	12.76	13.04	13.70	14.77
30.0	11.58	11.61	11.81	12.02	12.25	12.49	12.75	13.03	13.34	14.03	15.14
31.0	11.79	11.82	12.03	12.25	12.49	12.75	13.02	13.32	13.64	14.36	15.52
32.0	12.01	12.05	12.26	12.49	12.74	13.01	13.30	13.61	13.94	14.70	15.91
33.0	12.23	12.27	12.50	12.74	13.00	13.28	13.58	13.91	14.26	15.04	16.31
34.0	12.46	12.50	12.74	12.99	13.27	13.56	13.87	14.21	14.58	15.40	16.72
35.0	12.69	12.73	12.98	13.25	13.53	13.84	14.17	14.52	14.90	15.76	17.14
36.0	12.93	12.97	13.23	13.51	13.81	14.13	14.47	14.84	15.24	16.13	17.57
37.0	13.17	13.22	13.49	13.78	14.09	14.42	14.78	15.17	15.58	16.51	18.01
38.0	13.42	13.47	13.75	14.05	14.38	14.72	15.10	15.50	15.93	16.90	18.46
39.0	13.67	13.72	14.02	14.33	14.67	15.03	15.42	15.84	16.29	17.30	18.92
40.0	13.93	13.98	14.29	14.62	14.97	15.35	15.76	16.19	16.66	17.71	19.39
41.0	14.20	14.25	14.57	14.91	15.28	15.67	16.10	16.55	17.04	18.14	19.88
42.0	14.47	14.52	14.85	15.21	15.59	16.01	16.45	16.92	17.43	18.57	20.38
43.0	14.74	14.80	15.15	15.52	15.92	16.35	16.81	17.30	17.83	19.02	20.89
44.0	15.03	15.08	15.45	15.83	16.25	16.70	17.18	17.69	18.24	19.47	21.42
45.0	15.32	15.38	15.75	16.16	16.59	17.06	17.56	18.09	18.67	19.94	21.96
46.0	15.61	15.68	16.07	16.49	16.94	17.43	17.95	18.50	19.10	20.43	22.52
47.0	15.92	15.98	16.39	16.83	17.30	17.81	18.35	18.93	19.55	20.93	23.10
48.0	16.23	16.30	16.73	17.18	17.67	18.20	18.76	19.36	20.01	21.45	23.69
49.0	16.55	16.62	17.07	17.54	18.05	18.60	19.19	19.81	20.49	21.98	24.31
50.0	16.88	16.96	17.42	17.91	18.44	19.01	19.62	20.28	20.98	22.53	24.94
52.0	17.57	17.65	18.15	18.69	19.27	19.88	20.55	21.25	22.01	23.68	26.27
54.0	18.30	18.39	18.93	19.51	20.14	20.81	21.53	22.30	23.12	24.92	27.70
56.0	19.08	19.17	19.76	20.39	21.08	21.80	22.58	23.42	24.30	26.26	29.24
58.0	19.91	20.01	20.65	21.34	22.08	22.87	23.72	24.63	25.59	27.70	30.91
60.0	20.80	20.91	21.61	22.36	23.16	24.03	24.94	25.94	26.98	29.26	32.71
62.0	21.75	21.87	22.64	23.46	24.34	25.28	26.29	27.36	28.50	30.97	34.68
64.0	22.79	22.92	23.76	24.65	25.62	26.65	27.75	28.92	30.16	32.84	36.84
66.0	23.91	24.06	24.98	25.96	27.03	28.16	29.37	30.65	32.00	34.91	39.23
68.0	25.15	25.31	26.32	27.41	28.58	29.83	31.15	32.56	34.04	37.22	41.88
70.0	26.51	26.69	27.81	29.01	30.31	31.69	33.16	34.71	36.33	39.81	44.86
⌀	PERCENTAGE OF LOAN AMOUNT LEFT UNPAID AT DUE DATE										
	100.0	98.60	90.18	81.76	73.34	64.92	56.50	48.08	39.66	22.82	.00

MONTHLY PAYBACK RATE (%)
(MONTHLY PAYMENT DIVIDED BY LOAN AMOUNT)

DISCOUNT %	.75	1.00	1.25	1.50	1.75	2.00	2.25	2.50	3.00	3.50	4.00
1.0	6.63	6.69	6.75	6.81	6.87	6.93	6.99	7.05	7.16	7.28	7.39
2.0	6.76	6.89	7.01	7.13	7.25	7.37	7.49	7.60	7.84	8.07	8.29
3.0	6.89	7.08	7.27	7.45	7.63	7.81	7.99	8.17	8.52	8.87	9.21
4.0	7.03	7.28	7.53	7.78	8.02	8.26	8.50	8.74	9.21	9.68	10.14
5.0	7.16	7.49	7.80	8.11	8.41	8.72	9.02	9.32	9.91	10.50	11.08
6.0	7.30	7.69	8.07	8.44	8.81	9.18	9.54	9.91	10.62	11.34	12.04
7.0	7.44	7.90	8.35	8.79	9.22	9.65	10.08	10.50	11.35	12.18	13.01
8.0	7.59	8.12	8.63	9.13	9.63	10.13	10.62	11.11	12.08	13.05	14.00
9.0	7.73	8.33	8.91	9.48	10.05	10.61	11.17	11.73	12.83	13.92	15.00
10.0	7.88	8.55	9.20	9.84	10.47	11.10	11.73	12.35	13.59	14.81	16.02
11.0	8.03	8.78	9.49	10.20	10.91	11.60	12.30	12.99	14.36	15.71	17.05
12.0	8.19	9.00	9.79	10.57	11.35	12.11	12.88	13.63	15.14	16.63	18.10
13.0	8.34	9.23	10.10	10.95	11.79	12.63	13.46	14.29	15.93	17.56	19.17
14.0	8.50	9.47	10.41	11.33	12.24	13.15	14.06	14.96	16.74	18.51	20.26
15.0	8.67	9.71	10.72	11.72	12.71	13.69	14.66	15.63	17.56	19.47	21.36
16.0	8.83	9.95	11.04	12.11	13.17	14.23	15.28	16.32	18.40	20.45	22.48
17.0	9.00	10.20	11.36	12.51	13.65	14.78	15.91	17.03	19.25	21.45	23.63
18.0	9.17	10.45	11.69	12.92	14.14	15.34	16.55	17.74	20.11	22.46	24.79
19.0	9.35	10.71	12.03	13.34	14.63	15.92	17.19	18.47	20.99	23.49	25.97
20.0	9.52	10.97	12.37	13.76	15.13	16.50	17.86	19.21	21.89	24.54	27.18
21.0	9.71	11.24	12.72	14.19	15.65	17.09	18.53	19.96	22.80	25.61	28.40
22.0	9.89	11.51	13.08	14.63	16.17	17.69	19.21	20.73	23.73	26.70	29.65
23.0	10.08	11.78	13.44	15.08	16.70	18.31	19.91	21.51	24.67	27.81	30.92
24.0	10.27	12.07	13.81	15.53	17.24	18.94	20.62	22.30	25.64	28.94	32.22
25.0	10.47	12.36	14.19	16.00	17.79	19.58	21.35	23.11	26.62	30.10	33.54
26.0	10.67	12.65	14.57	16.47	18.36	20.23	22.09	23.94	27.62	31.27	34.89
27.0	10.88	12.95	14.97	16.96	18.93	20.89	22.85	24.79	28.65	32.47	36.27
28.0	11.09	13.26	15.37	17.45	19.52	21.57	23.62	25.65	29.69	33.70	37.67
29.0	11.30	13.57	15.78	17.95	20.12	22.26	24.40	26.53	30.75	34.94	39.10
30.0	11.52	13.89	16.19	18.47	20.73	22.97	25.20	27.43	31.84	36.22	40.57
31.0	11.75	14.22	16.62	19.00	21.35	23.69	26.02	28.34	32.95	37.52	42.06
32.0	11.98	14.55	17.06	19.53	21.99	24.43	26.86	29.28	34.09	38.86	43.59
33.0	12.22	14.89	17.50	20.08	22.64	25.19	27.72	30.24	35.25	40.22	45.15
34.0	12.46	15.25	17.96	20.65	23.31	25.96	28.60	31.22	36.43	41.61	46.74
35.0	12.71	15.60	18.43	21.22	23.99	26.75	29.49	32.22	37.65	43.03	48.38
36.0	12.96	15.97	18.91	21.81	24.69	27.56	30.41	33.25	38.89	44.49	50.05
37.0	13.22	16.35	19.40	22.41	25.41	28.38	31.35	34.30	40.16	45.98	51.76
38.0	13.49	16.74	19.90	23.03	26.14	29.23	32.31	35.37	41.46	47.51	53.51
39.0	13.77	17.13	20.42	23.67	26.89	30.10	33.30	36.48	42.80	49.08	55.31
40.0	14.05	17.54	20.95	24.32	27.66	30.99	34.31	37.61	44.17	50.68	57.15
41.0	14.34	17.96	21.49	24.99	28.46	31.91	35.35	38.77	45.57	52.33	59.04
42.0	14.64	18.39	22.05	25.67	29.27	32.85	36.41	39.96	47.01	54.02	60.98
43.0	14.95	18.83	22.62	26.38	30.10	33.81	37.50	41.18	48.49	55.76	62.98
44.0	15.27	19.29	23.21	27.10	30.96	34.80	38.63	42.44	50.01	57.54	65.02
45.0	15.60	19.75	23.82	27.84	31.84	35.82	39.78	43.73	51.58	59.38	67.13
46.0	15.94	20.24	24.44	28.61	32.75	36.87	40.97	45.06	53.19	61.26	69.29
47.0	16.29	20.73	25.09	29.40	33.68	37.95	42.20	46.42	54.84	63.21	71.52
48.0	16.65	21.25	25.75	30.21	34.65	39.06	43.46	47.83	56.55	65.21	73.82
49.0	17.02	21.78	26.44	31.05	35.64	40.21	44.76	49.29	58.31	67.27	76.18
50.0	17.41	22.32	27.14	31.92	36.67	41.39	46.10	50.79	60.12	69.40	78.63
51.0	17.81	22.89	27.87	32.81	37.72	42.61	47.48	52.33	61.99	71.60	81.15
52.0	18.22	23.48	28.63	33.74	38.82	43.87	48.91	53.93	63.87	73.87	83.75
53.0	18.66	24.08	29.41	34.70	39.95	45.18	50.39	55.59	65.93	76.21	86.44
54.0	19.10	24.71	30.22	35.69	41.12	46.53	51.92	57.30	68.00	78.64	89.23
55.0	19.57	25.37	31.06	36.71	42.33	47.93	53.51	59.07	70.14	81.16	92.11
56.0	20.05	26.05	31.94	37.78	43.59	49.38	55.16	60.91	72.37	83.76	95.11
57.0	20.56	26.75	32.84	38.89	44.90	50.89	56.86	62.82	74.67	86.47	98.21
58.0	21.08	27.49	33.79	40.04	46.26	52.46	58.64	64.80	77.07	89.28	101.44
59.0	21.63	28.25	34.77	41.24	47.68	54.09	60.49	66.86	79.57	92.21	104.79
60.0	22.21	29.05	35.79	42.49	49.15	55.79	62.41	69.01	82.16	95.25	108.29
◁▷ NUMBER OF MONTHLY PAYMENTS NEEDED TO PAY OFF LOAN	237.1	144.4	105.1	82.9	68.6	58.5	51.0	45.2	36.9	31.1	26.9

6.75%   DUE IN 12 MONTHS   6.75%

DISCOUNT %	.56	1.00	1.50	2.00	3.00	4.00	5.00	6.00	7.00	8.00	8.64
.5	7.27	7.28	7.30	7.31	7.35	7.39	7.44	7.49	7.56	7.63	7.69
1.0	7.79	7.82	7.85	7.88	7.96	8.04	8.13	8.24	8.37	8.53	8.64
1.5	8.32	8.36	8.40	8.45	8.56	8.69	8.83	9.00	9.19	9.42	9.59
2.0	8.85	8.90	8.96	9.03	9.18	9.34	9.54	9.76	10.02	10.33	10.56
2.5	9.38	9.44	9.52	9.61	9.79	10.00	10.24	10.52	10.85	11.24	11.52
3.0	9.91	9.99	10.09	10.19	10.41	10.67	10.96	11.29	11.69	12.15	12.50
3.5	10.45	10.54	10.66	10.78	11.04	11.33	11.67	12.07	12.53	13.08	13.49
4.0	10.99	11.10	11.23	11.36	11.66	12.01	12.40	12.85	13.38	14.01	14.48
4.5	11.53	11.66	11.80	11.96	12.30	12.68	13.12	13.64	14.24	14.95	15.48
5.0	12.08	12.22	12.38	12.55	12.93	13.36	13.86	14.43	15.10	15.89	16.48
5.5	12.63	12.78	12.96	13.15	13.57	14.05	14.59	15.23	15.97	16.84	17.50
6.0	13.19	13.35	13.55	13.76	14.22	14.74	15.34	16.03	16.84	17.80	18.52
6.5	13.74	13.92	14.14	14.36	14.86	15.43	16.08	16.84	17.72	18.77	19.55
7.0	14.30	14.50	14.73	14.98	15.52	16.13	16.84	17.65	18.61	19.74	20.59
7.5	14.87	15.07	15.33	15.59	16.17	16.84	17.60	18.48	19.51	20.73	21.63
8.0	15.43	15.66	15.92	16.21	16.83	17.54	18.36	19.30	20.41	21.72	22.69
8.5	16.00	16.24	16.53	16.83	17.50	18.26	19.13	20.14	21.32	22.71	23.75
9.0	16.58	16.83	17.14	17.46	18.17	18.98	19.90	20.98	22.23	23.72	24.82
9.5	17.15	17.42	17.75	18.09	18.84	19.70	20.68	21.82	23.15	24.73	25.90
10.0	17.74	18.02	18.36	18.73	19.52	20.43	21.47	22.67	24.08	25.75	26.99
10.5	18.32	18.62	18.98	19.36	20.21	21.16	22.26	23.53	25.02	26.78	28.09
11.0	18.91	19.22	19.60	20.01	20.89	21.90	23.06	24.40	25.97	27.82	29.19
11.5	19.50	19.83	20.23	20.66	21.59	22.65	23.86	25.27	26.92	28.87	30.31
12.0	20.09	20.44	20.86	21.31	22.28	23.40	24.67	26.15	27.88	29.92	31.43
12.5	20.69	21.06	21.50	21.96	22.99	24.15	25.49	27.04	28.85	30.99	32.57
13.0	21.30	21.68	22.14	22.62	23.69	24.91	26.31	27.93	29.82	32.06	33.71
13.5	21.90	22.30	22.78	23.29	24.41	25.68	27.14	28.83	30.81	33.14	34.87
14.0	22.51	22.93	23.43	23.96	25.12	26.45	27.97	29.74	31.80	34.23	36.03
14.5	23.13	23.56	24.08	24.63	25.85	27.23	28.81	30.65	32.80	35.33	37.21
15.0	23.75	24.20	24.74	25.31	26.57	28.01	29.66	31.57	33.81	36.44	38.39
15.5	24.37	24.84	25.40	26.00	27.31	28.80	30.52	32.50	34.82	37.56	39.58
16.0	25.00	25.48	26.07	26.68	28.05	29.60	31.38	33.44	35.85	38.69	40.79
16.5	25.63	26.13	26.74	27.38	28.79	30.40	32.25	34.38	36.88	39.83	42.00
17.0	26.26	26.78	27.41	28.08	29.54	31.21	33.12	35.34	37.93	40.98	43.23
17.5	26.90	27.44	28.09	28.78	30.29	32.02	34.00	36.30	38.98	42.14	44.47
18.0	27.55	28.10	28.77	29.49	31.05	32.84	34.89	37.27	40.04	43.31	45.72
18.5	28.19	28.77	29.46	30.20	31.82	33.67	35.79	38.24	41.11	44.49	46.98
19.0	28.85	29.44	30.16	30.92	32.59	34.50	36.69	39.23	42.19	45.68	48.25
19.5	29.50	30.12	30.86	31.64	33.37	35.34	37.60	40.22	43.28	46.88	49.53
20.0	30.17	30.80	31.56	32.37	34.15	36.19	38.52	41.22	44.38	48.09	50.83
20.5	30.83	31.48	32.27	33.11	34.94	37.04	39.45	42.23	45.49	49.32	52.13
21.0	31.50	32.17	32.99	33.85	35.74	37.90	40.38	43.25	46.61	50.55	53.45
21.5	32.18	32.87	33.70	34.59	36.54	38.77	41.32	44.28	47.74	51.80	54.79
22.0	32.86	33.57	34.43	35.34	37.35	39.64	42.27	45.32	48.88	53.06	56.13
22.5	33.54	34.28	35.16	36.10	38.17	40.52	43.23	46.37	50.03	54.33	57.49
23.0	34.23	34.99	35.90	36.86	38.99	41.41	44.20	47.43	51.19	55.61	58.86
23.5	34.93	35.70	36.64	37.63	39.82	42.31	45.18	48.49	52.36	56.91	60.25
24.0	35.63	36.42	37.38	38.41	40.65	43.21	46.16	49.57	53.54	58.21	61.64
24.5	36.33	37.15	38.14	39.19	41.49	44.13	47.15	50.66	54.74	59.54	63.06
25.0	37.04	37.88	38.90	39.97	42.34	45.05	48.15	51.75	55.95	60.87	64.48
25.5	37.76	38.62	39.66	40.77	43.20	45.97	49.17	52.86	57.16	62.22	65.92
26.0	38.48	39.36	40.43	41.56	44.06	46.91	50.19	53.98	58.39	63.58	67.38
26.5	39.21	40.11	41.21	42.37	44.93	47.85	51.21	55.10	59.64	64.95	68.85
27.0	39.94	40.87	41.99	43.18	45.81	48.81	52.25	56.24	60.89	66.34	70.33
27.5	40.68	41.63	42.78	44.00	46.69	49.77	53.30	57.39	62.16	67.74	71.84
28.0	41.42	42.40	43.57	44.83	47.59	50.74	54.36	58.55	63.44	69.16	73.35
28.5	42.17	43.17	44.38	45.66	48.49	51.72	55.43	59.73	64.73	70.60	74.89
29.0	42.92	43.95	45.18	46.50	49.39	52.70	56.51	60.91	66.04	72.04	76.44
29.5	43.69	44.73	46.00	47.34	50.31	53.70	57.60	62.11	67.36	73.51	78.00
30.0	44.45	45.52	46.82	48.20	51.24	54.71	58.70	63.32	68.69	74.99	79.58

PERCENTAGE OF LOAN AMOUNT LEFT UNPAID AT DUE DATE

| | 100.0 | 94.58 | 88.40 | 82.21 | 69.83 | 57.45 | 45.07 | 32.69 | 20.31 | 7.94 | .00 |

43

DISCOUNT %	MONTHLY PAYBACK RATE (%) (MONTHLY PAYMENT DIVIDED BY LOAN AMOUNT)										
	.56	.75	1.00	1.25	1.50	2.00	2.50	3.00	3.50	4.00	4.47
.5	7.02	7.02	7.03	7.04	7.05	7.07	7.10	7.13	7.16	7.20	7.24
1.0	7.29	7.30	7.32	7.34	7.36	7.40	7.45	7.50	7.57	7.65	7.74
1.5	7.56	7.58	7.60	7.63	7.66	7.73	7.80	7.89	7.99	8.11	8.24
2.0	7.83	7.86	7.89	7.93	7.97	8.05	8.15	8.27	8.41	8.57	8.75
2.5	8.11	8.14	8.18	8.23	8.28	8.39	8.51	8.66	8.83	9.03	9.26
3.0	8.38	8.42	8.47	8.53	8.59	8.72	8.87	9.04	9.25	9.50	9.77
3.5	8.66	8.71	8.77	8.83	8.90	9.05	9.23	9.44	9.68	9.97	10.29
4.0	8.94	8.99	9.06	9.14	9.22	9.39	9.59	9.83	10.11	10.44	10.81
4.5	9.22	9.28	9.36	9.44	9.53	9.73	9.96	10.23	10.54	10.92	11.33
5.0	9.50	9.57	9.66	9.75	9.85	10.07	10.33	10.63	10.98	11.39	11.86
5.5	9.79	9.86	9.96	10.06	10.17	10.42	10.70	11.03	11.42	11.88	12.40
6.0	10.07	10.15	10.26	10.37	10.49	10.76	11.07	11.43	11.86	12.36	12.93
6.5	10.36	10.45	10.56	10.69	10.82	11.11	11.45	11.84	12.30	12.86	13.47
7.0	10.65	10.74	10.87	11.00	11.15	11.46	11.83	12.25	12.75	13.35	14.02
7.5	10.94	11.04	11.18	11.32	11.47	11.82	12.21	12.67	13.21	13.85	14.56
8.0	11.23	11.34	11.48	11.64	11.80	12.17	12.59	13.08	13.66	14.35	15.12
8.5	11.53	11.64	11.80	11.96	12.14	12.53	12.98	13.50	14.12	14.85	15.67
9.0	11.82	11.94	12.11	12.28	12.47	12.89	13.37	13.93	14.58	15.36	16.24
9.5	12.12	12.25	12.42	12.61	12.81	13.25	13.76	14.35	15.05	15.88	16.80
10.0	12.42	12.55	12.74	12.94	13.15	13.62	14.15	14.78	15.52	16.39	17.37
10.5	12.72	12.86	13.06	13.27	13.49	13.98	14.55	15.21	15.99	16.91	17.95
11.0	13.03	13.17	13.38	13.60	13.83	14.35	14.95	15.65	16.47	17.44	18.53
11.5	13.33	13.49	13.70	13.93	14.18	14.73	15.36	16.09	16.95	17.97	19.11
12.0	13.64	13.80	14.03	14.27	14.53	15.10	15.76	16.53	17.43	18.50	19.70
12.5	13.95	14.12	14.36	14.61	14.88	15.48	16.17	16.97	17.92	19.04	20.29
13.0	14.26	14.44	14.69	14.95	15.23	15.86	16.58	17.42	18.41	19.58	20.89
13.5	14.57	14.76	15.02	15.29	15.59	16.24	17.00	17.88	18.91	20.13	21.49
14.0	14.89	15.08	15.35	15.64	15.95	16.63	17.42	18.33	19.41	20.68	22.10
14.5	15.20	15.40	15.69	15.99	16.31	17.02	17.84	18.79	19.91	21.24	22.72
15.0	15.52	15.73	16.02	16.34	16.67	17.41	18.26	19.25	20.42	21.80	23.34
15.5	15.84	16.06	16.36	16.69	17.04	17.80	18.69	19.72	20.93	22.36	23.96
16.0	16.16	16.39	16.71	17.04	17.40	18.20	19.12	20.19	21.44	22.93	24.59
16.5	16.49	16.72	17.05	17.40	17.78	18.60	19.55	20.66	21.97	23.51	25.22
17.0	16.82	17.06	17.40	17.76	18.15	19.01	19.99	21.14	22.49	24.09	25.86
17.5	17.15	17.40	17.75	18.12	18.52	19.41	20.43	21.62	23.02	24.67	26.51
18.0	17.48	17.74	18.10	18.49	18.90	19.82	20.88	22.11	23.55	25.26	27.16
18.5	17.81	18.08	18.46	18.86	19.29	20.23	21.33	22.60	24.09	25.86	27.82
19.0	18.15	18.43	18.81	19.23	19.67	20.65	21.78	23.09	24.63	26.46	28.48
19.5	18.49	18.77	19.17	19.60	20.06	21.07	22.23	23.59	25.18	27.07	29.15
20.0	18.83	19.12	19.54	19.98	20.45	21.49	22.69	24.09	25.73	27.68	29.83
21.0	19.51	19.83	20.27	20.74	21.24	22.34	23.62	25.11	26.85	28.92	31.20
22.0	20.21	20.54	21.01	21.51	22.04	23.21	24.57	26.14	27.99	30.18	32.59
23.0	20.92	21.27	21.76	22.29	22.85	24.09	25.53	27.19	29.15	31.46	34.01
24.0	21.64	22.01	22.53	23.08	23.68	24.99	26.50	28.27	30.33	32.77	35.46
25.0	22.37	22.76	23.31	23.89	24.51	25.90	27.50	29.36	31.53	34.11	36.94
26.0	23.11	23.52	24.09	24.71	25.37	26.83	28.51	30.47	32.76	35.47	38.44
27.0	23.86	24.29	24.89	25.54	26.23	27.77	29.54	31.60	34.01	36.86	39.98
28.0	24.62	25.07	25.71	26.39	27.11	28.73	30.59	32.75	35.29	38.27	41.55
29.0	25.39	25.87	26.53	27.25	28.01	29.70	31.65	33.93	36.59	39.72	43.15
30.0	26.18	26.67	27.37	28.12	28.92	30.69	32.74	35.12	37.91	41.19	44.78
31.0	26.97	27.49	28.23	29.01	29.85	31.70	33.85	36.35	39.27	42.70	46.45
32.0	27.78	28.33	29.10	29.91	30.79	32.73	34.98	37.59	40.65	44.24	48.16
33.0	28.61	29.18	29.98	30.83	31.75	33.78	36.13	38.87	42.06	45.81	49.90
34.0	29.44	30.04	30.88	31.77	32.73	34.85	37.31	40.16	43.50	47.42	51.69
35.0	30.30	30.92	31.79	32.72	33.72	35.94	38.51	41.49	44.98	49.06	53.51
36.0	31.16	31.81	32.72	33.70	34.74	37.05	39.73	42.85	46.49	50.75	55.38
37.0	32.04	32.72	33.67	34.68	35.77	38.19	40.98	44.23	48.03	52.47	57.29
38.0	32.94	33.64	34.63	35.69	36.83	39.35	42.26	45.65	49.61	54.24	59.25
39.0	33.85	34.59	35.62	36.72	37.90	40.53	43.57	47.10	51.22	56.04	61.26
40.0	34.78	35.54	36.62	37.77	39.00	41.74	44.90	48.59	52.88	57.90	63.32
▽Φ	PERCENTAGE OF LOAN AMOUNT LEFT UNPAID AT DUE DATE										
	100.0	95.20	88.79	82.39	75.98	63.17	50.36	37.55	24.75	11.94	.00

DISCOUNT %	MONTHLY PAYBACK RATE (%) (MONTHLY PAYMENT DIVIDED BY LOAN AMOUNT)										
	.56	.75	1.00	1.25	1.50	1.75	2.00	2.25	2.50	2.75	3.08
.5	6.93	6.94	6.95	6.96	6.97	6.99	7.00	7.02	7.03	7.06	7.09
1.0	7.12	7.13	7.15	7.17	7.20	7.22	7.25	7.28	7.32	7.36	7.43
1.5	7.31	7.33	7.36	7.39	7.42	7.46	7.50	7.55	7.61	7.67	7.77
2.0	7.50	7.52	7.56	7.60	7.65	7.70	7.76	7.82	7.90	7.99	8.12
2.5	7.68	7.72	7.77	7.82	7.88	7.94	8.02	8.10	8.19	8.30	8.46
3.0	7.87	7.92	7.97	8.04	8.11	8.19	8.27	8.37	8.49	8.62	8.81
3.5	8.07	8.11	8.18	8.26	8.34	8.43	8.53	8.65	8.78	8.93	9.17
4.0	8.26	8.31	8.39	8.48	8.57	8.68	8.80	8.93	9.08	9.26	9.52
4.5	8.45	8.51	8.60	8.70	8.81	8.92	9.06	9.21	9.38	9.58	9.88
5.0	8.65	8.72	8.81	8.92	9.04	9.17	9.32	9.49	9.68	9.90	10.24
5.5	8.84	8.92	9.03	9.15	9.28	9.43	9.59	9.78	9.99	10.23	10.61
6.0	9.04	9.12	9.24	9.37	9.52	9.68	9.86	10.06	10.30	10.56	10.97
6.5	9.24	9.33	9.46	9.60	9.76	9.93	10.13	10.35	10.61	10.90	11.34
7.0	9.44	9.53	9.67	9.83	10.00	10.19	10.40	10.64	10.92	11.23	11.71
7.5	9.64	9.74	9.89	10.06	10.24	10.45	10.68	10.94	11.23	11.57	12.09
8.0	9.84	9.95	10.11	10.29	10.49	10.71	10.95	11.23	11.55	11.91	12.47
8.5	10.04	10.16	10.33	10.52	10.73	10.97	11.23	11.53	11.87	12.25	12.85
9.0	10.25	10.37	10.56	10.76	10.98	11.23	11.51	11.83	12.19	12.60	13.23
9.5	10.45	10.59	10.78	11.00	11.23	11.50	11.80	12.13	12.51	12.95	13.62
10.0	10.66	10.80	11.01	11.23	11.48	11.77	12.08	12.43	12.84	13.30	14.00
11.0	11.08	11.23	11.46	11.71	11.99	12.31	12.66	13.05	13.50	14.01	14.79
12.0	11.50	11.67	11.92	12.20	12.51	12.85	13.24	13.67	14.17	14.73	15.59
13.0	11.92	12.12	12.39	12.70	13.03	13.41	13.83	14.31	14.85	15.46	16.41
14.0	12.36	12.57	12.87	13.20	13.56	13.97	14.43	14.95	15.54	16.21	17.23
15.0	12.80	13.02	13.35	13.70	14.10	14.55	15.04	15.60	16.24	16.97	18.08
16.0	13.24	13.48	13.83	14.22	14.65	15.13	15.66	16.27	16.95	17.74	18.93
17.0	13.69	13.95	14.33	14.74	15.20	15.72	16.29	16.94	17.68	18.52	19.80
18.0	14.15	14.43	14.83	15.27	15.77	16.32	16.93	17.63	18.42	19.32	20.69
19.0	14.61	14.91	15.34	15.81	16.34	16.93	17.59	18.33	19.17	20.13	21.59
20.0	15.08	15.39	15.85	16.36	16.92	17.55	18.25	19.04	19.93	20.95	22.51
21.0	15.55	15.89	16.38	16.91	17.51	18.17	18.92	19.76	20.71	21.79	23.44
22.0	16.03	16.39	16.91	17.48	18.11	18.81	19.60	20.50	21.50	22.65	24.39
23.0	16.52	16.90	17.45	18.05	18.72	19.46	20.30	21.24	22.31	23.52	25.36
24.0	17.02	17.42	17.99	18.63	19.34	20.13	21.01	22.00	23.13	24.41	26.35
25.0	17.52	17.94	18.55	19.22	19.97	20.80	21.73	22.78	23.97	25.31	27.36
26.0	18.03	18.47	19.11	19.82	20.61	21.48	22.46	23.57	24.82	26.24	28.38
27.0	18.55	19.02	19.69	20.43	21.26	22.18	23.21	24.38	25.69	27.18	29.43
28.0	19.08	19.57	20.27	21.05	21.92	22.89	23.97	25.20	26.57	28.14	30.50
29.0	19.61	20.12	20.86	21.68	22.59	23.61	24.75	26.03	27.48	29.12	31.59
30.0	20.16	20.69	21.47	22.33	23.28	24.35	25.54	26.89	28.40	30.12	32.70
31.0	20.71	21.27	22.08	22.98	23.98	25.10	26.35	27.76	29.34	31.14	33.84
32.0	21.27	21.85	22.70	23.65	24.69	25.86	27.17	28.65	30.31	32.18	35.00
33.0	21.84	22.45	23.34	24.32	25.42	26.64	28.01	29.55	31.29	33.25	36.19
34.0	22.42	23.06	23.99	25.02	26.16	27.44	28.87	30.48	32.29	34.34	37.41
35.0	23.01	23.68	24.65	25.72	26.92	28.25	29.75	31.43	33.32	35.45	38.65
36.0	23.61	24.30	25.32	26.44	27.69	29.08	30.64	32.39	34.37	36.59	39.92
37.0	24.22	24.94	26.00	27.17	28.47	29.93	31.55	33.38	35.44	37.76	41.23
38.0	24.84	25.60	26.70	27.92	29.27	30.79	32.49	34.40	36.54	38.96	42.56
39.0	25.47	26.26	27.41	28.68	30.09	31.67	33.45	35.43	37.67	40.18	43.93
40.0	26.12	26.94	28.13	29.46	30.93	32.58	34.42	36.50	38.82	41.44	45.33
41.0	26.78	27.63	28.87	30.25	31.79	33.50	35.43	37.58	40.01	42.73	46.77
42.0	27.45	28.33	29.63	31.06	32.66	34.45	36.45	38.70	41.22	44.05	48.25
43.0	28.13	29.05	30.40	31.89	33.56	35.42	37.50	39.84	42.47	45.41	49.76
44.0	28.82	29.78	31.18	32.74	34.47	36.41	38.58	41.02	43.74	46.80	51.32
45.0	29.54	30.53	31.99	33.61	35.41	37.43	39.69	42.22	45.06	48.23	52.92
46.0	30.26	31.30	32.81	34.49	36.37	38.47	40.82	43.46	46.41	49.71	54.57
47.0	31.00	32.08	33.65	35.40	37.36	39.54	41.99	44.73	47.80	51.22	56.27
48.0	31.76	32.88	34.51	36.34	38.37	40.64	43.19	46.04	49.23	52.79	58.02
49.0	32.53	33.70	35.40	37.29	39.41	41.77	44.42	47.39	50.70	54.40	59.82
50.0	33.32	34.53	36.30	38.27	40.47	42.93	45.69	48.77	52.22	56.06	61.68
◁▽ᗡ	PERCENTAGE OF LOAN AMOUNT LEFT UNPAID AT DUE DATE										
	100.0	92.54	82.60	72.65	62.71	52.76	42.82	32.87	22.93	12.98	.00

45

DISCOUNT %	MONTHLY PAYBACK RATE (%) (MONTHLY PAYMENT DIVIDED BY LOAN AMOUNT)										
	.56	.60	.80	1.00	1.20	1.40	1.60	1.80	2.00	2.20	2.38
.5	6.89	6.89	6.90	6.91	6.92	6.93	6.94	6.95	6.97	6.99	7.01
1.0	7.04	7.04	7.06	7.07	7.09	7.11	7.14	7.16	7.19	7.23	7.27
1.5	7.18	7.19	7.21	7.23	7.26	7.29	7.33	7.37	7.42	7.47	7.53
2.0	7.33	7.33	7.36	7.40	7.44	7.48	7.53	7.58	7.64	7.71	7.79
2.5	7.47	7.48	7.52	7.56	7.61	7.66	7.72	7.79	7.87	7.96	8.06
3.0	7.62	7.63	7.68	7.73	7.79	7.85	7.92	8.00	8.10	8.21	8.33
3.5	7.77	7.78	7.83	7.89	7.96	8.04	8.12	8.22	8.33	8.46	8.60
4.0	7.92	7.93	7.99	8.06	8.14	8.23	8.32	8.43	8.56	8.71	8.87
4.5	8.07	8.08	8.15	8.23	8.32	8.42	8.53	8.65	8.80	8.96	9.14
5.0	8.22	8.23	8.31	8.40	8.50	8.61	8.73	8.87	9.03	9.22	9.42
5.5	8.37	8.39	8.47	8.57	8.68	8.80	8.94	9.09	9.27	9.47	9.70
6.0	8.52	8.54	8.64	8.74	8.86	8.99	9.14	9.31	9.51	9.73	9.98
6.5	8.68	8.70	8.80	8.92	9.04	9.19	9.35	9.53	9.75	9.99	10.26
7.0	8.83	8.85	8.97	9.09	9.23	9.38	9.56	9.76	9.99	10.26	10.54
7.5	8.99	9.01	9.13	9.26	9.41	9.58	9.77	9.99	10.24	10.52	10.83
8.0	9.14	9.17	9.30	9.44	9.60	9.78	9.98	10.21	10.48	10.79	11.12
8.5	9.30	9.33	9.47	9.62	9.79	9.98	10.20	10.44	10.73	11.06	11.41
9.0	9.46	9.49	9.63	9.80	9.98	10.18	10.41	10.68	10.98	11.33	11.70
9.5	9.62	9.65	9.80	9.98	10.17	10.39	10.63	10.91	11.23	11.60	12.00
10.0	9.78	9.81	9.97	10.16	10.36	10.59	10.85	11.15	11.49	11.88	12.29
11.0	10.10	10.14	10.32	10.52	10.75	11.01	11.29	11.62	12.00	12.43	12.89
12.0	10.43	10.47	10.67	10.89	11.14	11.43	11.74	12.10	12.52	13.00	13.51
13.0	10.76	10.80	11.02	11.27	11.54	11.85	12.20	12.59	13.05	13.57	14.13
14.0	11.10	11.14	11.38	11.65	11.95	12.28	12.66	13.09	13.59	14.16	14.76
15.0	11.44	11.49	11.75	12.04	12.36	12.72	13.13	13.60	14.14	14.75	15.40
16.0	11.78	11.84	12.12	12.43	12.78	13.17	13.61	14.11	14.69	15.35	16.06
17.0	12.13	12.19	12.49	12.83	13.20	13.62	14.10	14.64	15.26	15.97	16.72
18.0	12.49	12.55	12.87	13.23	13.63	14.08	14.59	15.17	15.83	16.59	17.40
19.0	12.85	12.91	13.26	13.64	14.07	14.55	15.09	15.71	16.42	17.23	18.09
20.0	13.21	13.28	13.65	14.05	14.51	15.02	15.60	16.26	17.01	17.88	18.79
21.0	13.58	13.65	14.04	14.48	14.96	15.51	16.12	16.82	17.62	18.53	19.50
22.0	13.96	14.03	14.44	14.90	15.42	16.00	16.65	17.39	18.24	19.21	20.23
23.0	14.34	14.42	14.85	15.34	15.88	16.50	17.19	17.97	18.87	19.89	20.97
24.0	14.72	14.81	15.27	15.78	16.36	17.00	17.73	18.56	19.51	20.59	21.72
25.0	15.12	15.20	15.69	16.23	16.84	17.52	18.29	19.16	20.16	21.30	22.49
26.0	15.51	15.61	16.12	16.69	17.33	18.04	18.85	19.77	20.82	22.02	23.28
27.0	15.92	16.01	16.55	17.15	17.82	18.58	19.43	20.40	21.50	22.76	24.08
28.0	16.33	16.43	16.99	17.63	18.33	19.12	20.02	21.03	22.19	23.51	24.89
29.0	16.74	16.85	17.44	18.11	18.85	19.68	20.62	21.68	22.90	24.28	25.73
30.0	17.17	17.28	17.90	18.59	19.37	20.24	21.23	22.35	23.62	25.07	26.58
31.0	17.60	17.71	18.37	19.09	19.91	20.82	21.85	23.02	24.35	25.87	27.45
32.0	18.04	18.16	18.84	19.60	20.45	21.41	22.49	23.71	25.11	26.69	28.34
33.0	18.48	18.61	19.32	20.12	21.01	22.01	23.14	24.42	25.87	27.53	29.24
34.0	18.93	19.07	19.81	20.64	21.57	22.62	23.80	25.14	26.66	28.38	30.17
35.0	19.39	19.53	20.31	21.18	22.15	23.24	24.48	25.87	27.46	29.26	31.12
36.0	19.86	20.01	20.82	21.72	22.74	23.88	25.17	26.62	28.28	30.16	32.09
37.0	20.34	20.49	21.34	22.28	23.34	24.53	25.88	27.39	29.12	31.07	33.09
38.0	20.83	20.98	21.87	22.85	23.95	25.20	26.60	28.18	29.98	32.01	34.11
39.0	21.32	21.48	22.40	23.43	24.58	25.88	27.34	28.99	30.86	32.98	35.16
40.0	21.83	22.00	22.95	24.02	25.22	26.57	28.09	29.81	31.76	33.96	36.23
41.0	22.34	22.52	23.51	24.63	25.88	27.28	28.87	30.66	32.69	34.98	37.33
42.0	22.87	23.05	24.09	25.25	26.55	28.01	29.66	31.53	33.64	36.02	38.46
43.0	23.40	23.59	24.67	25.88	27.23	28.76	30.48	32.42	34.62	37.09	39.62
44.0	23.95	24.15	25.27	26.52	27.93	29.52	31.31	33.33	35.62	38.18	40.81
45.0	24.50	24.71	25.88	27.19	28.65	30.31	32.17	34.27	36.65	39.31	42.03
46.0	25.07	25.29	26.50	27.86	29.39	31.11	33.05	35.24	37.71	40.47	43.29
47.0	25.66	25.88	27.14	28.56	30.15	31.94	33.95	36.23	38.79	41.67	44.59
48.0	26.25	26.48	27.80	29.27	30.92	32.78	34.88	37.25	39.92	42.90	45.93
49.0	26.86	27.10	28.47	30.00	31.72	33.65	35.84	38.30	41.07	44.17	47.31
50.0	27.48	27.73	29.15	30.74	32.53	34.55	36.82	39.38	42.26	45.48	48.73
▽ɸ	PERCENTAGE OF LOAN AMOUNT LEFT UNPAID AT DUE DATE										
	100.0	97.94	86.95	75.97	64.98	54.00	43.01	32.03	21.04	10.05	.00

DISCOUNT %	MONTHLY PAYBACK RATE (%) (MONTHLY PAYMENT DIVIDED BY LOAN AMOUNT)										
	.56	.60	.70	.80	.90	1.00	1.20	1.40	1.60	1.80	1.97
.5	6.87	6.87	6.87	6.88	6.88	6.89	6.90	6.91	6.92	6.94	6.96
1.0	6.99	6.99	7.00	7.01	7.01	7.02	7.05	7.07	7.10	7.13	7.17
1.5	7.11	7.11	7.12	7.14	7.15	7.16	7.20	7.23	7.28	7.33	7.38
2.0	7.23	7.23	7.25	7.27	7.28	7.30	7.35	7.40	7.46	7.53	7.60
2.5	7.35	7.36	7.38	7.40	7.42	7.44	7.50	7.56	7.64	7.72	7.81
3.0	7.47	7.48	7.50	7.53	7.55	7.59	7.65	7.73	7.82	7.92	8.03
3.5	7.59	7.60	7.63	7.66	7.69	7.73	7.80	7.89	8.00	8.12	8.25
4.0	7.72	7.73	7.76	7.79	7.83	7.87	7.96	8.06	8.18	8.32	8.47
4.5	7.84	7.85	7.89	7.93	7.97	8.01	8.11	8.23	8.37	8.53	8.69
5.0	7.96	7.98	8.02	8.06	8.11	8.16	8.27	8.40	8.55	8.73	8.92
5.5	8.09	8.11	8.15	8.20	8.25	8.31	8.43	8.57	8.74	8.94	9.14
6.0	8.22	8.24	8.28	8.34	8.39	8.45	8.59	8.74	8.93	9.15	9.37
6.5	8.34	8.36	8.42	8.47	8.53	8.60	8.75	8.92	9.12	9.36	9.60
7.0	8.47	8.49	8.55	8.61	8.68	8.75	8.91	9.09	9.31	9.57	9.83
7.5	8.60	8.62	8.69	8.75	8.82	8.90	9.07	9.27	9.50	9.78	10.06
8.0	8.73	8.75	8.82	8.89	8.97	9.05	9.23	9.45	9.70	10.00	10.30
8.5	8.86	8.89	8.96	9.03	9.11	9.20	9.40	9.62	9.89	10.21	10.54
9.0	8.99	9.02	9.09	9.18	9.26	9.36	9.56	9.81	10.09	10.43	10.77
9.5	9.12	9.15	9.23	9.32	9.41	9.51	9.73	9.99	10.29	10.65	11.01
10.0	9.25	9.29	9.37	9.46	9.56	9.66	9.90	10.17	10.49	10.87	11.26
11.0	9.52	9.56	9.65	9.75	9.86	9.98	10.24	10.54	10.90	11.32	11.74
12.0	9.79	9.83	9.94	10.05	10.17	10.30	10.58	10.91	11.31	11.77	12.24
13.0	10.07	10.11	10.23	10.35	10.48	10.62	10.93	11.30	11.72	12.23	12.75
14.0	10.35	10.39	10.52	10.65	10.79	10.94	11.29	11.68	12.15	12.70	13.26
15.0	10.63	10.68	10.81	10.96	11.11	11.28	11.65	12.08	12.58	13.18	13.78
16.0	10.92	10.97	11.11	11.27	11.43	11.61	12.01	12.47	13.02	13.67	14.32
17.0	11.21	11.26	11.42	11.59	11.76	11.96	12.38	12.88	13.47	14.16	14.86
18.0	11.50	11.56	11.73	11.91	12.10	12.30	12.76	13.29	13.92	14.66	15.41
19.0	11.80	11.86	12.04	12.23	12.43	12.65	13.14	13.71	14.38	15.18	15.97
20.0	12.10	12.17	12.36	12.56	12.78	13.01	13.53	14.14	14.85	15.70	16.54
21.0	12.41	12.48	12.68	12.90	13.13	13.38	13.93	14.57	15.33	16.23	17.12
22.0	12.72	12.80	13.01	13.24	13.48	13.75	14.33	15.02	15.82	16.77	17.71
23.0	13.03	13.12	13.34	13.58	13.84	14.12	14.74	15.46	16.31	17.32	18.31
24.0	13.35	13.44	13.68	13.94	14.21	14.50	15.16	15.92	16.82	17.88	18.92
25.0	13.68	13.77	14.02	14.29	14.58	14.89	15.58	16.39	17.33	18.45	19.55
26.0	14.01	14.11	14.37	14.66	14.96	15.29	16.01	16.86	17.86	19.03	20.19
27.0	14.35	14.45	14.73	15.03	15.34	15.69	16.45	17.35	18.39	19.62	20.84
28.0	14.69	14.79	15.09	15.40	15.73	16.10	16.90	17.84	18.94	20.23	21.50
29.0	15.03	15.15	15.45	15.78	16.13	16.51	17.36	18.34	19.49	20.85	22.18
30.0	15.39	15.50	15.83	16.17	16.54	16.94	17.82	18.86	20.06	21.48	22.87
31.0	15.74	15.87	16.20	16.57	16.95	17.37	18.30	19.38	20.64	22.13	23.58
32.0	16.11	16.24	16.59	16.97	17.37	17.81	18.78	19.91	21.24	22.79	24.31
33.0	16.48	16.61	16.98	17.38	17.80	18.26	19.27	20.46	21.84	23.46	25.04
34.0	16.86	17.00	17.38	17.80	18.24	18.72	19.78	21.01	22.46	24.15	25.80
35.0	17.24	17.39	17.79	18.22	18.68	19.18	20.29	21.58	23.09	24.86	26.57
36.0	17.63	17.78	18.21	18.66	19.14	19.66	20.82	22.17	23.74	25.58	27.37
37.0	18.03	18.19	18.63	19.10	19.60	20.14	21.35	22.76	24.40	26.32	28.18
38.0	18.44	18.60	19.06	19.55	20.07	20.64	21.90	23.37	25.08	27.07	29.01
39.0	18.85	19.02	19.50	20.01	20.56	21.15	22.46	23.99	25.77	27.85	29.86
40.0	19.27	19.45	19.95	20.48	21.05	21.66	23.04	24.63	26.49	28.65	30.73
41.0	19.70	19.89	20.41	20.96	21.55	22.19	23.62	25.28	27.22	29.46	31.63
42.0	20.14	20.34	20.87	21.45	22.07	22.74	24.22	25.95	27.96	30.30	32.55
43.0	20.59	20.79	21.35	21.95	22.60	23.29	24.84	26.64	28.73	31.16	33.49
44.0	21.05	21.26	21.84	22.47	23.13	23.86	25.47	27.35	29.52	32.04	34.46
45.0	21.51	21.73	22.34	22.99	23.69	24.44	26.12	28.07	30.33	32.95	35.46
46.0	21.99	22.22	22.85	23.53	24.25	25.04	26.78	28.81	31.17	33.89	36.49
47.0	22.48	22.72	23.37	24.08	24.83	25.65	27.47	29.58	32.03	34.85	37.55
48.0	22.98	23.23	23.91	24.64	25.43	26.27	28.17	30.37	32.91	35.84	38.64
49.0	23.49	23.75	24.46	25.22	26.03	26.92	28.89	31.18	33.82	36.87	39.76
50.0	24.01	24.28	25.02	25.81	26.66	27.58	29.63	32.01	34.76	37.92	40.92
PERCENTAGE OF LOAN AMOUNT LEFT UNPAID AT DUE DATE											
	100.0	97.33	90.22	83.11	75.99	68.88	54.65	40.43	26.20	11.97	.00

MONTHLY PAYBACK RATE (%)
(MONTHLY PAYMENT DIVIDED BY LOAN AMOUNT)

DISCOUNT %	.56	.60	.70	.80	.90	1.00	1.10	1.20	1.40	1.60	1.69
1.0	6.95	6.96	6.97	6.97	6.98	6.99	7.00	7.02	7.05	7.09	7.11
2.0	7.16	7.17	7.18	7.20	7.22	7.24	7.26	7.29	7.35	7.43	7.47
3.0	7.37	7.38	7.40	7.43	7.46	7.49	7.53	7.57	7.66	7.77	7.83
4.0	7.58	7.59	7.63	7.66	7.70	7.75	7.79	7.85	7.97	8.12	8.21
5.0	7.79	7.81	7.85	7.90	7.95	8.01	8.07	8.13	8.29	8.48	8.58
6.0	8.01	8.03	8.08	8.14	8.20	8.27	8.34	8.42	8.61	8.84	8.97
7.0	8.23	8.25	8.32	8.38	8.45	8.53	8.62	8.71	8.93	9.21	9.36
8.0	8.45	8.48	8.55	8.63	8.71	8.80	8.90	9.01	9.26	9.58	9.75
9.0	8.68	8.71	8.79	8.88	8.97	9.07	9.19	9.31	9.60	9.96	10.15
10.0	8.91	8.94	9.03	9.13	9.23	9.35	9.48	9.62	9.94	10.34	10.56
11.0	9.14	9.17	9.27	9.38	9.50	9.63	9.77	9.93	10.29	10.73	10.98
12.0	9.37	9.41	9.52	9.64	9.77	9.91	10.07	10.24	10.64	11.13	11.40
13.0	9.61	9.65	9.77	9.90	10.05	10.20	10.37	10.56	10.99	11.53	11.82
14.0	9.85	9.90	10.03	10.17	10.33	10.50	10.68	10.89	11.36	11.94	12.26
15.0	10.09	10.14	10.29	10.44	10.61	10.79	10.99	11.21	11.73	12.36	12.70
16.0	10.34	10.39	10.55	10.72	10.90	11.10	11.31	11.55	12.10	12.78	13.15
17.0	10.59	10.65	10.81	10.99	11.19	11.40	11.63	11.89	12.48	13.21	13.61
18.0	10.84	10.91	11.08	11.28	11.48	11.71	11.96	12.24	12.87	13.65	14.07
19.0	11.10	11.17	11.36	11.56	11.79	12.03	12.29	12.59	13.27	14.10	14.55
20.0	11.36	11.43	11.64	11.85	12.09	12.35	12.63	12.95	13.67	14.55	15.03
21.0	11.63	11.70	11.92	12.15	12.40	12.68	12.98	13.31	14.08	15.01	15.52
22.0	11.90	11.98	12.20	12.45	12.72	13.01	13.33	13.68	14.49	15.48	16.02
23.0	12.17	12.26	12.50	12.76	13.04	13.35	13.69	14.06	14.92	15.97	16.53
24.0	12.45	12.54	12.79	13.07	13.36	13.69	14.05	14.44	15.35	16.45	17.05
25.0	12.73	12.82	13.09	13.38	13.70	14.04	14.42	14.83	15.79	16.95	17.58
26.0	13.01	13.12	13.40	13.70	14.03	14.40	14.79	15.23	16.24	17.46	18.12
27.0	13.31	13.41	13.71	14.03	14.38	14.76	15.18	15.64	16.69	17.98	18.67
28.0	13.60	13.71	14.02	14.36	14.73	15.13	15.57	16.05	17.16	18.51	19.24
29.0	13.90	14.02	14.35	14.70	15.08	15.51	15.97	16.47	17.64	19.05	19.81
30.0	14.21	14.33	14.67	15.04	15.45	15.89	16.37	16.90	18.12	19.61	20.40
31.0	14.52	14.65	15.01	15.40	15.82	16.28	16.79	17.34	18.62	20.17	21.00
32.0	14.83	14.97	15.34	15.75	16.19	16.68	17.21	17.79	19.13	20.75	21.61
33.0	15.16	15.30	15.69	16.12	16.58	17.09	17.64	18.25	19.65	21.34	22.24
34.0	15.48	15.63	16.04	16.49	16.97	17.50	18.08	18.72	20.18	21.94	22.88
35.0	15.82	15.97	16.40	16.87	17.37	17.93	18.53	19.19	20.72	22.56	23.53
36.0	16.16	16.32	16.76	17.25	17.78	18.36	18.99	19.68	21.27	23.19	24.21
37.0	16.50	16.67	17.14	17.65	18.20	18.80	19.46	20.18	21.84	23.84	24.89
38.0	16.86	17.03	17.52	18.05	18.62	19.25	19.94	20.69	22.42	24.50	25.60
39.0	17.22	17.40	17.91	18.46	19.06	19.72	20.43	21.22	23.02	25.18	26.32
40.0	17.58	17.77	18.30	18.88	19.50	20.19	20.93	21.75	23.63	25.88	27.06
41.0	17.96	18.16	18.71	19.31	19.96	20.67	21.45	22.30	24.26	26.59	27.82
42.0	18.34	18.55	19.12	19.74	20.42	21.17	21.98	22.87	24.90	27.33	28.60
43.0	18.73	18.95	19.54	20.19	20.90	21.67	22.52	23.44	25.56	28.08	29.40
44.0	19.13	19.35	19.98	20.65	21.39	22.19	23.07	24.04	26.24	28.86	30.23
45.0	19.54	19.77	20.42	21.12	21.89	22.73	23.64	24.64	26.93	29.65	31.07
46.0	19.96	20.20	20.87	21.60	22.40	23.28	24.23	25.27	27.65	30.47	31.95
47.0	20.38	20.63	21.33	22.10	22.93	23.84	24.83	25.91	28.39	31.32	32.84
48.0	20.82	21.08	21.81	22.60	23.47	24.41	25.44	26.58	29.15	32.19	33.77
49.0	21.27	21.54	22.30	23.12	24.02	25.01	26.08	27.26	29.93	33.09	34.73
50.0	21.73	22.01	22.80	23.66	24.59	25.62	26.73	27.96	30.74	34.02	35.71
51.0	22.20	22.49	23.31	24.20	25.18	26.25	27.41	28.68	31.58	34.97	36.73
52.0	22.68	22.98	23.84	24.77	25.78	26.89	28.10	29.43	32.44	35.96	37.78
53.0	23.18	23.49	24.38	25.35	26.40	27.56	28.82	30.20	33.33	36.99	38.87
54.0	23.68	24.01	24.94	25.95	27.05	28.25	29.56	31.00	34.25	38.05	40.00
55.0	24.21	24.55	25.51	26.56	27.71	28.96	30.33	31.82	35.21	39.15	41.16
56.0	24.75	25.10	26.10	27.20	28.39	29.70	31.12	32.68	36.20	40.29	42.37
57.0	25.30	25.67	26.71	27.85	29.10	30.46	31.94	33.56	37.23	41.47	43.63
58.0	25.87	26.26	27.34	28.53	29.83	31.25	32.79	34.48	38.29	42.70	44.94
59.0	26.46	26.86	27.99	29.23	30.58	32.06	33.68	35.44	39.41	43.98	46.30
60.0	27.07	27.48	28.67	29.96	31.37	32.91	34.59	36.43	40.56	45.32	47.72
PERCENTAGE OF LOAN AMOUNT LEFT UNPAID AT DUE DATE	100.0	96.68	87.84	78.99	70.14	61.30	52.45	43.61	25.91	8.22	.00

DUE IN 84 MONTHS

DISCOUNT %	MONTHLY PAYBACK RATE (%) (MONTHLY PAYMENT DIVIDED BY LOAN AMOUNT)										
	.56	.60	.70	.80	.90	1.00	1.10	1.20	1.30	1.40	1.50
1.0	6.93	6.93	6.94	6.95	6.96	6.97	6.99	7.00	7.02	7.04	7.06
2.0	7.11	7.12	7.14	7.16	7.18	7.20	7.23	7.26	7.29	7.33	7.37
3.0	7.30	7.31	7.33	7.36	7.40	7.43	7.47	7.52	7.57	7.63	7.69
4.0	7.48	7.50	7.53	7.57	7.62	7.67	7.72	7.78	7.85	7.93	8.02
5.0	7.67	7.69	7.74	7.79	7.84	7.90	7.97	8.05	8.13	8.23	8.34
6.0	7.87	7.89	7.94	8.00	8.07	8.14	8.23	8.32	8.42	8.55	8.68
7.0	8.06	8.08	8.15	8.22	8.30	8.39	8.48	8.60	8.72	8.86	9.02
8.0	8.26	8.29	8.36	8.44	8.53	8.63	8.75	8.87	9.02	9.18	9.36
9.0	8.46	8.49	8.57	8.67	8.77	8.89	9.01	9.16	9.32	9.50	9.71
10.0	8.66	8.69	8.79	8.89	9.01	9.14	9.28	9.45	9.63	9.83	10.06
11.0	8.86	8.90	9.01	9.13	9.25	9.40	9.56	9.74	9.94	10.17	10.42
12.0	9.07	9.11	9.23	9.36	9.50	9.66	9.83	10.03	10.26	10.51	10.79
13.0	9.28	9.33	9.46	9.60	9.75	9.93	10.12	10.34	10.58	10.86	11.16
14.0	9.49	9.54	9.68	9.84	10.01	10.20	10.41	10.64	10.91	11.21	11.54
15.0	9.71	9.76	9.92	10.08	10.27	10.47	10.70	10.95	11.24	11.57	11.92
16.0	9.93	9.99	10.15	10.33	10.53	10.75	10.99	11.27	11.58	11.93	12.31
17.0	10.15	10.21	10.39	10.58	10.79	11.03	11.30	11.59	11.92	12.30	12.71
18.0	10.38	10.44	10.63	10.84	11.07	11.32	11.60	11.92	12.27	12.68	13.12
19.0	10.61	10.68	10.88	11.10	11.34	11.61	11.91	12.25	12.63	13.06	13.53
20.0	10.84	10.91	11.13	11.36	11.62	11.91	12.23	12.59	12.99	13.45	13.95
21.0	11.07	11.15	11.38	11.63	11.91	12.21	12.55	12.94	13.36	13.85	14.38
22.0	11.31	11.40	11.64	11.90	12.20	12.52	12.88	13.29	13.74	14.26	14.81
23.0	11.56	11.65	11.90	12.18	12.49	12.84	13.22	13.65	14.13	14.67	15.26
24.0	11.80	11.90	12.17	12.46	12.79	13.16	13.56	14.01	14.52	15.09	15.71
25.0	12.05	12.15	12.44	12.75	13.09	13.48	13.90	14.38	14.92	15.52	16.17
26.0	12.31	12.41	12.71	13.04	13.41	13.81	14.26	14.76	15.32	15.96	16.64
27.0	12.57	12.68	12.99	13.34	13.72	14.15	14.62	15.15	15.74	16.40	17.12
28.0	12.83	12.95	13.28	13.64	14.04	14.49	14.99	15.54	16.16	16.86	17.61
29.0	13.10	13.22	13.57	13.95	14.37	14.84	15.36	15.95	16.59	17.32	18.11
30.0	13.37	13.50	13.86	14.26	14.71	15.20	15.74	16.36	17.03	17.80	18.62
31.0	13.65	13.78	14.16	14.58	15.05	15.56	16.13	16.77	17.49	18.29	19.15
32.0	13.93	14.07	14.47	14.91	15.40	15.94	16.53	17.20	17.95	18.78	19.68
33.0	14.22	14.37	14.78	15.24	15.75	16.32	16.94	17.64	18.42	19.29	20.23
34.0	14.51	14.66	15.10	15.58	16.11	16.70	17.36	18.09	18.90	19.81	20.79
35.0	14.81	14.97	15.43	15.93	16.48	17.10	17.78	18.55	19.39	20.34	21.36
36.0	15.11	15.28	15.76	16.28	16.86	17.50	18.22	19.01	19.90	20.88	21.94
37.0	15.42	15.60	16.09	16.64	17.25	17.92	18.66	19.49	20.41	21.44	22.54
38.0	15.74	15.92	16.44	17.01	17.64	18.34	19.12	19.98	20.94	22.01	23.16
39.0	16.06	16.25	16.79	17.39	18.04	18.78	19.58	20.49	21.49	22.60	23.79
40.0	16.39	16.59	17.15	17.77	18.46	19.22	20.06	21.00	22.04	23.20	24.43
41.0	16.73	16.93	17.52	18.17	18.88	19.68	20.55	21.53	22.61	23.81	25.10
42.0	17.07	17.28	17.89	18.57	19.31	20.14	21.06	22.07	23.20	24.45	25.78
43.0	17.42	17.64	18.28	18.98	19.76	20.62	21.57	22.63	23.80	25.10	26.48
44.0	17.78	18.01	18.67	19.40	20.21	21.11	22.10	23.20	24.42	25.77	27.20
45.0	18.14	18.39	19.08	19.84	20.68	21.61	22.65	23.79	25.06	26.45	27.94
46.0	18.52	18.77	19.49	20.28	21.16	22.13	23.20	24.40	25.71	27.16	28.70
47.0	18.90	19.17	19.91	20.74	21.65	22.66	23.78	25.02	26.39	27.89	29.48
48.0	19.30	19.57	20.35	21.21	22.15	23.21	24.37	25.66	27.08	28.64	30.29
49.0	19.70	19.99	20.79	21.69	22.67	23.77	24.98	26.32	27.80	29.42	31.12
50.0	20.11	20.41	21.25	22.18	23.21	24.35	25.61	27.01	28.54	30.22	31.99
51.0	20.54	20.85	21.72	22.69	23.76	24.95	26.26	27.71	29.30	31.04	32.87
52.0	20.97	21.29	22.21	23.21	24.33	25.57	26.93	28.44	30.09	31.90	33.79
53.0	21.42	21.76	22.70	23.75	24.91	26.20	27.62	29.19	30.91	32.78	34.75
54.0	21.88	22.23	23.22	24.31	25.52	26.86	28.34	29.97	31.75	33.70	35.73
55.0	22.35	22.72	23.75	24.88	26.14	27.54	29.08	30.78	32.63	34.65	36.75
56.0	22.84	23.22	24.29	25.48	26.79	28.25	29.85	31.61	33.54	35.63	37.81
57.0	23.34	23.74	24.85	26.09	27.46	28.98	30.64	32.48	34.48	36.64	38.91
58.0	23.86	24.27	25.44	26.72	28.15	29.73	31.47	33.39	35.47	37.72	40.06
59.0	24.40	24.82	26.04	27.38	28.87	30.52	32.33	34.33	36.49	38.83	41.25
60.0	24.95	25.39	26.66	28.06	29.62	31.34	33.23	35.30	37.55	39.99	42.50
◁ᐅ	PERCENTAGE OF LOAN AMOUNT LEFT UNPAID AT DUE DATE										
	100.0	95.99	85.29	74.59	63.89	53.19	42.49	31.79	21.09	10.39	.00

DISCOUNT %	MONTHLY PAYBACK RATE (%) (MONTHLY PAYMENT DIVIDED BY LOAN AMOUNT)										
	.56	.60	.65	.70	.80	.90	1.00	1.10	1.20	1.30	1.35
1.0	6.91	6.92	6.92	6.93	6.94	6.95	6.96	6.97	6.99	7.01	7.02
2.0	7.08	7.08	7.09	7.10	7.12	7.15	7.17	7.20	7.24	7.28	7.30
3.0	7.24	7.26	7.27	7.28	7.31	7.35	7.39	7.44	7.49	7.55	7.59
4.0	7.41	7.43	7.44	7.47	7.51	7.55	7.61	7.67	7.74	7.82	7.87
5.0	7.58	7.60	7.62	7.65	7.70	7.76	7.83	7.91	8.00	8.10	8.16
6.0	7.76	7.78	7.81	7.84	7.90	7.97	8.06	8.15	8.26	8.39	8.46
7.0	7.93	7.96	7.99	8.03	8.10	8.19	8.29	8.40	8.53	8.67	8.76
8.0	8.11	8.14	8.18	8.22	8.31	8.41	8.52	8.65	8.80	8.97	9.06
9.0	8.29	8.32	8.37	8.41	8.52	8.63	8.76	8.90	9.07	9.26	9.37
10.0	8.47	8.51	8.56	8.61	8.73	8.85	9.00	9.16	9.35	9.56	9.69
11.0	8.66	8.70	8.75	8.81	8.94	9.08	9.24	9.42	9.63	9.87	10.01
12.0	8.85	8.89	8.95	9.02	9.15	9.31	9.49	9.69	9.92	10.18	10.33
13.0	9.04	9.09	9.15	9.22	9.37	9.54	9.74	9.95	10.21	10.50	10.66
14.0	9.23	9.28	9.35	9.43	9.60	9.78	9.99	10.23	10.50	10.82	11.00
15.0	9.43	9.48	9.56	9.64	9.82	10.02	10.25	10.51	10.81	11.15	11.34
16.0	9.62	9.69	9.77	9.86	10.05	10.27	10.51	10.79	11.11	11.48	11.69
17.0	9.83	9.89	9.98	10.08	10.28	10.52	10.78	11.08	11.42	11.82	12.04
18.0	10.03	10.10	10.20	10.30	10.52	10.77	11.05	11.37	11.74	12.16	12.40
19.0	10.24	10.31	10.41	10.52	10.76	11.03	11.33	11.67	12.06	12.51	12.77
20.0	10.45	10.53	10.64	10.75	11.01	11.29	11.61	11.98	12.39	12.87	13.14
21.0	10.66	10.75	10.86	10.99	11.26	11.56	11.90	12.28	12.73	13.23	13.52
22.0	10.88	10.97	11.09	11.22	11.51	11.83	12.19	12.60	13.07	13.60	13.91
23.0	11.10	11.19	11.32	11.46	11.77	12.10	12.49	12.92	13.42	13.98	14.30
24.0	11.32	11.42	11.56	11.71	12.03	12.38	12.79	13.25	13.77	14.37	14.70
25.0	11.55	11.66	11.80	11.96	12.29	12.67	13.10	13.58	14.13	14.76	15.11
26.0	11.78	11.89	12.05	12.21	12.57	12.96	13.41	13.92	14.50	15.16	15.53
27.0	12.02	12.14	12.30	12.47	12.84	13.26	13.73	14.27	14.88	15.57	15.96
28.0	12.26	12.38	12.55	12.73	13.12	13.56	14.06	14.62	15.26	15.99	16.40
29.0	12.50	12.63	12.81	13.00	13.41	13.87	14.39	14.98	15.65	16.41	16.84
30.0	12.75	12.88	13.07	13.27	13.70	14.19	14.73	15.35	16.05	16.85	17.30
31.0	13.00	13.14	13.34	13.55	14.00	14.51	15.08	15.73	16.46	17.29	17.76
32.0	13.26	13.41	13.61	13.83	14.30	14.83	15.44	16.11	16.88	17.75	18.24
33.0	13.52	13.68	13.89	14.12	14.61	15.17	15.80	16.50	17.31	18.21	18.72
34.0	13.79	13.95	14.17	14.41	14.93	15.51	16.17	16.91	17.74	18.69	19.22
35.0	14.06	14.23	14.46	14.71	15.25	15.86	16.55	17.32	18.19	19.18	19.73
36.0	14.34	14.51	14.76	15.02	15.58	16.22	16.93	17.74	18.65	19.67	20.25
37.0	14.62	14.80	15.06	15.33	15.92	16.58	17.33	18.17	19.12	20.19	20.78
38.0	14.91	15.10	15.37	15.65	16.27	16.96	17.74	18.61	19.60	20.71	21.33
39.0	15.20	15.40	15.68	15.98	16.62	17.34	18.15	19.06	20.09	21.25	21.89
40.0	15.50	15.71	16.00	16.31	16.98	17.73	18.58	19.53	20.60	21.80	22.46
41.0	15.81	16.03	16.33	16.65	17.35	18.13	19.01	20.00	21.12	22.36	23.05
42.0	16.12	16.35	16.67	17.00	17.73	18.54	19.46	20.49	21.65	22.94	23.66
43.0	16.45	16.68	17.01	17.36	18.12	18.96	19.92	20.99	22.20	23.54	24.28
44.0	16.77	17.02	17.36	17.72	18.51	19.40	20.39	21.51	22.76	24.15	24.93
45.0	17.11	17.37	17.72	18.10	18.92	19.84	20.88	22.04	23.34	24.79	25.58
46.0	17.45	17.72	18.09	18.48	19.34	20.30	21.38	22.58	23.94	25.44	26.26
47.0	17.81	18.08	18.47	18.86	19.77	20.77	21.89	23.15	24.55	26.11	26.96
48.0	18.17	18.46	18.86	19.28	20.21	21.25	22.42	23.72	25.18	26.80	27.68
49.0	18.54	18.84	19.26	19.70	20.67	21.75	22.96	24.32	25.84	27.51	28.43
50.0	18.92	19.23	19.67	20.13	21.13	22.26	23.53	24.94	26.51	28.25	29.20
52.0	19.71	20.05	20.52	21.02	22.11	23.33	24.70	26.23	27.93	29.79	30.81
54.0	20.55	20.92	21.43	21.97	23.15	24.48	25.96	27.61	29.45	31.45	32.54
56.0	21.44	21.84	22.39	22.98	24.26	25.70	27.31	29.10	31.08	33.23	34.40
58.0	22.38	22.82	23.42	24.06	25.46	27.02	28.77	30.70	32.84	35.16	36.41
60.0	23.39	23.86	24.52	25.22	26.74	28.44	30.34	32.44	34.75	37.24	38.58
62.0	24.47	24.99	25.70	26.46	28.12	29.98	32.05	34.34	36.83	39.52	40.96
64.0	25.64	26.20	26.98	27.82	29.63	31.66	33.93	36.41	39.12	42.01	43.56
66.0	26.90	27.52	28.37	29.29	31.28	33.51	35.99	38.70	41.64	44.77	46.43
68.0	28.28	28.96	29.90	30.91	33.10	35.55	38.27	41.24	44.44	47.83	49.62
70.0	29.79	30.54	31.58	32.69	35.12	37.83	40.83	44.08	47.58	51.26	53.20
PERCENTAGE OF LOAN AMOUNT LEFT UNPAID AT DUE DATE											
	100.0	95.24	88.90	82.56	69.88	57.20	44.51	31.83	19.15	6.46	.00

DISCOUNT %	MONTHLY PAYBACK RATE (%) (MONTHLY PAYMENT DIVIDED BY LOAN AMOUNT)										
	.56	.60	.65	.70	.75	.80	.85	.90	1.00	1.10	1.24
1.0	6.90	6.90	6.91	6.91	6.92	6.92	6.93	6.93	6.95	6.97	7.00
2.0	7.05	7.06	7.07	7.08	7.09	7.10	7.11	7.12	7.16	7.19	7.25
3.0	7.20	7.21	7.23	7.24	7.26	7.28	7.30	7.32	7.36	7.41	7.50
4.0	7.36	7.37	7.39	7.41	7.44	7.46	7.48	7.51	7.57	7.64	7.76
5.0	7.51	7.53	7.56	7.58	7.61	7.64	7.67	7.71	7.78	7.87	8.02
6.0	7.67	7.70	7.73	7.76	7.79	7.83	7.87	7.91	8.00	8.11	8.29
7.0	7.84	7.86	7.90	7.93	7.97	8.02	8.06	8.11	8.22	8.35	8.56
8.0	8.00	8.03	8.07	8.11	8.16	8.21	8.26	8.32	8.44	8.59	8.84
9.0	8.16	8.20	8.24	8.29	8.35	8.40	8.46	8.52	8.67	8.83	9.12
10.0	8.33	8.37	8.42	8.48	8.54	8.60	8.67	8.74	8.90	9.08	9.40
11.0	8.50	8.54	8.60	8.66	8.73	8.80	8.87	8.95	9.13	9.34	9.69
12.0	8.67	8.72	8.78	8.85	8.92	9.00	9.08	9.17	9.37	9.60	9.98
13.0	8.85	8.90	8.97	9.04	9.12	9.21	9.30	9.39	9.61	9.86	10.28
14.0	9.03	9.08	9.16	9.24	9.32	9.42	9.51	9.62	9.85	10.12	10.58
15.0	9.21	9.27	9.35	9.44	9.53	9.63	9.73	9.85	10.10	10.39	10.89
16.0	9.39	9.45	9.54	9.64	9.74	9.84	9.96	10.08	10.35	10.67	11.20
17.0	9.57	9.64	9.74	9.84	9.95	10.06	10.19	10.32	10.61	10.95	11.52
18.0	9.76	9.84	9.94	10.05	10.16	10.29	10.42	10.56	10.87	11.24	11.85
19.0	9.95	10.03	10.14	10.26	10.38	10.51	10.65	10.80	11.14	11.53	12.18
20.0	10.15	10.23	10.35	10.47	10.60	10.74	10.89	11.05	11.41	11.82	12.51
21.0	10.34	10.43	10.55	10.69	10.83	10.98	11.14	11.31	11.69	12.12	12.86
22.0	10.54	10.64	10.77	10.91	11.06	11.21	11.38	11.56	11.97	12.43	13.21
23.0	10.75	10.85	10.98	11.13	11.29	11.46	11.64	11.83	12.25	12.75	13.56
24.0	10.95	11.06	11.20	11.36	11.53	11.70	11.89	12.09	12.55	13.06	13.92
25.0	11.16	11.27	11.43	11.59	11.77	11.96	12.16	12.37	12.84	13.39	14.29
26.0	11.38	11.49	11.66	11.83	12.01	12.21	12.42	12.65	13.15	13.72	14.67
27.0	11.59	11.72	11.89	12.07	12.27	12.47	12.69	12.93	13.46	14.06	15.06
28.0	11.82	11.95	12.12	12.32	12.52	12.74	12.97	13.22	13.77	14.41	15.45
29.0	12.04	12.18	12.36	12.57	12.78	13.01	13.25	13.51	14.09	14.76	15.85
30.0	12.27	12.41	12.61	12.82	13.05	13.29	13.54	13.81	14.42	15.12	16.26
31.0	12.50	12.65	12.86	13.08	13.32	13.57	13.84	14.12	14.76	15.49	16.68
32.0	12.74	12.90	13.11	13.35	13.59	13.86	14.14	14.44	15.10	15.87	17.11
33.0	12.98	13.15	13.37	13.62	13.87	14.15	14.44	14.76	15.45	16.25	17.55
34.0	13.23	13.40	13.64	13.89	14.16	14.45	14.76	15.08	15.81	16.64	18.00
35.0	13.48	13.66	13.91	14.17	14.46	14.76	15.08	15.42	16.18	17.05	18.46
36.0	13.74	13.93	14.18	14.46	14.76	15.07	15.40	15.76	16.56	17.46	18.93
37.0	14.00	14.20	14.46	14.75	15.06	15.39	15.74	16.11	16.94	17.88	19.41
38.0	14.27	14.47	14.75	15.05	15.38	15.72	16.08	16.47	17.34	18.32	19.91
39.0	14.54	14.75	15.05	15.36	15.70	16.05	16.43	16.84	17.74	18.76	20.42
40.0	14.82	15.04	15.35	15.68	16.03	16.40	16.79	17.22	18.15	19.22	20.94
41.0	15.11	15.34	15.65	16.00	16.36	16.75	17.16	17.60	18.58	19.69	21.47
42.0	15.40	15.64	15.97	16.33	16.71	17.11	17.54	18.00	19.02	20.17	22.02
43.0	15.70	15.95	16.29	16.66	17.06	17.48	17.93	18.41	19.47	20.66	22.58
44.0	16.00	16.26	16.62	17.01	17.42	17.86	18.33	18.83	19.93	21.17	23.16
45.0	16.32	16.59	16.96	17.36	17.79	18.25	18.74	19.25	20.40	21.70	23.76
46.0	16.64	16.92	17.31	17.73	18.18	18.65	19.16	19.70	20.89	22.24	24.38
47.0	16.97	17.26	17.66	18.10	18.57	19.06	19.59	20.15	21.39	22.79	25.01
48.0	17.30	17.61	18.03	18.49	18.97	19.49	20.04	20.62	21.91	23.36	25.66
49.0	17.65	17.97	18.41	18.88	19.39	19.92	20.50	21.10	22.45	23.95	26.34
50.0	18.00	18.33	18.79	19.29	19.81	20.37	20.97	21.60	23.00	24.56	27.03
52.0	18.75	19.10	19.60	20.14	20.71	21.31	21.96	22.64	24.16	25.85	28.50
54.0	19.53	19.92	20.46	21.04	21.66	22.32	23.02	23.76	25.40	27.22	30.06
56.0	20.36	20.79	21.37	22.01	22.68	23.39	24.15	24.96	26.73	28.70	31.75
58.0	21.25	21.71	22.35	23.04	23.77	24.55	25.37	26.25	28.17	30.30	33.58
60.0	22.21	22.70	23.40	24.15	24.94	25.79	26.69	27.65	29.73	32.03	35.55
62.0	23.23	23.77	24.53	25.35	26.22	27.14	28.13	29.16	31.43	33.92	37.71
64.0	24.33	24.93	25.76	26.66	27.61	28.62	29.69	30.83	33.29	36.00	40.08
66.0	25.53	26.19	27.10	28.08	29.13	30.24	31.42	32.66	35.35	38.29	42.69
68.0	26.85	27.56	28.57	29.66	30.81	32.03	33.33	34.69	37.64	40.84	45.60
70.0	28.29	29.09	30.20	31.40	32.67	34.03	35.46	36.96	40.21	43.70	48.85
⊽Φ	PERCENTAGE OF LOAN AMOUNT LEFT UNPAID AT DUE DATE										
	100.0	94.45	87.05	79.64	72.24	64.84	57.44	50.04	35.23	20.43	.00

MONTHLY PAYBACK RATE (%)
(MONTHLY PAYMENT DIVIDED BY LOAN AMOUNT)

DISCOUNT %	.56	.60	.65	.70	.75	.80	.85	.90	1.00	1.10	1.15
1.0	6.89	6.89	6.90	6.90	6.91	6.91	6.92	6.93	6.94	6.96	6.98
2.0	7.03	7.04	7.04	7.06	7.07	7.08	7.09	7.11	7.14	7.18	7.20
3.0	7.17	7.18	7.20	7.21	7.23	7.25	7.27	7.29	7.34	7.40	7.44
4.0	7.31	7.33	7.35	7.37	7.40	7.42	7.45	7.48	7.55	7.63	7.67
5.0	7.46	7.48	7.50	7.53	7.56	7.59	7.63	7.67	7.75	7.85	7.91
6.0	7.61	7.63	7.66	7.70	7.73	7.77	7.81	7.86	7.96	8.08	8.16
7.0	7.76	7.78	7.82	7.86	7.90	7.95	8.00	8.05	8.18	8.32	8.40
8.0	7.91	7.94	7.98	8.03	8.08	8.13	8.19	8.25	8.39	8.56	8.65
9.0	8.06	8.10	8.15	8.20	8.25	8.32	8.38	8.45	8.61	8.80	8.91
10.0	8.22	8.26	8.31	8.37	8.43	8.50	8.58	8.65	8.83	9.05	9.17
11.0	8.38	8.42	8.48	8.55	8.62	8.69	8.77	8.86	9.06	9.30	9.43
12.0	8.54	8.59	8.65	8.72	8.80	8.88	8.97	9.07	9.29	9.55	9.70
13.0	8.70	8.75	8.82	8.90	8.99	9.08	9.18	9.28	9.52	9.81	9.97
14.0	8.86	8.92	9.00	9.09	9.18	9.28	9.39	9.50	9.76	10.07	10.25
15.0	9.03	9.09	9.18	9.27	9.37	9.48	9.60	9.72	10.00	10.34	10.53
16.0	9.20	9.27	9.36	9.46	9.57	9.69	9.81	9.94	10.25	10.61	10.81
17.0	9.37	9.45	9.55	9.65	9.77	9.89	10.03	10.17	10.50	10.89	11.10
18.0	9.55	9.63	9.73	9.85	9.97	10.11	10.25	10.40	10.76	11.17	11.40
19.0	9.73	9.81	9.92	10.05	10.18	10.32	10.48	10.64	11.02	11.46	11.70
20.0	9.91	10.00	10.12	10.25	10.39	10.54	10.71	10.88	11.28	11.75	12.01
21.0	10.09	10.18	10.31	10.45	10.60	10.76	10.94	11.12	11.55	12.05	12.32
22.0	10.28	10.38	10.51	10.66	10.82	10.99	11.18	11.37	11.82	12.35	12.64
23.0	10.47	10.57	10.72	10.87	11.04	11.22	11.42	11.63	12.10	12.66	12.97
24.0	10.66	10.77	10.92	11.09	11.27	11.46	11.67	11.89	12.39	12.98	13.30
25.0	10.86	10.97	11.13	11.31	11.50	11.70	11.92	12.15	12.68	13.30	13.64
26.0	11.06	11.18	11.35	11.53	11.73	11.94	12.17	12.42	12.98	13.63	13.98
27.0	11.26	11.39	11.57	11.76	11.97	12.19	12.43	12.69	13.28	13.96	14.34
28.0	11.47	11.60	11.79	11.99	12.21	12.45	12.70	12.97	13.59	14.30	14.69
29.0	11.68	11.82	12.02	12.23	12.46	12.71	12.97	13.26	13.90	14.65	15.06
30.0	11.89	12.04	12.25	12.47	12.71	12.97	13.25	13.55	14.23	15.01	15.44
31.0	12.11	12.27	12.48	12.72	12.97	13.24	13.53	13.85	14.55	15.38	15.82
32.0	12.33	12.50	12.72	12.97	13.23	13.52	13.82	14.15	14.89	15.75	16.21
33.0	12.56	12.73	12.97	13.23	13.50	13.80	14.12	14.46	15.24	16.13	16.62
34.0	12.79	12.97	13.22	13.49	13.78	14.09	14.42	14.78	15.59	16.52	17.03
35.0	13.03	13.21	13.47	13.76	14.06	14.38	14.73	15.11	15.95	16.92	17.45
36.0	13.27	13.46	13.73	14.03	14.35	14.68	15.05	15.44	16.32	17.33	17.88
37.0	13.51	13.72	14.00	14.31	14.64	14.99	15.37	15.78	16.70	17.75	18.32
38.0	13.76	13.98	14.27	14.60	14.94	15.31	15.71	16.13	17.09	18.18	18.77
39.0	14.02	14.24	14.55	14.89	15.25	15.63	16.05	16.49	17.48	18.63	19.24
40.0	14.28	14.51	14.84	15.19	15.56	15.96	16.39	16.86	17.89	19.08	19.71
41.0	14.55	14.79	15.13	15.49	15.88	16.30	16.75	17.23	18.31	19.54	20.20
42.0	14.83	15.08	15.43	15.81	16.21	16.65	17.12	17.62	18.74	20.02	20.71
43.0	15.11	15.37	15.73	16.13	16.55	17.01	17.50	18.02	19.18	20.51	21.22
44.0	15.40	15.67	16.05	16.46	16.90	17.38	17.88	18.43	19.64	21.02	21.76
45.0	15.69	15.97	16.37	16.80	17.26	17.75	18.28	18.85	20.11	21.54	22.30
46.0	15.99	16.29	16.70	17.15	17.63	18.14	18.69	19.28	20.59	22.08	22.87
47.0	16.30	16.61	17.04	17.51	18.01	18.54	19.11	19.72	21.09	22.63	23.45
48.0	16.62	16.94	17.39	17.88	18.39	18.95	19.55	20.18	21.60	23.20	24.05
49.0	16.95	17.28	17.75	18.25	18.79	19.37	19.99	20.66	22.13	23.79	24.67
50.0	17.29	17.63	18.12	18.65	19.21	19.81	20.46	21.15	22.68	24.40	25.30
52.0	17.99	18.36	18.89	19.46	20.07	20.73	21.43	22.17	23.82	25.68	26.65
54.0	18.73	19.14	19.71	20.33	21.00	21.71	22.46	23.27	25.06	27.05	28.09
56.0	19.52	19.97	20.59	21.26	21.98	22.76	23.58	24.45	26.38	28.53	29.64
58.0	20.37	20.85	21.53	22.27	23.05	23.89	24.78	25.73	27.82	30.12	31.31
60.0	21.28	21.80	22.54	23.34	24.20	25.11	26.08	27.12	29.37	31.86	33.13
62.0	22.26	22.83	23.64	24.51	25.45	26.44	27.50	28.63	31.07	33.75	35.12
64.0	23.32	23.95	24.83	25.79	26.81	27.90	29.06	30.28	32.94	35.83	37.30
66.0	24.47	25.16	26.14	27.19	28.31	29.50	30.77	32.11	35.00	38.13	39.71
68.0	25.74	26.50	27.57	28.73	29.97	31.28	32.68	34.14	37.30	40.68	42.39
70.0	27.14	27.98	29.17	30.46	31.82	33.27	34.81	36.42	39.87	43.55	45.39

	PERCENTAGE OF LOAN AMOUNT LEFT UNPAID AT DUE DATE										
	100.0	93.60	85.06	76.53	67.99	59.45	50.92	42.38	25.31	8.24	.00

DISCOUNT %	MONTHLY PAYBACK RATE (%) (MONTHLY PAYMENT DIVIDED BY LOAN AMOUNT)										
	.75	1.00	1.25	1.50	1.75	2.00	2.25	2.50	3.00	3.50	4.00
1.0	6.88	6.94	7.00	7.06	7.12	7.18	7.24	7.30	7.41	7.53	7.64
2.0	7.00	7.13	7.25	7.38	7.50	7.61	7.73	7.85	8.08	8.31	8.54
3.0	7.13	7.33	7.51	7.70	7.88	8.06	8.23	8.41	8.76	9.11	9.46
4.0	7.27	7.52	7.77	8.02	8.26	8.50	8.74	8.98	9.45	9.92	10.38
5.0	7.40	7.73	8.04	8.35	8.65	8.96	9.26	9.56	10.15	10.74	11.33
6.0	7.54	7.93	8.31	8.68	9.05	9.42	9.78	10.15	10.87	11.58	12.28
7.0	7.68	8.14	8.58	9.02	9.46	9.89	10.32	10.74	11.59	12.42	13.25
8.0	7.82	8.35	8.86	9.37	9.87	10.36	10.86	11.35	12.32	13.28	14.24
9.0	7.96	8.56	9.14	9.72	10.28	10.85	11.40	11.96	13.06	14.15	15.24
10.0	8.11	8.78	9.43	10.07	10.71	11.34	11.96	12.58	13.82	15.04	16.25
11.0	8.25	9.00	9.72	10.43	11.14	11.83	12.53	13.22	14.59	15.94	17.29
12.0	8.41	9.23	10.02	10.80	11.57	12.34	13.10	13.86	15.37	16.86	18.34
13.0	8.56	9.45	10.32	11.17	12.02	12.85	13.69	14.52	16.16	17.79	19.40
14.0	8.72	9.69	10.63	11.55	12.47	13.38	14.28	15.18	16.97	18.73	20.49
15.0	8.87	9.92	10.94	11.94	12.93	13.91	14.89	15.86	17.79	19.69	21.59
16.0	9.04	10.16	11.25	12.33	13.39	14.45	15.50	16.54	18.62	20.67	22.71
17.0	9.20	10.41	11.58	12.73	13.87	15.00	16.12	17.24	19.47	21.67	23.85
18.0	9.37	10.66	11.91	13.13	14.35	15.56	16.76	17.96	20.33	22.68	25.01
19.0	9.54	10.91	12.24	13.55	14.84	16.13	17.41	18.68	21.21	23.71	26.19
20.0	9.72	11.17	12.58	13.97	15.34	16.71	18.07	19.42	22.10	24.76	27.39
21.0	9.90	11.44	12.93	14.40	15.85	17.30	18.74	20.17	23.01	25.82	28.62
22.0	10.08	11.71	13.28	14.83	16.37	17.90	19.42	20.93	23.94	26.91	29.86
23.0	10.26	11.98	13.64	15.28	16.90	18.51	20.12	21.71	24.88	28.02	31.13
24.0	10.45	12.26	14.01	15.73	17.44	19.14	20.83	22.51	25.84	29.15	32.43
25.0	10.65	12.54	14.38	16.19	17.99	19.78	21.55	23.32	26.82	30.30	33.75
26.0	10.85	12.84	14.76	16.67	18.55	20.43	22.29	24.14	27.83	31.47	35.10
27.0	11.05	13.13	15.15	17.15	19.12	21.09	23.04	24.98	28.85	32.67	36.47
28.0	11.26	13.44	15.55	17.64	19.71	21.76	23.81	25.84	29.89	33.89	37.87
29.0	11.47	13.75	15.96	18.14	20.30	22.45	24.59	26.72	30.95	35.14	39.30
30.0	11.68	14.06	16.37	18.65	20.91	23.16	25.39	27.62	32.03	36.41	40.76
31.0	11.91	14.39	16.80	19.18	21.54	23.88	26.21	28.53	33.14	37.71	42.25
32.0	12.13	14.72	17.23	19.71	22.17	24.62	27.05	29.47	34.28	39.04	43.78
33.0	12.37	15.06	17.68	20.26	22.82	25.37	27.90	30.42	35.43	40.40	45.34
34.0	12.61	15.41	18.13	20.82	23.49	26.14	28.77	31.40	36.62	41.79	46.93
35.0	12.85	15.76	18.60	21.39	24.17	26.92	29.67	32.40	37.83	43.21	48.56
36.0	13.10	16.13	19.07	21.98	24.86	27.73	30.58	33.42	39.07	44.67	50.23
37.0	13.36	16.50	19.56	22.58	25.58	28.55	31.52	34.47	40.34	46.16	51.94
38.0	13.62	16.89	20.06	23.19	26.31	29.40	32.48	35.54	41.64	47.68	53.69
39.0	13.90	17.28	20.57	23.83	27.06	30.27	33.46	36.64	42.97	49.25	55.49
40.0	14.18	17.68	21.10	24.47	27.82	31.15	34.47	37.77	44.34	50.85	57.33
41.0	14.46	18.10	21.64	25.14	28.61	32.07	35.50	38.93	45.74	52.49	59.21
42.0	14.76	18.53	22.19	25.82	29.42	33.00	36.57	40.11	47.18	54.18	61.15
43.0	15.07	18.96	22.76	26.52	30.25	33.96	37.66	41.33	48.65	55.92	63.14
44.0	15.38	19.42	23.35	27.24	31.11	34.95	38.78	42.59	50.17	57.70	65.18
45.0	15.71	19.88	23.96	27.98	31.99	35.97	39.93	43.88	51.73	59.53	67.29
46.0	16.04	20.36	24.58	28.75	32.89	37.01	41.12	45.20	53.34	61.41	69.45
47.0	16.39	20.85	25.22	29.53	33.82	38.09	42.34	46.57	54.99	63.35	71.67
48.0	16.74	21.36	25.88	30.34	34.78	39.20	43.59	47.97	56.69	65.35	73.97
49.0	17.11	21.89	26.56	31.18	35.77	40.34	44.89	49.42	58.45	67.41	76.33
50.0	17.50	22.43	27.26	32.04	36.79	41.52	46.23	50.92	60.26	69.54	78.77
51.0	17.89	23.00	27.99	32.93	37.85	42.74	47.61	52.46	62.13	71.73	81.29
52.0	18.31	23.58	28.74	33.86	38.94	44.00	49.04	54.06	64.06	74.00	83.89
53.0	18.73	24.18	29.52	34.81	40.07	45.30	50.51	55.71	66.06	76.34	86.58
54.0	19.18	24.81	30.33	35.80	41.23	46.65	52.04	57.42	68.13	78.77	89.36
55.0	19.64	25.46	31.16	36.82	42.45	48.05	53.63	59.19	70.27	81.28	92.24
56.0	20.12	26.13	32.03	37.88	43.70	49.49	55.27	61.02	72.49	83.86	95.23
57.0	20.62	26.84	32.94	38.99	45.01	51.00	56.97	62.93	74.79	86.59	98.33
58.0	21.14	27.57	33.88	40.14	46.36	52.56	58.74	64.91	77.19	89.40	101.56
59.0	21.69	28.33	34.86	41.33	47.77	54.19	60.59	66.96	79.68	92.32	104.91
60.0	22.26	29.12	35.88	42.58	49.24	55.89	62.51	69.11	82.27	95.36	108.40
NUMBER OF MONTHLY PAYMENTS NEEDED TO PAY OFF LOAN											
	247.1	147.4	106.6	83.8	69.1	58.9	51.3	45.4	37.0	31.2	27.0

53

DISCOUNT %	MONTHLY PAYBACK RATE (%) (MONTHLY PAYMENT DIVIDED BY LOAN AMOUNT)										
	.58	1.00	1.50	2.00	3.00	4.00	5.00	6.00	7.00	8.00	8.65
.5	7.52	7.53	7.55	7.57	7.60	7.64	7.69	7.74	7.81	7.88	7.94
1.0	8.04	8.07	8.10	8.13	8.21	8.29	8.38	8.49	8.62	8.77	8.89
1.5	8.57	8.61	8.66	8.71	8.81	8.94	9.08	9.25	9.44	9.67	9.84
2.0	9.10	9.15	9.21	9.28	9.43	9.59	9.79	10.01	10.27	10.57	10.81
2.5	9.63	9.70	9.77	9.86	10.04	10.25	10.49	10.77	11.10	11.49	11.78
3.0	10.17	10.24	10.34	10.44	10.66	10.92	11.21	11.54	11.94	12.40	12.75
3.5	10.71	10.80	10.91	11.03	11.29	11.58	11.92	12.32	12.78	13.33	13.74
4.0	11.25	11.35	11.48	11.62	11.91	12.26	12.65	13.10	13.63	14.26	14.73
4.5	11.79	11.91	12.05	12.21	12.55	12.93	13.37	13.88	14.48	15.19	15.73
5.0	12.34	12.47	12.63	12.80	13.18	13.61	14.11	14.68	15.35	16.14	16.74
5.5	12.89	13.03	13.21	13.40	13.82	14.30	14.84	15.47	16.21	17.09	17.75
6.0	13.45	13.60	13.80	14.01	14.47	14.99	15.59	16.28	17.09	18.05	18.77
6.5	14.00	14.17	14.39	14.62	15.11	15.68	16.33	17.09	17.97	19.01	19.80
7.0	14.56	14.75	14.98	15.23	15.77	16.38	17.09	17.90	18.86	19.99	20.84
7.5	15.13	15.33	15.58	15.84	16.42	17.08	17.84	18.72	19.75	20.97	21.89
8.0	15.70	15.91	16.18	16.46	17.08	17.79	18.61	19.55	20.65	21.96	22.95
8.5	16.27	16.49	16.78	17.08	17.75	18.51	19.38	20.38	21.56	22.96	24.01
9.0	16.84	17.08	17.39	17.71	18.42	19.23	20.15	21.22	22.48	23.96	25.08
9.5	17.42	17.68	18.00	18.34	19.09	19.95	20.93	22.07	23.40	24.97	26.16
10.0	18.00	18.27	18.61	18.98	19.77	20.68	21.72	22.92	24.33	25.99	27.25
10.5	18.59	18.87	19.23	19.62	20.46	21.41	22.51	23.78	25.27	27.02	28.35
11.0	19.18	19.48	19.86	20.26	21.14	22.15	23.31	24.65	26.21	28.06	29.46
11.5	19.77	20.08	20.48	20.91	21.84	22.90	24.11	25.52	27.16	29.11	30.57
12.0	20.36	20.70	21.11	21.56	22.53	23.65	24.92	26.40	28.12	30.16	31.70
12.5	20.96	21.31	21.75	22.22	23.24	24.40	25.74	27.28	29.09	31.22	32.83
13.0	21.57	21.93	22.39	22.88	23.94	25.16	26.56	28.17	30.06	32.30	33.98
13.5	22.18	22.55	23.03	23.54	24.66	25.93	27.39	29.07	31.05	33.38	35.13
14.0	22.79	23.18	23.68	24.21	25.37	26.70	28.22	29.98	32.04	34.47	36.30
14.5	23.40	23.81	24.33	24.89	26.10	27.48	29.06	30.90	33.04	35.57	37.47
15.0	24.02	24.45	24.99	25.56	26.83	28.26	29.91	31.82	34.05	36.68	38.66
15.5	24.65	25.09	25.65	26.25	27.56	29.05	30.76	32.75	35.05	37.80	39.85
16.0	25.27	25.73	26.32	26.94	28.30	29.85	31.62	33.68	36.09	38.93	41.06
16.5	25.91	26.38	26.99	27.63	29.04	30.65	32.49	34.63	37.12	40.06	42.28
17.0	26.54	27.04	27.66	28.33	29.79	31.45	33.37	35.58	38.16	41.21	43.50
17.5	27.18	27.69	28.34	29.03	30.54	32.27	34.25	36.54	39.22	42.37	44.74
18.0	27.83	28.36	29.03	29.74	31.31	33.09	35.14	37.51	40.28	43.54	45.99
18.5	28.48	29.02	29.72	30.45	32.07	33.92	36.03	38.49	41.35	44.72	47.25
19.0	29.13	29.69	30.41	31.17	32.84	34.75	36.94	39.47	42.43	45.91	48.52
19.5	29.79	30.37	31.11	31.90	33.62	35.59	37.85	40.46	43.52	47.11	49.81
20.0	30.45	31.05	31.81	32.62	34.41	36.44	38.77	41.47	44.62	48.32	51.10
20.5	31.12	31.74	32.52	33.36	35.20	37.29	39.69	42.48	45.72	49.55	52.41
21.0	31.79	32.43	33.24	34.10	35.99	38.15	40.63	43.50	46.84	50.78	53.73
21.5	32.47	33.12	33.96	34.84	36.79	39.02	41.57	44.52	47.97	52.03	55.07
22.0	33.15	33.82	34.68	35.60	37.60	39.89	42.52	45.56	49.11	53.29	56.41
22.5	33.83	34.53	35.41	36.35	38.42	40.77	43.48	46.61	50.26	54.56	57.77
23.0	34.52	35.24	36.15	37.12	39.24	41.66	44.45	47.67	51.42	55.84	59.14
23.5	35.22	35.96	36.89	37.88	40.07	42.56	45.42	48.73	52.60	57.13	60.53
24.0	35.92	36.68	37.64	38.66	40.90	43.46	46.40	49.81	53.78	58.44	61.93
24.5	36.63	37.41	38.39	39.44	41.74	44.37	47.40	50.90	54.97	59.76	63.34
25.0	37.34	38.14	39.15	40.23	42.59	45.29	48.40	51.99	56.18	61.09	64.77
25.5	38.06	38.88	39.91	41.02	43.45	46.22	49.41	53.10	57.40	62.44	66.21
26.0	38.78	39.62	40.68	41.82	44.31	47.16	50.43	54.21	58.63	63.80	67.67
26.5	39.51	40.37	41.46	42.62	45.18	48.10	51.46	55.34	59.87	65.18	69.14
27.0	40.24	41.12	42.24	43.44	46.06	49.05	52.50	56.48	61.12	66.56	70.62
27.5	40.98	41.88	43.03	44.25	46.94	50.02	53.55	57.63	62.39	67.97	72.13
28.0	41.72	42.65	43.83	45.08	47.84	50.98	54.60	58.79	63.67	69.38	73.64
28.5	42.47	43.42	44.63	45.91	48.74	51.96	55.67	59.96	64.96	70.82	75.18
29.0	43.23	44.20	45.44	46.75	49.65	52.95	56.75	61.15	66.27	72.26	76.73
29.5	43.99	44.99	46.25	47.60	50.56	53.95	57.84	62.34	67.59	73.73	78.30
30.0	44.76	45.78	47.07	48.45	51.49	54.95	58.94	63.55	68.92	75.20	79.88

	PERCENTAGE OF LOAN AMOUNT LEFT UNPAID AT DUE DATE										
	100.0	94.84	88.64	82.44	70.05	57.66	45.27	32.87	20.48	8.09	.00

MONTHLY PAYBACK RATE (%)
(MONTHLY PAYMENT DIVIDED BY LOAN AMOUNT)

DISCOUNT %	.58	.75	1.00	1.25	1.50	2.00	2.50	3.00	3.50	4.00	4.48
.5	7.27	7.27	7.28	7.29	7.30	7.32	7.35	7.38	7.41	7.45	7.49
1.0	7.54	7.55	7.57	7.59	7.61	7.65	7.70	7.75	7.82	7.90	7.99
1.5	7.81	7.83	7.85	7.88	7.91	7.98	8.05	8.14	8.24	8.36	8.50
2.0	8.09	8.11	8.14	8.18	8.22	8.30	8.40	8.52	8.65	8.82	9.00
2.5	8.36	8.39	8.43	8.48	8.53	8.64	8.76	8.90	9.07	9.28	9.51
3.0	8.64	8.67	8.72	8.78	8.84	8.97	9.12	9.29	9.50	9.74	10.03
3.5	8.92	8.96	9.02	9.08	9.15	9.30	9.48	9.68	9.93	10.21	10.54
4.0	9.20	9.24	9.31	9.39	9.47	9.64	9.84	10.08	10.35	10.68	11.06
4.5	9.48	9.53	9.61	9.69	9.78	9.98	10.21	10.47	10.79	11.16	11.59
5.0	9.76	9.82	9.91	10.00	10.10	10.32	10.58	10.87	11.22	11.64	12.12
5.5	10.05	10.11	10.21	10.31	10.42	10.67	10.95	11.28	11.66	12.12	12.65
6.0	10.33	10.40	10.51	10.62	10.74	11.01	11.32	11.68	12.10	12.61	13.19
6.5	10.62	10.70	10.81	10.94	11.07	11.36	11.70	12.09	12.55	13.10	13.73
7.0	10.91	10.99	11.12	11.25	11.39	11.71	12.08	12.50	13.00	13.59	14.27
7.5	11.20	11.29	11.42	11.57	11.72	12.06	12.46	12.91	13.45	14.09	14.82
8.0	11.50	11.59	11.73	11.89	12.05	12.42	12.84	13.33	13.90	14.59	15.38
8.5	11.79	11.89	12.05	12.21	12.39	12.78	13.23	13.75	14.36	15.09	15.93
9.0	12.09	12.19	12.36	12.53	12.72	13.14	13.62	14.17	14.83	15.60	16.50
9.5	12.39	12.50	12.67	12.86	13.06	13.50	14.01	14.60	15.29	16.12	17.06
10.0	12.69	12.80	12.99	13.19	13.40	13.86	14.40	15.03	15.76	16.63	17.63
10.5	12.99	13.11	13.31	13.52	13.74	14.23	14.80	15.46	16.23	17.15	18.21
11.0	13.29	13.42	13.63	13.85	14.08	14.60	15.20	15.89	16.71	17.68	18.79
11.5	13.60	13.74	13.95	14.18	14.43	14.97	15.60	16.33	17.19	18.21	19.37
12.0	13.91	14.05	14.28	14.52	14.78	15.35	16.01	16.77	17.67	18.74	19.96
12.5	14.22	14.37	14.61	14.86	15.13	15.73	16.42	17.22	18.16	19.28	20.56
13.0	14.53	14.69	14.94	15.20	15.48	16.11	16.83	17.67	18.65	19.82	21.16
13.5	14.84	15.01	15.27	15.54	15.84	16.49	17.24	18.12	19.15	20.37	21.76
14.0	15.16	15.33	15.60	15.89	16.20	16.88	17.66	18.57	19.64	20.92	22.37
14.5	15.48	15.65	15.94	16.24	16.56	17.27	18.08	19.03	20.15	21.47	22.98
15.0	15.80	15.98	16.27	16.59	16.92	17.66	18.51	19.49	20.66	22.03	23.60
15.5	16.12	16.31	16.61	16.94	17.29	18.05	18.93	19.96	21.17	22.60	24.23
16.0	16.44	16.64	16.96	17.29	17.65	18.45	19.37	20.43	21.68	23.17	24.86
16.5	16.77	16.97	17.30	17.65	18.02	18.85	19.80	20.90	22.20	23.74	25.49
17.0	17.10	17.31	17.65	18.01	18.40	19.25	20.24	21.38	22.73	24.32	26.13
17.5	17.43	17.65	18.00	18.37	18.77	19.66	20.68	21.86	23.25	24.90	26.78
18.0	17.76	17.99	18.35	18.74	19.15	20.07	21.12	22.35	23.79	25.49	27.43
18.5	18.09	18.33	18.71	19.11	19.53	20.48	21.57	22.84	24.33	26.09	28.09
19.0	18.43	18.68	19.06	19.48	19.92	20.89	22.02	23.33	24.87	26.69	28.76
19.5	18.77	19.02	19.42	19.85	20.30	21.31	22.48	23.83	25.41	27.29	29.43
20.0	19.11	19.37	19.79	20.23	20.69	21.74	22.93	24.33	25.97	27.90	30.10
21.0	19.80	20.08	20.52	20.99	21.48	22.59	23.86	25.35	27.08	29.14	31.47
22.0	20.50	20.80	21.26	21.76	22.28	23.46	24.81	26.38	28.22	30.40	32.87
23.0	21.21	21.52	22.01	22.54	23.10	24.34	25.77	27.43	29.38	31.68	34.29
24.0	21.93	22.26	22.78	23.33	23.92	25.23	26.74	28.50	30.56	32.99	35.74
25.0	22.66	23.01	23.55	24.14	24.76	26.14	27.74	29.59	31.76	34.33	37.22
26.0	23.40	23.77	24.34	24.96	25.61	27.07	28.75	30.70	32.99	35.69	38.73
27.0	24.15	24.54	25.14	25.79	26.48	28.01	29.78	31.83	34.24	37.07	40.27
28.0	24.92	25.32	25.96	26.64	27.36	28.97	30.83	32.98	35.51	38.49	41.84
29.0	25.69	26.12	26.78	27.50	28.26	29.94	31.89	34.16	36.81	39.93	43.44
30.0	26.48	26.92	27.62	28.37	29.17	30.94	32.98	35.36	38.13	41.40	45.07
31.0	27.28	27.75	28.48	29.26	30.09	31.95	34.09	36.58	39.49	42.91	46.75
32.0	28.10	28.58	29.35	30.16	31.04	32.98	35.22	37.82	40.87	44.45	48.45
33.0	28.92	29.43	30.23	31.08	32.00	34.03	36.37	39.09	42.28	46.02	50.20
34.0	29.76	30.29	31.13	32.02	32.97	35.09	37.54	40.39	43.72	47.62	51.99
35.0	30.62	31.17	32.04	32.97	33.97	36.18	38.74	41.72	45.19	49.27	53.81
36.0	31.49	32.06	32.97	33.94	34.98	37.30	39.97	43.07	46.70	50.95	55.68
37.0	32.37	32.97	33.92	34.93	36.02	38.43	41.22	44.46	48.24	52.67	57.60
38.0	33.27	33.89	34.88	35.94	37.07	39.59	42.49	45.87	49.82	54.43	59.56
39.0	34.19	34.84	35.87	36.97	38.15	40.77	43.80	47.32	51.43	56.24	61.57
40.0	35.12	35.80	36.87	38.01	39.24	41.97	45.13	48.81	53.09	58.09	63.63

PERCENTAGE OF LOAN AMOUNT LEFT UNPAID AT DUE DATE

	.58	.75	1.00	1.25	1.50	2.00	2.50	3.00	3.50	4.00	4.48
	100.0	95.72	89.30	82.88	76.46	63.62	50.78	37.94	25.10	12.26	.00

DISCOUNT %	MONTHLY PAYBACK RATE (%) (MONTHLY PAYMENT DIVIDED BY LOAN AMOUNT)										
	.58	.75	1.00	1.25	1.50	1.75	2.00	2.25	2.50	2.75	3.00
.5	7.19	7.19	7.20	7.21	7.22	7.24	7.25	7.27	7.28	7.31	7.34
1.0	7.37	7.38	7.40	7.42	7.45	7.47	7.50	7.53	7.57	7.61	7.68
1.5	7.56	7.58	7.61	7.64	7.67	7.71	7.75	7.80	7.86	7.92	8.02
2.0	7.75	7.77	7.81	7.85	7.90	7.95	8.01	8.07	8.15	8.23	8.37
2.5	7.94	7.97	8.02	8.07	8.13	8.19	8.26	8.35	8.44	8.55	8.72
3.0	8.13	8.17	8.22	8.29	8.36	8.43	8.52	8.62	8.73	8.86	9.07
3.5	8.32	8.36	8.43	8.51	8.59	8.68	8.78	8.90	9.03	9.18	9.42
4.0	8.52	8.56	8.64	8.73	8.82	8.93	9.04	9.18	9.33	9.50	9.78
4.5	8.71	8.76	8.85	8.95	9.05	9.17	9.31	9.46	9.63	9.82	10.14
5.0	8.90	8.97	9.06	9.17	9.29	9.42	9.57	9.74	9.93	10.15	10.50
5.5	9.10	9.17	9.28	9.39	9.53	9.67	9.84	10.02	10.23	10.48	10.86
6.0	9.30	9.37	9.49	9.62	9.77	9.93	10.11	10.31	10.54	10.81	11.23
6.5	9.50	9.58	9.71	9.85	10.01	10.18	10.38	10.60	10.85	11.14	11.60
7.0	9.70	9.78	9.92	10.08	10.25	10.44	10.65	10.89	11.16	11.47	11.97
7.5	9.90	9.99	10.14	10.31	10.49	10.69	10.92	11.18	11.47	11.81	12.35
8.0	10.10	10.20	10.36	10.54	10.74	10.95	11.20	11.48	11.79	12.15	12.73
8.5	10.31	10.41	10.58	10.77	10.98	11.22	11.48	11.77	12.11	12.49	13.11
9.0	10.51	10.62	10.81	11.01	11.23	11.48	11.76	12.07	12.43	12.84	13.49
9.5	10.72	10.84	11.03	11.24	11.48	11.74	12.04	12.37	12.75	13.19	13.88
10.0	10.92	11.05	11.26	11.48	11.73	12.01	12.32	12.68	13.08	13.54	14.27
11.0	11.34	11.48	11.71	11.96	12.24	12.55	12.90	13.29	13.74	14.24	15.06
12.0	11.77	11.92	12.17	12.45	12.76	13.10	13.48	13.91	14.41	14.97	15.86
13.0	12.20	12.37	12.64	12.94	13.28	13.65	14.07	14.55	15.08	15.70	16.67
14.0	12.63	12.81	13.11	13.44	13.81	14.22	14.68	15.19	15.77	16.44	17.50
15.0	13.07	13.27	13.59	13.95	14.35	14.79	15.29	15.84	16.48	17.20	18.35
16.0	13.52	13.73	14.08	14.47	14.89	15.37	15.91	16.51	17.19	17.97	19.20
17.0	13.97	14.20	14.57	14.99	15.45	15.96	16.53	17.18	17.91	18.75	20.07
18.0	14.43	14.67	15.08	15.52	16.01	16.56	17.17	17.87	18.65	19.54	20.96
19.0	14.89	15.16	15.58	16.06	16.58	17.17	17.82	18.56	19.40	20.35	21.86
20.0	15.36	15.64	16.10	16.60	17.16	17.79	18.49	19.27	20.16	21.18	22.78
21.0	15.84	16.14	16.62	17.16	17.75	18.42	19.16	19.99	20.94	22.02	23.72
22.0	16.32	16.64	17.15	17.72	18.35	19.05	19.84	20.73	21.73	22.87	24.67
23.0	16.81	17.15	17.69	18.29	18.96	19.70	20.54	21.47	22.54	23.74	25.64
24.0	17.31	17.67	18.24	18.87	19.58	20.36	21.24	22.24	23.36	24.63	26.63
25.0	17.82	18.19	18.80	19.46	20.21	21.04	21.96	23.01	24.19	25.53	27.64
26.0	18.33	18.72	19.36	20.06	20.85	21.72	22.70	23.80	25.04	26.45	28.67
27.0	18.85	19.26	19.93	20.67	21.50	22.42	23.45	24.60	25.91	27.39	29.72
28.0	19.38	19.81	20.52	21.30	22.16	23.13	24.21	25.42	26.79	28.35	30.79
29.0	19.92	20.37	21.11	21.93	22.83	23.85	24.98	26.26	27.70	29.33	31.88
30.0	20.46	20.94	21.71	22.57	23.52	24.58	25.77	27.11	28.62	30.32	33.00
31.0	21.02	21.52	22.33	23.22	24.22	25.33	26.58	27.98	29.56	31.34	34.14
32.0	21.58	22.10	22.95	23.89	24.93	26.10	27.40	28.87	30.52	32.39	35.30
33.0	22.15	22.70	23.58	24.57	25.66	26.88	28.24	29.77	31.50	33.45	36.49
34.0	22.74	23.31	24.23	25.26	26.40	27.67	29.10	30.70	32.50	34.54	37.71
35.0	23.33	23.92	24.89	25.96	27.15	28.48	29.97	31.64	33.53	35.65	38.96
36.0	23.93	24.55	25.56	26.68	27.92	29.31	30.86	32.61	34.58	36.79	40.23
37.0	24.55	25.19	26.24	27.41	28.71	30.16	31.78	33.60	35.65	37.96	41.54
38.0	25.17	25.84	26.94	28.15	29.51	31.02	32.71	34.61	36.75	39.15	42.87
39.0	25.81	26.51	27.65	28.92	30.33	31.90	33.67	35.65	37.87	40.37	44.24
40.0	26.46	27.18	28.37	29.69	31.16	32.81	34.64	36.71	39.02	41.63	45.65
41.0	27.12	27.87	29.11	30.49	32.02	33.73	35.64	37.79	40.21	42.91	47.09
42.0	27.79	28.58	29.87	31.30	32.89	34.67	36.67	38.91	41.42	44.23	48.57
43.0	28.48	29.30	30.64	32.13	33.79	35.64	37.72	40.05	42.66	45.59	50.09
44.0	29.18	30.03	31.42	32.97	34.70	36.63	38.80	41.22	43.94	46.98	51.65
45.0	29.89	30.78	32.23	33.84	35.64	37.65	39.90	42.42	45.25	48.41	53.26
46.0	30.62	31.54	33.05	34.73	36.60	38.69	41.03	43.66	46.60	49.88	54.91
47.0	31.37	32.33	33.89	35.64	37.59	39.76	42.20	44.93	47.98	51.40	56.61
48.0	32.13	33.12	34.75	36.57	38.60	40.86	43.40	46.24	49.41	52.96	58.36
49.0	32.91	33.94	35.64	37.52	39.63	41.99	44.63	47.58	50.88	54.56	60.17
50.0	33.70	34.78	36.54	38.50	40.70	43.15	45.89	48.97	52.40	56.22	62.03
⌀	PERCENTAGE OF LOAN AMOUNT LEFT UNPAID AT DUE DATE										
	100.0	93.34	83.36	73.38	63.40	53.41	43.43	33.45	23.47	13.48	.00

DISCOUNT %	MONTHLY PAYBACK RATE (%) (MONTHLY PAYMENT DIVIDED BY LOAN AMOUNT)										
	.58	.60	.80	1.00	1.20	1.40	1.60	1.80	2.00	2.20	2.39
.5	7.14	7.14	7.15	7.16	7.17	7.18	7.19	7.20	7.22	7.24	7.26
1.0	7.29	7.29	7.31	7.32	7.34	7.36	7.39	7.41	7.44	7.48	7.52
1.5	7.43	7.44	7.46	7.48	7.51	7.54	7.58	7.62	7.67	7.72	7.78
2.0	7.58	7.58	7.61	7.65	7.69	7.73	7.78	7.83	7.89	7.96	8.05
2.5	7.73	7.73	7.77	7.81	7.86	7.91	7.97	8.04	8.12	8.21	8.31
3.0	7.88	7.88	7.93	7.98	8.03	8.10	8.17	8.25	8.35	8.45	8.58
3.5	8.03	8.03	8.08	8.14	8.21	8.29	8.37	8.46	8.58	8.70	8.85
4.0	8.18	8.18	8.24	8.31	8.39	8.47	8.57	8.68	8.81	8.95	9.12
4.5	8.33	8.33	8.40	8.48	8.57	8.66	8.77	8.90	9.04	9.21	9.40
5.0	8.48	8.48	8.56	8.65	8.75	8.85	8.98	9.12	9.28	9.46	9.67
5.5	8.63	8.64	8.72	8.82	8.93	9.05	9.18	9.34	9.51	9.72	9.95
6.0	8.78	8.79	8.89	8.99	9.11	9.24	9.39	9.56	9.75	9.98	10.23
6.5	8.94	8.95	9.05	9.16	9.29	9.44	9.60	9.78	9.99	10.24	10.52
7.0	9.09	9.10	9.21	9.34	9.48	9.63	9.81	10.00	10.23	10.50	10.80
7.5	9.25	9.26	9.38	9.51	9.66	9.83	10.02	10.23	10.48	10.76	11.09
8.0	9.41	9.42	9.55	9.69	9.85	10.03	10.23	10.46	10.72	11.03	11.38
8.5	9.57	9.58	9.71	9.87	10.04	10.23	10.44	10.69	10.97	11.30	11.67
9.0	9.72	9.74	9.88	10.05	10.23	10.43	10.66	10.92	11.22	11.57	11.96
9.5	9.88	9.90	10.05	10.22	10.42	10.63	10.88	11.15	11.47	11.84	12.26
10.0	10.05	10.06	10.22	10.41	10.61	10.84	11.10	11.39	11.73	12.11	12.55
11.0	10.37	10.39	10.57	10.77	11.00	11.25	11.54	11.86	12.24	12.67	13.16
12.0	10.70	10.72	10.92	11.14	11.39	11.67	11.99	12.34	12.76	13.23	13.77
13.0	11.03	11.05	11.27	11.52	11.79	12.10	12.44	12.83	13.29	13.80	14.39
14.0	11.37	11.39	11.63	11.90	12.19	12.53	12.90	13.33	13.82	14.39	15.03
15.0	11.71	11.74	11.99	12.28	12.60	12.97	13.37	13.84	14.37	14.98	15.67
16.0	12.06	12.08	12.36	12.67	13.02	13.41	13.85	14.35	14.92	15.58	16.33
17.0	12.41	12.44	12.74	13.07	13.44	13.86	14.34	14.87	15.49	16.19	16.99
18.0	12.77	12.80	13.12	13.47	13.87	14.32	14.83	15.40	16.06	16.82	17.67
19.0	13.13	13.16	13.50	13.88	14.31	14.79	15.33	15.94	16.65	17.45	18.36
20.0	13.50	13.53	13.89	14.30	14.75	15.26	15.84	16.49	17.24	18.10	19.06
21.0	13.87	13.90	14.29	14.72	15.20	15.74	16.36	17.05	17.85	18.75	19.78
22.0	14.25	14.28	14.69	15.15	15.66	16.23	16.88	17.62	18.46	19.42	20.50
23.0	14.63	14.66	15.10	15.58	16.12	16.73	17.42	18.20	19.09	20.11	21.25
24.0	15.02	15.05	15.51	16.03	16.60	17.24	17.97	18.79	19.73	20.80	22.00
25.0	15.41	15.45	15.93	16.47	17.08	17.76	18.52	19.39	20.38	21.51	22.77
26.0	15.81	15.85	16.36	16.93	17.57	18.28	19.09	20.00	21.04	22.23	23.56
27.0	16.22	16.26	16.80	17.40	18.06	18.81	19.66	20.62	21.72	22.97	24.36
28.0	16.63	16.68	17.24	17.87	18.57	19.36	20.25	21.26	22.41	23.72	25.18
29.0	17.05	17.10	17.69	18.35	19.08	19.91	20.85	21.90	23.11	24.49	26.02
30.0	17.48	17.53	18.15	18.84	19.61	20.48	21.46	22.57	23.83	25.27	26.87
31.0	17.91	17.96	18.61	19.33	20.14	21.05	22.08	23.24	24.56	26.07	27.74
32.0	18.35	18.40	19.08	19.84	20.69	21.64	22.71	23.93	25.31	26.89	28.63
33.0	18.80	18.85	19.56	20.36	21.24	22.24	23.36	24.63	26.08	27.72	29.54
34.0	19.25	19.31	20.05	20.88	21.81	22.85	24.02	25.35	26.86	28.58	30.47
35.0	19.72	19.78	20.55	21.42	22.38	23.47	24.70	26.09	27.66	29.45	31.43
36.0	20.19	20.25	21.06	21.96	22.97	24.11	25.39	26.84	28.48	30.34	32.40
37.0	20.67	20.74	21.58	22.52	23.57	24.76	26.09	27.60	29.32	31.26	33.40
38.0	21.16	21.23	22.11	23.09	24.19	25.42	26.82	28.39	30.18	32.20	34.42
39.0	21.66	21.73	22.65	23.67	24.81	26.10	27.55	29.20	31.06	33.16	35.47
40.0	22.17	22.24	23.19	24.26	25.45	26.80	28.31	30.02	31.96	34.14	36.54
41.0	22.68	22.76	23.75	24.86	26.11	27.51	29.08	30.86	32.88	35.16	37.65
42.0	23.21	23.29	24.33	25.48	26.78	28.23	29.88	31.73	33.83	36.19	38.78
43.0	23.75	23.84	24.91	26.11	27.46	28.98	30.69	32.62	34.80	37.26	39.94
44.0	24.30	24.39	25.51	26.76	28.16	29.74	31.52	33.53	35.80	38.35	41.14
45.0	24.86	24.96	26.12	27.42	28.88	30.52	32.38	34.47	36.83	39.48	42.37
46.0	25.44	25.53	26.74	28.10	29.62	31.33	33.26	35.43	37.89	40.64	43.63
47.0	26.02	26.12	27.38	28.79	30.37	32.15	34.16	36.42	38.97	41.83	44.93
48.0	26.62	26.73	28.03	29.50	31.14	33.00	35.09	37.44	40.09	43.06	46.27
49.0	27.24	27.34	28.70	30.23	31.94	33.87	36.04	38.49	41.24	44.32	47.65
50.0	27.86	27.98	29.39	30.97	32.76	34.76	37.02	39.57	42.43	45.63	49.08
⌀	PERCENTAGE OF LOAN AMOUNT LEFT UNPAID AT DUE DATE										
	100.0	99.08	88.04	77.00	65.95	54.91	43.87	32.83	21.79	10.75	.00

DISCOUNT %	MONTHLY PAYBACK RATE (%) (MONTHLY PAYMENT DIVIDED BY LOAN AMOUNT)										
	.58	.60	.70	.80	.90	1.00	1.20	1.40	1.60	1.80	1.98
.5	7.12	7.12	7.12	7.13	7.13	7.14	7.15	7.16	7.17	7.19	7.21
1.0	7.24	7.24	7.25	7.26	7.26	7.27	7.30	7.32	7.35	7.38	7.42
1.5	7.36	7.36	7.37	7.39	7.40	7.41	7.45	7.48	7.53	7.58	7.64
2.0	7.48	7.48	7.50	7.52	7.53	7.55	7.60	7.65	7.70	7.77	7.85
2.5	7.60	7.61	7.63	7.65	7.67	7.69	7.75	7.81	7.88	7.97	8.07
3.0	7.72	7.73	7.75	7.78	7.80	7.83	7.90	7.97	8.06	8.17	8.29
3.5	7.85	7.85	7.88	7.91	7.94	7.98	8.05	8.14	8.25	8.37	8.51
4.0	7.97	7.98	8.01	8.04	8.08	8.12	8.21	8.31	8.43	8.57	8.73
4.5	8.10	8.10	8.14	8.18	8.22	8.26	8.36	8.48	8.61	8.77	8.95
5.0	8.22	8.23	8.27	8.31	8.36	8.41	8.52	8.65	8.80	8.98	9.17
5.5	8.35	8.36	8.40	8.45	8.50	8.55	8.68	8.82	8.98	9.18	9.40
6.0	8.48	8.48	8.53	8.59	8.64	8.70	8.83	8.99	9.17	9.39	9.63
6.5	8.60	8.61	8.67	8.72	8.78	8.85	8.99	9.16	9.36	9.60	9.86
7.0	8.73	8.74	8.80	8.86	8.93	9.00	9.15	9.34	9.55	9.81	10.09
7.5	8.86	8.87	8.93	9.00	9.07	9.15	9.32	9.51	9.75	10.02	10.32
8.0	8.99	9.00	9.07	9.14	9.21	9.30	9.48	9.69	9.94	10.24	10.56
8.5	9.12	9.13	9.21	9.28	9.36	9.45	9.64	9.87	10.13	10.45	10.80
9.0	9.25	9.27	9.34	9.42	9.51	9.60	9.81	10.05	10.33	10.67	11.03
9.5	9.39	9.40	9.48	9.57	9.66	9.76	9.97	10.23	10.53	10.89	11.27
10.0	9.52	9.54	9.62	9.71	9.81	9.91	10.14	10.41	10.73	11.11	11.52
11.0	9.79	9.81	9.90	10.00	10.11	10.22	10.48	10.78	11.13	11.55	12.01
12.0	10.06	10.08	10.18	10.30	10.41	10.54	10.82	11.16	11.54	12.01	12.51
13.0	10.34	10.36	10.47	10.59	10.72	10.86	11.17	11.54	11.96	12.47	13.01
14.0	10.62	10.64	10.76	10.90	11.04	11.19	11.53	11.92	12.38	12.93	13.53
15.0	10.90	10.93	11.06	11.20	11.36	11.52	11.89	12.31	12.82	13.41	14.05
16.0	11.19	11.22	11.36	11.52	11.68	11.86	12.25	12.71	13.25	13.89	14.58
17.0	11.48	11.51	11.67	11.83	12.01	12.20	12.62	13.12	13.70	14.39	15.13
18.0	11.78	11.81	11.97	12.15	12.34	12.55	13.00	13.53	14.15	14.89	15.68
19.0	12.08	12.11	12.29	12.48	12.68	12.90	13.38	13.95	14.61	15.40	16.24
20.0	12.39	12.42	12.60	12.81	13.02	13.25	13.77	14.37	15.08	15.92	16.81
21.0	12.69	12.73	12.93	13.14	13.37	13.62	14.17	14.81	15.56	16.44	17.39
22.0	13.01	13.04	13.25	13.48	13.72	13.99	14.57	15.25	16.04	16.98	17.99
23.0	13.33	13.36	13.59	13.83	14.08	14.36	14.98	15.70	16.54	17.53	18.59
24.0	13.65	13.69	13.92	14.18	14.45	14.74	15.39	16.15	17.04	18.09	19.21
25.0	13.98	14.02	14.27	14.54	14.82	15.13	15.82	16.62	17.55	18.66	19.83
26.0	14.31	14.35	14.62	14.90	15.20	15.52	16.25	17.09	18.08	19.24	20.47
27.0	14.65	14.69	14.97	15.27	15.58	15.93	16.69	17.57	18.61	19.83	21.13
28.0	14.99	15.04	15.33	15.64	15.97	16.33	17.13	18.07	19.15	20.44	21.79
29.0	15.34	15.39	15.70	16.02	16.37	16.75	17.59	18.57	19.71	21.05	22.47
30.0	15.70	15.75	16.07	16.41	16.78	17.17	18.05	19.08	20.28	21.68	23.17
31.0	16.06	16.11	16.45	16.81	17.19	17.61	18.53	19.60	20.85	22.33	23.88
32.0	16.42	16.48	16.83	17.21	17.61	18.04	19.01	20.13	21.45	22.98	24.60
33.0	16.80	16.86	17.23	17.62	18.04	18.49	19.50	20.68	22.05	23.66	25.34
34.0	17.18	17.24	17.62	18.04	18.47	18.95	20.01	21.23	22.67	24.34	26.10
35.0	17.57	17.63	18.03	18.46	18.92	19.42	20.52	21.80	23.30	25.05	26.87
36.0	17.96	18.03	18.45	18.89	19.37	19.89	21.04	22.38	23.94	25.77	27.67
37.0	18.36	18.43	18.87	19.34	19.84	20.38	21.58	22.97	24.60	26.50	28.49
38.0	18.77	18.84	19.30	19.79	20.31	20.87	22.12	23.58	25.28	27.26	29.32
39.0	19.19	19.26	19.74	20.25	20.79	21.38	22.68	24.20	25.97	28.03	30.17
40.0	19.61	19.69	20.19	20.72	21.28	21.89	23.26	24.84	26.68	28.82	31.05
41.0	20.05	20.13	20.64	21.20	21.79	22.42	23.84	25.49	27.41	29.64	31.95
42.0	20.49	20.58	21.11	21.69	22.30	22.96	24.44	26.16	28.16	30.47	32.87
43.0	20.94	21.03	21.59	22.19	22.83	23.52	25.06	26.85	28.92	31.33	33.82
44.0	21.40	21.50	22.08	22.70	23.36	24.08	25.69	27.55	29.71	32.21	34.79
45.0	21.88	21.97	22.58	23.22	23.92	24.66	26.33	28.27	30.52	33.12	35.80
46.0	22.36	22.46	23.09	23.76	24.48	25.26	27.00	29.01	31.35	34.05	36.83
47.0	22.85	22.96	23.61	24.31	25.06	25.87	27.68	29.78	32.21	35.01	37.89
48.0	23.36	23.46	24.14	24.87	25.65	26.50	28.38	30.56	33.09	36.00	38.98
49.0	23.87	23.98	24.69	25.45	26.26	27.14	29.10	31.37	34.00	37.02	40.11
50.0	24.40	24.52	25.25	26.04	26.89	27.80	29.84	32.20	34.93	38.07	41.28
∇φ	PERCENTAGE OF LOAN AMOUNT LEFT UNPAID AT DUE DATE										
	100.0	98.81	91.65	84.49	77.33	70.17	55.85	41.53	27.21	12.90	.00

DISCOUNT %	MONTHLY PAYBACK RATE (%) (MONTHLY PAYMENT DIVIDED BY LOAN AMOUNT)										
	.58	.60	.70	.80	.90	1.00	1.10	1.20	1.40	1.60	1.70
1.0	7.21	7.21	7.22	7.22	7.23	7.24	7.25	7.27	7.30	7.33	7.36
2.0	7.41	7.42	7.43	7.45	7.47	7.49	7.51	7.54	7.60	7.67	7.72
3.0	7.62	7.63	7.65	7.68	7.71	7.74	7.78	7.82	7.91	8.02	8.09
4.0	7.84	7.84	7.88	7.91	7.95	8.00	8.04	8.10	8.22	8.37	8.46
5.0	8.05	8.06	8.10	8.15	8.20	8.25	8.31	8.38	8.53	8.72	8.84
6.0	8.27	8.28	8.33	8.39	8.45	8.51	8.59	8.67	8.85	9.08	9.22
7.0	8.49	8.50	8.56	8.63	8.70	8.78	8.86	8.96	9.18	9.45	9.61
8.0	8.72	8.73	8.80	8.87	8.96	9.05	9.14	9.25	9.51	9.82	10.01
9.0	8.94	8.96	9.04	9.12	9.22	9.32	9.43	9.55	9.84	10.19	10.41
10.0	9.17	9.19	9.28	9.37	9.48	9.60	9.72	9.86	10.18	10.58	10.82
11.0	9.41	9.42	9.52	9.63	9.75	9.87	10.01	10.17	10.52	10.96	11.24
12.0	9.64	9.66	9.77	9.89	10.02	10.16	10.31	10.48	10.87	11.36	11.66
13.0	9.88	9.90	10.02	10.15	10.29	10.45	10.61	10.80	11.23	11.76	12.09
14.0	10.12	10.14	10.27	10.42	10.57	10.74	10.92	11.12	11.59	12.17	12.53
15.0	10.37	10.39	10.53	10.69	10.85	11.04	11.23	11.45	11.96	12.58	12.97
16.0	10.62	10.64	10.79	10.96	11.14	11.34	11.55	11.79	12.33	13.00	13.42
17.0	10.87	10.90	11.06	11.24	11.43	11.64	11.87	12.13	12.71	13.43	13.88
18.0	11.12	11.15	11.33	11.52	11.73	11.95	12.20	12.47	13.10	13.87	14.35
19.0	11.38	11.41	11.60	11.81	12.03	12.27	12.53	12.82	13.49	14.31	14.82
20.0	11.65	11.68	11.88	12.10	12.33	12.59	12.87	13.18	13.89	14.77	15.31
21.0	11.92	11.95	12.16	12.39	12.64	12.92	13.21	13.54	14.30	15.23	15.80
22.0	12.19	12.22	12.45	12.69	12.96	13.25	13.56	13.91	14.72	15.70	16.30
23.0	12.46	12.50	12.74	13.00	13.28	13.59	13.92	14.29	15.14	16.18	16.81
24.0	12.74	12.78	13.03	13.31	13.60	13.93	14.28	14.67	15.57	16.66	17.33
25.0	13.03	13.07	13.33	13.62	13.93	14.28	14.65	15.06	16.01	17.16	17.87
26.0	13.31	13.36	13.64	13.94	14.27	14.63	15.03	15.46	16.45	17.67	18.41
27.0	13.61	13.66	13.95	14.27	14.62	15.00	15.41	15.86	16.91	18.18	18.96
28.0	13.91	13.96	14.27	14.60	14.96	15.36	15.80	16.28	17.38	18.71	19.53
29.0	14.21	14.26	14.59	14.94	15.32	15.74	16.19	16.70	17.85	19.25	20.10
30.0	14.52	14.57	14.91	15.28	15.68	16.12	16.60	17.13	18.33	19.80	20.69
31.0	14.83	14.89	15.25	15.63	16.05	16.51	17.01	17.56	18.83	20.36	21.29
32.0	15.15	15.21	15.58	15.99	16.43	16.91	17.43	18.01	19.34	20.94	21.91
33.0	15.48	15.54	15.93	16.35	16.81	17.32	17.86	18.47	19.85	21.52	22.54
34.0	15.81	15.87	16.28	16.72	17.20	17.73	18.30	18.93	20.38	22.13	23.18
35.0	16.14	16.21	16.64	17.10	17.60	18.15	18.75	19.41	20.92	22.74	23.84
36.0	16.49	16.56	17.00	17.49	18.01	18.58	19.21	19.90	21.47	23.37	24.51
37.0	16.84	16.91	17.37	17.88	18.43	19.03	19.68	20.40	22.04	24.01	25.20
38.0	17.19	17.27	17.75	18.28	18.85	19.48	20.16	20.91	22.62	24.67	25.91
39.0	17.56	17.64	18.14	18.69	19.28	19.94	20.65	21.43	23.21	25.35	26.64
40.0	17.93	18.01	18.54	19.11	19.73	20.41	21.15	21.96	23.82	26.05	27.38
41.0	18.31	18.39	18.94	19.54	20.18	20.89	21.66	22.51	24.45	26.76	28.14
42.0	18.69	18.78	19.35	19.97	20.65	21.39	22.19	23.07	25.09	27.49	28.93
43.0	19.09	19.18	19.78	20.42	21.12	21.89	22.73	23.65	25.74	28.24	29.73
44.0	19.49	19.59	20.21	20.88	21.61	22.41	23.28	24.24	26.42	29.02	30.56
45.0	19.90	20.01	20.65	21.35	22.11	22.94	23.85	24.84	27.11	29.81	31.41
46.0	20.33	20.43	21.10	21.83	22.62	23.49	24.43	25.47	27.83	30.63	32.28
47.0	20.76	20.87	21.56	22.32	23.15	24.05	25.03	26.11	28.56	31.47	33.19
48.0	21.20	21.32	22.04	22.83	23.69	24.63	25.65	26.77	29.32	32.34	34.12
49.0	21.65	21.77	22.53	23.35	24.24	25.22	26.28	27.45	30.10	33.23	35.08
50.0	22.12	22.24	23.03	23.88	24.81	25.83	26.93	28.15	30.91	34.16	36.06
51.0	22.59	22.72	23.54	24.43	25.39	26.45	27.61	28.87	31.74	35.11	37.09
52.0	23.08	23.22	24.06	24.99	26.00	27.10	28.30	29.62	32.60	36.10	38.14
53.0	23.58	23.72	24.61	25.57	26.62	27.77	29.02	30.38	33.49	37.12	39.24
54.0	24.10	24.24	25.16	26.16	27.26	28.45	29.75	31.18	34.41	38.18	40.37
55.0	24.63	24.78	25.74	26.78	27.92	29.16	30.52	32.00	35.36	39.27	41.54
56.0	25.17	25.33	26.33	27.41	28.60	29.90	31.31	32.85	36.35	40.41	42.76
57.0	25.73	25.90	26.94	28.07	29.30	30.66	32.13	33.74	37.37	41.59	44.02
58.0	26.31	26.48	27.56	28.74	30.03	31.44	32.98	34.65	38.44	42.82	45.34
59.0	26.91	27.08	28.21	29.44	30.78	32.26	33.86	35.61	39.55	44.09	46.71
60.0	27.52	27.71	28.88	30.17	31.57	33.10	34.77	36.60	40.70	45.42	48.13
	PERCENTAGE OF LOAN AMOUNT LEFT UNPAID AT DUE DATE										
	100.0	98.51	89.60	80.68	71.77	62.85	53.93	45.02	27.19	9.35	.00

DISCOUNT %	MONTHLY PAYBACK RATE (%) (MONTHLY PAYMENT DIVIDED BY LOAN AMOUNT)										
	.58	.60	.70	.80	.90	1.00	1.10	1.20	1.30	1.40	1.51
1.0	7.18	7.18	7.19	7.20	7.21	7.22	7.24	7.25	7.27	7.29	7.31
2.0	7.37	7.37	7.39	7.41	7.43	7.45	7.48	7.51	7.54	7.58	7.62
3.0	7.55	7.56	7.58	7.61	7.64	7.68	7.72	7.77	7.81	7.87	7.94
4.0	7.74	7.75	7.78	7.82	7.86	7.91	7.97	8.03	8.09	8.17	8.27
5.0	7.93	7.94	7.99	8.03	8.09	8.15	8.22	8.29	8.38	8.48	8.60
6.0	8.13	8.14	8.19	8.25	8.31	8.39	8.47	8.56	8.67	8.79	8.93
7.0	8.32	8.33	8.40	8.47	8.54	8.63	8.73	8.84	8.96	9.10	9.27
8.0	8.52	8.53	8.61	8.69	8.78	8.88	8.99	9.12	9.26	9.42	9.62
9.0	8.72	8.74	8.82	8.91	9.01	9.13	9.25	9.40	9.56	9.74	9.97
10.0	8.93	8.94	9.04	9.14	9.25	9.38	9.52	9.68	9.86	10.07	10.32
11.0	9.13	9.15	9.25	9.37	9.50	9.64	9.80	9.98	10.17	10.40	10.69
12.0	9.34	9.36	9.48	9.60	9.74	9.90	10.07	10.27	10.49	10.74	11.05
13.0	9.55	9.57	9.70	9.84	9.99	10.17	10.36	10.57	10.81	11.09	11.43
14.0	9.77	9.79	9.93	10.08	10.25	10.44	10.64	10.88	11.14	11.44	11.81
15.0	9.99	10.01	10.16	10.33	10.51	10.71	10.93	11.19	11.47	11.79	12.19
16.0	10.21	10.23	10.40	10.57	10.77	10.99	11.23	11.50	11.81	12.15	12.58
17.0	10.43	10.46	10.63	10.83	11.03	11.27	11.53	11.82	12.15	12.52	12.98
18.0	10.66	10.69	10.88	11.08	11.31	11.56	11.84	12.15	12.50	12.90	13.39
19.0	10.89	10.92	11.12	11.34	11.58	11.85	12.15	12.48	12.85	13.28	13.80
20.0	11.12	11.16	11.37	11.60	11.86	12.15	12.46	12.82	13.22	13.67	14.23
21.0	11.36	11.40	11.62	11.87	12.14	12.45	12.78	13.16	13.59	14.06	14.66
22.0	11.60	11.64	11.88	12.14	12.43	12.76	13.11	13.51	13.96	14.47	15.09
23.0	11.85	11.89	12.14	12.42	12.73	13.07	13.45	13.87	14.34	14.88	15.54
24.0	12.10	12.14	12.41	12.70	13.03	13.39	13.78	14.23	14.73	15.30	15.99
25.0	12.35	12.40	12.68	12.99	13.33	13.71	14.13	14.60	15.13	15.72	16.46
26.0	12.61	12.66	12.95	13.28	13.64	14.04	14.48	14.98	15.53	16.16	16.93
27.0	12.87	12.92	13.23	13.58	13.95	14.38	14.84	15.37	15.95	16.60	17.41
28.0	13.14	13.19	13.52	13.88	14.28	14.72	15.21	15.76	16.37	17.06	17.90
29.0	13.41	13.46	13.81	14.19	14.60	15.07	15.58	16.16	16.80	17.52	18.41
30.0	13.68	13.74	14.10	14.50	14.94	15.42	15.96	16.57	17.24	17.99	18.92
31.0	13.96	14.02	14.40	14.82	15.28	15.79	16.35	16.99	17.69	18.48	19.44
32.0	14.25	14.31	14.71	15.14	15.62	16.16	16.75	17.41	18.15	18.97	19.98
33.0	14.54	14.60	15.02	15.47	15.98	16.54	17.16	17.85	18.62	19.48	20.53
34.0	14.83	14.90	15.34	15.81	16.34	16.92	17.57	18.29	19.10	19.99	21.09
35.0	15.14	15.21	15.66	16.16	16.71	17.32	17.99	18.75	19.59	20.52	21.66
36.0	15.44	15.52	15.99	16.51	17.08	17.72	18.43	19.22	20.09	21.06	22.25
37.0	15.76	15.84	16.33	16.87	17.47	18.14	18.87	19.69	20.60	21.62	22.85
38.0	16.08	16.16	16.67	17.24	17.86	18.56	19.33	20.18	21.13	22.19	23.47
39.0	16.40	16.49	17.02	17.61	18.27	18.99	19.79	20.68	21.67	22.77	24.10
40.0	16.74	16.82	17.38	18.00	18.68	19.43	20.27	21.20	22.22	23.37	24.75
41.0	17.08	17.17	17.75	18.39	19.10	19.89	20.76	21.72	22.79	23.98	25.42
42.0	17.42	17.52	18.12	18.79	19.53	20.35	21.26	22.26	23.38	24.61	26.10
43.0	17.78	17.88	18.51	19.20	19.97	20.83	21.77	22.82	23.98	25.26	26.81
44.0	18.14	18.24	18.90	19.63	20.43	21.32	22.30	23.39	24.59	25.93	27.53
45.0	18.51	18.62	19.30	20.06	20.89	21.82	22.84	23.98	25.23	26.61	28.27
46.0	18.89	19.00	19.72	20.50	21.37	22.33	23.40	24.58	25.88	27.32	29.04
47.0	19.28	19.40	20.14	20.96	21.86	22.86	23.97	25.20	26.55	28.04	29.83
48.0	19.68	19.80	20.57	21.42	22.36	23.41	24.56	25.84	27.24	28.79	30.64
49.0	20.09	20.21	21.02	21.90	22.88	23.97	25.17	26.50	27.96	29.56	31.48
50.0	20.51	20.64	21.47	22.40	23.42	24.55	25.80	27.18	28.69	30.36	32.34
51.0	20.94	21.07	21.94	22.90	23.97	25.14	26.44	27.88	29.45	31.18	33.24
52.0	21.38	21.52	22.43	23.43	24.53	25.76	27.11	28.60	30.24	32.03	34.16
53.0	21.83	21.98	22.92	23.96	25.12	26.39	27.80	29.35	31.05	32.91	35.12
54.0	22.30	22.45	23.43	24.52	25.72	27.05	28.51	30.13	31.90	33.83	36.11
55.0	22.78	22.94	23.96	25.09	26.34	27.73	29.25	30.93	32.77	34.77	37.13
56.0	23.27	23.44	24.51	25.68	26.98	28.43	30.02	31.77	33.68	35.75	38.20
57.0	23.78	23.96	25.07	26.29	27.65	29.16	30.81	32.63	34.62	36.77	39.31
58.0	24.31	24.49	25.65	26.93	28.34	29.91	31.64	33.53	35.60	37.84	40.46
59.0	24.85	25.04	26.25	27.58	29.06	30.70	32.49	34.47	36.62	38.94	41.66
60.0	25.42	25.61	26.87	28.26	29.80	31.51	33.39	35.44	37.68	40.09	42.91
▽⌀	PERCENTAGE OF LOAN AMOUNT LEFT UNPAID AT DUE DATE										
	100.0	98.20	87.40	76.60	65.80	55.00	44.20	33.40	22.60	11.80	.00

DISCOUNT %	MONTHLY PAYBACK RATE (%) (MONTHLY PAYMENT DIVIDED BY LOAN AMOUNT)										
	.58	.60	.65	.70	.80	.90	1.00	1.10	1.20	1.30	1.36
1.0	7.16	7.17	7.17	7.18	7.19	7.20	7.21	7.22	7.24	7.26	7.27
2.0	7.33	7.33	7.34	7.35	7.37	7.39	7.42	7.45	7.49	7.53	7.55
3.0	7.50	7.50	7.52	7.53	7.56	7.60	7.64	7.68	7.74	7.79	7.84
4.0	7.67	7.68	7.69	7.71	7.76	7.80	7.86	7.92	7.99	8.07	8.13
5.0	7.84	7.85	7.87	7.90	7.95	8.01	8.08	8.15	8.24	8.34	8.42
6.0	8.02	8.03	8.05	8.09	8.15	8.22	8.30	8.40	8.50	8.63	8.72
7.0	8.20	8.21	8.24	8.27	8.35	8.43	8.53	8.64	8.77	8.91	9.02
8.0	8.38	8.39	8.42	8.47	8.55	8.65	8.76	8.89	9.04	9.20	9.32
9.0	8.56	8.57	8.61	8.66	8.76	8.87	9.00	9.14	9.31	9.50	9.63
10.0	8.74	8.76	8.81	8.86	8.97	9.09	9.24	9.40	9.58	9.80	9.95
11.0	8.93	8.95	9.00	9.06	9.18	9.32	9.48	9.66	9.86	10.10	10.27
12.0	9.12	9.14	9.20	9.26	9.40	9.55	9.73	9.92	10.15	10.41	10.60
13.0	9.31	9.33	9.40	9.47	9.62	9.78	9.98	10.19	10.44	10.72	10.93
14.0	9.51	9.53	9.60	9.67	9.84	10.02	10.23	10.46	10.73	11.04	11.27
15.0	9.70	9.73	9.80	9.89	10.06	10.26	10.49	10.74	11.03	11.37	11.61
16.0	9.90	9.93	10.01	10.10	10.29	10.51	10.75	11.02	11.34	11.70	11.96
17.0	10.11	10.14	10.22	10.32	10.53	10.75	11.02	11.31	11.65	12.04	12.31
18.0	10.31	10.34	10.44	10.54	10.76	11.01	11.29	11.60	11.97	12.38	12.67
19.0	10.52	10.56	10.66	10.77	11.00	11.26	11.56	11.90	12.29	12.73	13.04
20.0	10.74	10.77	10.88	11.00	11.25	11.52	11.84	12.20	12.61	13.08	13.42
21.0	10.95	10.99	11.10	11.23	11.49	11.79	12.13	12.51	12.95	13.44	13.80
22.0	11.17	11.21	11.33	11.46	11.75	12.06	12.42	12.82	13.29	13.81	14.19
23.0	11.39	11.44	11.56	11.70	12.00	12.34	12.72	13.14	13.63	14.19	14.58
24.0	11.62	11.67	11.80	11.95	12.26	12.62	13.02	13.47	13.98	14.57	14.99
25.0	11.85	11.90	12.04	12.20	12.53	12.90	13.32	13.80	14.34	14.96	15.40
26.0	12.09	12.13	12.29	12.45	12.80	13.19	13.64	14.14	14.71	15.36	15.82
27.0	12.32	12.38	12.53	12.71	13.07	13.49	13.96	14.48	15.08	15.77	16.25
28.0	12.57	12.62	12.79	12.97	13.36	13.79	14.28	14.83	15.47	16.18	16.69
29.0	12.81	12.87	13.05	13.23	13.64	14.10	14.61	15.19	15.86	16.60	17.13
30.0	13.06	13.12	13.31	13.51	13.93	14.41	14.95	15.56	16.25	17.04	17.59
31.0	13.32	13.38	13.57	13.78	14.23	14.73	15.30	15.94	16.66	17.48	18.06
32.0	13.58	13.64	13.85	14.06	14.53	15.06	15.65	16.32	17.08	17.93	18.53
33.0	13.84	13.91	14.12	14.35	14.84	15.39	16.01	16.71	17.50	18.40	19.02
34.0	14.11	14.19	14.41	14.64	15.16	15.73	16.38	17.11	17.94	18.87	19.52
35.0	14.39	14.46	14.70	14.94	15.48	16.08	16.76	17.52	18.38	19.35	20.03
36.0	14.67	14.75	14.99	15.25	15.81	16.43	17.14	17.94	18.84	19.85	20.56
37.0	14.96	15.04	15.29	15.56	16.14	16.80	17.54	18.37	19.30	20.36	21.09
38.0	15.25	15.33	15.60	15.88	16.49	17.17	17.94	18.81	19.78	20.88	21.64
39.0	15.55	15.64	15.91	16.20	16.84	17.55	18.36	19.26	20.27	21.41	22.21
40.0	15.85	15.94	16.23	16.54	17.20	17.94	18.78	19.72	20.78	21.96	22.78
41.0	16.16	16.26	16.56	16.88	17.57	18.34	19.21	20.19	21.29	22.52	23.38
42.0	16.48	16.58	16.89	17.23	17.95	18.75	19.66	20.68	21.82	23.10	23.99
43.0	16.81	16.91	17.24	17.58	18.33	19.17	20.12	21.18	22.37	23.70	24.61
44.0	17.14	17.25	17.59	17.95	18.73	19.60	20.59	21.69	22.93	24.31	25.26
45.0	17.48	17.59	17.95	18.32	19.13	20.05	21.07	22.22	23.51	24.93	25.92
46.0	17.83	17.95	18.31	18.70	19.55	20.50	21.57	22.76	24.10	25.58	26.60
47.0	18.19	18.31	18.69	19.10	19.98	20.97	22.08	23.32	24.71	26.25	27.31
48.0	18.55	18.68	19.08	19.50	20.42	21.45	22.61	23.90	25.34	26.94	28.03
49.0	18.93	19.06	19.48	19.92	20.87	21.94	23.15	24.49	25.99	27.65	28.78
50.0	19.32	19.46	19.89	20.34	21.34	22.45	23.71	25.10	26.66	28.38	29.55
52.0	20.12	20.27	20.74	21.24	22.32	23.52	24.88	26.39	28.07	29.92	31.18
54.0	20.97	21.14	21.64	22.18	23.35	24.66	26.13	27.77	29.58	31.57	32.92
56.0	21.88	22.05	22.60	23.19	24.46	25.88	27.48	29.25	31.21	33.34	34.79
58.0	22.84	23.03	23.63	24.26	25.65	27.19	28.93	30.85	32.96	35.26	36.81
60.0	23.87	24.08	24.72	25.42	26.92	28.61	30.50	32.58	34.87	37.34	39.00
62.0	24.97	25.20	25.91	26.66	28.31	30.15	32.20	34.46	36.94	39.61	41.39
64.0	26.16	26.41	27.18	28.01	29.81	31.82	34.06	36.53	39.22	42.09	44.01
66.0	27.45	27.72	28.57	29.48	31.45	33.66	36.12	38.81	41.73	44.84	46.90
68.0	28.85	29.15	30.09	31.09	33.27	35.70	38.39	41.34	44.52	47.89	50.12
70.0	30.40	30.73	31.76	32.87	35.28	37.97	40.94	44.17	47.65	51.31	53.72
PERCENTAGE OF LOAN AMOUNT LEFT UNPAID AT DUE DATE											
	100.0	97.86	91.45	85.04	72.22	59.40	46.58	33.76	20.94	8.12	.00

DISCOUNT %	MONTHLY PAYBACK RATE (%) (MONTHLY PAYMENT DIVIDED BY LOAN AMOUNT)										
	.58	.60	.65	.70	.75	.80	.85	.90	1.00	1.10	1.25
1.0	7.15	7.15	7.16	7.16	7.17	7.17	7.18	7.18	7.20	7.22	7.25
2.0	7.30	7.31	7.32	7.33	7.34	7.35	7.36	7.37	7.40	7.44	7.50
3.0	7.46	7.46	7.48	7.49	7.51	7.53	7.54	7.56	7.61	7.66	7.76
4.0	7.61	7.62	7.64	7.66	7.68	7.71	7.73	7.76	7.82	7.89	8.02
5.0	7.77	7.78	7.80	7.83	7.86	7.89	7.92	7.95	8.03	8.12	8.28
6.0	7.93	7.94	7.97	8.01	8.04	8.07	8.11	8.15	8.24	8.35	8.55
7.0	8.10	8.11	8.14	8.18	8.22	8.26	8.31	8.35	8.46	8.59	8.82
8.0	8.26	8.28	8.31	8.36	8.40	8.45	8.50	8.56	8.68	8.83	9.10
9.0	8.43	8.44	8.49	8.54	8.59	8.65	8.70	8.77	8.91	9.07	9.38
10.0	8.60	8.62	8.67	8.72	8.78	8.84	8.91	8.98	9.14	9.32	9.66
11.0	8.77	8.79	8.85	8.91	8.97	9.04	9.11	9.19	9.37	9.57	9.95
12.0	8.95	8.97	9.03	9.10	9.17	9.24	9.32	9.41	9.60	9.83	10.24
13.0	9.12	9.14	9.21	9.29	9.36	9.45	9.54	9.63	9.84	10.09	10.54
14.0	9.30	9.33	9.40	9.48	9.57	9.66	9.75	9.85	10.09	10.35	10.85
15.0	9.48	9.51	9.59	9.68	9.77	9.87	9.97	10.08	10.33	10.62	11.16
16.0	9.67	9.70	9.78	9.88	9.98	10.08	10.20	10.32	10.59	10.90	11.47
17.0	9.86	9.89	9.98	10.08	10.19	10.30	10.42	10.55	10.84	11.18	11.79
18.0	10.05	10.08	10.18	10.29	10.40	10.52	10.65	10.79	11.10	11.46	12.12
19.0	10.24	10.27	10.38	10.50	10.62	10.75	10.89	11.03	11.37	11.75	12.45
20.0	10.44	10.47	10.59	10.71	10.84	10.98	11.13	11.28	11.64	12.04	12.79
21.0	10.63	10.67	10.79	10.93	11.06	11.21	11.37	11.54	11.91	12.34	13.13
22.0	10.84	10.88	11.01	11.15	11.29	11.45	11.62	11.79	12.19	12.65	13.48
23.0	11.04	11.09	11.22	11.37	11.52	11.69	11.87	12.05	12.48	12.96	13.84
24.0	11.25	11.30	11.44	11.60	11.76	11.94	12.12	12.32	12.77	13.28	14.21
25.0	11.46	11.51	11.67	11.83	12.00	12.19	12.38	12.59	13.06	13.60	14.58
26.0	11.68	11.73	11.89	12.06	12.25	12.44	12.65	12.87	13.36	13.93	14.96
27.0	11.90	11.96	12.12	12.31	12.50	12.70	12.92	13.15	13.67	14.27	15.35
28.0	12.13	12.18	12.36	12.55	12.75	12.97	13.20	13.44	13.99	14.61	15.74
29.0	12.35	12.41	12.60	12.80	13.01	13.24	13.48	13.73	14.31	14.96	16.15
30.0	12.59	12.65	12.84	13.05	13.27	13.51	13.76	14.03	14.63	15.32	16.56
31.0	12.82	12.89	13.09	13.31	13.54	13.79	14.06	14.34	14.97	15.69	16.98
32.0	13.06	13.13	13.35	13.58	13.82	14.08	14.36	14.65	15.31	16.06	17.41
33.0	13.31	13.38	13.60	13.85	14.10	14.37	14.66	14.97	15.66	16.44	17.85
34.0	13.56	13.63	13.87	14.12	14.39	14.67	14.97	15.30	16.02	16.84	18.31
35.0	13.81	13.89	14.14	14.40	14.68	14.98	15.29	15.63	16.38	17.24	18.77
36.0	14.07	14.16	14.41	14.69	14.98	15.29	15.62	15.97	16.76	17.65	19.24
37.0	14.34	14.43	14.69	14.98	15.28	15.61	15.95	16.32	17.14	18.07	19.73
38.0	14.61	14.70	14.98	15.28	15.60	15.93	16.29	16.68	17.53	18.50	20.22
39.0	14.89	14.98	15.27	15.59	15.92	16.27	16.64	17.04	17.93	18.94	20.73
40.0	15.17	15.27	15.57	15.90	16.24	16.61	17.00	17.42	18.35	19.40	21.26
41.0	15.46	15.56	15.88	16.22	16.58	16.96	17.37	17.80	18.77	19.86	21.80
42.0	15.76	15.86	16.19	16.55	16.92	17.32	17.75	18.20	19.20	20.34	22.35
43.0	16.06	16.17	16.51	16.88	17.27	17.69	18.13	18.60	19.65	20.83	22.91
44.0	16.37	16.49	16.84	17.23	17.63	18.07	18.53	19.02	20.11	21.34	23.50
45.0	16.69	16.81	17.18	17.58	18.00	18.46	18.94	19.45	20.58	21.86	24.10
46.0	17.02	17.14	17.53	17.94	18.38	18.86	19.36	19.89	21.07	22.40	24.72
47.0	17.35	17.48	17.88	18.32	18.78	19.27	19.79	20.34	21.57	22.95	25.36
48.0	17.69	17.83	18.25	18.70	19.18	19.68	20.23	20.81	22.08	23.52	26.01
49.0	18.05	18.19	18.62	19.09	19.59	20.12	20.69	21.29	22.61	24.10	26.69
50.0	18.41	18.55	19.01	19.50	20.02	20.57	21.16	21.78	23.16	24.71	27.39
52.0	19.16	19.32	19.81	20.34	20.91	21.51	22.14	22.82	24.32	25.99	28.87
54.0	19.96	20.13	20.67	21.24	21.85	22.51	23.20	23.93	25.55	27.35	30.44
56.0	20.81	21.00	21.58	22.20	22.87	23.58	24.33	25.13	26.88	28.83	32.14
58.0	21.72	21.92	22.55	23.23	23.96	24.72	25.54	26.41	28.31	30.42	33.98
60.0	22.69	22.91	23.60	24.34	25.13	25.97	26.86	27.80	29.86	32.14	36.07
62.0	23.73	23.97	24.73	25.54	26.40	27.31	28.28	29.31	31.56	34.02	38.15
64.0	24.86	25.13	25.95	26.84	27.78	28.78	29.84	30.97	33.41	36.09	40.53
66.0	26.09	26.38	27.29	28.26	29.29	30.39	31.56	32.79	35.46	38.37	43.17
68.0	27.43	27.75	28.75	29.82	30.96	32.18	33.46	34.81	37.74	40.91	46.10
70.0	28.91	29.27	30.37	31.56	32.82	34.17	35.59	37.08	40.30	43.76	49.38
◁|▷	PERCENTAGE OF LOAN AMOUNT LEFT UNPAID AT DUE DATE										
	100.0	97.50	90.01	82.52	75.02	67.53	60.04	52.54	37.56	22.57	.00

62

DISCOUNT %	MONTHLY PAYBACK RATE (%) (MONTHLY PAYMENT DIVIDED BY LOAN AMOUNT)										
	.58	.60	.65	.70	.75	.80	.85	.90	1.00	1.10	1.16
1.0	7.14	7.14	7.15	7.15	7.16	7.16	7.17	7.18	7.19	7.21	7.23
2.0	7.28	7.29	7.29	7.31	7.32	7.33	7.34	7.36	7.39	7.43	7.46
3.0	7.43	7.43	7.44	7.46	7.48	7.50	7.52	7.54	7.59	7.65	7.69
4.0	7.57	7.58	7.60	7.62	7.64	7.67	7.70	7.72	7.79	7.87	7.93
5.0	7.72	7.73	7.75	7.78	7.81	7.84	7.88	7.91	8.00	8.10	8.17
6.0	7.87	7.88	7.91	7.94	7.98	8.02	8.06	8.10	8.20	8.32	8.41
7.0	8.02	8.03	8.07	8.11	8.15	8.19	8.24	8.29	8.42	8.56	8.66
8.0	8.17	8.19	8.23	8.27	8.32	8.38	8.43	8.49	8.63	8.79	8.91
9.0	8.33	8.34	8.39	8.44	8.50	8.56	8.62	8.69	8.85	9.03	9.17
10.0	8.49	8.50	8.56	8.62	8.68	8.74	8.82	8.89	9.07	9.28	9.43
11.0	8.65	8.67	8.72	8.79	8.86	8.93	9.01	9.10	9.30	9.53	9.69
12.0	8.81	8.83	8.89	8.97	9.04	9.12	9.21	9.31	9.52	9.78	9.96
13.0	8.97	9.00	9.07	9.15	9.23	9.32	9.42	9.52	9.76	10.04	10.23
14.0	9.14	9.17	9.24	9.33	9.42	9.52	9.62	9.73	9.99	10.30	10.51
15.0	9.31	9.34	9.42	9.51	9.61	9.72	9.83	9.95	10.23	10.56	10.79
16.0	9.48	9.51	9.60	9.70	9.81	9.92	10.05	10.18	10.48	10.83	11.08
17.0	9.66	9.69	9.79	9.89	10.01	10.13	10.26	10.40	10.73	11.11	11.37
18.0	9.83	9.87	9.97	10.09	10.21	10.34	10.48	10.63	10.98	11.39	11.67
19.0	10.01	10.05	10.16	10.29	10.42	10.56	10.71	10.87	11.24	11.67	11.98
20.0	10.20	10.24	10.36	10.49	10.63	10.77	10.94	11.11	11.50	11.96	12.29
21.0	10.38	10.42	10.55	10.69	10.84	11.00	11.17	11.35	11.77	12.26	12.60
22.0	10.57	10.62	10.75	10.90	11.05	11.22	11.40	11.60	12.04	12.56	12.92
23.0	10.76	10.81	10.95	11.11	11.28	11.45	11.65	11.85	12.32	12.87	13.25
24.0	10.96	11.01	11.16	11.32	11.50	11.69	11.89	12.11	12.60	13.18	13.58
25.0	11.16	11.21	11.37	11.54	11.73	11.93	12.14	12.37	12.89	13.50	13.92
26.0	11.36	11.42	11.58	11.77	11.96	12.17	12.40	12.64	13.19	13.82	14.27
27.0	11.57	11.62	11.80	11.99	12.20	12.42	12.66	12.91	13.49	14.16	14.62
28.0	11.77	11.84	12.02	12.22	12.44	12.67	12.92	13.19	13.79	14.50	14.99
29.0	11.99	12.05	12.25	12.46	12.69	12.93	13.19	13.47	14.11	14.84	15.36
30.0	12.21	12.27	12.48	12.70	12.94	13.19	13.47	13.76	14.43	15.20	15.73
31.0	12.43	12.50	12.71	12.95	13.20	13.46	13.75	14.06	14.75	15.56	16.12
32.0	12.66	12.73	12.95	13.20	13.46	13.74	14.04	14.36	15.09	15.93	16.51
33.0	12.89	12.96	13.20	13.45	13.72	14.02	14.33	14.67	15.43	16.31	16.92
34.0	13.12	13.20	13.45	13.71	14.00	14.30	14.63	14.99	15.78	16.70	17.33
35.0	13.36	13.44	13.70	13.98	14.28	14.60	14.94	15.31	16.14	17.10	17.76
36.0	13.60	13.69	13.96	14.25	14.56	14.90	15.26	15.64	16.51	17.50	18.19
37.0	13.85	13.95	14.23	14.53	14.85	15.20	15.58	15.98	16.88	17.92	18.63
38.0	14.11	14.20	14.50	14.81	15.15	15.52	15.91	16.33	17.27	18.35	19.09
39.0	14.37	14.47	14.77	15.11	15.46	15.84	16.25	16.68	17.66	18.79	19.56
40.0	14.64	14.74	15.06	15.40	15.77	16.17	16.59	17.05	18.07	19.24	20.04
41.0	14.91	15.02	15.35	15.71	16.09	16.51	16.95	17.42	18.49	19.70	20.53
42.0	15.19	15.30	15.65	16.02	16.42	16.85	17.32	17.81	18.91	20.18	21.04
43.0	15.48	15.59	15.95	16.34	16.76	17.21	17.69	18.20	19.35	20.67	21.56
44.0	15.77	15.89	16.27	16.67	17.11	17.57	18.08	18.61	19.81	21.18	22.09
45.0	16.07	16.19	16.59	17.01	17.46	17.95	18.47	19.03	20.27	21.69	22.64
46.0	16.38	16.51	16.92	17.36	17.83	18.34	18.88	19.46	20.75	22.22	23.21
47.0	16.69	16.83	17.25	17.71	18.21	18.73	19.30	19.90	21.25	22.77	23.80
48.0	17.02	17.16	17.60	18.08	18.59	19.14	19.73	20.36	21.76	23.34	24.40
49.0	17.35	17.50	17.96	18.46	18.99	19.56	20.18	20.83	22.28	23.92	25.02
50.0	17.69	17.85	18.33	18.85	19.40	20.00	20.64	21.32	22.82	24.53	25.67
52.0	18.41	18.57	19.10	19.66	20.26	20.91	21.60	22.34	23.97	25.80	27.02
54.0	19.17	19.35	19.92	20.53	21.18	21.88	22.63	23.43	25.19	27.16	28.47
56.0	19.98	20.17	20.79	21.45	22.17	22.93	23.74	24.61	26.51	28.63	30.03
58.0	20.84	21.05	21.73	22.45	23.22	24.05	24.94	25.88	27.94	30.22	31.72
60.0	21.77	22.00	22.73	23.52	24.37	25.27	26.23	27.25	29.49	31.95	33.56
62.0	22.77	23.03	23.82	24.69	25.61	26.59	27.64	28.75	31.18	33.83	35.56
64.0	23.85	24.14	25.01	25.96	26.97	28.04	29.19	30.40	33.04	35.90	37.76
66.0	25.04	25.35	26.31	27.35	28.46	29.64	30.90	32.22	35.09	38.19	40.19
68.0	26.34	26.68	27.74	28.89	30.11	31.41	32.79	34.25	37.38	40.74	42.89
70.0	27.78	28.15	29.33	30.60	31.95	33.39	34.92	36.52	39.94	43.60	45.93
PERCENTAGE OF LOAN AMOUNT LEFT UNPAID AT DUE DATE											
	100.0	97.12	88.46	79.81	71.15	62.50	53.84	45.19	27.88	10.57	.00

DISCOUNT %	MONTHLY PAYBACK RATE (%) (MONTHLY PAYMENT DIVIDED BY LOAN AMOUNT)										
	.75	1.00	1.25	1.50	1.75	2.00	2.25	2.50	3.00	3.50	4.00
1.0	7.12	7.19	7.25	7.31	7.37	7.43	7.49	7.54	7.66	7.77	7.89
2.0	7.25	7.38	7.50	7.62	7.74	7.86	7.98	8.10	8.33	8.56	8.79
3.0	7.38	7.57	7.76	7.94	8.12	8.30	8.48	8.66	9.01	9.36	9.70
4.0	7.51	7.77	8.02	8.26	8.51	8.75	8.99	9.22	9.70	10.16	10.63
5.0	7.64	7.96	8.28	8.59	8.90	9.20	9.50	9.80	10.40	10.98	11.57
6.0	7.77	8.17	8.55	8.92	9.29	9.66	10.02	10.39	11.10	11.82	12.52
7.0	7.91	8.37	8.82	9.26	9.69	10.12	10.55	10.98	11.82	12.66	13.49
8.0	8.04	8.58	9.09	9.60	10.10	10.60	11.09	11.58	12.56	13.52	14.47
9.0	8.18	8.79	9.37	9.95	10.52	11.08	11.64	12.19	13.30	14.39	15.47
10.0	8.33	9.01	9.66	10.30	10.94	11.57	12.19	12.82	14.05	15.27	16.49
11.0	8.47	9.23	9.95	10.66	11.36	12.06	12.76	13.45	14.82	16.17	17.52
12.0	8.62	9.45	10.24	11.02	11.80	12.57	13.33	14.09	15.60	17.09	18.56
13.0	8.77	9.67	10.54	11.40	12.24	13.08	13.91	14.74	16.39	18.01	19.63
14.0	8.92	9.90	10.85	11.77	12.69	13.60	14.51	15.41	17.19	18.96	20.71
15.0	9.08	10.14	11.16	12.16	13.15	14.13	15.11	16.08	18.01	19.92	21.81
16.0	9.24	10.38	11.47	12.55	13.61	14.67	15.72	16.76	18.84	20.89	22.93
17.0	9.40	10.62	11.79	12.94	14.08	15.22	16.34	17.46	19.69	21.89	24.07
18.0	9.57	10.87	12.12	13.35	14.56	15.77	16.98	18.17	20.55	22.90	25.23
19.0	9.74	11.12	12.45	13.76	15.05	16.34	17.62	18.89	21.42	23.92	26.41
20.0	9.91	11.37	12.79	14.18	15.55	16.92	18.28	19.63	22.31	24.97	27.61
21.0	10.08	11.64	13.13	14.60	16.06	17.51	18.95	20.38	23.22	26.04	28.83
22.0	10.26	11.90	13.48	15.04	16.58	18.11	19.63	21.14	24.15	27.12	30.07
23.0	10.45	12.17	13.84	15.48	17.10	18.72	20.32	21.92	25.09	28.23	31.34
24.0	10.63	12.45	14.20	15.93	17.64	19.34	21.03	22.71	26.05	29.35	32.63
25.0	10.82	12.73	14.58	16.39	18.19	19.98	21.75	23.52	27.03	30.50	33.95
26.0	11.02	13.02	14.95	16.86	18.75	20.62	22.49	24.34	28.02	31.67	35.30
27.0	11.22	13.32	15.34	17.34	19.32	21.28	23.24	25.18	29.04	32.87	36.67
28.0	11.42	13.62	15.74	17.83	19.90	21.96	24.00	26.04	30.08	34.09	38.07
29.0	11.63	13.92	16.14	18.33	20.49	22.64	24.78	26.91	31.14	35.33	39.50
30.0	11.84	14.24	16.55	18.84	21.10	23.35	25.58	27.81	32.22	36.60	40.95
31.0	12.06	14.56	16.98	19.36	21.72	24.06	26.40	28.72	33.33	37.90	42.44
32.0	12.29	14.89	17.41	19.89	22.35	24.80	27.23	29.65	34.46	39.23	43.97
33.0	12.51	15.23	17.85	20.43	23.00	25.55	28.08	30.60	35.62	40.59	45.52
34.0	12.75	15.57	18.30	20.99	23.66	26.31	28.95	31.58	36.80	41.97	47.11
35.0	12.99	15.92	18.76	21.56	24.34	27.10	29.84	32.58	38.01	43.39	48.74
36.0	13.24	16.28	19.23	22.15	25.03	27.90	30.75	33.60	39.24	44.84	50.41
37.0	13.49	16.66	19.72	22.74	25.74	28.72	31.69	34.64	40.51	46.33	52.12
38.0	13.75	17.04	20.22	23.36	26.47	29.57	32.65	35.71	41.81	47.85	53.86
39.0	14.02	17.43	20.73	23.98	27.22	30.43	33.63	36.81	43.14	49.42	55.66
40.0	14.30	17.83	21.25	24.63	27.98	31.31	34.63	37.93	44.50	51.02	57.49
41.0	14.58	18.24	21.79	25.29	28.77	32.22	35.66	39.09	45.90	52.66	59.38
42.0	14.88	18.66	22.34	25.97	29.57	33.16	36.72	40.27	47.34	54.34	61.31
43.0	15.18	19.10	22.91	26.67	30.40	34.11	37.81	41.49	48.81	56.08	63.30
44.0	15.49	19.55	23.49	27.39	31.25	35.10	38.93	42.74	50.33	57.85	65.34
45.0	15.81	20.01	24.09	28.12	32.13	36.11	40.08	44.03	51.88	59.68	67.44
46.0	16.14	20.48	24.71	28.88	33.03	37.15	41.26	45.35	53.49	61.56	69.60
47.0	16.48	20.97	25.35	29.67	33.96	38.23	42.48	46.71	55.14	63.50	71.82
48.0	16.84	21.48	26.00	30.47	34.92	39.33	43.73	48.12	56.84	65.50	74.11
49.0	17.20	22.00	26.68	31.31	35.90	40.47	45.03	49.56	58.59	67.55	76.47
50.0	17.58	22.54	27.38	32.17	36.92	41.65	46.36	51.05	60.40	69.68	78.91
51.0	17.97	23.10	28.10	33.05	37.97	42.87	47.74	52.60	62.26	71.87	81.42
52.0	18.38	23.68	28.85	33.97	39.06	44.12	49.16	54.19	64.19	74.13	84.02
53.0	18.81	24.28	29.63	34.92	40.18	45.42	50.64	55.83	66.18	76.47	86.71
54.0	19.25	24.90	30.43	35.91	41.35	46.76	52.16	57.54	68.25	78.89	89.49
55.0	19.70	25.55	31.26	36.93	42.55	48.16	53.74	59.30	70.38	81.40	92.37
56.0	20.18	26.22	32.13	37.99	43.81	49.60	55.38	61.14	72.60	84.00	95.35
57.0	20.68	26.92	33.03	39.09	45.11	51.10	57.08	63.04	74.90	86.70	98.45
58.0	21.20	27.64	33.97	40.23	46.46	52.66	58.85	65.01	77.29	89.51	101.67
59.0	21.74	28.40	34.94	41.42	47.87	54.29	60.69	67.07	79.78	92.42	105.02
60.0	22.31	29.19	35.96	42.66	49.33	55.98	62.60	69.21	82.37	95.46	108.51
⊄	NUMBER OF MONTHLY PAYMENTS NEEDED TO PAY OFF LOAN										
	258.6	150.5	108.1	84.7	69.7	59.3	51.6	45.7	37.2	31.3	27.1

DISCOUNT %	MONTHLY PAYBACK RATE (%) (MONTHLY PAYMENT DIVIDED BY LOAN AMOUNT)										
	.60	1.00	1.50	2.00	3.00	4.00	5.00	6.00	7.00	8.00	8.66
.5	7.77	7.78	7.80	7.82	7.85	7.89	7.94	7.99	8.06	8.13	8.19
1.0	8.29	8.32	8.35	8.38	8.46	8.54	8.63	8.74	8.87	9.02	9.14
1.5	8.82	8.86	8.91	8.96	9.06	9.19	9.33	9.50	9.69	9.92	10.10
2.0	9.35	9.40	9.46	9.53	9.68	9.84	10.03	10.26	10.52	10.82	11.06
2.5	9.89	9.95	10.02	10.11	10.29	10.50	10.74	11.02	11.35	11.73	12.03
3.0	10.42	10.49	10.59	10.69	10.91	11.17	11.46	11.79	12.18	12.65	13.01
3.5	10.96	11.05	11.16	11.28	11.54	11.83	12.17	12.57	13.03	13.57	13.99
4.0	11.50	11.60	11.73	11.87	12.16	12.50	12.89	13.35	13.88	14.50	14.99
4.5	12.05	12.16	12.30	12.46	12.80	13.18	13.62	14.13	14.73	15.44	15.99
5.0	12.60	12.72	12.88	13.05	13.43	13.86	14.35	14.92	15.59	16.38	16.99
5.5	13.15	13.28	13.46	13.65	14.07	14.55	15.09	15.72	16.46	17.33	18.01
6.0	13.70	13.85	14.05	14.26	14.72	15.24	15.83	16.53	17.33	18.29	19.03
6.5	14.26	14.42	14.64	14.87	15.36	15.93	16.58	17.33	18.22	19.26	20.06
7.0	14.82	15.00	15.23	15.48	16.02	16.63	17.33	18.15	19.10	20.23	21.10
7.5	15.39	15.58	15.83	16.09	16.67	17.33	18.09	18.97	20.00	21.21	22.15
8.0	15.96	16.16	16.43	16.71	17.33	18.04	18.86	19.80	20.90	22.20	23.21
8.5	16.53	16.75	17.03	17.33	18.00	18.76	19.63	20.63	21.81	23.20	24.27
9.0	17.10	17.33	17.64	17.96	18.67	19.48	20.40	21.47	22.72	24.20	25.34
9.5	17.68	17.93	18.25	18.59	19.34	20.20	21.18	22.32	23.64	25.21	26.42
10.0	18.27	18.52	18.87	19.23	20.02	20.93	21.97	23.17	24.57	26.24	27.52
10.5	18.85	19.12	19.48	19.87	20.71	21.66	22.76	24.03	25.51	27.26	28.61
11.0	19.44	19.73	20.11	20.51	21.39	22.40	23.56	24.89	26.45	28.30	29.72
11.5	20.04	20.34	20.73	21.16	22.09	23.15	24.36	25.76	27.41	29.35	30.84
12.0	20.63	20.95	21.37	21.81	22.79	23.89	25.17	26.64	28.36	30.40	31.97
12.5	21.23	21.56	22.00	22.47	23.49	24.65	25.98	27.53	29.33	31.46	33.10
13.0	21.84	22.18	22.64	23.13	24.20	25.41	26.81	28.42	30.31	32.54	34.25
13.5	22.45	22.81	23.28	23.79	24.91	26.18	27.63	29.32	31.29	33.62	35.40
14.0	23.06	23.43	23.93	24.46	25.63	26.95	28.47	30.23	32.28	34.71	36.57
14.5	23.68	24.07	24.59	25.14	26.35	27.73	29.31	31.14	33.28	35.81	37.74
15.0	24.30	24.70	25.24	25.82	27.08	28.51	30.16	32.06	34.29	36.91	38.93
15.5	24.92	25.34	25.90	26.50	27.81	29.30	31.01	32.99	35.30	38.03	40.13
16.0	25.55	25.99	26.57	27.19	28.55	30.09	31.87	33.93	36.33	39.16	41.33
16.5	26.18	26.64	27.24	27.88	29.29	30.90	32.74	34.87	37.36	40.30	42.55
17.0	26.82	27.29	27.92	28.58	30.04	31.70	33.61	35.82	38.40	41.45	43.78
17.5	27.46	27.95	28.60	29.28	30.80	32.52	34.50	36.78	39.46	42.60	45.02
18.0	28.11	28.61	29.28	29.99	31.56	33.34	35.38	37.75	40.52	43.77	46.27
18.5	28.76	29.28	29.97	30.71	32.32	34.16	36.28	38.73	41.59	44.95	47.53
19.0	29.41	29.95	30.66	31.42	33.09	35.00	37.18	39.71	42.67	46.14	48.80
19.5	30.07	30.62	31.36	32.15	33.87	35.84	38.09	40.71	43.75	47.34	50.09
20.0	30.73	31.31	32.07	32.88	34.66	36.68	39.01	41.71	44.85	48.55	51.38
20.5	31.40	31.99	32.78	33.61	35.45	37.54	39.94	42.72	45.96	49.78	52.69
21.0	32.07	32.68	33.49	34.35	36.24	38.40	40.87	43.74	47.08	51.01	54.01
21.5	32.75	33.38	34.21	35.10	37.04	39.26	41.81	44.77	48.21	52.26	55.35
22.0	33.43	34.08	34.94	35.85	37.85	40.14	42.77	45.80	49.35	53.51	56.69
22.5	34.12	34.78	35.67	36.61	38.67	41.02	43.72	46.85	50.50	54.78	58.05
23.0	34.81	35.50	36.40	37.37	39.49	41.91	44.69	47.91	51.66	56.07	59.43
23.5	35.51	36.21	37.14	38.14	40.32	42.81	45.67	48.97	52.83	57.36	60.81
24.0	36.21	36.93	37.89	38.91	41.15	43.71	46.65	50.05	54.01	58.67	62.21
24.5	36.92	37.66	38.65	39.69	41.99	44.62	47.64	51.13	55.21	59.99	63.63
25.0	37.63	38.39	39.40	40.48	42.84	45.54	48.64	52.23	56.41	61.32	65.06
25.5	38.35	39.13	40.17	41.27	43.70	46.47	49.65	53.34	57.63	62.67	66.50
26.0	39.07	39.87	40.94	42.07	44.56	47.41	50.67	54.45	58.86	64.02	67.96
26.5	39.80	40.62	41.72	42.88	45.43	48.35	51.70	55.58	60.10	65.40	69.43
27.0	40.54	41.38	42.50	43.69	46.31	49.30	52.74	56.72	61.35	66.79	70.92
27.5	41.28	42.14	43.29	44.51	47.19	50.26	53.79	57.87	62.62	68.19	72.42
28.0	42.02	42.91	44.08	45.33	48.09	51.23	54.85	59.03	63.90	69.60	73.94
28.5	42.78	43.68	44.88	46.17	48.99	52.21	55.92	60.20	65.19	71.04	75.47
29.0	43.53	44.46	45.69	47.01	49.90	53.20	56.99	61.38	66.50	72.48	77.03
29.5	44.30	45.24	46.51	47.85	50.81	54.19	58.08	62.58	67.82	73.94	78.59
30.0	45.07	46.04	47.33	48.71	51.74	55.20	59.18	63.79	69.15	75.42	80.18
<div style="text-align:center">△▽ φ</div>	PERCENTAGE OF LOAN AMOUNT LEFT UNPAID AT DUE DATE										
	100.0	95.09	88.89	82.68	70.28	57.87	45.46	33.05	20.65	8.24	.00

DISCOUNT %	MONTHLY PAYBACK RATE (%) (MONTHLY PAYMENT DIVIDED BY LOAN AMOUNT)										
	.60	.75	1.00	1.25	1.50	2.00	2.50	3.00	3.50	4.00	4.49
.5	7.52	7.52	7.53	7.54	7.55	7.57	7.60	7.63	7.66	7.70	7.75
1.0	7.79	7.80	7.82	7.84	7.86	7.90	7.95	8.00	8.07	8.15	8.25
1.5	8.06	8.08	8.10	8.13	8.16	8.22	8.30	8.38	8.49	8.61	8.75
2.0	8.34	8.36	8.39	8.43	8.47	8.55	8.65	8.77	8.90	9.06	9.26
2.5	8.61	8.64	8.68	8.73	8.78	8.88	9.01	9.15	9.32	9.53	9.77
3.0	8.89	8.92	8.97	9.03	9.09	9.22	9.37	9.54	9.75	9.99	10.28
3.5	9.17	9.21	9.27	9.33	9.40	9.55	9.73	9.93	10.17	10.46	10.80
4.0	9.45	9.49	9.56	9.64	9.72	9.89	10.09	10.33	10.60	10.93	11.32
4.5	9.73	9.78	9.86	9.94	10.03	10.23	10.46	10.72	11.03	11.41	11.84
5.0	10.02	10.07	10.16	10.25	10.35	10.57	10.83	11.12	11.47	11.88	12.37
5.5	10.30	10.36	10.46	10.56	10.67	10.92	11.20	11.52	11.91	12.37	12.91
6.0	10.59	10.65	10.76	10.87	10.99	11.26	11.57	11.93	12.35	12.85	13.44
6.5	10.88	10.95	11.06	11.19	11.32	11.61	11.95	12.34	12.79	13.34	13.99
7.0	11.17	11.24	11.37	11.50	11.64	11.96	12.32	12.75	13.24	13.83	14.53
7.5	11.46	11.54	11.67	11.82	11.97	12.31	12.70	13.16	13.69	14.33	15.08
8.0	11.76	11.84	11.98	12.14	12.30	12.67	13.09	13.58	14.15	14.83	15.64
8.5	12.05	12.14	12.30	12.46	12.64	13.03	13.47	13.99	14.61	15.34	16.19
9.0	12.35	12.44	12.61	12.78	12.97	13.39	13.86	14.42	15.07	15.84	16.76
9.5	12.65	12.75	12.92	13.11	13.31	13.75	14.25	14.84	15.53	16.36	17.32
10.0	12.95	13.06	13.24	13.44	13.65	14.11	14.65	15.27	16.00	16.87	17.89
10.5	13.25	13.36	13.56	13.77	13.99	14.48	15.05	15.70	16.47	17.39	18.47
11.0	13.56	13.67	13.88	14.10	14.33	14.85	15.45	16.14	16.95	17.92	19.05
11.5	13.87	13.99	14.20	14.43	14.68	15.22	15.85	16.58	17.43	18.45	19.64
12.0	14.17	14.30	14.53	14.77	15.03	15.60	16.25	17.02	17.91	18.98	20.23
12.5	14.49	14.62	14.86	15.11	15.38	15.97	16.66	17.46	18.40	19.51	20.82
13.0	14.80	14.94	15.19	15.45	15.73	16.36	17.07	17.91	18.89	20.06	21.42
13.5	15.11	15.26	15.52	15.79	16.09	16.74	17.49	18.36	19.39	20.60	22.03
14.0	15.43	15.58	15.85	16.14	16.44	17.12	17.91	18.82	19.88	21.15	22.64
14.5	15.75	15.90	16.19	16.49	16.81	17.51	18.33	19.27	20.39	21.71	23.25
15.0	16.07	16.23	16.52	16.84	17.17	17.90	18.75	19.74	20.89	22.27	23.87
15.5	16.39	16.56	16.86	17.19	17.53	18.30	19.18	20.20	21.40	22.83	24.50
16.0	16.72	16.89	17.21	17.54	17.90	18.70	19.61	20.67	21.92	23.40	25.13
16.5	17.04	17.23	17.55	17.90	18.27	19.10	20.04	21.15	22.44	23.97	25.76
17.0	17.37	17.56	17.90	18.26	18.65	19.50	20.48	21.62	22.96	24.55	26.41
17.5	17.70	17.90	18.25	18.62	19.02	19.90	20.92	22.10	23.49	25.13	27.05
18.0	18.04	18.24	18.60	18.99	19.40	20.31	21.37	22.59	24.02	25.72	27.71
18.5	18.37	18.58	18.96	19.36	19.78	20.73	21.81	23.08	24.56	26.32	28.37
19.0	18.71	18.93	19.31	19.73	20.17	21.14	22.26	23.57	25.10	26.92	29.03
19.5	19.05	19.27	19.67	20.10	20.55	21.56	22.72	24.07	25.65	27.52	29.70
20.0	19.39	19.62	20.03	20.47	20.94	21.98	23.18	24.57	26.20	28.13	30.38
21.0	20.09	20.33	20.77	21.23	21.73	22.83	24.11	25.58	27.32	29.37	31.75
22.0	20.79	21.05	21.51	22.00	22.53	23.70	25.05	26.62	28.45	30.63	33.15
23.0	21.50	21.77	22.26	22.79	23.34	24.58	26.01	27.67	29.61	31.91	34.57
24.0	22.22	22.51	23.03	23.58	24.17	25.48	26.99	28.74	30.79	33.21	36.02
25.0	22.95	23.26	23.80	24.39	25.01	26.39	27.98	29.83	31.99	34.55	37.50
26.0	23.70	24.02	24.59	25.21	25.86	27.31	28.99	30.94	33.22	35.90	39.01
27.0	24.45	24.79	25.39	26.04	26.73	28.25	30.02	32.07	34.46	37.29	40.55
28.0	25.22	25.57	26.21	26.88	27.61	29.21	31.06	33.22	35.74	38.70	42.13
29.0	26.00	26.37	27.03	27.74	28.50	30.19	32.13	34.39	37.03	40.14	43.73
30.0	26.79	27.18	27.87	28.62	29.41	31.18	33.22	35.59	38.36	41.62	45.37
31.0	27.59	28.00	28.73	29.51	30.34	32.19	34.32	36.81	39.71	43.12	47.04
32.0	28.41	28.83	29.59	30.41	31.28	33.22	35.45	38.05	41.09	44.65	48.75
33.0	29.24	29.68	30.48	31.33	32.24	34.27	36.60	39.32	42.50	46.22	50.50
34.0	30.08	30.54	31.38	32.27	33.22	35.34	37.78	40.62	43.94	47.83	52.29
35.0	30.94	31.42	32.29	33.22	34.21	36.42	38.98	41.94	45.41	49.47	54.12
36.0	31.81	32.31	33.22	34.19	35.23	37.54	40.20	43.30	46.92	51.15	55.99
37.0	32.69	33.22	34.17	35.18	36.26	38.67	41.45	44.68	48.46	52.87	57.91
38.0	33.60	34.15	35.13	36.19	37.32	39.83	42.73	46.10	50.03	54.63	59.87
39.0	34.52	35.09	36.12	37.21	38.39	41.01	44.03	47.55	51.65	56.44	61.89
40.0	35.45	36.05	37.12	38.26	39.49	42.21	45.37	49.03	53.30	58.28	63.95

PERCENTAGE OF LOAN AMOUNT LEFT UNPAID AT DUE DATE

	.60	.75	1.00	1.25	1.50	2.00	2.50	3.00	3.50	4.00	4.49
	100.0	96.25	89.81	83.37	76.94	64.07	51.19	38.32	25.45	12.58	.00

DISCOUNT %	MONTHLY PAYBACK RATE (%) (MONTHLY PAYMENT DIVIDED BY LOAN AMOUNT)										
	.60	.75	1.00	1.25	1.50	1.75	2.00	2.25	2.50	2.75	3.10
.5	7.44	7.44	7.45	7.46	7.47	7.49	7.50	7.52	7.53	7.55	7.59
1.0	7.62	7.63	7.65	7.67	7.70	7.72	7.75	7.78	7.82	7.86	7.93
1.5	7.81	7.83	7.86	7.89	7.92	7.96	8.00	8.05	8.11	8.17	8.27
2.0	8.00	8.02	8.06	8.10	8.15	8.20	8.26	8.32	8.40	8.48	8.62
2.5	8.19	8.22	8.27	8.32	8.38	8.44	8.51	8.59	8.69	8.79	8.97
3.0	8.38	8.42	8.47	8.54	8.61	8.68	8.77	8.87	8.98	9.11	9.32
3.5	8.58	8.61	8.68	8.75	8.84	8.93	9.03	9.15	9.28	9.43	9.68
4.0	8.77	8.81	8.89	8.97	9.07	9.17	9.29	9.42	9.57	9.75	10.03
4.5	8.97	9.01	9.10	9.20	9.30	9.42	9.55	9.70	9.87	10.07	10.39
5.0	9.16	9.22	9.31	9.42	9.54	9.67	9.82	9.99	10.18	10.39	10.75
5.5	9.36	9.42	9.53	9.64	9.78	9.92	10.09	10.27	10.48	10.72	11.12
6.0	9.56	9.62	9.74	9.87	10.01	10.17	10.35	10.56	10.79	11.05	11.49
6.5	9.76	9.83	9.96	10.10	10.25	10.43	10.62	10.84	11.09	11.38	11.86
7.0	9.96	10.03	10.17	10.33	10.50	10.68	10.90	11.13	11.41	11.71	12.23
7.5	10.16	10.24	10.39	10.56	10.74	10.94	11.17	11.43	11.72	12.05	12.60
8.0	10.36	10.45	10.61	10.79	10.98	11.20	11.45	11.72	12.03	12.39	12.98
8.5	10.57	10.66	10.83	11.02	11.23	11.46	11.72	12.02	12.35	12.73	13.36
9.0	10.77	10.87	11.05	11.26	11.48	11.73	12.00	12.32	12.67	13.08	13.75
9.5	10.98	11.09	11.28	11.49	11.73	11.99	12.29	12.62	12.99	13.42	14.14
10.0	11.19	11.30	11.50	11.73	11.98	12.26	12.57	12.92	13.32	13.77	14.53
11.0	11.61	11.73	11.96	12.21	12.49	12.80	13.14	13.53	13.98	14.48	15.32
12.0	12.03	12.17	12.42	12.70	13.00	13.34	13.73	14.16	14.64	15.20	16.12
13.0	12.47	12.61	12.89	13.19	13.53	13.90	14.32	14.79	15.32	15.93	16.94
14.0	12.90	13.06	13.36	13.69	14.06	14.46	14.92	15.43	16.01	16.67	17.77
15.0	13.34	13.52	13.84	14.20	14.59	15.03	15.53	16.08	16.71	17.43	18.61
16.0	13.79	13.98	14.33	14.71	15.14	15.61	16.15	16.75	17.42	18.20	19.47
17.0	14.25	14.45	14.82	15.24	15.69	16.20	16.77	17.42	18.15	18.98	20.34
18.0	14.71	14.92	15.32	15.77	16.26	16.80	17.41	18.10	18.88	19.77	21.23
19.0	15.17	15.40	15.83	16.30	16.83	17.41	18.06	18.80	19.63	20.58	22.14
20.0	15.64	15.89	16.35	16.85	17.41	18.03	18.72	19.51	20.39	21.40	23.06
21.0	16.12	16.39	16.87	17.40	18.00	18.66	19.40	20.23	21.17	22.24	23.99
22.0	16.61	16.89	17.40	17.97	18.59	19.29	20.08	20.96	21.96	23.09	24.95
23.0	17.10	17.40	17.94	18.54	19.20	19.94	20.77	21.71	22.76	23.96	25.92
24.0	17.60	17.91	18.49	19.12	19.82	20.60	21.48	22.47	23.58	24.85	26.91
25.0	18.11	18.44	19.04	19.71	20.45	21.27	22.20	23.24	24.41	25.75	27.92
26.0	18.63	18.97	19.61	20.31	21.09	21.96	22.93	24.03	25.26	26.67	28.95
27.0	19.15	19.51	20.18	20.92	21.74	22.65	23.68	24.83	26.13	27.60	30.00
28.0	19.68	20.06	20.76	21.54	22.40	23.36	24.44	25.65	27.01	28.56	31.08
29.0	20.22	20.62	21.36	22.17	23.07	24.08	25.21	26.48	27.92	29.54	32.17
30.0	20.77	21.19	21.96	22.81	23.76	24.82	26.00	27.33	28.84	30.53	33.29
31.0	21.33	21.76	22.57	23.46	24.46	25.57	26.81	28.20	29.77	31.55	34.43
32.0	21.89	22.35	23.19	24.13	25.17	26.33	27.63	29.09	30.73	32.59	35.60
33.0	22.47	22.95	23.83	24.81	25.89	27.11	28.47	29.99	31.71	33.65	36.79
34.0	23.05	23.55	24.48	25.50	26.63	27.90	29.32	30.92	32.71	34.74	38.01
35.0	23.65	24.17	25.13	26.20	27.39	28.71	30.20	31.86	33.74	35.85	39.26
36.0	24.26	24.80	25.80	26.92	28.16	29.54	31.09	32.83	34.78	36.99	40.54
37.0	24.87	25.44	26.49	27.65	28.94	30.39	32.00	33.82	35.85	38.15	41.84
38.0	25.50	26.09	27.18	28.39	29.74	31.25	32.93	34.83	36.95	39.34	43.18
39.0	26.14	26.75	27.89	29.16	30.56	32.13	33.89	35.86	38.07	40.56	44.56
40.0	26.79	27.43	28.62	29.93	31.40	33.03	34.86	36.92	39.22	41.82	45.97
41.0	27.46	28.12	29.36	30.73	32.25	33.96	35.86	38.00	40.40	43.10	47.41
42.0	28.13	28.82	30.11	31.54	33.12	34.90	36.89	39.11	41.61	44.42	48.89
43.0	28.82	29.54	30.88	32.36	34.02	35.87	37.94	40.25	42.86	45.77	50.42
44.0	29.53	30.28	31.67	33.21	34.93	36.86	39.01	41.42	44.13	47.16	51.98
45.0	30.25	31.02	32.47	34.08	35.87	37.87	40.11	42.63	45.44	48.59	53.59
46.0	30.98	31.79	33.29	34.96	36.83	38.91	41.25	43.86	46.79	50.06	55.24
47.0	31.73	32.57	34.13	35.87	37.81	39.98	42.41	45.13	48.17	51.57	56.95
48.0	32.50	33.37	34.99	36.80	38.82	41.08	43.61	46.43	49.60	53.12	58.70
49.0	33.28	34.19	35.88	37.76	39.86	42.21	44.83	47.78	51.07	54.73	60.51
50.0	34.08	35.02	36.78	38.74	40.92	43.36	46.10	49.16	52.58	56.38	62.38
⌀	PERCENTAGE OF LOAN AMOUNT LEFT UNPAID AT DUE DATE										
	100.0	94.15	84.13	74.11	64.09	54.07	44.05	34.03	24.01	13.99	.00

DISCOUNT %	MONTHLY PAYBACK RATE (%) (MONTHLY PAYMENT DIVIDED BY LOAN AMOUNT)										
	.60	.70	.80	1.00	1.20	1.40	1.60	1.80	2.00	2.20	2.41
.5	7.39	7.40	7.40	7.41	7.42	7.43	7.44	7.45	7.47	7.49	7.51
1.0	7.54	7.55	7.56	7.57	7.59	7.61	7.63	7.66	7.69	7.73	7.77
1.5	7.69	7.70	7.71	7.73	7.76	7.79	7.83	7.87	7.92	7.97	8.03
2.0	7.83	7.85	7.86	7.90	7.93	7.98	8.02	8.08	8.14	8.21	8.30
2.5	7.98	8.00	8.02	8.06	8.11	8.16	8.22	8.29	8.37	8.45	8.56
3.0	8.13	8.15	8.18	8.23	8.28	8.35	8.42	8.50	8.59	8.70	8.83
3.5	8.28	8.31	8.33	8.39	8.46	8.53	8.62	8.71	8.82	8.95	9.10
4.0	8.43	8.46	8.49	8.56	8.64	8.72	8.82	8.93	9.05	9.20	9.38
4.5	8.58	8.62	8.65	8.73	8.81	8.91	9.02	9.14	9.29	9.45	9.65
5.0	8.73	8.77	8.81	8.90	8.99	9.10	9.22	9.36	9.52	9.70	9.93
5.5	8.89	8.93	8.97	9.07	9.17	9.29	9.43	9.58	9.76	9.96	10.21
6.0	9.04	9.09	9.14	9.24	9.36	9.49	9.64	9.80	10.00	10.22	10.49
6.5	9.20	9.25	9.30	9.41	9.54	9.68	9.84	10.02	10.24	10.48	10.77
7.0	9.35	9.41	9.46	9.59	9.72	9.88	10.05	10.25	10.48	10.74	11.06
7.5	9.51	9.57	9.63	9.76	9.91	10.08	10.26	10.47	10.72	11.00	11.34
8.0	9.67	9.73	9.80	9.94	10.10	10.27	10.48	10.70	10.97	11.27	11.63
8.5	9.83	9.89	9.96	10.11	10.28	10.47	10.69	10.93	11.21	11.53	11.93
9.0	9.99	10.06	10.13	10.29	10.47	10.68	10.90	11.16	11.46	11.80	12.22
9.5	10.15	10.22	10.30	10.47	10.66	10.88	11.12	11.39	11.71	12.07	12.52
10.0	10.31	10.39	10.47	10.65	10.86	11.08	11.34	11.63	11.96	12.35	12.81
11.0	10.64	10.72	10.82	11.02	11.24	11.50	11.78	12.10	12.48	12.90	13.42
12.0	10.97	11.06	11.17	11.39	11.64	11.91	12.23	12.58	12.99	13.46	14.03
13.0	11.30	11.41	11.52	11.76	12.03	12.34	12.68	13.07	13.52	14.04	14.66
14.0	11.64	11.76	11.88	12.14	12.44	12.77	13.15	13.57	14.06	14.62	15.29
15.0	11.99	12.11	12.24	12.53	12.85	13.21	13.61	14.07	14.60	15.21	15.94
16.0	12.34	12.47	12.61	12.92	13.27	13.65	14.09	14.59	15.16	15.81	16.59
17.0	12.69	12.83	12.98	13.32	13.69	14.10	14.58	15.11	15.72	16.42	17.26
18.0	13.05	13.20	13.36	13.72	14.12	14.56	15.07	15.64	16.29	17.04	17.94
19.0	13.41	13.57	13.75	14.13	14.55	15.03	15.57	16.18	16.87	17.67	18.63
20.0	13.78	13.95	14.14	14.54	15.00	15.50	16.08	16.72	17.47	18.32	19.34
21.0	14.16	14.34	14.54	14.96	15.45	15.98	16.59	17.28	18.07	18.97	20.05
22.0	14.53	14.73	14.94	15.39	15.90	16.47	17.12	17.85	18.69	19.64	20.78
23.0	14.92	15.12	15.35	15.83	16.37	16.97	17.65	18.43	19.31	20.32	21.53
24.0	15.31	15.52	15.76	16.27	16.84	17.48	18.20	19.01	19.95	21.01	22.28
25.0	15.71	15.93	16.18	16.72	17.32	17.99	18.75	19.61	20.60	21.72	23.06
26.0	16.11	16.35	16.61	17.17	17.81	18.52	19.32	20.22	21.26	22.44	23.85
27.0	16.52	16.77	17.04	17.64	18.30	19.05	19.89	20.85	21.94	23.18	24.65
28.0	16.93	17.20	17.48	18.11	18.81	19.59	20.48	21.48	22.62	23.93	25.47
29.0	17.35	17.63	17.93	18.59	19.32	20.15	21.08	22.13	23.33	24.69	26.31
30.0	17.78	18.07	18.39	19.08	19.85	20.71	21.68	22.79	24.04	25.47	27.16
31.0	18.22	18.52	18.85	19.57	20.38	21.28	22.31	23.46	24.78	26.27	28.04
32.0	18.66	18.98	19.33	20.08	20.92	21.87	22.94	24.15	25.52	27.09	28.93
33.0	19.11	19.44	19.81	20.60	21.48	22.47	23.59	24.85	26.29	27.92	29.84
34.0	19.57	19.92	20.30	21.12	22.04	23.08	24.25	25.57	27.07	28.77	30.77
35.0	20.04	20.40	20.80	21.66	22.62	23.70	24.92	26.30	27.87	29.64	31.73
36.0	20.51	20.89	21.30	22.20	23.21	24.34	25.61	27.05	28.68	30.53	32.71
37.0	21.00	21.39	21.82	22.76	23.81	24.98	26.31	27.82	29.52	31.45	33.71
38.0	21.49	21.90	22.35	23.32	24.42	25.65	27.03	28.60	30.38	32.38	34.73
39.0	21.99	22.42	22.89	23.90	25.04	26.33	27.77	29.40	31.25	33.34	35.78
40.0	22.50	22.95	23.44	24.50	25.68	27.02	28.53	30.23	32.15	34.33	36.86
41.0	23.03	23.49	24.00	25.10	26.34	27.73	29.30	31.07	33.07	35.33	37.97
42.0	23.56	24.04	24.57	25.72	27.01	28.46	30.09	31.93	34.02	36.37	39.10
43.0	24.10	24.60	25.15	26.35	27.69	29.20	30.90	32.82	34.99	37.43	40.27
44.0	24.65	25.18	25.75	26.99	28.39	29.96	31.73	33.73	35.99	38.52	41.46
45.0	25.22	25.76	26.36	27.65	29.11	30.74	32.59	34.67	37.01	39.65	42.70
46.0	25.80	26.36	26.98	28.33	29.84	31.54	33.46	35.63	38.07	40.80	43.96
47.0	26.39	26.97	27.62	29.02	30.60	32.37	34.37	36.61	39.15	41.99	45.27
48.0	26.99	27.60	28.27	29.73	31.37	33.21	35.29	37.63	40.27	43.22	46.61
49.0	27.61	28.24	28.94	30.46	32.16	34.08	36.24	38.68	41.42	44.48	48.00
50.0	28.24	28.90	29.63	31.20	32.98	34.97	37.23	39.76	42.61	45.78	49.43
▽ф	PERCENTAGE OF LOAN AMOUNT LEFT UNPAID AT DUE DATE										
	100.0	94.68	89.13	78.03	66.94	55.84	44.74	33.64	22.54	11.44	.00

DISCOUNT %	MONTHLY PAYBACK RATE (%) (MONTHLY PAYMENT DIVIDED BY LOAN AMOUNT)										
	.60	.70	.80	.90	1.00	1.10	1.20	1.40	1.60	1.80	1.99
.5	7.37	7.37	7.38	7.38	7.39	7.39	7.40	7.41	7.42	7.44	7.46
1.0	7.49	7.50	7.51	7.51	7.52	7.53	7.55	7.57	7.60	7.63	7.67
1.5	7.61	7.62	7.64	7.65	7.66	7.68	7.69	7.73	7.77	7.83	7.89
2.0	7.73	7.75	7.77	7.78	7.80	7.82	7.84	7.89	7.95	8.02	8.10
2.5	7.86	7.88	7.90	7.92	7.94	7.97	8.00	8.06	8.13	8.22	8.32
3.0	7.98	8.00	8.03	8.05	8.08	8.11	8.15	8.22	8.31	8.41	8.54
3.5	8.10	8.13	8.16	8.19	8.23	8.26	8.30	8.39	8.49	8.61	8.76
4.0	8.23	8.26	8.29	8.33	8.37	8.41	8.45	8.56	8.67	8.81	8.98
4.5	8.35	8.39	8.43	8.47	8.51	8.56	8.61	8.72	8.86	9.02	9.20
5.0	8.48	8.52	8.56	8.61	8.66	8.71	8.77	8.89	9.04	9.22	9.43
5.5	8.61	8.65	8.70	8.75	8.80	8.86	8.92	9.06	9.23	9.43	9.66
6.0	8.73	8.78	8.83	8.89	8.95	9.01	9.08	9.24	9.42	9.63	9.88
6.5	8.86	8.91	8.97	9.03	9.10	9.16	9.24	9.41	9.61	9.84	10.12
7.0	8.99	9.05	9.11	9.17	9.24	9.32	9.40	9.58	9.80	10.05	10.35
7.5	9.12	9.18	9.25	9.32	9.39	9.47	9.56	9.76	9.99	10.26	10.58
8.0	9.25	9.32	9.39	9.46	9.54	9.63	9.72	9.93	10.18	10.47	10.82
8.5	9.39	9.45	9.53	9.61	9.70	9.79	9.8°	10.11	10.38	10.69	11.05
9.0	9.52	9.59	9.67	9.76	9.85	9.95	10 ᴐ5	10.29	10.57	10.91	11.29
9.5	9.65	9.73	9.81	9.90	10.00	10.11	10.22	10.47	10.77	11.12	11.53
10.0	9.79	9.87	9.96	10.05	10.16	10.27	10.39	10.65	10.97	11.34	11.78
11.0	10.06	10.15	10.25	10.35	10.47	10.59	10.73	11.02	11.37	11.79	12.27
12.0	10.33	10.43	10.54	10.66	10.79	10.92	11.07	11.40	11.78	12.24	12.77
13.0	10.61	10.72	10.84	10.97	11.11	11.26	11.42	11.78	12.20	12.70	13.28
14.0	10.89	11.01	11.14	11.28	11.43	11.59	11.77	12.16	12.62	13.16	13.79
15.0	11.18	11.31	11.45	11.60	11.77	11.94	12.13	12.55	13.05	13.64	14.32
16.0	11.47	11.61	11.76	11.92	12.10	12.29	12.49	12.95	13.49	14.12	14.85
17.0	11.76	11.91	12.08	12.25	12.44	12.64	12.86	13.35	13.93	14.61	15.40
18.0	12.06	12.22	12.40	12.58	12.79	13.00	13.24	13.76	14.38	15.11	15.95
19.0	12.36	12.53	12.72	12.92	13.14	13.37	13.62	14.18	14.84	15.62	16.51
20.0	12.67	12.85	13.05	13.26	13.50	13.74	14.01	14.61	15.31	16.14	17.09
21.0	12.98	13.17	13.39	13.61	13.86	14.12	14.40	15.04	15.78	16.66	17.67
22.0	13.30	13.50	13.73	13.97	14.23	14.50	14.81	15.48	16.27	17.20	18.26
23.0	13.62	13.83	14.07	14.33	14.60	14.90	15.21	15.93	16.76	17.75	18.87
24.0	13.94	14.17	14.42	14.69	14.98	15.29	15.63	16.38	17.26	18.30	19.49
25.0	14.27	14.51	14.78	15.06	15.37	15.70	16.05	16.85	17.78	18.87	20.12
26.0	14.61	14.86	15.14	15.44	15.76	16.11	16.48	17.32	18.30	19.45	20.76
27.0	14.95	15.21	15.51	15.82	16.16	16.53	16.92	17.80	18.83	20.04	21.41
28.0	15.29	15.57	15.88	16.21	16.57	16.95	17.37	18.29	19.37	20.64	22.08
29.0	15.65	15.94	16.27	16.61	16.99	17.39	17.82	18.79	19.93	21.26	22.76
30.0	16.00	16.31	16.65	17.02	17.41	17.83	18.29	19.30	20.49	21.88	23.46
31.0	16.37	16.69	17.05	17.43	17.84	18.28	18.76	19.82	21.07	22.53	24.17
32.0	16.74	17.08	17.45	17.85	18.28	18.74	19.24	20.35	21.66	23.18	24.90
33.0	17.12	17.47	17.86	18.28	18.73	19.21	19.73	20.90	22.26	23.85	25.64
34.0	17.50	17.87	18.28	18.71	19.18	19.69	20.23	21.45	22.87	24.54	26.40
35.0	17.89	18.27	18.70	19.16	19.65	20.17	20.74	22.02	23.50	25.24	27.18
36.0	18.29	18.69	19.13	19.61	20.12	20.67	21.27	22.60	24.15	25.95	27.98
37.0	18.69	19.11	19.57	20.07	20.61	21.18	21.80	23.19	24.80	26.69	28.80
38.0	19.10	19.54	20.02	20.54	21.10	21.70	22.35	23.79	25.48	27.44	29.63
39.0	19.52	19.98	20.48	21.02	21.61	22.23	22.91	24.41	26.17	28.21	30.49
40.0	19.95	20.43	20.95	21.52	22.12	22.77	23.48	25.05	26.88	29.00	31.37
41.0	20.39	20.88	21.43	22.02	22.65	23.33	24.06	25.70	27.60	29.82	32.27
42.0	20.84	21.35	21.92	22.53	23.19	23.90	24.66	26.37	28.35	30.65	33.20
43.0	21.29	21.83	22.42	23.06	23.74	24.48	25.27	27.05	29.11	31.50	34.15
44.0	21.76	22.31	22.93	23.60	24.31	25.08	25.90	27.75	29.90	32.38	35.12
45.0	22.24	22.81	23.46	24.15	24.89	25.69	26.55	28.47	30.71	33.29	36.13
46.0	22.72	23.32	23.99	24.71	25.48	26.31	27.21	29.21	31.54	34.22	37.16
47.0	23.22	23.84	24.54	25.29	26.09	26.96	27.89	29.97	32.39	35.17	38.23
48.0	23.73	24.38	25.10	25.88	26.72	27.62	28.59	30.76	33.27	36.16	39.33
49.0	24.25	24.93	25.68	26.49	27.36	28.30	29.31	31.56	34.17	37.18	40.46
50.0	24.78	25.49	26.27	27.11	28.02	28.99	30.05	32.39	35.11	38.23	41.63
PERCENTAGE OF LOAN AMOUNT LEFT UNPAID AT DUE DATE											
	100.0	93.09	85.89	78.68	71.48	64.27	57.07	42.65	28.24	13.83	.00

DISCOUNT %	MONTHLY PAYBACK RATE (%) (MONTHLY PAYMENT DIVIDED BY LOAN AMOUNT)										
	.60	.70	.80	.90	1.00	1.10	1.20	1.30	1.40	1.60	1.72
1.0	7.46	7.47	7.47	7.48	7.49	7.50	7.52	7.53	7.55	7.58	7.61
2.0	7.67	7.68	7.70	7.72	7.74	7.76	7.79	7.82	7.85	7.92	7.97
3.0	7.88	7.90	7.93	7.96	7.99	8.02	8.06	8.10	8.15	8.26	8.34
4.0	8.09	8.13	8.16	8.20	8.24	8.29	8.34	8.40	8.46	8.61	8.71
5.0	8.31	8.35	8.40	8.45	8.50	8.56	8.63	8.70	8.78	8.96	9.09
6.0	8.53	8.58	8.64	8.69	8.76	8.83	8.91	9.00	9.10	9.32	9.48
7.0	8.75	8.81	8.88	8.95	9.03	9.11	9.20	9.30	9.42	9.69	9.87
8.0	8.98	9.05	9.12	9.20	9.29	9.39	9.50	9.61	9.75	10.05	10.27
9.0	9.21	9.28	9.37	9.46	9.56	9.67	9.80	9.93	10.08	10.43	10.67
10.0	9.44	9.52	9.62	9.72	9.84	9.96	10.10	10.25	10.42	10.81	11.08
11.0	9.67	9.77	9.88	9.99	10.12	10.26	10.41	10.58	10.76	11.20	11.50
12.0	9.91	10.02	10.13	10.26	10.40	10.55	10.72	10.91	11.11	11.59	11.92
13.0	10.15	10.27	10.40	10.54	10.69	10.86	11.04	11.24	11.47	11.99	12.35
14.0	10.40	10.52	10.66	10.81	10.98	11.16	11.36	11.58	11.83	12.40	12.79
15.0	10.64	10.78	10.93	11.10	11.28	11.47	11.69	11.93	12.19	12.81	13.24
16.0	10.89	11.04	11.20	11.38	11.58	11.79	12.02	12.28	12.56	13.23	13.69
17.0	11.15	11.31	11.48	11.67	11.88	12.11	12.36	12.64	12.94	13.66	14.15
18.0	11.41	11.57	11.76	11.97	12.19	12.44	12.71	13.00	13.33	14.09	14.62
19.0	11.67	11.85	12.05	12.27	12.51	12.77	13.06	13.37	13.72	14.53	15.09
20.0	11.93	12.12	12.34	12.57	12.83	13.11	13.41	13.75	14.12	14.98	15.58
21.0	12.20	12.41	12.64	12.88	13.15	13.45	13.78	14.13	14.53	15.44	16.07
22.0	12.48	12.69	12.93	13.20	13.49	13.80	14.14	14.52	14.94	15.91	16.58
23.0	12.75	12.98	13.24	13.52	13.82	14.15	14.52	14.92	15.36	16.39	17.09
24.0	13.04	13.28	13.55	13.84	14.17	14.51	14.90	15.32	15.79	16.87	17.62
25.0	13.32	13.58	13.86	14.17	14.51	14.88	15.29	15.73	16.23	17.37	18.15
26.0	13.61	13.88	14.18	14.51	14.87	15.26	15.69	16.15	16.67	17.87	18.69
27.0	13.91	14.19	14.51	14.85	15.23	15.64	16.09	16.58	17.13	18.39	19.25
28.0	14.21	14.51	14.84	15.20	15.60	16.03	16.50	17.02	17.59	18.91	19.82
29.0	14.52	14.83	15.18	15.56	15.97	16.42	16.92	17.46	18.06	19.45	20.39
30.0	14.83	15.15	15.52	15.92	16.35	16.83	17.35	17.92	18.55	20.00	20.98
31.0	15.14	15.49	15.87	16.29	16.74	17.24	17.79	18.38	19.04	20.56	21.59
32.0	15.47	15.82	16.23	16.66	17.14	17.66	18.23	18.85	19.54	21.13	22.21
33.0	15.79	16.17	16.59	17.04	17.55	18.09	18.69	19.34	20.06	21.71	22.84
34.0	16.13	16.52	16.96	17.43	17.96	18.53	19.15	19.83	20.58	22.31	23.48
35.0	16.47	16.88	17.34	17.83	18.38	18.97	19.63	20.34	21.12	22.93	24.14
36.0	16.81	17.24	17.72	18.24	18.81	19.43	20.11	20.86	21.67	23.55	24.82
37.0	17.17	17.61	18.11	18.66	19.25	19.90	20.61	21.38	22.24	24.19	25.51
38.0	17.53	17.99	18.51	19.08	19.70	20.38	21.12	21.93	22.82	24.85	26.22
39.0	17.90	18.38	18.92	19.51	20.16	20.86	21.64	22.48	23.41	25.53	26.95
40.0	18.27	18.77	19.34	19.96	20.63	21.36	22.17	23.05	24.01	26.22	27.70
41.0	18.65	19.18	19.77	20.41	21.11	21.88	22.72	23.63	24.64	26.93	28.46
42.0	19.04	19.59	20.20	20.87	21.61	22.40	23.28	24.23	25.27	27.66	29.25
43.0	19.44	20.01	20.65	21.35	22.11	22.94	23.85	24.84	25.93	28.41	30.06
44.0	19.85	20.44	21.11	21.83	22.63	23.49	24.44	25.47	26.60	29.18	30.89
45.0	20.27	20.88	21.58	22.33	23.16	24.06	25.05	26.12	27.30	29.97	31.74
46.0	20.69	21.33	22.06	22.84	23.70	24.64	25.67	26.78	28.01	30.78	32.62
47.0	21.13	21.80	22.55	23.37	24.26	25.24	26.31	27.47	28.74	31.62	33.53
48.0	21.58	22.27	23.05	23.90	24.84	25.85	26.96	28.17	29.50	32.49	34.46
49.0	22.04	22.76	23.57	24.46	25.43	26.48	27.64	28.90	30.27	33.38	35.42
50.0	22.51	23.25	24.10	25.02	26.04	27.14	28.34	29.65	31.08	34.30	36.42
51.0	22.99	23.77	24.65	25.61	26.66	27.81	29.06	30.42	31.91	35.25	37.44
52.0	23.48	24.29	25.21	26.21	27.31	28.50	29.80	31.22	32.76	36.23	38.51
53.0	23.99	24.83	25.79	26.83	27.97	29.21	30.57	32.04	33.65	37.25	39.60
54.0	24.51	25.39	26.38	27.47	28.66	29.95	31.36	32.90	34.56	38.30	40.74
55.0	25.05	25.96	27.00	28.13	29.36	30.71	32.18	33.78	35.51	39.40	41.92
56.0	25.60	26.55	27.63	28.81	30.10	31.50	33.03	34.69	36.50	40.53	43.14
57.0	26.17	27.16	28.28	29.51	30.85	32.31	33.91	35.64	37.52	41.71	44.41
58.0	26.75	27.78	28.96	30.24	31.64	33.16	34.83	36.63	38.58	42.93	45.73
59.0	27.36	28.43	29.65	30.99	32.45	34.04	35.77	37.65	39.69	44.20	47.11
60.0	27.98	29.10	30.38	31.77	33.29	34.95	36.76	38.72	40.84	45.53	48.54
PERCENTAGE OF LOAN AMOUNT LEFT UNPAID AT DUE DATE											
	100.0	91.39	82.40	73.41	64.43	55.44	46.45	37.47	28.48	10.51	.00

DISCOUNT %	MONTHLY PAYBACK RATE (%) (MONTHLY PAYMENT DIVIDED BY LOAN AMOUNT)										
	.60	.65	.70	.80	.90	1.00	1.10	1.20	1.30	1.40	1.52
1.0	7.43	7.44	7.44	7.45	7.46	7.47	7.48	7.50	7.52	7.54	7.56
2.0	7.62	7.63	7.64	7.66	7.67	7.70	7.72	7.75	7.79	7.83	7.88
3.0	7.81	7.82	7.83	7.86	7.89	7.93	7.97	8.01	8.06	8.12	8.20
4.0	8.00	8.01	8.03	8.07	8.11	8.16	8.21	8.27	8.34	8.42	8.52
5.0	8.19	8.21	8.23	8.28	8.34	8.40	8.46	8.54	8.62	8.72	8.86
6.0	8.39	8.41	8.44	8.50	8.56	8.64	8.72	8.81	8.91	9.03	9.19
7.0	8.58	8.61	8.65	8.72	8.79	8.88	8.97	9.08	9.20	9.34	9.53
8.0	8.78	8.82	8.85	8.94	9.02	9.12	9.23	9.36	9.50	9.66	9.88
9.0	8.99	9.02	9.07	9.16	9.26	9.37	9.50	9.64	9.80	9.98	10.23
10.0	9.19	9.23	9.28	9.39	9.50	9.63	9.77	9.92	10.10	10.30	10.59
11.0	9.40	9.45	9.50	9.62	9.74	9.88	10.04	10.21	10.41	10.64	10.95
12.0	9.61	9.66	9.72	9.85	9.99	10.14	10.31	10.51	10.72	10.97	11.32
13.0	9.82	9.88	9.95	10.09	10.24	10.41	10.60	10.81	11.04	11.32	11.69
14.0	10.04	10.10	10.17	10.33	10.49	10.68	10.88	11.11	11.37	11.66	12.07
15.0	10.26	10.33	10.41	10.57	10.75	10.95	11.17	11.42	11.70	12.02	12.46
16.0	10.48	10.56	10.64	10.82	11.01	11.23	11.47	11.74	12.04	12.38	12.85
17.0	10.71	10.79	10.88	11.07	11.28	11.51	11.77	12.06	12.38	12.75	13.26
18.0	10.94	11.02	11.12	11.32	11.55	11.80	12.07	12.38	12.73	13.12	13.66
19.0	11.17	11.26	11.36	11.58	11.82	12.09	12.38	12.71	13.08	13.50	14.08
20.0	11.41	11.50	11.61	11.84	12.10	12.38	12.69	13.05	13.44	13.89	14.50
21.0	11.65	11.75	11.87	12.11	12.38	12.68	13.02	13.39	13.81	14.28	14.93
22.0	11.89	12.00	12.12	12.38	12.67	12.99	13.34	13.74	14.18	14.68	15.37
23.0	12.14	12.25	12.38	12.66	12.96	13.30	13.67	14.09	14.56	15.09	15.82
24.0	12.39	12.51	12.65	12.94	13.26	13.62	14.01	14.46	14.95	15.51	16.28
25.0	12.65	12.77	12.92	13.23	13.56	13.94	14.36	14.82	15.34	15.93	16.74
26.0	12.91	13.04	13.19	13.52	13.87	14.27	14.71	15.20	15.75	16.36	17.22
27.0	13.17	13.31	13.47	13.81	14.19	14.61	15.07	15.58	16.16	16.81	17.70
28.0	13.44	13.59	13.76	14.11	14.51	14.95	15.43	15.98	16.58	17.26	18.19
29.0	13.72	13.87	14.05	14.42	14.83	15.30	15.80	16.37	17.01	17.72	18.70
30.0	13.99	14.15	14.34	14.73	15.17	15.65	16.18	16.78	17.44	18.19	19.21
31.0	14.28	14.45	14.64	15.05	15.51	16.01	16.57	17.20	17.89	18.67	19.74
32.0	14.57	14.74	14.94	15.38	15.85	16.38	16.97	17.62	18.35	19.16	20.28
33.0	14.86	15.04	15.25	15.71	16.20	16.76	17.37	18.06	18.82	19.67	20.83
34.0	15.16	15.35	15.57	16.04	16.57	17.15	17.78	18.50	19.29	20.18	21.39
35.0	15.46	15.66	15.90	16.39	16.93	17.54	18.21	18.95	19.78	20.71	21.97
36.0	15.77	15.98	16.22	16.74	17.31	17.94	18.64	19.42	20.28	21.25	22.56
37.0	16.09	16.31	16.56	17.10	17.69	18.35	19.08	19.89	20.79	21.80	23.17
38.0	16.41	16.64	16.90	17.47	18.08	18.77	19.53	20.38	21.32	22.37	23.79
39.0	16.74	16.98	17.26	17.84	18.49	19.20	20.00	20.88	21.86	22.96	24.42
40.0	17.08	17.33	17.61	18.22	18.90	19.65	20.47	21.39	22.41	23.54	25.07
41.0	17.42	17.68	17.98	18.62	19.32	20.10	20.96	21.92	22.98	24.15	25.74
42.0	17.78	18.04	18.35	19.02	19.75	20.56	21.46	22.46	23.56	24.78	26.43
43.0	18.14	18.42	18.74	19.43	20.19	21.04	21.97	23.01	24.15	25.42	27.14
44.0	18.50	18.79	19.13	19.85	20.64	21.52	22.50	23.58	24.77	26.09	27.86
45.0	18.88	19.18	19.53	20.28	21.11	22.02	23.04	24.16	25.40	26.77	28.61
46.0	19.26	19.58	19.94	20.72	21.58	22.54	23.59	24.76	26.05	27.47	29.38
47.0	19.66	19.99	20.36	21.18	22.07	23.07	24.16	25.38	26.72	28.19	30.17
48.0	20.06	20.40	20.80	21.64	22.57	23.61	24.75	26.02	27.41	28.94	30.99
49.0	20.48	20.83	21.24	22.12	23.09	24.17	25.36	26.67	28.12	29.71	31.83
50.0	20.90	21.27	21.70	22.61	23.62	24.74	25.98	27.35	28.85	30.50	32.70
51.0	21.34	21.72	22.17	23.12	24.17	25.34	26.62	28.05	29.61	31.32	33.60
52.0	21.78	22.19	22.65	23.64	24.73	25.95	27.29	28.77	30.39	32.17	34.53
53.0	22.24	22.66	23.14	24.18	25.32	26.58	27.98	29.52	31.20	33.05	35.49
54.0	22.72	23.15	23.65	24.73	25.92	27.24	28.69	30.29	32.04	33.96	36.48
55.0	23.21	23.66	24.18	25.30	26.54	27.91	29.42	31.09	32.91	34.90	37.52
56.0	23.71	24.18	24.72	25.89	27.18	28.61	30.19	31.92	33.82	35.88	38.59
57.0	24.22	24.72	25.28	26.50	27.84	29.34	30.98	32.79	34.75	36.89	39.70
58.0	24.76	25.27	25.86	27.13	28.53	30.09	31.80	33.68	35.73	37.95	40.86
59.0	25.31	25.84	26.46	27.78	29.25	30.87	32.65	34.61	36.74	39.05	42.07
60.0	25.88	26.44	27.08	28.46	29.99	31.68	33.54	35.59	37.80	40.20	43.32
▽Ø	PERCENTAGE OF LOAN AMOUNT LEFT UNPAID AT DUE DATE										
	100.0	95.00	89.55	78.65	67.75	56.85	45.95	35.05	24.15	13.25	.00

DISCOUNT %	MONTHLY PAYBACK RATE (%) (MONTHLY PAYMENT DIVIDED BY LOAN AMOUNT)										
	.60	.65	.70	.75	.80	.90	1.00	1.10	1.20	1.30	1.38
1.0	7.42	7.42	7.42	7.43	7.43	7.44	7.46	7.47	7.49	7.51	7.53
2.0	7.58	7.59	7.60	7.61	7.62	7.64	7.67	7.70	7.73	7.77	7.81
3.0	7.75	7.77	7.78	7.80	7.81	7.85	7.89	7.93	7.98	8.04	8.09
4.0	7.93	7.94	7.96	7.98	8.00	8.05	8.10	8.16	8.23	8.31	8.38
5.0	8.10	8.12	8.15	8.17	8.20	8.26	8.32	8.40	8.49	8.59	8.67
6.0	8.28	8.30	8.33	8.36	8.40	8.47	8.55	8.64	8.75	8.87	8.97
7.0	8.46	8.49	8.52	8.56	8.60	8.68	8.78	8.88	9.01	9.15	9.28
8.0	8.64	8.67	8.71	8.76	8.80	8.90	9.01	9.13	9.27	9.44	9.58
9.0	8.82	8.86	8.91	8.95	9.01	9.11	9.24	9.38	9.55	9.73	9.90
10.0	9.01	9.05	9.10	9.16	9.21	9.34	9.48	9.64	9.82	10.03	10.21
11.0	9.20	9.25	9.30	9.36	9.43	9.56	9.72	9.90	10.10	10.33	10.53
12.0	9.39	9.44	9.51	9.57	9.64	9.79	9.97	10.16	10.38	10.64	10.86
13.0	9.58	9.64	9.71	9.78	9.86	10.02	10.21	10.43	10.67	10.95	11.19
14.0	9.78	9.84	9.92	10.00	10.08	10.26	10.47	10.70	10.97	11.27	11.53
15.0	9.98	10.05	10.13	10.22	10.31	10.50	10.72	10.97	11.26	11.59	11.88
16.0	10.18	10.26	10.34	10.44	10.53	10.74	10.99	11.25	11.57	11.92	12.23
17.0	10.39	10.47	10.56	10.66	10.77	10.99	11.25	11.54	11.88	12.26	12.58
18.0	10.60	10.68	10.78	10.89	11.00	11.24	11.52	11.83	12.19	12.60	12.95
19.0	10.81	10.90	11.01	11.12	11.24	11.50	11.80	12.13	12.51	12.94	13.32
20.0	11.02	11.12	11.24	11.36	11.48	11.76	12.07	12.43	12.83	13.30	13.69
21.0	11.24	11.35	11.47	11.60	11.73	12.02	12.36	12.73	13.17	13.65	14.08
22.0	11.46	11.57	11.70	11.84	11.98	12.29	12.65	13.05	13.50	14.02	14.47
23.0	11.69	11.81	11.94	12.09	12.24	12.57	12.94	13.36	13.85	14.39	14.87
24.0	11.92	12.04	12.19	12.34	12.50	12.85	13.24	13.69	14.20	14.78	15.27
25.0	12.15	12.28	12.43	12.59	12.76	13.13	13.55	14.02	14.56	15.16	15.68
26.0	12.39	12.52	12.69	12.85	13.03	13.42	13.86	14.36	14.92	15.56	16.11
27.0	12.63	12.77	12.94	13.12	13.31	13.72	14.18	14.70	15.29	15.96	16.54
28.0	12.87	13.03	13.20	13.39	13.59	14.02	14.50	15.05	15.67	16.38	16.98
29.0	13.12	13.28	13.47	13.67	13.87	14.32	14.83	15.41	16.06	16.80	17.43
30.0	13.38	13.54	13.74	13.95	14.16	14.64	15.17	15.77	16.46	17.23	17.89
31.0	13.63	13.81	14.02	14.23	14.46	14.95	15.52	16.14	16.86	17.67	18.36
32.0	13.90	14.08	14.30	14.52	14.76	15.28	15.87	16.53	17.27	18.12	18.83
33.0	14.17	14.36	14.58	14.82	15.07	15.61	16.23	16.91	17.70	18.58	19.33
34.0	14.44	14.64	14.88	15.12	15.38	15.95	16.59	17.31	18.13	19.05	19.83
35.0	14.72	14.93	15.17	15.43	15.71	16.30	16.97	17.72	18.57	19.53	20.34
36.0	15.00	15.22	15.48	15.75	16.03	16.65	17.35	18.14	19.03	20.02	20.87
37.0	15.29	15.52	15.79	16.07	16.37	17.01	17.75	18.56	19.49	20.53	21.41
38.0	15.59	15.83	16.11	16.40	16.71	17.39	18.15	19.00	19.97	21.05	21.96
39.0	15.89	16.14	16.43	16.74	17.06	17.77	18.56	19.45	20.46	21.58	22.52
40.0	16.20	16.46	16.76	17.08	17.42	18.15	18.98	19.91	20.96	22.13	23.11
41.0	16.51	16.79	17.10	17.44	17.79	18.55	19.42	20.38	21.47	22.69	23.70
42.0	16.84	17.12	17.45	17.80	18.16	18.96	19.86	20.87	22.00	23.26	24.32
43.0	17.17	17.46	17.81	18.17	18.55	19.38	20.32	21.36	22.54	23.85	24.95
44.0	17.51	17.81	18.17	18.55	18.94	19.81	20.78	21.87	23.10	24.46	25.59
45.0	17.85	18.17	18.54	18.93	19.35	20.25	21.26	22.40	23.67	25.08	26.26
46.0	18.21	18.54	18.93	19.33	19.76	20.70	21.76	22.94	24.26	25.73	26.95
47.0	18.57	18.92	19.32	19.74	20.19	21.17	22.27	23.50	24.87	26.39	27.65
48.0	18.94	19.30	19.72	20.16	20.63	21.65	22.79	24.07	25.50	27.08	28.38
49.0	19.32	19.70	20.14	20.60	21.08	22.14	23.33	24.66	26.14	27.78	29.14
50.0	19.71	20.11	20.56	21.04	21.55	22.65	23.89	25.27	26.81	28.51	29.91
52.0	20.53	20.96	21.45	21.97	22.52	23.71	25.06	26.55	28.22	30.04	31.55
54.0	21.40	21.86	22.39	22.96	23.55	24.85	26.31	27.92	29.72	31.69	33.30
56.0	22.31	22.82	23.40	24.01	24.66	26.07	27.65	29.40	31.34	33.45	35.18
58.0	23.29	23.84	24.47	25.13	25.84	27.37	29.09	30.99	33.09	35.36	37.21
60.0	24.34	24.93	25.62	26.34	27.11	28.78	30.65	32.71	34.98	37.44	39.42
62.0	25.46	26.11	26.86	27.65	28.49	30.31	32.35	34.59	37.05	39.70	41.83
64.0	26.67	27.38	28.20	29.07	29.99	31.98	34.20	36.65	39.32	42.18	44.47
66.0	27.99	28.77	29.67	30.62	31.62	33.81	36.25	38.92	41.82	44.91	47.38
68.0	29.43	30.28	31.27	32.32	33.43	35.84	38.52	41.44	44.60	47.96	50.61
70.0	31.00	31.95	33.05	34.21	35.44	38.10	41.05	44.27	47.72	51.37	54.24

▽Ø	PERCENTAGE OF LOAN AMOUNT LEFT UNPAID AT DUE DATE										
	100.0	94.06	87.58	81.10	74.62	61.66	48.70	35.75	22.79	9.83	.00

DISCOUNT %	MONTHLY PAYBACK RATE (%) (MONTHLY PAYMENT DIVIDED BY LOAN AMOUNT)										
	.60	.65	.70	.75	.80	.85	.90	.95	1.00	1.10	1.26
1.0	7.40	7.41	7.41	7.42	7.42	7.43	7.43	7.44	7.45	7.46	7.50
2.0	7.56	7.56	7.58	7.59	7.60	7.61	7.62	7.64	7.65	7.68	7.75
3.0	7.71	7.73	7.74	7.76	7.77	7.79	7.81	7.83	7.86	7.90	8.01
4.0	7.87	7.89	7.91	7.93	7.95	7.98	8.00	8.03	8.06	8.13	8.27
5.0	8.03	8.05	8.08	8.11	8.14	8.17	8.20	8.24	8.27	8.36	8.54
6.0	8.19	8.22	8.25	8.29	8.32	8.36	8.40	8.44	8.49	8.59	8.80
7.0	8.36	8.39	8.43	8.47	8.51	8.55	8.60	8.65	8.71	8.83	9.08
8.0	8.53	8.56	8.60	8.65	8.70	8.75	8.80	8.86	8.93	9.07	9.35
9.0	8.69	8.74	8.78	8.84	8.89	8.95	9.01	9.08	9.15	9.31	9.64
10.0	8.87	8.91	8.97	9.02	9.09	9.15	9.22	9.30	9.38	9.56	9.92
11.0	9.04	9.09	9.15	9.22	9.28	9.36	9.43	9.52	9.61	9.81	10.21
12.0	9.22	9.27	9.34	9.41	9.48	9.57	9.65	9.74	9.84	10.06	10.51
13.0	9.39	9.46	9.53	9.61	9.69	9.78	9.87	9.97	10.08	10.32	10.81
14.0	9.58	9.64	9.72	9.81	9.90	9.99	10.09	10.20	10.32	10.58	11.12
15.0	9.76	9.83	9.92	10.01	10.11	10.21	10.32	10.44	10.57	10.85	11.43
16.0	9.95	10.03	10.12	10.22	10.32	10.43	10.55	10.68	10.82	11.12	11.74
17.0	10.14	10.22	10.32	10.43	10.54	10.66	10.79	10.92	11.07	11.40	12.06
18.0	10.33	10.42	10.53	10.64	10.76	10.89	11.02	11.17	11.33	11.68	12.39
19.0	10.52	10.62	10.74	10.86	10.99	11.12	11.27	11.43	11.60	11.97	12.73
20.0	10.72	10.83	10.95	11.08	11.21	11.36	11.51	11.68	11.86	12.26	13.07
21.0	10.92	11.03	11.16	11.30	11.45	11.60	11.77	11.95	12.14	12.56	13.41
22.0	11.13	11.25	11.38	11.53	11.68	11.85	12.02	12.21	12.41	12.86	13.76
23.0	11.34	11.46	11.61	11.76	11.92	12.10	12.28	12.48	12.70	13.17	14.12
24.0	11.55	11.68	11.83	12.00	12.17	12.35	12.55	12.76	12.99	13.49	14.49
25.0	11.76	11.90	12.06	12.24	12.42	12.61	12.82	13.04	13.28	13.81	14.87
26.0	11.98	12.13	12.30	12.48	12.67	12.88	13.09	13.33	13.58	14.14	15.25
27.0	12.21	12.36	12.54	12.73	12.93	13.15	13.37	13.62	13.89	14.47	15.64
28.0	12.43	12.59	12.78	12.98	13.19	13.42	13.66	13.92	14.20	14.81	16.03
29.0	12.66	12.83	13.03	13.24	13.46	13.70	13.95	14.23	14.52	15.16	16.44
30.0	12.90	13.08	13.28	13.50	13.74	13.99	14.25	14.54	14.84	15.52	16.86
31.0	13.14	13.33	13.54	13.77	14.02	14.28	14.56	14.86	15.18	15.88	17.28
32.0	13.38	13.58	13.81	14.05	14.30	14.58	14.87	15.18	15.52	16.26	17.71
33.0	13.63	13.84	14.07	14.33	14.59	14.88	15.19	15.51	15.86	16.64	18.16
34.0	13.89	14.10	14.35	14.61	14.89	15.19	15.51	15.85	16.22	17.03	18.61
35.0	14.15	14.37	14.63	14.90	15.20	15.51	15.84	16.20	16.58	17.43	19.08
36.0	14.41	14.64	14.91	15.20	15.51	15.83	16.18	16.56	16.96	17.83	19.55
37.0	14.68	14.92	15.21	15.51	15.83	16.17	16.53	16.92	17.34	18.25	20.04
38.0	14.95	15.21	15.50	15.82	16.15	16.51	16.89	17.29	17.73	18.68	20.54
39.0	15.24	15.50	15.81	16.14	16.48	16.86	17.25	17.68	18.13	19.12	21.05
40.0	15.52	15.80	16.12	16.46	16.82	17.21	17.62	18.07	18.54	19.57	21.58
41.0	15.82	16.10	16.44	16.80	17.17	17.58	18.01	18.47	18.96	20.04	22.12
42.0	16.12	16.42	16.77	17.14	17.53	17.95	18.40	18.88	19.39	20.51	22.68
43.0	16.43	16.74	17.10	17.49	17.90	18.34	18.80	19.30	19.84	21.00	23.25
44.0	16.74	17.07	17.45	17.85	18.28	18.73	19.22	19.74	20.29	21.51	23.83
45.0	17.06	17.40	17.80	18.22	18.66	19.14	19.64	20.19	20.76	22.02	24.44
46.0	17.40	17.75	18.16	18.60	19.06	19.56	20.08	20.65	21.24	22.56	25.06
47.0	17.73	18.10	18.53	18.98	19.47	19.98	20.53	21.12	21.74	23.11	25.70
48.0	18.08	18.47	18.91	19.38	19.89	20.43	21.00	21.61	22.26	23.67	26.36
49.0	18.44	18.84	19.30	19.80	20.32	20.88	21.47	22.11	22.78	24.26	27.05
50.0	18.81	19.22	19.71	20.22	20.77	21.35	21.97	22.63	23.33	24.86	27.75
52.0	19.58	20.03	20.55	21.11	21.70	22.33	23.00	23.72	24.48	26.13	29.24
54.0	20.39	20.88	21.45	22.05	22.70	23.38	24.11	24.88	25.71	27.49	30.83
56.0	21.25	21.79	22.40	23.06	23.76	24.50	25.29	26.14	27.03	28.95	32.54
58.0	22.18	22.76	23.43	24.14	24.90	25.71	26.57	27.49	28.45	30.54	34.39
60.0	23.17	23.80	24.53	25.31	26.14	27.02	27.96	28.95	30.00	32.25	36.40
62.0	24.23	24.92	25.72	26.57	27.48	28.44	29.46	30.54	31.68	34.13	38.59
64.0	25.39	26.14	27.02	27.95	28.94	30.00	31.11	32.29	33.53	36.19	40.99
66.0	26.64	27.47	28.43	29.46	30.55	31.70	32.92	34.22	35.57	38.46	43.65
68.0	28.02	28.93	29.99	31.12	32.32	33.60	34.94	36.36	37.84	40.99	46.60
70.0	29.54	30.55	31.72	32.98	34.30	35.71	37.19	38.76	40.39	43.83	49.91
PERCENTAGE OF LOAN AMOUNT LEFT UNPAID AT DUE DATE											
	100.0	93.05	85.46	77.88	70.29	62.71	55.12	47.53	39.95	24.78	.00

DISCOUNT %	MONTHLY PAYBACK RATE (%) (MONTHLY PAYMENT DIVIDED BY LOAN AMOUNT)										
	.60	.65	.70	.75	.80	.85	.90	.95	1.00	1.10	1.17
1.0	7.39	7.39	7.40	7.41	7.41	7.42	7.42	7.43	7.44	7.46	7.48
2.0	7.53	7.54	7.55	7.57	7.58	7.59	7.60	7.62	7.64	7.67	7.71
3.0	7.68	7.69	7.71	7.73	7.75	7.77	7.79	7.81	7.84	7.89	7.94
4.0	7.83	7.85	7.87	7.89	7.92	7.94	7.97	8.00	8.04	8.11	8.18
5.0	7.98	8.00	8.03	8.06	8.09	8.12	8.16	8.20	8.24	8.34	8.42
6.0	8.13	8.16	8.19	8.22	8.26	8.30	8.35	8.39	8.45	8.56	8.67
7.0	8.28	8.31	8.35	8.39	8.44	8.49	8.54	8.60	8.66	8.80	8.92
8.0	8.44	8.47	8.52	8.57	8.62	8.67	8.73	8.80	8.87	9.03	9.17
9.0	8.59	8.64	8.69	8.74	8.80	8.86	8.93	9.01	9.09	9.27	9.43
10.0	8.75	8.80	8.86	8.92	8.99	9.06	9.13	9.22	9.31	9.51	9.69
11.0	8.92	8.97	9.03	9.10	9.17	9.25	9.34	9.43	9.53	9.76	9.96
12.0	9.08	9.14	9.21	9.28	9.37	9.45	9.54	9.65	9.76	10.01	10.23
13.0	9.25	9.31	9.39	9.47	9.56	9.65	9.76	9.87	9.99	10.26	10.50
14.0	9.42	9.49	9.57	9.66	9.76	9.86	9.97	10.09	10.22	10.52	10.78
15.0	9.59	9.66	9.76	9.85	9.96	10.07	10.19	10.32	10.46	10.78	11.06
16.0	9.76	9.84	9.94	10.05	10.16	10.28	10.41	10.55	10.71	11.05	11.35
17.0	9.94	10.03	10.13	10.25	10.37	10.50	10.63	10.79	10.95	11.32	11.65
18.0	10.12	10.21	10.33	10.45	10.58	10.72	10.86	11.03	11.20	11.60	11.95
19.0	10.30	10.40	10.52	10.65	10.79	10.94	11.10	11.27	11.46	11.89	12.25
20.0	10.49	10.59	10.72	10.86	11.01	11.17	11.33	11.52	11.72	12.17	12.56
21.0	10.67	10.79	10.93	11.07	11.23	11.40	11.58	11.77	11.99	12.47	12.88
22.0	10.87	10.99	11.13	11.29	11.45	11.63	11.82	12.03	12.26	12.77	13.20
23.0	11.06	11.19	11.34	11.51	11.68	11.87	12.07	12.30	12.53	13.07	13.53
24.0	11.26	11.40	11.56	11.73	11.92	12.12	12.33	12.56	12.82	13.38	13.87
25.0	11.46	11.61	11.78	11.96	12.15	12.37	12.59	12.84	13.10	13.70	14.21
26.0	11.67	11.82	12.00	12.19	12.40	12.62	12.86	13.12	13.40	14.02	14.56
27.0	11.87	12.04	12.22	12.43	12.64	12.88	13.13	13.40	13.69	14.35	14.92
28.0	12.09	12.26	12.46	12.67	12.90	13.14	13.40	13.69	14.00	14.69	15.28
29.0	12.30	12.48	12.69	12.91	13.15	13.41	13.69	13.99	14.31	15.03	15.65
30.0	12.52	12.71	12.93	13.16	13.42	13.69	13.97	14.29	14.63	15.39	16.03
31.0	12.75	12.94	13.17	13.42	13.68	13.97	14.27	14.60	14.95	15.75	16.42
32.0	12.98	13.18	13.42	13.68	13.96	14.25	14.57	14.92	15.29	16.12	16.82
33.0	13.21	13.43	13.68	13.95	14.24	14.55	14.88	15.24	15.63	16.49	17.22
34.0	13.45	13.67	13.94	14.22	14.52	14.84	15.19	15.57	15.97	16.88	17.64
35.0	13.69	13.93	14.20	14.50	14.81	15.15	15.51	15.91	16.33	17.27	18.07
36.0	13.94	14.19	14.47	14.78	15.11	15.46	15.84	16.25	16.70	17.68	18.50
37.0	14.20	14.45	14.75	15.07	15.42	15.79	16.18	16.61	17.07	18.09	18.95
38.0	14.45	14.72	15.03	15.37	15.73	16.11	16.53	16.97	17.45	18.52	19.41
39.0	14.72	15.00	15.32	15.67	16.05	16.45	16.88	17.35	17.85	18.95	19.88
40.0	14.99	15.28	15.62	15.99	16.38	16.80	17.24	17.73	18.25	19.40	20.36
41.0	15.27	15.57	15.93	16.31	16.71	17.15	17.62	18.12	18.66	19.86	20.86
42.0	15.55	15.87	16.24	16.63	17.06	17.51	18.00	18.53	19.09	20.33	21.37
43.0	15.84	16.17	16.56	16.97	17.41	17.89	18.39	18.94	19.53	20.82	21.89
44.0	16.14	16.48	16.88	17.31	17.77	18.27	18.80	19.37	19.98	21.32	22.43
45.0	16.45	16.80	17.22	17.67	18.15	18.66	19.21	19.81	20.44	21.83	22.99
46.0	16.76	17.13	17.57	18.03	18.53	19.07	19.64	20.26	20.92	22.36	23.56
47.0	17.08	17.47	17.92	18.41	18.93	19.49	20.08	20.72	21.41	22.91	24.15
48.0	17.41	17.81	18.29	18.79	19.33	19.92	20.53	21.20	21.91	23.47	24.76
49.0	17.75	18.17	18.66	19.19	19.75	20.36	21.00	21.70	22.44	24.05	25.38
50.0	18.10	18.54	19.05	19.60	20.19	20.82	21.49	22.21	22.98	24.66	26.03
52.0	18.83	19.30	19.86	20.45	21.09	21.78	22.50	23.28	24.11	25.92	27.39
54.0	19.60	20.12	20.72	21.37	22.06	22.80	23.59	24.44	25.33	27.28	28.86
56.0	20.43	20.99	21.65	22.35	23.10	23.90	24.76	25.67	26.64	28.74	30.43
58.0	21.31	21.92	22.64	23.40	24.22	25.09	26.02	27.01	28.06	30.32	32.14
60.0	22.26	22.92	23.71	24.54	25.43	26.38	27.39	28.47	29.60	32.04	33.99
62.0	23.28	24.01	24.86	25.78	26.75	27.79	28.89	30.06	31.29	33.92	36.01
64.0	24.39	25.19	26.13	27.12	28.19	29.33	30.53	31.80	33.13	35.98	38.22
66.0	25.61	26.48	27.51	28.61	29.78	31.02	32.34	33.73	35.18	38.26	40.68
68.0	26.94	27.91	29.04	30.25	31.54	32.91	34.35	35.87	37.46	40.80	43.41
70.0	28.42	29.49	30.75	32.09	33.52	35.03	36.61	38.28	40.01	43.65	46.47
⊽φ	PERCENTAGE OF LOAN AMOUNT LEFT UNPAID AT DUE DATE										
	100.0	91.96	83.18	74.41	65.63	56.86	48.09	39.31	30.54	12.99	.00

DISCOUNT %	MONTHLY PAYBACK RATE (%) (MONTHLY PAYMENT DIVIDED BY LOAN AMOUNT)										
	.75	1.00	1.25	1.50	1.75	2.00	2.25	2.50	3.00	3.50	4.00
1.0	7.37	7.44	7.50	7.56	7.62	7.68	7.73	7.79	7.91	8.02	8.14
2.0	7.49	7.62	7.75	7.87	7.99	8.11	8.23	8.34	8.58	8.81	9.03
3.0	7.62	7.81	8.00	8.18	8.37	8.54	8.72	8.90	9.25	9.60	9.95
4.0	7.74	8.01	8.26	8.50	8.75	8.99	9.23	9.47	9.94	10.41	10.87
5.0	7.87	8.20	8.52	8.83	9.14	9.44	9.74	10.04	10.64	11.23	11.81
6.0	8.00	8.40	8.78	9.16	9.53	9.90	10.26	10.63	11.34	12.06	12.76
7.0	8.14	8.61	9.05	9.49	9.93	10.36	10.79	11.22	12.06	12.91	13.73
8.0	8.27	8.81	9.33	9.83	10.34	10.83	11.33	11.82	12.79	13.76	14.71
9.0	8.41	9.02	9.61	10.18	10.75	11.31	11.87	12.43	13.53	14.62	15.71
10.0	8.55	9.23	9.89	10.53	11.17	11.80	12.43	13.05	14.28	15.51	16.72
11.0	8.69	9.45	10.18	10.89	11.59	12.29	12.99	13.68	15.05	16.40	17.75
12.0	8.84	9.67	10.47	11.25	12.03	12.79	13.56	14.32	15.82	17.32	18.79
13.0	8.98	9.89	10.76	11.62	12.47	13.31	14.14	14.97	16.61	18.24	19.86
14.0	9.13	10.12	11.07	11.99	12.91	13.82	14.73	15.63	17.42	19.18	20.94
15.0	9.29	10.35	11.37	12.38	13.37	14.35	15.33	16.30	18.23	20.14	22.04
16.0	9.44	10.59	11.68	12.76	13.83	14.89	15.94	16.99	19.06	21.11	23.15
17.0	9.60	10.83	12.00	13.16	14.30	15.43	16.56	17.68	19.90	22.11	24.29
18.0	9.76	11.07	12.33	13.56	14.78	15.99	17.19	18.39	20.76	23.11	25.45
19.0	9.93	11.32	12.66	13.97	15.27	16.55	17.84	19.11	21.64	24.14	26.62
20.0	10.10	11.58	12.99	14.38	15.76	17.13	18.49	19.84	22.53	25.18	27.82
21.0	10.27	11.83	13.33	14.81	16.27	17.72	19.16	20.59	23.43	26.25	29.04
22.0	10.44	12.10	13.68	15.24	16.78	18.31	19.84	21.35	24.35	27.33	30.28
23.0	10.62	12.37	14.04	15.68	17.31	18.92	20.53	22.12	25.29	28.43	31.55
24.0	10.81	12.64	14.40	16.13	17.84	19.54	21.23	22.91	26.25	29.56	32.84
25.0	10.99	12.92	14.77	16.59	18.39	20.17	21.95	23.72	27.23	30.71	34.16
26.0	11.19	13.21	15.14	17.05	18.94	20.82	22.68	24.54	28.22	31.88	35.50
27.0	11.38	13.50	15.53	17.53	19.51	21.48	23.43	25.38	29.24	33.07	36.87
28.0	11.58	13.80	15.92	18.02	20.09	22.15	24.20	26.23	30.28	34.29	38.26
29.0	11.79	14.10	16.32	18.51	20.68	22.83	24.97	27.11	31.33	35.53	39.69
30.0	12.00	14.41	16.73	19.02	21.28	23.53	25.77	28.00	32.42	36.80	41.15
31.0	12.21	14.73	17.15	19.54	21.90	24.25	26.58	28.91	33.52	38.09	42.63
32.0	12.43	15.06	17.58	20.07	22.53	24.98	27.41	29.84	34.65	39.42	44.15
33.0	12.66	15.39	18.02	20.61	23.18	25.73	28.26	30.79	35.80	40.77	45.71
34.0	12.89	15.73	18.47	21.16	23.84	26.49	29.13	31.76	36.98	42.16	47.30
35.0	13.13	16.08	18.93	21.73	24.51	27.27	30.02	32.75	38.18	43.57	48.92
36.0	13.37	16.44	19.40	22.31	25.20	28.07	30.93	33.77	39.42	45.02	50.59
37.0	13.62	16.81	19.88	22.91	25.91	28.89	31.86	34.81	40.68	46.51	52.29
38.0	13.88	17.18	20.37	23.52	26.63	29.73	32.81	35.88	41.98	48.03	54.04
39.0	14.14	17.57	20.88	24.14	27.38	30.59	33.79	36.98	43.31	49.59	55.83
40.0	14.42	17.97	21.40	24.78	28.14	31.47	34.79	38.10	44.67	51.18	57.66
41.0	14.70	18.38	21.93	25.44	28.92	32.38	35.82	39.25	46.06	52.82	59.54
42.0	14.99	18.80	22.48	26.12	29.73	33.31	36.88	40.43	47.50	54.51	61.47
43.0	15.28	19.23	23.05	26.81	30.55	34.27	37.96	41.65	48.97	56.24	63.46
44.0	15.59	19.67	23.63	27.53	31.40	35.25	39.08	42.89	50.48	58.01	65.50
45.0	15.91	20.13	24.22	28.26	32.27	36.26	40.23	44.18	52.03	59.84	67.59
46.0	16.24	20.60	24.84	29.02	33.17	37.30	41.41	45.50	53.63	61.72	69.75
47.0	16.57	21.09	25.47	29.80	34.09	38.37	42.62	46.86	55.28	63.65	71.97
48.0	16.92	21.59	26.13	30.60	35.05	39.47	43.87	48.26	56.98	65.64	74.26
49.0	17.29	22.11	26.80	31.43	36.03	40.61	45.16	49.70	58.73	67.70	76.62
50.0	17.66	22.65	27.50	32.29	37.05	41.78	46.49	51.19	60.53	69.81	79.05
51.0	18.05	23.20	28.22	33.17	38.09	42.99	47.87	52.73	62.39	72.00	81.56
52.0	18.45	23.78	28.96	34.09	39.18	44.24	49.29	54.32	64.32	74.26	84.15
53.0	18.87	24.37	29.73	35.03	40.30	45.54	50.76	55.96	66.31	76.60	86.84
54.0	19.31	24.99	30.53	36.01	41.46	46.88	52.28	57.66	68.37	79.02	89.61
55.0	19.76	25.63	31.36	37.03	42.66	48.27	53.86	59.42	70.50	81.52	92.49
56.0	20.24	26.30	32.22	38.09	43.91	49.71	55.49	61.25	72.72	84.12	95.47
57.0	20.73	27.00	33.12	39.18	45.21	51.21	57.19	63.15	75.01	86.82	98.57
58.0	21.25	27.72	34.05	40.32	46.56	52.77	58.95	65.12	77.40	89.62	101.78
59.0	21.79	28.48	35.02	41.51	47.96	54.39	60.79	67.17	79.88	92.53	105.13
60.0	22.35	29.26	36.04	42.75	49.43	56.07	62.70	69.31	82.47	95.57	108.61
	NUMBER OF MONTHLY PAYMENTS NEEDED TO PAY OFF LOAN										
	271.9	153.9	109.6	85.6	70.3	59.7	51.9	45.9	37.3	31.5	27.2

MONTHLY PAYBACK RATE (%)
(MONTHLY PAYMENT DIVIDED BY LOAN AMOUNT)

DISCOUNT %	.62	1.00	1.50	2.00	3.00	4.00	5.00	6.00	7.00	8.00	8.68
.5	8.02	8.03	8.05	8.07	8.10	8.14	8.19	8.24	8.31	8.38	8.44
1.0	8.55	8.57	8.60	8.63	8.71	8.79	8.88	8.99	9.12	9.27	9.39
1.5	9.07	9.11	9.16	9.21	9.31	9.44	9.58	9.75	9.94	10.17	10.35
2.0	9.60	9.65	9.71	9.78	9.93	10.09	10.28	10.51	10.76	11.07	11.31
2.5	10.14	10.20	10.28	10.36	10.54	10.75	10.99	11.27	11.60	11.98	12.28
3.0	10.68	10.74	10.84	10.94	11.16	11.42	11.70	12.04	12.43	12.90	13.26
3.5	11.22	11.30	11.41	11.53	11.79	12.08	12.42	12.81	13.27	13.82	14.25
4.0	11.76	11.85	11.98	12.12	12.41	12.75	13.14	13.60	14.12	14.75	15.24
4.5	12.30	12.41	12.55	12.71	13.05	13.43	13.87	14.38	14.98	15.69	16.24
5.0	12.85	12.97	13.13	13.31	13.68	14.11	14.60	15.17	15.84	16.63	17.25
5.5	13.41	13.54	13.71	13.91	14.32	14.80	15.34	15.97	16.71	17.58	18.27
6.0	13.96	14.10	14.30	14.51	14.97	15.49	16.08	16.77	17.58	18.54	19.29
6.5	14.52	14.68	14.89	15.12	15.61	16.18	16.83	17.58	18.46	19.50	20.32
7.0	15.08	15.25	15.48	15.73	16.27	16.88	17.58	18.40	19.35	20.48	21.36
7.5	15.65	15.83	16.08	16.34	16.92	17.58	18.34	19.22	20.24	21.46	22.41
8.0	16.22	16.41	16.68	16.96	17.58	18.29	19.10	20.04	21.14	22.44	23.47
8.5	16.79	17.00	17.28	17.59	18.25	19.01	19.87	20.88	22.05	23.44	24.53
9.0	17.37	17.59	17.89	18.21	18.92	19.72	20.65	21.72	22.97	24.44	25.60
9.5	17.95	18.18	18.50	18.84	19.59	20.45	21.43	22.56	23.89	25.46	26.69
10.0	18.53	18.78	19.12	19.48	20.27	21.18	22.21	23.41	24.82	26.48	27.78
10.5	19.12	19.38	19.74	20.12	20.96	21.91	23.01	24.27	25.75	27.50	28.88
11.0	19.71	19.98	20.36	20.76	21.64	22.65	23.80	25.14	26.70	28.54	29.99
11.5	20.30	20.59	20.99	21.41	22.34	23.39	24.61	26.01	27.65	29.59	31.10
12.0	20.90	21.20	21.62	22.06	23.04	24.14	25.42	26.89	28.61	30.64	32.23
12.5	21.50	21.82	22.25	22.72	23.74	24.90	26.23	27.77	29.57	31.70	33.37
13.0	22.11	22.44	22.89	23.38	24.45	25.66	27.05	28.67	30.55	32.77	34.51
13.5	22.72	23.06	23.54	24.04	25.16	26.43	27.88	29.56	31.53	33.85	35.67
14.0	23.33	23.69	24.19	24.71	25.88	27.20	28.72	30.47	32.52	34.94	36.84
14.5	23.95	24.32	24.84	25.39	26.60	27.98	29.56	31.39	33.52	36.04	38.01
15.0	24.57	24.96	25.49	26.07	27.33	28.76	30.40	32.31	34.53	37.15	39.20
15.5	25.19	25.60	26.16	26.75	28.06	29.55	31.26	33.23	35.54	38.27	40.39
16.0	25.82	26.24	26.82	27.44	28.80	30.34	32.12	34.17	36.57	39.40	41.60
16.5	26.46	26.89	27.49	28.13	29.54	31.15	32.99	35.12	37.60	40.53	42.82
17.0	27.10	27.54	28.17	28.83	30.29	31.95	33.86	36.07	38.64	41.68	44.05
17.5	27.74	28.20	28.85	29.54	31.05	32.77	34.74	37.03	39.69	42.84	45.29
18.0	28.38	28.86	29.53	30.24	31.81	33.59	35.63	37.99	40.75	44.01	46.54
18.5	29.04	29.53	30.22	30.96	32.57	34.41	36.53	38.97	41.82	45.18	47.80
19.0	29.69	30.20	30.92	31.68	33.34	35.25	37.43	39.96	42.90	46.37	49.08
19.5	30.35	30.88	31.62	32.40	34.12	36.09	38.34	40.95	43.99	47.57	50.36
20.0	31.02	31.56	32.32	33.13	34.91	36.93	39.26	41.95	45.09	48.78	51.66
20.5	31.68	32.25	33.03	33.86	35.70	37.79	40.18	42.96	46.20	50.01	52.97
21.0	32.36	32.94	33.74	34.60	36.49	38.65	41.12	43.98	47.32	51.24	54.29
21.5	33.04	33.63	34.46	35.35	37.30	39.51	42.06	45.01	48.44	52.49	55.63
22.0	33.72	34.33	35.19	36.10	38.10	40.39	43.01	46.04	49.58	53.74	56.97
22.5	34.41	35.04	35.92	36.86	38.92	41.27	43.97	47.09	50.73	55.01	58.34
23.0	35.10	35.75	36.66	37.62	39.74	42.16	44.93	48.15	51.89	56.29	59.71
23.5	35.80	36.47	37.40	38.39	40.57	43.05	45.91	49.21	53.06	57.59	61.10
24.0	36.50	37.19	38.15	39.16	41.40	43.96	46.89	50.29	54.25	58.89	62.50
24.5	37.21	37.92	38.90	39.94	42.25	44.87	47.89	51.37	55.44	60.21	63.91
25.0	37.93	38.65	39.66	40.73	43.09	45.79	48.89	52.47	56.65	61.54	65.34
25.5	38.65	39.39	40.42	41.52	43.95	46.72	49.90	53.58	57.86	62.89	66.79
26.0	39.37	40.13	41.19	42.32	44.81	47.65	50.92	54.69	59.09	64.25	68.24
26.5	40.10	40.88	41.97	43.13	45.68	48.60	51.95	55.82	60.33	65.62	69.72
27.0	40.84	41.63	42.75	43.94	46.56	49.55	52.98	56.96	61.59	67.01	71.21
27.5	41.58	42.40	43.54	44.76	47.45	50.51	54.03	58.11	62.85	68.41	72.71
28.0	42.32	43.16	44.34	45.59	48.34	51.48	55.09	59.27	64.13	69.83	74.23
28.5	43.08	43.94	45.14	46.42	49.24	52.46	56.16	60.44	65.42	71.26	75.77
29.0	43.84	44.71	45.95	47.26	50.15	53.45	57.24	61.62	66.73	72.70	77.32
29.5	44.60	45.50	46.76	48.11	51.06	54.44	58.32	62.82	68.05	74.16	78.89
30.0	45.37	46.29	47.58	48.96	51.99	55.45	59.42	64.02	69.38	75.64	80.48

PERCENTAGE OF LOAN AMOUNT LEFT UNPAID AT DUE DATE

	.62	1.00	1.50	2.00	3.00	4.00	5.00	6.00	7.00	8.00	8.68
	100.0	95.34	89.13	82.92	70.50	58.08	45.66	33.24	20.81	8.39	.00

DISCOUNT %	MONTHLY PAYBACK RATE (%) (MONTHLY PAYMENT DIVIDED BY LOAN AMOUNT)										
	.62	.75	1.00	1.25	1.50	2.00	2.50	3.00	3.50	4.00	4.50
.5	7.77	7.77	7.78	7.79	7.80	7.82	7.85	7.88	7.91	7.95	8.00
1.0	8.04	8.05	8.07	8.09	8.11	8.15	8.20	8.25	8.32	8.40	8.50
1.5	8.32	8.33	8.35	8.38	8.41	8.47	8.55	8.63	8.73	8.85	9.00
2.0	8.59	8.61	8.64	8.68	8.72	8.80	8.90	9.02	9.15	9.31	9.51
2.5	8.87	8.89	8.93	8.98	9.03	9.13	9.26	9.40	9.57	9.77	10.02
3.0	9.15	9.17	9.22	9.28	9.34	9.47	9.62	9.79	9.99	10.24	10.53
3.5	9.43	9.46	9.52	9.58	9.65	9.80	9.98	10.18	10.42	10.71	11.05
4.0	9.71	9.74	9.81	9.89	9.96	10.14	10.34	10.57	10.85	11.18	11.57
4.5	9.99	10.03	10.11	10.19	10.28	10.48	10.71	10.97	11.28	11.65	12.10
5.0	10.28	10.32	10.41	10.50	10.60	10.82	11.07	11.37	11.72	12.13	12.63
5.5	10.56	10.61	10.71	10.81	10.92	11.16	11.44	11.77	12.15	12.61	13.16
6.0	10.85	10.90	11.01	11.12	11.24	11.51	11.82	12.18	12.60	13.10	13.70
6.5	11.14	11.20	11.31	11.44	11.57	11.86	12.19	12.58	13.04	13.58	14.24
7.0	11.43	11.49	11.62	11.75	11.89	12.21	12.57	12.99	13.49	14.08	14.79
7.5	11.72	11.79	11.92	12.07	12.22	12.56	12.95	13.41	13.94	14.57	15.34
8.0	12.02	12.09	12.23	12.39	12.55	12.92	13.33	13.82	14.39	15.07	15.89
8.5	12.32	12.39	12.55	12.71	12.89	13.27	13.72	14.24	14.85	15.58	16.45
9.0	12.61	12.69	12.86	13.03	13.22	13.63	14.11	14.66	15.31	16.08	17.01
9.5	12.91	13.00	13.17	13.36	13.56	14.00	14.50	15.09	15.78	16.60	17.58
10.0	13.22	13.31	13.49	13.69	13.90	14.36	14.89	15.52	16.24	17.11	18.15
10.5	13.52	13.61	13.81	14.02	14.24	14.73	15.29	15.95	16.72	17.63	18.73
11.0	13.83	13.93	14.13	14.35	14.58	15.10	15.69	16.38	17.19	18.15	19.31
11.5	14.13	14.24	14.45	14.68	14.93	15.47	16.09	16.82	17.67	18.68	19.90
12.0	14.44	14.55	14.78	15.02	15.28	15.85	16.50	17.26	18.15	19.21	20.49
12.5	14.75	14.87	15.11	15.36	15.63	16.22	16.91	17.70	18.64	19.75	21.09
13.0	15.07	15.19	15.44	15.70	15.98	16.60	17.32	18.15	19.13	20.29	21.69
13.5	15.38	15.51	15.77	16.04	16.34	16.99	17.73	18.60	19.62	20.84	22.29
14.0	15.70	15.83	16.10	16.39	16.69	17.37	18.15	19.06	20.12	21.39	22.90
14.5	16.02	16.16	16.44	16.74	17.05	17.76	18.57	19.52	20.63	21.94	23.52
15.0	16.34	16.48	16.77	17.09	17.42	18.15	19.00	19.98	21.13	22.50	24.14
15.5	16.67	16.81	17.11	17.44	17.78	18.54	19.42	20.44	21.64	23.06	24.76
16.0	16.99	17.14	17.46	17.79	18.15	18.94	19.85	20.91	22.16	23.63	25.40
16.5	17.32	17.48	17.80	18.15	18.52	19.34	20.29	21.39	22.68	24.20	26.03
17.0	17.65	17.81	18.15	18.51	18.89	19.74	20.72	21.86	23.20	24.78	26.68
17.5	17.98	18.15	18.50	18.87	19.27	20.15	21.17	22.34	23.73	25.36	27.32
18.0	18.32	18.49	18.85	19.24	19.65	20.56	21.61	22.83	24.26	25.95	27.98
18.5	18.65	18.83	19.21	19.60	20.03	20.97	22.06	23.32	24.80	26.55	28.64
19.0	18.99	19.18	19.56	19.97	20.41	21.39	22.51	23.81	25.34	27.14	29.30
19.5	19.33	19.52	19.92	20.35	20.80	21.81	22.96	24.31	25.88	27.75	29.97
20.0	19.68	19.87	20.28	20.72	21.19	22.23	23.42	24.81	26.43	28.36	30.65
21.0	20.37	20.58	21.02	21.48	21.98	23.08	24.35	25.82	27.55	29.59	32.03
22.0	21.07	21.30	21.76	22.25	22.78	23.95	25.29	26.85	28.69	30.85	33.43
23.0	21.79	22.02	22.51	23.03	23.59	24.83	26.25	27.90	29.84	32.13	34.85
24.0	22.51	22.76	23.28	23.83	24.42	25.72	27.23	28.97	31.02	33.44	36.31
25.0	23.25	23.51	24.05	24.64	25.26	26.63	28.22	30.06	32.22	34.77	37.79
26.0	23.99	24.27	24.84	25.45	26.11	27.56	29.23	31.17	33.44	36.12	39.30
27.0	24.75	25.04	25.64	26.29	26.97	28.50	30.26	32.30	34.69	37.51	40.84
28.0	25.52	25.82	26.46	27.13	27.85	29.46	31.30	33.45	35.96	38.92	42.41
29.0	26.30	26.62	27.28	27.99	28.75	30.43	32.37	34.62	37.26	40.36	44.02
30.0	27.09	27.43	28.12	28.87	29.66	31.42	33.46	35.82	38.58	41.83	45.66
31.0	27.90	28.25	28.98	29.75	30.59	32.43	34.56	37.04	39.93	43.33	47.34
32.0	28.72	29.08	29.84	30.66	31.53	33.46	35.69	38.28	41.31	44.86	49.05
33.0	29.55	29.93	30.73	31.58	32.49	34.51	36.84	39.55	42.72	46.43	50.80
34.0	30.39	30.79	31.62	32.51	33.46	35.58	38.01	40.85	44.16	48.03	52.59
35.0	31.25	31.67	32.54	33.47	34.46	36.67	39.21	42.17	45.63	49.67	54.42
36.0	32.13	32.56	33.47	34.44	35.47	37.78	40.43	43.52	47.13	51.35	56.30
37.0	33.02	33.47	34.42	35.43	36.51	38.91	41.68	44.91	48.67	53.07	58.22
38.0	33.93	34.40	35.38	36.43	37.56	40.07	42.96	46.32	50.24	54.83	60.18
39.0	34.85	35.34	36.36	37.46	38.64	41.25	44.26	47.77	51.86	56.63	62.20
40.0	35.79	36.30	37.37	38.51	39.73	42.45	45.60	49.25	53.51	58.48	64.27
▽◁	PERCENTAGE OF LOAN AMOUNT LEFT UNPAID AT DUE DATE										
	100.0	96.77	90.32	83.87	77.42	64.52	51.61	38.71	25.81	12.90	.00

DISCOUNT %	MONTHLY PAYBACK RATE (%) (MONTHLY PAYMENT DIVIDED BY LOAN AMOUNT)										
	.62	.75	1.00	1.25	1.50	1.75	2.00	2.25	2.50	2.75	3.11
.5	7.69	7.69	7.70	7.71	7.72	7.73	7.75	7.77	7.78	7.80	7.84
1.0	7.87	7.88	7.90	7.92	7.95	7.97	8.00	8.03	8.07	8.11	8.18
1.5	8.06	8.08	8.11	8.14	8.17	8.21	8.25	8.30	8.36	8.42	8.53
2.0	8.25	8.27	8.31	8.35	8.40	8.45	8.51	8.57	8.64	8.73	8.87
2.5	8.45	8.47	8.52	8.57	8.63	8.69	8.76	8.84	8.94	9.04	9.22
3.0	8.64	8.67	8.72	8.79	8.85	8.93	9.02	9.12	9.23	9.36	9.58
3.5	8.83	8.86	8.93	9.00	9.09	9.18	9.28	9.39	9.52	9.67	9.93
4.0	9.03	9.06	9.14	9.22	9.32	9.42	9.54	9.67	9.82	9.99	10.29
4.5	9.22	9.26	9.35	9.45	9.55	9.67	9.80	9.95	10.12	10.31	10.65
5.0	9.42	9.46	9.56	9.67	9.79	9.92	10.07	10.23	10.42	10.64	11.01
5.5	9.62	9.67	9.77	9.89	10.02	10.17	10.33	10.52	10.72	10.96	11.37
6.0	9.82	9.87	9.99	10.12	10.26	10.42	10.60	10.80	11.03	11.29	11.74
6.5	10.02	10.08	10.20	10.35	10.50	10.68	10.87	11.09	11.34	11.62	12.11
7.0	10.22	10.28	10.42	10.57	10.74	10.93	11.14	11.38	11.65	11.96	12.49
7.5	10.42	10.49	10.64	10.80	10.99	11.19	11.42	11.67	11.96	12.29	12.86
8.0	10.62	10.70	10.86	11.04	11.23	11.45	11.69	11.97	12.28	12.63	13.24
8.5	10.83	10.91	11.08	11.27	11.48	11.71	11.97	12.26	12.59	12.97	13.62
9.0	11.04	11.12	11.30	11.50	11.73	11.97	12.25	12.56	12.91	13.32	14.01
9.5	11.24	11.34	11.53	11.74	11.97	12.24	12.53	12.86	13.24	13.66	14.40
10.0	11.45	11.55	11.75	11.98	12.23	12.50	12.81	13.16	13.56	14.01	14.79
11.0	11.88	11.98	12.21	12.46	12.73	13.04	13.39	13.78	14.22	14.72	15.58
12.0	12.30	12.42	12.67	12.94	13.25	13.59	13.97	14.40	14.88	15.44	16.39
13.0	12.74	12.86	13.14	13.44	13.77	14.14	14.56	15.03	15.56	16.17	17.20
14.0	13.17	13.31	13.61	13.94	14.30	14.71	15.16	15.67	16.25	16.91	18.03
15.0	13.62	13.77	14.09	14.45	14.84	15.28	15.77	16.32	16.95	17.66	18.88
16.0	14.07	14.23	14.58	14.96	15.38	15.86	16.39	16.98	17.66	18.43	19.74
17.0	14.52	14.70	15.07	15.48	15.94	16.45	17.02	17.66	18.38	19.21	20.61
18.0	14.98	15.17	15.57	16.01	16.50	17.04	17.65	18.34	19.12	20.00	21.50
19.0	15.45	15.65	16.08	16.55	17.07	17.65	18.30	19.03	19.86	20.81	22.41
20.0	15.93	16.14	16.59	17.09	17.65	18.27	18.96	19.74	20.62	21.63	23.33
21.0	16.41	16.63	17.12	17.65	18.24	18.90	19.63	20.46	21.40	22.46	24.27
22.0	16.90	17.14	17.65	18.21	18.84	19.53	20.31	21.19	22.19	23.31	25.23
23.0	17.39	17.65	18.19	18.78	19.44	20.18	21.01	21.94	22.99	24.18	26.20
24.0	17.90	18.16	18.73	19.36	20.06	20.84	21.72	22.70	23.81	25.06	27.19
25.0	18.41	18.69	19.29	19.95	20.69	21.51	22.43	23.47	24.64	25.96	28.21
26.0	18.92	19.22	19.85	20.55	21.33	22.20	23.17	24.26	25.49	26.88	29.24
27.0	19.45	19.76	20.43	21.16	21.98	22.89	23.91	25.06	26.35	27.82	30.29
28.0	19.98	20.31	21.01	21.78	22.64	23.60	24.67	25.88	27.23	28.77	31.37
29.0	20.53	20.87	21.60	22.41	23.31	24.32	25.44	26.71	28.13	29.75	32.46
30.0	21.08	21.43	22.20	23.05	24.00	25.05	26.23	27.56	29.05	30.74	33.58
31.0	21.64	22.01	22.82	23.71	24.70	25.80	27.04	28.43	29.99	31.76	34.73
32.0	22.20	22.60	23.44	24.37	25.41	26.56	27.86	29.31	30.95	32.80	35.90
33.0	22.78	23.19	24.07	25.05	26.13	27.34	28.69	30.21	31.93	33.86	37.09
34.0	23.37	23.80	24.72	25.74	26.87	28.13	29.55	31.14	32.93	34.94	38.31
35.0	23.97	24.42	25.38	26.44	27.62	28.94	30.42	32.08	33.95	36.05	39.56
36.0	24.58	25.05	26.05	27.16	28.39	29.77	31.31	33.04	34.99	37.18	40.84
37.0	25.20	25.68	26.73	27.89	29.18	30.62	32.22	34.03	36.06	38.35	42.15
38.0	25.83	26.34	27.43	28.63	29.98	31.48	33.16	35.04	37.16	39.54	43.50
39.0	26.47	27.00	28.14	29.39	30.80	32.36	34.11	36.07	38.28	40.76	44.87
40.0	27.13	27.68	28.86	30.17	31.63	33.26	35.08	37.13	39.43	42.00	46.28
41.0	27.80	28.37	29.60	30.96	32.48	34.18	36.08	38.21	40.60	43.29	47.73
42.0	28.48	29.07	30.35	31.77	33.36	35.13	37.10	39.32	41.81	44.60	49.22
43.0	29.17	29.79	31.12	32.60	34.25	36.09	38.15	40.46	43.05	45.95	50.74
44.0	29.88	30.52	31.91	33.45	35.16	37.08	39.23	41.63	44.32	47.34	52.31
45.0	30.60	31.27	32.71	34.31	36.10	38.10	40.33	42.83	45.63	48.76	53.92
46.0	31.34	32.03	33.53	35.20	37.06	39.14	41.46	44.06	46.98	50.23	55.58
47.0	32.09	32.82	34.37	36.11	38.04	40.20	42.62	45.33	48.36	51.74	57.29
48.0	32.86	33.61	35.23	37.04	39.05	41.30	43.82	46.63	49.78	53.30	59.05
49.0	33.65	34.43	36.12	37.99	40.08	42.42	45.04	47.97	51.25	54.90	60.86
50.0	34.46	35.27	37.02	38.97	41.15	43.58	46.31	49.35	52.76	56.55	62.73
▽∅	PERCENTAGE OF LOAN AMOUNT LEFT UNPAID AT DUE DATE										
	100.0	94.97	84.91	74.86	64.80	54.74	44.68	34.62	24.57	14.51	.00

DISCOUNT %	MONTHLY PAYBACK RATE (%) (MONTHLY PAYMENT DIVIDED BY LOAN AMOUNT)										
	.62	.70	.80	1.00	1.20	1.40	1.60	1.80	2.00	2.20	2.42
.5	7.64	7.65	7.65	7.66	7.67	7.68	7.69	7.70	7.72	7.74	7.76
1.0	7.79	7.80	7.80	7.82	7.84	7.86	7.88	7.91	7.94	7.97	8.02
1.5	7.94	7.95	7.96	7.98	8.01	8.04	8.08	8.12	8.16	8.21	8.28
2.0	8.09	8.10	8.11	8.15	8.18	8.23	8.27	8.32	8.39	8.46	8.55
2.5	8.23	8.25	8.27	8.31	8.36	8.41	8.47	8.53	8.61	8.70	8.82
3.0	8.38	8.40	8.43	8.48	8.53	8.60	8.67	8.75	8.84	8.95	9.09
3.5	8.53	8.56	8.58	8.64	8.71	8.78	8.87	8.96	9.07	9.19	9.36
4.0	8.69	8.71	8.74	8.81	8.89	8.97	9.07	9.17	9.30	9.44	9.63
4.5	8.84	8.87	8.90	8.98	9.06	9.16	9.27	9.39	9.53	9.70	9.91
5.0	8.99	9.02	9.06	9.15	9.24	9.35	9.47	9.61	9.77	9.95	10.18
5.5	9.15	9.18	9.22	9.32	9.42	9.54	9.68	9.83	10.00	10.20	10.46
6.0	9.30	9.34	9.38	9.49	9.60	9.74	9.88	10.05	10.24	10.46	10.74
6.5	9.46	9.50	9.55	9.66	9.79	9.93	10.09	10.27	10.48	10.72	11.03
7.0	9.61	9.66	9.71	9.83	9.97	10.13	10.30	10.49	10.72	10.98	11.31
7.5	9.77	9.82	9.88	10.01	10.16	10.32	10.51	10.72	10.96	11.24	11.60
8.0	9.93	9.98	10.04	10.19	10.34	10.52	10.72	10.95	11.21	11.51	11.89
8.5	10.09	10.14	10.21	10.36	10.53	10.72	10.93	11.17	11.45	11.77	12.18
9.0	10.25	10.31	10.38	10.54	10.72	10.92	11.15	11.40	11.70	12.04	12.48
9.5	10.41	10.47	10.55	10.72	10.91	11.12	11.36	11.64	11.95	12.31	12.78
10.0	10.58	10.64	10.72	10.90	11.10	11.33	11.58	11.87	12.20	12.59	13.07
11.0	10.90	10.97	11.06	11.27	11.49	11.74	12.02	12.34	12.71	13.14	13.68
12.0	11.24	11.31	11.41	11.64	11.88	12.16	12.47	12.82	13.23	13.70	14.30
13.0	11.57	11.66	11.77	12.01	12.28	12.58	12.93	13.31	13.76	14.27	14.92
14.0	11.92	12.00	12.13	12.39	12.68	13.01	13.39	13.81	14.29	14.85	15.56
15.0	12.26	12.36	12.49	12.78	13.09	13.45	13.86	14.31	14.84	15.44	16.20
16.0	12.61	12.72	12.86	13.17	13.51	13.90	14.33	14.82	15.39	16.04	16.86
17.0	12.97	13.08	13.23	13.56	13.93	14.35	14.81	15.34	15.95	16.65	17.53
18.0	13.33	13.45	13.61	13.97	14.36	14.80	15.31	15.87	16.52	17.27	18.21
19.0	13.69	13.82	14.00	14.37	14.80	15.27	15.80	16.41	17.10	17.90	18.90
20.0	14.06	14.20	14.39	14.79	15.24	15.74	16.31	16.96	17.70	18.54	19.61
21.0	14.44	14.58	14.78	15.21	15.69	16.22	16.83	17.51	18.30	19.19	20.33
22.0	14.82	14.97	15.18	15.64	16.14	16.71	17.35	18.08	18.91	19.86	21.06
23.0	15.21	15.37	15.59	16.07	16.61	17.21	17.89	18.66	19.53	20.54	21.80
24.0	15.60	15.77	16.01	16.51	17.08	17.71	18.43	19.24	20.17	21.23	22.56
25.0	16.00	16.18	16.43	16.96	17.56	18.23	18.99	19.84	20.82	21.93	23.34
26.0	16.41	16.59	16.85	17.42	18.05	18.75	19.55	20.45	21.48	22.65	24.13
27.0	16.82	17.01	17.29	17.88	18.54	19.28	20.12	21.07	22.15	23.38	24.93
28.0	17.23	17.44	17.73	18.35	19.05	19.83	20.71	21.70	22.84	24.13	25.76
29.0	17.66	17.88	18.18	18.83	19.56	20.38	21.30	22.35	23.54	24.90	26.60
30.0	18.09	18.32	18.63	19.32	20.08	20.94	21.91	23.01	24.26	25.67	27.45
31.0	18.53	18.77	19.10	19.81	20.62	21.52	22.53	23.68	24.99	26.47	28.33
32.0	18.98	19.22	19.57	20.32	21.16	22.10	23.16	24.37	25.73	27.28	29.22
33.0	19.43	19.69	20.05	20.84	21.71	22.70	23.81	25.07	26.50	28.12	30.14
34.0	19.89	20.16	20.54	21.36	22.28	23.31	24.47	25.78	27.27	28.97	31.07
35.0	20.36	20.64	21.04	21.89	22.85	23.93	25.14	26.51	28.07	29.84	32.03
36.0	20.84	21.13	21.55	22.44	23.44	24.56	25.83	27.26	28.89	30.73	33.01
37.0	21.33	21.63	22.06	23.00	24.04	25.21	26.53	28.03	29.72	31.64	34.01
38.0	21.82	22.14	22.59	23.56	24.65	25.87	27.25	28.81	30.58	32.57	35.04
39.0	22.33	22.66	23.13	24.14	25.28	26.55	27.99	29.61	31.45	33.53	36.10
40.0	22.84	23.19	23.68	24.73	25.91	27.24	28.74	30.43	32.35	34.51	37.18
41.0	23.37	23.73	24.24	25.34	26.57	27.95	29.51	31.27	33.27	35.51	38.28
42.0	23.90	24.28	24.81	25.95	27.24	28.68	30.30	32.14	34.21	36.55	39.42
43.0	24.45	24.84	25.39	26.58	27.92	29.42	31.11	33.02	35.18	37.61	40.59
44.0	25.01	25.42	25.99	27.23	28.62	30.18	31.94	33.93	36.18	38.70	41.79
45.0	25.58	26.00	26.60	27.89	29.33	30.96	32.80	34.86	37.20	39.82	43.03
46.0	26.16	26.60	27.22	28.56	30.07	31.76	33.67	35.82	38.25	40.97	44.30
47.0	26.76	27.22	27.86	29.25	30.82	32.58	34.57	36.81	39.33	42.16	45.61
48.0	27.36	27.84	28.51	29.96	31.59	33.43	35.50	37.82	40.45	43.38	46.96
49.0	27.99	28.48	29.18	30.69	32.39	34.30	36.45	38.87	41.59	44.66	48.35
50.0	28.63	29.14	29.86	31.43	33.20	35.19	37.43	39.94	42.78	45.94	49.78
⌀	PERCENTAGE OF LOAN AMOUNT LEFT UNPAID AT DUE DATE										
	100.0	95.82	90.24	79.08	67.93	56.77	45.62	34.46	23.31	12.15	.00

DISCOUNT %	MONTHLY PAYBACK RATE (%) (MONTHLY PAYMENT DIVIDED BY LOAN AMOUNT)										
	.62	.70	.80	.90	1.00	1.10	1.20	1.40	1.60	1.80	2.00
.5	7.62	7.62	7.63	7.63	7.64	7.64	7.65	7.66	7.67	7.69	7.71
1.0	7.74	7.75	7.76	7.76	7.77	7.78	7.79	7.82	7.85	7.88	7.92
1.5	7.86	7.87	7.87	7.90	7.91	7.93	7.94	7.98	8.02	8.07	8.14
2.0	7.99	8.00	8.01	8.03	8.05	8.07	8.09	8.14	8.20	8.27	8.35
2.5	8.11	8.12	8.15	8.17	8.19	8.22	8.24	8.31	8.38	8.46	8.57
3.0	8.23	8.25	8.28	8.30	8.33	8.36	8.40	8.47	8.56	8.66	8.79
3.5	8.36	8.38	8.41	8.44	8.47	8.51	8.55	8.64	8.74	8.86	9.01
4.0	8.48	8.51	8.54	8.58	8.62	8.66	8.70	8.80	8.92	9.06	9.23
4.5	8.61	8.64	8.68	8.72	8.76	8.81	8.86	8.97	9.10	9.26	9.46
5.0	8.74	8.77	8.81	8.85	8.90	8.96	9.01	9.14	9.29	9.46	9.68
5.5	8.86	8.90	8.95	9.00	9.05	9.11	9.17	9.31	9.47	9.67	9.91
6.0	8.99	9.03	9.08	9.14	9.20	9.26	9.33	9.48	9.66	9.87	10.14
6.5	9.12	9.16	9.22	9.28	9.34	9.41	9.49	9.65	9.85	10.08	10.37
7.0	9.25	9.30	9.36	9.42	9.49	9.57	9.65	9.83	10.04	10.29	10.60
7.5	9.38	9.43	9.50	9.57	9.64	9.72	9.81	10.00	10.23	10.50	10.84
8.0	9.52	9.57	9.64	9.71	9.79	9.88	9.97	10.18	10.42	10.71	11.07
8.5	9.65	9.70	9.78	9.86	9.94	10.03	10.13	10.36	10.62	10.93	11.31
9.0	9.78	9.84	9.92	10.00	10.10	10.19	10.30	10.54	10.81	11.14	11.55
9.5	9.92	9.98	10.06	10.15	10.25	10.35	10.46	10.72	11.01	11.36	11.79
10.0	10.05	10.12	10.21	10.30	10.40	10.51	10.63	10.90	11.21	11.58	12.04
11.0	10.32	10.40	10.50	10.60	10.72	10.84	10.97	11.26	11.61	12.02	12.53
12.0	10.60	10.68	10.79	10.91	11.03	11.17	11.31	11.64	12.02	12.47	13.03
13.0	10.88	10.97	11.09	11.21	11.35	11.50	11.66	12.02	12.43	12.93	13.54
14.0	11.17	11.26	11.39	11.53	11.68	11.84	12.01	12.40	12.86	13.40	14.06
15.0	11.45	11.55	11.70	11.85	12.01	12.18	12.37	12.79	13.28	13.87	14.59
16.0	11.75	11.85	12.01	12.17	12.35	12.53	12.73	13.19	13.72	14.35	15.12
17.0	12.04	12.16	12.32	12.50	12.69	12.89	13.10	13.59	14.16	14.84	15.67
18.0	12.34	12.47	12.64	12.83	13.03	13.25	13.48	14.00	14.61	15.34	16.22
19.0	12.65	12.78	12.97	13.17	13.38	13.61	13.86	14.42	15.07	15.84	16.78
20.0	12.95	13.10	13.30	13.51	13.74	13.98	14.25	14.84	15.54	16.36	17.36
21.0	13.27	13.42	13.63	13.86	14.10	14.36	14.64	15.27	16.01	16.88	17.94
22.0	13.58	13.75	13.97	14.21	14.47	14.74	15.04	15.71	16.49	17.42	18.54
23.0	13.91	14.08	14.32	14.57	14.84	15.13	15.45	16.16	16.99	17.96	19.15
24.0	14.24	14.41	14.67	14.93	15.22	15.53	15.87	16.61	17.49	18.52	19.77
25.0	14.57	14.76	15.02	15.30	15.61	15.93	16.29	17.08	18.00	19.08	20.40
26.0	14.91	15.10	15.38	15.68	16.00	16.35	16.72	17.55	18.52	19.66	21.04
27.0	15.25	15.46	15.75	16.06	16.40	16.76	17.15	18.03	19.05	20.25	21.70
28.0	15.60	15.82	16.13	16.45	16.81	17.19	17.60	18.52	19.59	20.85	22.37
29.0	15.95	16.18	16.51	16.85	17.22	17.62	18.05	19.02	20.14	21.46	23.05
30.0	16.31	16.55	16.89	17.26	17.65	18.06	18.52	19.53	20.70	22.09	23.75
31.0	16.68	16.93	17.29	17.67	18.08	18.51	18.99	20.04	21.28	22.73	24.47
32.0	17.05	17.32	17.69	18.09	18.52	18.97	19.47	20.58	21.87	23.38	25.20
33.0	17.43	17.71	18.10	18.51	18.96	19.44	19.96	21.12	22.47	24.05	25.94
34.0	17.82	18.11	18.51	18.95	19.42	19.92	20.46	21.67	23.08	24.73	26.70
35.0	18.21	18.51	18.94	19.39	19.88	20.40	20.97	22.23	23.71	25.43	27.49
36.0	18.61	18.93	19.37	19.84	20.36	20.90	21.49	22.81	24.35	26.14	28.28
37.0	19.02	19.35	19.81	20.31	20.84	21.41	22.03	23.40	25.01	26.88	29.10
38.0	19.44	19.78	20.26	20.78	21.33	21.93	22.57	24.01	25.68	27.63	29.94
39.0	19.86	20.22	20.72	21.26	21.84	22.46	23.13	24.63	26.37	28.40	30.80
40.0	20.29	20.67	21.19	21.75	22.35	23.00	23.70	25.26	27.07	29.18	31.68
41.0	20.74	21.12	21.67	22.25	22.88	23.55	24.28	25.91	27.80	29.99	32.59
42.0	21.19	21.59	22.16	22.76	23.42	24.12	24.88	26.57	28.54	30.82	33.52
43.0	21.65	22.07	22.66	23.29	23.97	24.70	25.49	27.26	29.30	31.68	34.47
44.0	22.12	22.55	23.17	23.83	24.54	25.30	26.12	27.96	30.09	32.55	35.45
45.0	22.60	23.05	23.69	24.38	25.12	25.91	26.76	28.68	30.89	33.45	36.46
46.0	23.09	23.56	24.23	24.94	25.71	26.53	27.42	29.41	31.72	34.38	37.50
47.0	23.59	24.08	24.77	25.52	26.32	27.17	28.10	30.17	32.57	35.34	38.57
48.0	24.10	24.61	25.33	26.11	26.94	27.83	28.80	30.95	33.45	36.32	39.67
49.0	24.63	25.16	25.91	26.71	27.58	28.51	29.52	31.76	34.35	37.33	40.81
50.0	25.17	25.72	26.50	27.34	28.24	29.21	30.25	32.59	35.28	38.38	41.98
PERCENTAGE OF LOAN AMOUNT LEFT UNPAID AT DUE DATE											
	100.0	94.56	87.31	80.06	72.80	65.55	58.30	43.79	29.29	14.78	.00

DISCOUNT %	MONTHLY PAYBACK RATE (%) (MONTHLY PAYMENT DIVIDED BY LOAN AMOUNT)										
	.62	.70	.80	.90	1.00	1.10	1.20	1.30	1.40	1.60	1.73
1.0	7.71	7.71	7.72	7.73	7.74	7.75	7.77	7.78	7.80	7.83	7.86
2.0	7.92	7.93	7.95	7.97	7.99	8.01	8.04	8.06	8.10	8.17	8.22
3.0	8.13	8.15	8.18	8.21	8.24	8.27	8.31	8.35	8.40	8.51	8.59
4.0	8.35	8.38	8.41	8.45	8.49	8.54	8.59	8.64	8.71	8.86	8.97
5.0	8.57	8.60	8.65	8.69	8.75	8.81	8.87	8.94	9.02	9.21	9.35
6.0	8.79	8.83	8.88	8.94	9.01	9.08	9.16	9.24	9.34	9.56	9.74
7.0	9.01	9.06	9.13	9.19	9.27	9.35	9.45	9.55	9.66	9.93	10.13
8.0	9.24	9.29	9.37	9.45	9.54	9.64	9.74	9.86	9.99	10.29	10.53
9.0	9.47	9.53	9.62	9.71	9.81	9.92	10.04	10.17	10.32	10.67	10.93
10.0	9.70	9.77	9.87	9.97	10.09	10.21	10.34	10.49	10.66	11.04	11.34
11.0	9.94	10.02	10.12	10.24	10.36	10.50	10.65	10.82	11.00	11.43	11.76
12.0	10.18	10.26	10.38	10.51	10.65	10.80	10.96	11.14	11.35	11.82	12.19
13.0	10.42	10.51	10.64	10.78	10.93	11.10	11.28	11.48	11.70	12.22	12.62
14.0	10.67	10.77	10.91	11.06	11.22	11.40	11.60	11.82	12.06	12.62	13.06
15.0	10.92	11.02	11.18	11.34	11.52	11.71	11.93	12.16	12.43	13.03	13.50
16.0	11.17	11.29	11.45	11.63	11.82	12.03	12.26	12.51	12.80	13.45	13.96
17.0	11.43	11.55	11.73	11.92	12.12	12.35	12.60	12.87	13.17	13.88	14.42
18.0	11.69	11.82	12.01	12.21	12.43	12.68	12.94	13.23	13.56	14.31	14.89
19.0	11.95	12.09	12.29	12.51	12.75	13.01	13.29	13.60	13.95	14.75	15.37
20.0	12.22	12.37	12.58	12.81	13.07	13.34	13.65	13.98	14.35	15.20	15.86
21.0	12.49	12.65	12.88	13.12	13.39	13.69	14.01	14.36	14.75	15.66	16.35
22.0	12.77	12.94	13.18	13.44	13.72	14.03	14.38	14.75	15.16	16.12	16.86
23.0	13.05	13.23	13.48	13.76	14.06	14.39	14.75	15.14	15.58	16.60	17.37
24.0	13.33	13.52	13.79	14.08	14.40	14.75	15.13	15.55	16.01	17.08	17.90
25.0	13.62	13.82	14.10	14.41	14.75	15.11	15.52	15.96	16.45	17.57	18.43
26.0	13.91	14.12	14.42	14.75	15.10	15.49	15.91	16.38	16.89	18.08	18.98
27.0	14.21	14.43	14.75	15.09	15.46	15.87	16.32	16.80	17.34	18.59	19.54
28.0	14.52	14.75	15.08	15.44	15.83	16.26	16.73	17.24	17.81	19.11	20.11
29.0	14.82	15.07	15.42	15.79	16.20	16.65	17.15	17.68	18.28	19.65	20.69
30.0	15.14	15.39	15.76	16.15	16.59	17.05	17.57	18.14	18.76	20.19	21.28
31.0	15.46	15.73	16.11	16.52	16.97	17.47	18.01	18.60	19.25	20.75	21.89
32.0	15.78	16.06	16.46	16.90	17.37	17.88	18.45	19.07	19.75	21.32	22.50
33.0	16.11	16.41	16.82	17.28	17.77	18.31	18.91	19.55	20.26	21.90	23.14
34.0	16.45	16.76	17.19	17.67	18.19	18.75	19.37	20.04	20.79	22.50	23.79
35.0	16.79	17.11	17.57	18.06	18.61	19.20	19.84	20.55	21.33	23.11	24.45
36.0	17.14	17.48	17.95	18.47	19.04	19.65	20.33	21.06	21.88	23.74	25.13
37.0	17.50	17.85	18.35	18.89	19.48	20.12	20.82	21.59	22.44	24.37	25.82
38.0	17.86	18.23	18.75	19.31	19.93	20.59	21.33	22.13	23.01	25.03	26.54
39.0	18.24	18.61	19.15	19.74	20.38	21.08	21.85	22.68	23.60	25.70	27.27
40.0	18.61	19.01	19.57	20.18	20.85	21.58	22.38	23.25	24.21	26.39	28.02
41.0	19.00	19.41	20.00	20.64	21.33	22.09	22.92	23.83	24.83	27.10	28.78
42.0	19.39	19.82	20.43	21.10	21.83	22.62	23.48	24.43	25.46	27.82	29.57
43.0	19.80	20.24	20.88	21.57	22.33	23.15	24.06	25.04	26.12	28.57	30.39
44.0	20.21	20.67	21.34	22.06	22.85	23.70	24.64	25.67	26.79	29.34	31.22
45.0	20.63	21.11	21.80	22.55	23.38	24.27	25.25	26.31	27.48	30.13	32.08
46.0	21.06	21.57	22.28	23.06	23.92	24.85	25.87	26.97	28.19	30.94	32.96
47.0	21.50	22.03	22.77	23.59	24.48	25.44	26.50	27.66	28.92	31.78	33.87
48.0	21.96	22.50	23.28	24.12	25.05	26.06	27.16	28.36	29.67	32.64	34.81
49.0	22.42	22.99	23.79	24.67	25.64	26.69	27.84	29.08	30.45	33.53	35.78
50.0	22.89	23.48	24.33	25.24	26.25	27.34	28.53	29.83	31.25	34.44	36.77
51.0	23.38	23.99	24.87	25.82	26.87	28.01	29.25	30.60	32.07	35.39	37.80
52.0	23.88	24.52	25.43	26.42	27.51	28.69	29.99	31.39	32.93	36.37	38.87
53.0	24.40	25.06	26.01	27.04	28.17	29.41	30.75	32.22	33.81	37.39	39.97
54.0	24.92	25.61	26.60	27.68	28.86	30.14	31.54	33.07	34.72	38.44	41.12
55.0	25.47	26.18	27.21	28.34	29.56	30.90	32.36	33.95	35.67	39.52	42.30
56.0	26.03	26.77	27.85	29.01	30.29	31.69	33.21	34.86	36.65	40.65	43.53
57.0	26.60	27.38	28.50	29.72	31.05	32.50	34.09	35.80	37.67	41.83	44.81
58.0	27.20	28.01	29.17	30.44	31.83	33.34	35.00	36.79	38.73	43.05	46.13
59.0	27.81	28.65	29.87	31.19	32.64	34.22	35.94	37.81	39.83	44.32	47.51
60.0	28.44	29.32	30.59	31.97	33.48	35.13	36.93	38.87	40.98	45.64	48.96
PERCENTAGE OF LOAN AMOUNT LEFT UNPAID AT DUE DATE											
	100.0	93.21	84.15	75.09	66.03	56.98	47.92	38.86	29.80	11.69	.00

DISCOUNT %	MONTHLY PAYBACK RATE (%) (MONTHLY PAYMENT DIVIDED BY LOAN AMOUNT)										
	.62	.65	.70	.80	.90	1.00	1.10	1.20	1.30	1.40	1.53
1.0	7.68	7.69	7.69	7.70	7.71	7.72	7.73	7.75	7.76	7.78	7.81
2.0	7.87	7.88	7.89	7.90	7.92	7.95	7.97	8.00	8.03	8.07	8.13
3.0	8.06	8.07	8.08	8.11	8.14	8.18	8.21	8.26	8.31	8.36	8.45
4.0	8.25	8.26	8.28	8.32	8.36	8.41	8.46	8.52	8.58	8.66	8.78
5.0	8.45	8.46	8.48	8.53	8.58	8.64	8.71	8.78	8.87	8.96	9.11
6.0	8.64	8.66	8.69	8.75	8.81	8.88	8.96	9.05	9.15	9.27	9.45
7.0	8.84	8.86	8.89	8.96	9.04	9.12	9.22	9.32	9.44	9.58	9.79
8.0	9.05	9.06	9.10	9.18	9.27	9.37	9.48	9.60	9.74	9.89	10.14
9.0	9.25	9.27	9.31	9.41	9.50	9.62	9.74	9.88	10.03	10.21	10.49
10.0	9.46	9.48	9.53	9.63	9.74	9.87	10.01	10.16	10.34	10.54	10.85
11.0	9.67	9.69	9.75	9.86	9.99	10.13	10.28	10.45	10.65	10.87	11.21
12.0	9.88	9.91	9.97	10.09	10.23	10.39	10.55	10.75	10.96	11.20	11.58
13.0	10.10	10.13	10.19	10.33	10.48	10.65	10.83	11.05	11.28	11.55	11.96
14.0	10.32	10.35	10.42	10.57	10.73	10.92	11.12	11.35	11.60	11.89	12.34
15.0	10.54	10.57	10.65	10.81	10.99	11.19	11.41	11.66	11.93	12.24	12.73
16.0	10.76	10.80	10.88	11.06	11.25	11.47	11.70	11.97	12.27	12.60	13.12
17.0	10.99	11.03	11.12	11.31	11.52	11.75	12.00	12.29	12.61	12.97	13.53
18.0	11.22	11.27	11.36	11.56	11.78	12.03	12.30	12.61	12.95	13.34	13.94
19.0	11.46	11.51	11.61	11.82	12.06	12.32	12.61	12.94	13.30	13.72	14.35
20.0	11.70	11.75	11.86	12.09	12.34	12.62	12.93	13.28	13.66	14.10	14.78
21.0	11.94	11.99	12.11	12.35	12.62	12.92	13.25	13.62	14.03	14.49	15.21
22.0	12.19	12.24	12.36	12.62	12.91	13.22	13.57	13.96	14.40	14.89	15.65
23.0	12.44	12.50	12.63	12.90	13.20	13.53	13.90	14.32	14.78	15.30	16.10
24.0	12.69	12.75	12.89	13.18	13.50	13.85	14.24	14.68	15.17	15.72	16.56
25.0	12.95	13.02	13.16	13.46	13.80	14.17	14.58	15.05	15.56	16.14	17.03
26.0	13.21	13.28	13.43	13.75	14.11	14.50	14.93	15.42	15.96	16.57	17.50
27.0	13.48	13.55	13.71	14.05	14.42	14.83	15.29	15.80	16.37	17.01	17.99
28.0	13.75	13.83	14.00	14.35	14.74	15.17	15.65	16.19	16.79	17.46	18.48
29.0	14.03	14.11	14.28	14.66	15.07	15.52	16.03	16.59	17.22	17.92	18.99
30.0	14.31	14.39	14.58	14.97	15.40	15.88	16.40	17.00	17.65	18.39	19.51
31.0	14.59	14.68	14.88	15.29	15.74	16.24	16.79	17.41	18.10	18.87	20.04
32.0	14.88	14.98	15.18	15.61	16.08	16.61	17.18	17.83	18.55	19.36	20.58
33.0	15.18	15.28	15.49	15.94	16.43	16.98	17.59	18.27	19.02	19.86	21.13
34.0	15.48	15.59	15.81	16.28	16.79	17.37	18.00	18.71	19.49	20.37	21.70
35.0	15.79	15.90	16.13	16.62	17.16	17.76	18.42	19.16	19.98	20.89	22.28
36.0	16.11	16.22	16.46	16.97	17.53	18.16	18.85	19.62	20.48	21.43	22.87
37.0	16.43	16.55	16.79	17.33	17.92	18.57	19.29	20.10	20.99	21.98	23.48
38.0	16.75	16.88	17.14	17.69	18.31	18.99	19.74	20.58	21.51	22.54	24.10
39.0	17.09	17.22	17.49	18.07	18.71	19.42	20.20	21.08	22.04	23.12	24.74
40.0	17.43	17.56	17.85	18.45	19.12	19.86	20.68	21.59	22.59	23.71	25.39
41.0	17.77	17.92	18.21	18.84	19.54	20.31	21.16	22.11	23.16	24.32	26.07
42.0	18.13	18.28	18.58	19.24	19.97	20.77	21.66	22.65	23.74	24.95	26.76
43.0	18.49	18.65	18.97	19.65	20.41	21.25	22.17	23.20	24.33	25.59	27.47
44.0	18.87	19.03	19.36	20.07	20.86	21.73	22.69	23.76	24.94	26.25	28.19
45.0	19.25	19.41	19.76	20.50	21.32	22.23	23.23	24.35	25.57	26.93	28.95
46.0	19.64	19.81	20.17	20.94	21.79	22.74	23.79	24.94	26.22	27.63	29.72
47.0	20.03	20.21	20.59	21.40	22.28	23.27	24.35	25.56	26.88	28.35	30.51
48.0	20.44	20.63	21.02	21.86	22.78	23.81	24.94	26.19	27.57	29.09	31.33
49.0	20.86	21.06	21.46	22.34	23.30	24.37	25.54	26.85	28.28	29.85	32.18
50.0	21.29	21.50	21.92	22.83	23.83	24.94	26.17	27.52	29.01	30.64	33.06
51.0	21.74	21.95	22.39	23.33	24.38	25.53	26.81	28.22	29.76	31.46	33.96
52.0	22.19	22.41	22.87	23.85	24.94	26.14	27.47	28.94	30.55	32.31	34.89
53.0	22.66	22.89	23.36	24.39	25.52	26.77	28.16	29.68	31.35	33.18	35.85
54.0	23.14	23.38	23.87	24.94	26.12	27.43	28.86	30.45	32.19	34.09	36.86
55.0	23.63	23.88	24.40	25.51	26.74	28.10	29.60	31.25	33.06	35.03	37.90
56.0	24.14	24.40	24.94	26.10	27.38	28.80	30.36	32.08	33.96	36.00	38.98
57.0	24.67	24.94	25.50	26.71	28.04	29.52	31.15	32.94	34.89	37.01	40.10
58.0	25.21	25.49	26.07	27.33	28.73	30.27	31.96	33.83	35.86	38.07	41.26
59.0	25.77	26.06	26.67	27.99	29.44	31.05	32.82	34.76	36.87	39.16	42.47
60.0	26.35	26.65	27.29	28.66	30.18	31.86	33.70	35.73	37.93	40.31	43.74
▽ᐻ	PERCENTAGE OF LOAN AMOUNT LEFT UNPAID AT DUE DATE										
	100.0	97.25	91.75	80.74	69.74	58.74	47.73	36.73	25.73	14.73	.00

DISCOUNT %	MONTHLY PAYBACK RATE (%) (MONTHLY PAYMENT DIVIDED BY LOAN AMOUNT)										
	.62	.65	.70	.75	.80	.90	1.00	1.10	1.20	1.30	1.39
1.0	7.67	7.67	7.67	7.68	7.68	7.69	7.71	7.72	7.74	7.76	7.78
2.0	7.84	7.84	7.85	7.86	7.87	7.89	7.92	7.95	7.98	8.02	8.06
3.0	8.01	8.01	8.03	8.04	8.06	8.09	8.13	8.18	8.23	8.28	8.34
4.0	8.18	8.19	8.21	8.23	8.25	8.30	8.35	8.41	8.48	8.55	8.63
5.0	8.36	8.37	8.39	8.42	8.45	8.50	8.57	8.64	8.73	8.83	8.93
6.0	8.54	8.55	8.58	8.61	8.64	8.71	8.79	8.88	8.99	9.11	9.23
7.0	8.72	8.73	8.77	8.81	8.84	8.93	9.02	9.13	9.25	9.39	9.53
8.0	8.90	8.92	8.96	9.00	9.05	9.14	9.25	9.37	9.51	9.68	9.84
9.0	9.09	9.11	9.15	9.20	9.25	9.36	9.48	9.62	9.78	9.97	10.15
10.0	9.27	9.30	9.35	9.40	9.46	9.58	9.72	9.88	10.06	10.26	10.47
11.0	9.46	9.49	9.55	9.61	9.67	9.81	9.96	10.13	10.33	10.56	10.80
12.0	9.66	9.69	9.75	9.82	9.88	10.03	10.20	10.40	10.62	10.87	11.13
13.0	9.85	9.89	9.96	10.03	10.10	10.27	10.45	10.66	10.90	11.18	11.46
14.0	10.05	10.09	10.16	10.24	10.32	10.50	10.70	10.93	11.20	11.49	11.80
15.0	10.25	10.29	10.37	10.46	10.55	10.74	10.96	11.21	11.49	11.82	12.15
16.0	10.46	10.50	10.59	10.68	10.77	10.98	11.22	11.49	11.79	12.14	12.50
17.0	10.67	10.71	10.81	10.90	11.01	11.23	11.49	11.77	12.10	12.48	12.86
18.0	10.88	10.93	11.03	11.13	11.24	11.48	11.75	12.06	12.41	12.81	13.22
19.0	11.09	11.14	11.25	11.36	11.48	11.74	12.03	12.36	12.73	13.16	13.59
20.0	11.31	11.36	11.48	11.60	11.72	12.00	12.31	12.65	13.06	13.51	13.97
21.0	11.53	11.59	11.71	11.84	11.97	12.26	12.59	12.96	13.38	13.87	14.35
22.0	11.75	11.81	11.94	12.08	12.22	12.53	12.88	13.27	13.72	14.23	14.75
23.0	11.98	12.05	12.18	12.32	12.47	12.80	13.17	13.59	14.06	14.60	15.15
24.0	12.21	12.28	12.43	12.58	12.73	13.08	13.47	13.91	14.41	14.98	15.55
25.0	12.45	12.52	12.67	12.83	13.00	13.36	13.78	14.24	14.77	15.37	15.97
26.0	12.69	12.76	12.92	13.09	13.27	13.65	14.09	14.57	15.13	15.76	16.39
27.0	12.93	13.01	13.18	13.36	13.54	13.94	14.40	14.92	15.50	16.16	16.83
28.0	13.18	13.26	13.44	13.62	13.82	14.24	14.72	15.26	15.88	16.57	17.27
29.0	13.43	13.52	13.71	13.90	14.10	14.55	15.05	15.62	16.26	16.99	17.72
30.0	13.69	13.78	13.98	14.18	14.39	14.86	15.39	15.98	16.66	17.42	18.18
31.0	13.95	14.05	14.25	14.46	14.69	15.18	15.73	16.35	17.06	17.86	18.65
32.0	14.22	14.32	14.53	14.75	14.99	15.50	16.08	16.73	17.47	18.31	19.13
33.0	14.49	14.59	14.82	15.05	15.30	15.83	16.44	17.12	17.89	18.76	19.63
34.0	14.77	14.88	15.11	15.35	15.61	16.17	16.81	17.52	18.32	19.23	20.13
35.0	15.05	15.16	15.41	15.66	15.93	16.52	17.18	17.92	18.77	19.71	20.65
36.0	15.34	15.46	15.71	15.98	16.26	16.87	17.56	18.34	19.22	20.20	21.18
37.0	15.63	15.76	16.02	16.30	16.59	17.23	17.95	18.76	19.68	20.70	21.72
38.0	15.93	16.06	16.34	16.63	16.93	17.60	18.36	19.20	20.15	21.22	22.27
39.0	16.24	16.37	16.66	16.96	17.28	17.98	18.77	19.64	20.64	21.75	22.84
40.0	16.55	16.69	16.99	17.31	17.64	18.37	19.19	20.10	21.14	22.29	23.43
41.0	16.87	17.02	17.33	17.66	18.01	18.76	19.62	20.57	21.65	22.85	24.03
42.0	17.19	17.35	17.68	18.02	18.38	19.17	20.06	21.05	22.17	23.42	24.64
43.0	17.53	17.69	18.03	18.39	18.77	19.59	20.51	21.55	22.71	24.01	25.28
44.0	17.87	18.04	18.39	18.77	19.16	20.02	20.98	22.06	23.27	24.61	25.93
45.0	18.22	18.40	18.77	19.15	19.56	20.46	21.46	22.58	23.84	25.24	26.60
46.0	18.58	18.76	19.15	19.55	19.98	20.91	21.95	23.12	24.43	25.88	27.29
47.0	18.95	19.14	19.54	19.96	20.40	21.37	22.46	23.67	25.03	26.54	28.00
48.0	19.33	19.53	19.94	20.38	20.84	21.85	22.98	24.24	25.66	27.22	28.73
49.0	19.71	19.92	20.35	20.81	21.29	22.34	23.52	24.83	26.30	27.92	29.49
50.0	20.11	20.33	20.78	21.25	21.75	22.85	24.07	25.44	26.97	28.65	30.27
52.0	20.94	21.18	21.66	22.18	22.72	23.91	25.24	26.72	28.36	30.17	31.91
54.0	21.82	22.07	22.60	23.16	23.75	25.04	26.48	28.08	29.86	31.81	33.68
56.0	22.75	23.03	23.60	24.21	24.85	26.25	27.81	29.55	31.47	33.57	35.57
58.0	23.75	24.05	24.67	25.33	26.03	27.55	29.25	31.13	33.21	35.47	37.62
60.0	24.81	25.14	25.82	26.54	27.30	28.96	30.81	32.85	35.10	37.53	39.84
62.0	25.96	26.31	27.00	27.84	28.67	30.48	32.50	34.72	37.16	39.79	42.26
64.0	27.19	27.58	28.40	29.25	30.16	32.14	34.35	36.77	39.42	42.26	44.92
66.0	28.54	28.96	29.85	30.80	31.80	33.97	36.38	39.03	41.91	44.99	47.85
68.0	30.00	30.47	31.45	32.49	33.59	35.99	38.64	41.54	44.68	48.02	51.11
70.0	31.62	32.14	33.22	34.37	35.59	38.24	41.17	44.36	47.80	51.42	54.77

	PERCENTAGE OF LOAN AMOUNT LEFT UNPAID AT DUE DATE										
	100.0	96.73	90.18	83.63	77.08	63.98	50.88	37.78	24.68	11.58	.00

DISCOUNT %	MONTHLY PAYBACK RATE (%) (MONTHLY PAYMENT DIVIDED BY LOAN AMOUNT)										
	.62	.65	.70	.75	.80	.85	.90	.95	1.00	1.10	1.28
1.0	7.65	7.66	7.66	7.67	7.67	7.68	7.68	7.69	7.70	7.71	7.75
2.0	7.81	7.81	7.82	7.84	7.85	7.86	7.87	7.88	7.90	7.93	8.01
3.0	7.97	7.97	7.99	8.01	8.02	8.04	8.06	8.08	8.10	8.15	8.26
4.0	8.13	8.14	8.16	8.18	8.20	8.23	8.25	8.28	8.31	8.37	8.53
5.0	8.29	8.30	8.33	8.35	8.38	8.41	8.44	8.48	8.52	8.60	8.79
6.0	8.45	8.47	8.50	8.53	8.57	8.60	8.64	8.69	8.73	8.83	9.06
7.0	8.62	8.64	8.67	8.71	8.75	8.80	8.84	8.89	8.95	9.07	9.34
8.0	8.79	8.81	8.85	8.90	8.94	8.99	9.05	9.10	9.17	9.30	9.61
9.0	8.96	8.98	9.03	9.08	9.13	9.19	9.25	9.32	9.39	9.55	9.90
10.0	9.13	9.16	9.21	9.27	9.33	9.39	9.46	9.54	9.62	9.79	10.18
11.0	9.31	9.34	9.40	9.46	9.53	9.60	9.67	9.76	9.85	10.04	10.48
12.0	9.49	9.52	9.58	9.65	9.73	9.81	9.89	9.98	10.08	10.29	10.77
13.0	9.67	9.70	9.77	9.85	9.93	10.02	10.11	10.21	10.32	10.55	11.08
14.0	9.85	9.89	9.97	10.05	10.14	10.23	10.33	10.44	10.56	10.81	11.38
15.0	10.04	10.08	10.16	10.25	10.35	10.45	10.56	10.68	10.80	11.08	11.70
16.0	10.23	10.27	10.36	10.46	10.56	10.67	10.79	10.91	11.05	11.35	12.01
17.0	10.42	10.46	10.56	10.67	10.78	10.90	11.02	11.16	11.30	11.63	12.34
18.0	10.61	10.66	10.77	10.88	11.00	11.12	11.26	11.41	11.56	11.91	12.67
19.0	10.81	10.86	10.98	11.10	11.22	11.36	11.50	11.66	11.82	12.19	13.00
20.0	11.01	11.07	11.19	11.31	11.45	11.59	11.75	11.91	12.09	12.48	13.34
21.0	11.21	11.27	11.40	11.54	11.68	11.83	12.00	12.17	12.36	12.78	13.69
22.0	11.42	11.49	11.62	11.76	11.92	12.08	12.25	12.44	12.64	13.08	14.05
23.0	11.63	11.70	11.84	12.00	12.16	12.33	12.51	12.71	12.92	13.39	14.41
24.0	11.85	11.92	12.07	12.23	12.40	12.58	12.99	12.99	13.21	13.70	14.78
25.0	12.07	12.14	12.30	12.47	12.65	12.84	13.04	13.27	13.50	14.02	15.15
26.0	12.29	12.37	12.54	12.71	12.90	13.10	13.32	13.55	13.80	14.35	15.54
27.0	12.51	12.60	12.77	12.96	13.16	13.37	13.60	13.84	14.10	14.68	15.93
28.0	12.74	12.83	13.02	13.21	13.42	13.65	13.88	14.14	14.41	15.02	16.33
29.0	12.98	13.07	13.26	13.47	13.69	13.93	14.18	14.45	14.73	15.37	16.73
30.0	13.21	13.31	13.52	13.73	13.96	14.21	14.47	14.76	15.06	15.72	17.15
31.0	13.46	13.56	13.77	14.00	14.24	14.50	14.78	15.07	15.39	16.08	17.58
32.0	13.70	13.81	14.04	14.27	14.53	14.80	15.09	15.40	15.73	16.45	18.01
33.0	13.96	14.07	14.30	14.55	14.82	15.10	15.40	15.73	16.07	16.83	18.46
34.0	14.21	14.33	14.58	14.84	15.11	15.41	15.72	16.06	16.42	17.22	18.92
35.0	14.48	14.60	14.86	15.13	15.42	15.73	16.06	16.41	16.79	17.62	19.39
36.0	14.74	14.87	15.14	15.42	15.73	16.05	16.39	16.76	17.16	18.02	19.86
37.0	15.02	15.15	15.43	15.73	16.04	16.38	16.74	17.13	17.54	18.44	20.35
38.0	15.30	15.44	15.73	16.04	16.37	16.72	17.09	17.50	17.92	18.87	20.86
39.0	15.58	15.73	16.03	16.36	16.70	17.07	17.46	17.88	18.32	19.30	21.37
40.0	15.87	16.03	16.34	16.68	17.04	17.42	17.83	18.27	18.73	19.75	21.90
41.0	16.17	16.33	16.66	17.01	17.39	17.79	18.21	18.67	19.15	20.21	22.45
42.0	16.48	16.64	16.99	17.35	17.74	18.16	18.60	19.08	19.58	20.69	23.01
43.0	16.79	16.96	17.32	17.70	18.11	18.54	19.00	19.50	20.02	21.17	23.58
44.0	17.11	17.29	17.66	18.06	18.48	18.94	19.41	19.93	20.48	21.67	24.17
45.0	17.44	17.62	18.01	18.43	18.87	19.34	19.84	20.37	20.94	22.19	24.78
46.0	17.78	17.97	18.38	18.81	19.27	19.76	20.27	20.83	21.42	22.72	25.41
47.0	18.12	18.32	18.74	19.19	19.67	20.18	20.72	21.30	21.92	23.27	26.05
48.0	18.47	18.68	19.12	19.59	20.09	20.62	21.18	21.79	22.43	23.83	26.72
49.0	18.84	19.06	19.52	20.00	20.52	21.07	21.66	22.29	22.96	24.41	27.41
50.0	19.21	19.44	19.92	20.42	20.97	21.54	22.15	22.81	23.50	25.01	28.12
52.0	19.99	20.24	20.76	21.31	21.89	22.52	23.18	23.89	24.64	26.27	29.61
54.0	20.82	21.09	21.65	22.25	22.89	23.56	24.28	25.05	25.86	27.63	31.21
56.0	21.70	21.99	22.60	23.25	23.95	24.68	25.46	26.30	27.18	29.08	32.93
58.0	22.64	22.96	23.63	24.33	25.09	25.89	26.74	27.64	28.59	30.66	34.80
60.0	23.65	24.00	24.72	25.49	26.32	27.19	28.11	29.10	30.13	32.37	36.82
62.0	24.74	25.12	25.91	26.75	27.65	28.60	29.61	30.68	31.81	34.24	39.03
64.0	25.92	26.33	27.20	28.12	29.11	30.15	31.25	32.42	33.65	36.29	41.45
66.0	27.20	27.66	28.61	29.63	30.70	31.85	33.06	34.34	35.68	38.55	44.13
68.0	28.61	29.11	30.16	31.28	32.47	33.73	35.06	36.47	37.94	41.07	47.11
70.0	30.17	30.72	31.89	33.13	34.44	35.84	37.31	38.86	40.48	43.90	50.45
PERCENTAGE OF LOAN AMOUNT LEFT UNPAID AT DUE DATE											
	100.0	96.16	88.48	80.80	73.12	65.44	57.76	50.08	42.41	27.05	.00

DISCOUNT %	MONTHLY PAYBACK RATE (%) (MONTHLY PAYMENT DIVIDED BY LOAN AMOUNT)										
	.62	.65	.70	.75	.80	.85	.90	.95	1.00	1.10	1.19
1.0	7.64	7.64	7.65	7.66	7.66	7.67	7.67	7.68	7.69	7.71	7.73
2.0	7.79	7.79	7.80	7.81	7.83	7.84	7.85	7.87	7.88	7.92	7.96
3.0	7.93	7.94	7.96	7.98	7.99	8.01	8.03	8.06	8.08	8.14	8.20
4.0	8.08	8.09	8.12	8.14	8.16	8.19	8.22	8.25	8.28	8.36	8.44
5.0	8.23	8.25	8.27	8.30	8.33	8.37	8.40	8.44	8.48	8.58	8.68
6.0	8.39	8.40	8.44	8.47	8.51	8.55	8.59	8.64	8.69	8.80	8.93
7.0	8.54	8.56	8.60	8.64	8.68	8.73	8.78	8.84	8.90	9.03	9.18
8.0	8.70	8.72	8.77	8.81	8.86	8.92	8.98	9.04	9.11	9.27	9.43
9.0	8.86	8.88	8.93	8.99	9.04	9.11	9.17	9.25	9.33	9.50	9.69
10.0	9.02	9.05	9.10	9.16	9.23	9.30	9.37	9.46	9.54	9.74	9.95
11.0	9.18	9.21	9.28	9.34	9.42	9.49	9.58	9.67	9.77	9.99	10.22
12.0	9.35	9.38	9.45	9.53	9.61	9.69	9.78	9.88	9.99	10.24	10.49
13.0	9.52	9.55	9.63	9.71	9.80	9.89	9.99	10.10	10.22	10.49	10.77
14.0	9.69	9.73	9.81	9.90	10.00	10.10	10.21	10.33	10.45	10.75	11.05
15.0	9.86	9.91	10.00	10.09	10.19	10.30	10.42	10.55	10.69	11.01	11.33
16.0	10.04	10.09	10.18	10.29	10.40	10.52	10.64	10.78	10.93	11.27	11.62
17.0	10.22	10.27	10.37	10.48	10.60	10.73	10.87	11.02	11.18	11.54	11.92
18.0	10.40	10.45	10.57	10.68	10.81	10.95	11.09	11.26	11.43	11.82	12.22
19.0	10.59	10.64	10.76	10.89	11.02	11.17	11.33	11.50	11.68	12.10	12.53
20.0	10.77	10.83	10.96	11.10	11.24	11.40	11.56	11.75	11.94	12.39	12.84
21.0	10.97	11.03	11.16	11.31	11.46	11.63	11.80	12.00	12.21	12.68	13.16
22.0	11.16	11.23	11.37	11.52	11.69	11.86	12.05	12.25	12.48	12.97	13.48
23.0	11.36	11.43	11.58	11.74	11.91	12.10	12.30	12.52	12.75	13.28	13.81
24.0	11.56	11.63	11.79	11.96	12.15	12.34	12.55	12.78	13.03	13.59	14.15
25.0	11.76	11.84	12.01	12.19	12.38	12.59	12.81	13.05	13.32	13.90	14.50
26.0	11.97	12.05	12.23	12.42	12.62	12.84	13.08	13.33	13.61	14.22	14.85
27.0	12.18	12.27	12.46	12.66	12.87	13.10	13.35	13.61	13.90	14.55	15.21
28.0	12.40	12.49	12.69	12.90	13.12	13.36	13.62	13.90	14.21	14.89	15.57
29.0	12.62	12.71	12.92	13.14	13.38	13.63	13.90	14.20	14.52	15.23	15.95
30.0	12.84	12.94	13.16	13.39	13.64	13.90	14.19	14.50	14.83	15.58	16.33
31.0	13.07	13.18	13.40	13.64	13.90	14.18	14.48	14.81	15.16	15.93	16.72
32.0	13.30	13.41	13.65	13.90	14.18	14.47	14.78	15.12	15.49	16.30	17.12
33.0	13.54	13.66	13.90	14.17	14.45	14.76	15.09	15.44	15.82	16.67	17.53
34.0	13.78	13.90	14.16	14.44	14.74	15.06	15.40	15.77	16.17	17.06	17.95
35.0	14.03	14.16	14.43	14.72	15.03	15.36	15.72	16.11	16.52	17.45	18.38
36.0	14.28	14.41	14.70	15.00	15.32	15.67	16.05	16.45	16.89	17.85	18.82
37.0	14.54	14.68	14.97	15.29	15.63	15.99	16.38	16.81	17.26	18.26	19.27
38.0	14.80	14.95	15.26	15.59	15.94	16.32	16.73	17.17	17.64	18.69	19.73
39.0	15.07	15.22	15.54	15.89	16.26	16.65	17.08	17.54	18.03	19.12	20.20
40.0	15.34	15.50	15.84	16.20	16.58	17.00	17.44	17.92	18.43	19.56	20.69
41.0	15.63	15.79	16.14	16.52	16.92	17.35	17.81	18.31	18.84	20.02	21.19
42.0	15.91	16.09	16.45	16.84	17.26	17.71	18.19	18.71	19.26	20.49	21.70
43.0	16.21	16.39	16.77	17.18	17.61	18.08	18.58	19.12	19.70	20.97	22.23
44.0	16.51	16.70	17.10	17.52	17.98	18.46	18.98	19.55	20.15	21.47	22.77
45.0	16.82	17.02	17.43	17.87	18.35	18.86	19.40	19.98	20.61	21.98	23.33
46.0	17.14	17.35	17.78	18.24	18.73	19.26	19.82	20.43	21.08	22.51	23.90
47.0	17.47	17.68	18.13	18.61	19.12	19.67	20.26	20.89	21.57	23.05	24.50
48.0	17.81	18.03	18.49	18.99	19.53	20.10	20.71	21.37	22.07	23.61	25.11
49.0	18.15	18.38	18.87	19.39	19.94	20.54	21.18	21.86	22.59	24.19	25.74
50.0	18.51	18.75	19.25	19.79	20.38	21.00	21.66	22.37	23.13	24.79	26.40
52.0	19.25	19.51	20.06	20.65	21.28	21.95	22.67	23.44	24.26	26.05	27.77
54.0	20.04	20.32	20.92	21.56	22.24	22.97	23.75	24.59	25.47	27.40	29.24
56.0	20.88	21.19	21.84	22.53	23.28	24.07	24.91	25.82	26.78	28.85	30.83
58.0	21.78	22.12	22.82	23.58	24.39	25.25	26.17	27.15	28.19	30.42	32.55
60.0	22.75	23.12	23.89	24.71	25.59	26.53	27.53	28.60	29.72	32.13	34.41
62.0	23.80	24.20	25.04	25.94	26.91	27.93	29.02	30.18	31.39	34.00	36.45
64.0	24.94	25.37	26.30	27.29	28.34	29.46	30.65	31.91	33.23	36.06	38.69
66.0	26.18	26.66	27.68	28.76	29.92	31.15	32.45	33.83	35.27	38.33	41.16
68.0	27.55	28.08	29.20	30.40	31.67	33.03	34.46	35.97	37.54	40.86	43.92
70.0	29.06	29.65	30.90	32.23	33.64	35.14	36.71	38.36	40.09	43.70	47.01
∇Φ	PERCENTAGE OF LOAN AMOUNT LEFT UNPAID AT DUE DATE										
	100.0	95.55	86.66	77.76	68.86	59.97	51.07	42.17	33.28	15.48	.00

DISCOUNT %	MONTHLY PAYBACK RATE (%) (MONTHLY PAYMENT DIVIDED BY LOAN AMOUNT)										
	.75	1.00	1.25	1.50	1.75	2.00	2.25	2.50	3.00	3.50	4.00
1.0	7.62	7.68	7.74	7.80	7.86	7.92	7.98	8.04	8.16	8.27	8.38
2.0	7.74	7.87	7.99	8.11	8.23	8.35	8.47	8.59	8.82	9.05	9.28
3.0	7.86	8.06	8.24	8.43	8.61	8.79	8.97	9.15	9.50	9.85	10.19
4.0	7.98	8.25	8.50	8.75	8.99	9.23	9.47	9.71	10.18	10.65	11.11
5.0	8.11	8.44	8.76	9.07	9.38	9.68	9.98	10.28	10.88	11.47	12.05
6.0	8.23	8.64	9.02	9.40	9.77	10.14	10.50	10.86	11.58	12.30	13.00
7.0	8.36	8.84	9.29	9.73	10.17	10.60	11.03	11.45	12.30	13.14	13.97
8.0	8.50	9.04	9.56	10.07	10.57	11.07	11.56	12.05	13.03	13.99	14.95
9.0	8.63	9.25	9.84	10.41	10.98	11.55	12.11	12.66	13.77	14.86	15.94
10.0	8.77	9.46	10.12	10.76	11.40	12.03	12.66	13.28	14.52	15.74	16.95
11.0	8.91	9.67	10.40	11.12	11.82	12.52	13.22	13.91	15.28	16.64	17.98
12.0	9.05	9.89	10.69	11.48	12.25	13.02	13.79	14.55	16.05	17.55	19.02
13.0	9.19	10.11	10.99	11.84	12.69	13.53	14.37	15.19	16.84	18.47	20.08
14.0	9.34	10.34	11.29	12.22	13.13	14.05	14.95	15.85	17.64	19.41	21.16
15.0	9.49	10.57	11.59	12.59	13.59	14.57	15.55	16.52	18.45	20.37	22.26
16.0	9.64	10.80	11.90	12.98	14.05	15.11	16.16	17.21	19.28	21.34	23.37
17.0	9.80	11.04	12.22	13.37	14.52	15.65	16.78	17.90	20.12	22.33	24.51
18.0	9.96	11.28	12.54	13.77	14.99	16.20	17.41	18.61	20.98	23.33	25.66
19.0	10.12	11.52	12.86	14.18	15.48	16.77	18.05	19.32	21.85	24.36	26.84
20.0	10.28	11.78	13.20	14.59	15.97	17.34	18.70	20.05	22.74	25.40	28.03
21.0	10.45	12.03	13.54	15.01	16.47	17.92	19.37	20.80	23.64	26.46	29.25
22.0	10.62	12.29	13.88	15.44	16.99	18.52	20.04	21.56	24.56	27.54	30.49
23.0	10.80	12.56	14.23	15.88	17.51	19.13	20.73	22.33	25.50	28.64	31.76
24.0	10.98	12.83	14.59	16.33	18.04	19.74	21.43	23.12	26.46	29.77	33.05
25.0	11.16	13.11	14.96	16.78	18.58	20.37	22.15	23.92	27.43	30.91	34.36
26.0	11.35	13.39	15.33	17.25	19.14	21.02	22.88	24.74	28.42	32.08	35.70
27.0	11.54	13.68	15.72	17.72	19.70	21.67	23.63	25.57	29.44	33.27	37.07
28.0	11.74	13.97	16.11	18.20	20.28	22.34	24.39	26.43	30.47	34.48	38.46
29.0	11.94	14.27	16.50	18.70	20.87	23.02	25.16	27.30	31.53	35.72	39.89
30.0	12.15	14.58	16.91	19.20	21.47	23.72	25.96	28.18	32.61	36.99	41.34
31.0	12.36	14.90	17.33	19.72	22.08	24.43	26.77	29.09	33.71	38.28	42.82
32.0	12.57	15.22	17.75	20.24	22.71	25.16	27.60	30.02	34.83	39.61	44.34
33.0	12.80	15.55	18.19	20.78	23.35	25.91	28.44	30.97	35.98	40.96	45.89
34.0	13.02	15.89	18.63	21.33	24.01	26.67	29.31	31.94	37.16	42.34	47.48
35.0	13.26	16.24	19.09	21.90	24.68	27.45	30.19	32.93	38.36	43.75	49.10
36.0	13.50	16.59	19.56	22.48	25.37	28.24	31.10	33.95	39.60	45.20	50.77
37.0	13.75	16.96	20.04	23.07	26.07	29.06	32.03	34.98	40.86	46.68	52.47
38.0	14.00	17.33	20.53	23.68	26.80	29.90	32.98	36.05	42.15	48.20	54.21
39.0	14.26	17.71	21.03	24.30	27.54	30.76	33.96	37.14	43.47	49.76	56.00
40.0	14.53	18.11	21.55	24.94	28.30	31.64	34.96	38.26	44.83	51.35	57.83
41.0	14.81	18.51	22.08	25.59	29.08	32.54	35.98	39.41	46.22	52.99	59.71
42.0	15.09	18.93	22.62	26.27	29.88	33.46	37.03	40.59	47.66	54.67	61.64
43.0	15.38	19.36	23.19	26.96	30.70	34.42	38.12	41.80	49.12	56.40	63.62
44.0	15.69	19.80	23.76	27.67	31.54	35.40	39.23	43.05	50.63	58.17	65.65
45.0	16.00	20.25	24.36	28.40	32.41	36.40	40.37	44.33	52.19	59.99	67.75
46.0	16.32	20.72	24.97	29.15	33.31	37.44	41.55	45.64	53.78	61.87	69.90
47.0	16.66	21.20	25.60	29.93	34.23	38.51	42.76	47.00	55.43	63.80	72.12
48.0	17.01	21.70	26.25	30.73	35.18	39.61	44.01	48.40	57.12	65.79	74.40
49.0	17.36	22.22	26.92	31.56	36.16	40.75	45.30	49.84	58.87	67.84	76.76
50.0	17.74	22.75	27.61	32.41	37.17	41.91	46.62	51.32	60.67	69.95	79.19
51.0	18.12	23.30	28.33	33.29	38.22	43.12	48.00	52.86	62.53	72.14	81.70
52.0	18.52	23.88	29.07	34.20	39.30	44.37	49.41	54.44	64.45	74.40	84.29
53.0	18.94	24.47	29.84	35.15	40.42	45.66	50.88	56.08	66.44	76.73	86.97
54.0	19.37	25.08	30.63	36.12	41.57	47.00	52.40	57.78	68.49	79.14	89.74
55.0	19.82	25.72	31.46	37.14	42.77	48.38	53.97	59.54	70.62	81.65	92.61
56.0	20.29	26.38	32.32	38.19	44.02	49.82	55.60	61.36	72.83	84.24	95.59
57.0	20.78	27.07	33.21	39.28	45.31	51.31	57.30	63.26	75.13	86.93	98.68
58.0	21.29	27.79	34.14	40.42	46.66	52.87	59.06	65.23	77.51	89.73	101.90
59.0	21.83	28.55	35.11	41.60	48.06	54.48	60.89	67.27	79.99	92.64	105.24
60.0	22.39	29.33	36.12	42.83	49.52	56.17	62.80	69.41	82.57	95.67	108.72
▽⌀	NUMBER OF MONTHLY PAYMENTS NEEDED TO PAY OFF LOAN										
	287.6	157.4	111.3	86.5	70.9	60.1	52.2	46.2	37.5	31.6	27.3

DISCOUNT %	MONTHLY PAYBACK RATE (%) (MONTHLY PAYMENT DIVIDED BY LOAN AMOUNT)										
	.65	1.00	1.50	2.00	3.00	4.00	5.00	6.00	7.00	8.00	8.69
.5	8.27	8.28	8.30	8.32	8.35	8.39	8.44	8.49	8.56	8.63	8.69
1.0	8.80	8.82	8.85	8.88	8.96	9.04	9.13	9.24	9.37	9.52	9.64
1.5	9.33	9.36	9.41	9.46	9.56	9.69	9.83	10.00	10.19	10.42	10.60
2.0	9.86	9.90	9.96	10.03	10.18	10.34	10.53	10.76	11.01	11.32	11.56
2.5	10.39	10.45	10.53	10.61	10.79	11.00	11.24	11.52	11.84	12.23	12.54
3.0	10.93	11.00	11.09	11.19	11.41	11.67	11.95	12.29	12.68	13.14	13.51
3.5	11.47	11.55	11.66	11.78	12.04	12.33	12.67	13.06	13.52	14.07	14.50
4.0	12.01	12.10	12.23	12.37	12.67	13.00	13.39	13.84	14.37	15.00	15.49
4.5	12.56	12.66	12.81	12.96	13.30	13.68	14.12	14.63	15.23	15.93	16.50
5.0	13.11	13.22	13.38	13.56	13.93	14.36	14.85	15.42	16.09	16.88	17.50
5.5	13.67	13.79	13.97	14.16	14.57	15.05	15.59	16.22	16.95	17.83	18.52
6.0	14.22	14.35	14.55	14.76	15.22	15.74	16.33	17.02	17.83	18.78	19.55
6.5	14.78	14.93	15.14	15.37	15.86	16.43	17.08	17.83	18.71	19.75	20.58
7.0	15.34	15.50	15.73	15.98	16.52	17.13	17.83	18.64	19.60	20.72	21.62
7.5	15.91	16.08	16.33	16.59	17.17	17.83	18.59	19.47	20.49	21.70	22.67
8.0	16.48	16.66	16.93	17.21	17.84	18.54	19.35	20.29	21.39	22.69	23.72
8.5	17.06	17.25	17.53	17.84	18.50	19.26	20.12	21.12	22.30	23.68	24.79
9.0	17.63	17.84	18.14	18.46	19.17	19.97	20.90	21.96	23.21	24.69	25.86
9.5	18.21	18.43	18.75	19.09	19.84	20.70	21.68	22.81	24.13	25.70	26.95
10.0	18.80	19.03	19.37	19.73	20.52	21.43	22.46	23.66	25.06	26.72	28.04
10.5	19.38	19.63	19.99	20.37	21.21	22.16	23.25	24.52	26.00	27.75	29.14
11.0	19.98	20.23	20.61	21.01	21.90	22.90	24.05	25.38	26.94	28.78	30.25
11.5	20.57	20.84	21.24	21.66	22.59	23.64	24.85	26.26	27.89	29.83	31.37
12.0	21.17	21.45	21.87	22.31	23.29	24.39	25.66	27.13	28.85	30.88	32.49
12.5	21.77	22.07	22.51	22.97	23.99	25.15	26.48	28.02	29.82	31.94	33.63
13.0	22.38	22.69	23.15	23.63	24.70	25.91	27.30	28.91	30.79	33.01	34.78
13.5	22.99	23.31	23.79	24.30	25.41	26.68	28.13	29.81	31.77	34.09	35.94
14.0	23.60	23.94	24.44	24.97	26.13	27.45	28.96	30.72	32.76	35.18	37.10
14.5	24.22	24.57	25.09	25.64	26.85	28.22	29.80	31.63	33.76	36.28	38.28
15.0	24.84	25.21	25.75	26.32	27.58	29.01	30.65	32.55	34.77	37.39	39.47
15.5	25.47	25.85	26.41	27.00	28.31	29.80	31.51	33.48	35.78	38.50	40.66
16.0	26.10	26.49	27.07	27.69	29.05	30.59	32.36	34.42	36.81	39.63	41.87
16.5	26.74	27.14	27.75	28.39	29.79	31.39	33.23	35.36	37.84	40.77	43.09
17.0	27.37	27.80	28.42	29.08	30.54	32.20	34.11	36.31	38.88	41.91	44.32
17.5	28.02	28.45	29.10	29.79	31.30	33.02	34.99	37.27	39.93	43.07	45.56
18.0	28.67	29.12	29.79	30.50	32.06	33.84	35.88	38.24	40.99	44.24	46.81
18.5	29.32	29.78	30.48	31.21	32.82	34.66	36.77	39.21	42.06	45.42	48.08
19.0	29.97	30.46	31.17	31.93	33.60	35.50	37.68	40.20	43.14	46.61	49.35
19.5	30.63	31.13	31.87	32.65	34.37	36.33	38.59	41.19	44.23	47.80	50.64
20.0	31.30	31.81	32.57	33.38	35.16	37.18	39.50	42.19	45.33	49.01	51.94
20.5	31.97	32.50	33.28	34.12	35.95	38.03	40.43	43.20	46.43	50.24	53.25
21.0	32.65	33.19	34.00	34.86	36.74	38.89	41.36	44.22	47.55	51.47	54.57
21.5	33.33	33.89	34.72	35.60	37.55	39.76	42.31	45.25	48.68	52.71	55.91
22.0	34.01	34.59	35.44	36.35	38.35	40.64	43.26	46.29	49.82	53.97	57.25
22.5	34.70	35.29	36.17	37.11	39.17	41.52	44.21	47.33	50.97	55.24	58.62
23.0	35.39	36.00	36.91	37.87	39.99	42.41	45.18	48.39	52.13	56.52	59.99
23.5	36.09	36.72	37.65	38.64	40.82	43.30	46.15	49.45	53.30	57.81	61.38
24.0	36.80	37.44	38.40	39.42	41.65	44.21	47.14	50.53	54.48	59.12	62.78
24.5	37.51	38.17	39.15	40.20	42.50	45.12	48.13	51.61	55.67	60.44	64.20
25.0	38.22	38.90	39.91	40.98	43.35	46.04	49.13	52.71	56.88	61.77	65.63
25.5	38.94	39.64	40.68	41.78	44.20	46.97	50.14	53.82	58.09	63.11	67.07
26.0	39.67	40.38	41.45	42.58	45.06	47.90	51.16	54.93	59.32	64.47	68.53
26.5	40.40	41.13	42.22	43.38	45.93	48.85	52.19	56.06	60.56	65.84	70.01
27.0	41.14	41.89	43.01	44.20	46.81	49.80	53.23	57.20	61.82	67.23	71.50
27.5	41.88	42.65	43.80	45.01	47.70	50.76	54.28	58.34	63.08	68.63	73.00
28.0	42.63	43.42	44.59	45.84	48.59	51.73	55.33	59.50	64.36	70.05	74.52
28.5	43.38	44.19	45.39	46.67	49.49	52.71	56.40	60.68	65.65	71.48	76.06
29.0	44.14	44.97	46.20	47.51	50.40	53.69	57.48	61.86	66.96	72.92	77.61
29.5	44.91	45.76	47.02	48.36	51.31	54.69	58.57	63.05	68.27	74.38	79.18
30.0	45.68	46.55	47.84	49.21	52.24	55.69	59.67	64.26	69.61	75.86	80.77
◁▷	PERCENTAGE OF LOAN AMOUNT LEFT UNPAID AT DUE DATE										
	100.0	95.60	89.38	83.16	70.72	58.29	45.85	33.42	20.98	8.55	.00

MONTHLY PAYBACK RATE (%)
(MONTHLY PAYMENT DIVIDED BY LOAN AMOUNT)

DISCOUNT %	.65	.75	1.00	1.25	1.50	2.00	2.50	3.00	3.50	4.00	4.51
.5	8.02	8.02	8.03	8.04	8.05	8.07	8.10	8.13	8.16	8.20	8.25
1.0	8.29	8.30	8.32	8.34	8.36	8.40	8.45	8.50	8.57	8.65	8.75
1.5	8.57	8.58	8.60	8.63	8.66	8.72	8.80	8.88	8.98	9.10	9.25
2.0	8.84	8.86	8.89	8.93	8.97	9.05	9.15	9.27	9.40	9.56	9.76
2.5	9.12	9.14	9.18	9.23	9.28	9.38	9.51	9.65	9.82	10.02	10.27
3.0	9.40	9.42	9.47	9.53	9.59	9.72	9.87	10.04	10.24	10.48	10.79
3.5	9.68	9.71	9.77	9.83	9.90	10.05	10.23	10.43	10.67	10.95	11.30
4.0	9.96	9.99	10.06	10.14	10.21	10.39	10.59	10.82	11.10	11.42	11.83
4.5	10.25	10.28	10.36	10.44	10.53	10.73	10.95	11.22	11.53	11.90	12.35
5.0	10.53	10.57	10.66	10.75	10.85	11.07	11.32	11.62	11.96	12.37	12.88
5.5	10.82	10.86	10.96	11.06	11.17	11.41	11.69	12.02	12.40	12.86	13.42
6.0	11.11	11.15	11.26	11.37	11.49	11.76	12.07	12.42	12.84	13.34	13.96
6.5	11.40	11.45	11.56	11.69	11.82	12.11	12.44	12.83	13.29	13.83	14.50
7.0	11.69	11.74	11.87	12.00	12.14	12.46	12.82	13.24	13.73	14.32	15.05
7.5	11.99	12.04	12.17	12.32	12.47	12.81	13.20	13.65	14.18	14.82	15.60
8.0	12.28	12.34	12.48	12.64	12.80	13.16	13.58	14.07	14.64	15.31	16.15
8.5	12.58	12.64	12.80	12.96	13.13	13.52	13.97	14.49	15.09	15.82	16.71
9.0	12.88	12.94	13.11	13.28	13.47	13.88	14.36	14.91	15.56	16.33	17.28
9.5	13.18	13.25	13.42	13.61	13.81	14.24	14.75	15.33	16.02	16.84	17.84
10.0	13.48	13.56	13.74	13.94	14.15	14.61	15.14	15.76	16.49	17.35	18.42
10.5	13.79	13.86	14.06	14.27	14.49	14.98	15.54	16.19	16.96	17.87	18.99
11.0	14.09	14.18	14.38	14.60	14.83	15.35	15.94	16.63	17.43	18.39	19.58
11.5	14.40	14.49	14.70	14.93	15.18	15.72	16.34	17.06	17.91	18.92	20.16
12.0	14.71	14.80	15.03	15.27	15.53	16.09	16.75	17.50	18.39	19.45	20.75
12.5	15.02	15.12	15.36	15.61	15.88	16.47	17.15	17.95	18.88	19.99	21.35
13.0	15.34	15.44	15.69	15.95	16.23	16.85	17.57	18.40	19.37	20.53	21.95
13.5	15.65	15.76	16.02	16.29	16.58	17.23	17.98	18.85	19.86	21.07	22.56
14.0	15.97	16.08	16.35	16.64	16.94	17.62	18.40	19.30	20.36	21.62	23.17
14.5	16.29	16.41	16.69	16.98	17.30	18.01	18.82	19.76	20.86	22.17	23.78
15.0	16.62	16.73	17.02	17.33	17.67	18.40	19.24	20.22	21.37	22.73	24.41
15.5	16.94	17.06	17.36	17.69	18.03	18.79	19.67	20.69	21.88	23.30	25.03
16.0	17.27	17.39	17.71	18.04	18.40	19.19	20.10	21.15	22.39	23.86	25.67
16.5	17.60	17.73	18.05	18.40	18.77	19.59	20.53	21.63	22.91	24.44	26.30
17.0	17.93	18.06	18.40	18.76	19.14	19.99	20.97	22.10	23.44	25.01	26.95
17.5	18.26	18.40	18.75	19.12	19.52	20.40	21.41	22.58	23.96	25.60	27.60
18.0	18.60	18.74	19.10	19.49	19.90	20.81	21.85	23.07	24.49	26.18	28.25
18.5	18.93	19.08	19.46	19.85	20.28	21.22	22.30	23.56	25.03	26.77	28.91
19.0	19.27	19.43	19.81	20.22	20.66	21.63	22.75	24.05	25.57	27.37	29.58
19.5	19.62	19.77	20.17	20.60	21.05	22.05	23.21	24.55	26.12	27.98	30.25
20.0	19.96	20.12	20.53	20.97	21.44	22.47	23.66	25.05	26.67	28.58	30.93
21.0	20.66	20.83	21.27	21.73	22.23	23.33	24.59	26.06	27.78	29.82	32.30
22.0	21.36	21.55	22.01	22.50	23.03	24.19	25.53	27.09	28.92	31.01	33.70
23.0	22.08	22.27	22.76	23.28	23.84	25.07	26.49	28.14	30.07	32.35	35.13
24.0	22.81	23.01	23.53	24.08	24.67	25.97	27.47	29.21	31.25	33.66	36.59
25.0	23.54	23.76	24.30	24.88	25.50	26.88	28.46	30.30	32.45	34.99	38.07
26.0	24.29	24.52	25.09	25.70	26.36	27.80	29.47	31.40	33.67	36.34	39.58
27.0	25.05	25.29	25.89	26.54	27.22	28.74	30.50	32.53	34.92	37.72	41.13
28.0	25.82	26.07	26.71	27.38	28.10	29.70	31.54	33.68	36.19	39.13	42.70
29.0	26.60	26.87	27.53	28.24	29.00	30.67	32.61	34.85	37.48	40.57	44.31
30.0	27.40	27.68	28.37	29.11	29.91	31.66	33.69	36.05	38.80	42.04	45.95
31.0	28.21	28.50	29.23	30.00	30.83	32.67	34.80	37.27	40.15	43.54	47.63
32.0	29.03	29.33	30.09	30.91	31.77	33.70	35.93	38.51	41.53	45.07	49.35
33.0	29.86	30.18	30.98	31.83	32.73	34.75	37.08	39.78	42.94	46.64	51.10
34.0	30.71	31.04	31.87	32.76	33.71	35.82	38.25	41.07	44.37	48.24	52.89
35.0	31.57	31.92	32.79	33.71	34.71	36.91	39.45	42.40	45.84	49.88	54.73
36.0	32.45	32.81	33.72	34.69	35.72	38.02	40.67	43.75	47.35	51.55	56.60
37.0	33.35	33.72	34.67	35.67	36.75	39.15	41.92	45.13	48.88	53.27	58.53
38.0	34.26	34.65	35.63	36.68	37.81	40.30	43.19	46.55	50.46	55.05	60.50
39.0	35.18	35.59	36.61	37.71	38.88	41.48	44.49	47.99	52.07	56.83	62.52
40.0	36.12	36.55	37.62	38.76	39.98	42.69	45.83	49.47	53.72	58.67	64.59

PERCENTAGE OF LOAN AMOUNT LEFT UNPAID AT DUE DATE

	.65	.75	1.00	1.25	1.50	2.00	2.50	3.00	3.50	4.00	4.51
	100.0	97.31	90.84	84.37	77.90	64.97	52.03	39.10	26.16	13.23	.00

DISCOUNT %	MONTHLY PAYBACK RATE (%) (MONTHLY PAYMENT DIVIDED BY LOAN AMOUNT)										
	.65	.75	1.00	1.25	1.50	1.75	2.00	2.25	2.50	2.75	3.12
.5	7.94	7.94	7.95	7.96	7.97	7.98	8.00	8.01	8.03	8.05	8.09
1.0	8.13	8.13	8.15	8.17	8.20	8.22	8.25	8.28	8.32	8.36	8.43
1.5	8.32	8.33	8.36	8.39	8.42	8.46	8.50	8.55	8.60	8.67	8.78
2.0	8.51	8.52	8.56	8.60	8.65	8.70	8.76	8.82	8.89	8.98	9.13
2.5	8.70	8.72	8.77	8.82	8.87	8.94	9.01	9.09	9.18	9.29	9.48
3.0	8.89	8.92	8.97	9.03	9.10	9.18	9.27	9.37	9.48	9.60	9.83
3.5	9.09	9.11	9.18	9.25	9.33	9.43	9.53	9.64	9.77	9.92	10.18
4.0	9.28	9.31	9.39	9.47	9.57	9.67	9.79	9.92	10.07	10.24	10.54
4.5	9.48	9.51	9.60	9.69	9.80	9.92	10.05	10.20	10.37	10.56	10.90
5.0	9.68	9.71	9.81	9.92	10.04	10.17	10.31	10.48	10.67	10.88	11.26
5.5	9.88	9.92	10.02	10.14	10.27	10.42	10.58	10.76	10.97	11.21	11.63
6.0	10.08	10.12	10.24	10.37	10.51	10.67	10.85	11.05	11.28	11.54	12.00
6.5	10.28	10.33	10.45	10.59	10.75	10.92	11.12	11.34	11.58	11.87	12.37
7.0	10.48	10.53	10.67	10.82	10.99	11.18	11.39	11.62	11.89	12.20	12.74
7.5	10.68	10.74	10.89	11.05	11.23	11.44	11.66	11.92	12.20	12.53	13.12
8.0	10.89	10.95	11.11	11.28	11.48	11.70	11.94	12.21	12.52	12.87	13.50
8.5	11.09	11.16	11.33	11.52	11.72	11.96	12.21	12.51	12.84	13.21	13.88
9.0	11.30	11.37	11.55	11.75	11.97	12.22	12.49	12.80	13.16	13.56	14.27
9.5	11.51	11.58	11.78	11.99	12.22	12.48	12.78	13.10	13.48	13.90	14.66
10.0	11.72	11.80	12.00	12.23	12.47	12.75	13.06	13.41	13.80	14.25	15.05
11.0	12.14	12.23	12.46	12.71	12.98	13.29	13.63	14.02	14.46	14.96	15.84
12.0	12.57	12.67	12.92	13.19	13.50	13.83	14.21	14.64	15.12	15.67	16.65
13.0	13.01	13.11	13.39	13.69	14.02	14.39	14.80	15.27	15.80	16.40	17.47
14.0	13.45	13.56	13.86	14.19	14.55	14.95	15.40	15.91	16.49	17.14	18.30
15.0	13.89	14.02	14.34	14.69	15.08	15.52	16.01	16.56	17.18	17.89	19.15
16.0	14.34	14.48	14.82	15.21	15.63	16.10	16.63	17.22	17.89	18.66	20.01
17.0	14.80	14.95	15.32	15.73	16.18	16.69	17.26	17.89	18.61	19.44	20.88
18.0	15.27	15.42	15.82	16.26	16.74	17.29	17.89	18.58	19.35	20.23	21.78
19.0	15.74	15.90	16.33	16.79	17.31	17.89	18.54	19.27	20.09	21.03	22.68
20.0	16.21	16.39	16.84	17.34	17.89	18.51	19.20	19.98	20.85	21.85	23.61
21.0	16.70	16.88	17.36	17.89	18.48	19.14	19.87	20.70	21.63	22.69	24.55
22.0	17.19	17.38	17.89	18.46	19.08	19.77	20.55	21.43	22.41	23.54	25.50
23.0	17.68	17.89	18.43	19.03	19.69	20.42	21.25	22.17	23.22	24.40	26.48
24.0	18.19	18.41	18.98	19.61	20.30	21.08	21.95	22.93	24.03	25.28	27.47
25.0	18.70	18.93	19.53	20.20	20.93	21.75	22.67	23.70	24.86	26.18	28.49
26.0	19.22	19.47	20.10	20.80	21.57	22.43	23.40	24.48	25.71	27.10	29.52
27.0	19.75	20.01	20.67	21.41	22.22	23.13	24.14	25.29	26.57	28.03	30.58
28.0	20.29	20.56	21.25	22.02	22.88	23.83	24.90	26.10	27.45	28.99	31.65
29.0	20.83	21.11	21.85	22.66	23.55	24.55	25.68	26.93	28.35	29.96	32.75
30.0	21.38	21.68	22.45	23.30	24.24	25.29	26.46	27.78	29.27	30.95	33.87
31.0	21.95	22.26	23.06	23.95	24.94	26.04	27.27	28.65	30.21	31.97	35.02
32.0	22.52	22.84	23.68	24.61	25.65	26.80	28.09	29.53	31.16	33.00	36.19
33.0	23.10	23.44	24.32	25.29	26.37	27.57	28.92	30.44	32.14	34.06	37.39
34.0	23.69	24.05	24.96	25.98	27.11	28.37	29.78	31.36	33.14	35.14	38.61
35.0	24.29	24.66	25.62	26.68	27.86	29.18	30.65	32.30	34.16	36.25	39.87
36.0	24.90	25.29	26.29	27.40	28.63	30.00	31.54	33.26	35.20	37.38	41.15
37.0	25.53	25.93	26.97	28.13	29.41	30.85	32.45	34.25	36.27	38.54	42.46
38.0	26.16	26.58	27.67	28.87	30.21	31.71	33.38	35.25	37.36	39.73	43.81
39.0	26.81	27.25	28.38	29.63	31.03	32.59	34.33	36.29	38.48	40.95	45.19
40.0	27.47	27.92	29.10	30.41	31.86	33.49	35.30	37.34	39.63	42.19	46.60
41.0	28.14	28.61	29.84	31.20	32.72	34.41	36.30	38.42	40.80	43.47	48.05
42.0	28.82	29.32	30.59	32.01	33.59	35.35	37.32	39.53	42.01	44.79	49.54
43.0	29.52	30.03	31.36	32.84	34.48	36.32	38.37	40.67	43.25	46.13	51.07
44.0	30.23	30.77	32.15	33.68	35.39	37.30	39.44	41.84	44.52	47.52	52.64
45.0	30.96	31.51	32.95	34.55	36.33	38.32	40.54	43.03	45.82	48.94	54.25
46.0	31.70	32.28	33.77	35.44	37.29	39.36	41.67	44.26	47.17	50.41	55.92
47.0	32.46	33.06	34.61	36.34	38.27	40.42	42.83	45.53	48.55	51.91	57.63
48.0	33.23	33.86	35.47	37.27	39.28	41.52	44.02	46.83	49.97	53.47	59.39
49.0	34.02	34.68	36.36	38.23	40.31	42.64	45.25	48.17	51.43	55.07	61.21
50.0	34.84	35.51	37.26	39.20	41.37	43.80	46.51	49.55	52.94	56.71	63.08
⟨logo⟩	PERCENTAGE OF LOAN AMOUNT LEFT UNPAID AT DUE DATE										
	100.0	95.79	85.70	75.60	65.51	55.41	45.31	35.22	25.12	15.03	.00

DISCOUNT %	MONTHLY PAYBACK RATE (%) (MONTHLY PAYMENT DIVIDED BY LOAN AMOUNT)										
	.65	.70	.80	1.00	1.20	1.40	1.60	1.80	2.00	2.20	2.43
.5	7.90	7.90	7.90	7.91	7.92	7.93	7.94	7.95	7.97	7.98	8.01
1.0	8.04	8.05	8.05	8.07	8.09	8.11	8.13	8.16	8.19	8.22	8.27
1.5	8.19	8.20	8.21	8.23	8.26	8.29	8.33	8.36	8.41	8.46	8.54
2.0	8.34	8.35	8.36	8.40	8.43	8.47	8.52	8.57	8.64	8.70	8.80
2.5	8.49	8.50	8.52	8.56	8.61	8.66	8.72	8.78	8.86	8.95	9.07
3.0	8.64	8.65	8.68	8.73	8.78	8.84	8.92	8.99	9.09	9.19	9.34
3.5	8.79	8.81	8.83	8.89	8.96	9.03	9.11	9.21	9.32	9.44	9.61
4.0	8.94	8.96	8.99	9.06	9.13	9.22	9.31	9.42	9.55	9.69	9.88
4.5	9.10	9.11	9.15	9.23	9.31	9.41	9.52	9.64	9.78	9.94	10.16
5.0	9.25	9.27	9.31	9.40	9.49	9.60	9.72	9.85	10.01	10.19	10.44
5.5	9.40	9.43	9.47	9.57	9.67	9.79	9.92	10.07	10.25	10.45	10.72
6.0	9.56	9.59	9.63	9.74	9.85	9.98	10.13	10.29	10.48	10.70	11.00
6.5	9.72	9.74	9.80	9.91	10.04	10.18	10.34	10.51	10.72	10.96	11.28
7.0	9.88	9.90	9.96	10.08	10.22	10.37	10.54	10.74	10.96	11.22	11.57
7.5	10.03	10.07	10.13	10.26	10.40	10.57	10.75	10.96	11.21	11.48	11.86
8.0	10.19	10.23	10.29	10.43	10.59	10.77	10.97	11.19	11.45	11.75	12.15
8.5	10.35	10.39	10.46	10.61	10.78	10.97	11.18	11.42	11.70	12.01	12.44
9.0	10.52	10.55	10.63	10.79	10.97	11.17	11.39	11.65	11.94	12.28	12.74
9.5	10.68	10.72	10.80	10.97	11.16	11.37	11.61	11.88	12.19	12.55	13.04
10.0	10.84	10.89	10.97	11.15	11.35	11.57	11.83	12.11	12.44	12.82	13.34
11.0	11.17	11.22	11.31	11.51	11.74	11.99	12.27	12.59	12.95	13.37	13.94
12.0	11.51	11.56	11.66	11.88	12.13	12.40	12.71	13.06	13.47	13.93	14.56
13.0	11.85	11.90	12.02	12.26	12.53	12.83	13.17	13.55	13.99	14.50	15.19
14.0	12.19	12.25	12.37	12.64	12.93	13.26	13.63	14.05	14.53	15.08	15.82
15.0	12.54	12.61	12.74	13.02	13.34	13.69	14.10	14.55	15.07	15.67	16.47
16.0	12.89	12.96	13.11	13.41	13.75	14.14	14.57	15.06	15.62	16.26	17.13
17.0	13.25	13.33	13.48	13.81	14.18	14.59	15.05	15.58	16.18	16.87	17.80
18.0	13.61	13.70	13.86	14.21	14.60	15.05	15.54	16.11	16.75	17.49	18.48
19.0	13.98	14.07	14.24	14.62	15.04	15.51	16.04	16.64	17.33	18.12	19.18
20.0	14.35	14.45	14.63	15.03	15.48	15.98	16.55	17.19	17.92	18.76	19.88
21.0	14.73	14.83	15.03	15.45	15.93	16.46	17.06	17.74	18.52	19.41	20.60
22.0	15.11	15.22	15.43	15.88	16.39	16.95	17.59	18.31	19.14	20.08	21.34
23.0	15.50	15.62	15.84	16.31	16.85	17.45	18.12	18.88	19.76	20.75	22.08
24.0	15.90	16.02	16.25	16.76	17.32	17.95	18.66	19.47	20.39	21.44	22.85
25.0	16.30	16.43	16.67	17.20	17.80	18.47	19.22	20.07	21.04	22.15	23.62
26.0	16.70	16.84	17.10	17.66	18.29	18.99	19.78	20.68	21.70	22.86	24.41
27.0	17.12	17.26	17.53	18.12	18.78	19.52	20.35	21.30	22.37	23.59	25.22
28.0	17.54	17.69	17.97	18.59	19.29	20.06	20.94	21.93	23.06	24.34	26.05
29.0	17.97	18.12	18.42	19.07	19.80	20.61	21.53	22.57	23.76	25.10	26.89
30.0	18.40	18.56	18.88	19.56	20.32	21.18	22.14	23.23	24.47	25.88	27.75
31.0	18.84	19.01	19.34	20.06	20.85	21.75	22.76	23.90	25.20	26.67	28.62
32.0	19.29	19.47	19.81	20.56	21.40	22.33	23.39	24.58	25.94	27.48	29.52
33.0	19.75	19.93	20.29	21.08	21.95	22.93	24.04	25.28	26.70	28.31	30.44
34.0	20.21	20.41	20.78	21.60	22.51	23.54	24.69	26.00	27.48	29.16	31.38
35.0	20.68	20.89	21.28	22.13	23.09	24.16	25.37	26.73	28.28	30.03	32.34
36.0	21.17	21.38	21.79	22.68	23.67	24.79	26.05	27.47	29.09	30.92	33.32
37.0	21.66	21.88	22.31	23.23	24.27	25.44	26.75	28.24	29.92	31.83	34.32
38.0	22.15	22.39	22.83	23.80	24.88	26.10	27.47	29.02	30.77	32.76	35.35
39.0	22.66	22.91	23.37	24.38	25.51	26.78	28.21	29.82	31.65	33.71	36.41
40.0	23.18	23.43	23.92	24.97	26.15	27.47	28.96	30.64	32.54	34.69	37.49
41.0	23.71	23.97	24.48	25.57	26.80	28.18	29.73	31.48	33.46	35.69	38.60
42.0	24.25	24.52	25.05	26.19	27.46	28.90	30.52	32.34	34.40	36.72	39.75
43.0	24.80	25.09	25.63	26.82	28.15	29.64	31.33	33.22	35.37	37.78	40.92
44.0	25.36	25.66	26.23	27.46	28.85	30.40	32.16	34.13	36.36	38.87	42.12
45.0	25.94	26.25	26.84	28.12	29.56	31.18	33.01	35.06	37.38	39.99	43.36
46.0	26.52	26.84	27.46	28.79	30.29	31.98	33.88	36.02	38.43	41.14	44.64
47.0	27.12	27.46	28.10	29.49	31.05	32.80	34.78	37.00	39.51	42.32	45.95
48.0	27.74	28.08	28.75	30.19	31.82	33.64	35.70	38.02	40.62	43.54	47.30
49.0	28.37	28.72	29.42	30.92	32.61	34.51	36.65	39.06	41.77	44.80	48.69
50.0	29.01	29.38	30.10	31.66	33.42	35.40	37.63	40.13	42.95	46.09	50.13
▽φ	PERCENTAGE OF LOAN AMOUNT LEFT UNPAID AT DUE DATE										
	100.0	96.96	91.36	80.14	68.93	57.72	46.51	35.30	24.08	12.87	.00

DISCOUNT %	MONTHLY PAYBACK RATE (%) (MONTHLY PAYMENT DIVIDED BY LOAN AMOUNT)										
	.65	.70	.80	.90	1.00	1.10	1.20	1.40	1.60	1.80	2.02
.5	7.87	7.87	7.88	7.88	7.89	7.89	7.90	7.91	7.92	7.94	7.96
1.0	7.99	8.00	8.01	8.01	8.02	8.03	8.04	8.07	8.10	8.13	8.17
1.5	8.12	8.12	8.13	8.15	8.16	8.18	8.19	8.23	8.27	8.32	8.39
2.0	8.24	8.25	8.26	8.28	8.30	8.32	8.34	8.39	8.45	8.52	8.61
2.5	8.36	8.37	8.39	8.42	8.44	8.46	8.49	8.55	8.63	8.71	8.82
3.0	8.49	8.50	8.53	8.55	8.58	8.61	8.64	8.72	8.81	8.91	9.04
3.5	8.61	8.63	8.66	8.69	8.72	8.76	8.80	8.88	8.99	9.10	9.26
4.0	8.74	8.76	8.79	8.83	8.87	8.90	8.95	9.05	9.17	9.30	9.49
4.5	8.87	8.89	8.92	8.96	9.01	9.05	9.11	9.22	9.35	9.50	9.71
5.0	8.99	9.02	9.06	9.10	9.15	9.20	9.26	9.39	9.53	9.71	9.94
5.5	9.12	9.15	9.19	9.24	9.30	9.35	9.42	9.56	9.72	9.91	10.17
6.0	9.25	9.28	9.33	9.38	9.44	9.51	9.58	9.73	9.91	10.12	10.40
6.5	9.38	9.41	9.47	9.53	9.59	9.66	9.73	9.90	10.09	10.32	10.63
7.0	9.51	9.55	9.61	9.67	9.74	9.81	9.89	10.07	10.28	10.53	10.86
7.5	9.65	9.68	9.75	9.81	9.89	9.97	10.05	10.25	10.47	10.74	11.10
8.0	9.78	9.82	9.88	9.96	10.04	10.12	10.22	10.42	10.67	10.95	11.33
8.5	9.91	9.95	10.03	10.10	10.19	10.28	10.38	10.60	10.86	11.17	11.57
9.0	10.05	10.09	10.17	10.25	10.34	10.44	10.54	10.78	11.06	11.38	11.81
9.5	10.18	10.23	10.31	10.40	10.50	10.60	10.71	10.96	11.25	11.60	12.05
10.0	10.32	10.36	10.45	10.55	10.65	10.76	10.88	11.14	11.45	11.82	12.30
11.0	10.59	10.64	10.74	10.85	10.96	11.08	11.21	11.51	11.85	12.26	12.79
12.0	10.87	10.93	11.04	11.15	11.28	11.41	11.56	11.88	12.26	12.71	13.30
13.0	11.15	11.22	11.33	11.46	11.60	11.74	11.90	12.26	12.67	13.16	13.81
14.0	11.44	11.51	11.64	11.77	11.92	12.08	12.26	12.64	13.09	13.63	14.33
15.0	11.73	11.80	11.94	12.09	12.25	12.43	12.61	13.03	13.52	14.10	14.85
16.0	12.02	12.10	12.25	12.41	12.59	12.77	12.98	13.43	13.95	14.58	15.39
17.0	12.32	12.41	12.57	12.74	12.93	13.13	13.34	13.83	14.39	15.06	15.94
18.0	12.62	12.71	12.89	13.07	13.27	13.49	13.72	14.24	14.84	15.56	16.49
19.0	12.93	13.03	13.21	13.41	13.62	13.85	14.10	14.65	15.30	16.06	17.06
20.0	13.24	13.34	13.54	13.75	13.98	14.22	14.49	15.08	15.77	16.58	17.63
21.0	13.56	13.66	13.88	14.10	14.34	14.60	14.88	15.51	16.24	17.10	18.22
22.0	13.88	13.99	14.21	14.45	14.71	14.98	15.28	15.94	16.72	17.63	18.82
23.0	14.20	14.32	14.56	14.81	15.08	15.37	15.69	16.39	17.21	18.18	19.43
24.0	14.53	14.66	14.91	15.18	15.46	15.77	16.10	16.84	17.71	18.73	20.05
25.0	14.87	15.00	15.27	15.55	15.85	16.17	16.52	17.30	18.22	19.30	20.68
26.0	15.21	15.35	15.63	15.92	16.24	16.58	16.95	17.78	18.74	19.87	21.33
27.0	15.55	15.70	15.99	16.31	16.64	17.00	17.39	18.25	19.27	20.46	21.99
28.0	15.90	16.06	16.37	16.69	17.05	17.42	17.83	18.74	19.81	21.06	22.66
29.0	16.26	16.43	16.75	17.09	17.46	17.86	18.29	19.24	20.36	21.67	23.34
30.0	16.62	16.80	17.14	17.50	17.88	18.30	18.75	19.75	20.92	22.29	24.05
31.0	16.99	17.18	17.53	17.91	18.31	18.75	19.22	20.27	21.49	22.93	24.76
32.0	17.37	17.56	17.93	18.32	18.75	19.21	19.70	20.80	22.08	23.58	25.49
33.0	17.75	17.95	18.34	18.75	19.20	19.67	20.19	21.34	22.68	24.24	26.24
34.0	18.14	18.35	18.75	19.19	19.65	20.15	20.69	21.89	23.29	24.93	27.01
35.0	18.54	18.76	19.18	19.63	20.12	20.63	21.20	22.45	23.92	25.62	27.79
36.0	18.94	19.17	19.61	20.08	20.59	21.13	21.72	23.03	24.56	26.34	28.59
37.0	19.35	19.59	20.05	20.54	21.07	21.64	22.25	23.62	25.21	27.07	29.41
38.0	19.77	20.02	20.50	21.01	21.56	22.16	22.79	24.22	25.88	27.81	30.25
39.0	20.20	20.46	20.96	21.49	22.07	22.68	23.35	24.84	26.57	28.58	31.12
40.0	20.64	20.91	21.43	21.98	22.58	23.23	23.92	25.47	27.27	29.37	32.00
41.0	21.08	21.36	21.90	22.48	23.11	23.78	24.50	26.12	27.99	30.17	32.91
42.0	21.54	21.83	22.39	23.00	23.65	24.35	25.10	26.78	28.74	31.00	33.84
43.0	22.00	22.30	22.89	23.52	24.20	24.93	25.71	27.46	29.50	31.85	34.80
44.0	22.48	22.79	23.40	24.06	24.76	25.52	26.34	28.16	30.28	32.72	35.78
45.0	22.96	23.29	23.92	24.61	25.34	26.13	26.98	28.88	31.08	33.62	36.79
46.0	23.46	23.80	24.46	25.17	25.93	26.75	27.64	29.61	31.90	34.55	37.84
47.0	23.96	24.32	25.01	25.74	26.54	27.39	28.32	30.37	32.75	35.50	38.91
48.0	24.48	24.85	25.57	26.33	27.16	28.05	29.01	31.15	33.63	36.48	40.01
49.0	25.01	25.40	26.14	26.94	27.80	28.73	29.73	31.95	34.53	37.49	41.15
50.0	25.56	25.96	26.73	27.56	28.46	29.42	30.46	32.78	35.46	38.54	42.33
	PERCENTAGE OF LOAN AMOUNT LEFT UNPAID AT DUE DATE										
	100.0	96.05	88.75	81.45	74.15	66.85	59.55	44.95	30.35	15.75	.00

DISCOUNT %	MONTHLY PAYBACK RATE (%) (MONTHLY PAYMENT DIVIDED BY LOAN AMOUNT)										
	.65	.70	.80	.90	1.00	1.10	1.20	1.30	1.40	1.60	1.74
1.0	7.96	7.96	7.97	7.98	7.99	8.00	8.02	8.03	8.04	8.08	8.11
2.0	8.17	8.18	8.20	8.22	8.24	8.26	8.29	8.31	8.34	8.42	8.48
3.0	8.39	8.40	8.43	8.46	8.49	8.52	8.56	8.60	8.65	8.75	8.85
4.0	8.61	8.62	8.66	8.70	8.74	8.79	8.84	8.89	8.95	9.10	9.22
5.0	8.83	8.85	8.89	8.94	9.00	9.05	9.12	9.19	9.27	9.45	9.61
6.0	9.05	9.08	9.13	9.19	9.26	9.33	9.40	9.49	9.58	9.80	9.99
7.0	9.28	9.31	9.37	9.44	9.52	9.60	9.69	9.79	9.90	10.16	10.39
8.0	9.50	9.54	9.62	9.70	9.79	9.88	9.99	10.10	10.23	10.53	10.79
9.0	9.74	9.78	9.86	9.95	10.06	10.16	10.28	10.41	10.56	10.90	11.19
10.0	9.97	10.02	10.11	10.22	10.33	10.45	10.59	10.73	10.90	11.28	11.61
11.0	10.21	10.26	10.37	10.48	10.61	10.74	10.89	11.06	11.24	11.66	12.05
12.0	10.45	10.51	10.63	10.75	10.89	11.04	11.21	11.38	11.59	12.05	12.45
13.0	10.69	10.76	10.89	11.02	11.18	11.34	11.52	11.72	11.94	12.45	12.88
14.0	10.94	11.01	11.15	11.30	11.47	11.64	11.84	12.06	12.30	12.85	13.32
15.0	11.19	11.27	11.42	11.58	11.76	11.95	12.17	12.40	12.66	13.26	13.77
16.0	11.45	11.53	11.69	11.87	12.06	12.27	12.50	12.75	13.03	13.68	14.23
17.0	11.71	11.80	11.97	12.16	12.37	12.59	12.84	13.11	13.41	14.10	14.69
18.0	11.97	12.06	12.25	12.45	12.67	12.91	13.18	13.47	13.79	14.53	15.16
19.0	12.23	12.34	12.54	12.75	12.99	13.24	13.53	13.83	14.18	14.97	15.64
20.0	12.50	12.61	12.83	13.06	13.31	13.58	13.88	14.21	14.57	15.42	16.13
21.0	12.78	12.89	13.12	13.36	13.63	13.92	14.24	14.59	14.98	15.87	16.63
22.0	13.06	13.18	13.42	13.68	13.96	14.27	14.61	14.98	15.39	16.34	17.14
23.0	13.34	13.47	13.72	14.00	14.30	14.62	14.98	15.37	15.81	16.81	17.65
24.0	13.63	13.76	14.03	14.32	14.64	14.98	15.36	15.77	16.23	17.29	18.18
25.0	13.92	14.06	14.34	14.65	14.98	15.35	15.75	16.18	16.67	17.78	18.72
26.0	14.21	14.37	14.66	14.98	15.34	15.72	16.14	16.60	17.11	18.28	19.26
27.0	14.52	14.68	14.99	15.33	15.70	16.10	16.54	17.03	17.56	18.79	19.82
28.0	14.82	14.99	15.32	15.67	16.06	16.49	16.95	17.46	18.02	19.32	20.39
29.0	15.13	15.31	15.65	16.03	16.44	16.88	17.37	17.90	18.49	19.85	20.98
30.0	15.45	15.63	16.00	16.39	16.82	17.28	17.80	18.35	18.97	20.39	21.57
31.0	15.77	15.97	16.34	16.75	17.21	17.69	18.23	18.81	19.46	20.95	22.18
32.0	16.10	16.30	16.70	17.13	17.60	18.11	18.67	19.29	19.96	21.51	22.80
33.0	16.43	16.65	17.06	17.51	18.00	18.54	19.13	19.77	20.47	22.10	23.44
34.0	16.77	17.00	17.43	17.90	18.41	18.97	19.59	20.26	20.99	22.69	24.09
35.0	17.12	17.35	17.81	18.30	18.83	19.42	20.06	20.76	21.53	23.30	24.75
36.0	17.47	17.72	18.19	18.70	19.26	19.87	20.54	21.27	22.08	23.92	25.43
37.0	17.83	18.09	18.58	19.12	19.70	20.34	21.04	21.80	22.64	24.56	26.13
38.0	18.20	18.46	18.98	19.54	20.15	20.81	21.54	22.34	23.21	25.21	26.85
39.0	18.58	18.85	19.39	19.97	20.61	21.30	22.06	22.89	23.80	25.88	27.58
40.0	18.96	19.24	19.80	20.41	21.08	21.80	22.59	23.45	24.40	26.57	28.33
41.0	19.35	19.65	20.23	20.86	21.56	22.31	23.13	24.03	25.02	27.27	29.11
42.0	19.75	20.06	20.66	21.32	22.05	22.83	23.69	24.63	25.65	27.99	29.90
43.0	20.16	20.48	21.11	21.80	22.55	23.36	24.26	25.24	26.30	28.74	30.71
44.0	20.57	20.91	21.57	22.28	23.06	23.91	24.85	25.86	26.97	29.50	31.55
45.0	21.00	21.35	22.03	22.78	23.59	24.48	25.45	26.50	27.66	30.29	32.41
46.0	21.43	21.80	22.51	23.29	24.13	25.06	26.07	27.17	28.37	31.10	33.30
47.0	21.88	22.26	23.00	23.81	24.69	25.65	26.70	27.85	29.10	31.93	34.21
48.0	22.34	22.73	23.50	24.34	25.26	26.26	27.36	28.55	29.85	32.79	35.15
49.0	22.81	23.22	24.02	24.89	25.85	26.89	28.03	29.27	30.62	33.67	36.13
50.0	23.29	23.71	24.55	25.46	26.46	27.54	28.72	30.01	31.42	34.59	37.13
51.0	23.78	24.22	25.09	26.04	27.08	28.20	29.44	30.78	32.24	35.53	38.16
52.0	24.29	24.75	25.65	26.64	27.72	28.89	30.18	31.57	33.09	36.51	39.23
53.0	24.81	25.28	26.23	27.26	28.38	29.60	30.94	32.39	33.97	37.52	40.34
54.0	25.34	25.84	26.82	27.89	29.06	30.34	31.73	33.24	34.88	38.57	41.49
55.0	25.89	26.41	27.43	28.55	29.77	31.09	32.54	34.12	35.83	39.65	42.68
56.0	26.46	27.00	28.06	29.22	30.49	31.88	33.39	35.02	36.80	40.78	43.91
57.0	27.04	27.60	28.71	29.92	31.25	32.69	34.26	35.97	37.82	41.95	45.20
58.0	27.64	28.23	29.38	30.65	32.03	33.53	35.17	36.95	38.87	43.16	46.53
59.0	28.26	28.87	30.08	31.40	32.84	34.40	36.11	37.97	39.97	44.43	47.92
60.0	28.90	29.54	30.80	32.17	33.68	35.31	37.10	39.03	41.12	45.75	49.37
PERCENTAGE OF LOAN AMOUNT LEFT UNPAID AT DUE DATE											
	100.0	95.05	85.92	76.79	67.67	58.54	49.41	40.28	31.15	12.89	.00

DISCOUNT %	MONTHLY PAYBACK RATE (%) (MONTHLY PAYMENT DIVIDED BY LOAN AMOUNT)										
	.65	.70	.80	.90	1.00	1.10	1.20	1.30	1.40	1.50	1.55
1.0	7.94	7.94	7.95	7.96	7.97	7.98	8.00	8.01	8.03	8.05	8.06
2.0	8.13	8.14	8.15	8.17	8.20	8.22	8.25	8.28	8.32	8.36	8.38
3.0	8.32	8.33	8.36	8.39	8.43	8.46	8.51	8.55	8.61	8.67	8.70
4.0	8.51	8.53	8.57	8.61	8.66	8.71	8.77	8.83	8.91	8.99	9.03
5.0	8.71	8.73	8.78	8.83	8.89	8.95	9.03	9.11	9.21	9.31	9.36
6.0	8.90	8.93	8.99	9.06	9.13	9.21	9.30	9.39	9.51	9.64	9.70
7.0	9.11	9.14	9.21	9.28	9.37	9.46	9.57	9.68	9.82	9.97	10.05
8.0	9.31	9.35	9.43	9.52	9.61	9.72	9.84	9.98	10.13	10.31	10.39
9.0	9.52	9.56	9.65	9.75	9.86	9.98	10.12	10.27	10.45	10.65	10.75
10.0	9.72	9.78	9.88	9.99	10.11	10.25	10.40	10.58	10.77	11.00	11.11
11.0	9.94	9.99	10.11	10.23	10.37	10.52	10.69	10.88	11.10	11.35	11.47
12.0	10.15	10.21	10.34	10.47	10.63	10.79	10.99	11.19	11.44	11.71	11.84
13.0	10.37	10.44	10.57	10.72	10.89	11.07	11.28	11.51	11.78	12.07	12.22
14.0	10.59	10.67	10.81	10.98	11.16	11.36	11.58	11.83	12.12	12.44	12.60
15.0	10.81	10.90	11.06	11.23	11.43	11.65	11.89	12.16	12.47	12.82	13.00
16.0	11.04	11.13	11.30	11.49	11.71	11.94	12.20	12.49	12.83	13.20	13.39
17.0	11.27	11.37	11.55	11.76	11.99	12.24	12.52	12.83	13.19	13.59	13.80
18.0	11.51	11.61	11.81	12.02	12.27	12.54	12.84	13.18	13.56	13.99	14.21
19.0	11.74	11.85	12.06	12.30	12.56	12.85	13.17	13.53	13.94	14.40	14.63
20.0	11.98	12.10	12.33	12.57	12.85	13.16	13.50	13.89	14.32	14.81	15.05
21.0	12.23	12.35	12.59	12.86	13.15	13.48	13.84	14.25	14.71	15.23	15.49
22.0	12.48	12.61	12.86	13.14	13.46	13.80	14.19	14.62	15.11	15.66	15.93
23.0	12.73	12.87	13.14	13.43	13.77	14.13	14.54	15.00	15.51	16.09	16.38
24.0	12.99	13.13	13.42	13.73	14.08	14.47	14.90	15.38	15.93	16.54	16.84
25.0	13.25	13.40	13.70	14.03	14.40	14.81	15.27	15.77	16.35	16.99	17.31
26.0	13.51	13.67	13.99	14.34	14.73	15.16	15.64	16.17	16.78	17.45	17.79
27.0	13.78	13.95	14.29	14.65	15.06	15.51	16.02	16.58	17.22	17.92	18.28
28.0	14.06	14.23	14.59	14.97	15.40	15.88	16.41	17.00	17.66	18.40	18.77
29.0	14.34	14.52	14.89	15.30	15.75	16.25	16.81	17.42	18.12	18.90	19.28
30.0	14.62	14.82	15.20	15.63	16.10	16.62	17.21	17.86	18.59	19.40	19.80
31.0	14.91	15.11	15.52	15.97	16.46	17.01	17.62	18.30	19.06	19.91	20.33
32.0	15.20	15.42	15.84	16.31	16.83	17.40	18.04	18.75	19.55	20.44	20.88
33.0	15.50	15.73	16.17	16.66	17.20	17.80	18.48	19.22	20.05	20.97	21.43
34.0	15.81	16.04	16.51	17.02	17.59	18.21	18.92	19.69	20.56	21.52	22.00
35.0	16.12	16.37	16.85	17.38	17.98	18.63	19.37	20.18	21.08	22.08	22.58
36.0	16.44	16.69	17.20	17.76	18.38	19.06	19.83	20.67	21.61	22.66	23.18
37.0	16.76	17.03	17.56	18.14	18.79	19.50	20.30	21.18	22.16	23.25	23.79
38.0	17.09	17.37	17.92	18.53	19.21	19.96	20.78	21.70	22.72	23.85	24.41
39.0	17.43	17.72	18.30	18.93	19.63	20.41	21.28	22.23	23.30	24.47	25.05
40.0	17.77	18.08	18.68	19.34	20.07	20.88	21.79	22.78	23.89	25.11	25.71
41.0	18.13	18.44	19.07	19.76	20.52	21.37	22.31	23.34	24.49	25.76	26.39
42.0	18.49	18.82	19.47	20.18	20.98	21.86	22.84	23.92	25.12	26.43	27.08
43.0	18.85	19.20	19.88	20.62	21.45	22.37	23.39	24.51	25.75	27.12	27.79
44.0	19.23	19.59	20.29	21.07	21.94	22.89	23.95	25.12	26.41	27.83	28.53
45.0	19.62	19.99	20.72	21.53	22.44	23.43	24.53	25.75	27.09	28.56	29.28
46.0	20.01	20.40	21.16	22.01	22.95	23.98	25.13	26.39	27.78	29.31	30.06
47.0	20.42	20.82	21.61	22.49	23.47	24.55	25.74	27.05	28.50	30.08	30.86
48.0	20.83	21.25	22.08	22.99	24.01	25.13	26.37	27.74	29.24	30.88	31.68
49.0	21.25	21.69	22.55	23.51	24.57	25.73	27.02	28.44	30.00	31.70	32.53
50.0	21.69	22.14	23.04	24.04	25.14	26.35	27.70	29.17	30.79	32.55	33.41
51.0	22.14	22.61	23.55	24.58	25.73	26.99	28.39	29.92	31.60	33.43	34.32
52.0	22.60	23.09	24.07	25.14	26.34	27.65	29.11	30.70	32.44	34.34	35.26
53.0	23.07	23.58	24.60	25.72	26.97	28.34	29.85	31.50	33.32	35.28	36.23
54.0	23.56	24.09	25.15	26.32	27.62	29.04	30.62	32.34	34.22	36.25	37.24
55.0	24.06	24.61	25.72	26.94	28.29	29.77	31.41	33.20	35.15	37.26	38.28
56.0	24.58	25.15	26.30	27.57	28.98	30.53	32.24	34.10	36.12	38.31	39.36
57.0	25.11	25.71	26.91	28.23	29.70	31.31	33.09	35.03	37.13	39.40	40.49
58.0	25.66	26.29	27.54	28.92	30.45	32.13	33.98	36.00	38.18	40.53	41.66
59.0	26.23	26.88	28.19	29.63	31.23	32.98	34.91	37.00	39.28	41.71	42.88
60.0	26.82	27.50	28.86	30.37	32.03	33.86	35.87	38.05	40.42	42.94	44.15
▽Φ	PERCENTAGE OF LOAN AMOUNT LEFT UNPAID AT DUE DATE										
	100.0	93.98	82.88	71.77	60.66	49.56	38.45	27.34	16.24	5.13	.00

DISCOUNT %	MONTHLY PAYBACK RATE (%) (MONTHLY PAYMENT DIVIDED BY LOAN AMOUNT)										
	.65	.70	.75	.80	.85	.90	1.00	1.10	1.20	1.30	1.40
1.0	7.92	7.92	7.93	7.93	7.94	7.94	7.96	7.97	7.99	8.00	8.03
2.0	8.09	8.10	8.11	8.12	8.13	8.14	8.17	8.19	8.23	8.27	8.31
3.0	8.26	8.28	8.29	8.31	8.33	8.34	8.38	8.42	8.47	8.53	8.60
4.0	8.44	8.46	8.48	8.50	8.52	8.54	8.60	8.65	8.72	8.80	8.89
5.0	8.62	8.64	8.67	8.69	8.72	8.75	8.82	8.89	8.97	9.07	9.18
6.0	8.80	8.83	8.86	8.89	8.92	8.96	9.04	9.13	9.23	9.35	9.49
7.0	8.98	9.02	9.05	9.09	9.13	9.17	9.26	9.37	9.49	9.63	9.79
8.0	9.16	9.21	9.25	9.29	9.34	9.39	9.49	9.61	9.75	9.91	10.10
9.0	9.35	9.40	9.45	9.50	9.55	9.60	9.73	9.86	10.02	10.20	10.41
10.0	9.54	9.60	9.65	9.70	9.76	9.82	9.96	10.12	10.29	10.50	10.73
11.0	9.73	9.79	9.85	9.91	9.98	10.05	10.20	10.37	10.57	10.79	11.06
12.0	9.93	10.00	10.06	10.13	10.20	10.28	10.44	10.63	10.85	11.10	11.39
13.0	10.13	10.20	10.27	10.35	10.42	10.51	10.69	10.90	11.14	11.41	11.73
14.0	10.33	10.41	10.48	10.57	10.65	10.74	10.94	11.17	11.43	11.72	12.07
15.0	10.53	10.62	10.70	10.79	10.88	10.98	11.20	11.44	11.72	12.04	12.41
16.0	10.74	10.83	10.92	11.02	11.12	11.22	11.46	11.72	12.02	12.37	12.77
17.0	10.95	11.05	11.14	11.25	11.35	11.47	11.72	12.00	12.33	12.70	13.13
18.0	11.16	11.27	11.37	11.48	11.60	11.72	11.99	12.29	12.64	13.03	13.49
19.0	11.38	11.49	11.60	11.72	11.84	11.97	12.26	12.58	12.95	13.37	13.87
20.0	11.60	11.72	11.84	11.96	12.09	12.23	12.54	12.88	13.28	13.72	14.25
21.0	11.82	11.95	12.07	12.21	12.35	12.49	12.82	13.19	13.60	14.08	14.63
22.0	12.05	12.18	12.32	12.46	12.61	12.76	13.11	13.49	13.94	14.44	15.03
23.0	12.28	12.42	12.56	12.71	12.87	13.03	13.40	13.81	14.28	14.81	15.43
24.0	12.51	12.66	12.81	12.97	13.14	13.31	13.70	14.13	14.63	15.19	15.84
25.0	12.75	12.91	13.07	13.23	13.41	13.59	14.00	14.46	14.98	15.57	16.25
26.0	12.99	13.16	13.33	13.50	13.69	13.88	14.31	14.79	15.34	15.96	16.68
27.0	13.24	13.42	13.59	13.77	13.97	14.17	14.63	15.13	15.71	16.36	17.12
28.0	13.49	13.68	13.86	14.05	14.26	14.47	14.95	15.48	16.09	16.77	17.56
29.0	13.74	13.94	14.13	14.34	14.55	14.78	15.28	15.83	16.47	17.19	18.01
30.0	14.00	14.21	14.41	14.62	14.85	15.09	15.61	16.20	16.86	17.61	18.48
31.0	14.27	14.49	14.70	14.92	15.16	15.40	15.95	16.57	17.26	18.05	18.95
32.0	14.54	14.77	14.99	15.22	15.47	15.73	16.30	16.94	17.67	18.49	19.43
33.0	14.81	15.05	15.28	15.53	15.78	16.06	16.66	17.33	18.09	18.95	19.93
34.0	15.09	15.34	15.58	15.84	16.11	16.39	17.02	17.72	18.52	19.41	20.44
35.0	15.38	15.64	15.89	16.16	16.44	16.74	17.39	18.13	18.96	19.89	20.95
36.0	15.67	15.94	16.20	16.48	16.78	17.09	17.77	18.54	19.41	20.38	21.49
37.0	15.97	16.25	16.53	16.82	17.13	17.45	18.16	18.96	19.87	20.88	22.03
38.0	16.27	16.57	16.85	17.16	17.48	17.82	18.56	19.40	20.34	21.39	22.59
39.0	16.58	16.89	17.19	17.51	17.84	18.19	18.97	19.84	20.82	21.92	23.16
40.0	16.90	17.22	17.53	17.86	18.21	18.58	19.39	20.30	21.32	22.46	23.75
41.0	17.22	17.56	17.88	18.23	18.59	18.98	19.82	20.76	21.83	23.01	24.35
42.0	17.55	17.90	18.24	18.60	18.98	19.38	20.26	21.24	22.35	23.58	24.97
43.0	17.89	18.26	18.61	18.98	19.38	19.80	20.71	21.74	22.89	24.17	25.61
44.0	18.24	18.62	18.99	19.38	19.79	20.22	21.18	22.24	23.44	24.77	26.26
45.0	18.60	18.99	19.37	19.78	20.21	20.66	21.65	22.76	24.01	25.39	26.94
46.0	18.96	19.37	19.77	20.19	20.64	21.11	22.15	23.30	24.59	26.03	27.63
47.0	19.33	19.76	20.18	20.62	21.08	21.57	22.65	23.85	25.19	26.68	28.35
48.0	19.72	20.16	20.59	21.05	21.54	22.05	23.17	24.42	25.82	27.36	29.08
49.0	20.11	20.57	21.02	21.50	22.01	22.54	23.71	25.00	26.46	28.06	29.85
50.0	20.51	21.00	21.47	21.96	22.49	23.04	24.26	25.61	27.12	28.78	30.63
52.0	21.36	21.88	22.39	22.93	23.50	24.10	25.42	26.88	28.51	30.30	32.28
54.0	22.25	22.82	23.37	23.95	24.57	25.23	26.66	28.24	30.00	31.93	34.06
56.0	23.20	23.81	24.41	25.05	25.72	26.43	27.98	29.70	31.61	33.68	35.96
58.0	24.21	24.88	25.53	26.23	26.96	27.73	29.41	31.28	33.34	35.58	38.02
60.0	25.30	26.02	26.74	27.49	28.29	29.13	30.96	32.99	35.22	37.63	40.26
62.0	26.46	27.25	28.03	28.86	29.73	30.65	32.65	34.85	37.27	39.88	42.70
64.0	27.72	28.59	29.44	30.34	31.30	32.30	34.49	36.89	39.52	42.34	45.37
66.0	29.09	30.04	30.98	31.97	33.02	34.12	36.52	39.14	42.00	45.06	48.33
68.0	30.59	31.64	32.67	33.76	34.92	36.13	38.77	41.65	44.77	48.09	51.61
70.0	32.24	33.40	34.54	35.75	37.03	38.38	41.29	44.45	47.47	51.48	55.29
◁▽◁	PERCENTAGE OF LOAN AMOUNT LEFT UNPAID AT DUE DATE										
	100.0	92.83	86.21	79.58	72.96	66.34	53.10	39.86	26.62	13.37	.00

94

DISCOUNT %	.65	.70	.75	.80	.85	.90	.95	1.00	1.05	1.10	1.29
	MONTHLY PAYBACK RATE (%) (MONTHLY PAYMENT DIVIDED BY LOAN AMOUNT)										
1.0	7.91	7.91	7.92	7.92	7.93	7.93	7.94	7.95	7.95	7.96	8.00
2.0	8.06	8.07	8.08	8.09	8.11	8.12	8.13	8.15	8.16	8.18	8.26
3.0	8.22	8.24	8.25	8.27	8.29	8.31	8.33	8.35	8.37	8.40	8.52
4.0	8.38	8.41	8.43	8.45	8.47	8.50	8.53	8.56	8.59	8.62	8.78
5.0	8.55	8.58	8.60	8.63	8.66	8.69	8.73	8.76	8.80	8.85	9.05
6.0	8.71	8.75	8.78	8.81	8.85	8.89	8.93	8.98	9.02	9.08	9.32
7.0	8.88	8.92	8.96	9.00	9.04	9.09	9.14	9.19	9.25	9.31	9.59
8.0	9.05	9.10	9.14	9.19	9.24	9.29	9.35	9.41	9.47	9.54	9.87
9.0	9.23	9.28	9.33	9.38	9.44	9.49	9.56	9.63	9.70	9.78	10.16
10.0	9.40	9.46	9.51	9.57	9.64	9.70	9.78	9.86	9.94	10.03	10.45
11.0	9.58	9.64	9.70	9.77	9.84	9.91	10.00	10.08	10.18	10.28	10.74
12.0	9.76	9.83	9.90	9.97	10.05	10.13	10.22	10.32	10.42	10.53	11.04
13.0	9.94	10.02	10.09	10.17	10.26	10.35	10.45	10.55	10.66	10.78	11.34
14.0	10.13	10.21	10.29	10.38	10.47	10.57	10.68	10.79	10.91	11.04	11.65
15.0	10.31	10.40	10.49	10.59	10.69	10.79	10.91	11.03	11.17	11.31	11.96
16.0	10.51	10.60	10.70	10.80	10.91	11.02	11.15	11.28	11.42	11.58	12.28
17.0	10.70	10.80	10.91	11.02	11.13	11.26	11.39	11.53	11.69	11.85	12.61
18.0	10.90	11.01	11.12	11.24	11.36	11.49	11.64	11.79	11.95	12.13	12.94
19.0	11.10	11.22	11.33	11.46	11.59	11.73	11.89	12.05	12.23	12.42	13.28
20.0	11.30	11.43	11.55	11.69	11.83	11.98	12.14	12.32	12.50	12.70	13.62
21.0	11.51	11.64	11.78	11.92	12.07	12.23	12.40	12.59	12.78	13.00	13.97
22.0	11.72	11.86	12.00	12.15	12.31	12.48	12.67	12.86	13.07	13.30	14.32
23.0	11.93	12.08	12.23	12.39	12.56	12.74	12.94	13.14	13.36	13.60	14.69
24.0	12.15	12.31	12.47	12.63	12.81	13.00	13.21	13.43	13.66	13.92	15.06
25.0	12.37	12.54	12.70	12.88	13.07	13.27	13.49	13.72	13.97	14.23	15.44
26.0	12.59	12.77	12.95	13.13	13.33	13.54	13.77	14.02	14.28	14.56	15.82
27.0	12.82	13.01	13.19	13.39	13.60	13.82	14.06	14.32	14.59	14.89	16.22
28.0	13.05	13.25	13.45	13.65	13.87	14.11	14.36	14.63	14.92	15.23	16.62
29.0	13.29	13.50	13.70	13.92	14.15	14.40	14.66	14.95	15.25	15.57	17.03
30.0	13.53	13.75	13.96	14.19	14.43	14.69	14.97	15.27	15.58	15.92	17.45
31.0	13.78	14.01	14.23	14.47	14.72	14.99	15.29	15.60	15.93	16.28	17.88
32.0	14.03	14.27	14.50	14.75	15.02	15.30	15.61	15.93	16.28	16.64	18.32
33.0	14.28	14.53	14.78	15.04	15.32	15.62	15.94	16.28	16.64	17.03	18.76
34.0	14.54	14.81	15.06	15.34	15.63	15.94	16.27	16.63	17.01	17.41	19.22
35.0	14.81	15.08	15.35	15.64	15.94	16.27	16.62	16.99	17.38	17.81	19.69
36.0	15.08	15.37	15.65	15.95	16.27	16.61	16.97	17.36	17.77	18.21	20.17
37.0	15.36	15.66	15.95	16.26	16.60	16.95	17.33	17.74	18.17	18.63	20.67
38.0	15.64	15.95	16.26	16.59	16.93	17.30	17.70	18.12	18.57	19.05	21.17
39.0	15.93	16.26	16.58	16.92	17.28	17.66	18.08	18.52	18.99	19.49	21.69
40.0	16.23	16.57	16.90	17.25	17.63	18.03	18.47	18.92	19.41	19.93	22.23
41.0	16.53	16.88	17.23	17.60	18.00	18.41	18.86	19.34	19.85	20.39	22.77
42.0	16.84	17.21	17.57	17.96	18.37	18.80	19.27	19.77	20.30	20.86	23.34
43.0	17.16	17.54	17.92	18.32	18.75	19.20	19.69	20.21	20.76	21.35	23.91
44.0	17.48	17.88	18.28	18.69	19.14	19.61	20.12	20.66	21.23	21.84	24.51
45.0	17.82	18.23	18.64	19.08	19.54	20.04	20.56	21.13	21.72	22.36	25.12
46.0	18.16	18.59	19.02	19.47	19.96	20.47	21.02	21.60	22.22	22.88	25.75
47.0	18.51	18.96	19.40	19.88	20.38	20.92	21.49	22.10	22.74	23.43	26.40
48.0	18.87	19.34	19.80	20.29	20.82	21.38	21.97	22.60	23.27	23.99	27.07
49.0	19.24	19.73	20.21	20.72	21.27	21.85	22.47	23.13	23.82	24.57	27.76
50.0	19.62	20.13	20.63	21.16	21.73	22.34	22.98	23.67	24.39	25.16	28.48
52.0	20.41	20.97	21.51	22.09	22.71	23.36	24.06	24.80	25.59	26.42	29.98
54.0	21.25	21.86	22.45	23.08	23.75	24.46	25.22	26.02	26.87	27.77	31.59
56.0	22.15	22.81	23.45	24.13	24.86	25.63	26.46	27.33	28.25	29.22	33.33
58.0	23.11	23.82	24.52	25.27	26.06	26.90	27.80	28.74	29.73	30.78	35.20
60.0	24.14	24.92	25.68	26.49	27.36	28.27	29.24	30.27	31.35	32.49	37.24
62.0	25.25	26.10	26.93	27.82	28.76	29.76	30.82	31.94	33.11	34.35	39.47
64.0	26.46	27.38	28.30	29.27	30.30	31.39	32.55	33.77	35.05	36.39	41.91
66.0	27.77	28.79	29.79	30.86	32.00	33.19	34.46	35.80	37.19	38.64	44.61
68.0	29.21	30.34	31.44	32.62	33.87	35.19	36.59	38.05	39.57	41.16	47.61
70.0	30.81	32.05	33.28	34.59	35.97	37.43	38.97	40.57	42.24	43.98	50.98
PERCENTAGE OF LOAN AMOUNT LEFT UNPAID AT DUE DATE										
	100.0	91.58	83.80	76.03	68.25	60.48	52.70	44.93	37.15	29.38	.00

DISCOUNT %	MONTHLY PAYBACK RATE (%) (MONTHLY PAYMENT DIVIDED BY LOAN AMOUNT)										
	.65	.70	.75	.80	.85	.90	.95	1.00	1.05	1.10	1.20
1.0	7.89	7.90	7.91	7.91	7.92	7.92	7.93	7.94	7.95	7.96	7.98
2.0	8.04	8.05	8.06	8.08	8.09	8.10	8.12	8.13	8.15	8.17	8.21
3.0	8.19	8.21	8.22	8.24	8.26	8.28	8.30	8.33	8.35	8.38	8.45
4.0	8.34	8.36	8.39	8.41	8.44	8.46	8.49	8.53	8.56	8.60	8.69
5.0	8.49	8.52	8.55	8.58	8.61	8.65	8.69	8.73	8.77	8.82	8.94
6.0	8.65	8.68	8.72	8.75	8.79	8.83	8.88	8.93	8.98	9.04	9.18
7.0	8.80	8.85	8.89	8.93	8.98	9.02	9.08	9.14	9.20	9.27	9.44
8.0	8.96	9.01	9.06	9.11	9.16	9.22	9.28	9.35	9.42	9.50	9.69
9.0	9.13	9.18	9.23	9.29	9.35	9.41	9.49	9.56	9.65	9.74	9.95
10.0	9.29	9.35	9.41	9.47	9.54	9.61	9.69	9.78	9.87	9.98	10.22
11.0	9.45	9.52	9.59	9.66	9.73	9.81	9.91	10.00	10.10	10.22	10.48
12.0	9.62	9.70	9.77	9.85	9.93	10.02	10.12	10.23	10.34	10.47	10.76
13.0	9.79	9.87	9.95	10.04	10.13	10.23	10.34	10.45	10.58	10.72	11.03
14.0	9.97	10.05	10.14	10.23	10.33	10.44	10.56	10.69	10.82	10.97	11.32
15.0	10.14	10.24	10.33	10.43	10.54	10.66	10.78	10.92	11.07	11.23	11.60
16.0	10.32	10.42	10.53	10.63	10.75	10.88	11.01	11.16	11.32	11.50	11.90
17.0	10.50	10.61	10.72	10.84	10.96	11.10	11.25	11.41	11.58	11.76	12.19
18.0	10.69	10.81	10.92	11.05	11.18	11.33	11.48	11.65	11.84	12.04	12.50
19.0	10.87	11.00	11.13	11.26	11.40	11.56	11.73	11.91	12.10	12.32	12.80
20.0	11.06	11.20	11.33	11.47	11.63	11.79	11.97	12.17	12.37	12.60	13.12
21.0	11.26	11.40	11.54	11.69	11.86	12.03	12.22	12.43	12.65	12.89	13.44
22.0	11.45	11.61	11.76	11.92	12.09	12.27	12.48	12.70	12.93	13.18	13.77
23.0	11.65	11.81	11.97	12.14	12.33	12.52	12.74	12.97	13.21	13.48	14.10
24.0	11.86	12.03	12.20	12.38	12.57	12.78	13.00	13.25	13.51	13.79	14.44
25.0	12.07	12.24	12.42	12.61	12.82	13.03	13.27	13.53	13.80	14.10	14.78
26.0	12.28	12.46	12.65	12.85	13.07	13.30	13.55	13.82	14.11	14.42	15.14
27.0	12.49	12.69	12.89	13.10	13.32	13.56	13.83	14.11	14.42	14.75	15.50
28.0	12.71	12.92	13.12	13.35	13.58	13.84	14.12	14.41	14.73	15.08	15.87
29.0	12.93	13.15	13.37	13.60	13.85	14.12	14.41	14.72	15.06	15.42	16.24
30.0	13.16	13.39	13.62	13.86	14.12	14.40	14.71	15.04	15.39	15.77	16.63
31.0	13.39	13.63	13.87	14.13	14.40	14.69	15.01	15.36	15.72	16.12	17.02
32.0	13.63	13.88	14.13	14.40	14.68	14.99	15.33	15.69	16.07	16.49	17.42
33.0	13.87	14.13	14.39	14.67	14.97	15.30	15.65	16.02	16.42	16.86	17.83
34.0	14.11	14.39	14.66	14.96	15.27	15.61	15.97	16.37	16.78	17.24	18.26
35.0	14.36	14.65	14.94	15.24	15.57	15.93	16.31	16.72	17.16	17.63	18.69
36.0	14.62	14.92	15.22	15.54	15.88	16.25	16.65	17.08	17.53	18.03	19.13
37.0	14.88	15.20	15.51	15.84	16.20	16.58	17.00	17.45	17.92	18.44	19.58
38.0	15.15	15.48	15.80	16.15	16.53	16.93	17.36	17.83	18.32	18.86	20.05
39.0	15.42	15.76	16.10	16.47	16.86	17.28	17.73	18.21	18.73	19.29	20.52
40.0	15.70	16.06	16.41	16.79	17.20	17.64	18.11	18.61	19.15	19.73	21.01
41.0	15.99	16.36	16.73	17.13	17.55	18.01	18.50	19.02	19.58	20.18	21.52
42.0	16.28	16.67	17.05	17.47	17.91	18.38	18.90	19.44	20.02	20.65	22.03
43.0	16.58	16.99	17.39	17.82	18.28	18.77	19.31	19.87	20.48	21.13	22.56
44.0	16.89	17.31	17.73	18.18	18.66	19.17	19.73	20.32	20.95	21.62	23.11
45.0	17.20	17.64	18.08	18.55	19.05	19.58	20.16	20.78	21.43	22.13	23.67
46.0	17.53	17.99	18.44	18.93	19.45	20.01	20.61	21.25	21.93	22.65	24.25
47.0	17.86	18.34	18.81	19.32	19.86	20.44	21.07	21.73	22.44	23.19	24.85
48.0	18.20	18.70	19.19	19.72	20.29	20.89	21.54	22.23	22.97	23.75	25.47
49.0	18.56	19.07	19.59	20.14	20.73	21.35	22.03	22.75	23.51	24.33	26.10
50.0	18.92	19.46	19.99	20.57	21.18	21.83	22.54	23.28	24.08	24.92	26.76
52.0	19.67	20.26	20.84	21.46	22.13	22.84	23.60	24.41	25.26	26.17	28.14
54.0	20.48	21.12	21.75	22.42	23.14	23.91	24.74	25.61	26.54	27.52	29.63
56.0	21.34	22.03	22.72	23.45	24.24	25.07	25.96	26.91	27.91	28.96	31.23
58.0	22.26	23.01	23.76	24.56	25.41	26.32	27.29	28.31	29.39	30.53	32.96
60.0	23.25	24.07	24.89	25.76	26.69	27.68	28.73	29.84	31.00	32.23	34.84
62.0	24.32	25.22	26.11	27.06	28.08	29.15	30.30	31.51	32.77	34.09	36.90
64.0	25.48	26.47	27.45	28.49	29.60	30.78	32.03	33.34	34.71	36.14	39.15
66.0	26.76	27.84	28.92	30.06	31.28	32.57	33.93	35.36	36.85	38.40	41.65
68.0	28.16	29.36	30.54	31.81	33.15	34.57	36.06	37.62	39.24	40.92	44.43
70.0	29.72	31.05	32.36	33.76	35.25	36.81	38.45	40.16	41.93	43.76	47.55
<div style="text-align:center">⌀</div>	PERCENTAGE OF LOAN AMOUNT LEFT UNPAID AT DUE DATE										
	100.0	90.23	81.21	72.19	63.16	54.14	45.12	36.10	27.08	18.06	.00

DISCOUNT %	MONTHLY PAYBACK RATE (%) (MONTHLY PAYMENT DIVIDED BY LOAN AMOUNT)										
	.75	1.00	1.25	1.50	1.75	2.00	2.25	2.50	3.00	3.50	4.00
1.0	7.86	7.93	7.99	8.05	8.11	8.17	8.23	8.29	8.40	8.52	8.63
2.0	7.98	8.11	8.24	8.36	8.48	8.60	8.72	8.84	9.07	9.30	9.53
3.0	8.10	8.30	8.49	8.67	8.85	9.03	9.21	9.39	9.74	10.09	10.44
4.0	8.22	8.49	8.74	8.99	9.23	9.47	9.71	9.95	10.43	10.89	11.36
5.0	8.34	8.68	9.00	9.31	9.62	9.92	10.22	10.52	11.12	11.71	12.29
6.0	8.47	8.87	9.26	9.64	10.01	10.38	10.74	11.10	11.82	12.54	13.24
7.0	8.59	9.07	9.52	9.97	10.40	10.84	11.27	11.69	12.54	13.38	14.21
8.0	8.72	9.27	9.79	10.30	10.81	11.30	11.80	12.29	13.26	14.23	15.18
9.0	8.85	9.48	10.07	10.64	11.21	11.78	12.34	12.90	14.00	15.09	16.18
10.0	8.98	9.69	10.35	10.99	11.63	12.26	12.89	13.51	14.75	15.97	17.19
11.0	9.12	9.90	10.63	11.34	12.05	12.75	13.45	14.14	15.51	16.87	18.21
12.0	9.26	10.11	10.92	11.70	12.48	13.25	14.01	14.77	16.28	17.78	19.25
13.0	9.40	10.33	11.21	12.07	12.91	13.76	14.59	15.42	17.07	18.70	20.31
14.0	9.54	10.55	11.50	12.44	13.36	14.27	15.18	16.08	17.87	19.64	21.39
15.0	9.69	10.78	11.81	12.81	13.81	14.79	15.77	16.75	18.68	20.59	22.48
16.0	9.84	11.01	12.11	13.20	14.27	15.33	16.38	17.43	19.50	21.56	23.60
17.0	9.99	11.24	12.43	13.59	14.73	15.87	17.00	18.12	20.34	22.55	24.73
18.0	10.15	11.48	12.75	13.98	15.21	16.42	17.62	18.82	21.20	23.55	25.88
19.0	10.30	11.73	13.07	14.39	15.69	16.98	18.26	19.54	22.07	24.57	27.05
20.0	10.47	11.97	13.40	14.80	16.18	17.55	18.91	20.27	22.95	25.61	28.25
21.0	10.63	12.23	13.74	15.22	16.68	18.13	19.57	21.01	23.85	26.67	29.47
22.0	10.80	12.49	14.08	15.64	17.19	18.72	20.25	21.76	24.77	27.75	30.70
23.0	10.97	12.75	14.43	16.08	17.71	19.33	20.94	22.53	25.71	28.85	31.97
24.0	11.15	13.02	14.79	16.52	18.24	19.94	21.64	23.32	26.66	29.97	33.25
25.0	11.33	13.29	15.15	16.98	18.78	20.57	22.35	24.12	27.63	31.11	34.56
26.0	11.51	13.57	15.52	17.44	19.33	21.21	23.08	24.94	28.62	32.28	35.90
27.0	11.70	13.86	15.90	17.91	19.89	21.86	23.82	25.77	29.64	33.47	37.27
28.0	11.89	14.15	16.29	18.39	20.47	22.53	24.58	26.62	30.67	34.68	38.66
29.0	12.09	14.45	16.69	18.88	21.05	23.21	25.35	27.49	31.72	35.92	40.08
30.0	12.29	14.75	17.09	19.38	21.65	23.91	26.15	28.37	32.80	37.18	41.53
31.0	12.50	15.06	17.50	19.90	22.26	24.62	26.95	29.28	33.90	38.47	43.02
32.0	12.71	15.38	17.93	20.42	22.89	25.34	27.78	30.20	35.02	39.79	44.53
33.0	12.93	15.71	18.36	20.96	23.53	26.08	28.62	31.15	36.17	41.14	46.08
34.0	13.15	16.05	18.80	21.51	24.18	26.84	29.49	32.12	37.34	42.52	47.66
35.0	13.38	16.39	19.25	22.07	24.85	27.62	30.37	33.11	38.54	43.94	49.29
36.0	13.62	16.74	19.72	22.64	25.54	28.41	31.27	34.12	39.77	45.38	50.94
37.0	13.86	17.10	20.19	23.23	26.24	29.23	32.20	35.16	41.03	46.86	52.64
38.0	14.11	17.47	20.68	23.84	26.96	30.06	33.15	36.22	42.32	48.38	54.38
39.0	14.37	17.85	21.18	24.45	27.70	30.92	34.12	37.31	43.64	49.93	56.17
40.0	14.64	18.24	21.70	25.09	28.45	31.79	35.12	38.42	45.00	51.52	58.00
41.0	14.91	18.65	22.22	25.74	29.23	32.69	36.14	39.57	46.39	53.16	59.87
42.0	15.19	19.06	22.77	26.41	30.03	33.62	37.19	40.75	47.82	54.83	61.80
43.0	15.48	19.48	23.32	27.10	30.85	34.57	38.27	41.95	49.28	56.56	63.78
44.0	15.78	19.92	23.90	27.81	31.69	35.54	39.38	43.20	50.79	58.33	65.81
45.0	16.09	20.37	24.49	28.54	32.55	36.55	40.52	44.47	52.34	60.15	67.90
46.0	16.41	20.84	25.10	29.29	33.45	37.58	41.69	45.79	53.93	62.02	70.05
47.0	16.74	21.32	25.72	30.06	34.37	38.64	42.90	47.14	55.57	63.95	72.27
48.0	17.08	21.81	26.37	30.86	35.31	39.74	44.15	48.53	57.26	65.93	74.55
49.0	17.44	22.32	27.04	31.68	36.29	40.87	45.43	49.97	59.01	67.98	76.90
50.0	17.80	22.85	27.73	32.53	37.30	42.04	46.75	51.45	60.80	70.09	79.33
51.0	18.18	23.40	28.44	33.41	38.34	43.24	48.12	52.99	62.66	72.28	81.83
52.0	18.58	23.97	29.18	34.32	39.42	44.49	49.54	54.57	64.58	74.53	84.42
53.0	18.99	24.56	29.94	35.26	40.53	45.78	51.00	56.20	66.56	76.86	87.10
54.0	19.42	25.17	30.73	36.23	41.68	47.11	52.51	57.90	68.62	79.27	89.87
55.0	19.87	25.80	31.56	37.24	42.88	48.49	54.08	59.65	70.74	81.77	92.74
56.0	20.34	26.46	32.41	38.29	44.12	49.93	55.71	61.48	72.95	84.36	95.71
57.0	20.82	27.15	33.30	39.38	45.41	51.42	57.40	63.37	75.24	87.05	98.80
58.0	21.33	27.87	34.22	40.51	46.75	52.97	59.16	65.33	77.62	89.85	102.01
59.0	21.86	28.61	35.19	41.69	48.15	54.57	60.99	67.37	80.10	92.75	105.35
60.0	22.42	29.39	36.19	42.92	49.60	56.26	62.89	69.50	82.68	95.78	108.82
◁|◁	NUMBER OF MONTHLY PAYMENTS NEEDED TO PAY OFF LOAN										
	306.7	161.2	112.9	87.5	71.5	60.6	52.6	46.4	37.7	31.7	27.4

DISCOUNT %	MONTHLY PAYBACK RATE (%) (MONTHLY PAYMENT DIVIDED BY LOAN AMOUNT)										
	.67	1.00	1.50	2.00	3.00	4.00	5.00	6.00	7.00	8.00	8.70
.5	8.52	8.53	8.55	8.57	8.60	8.64	8.69	8.74	8.81	8.88	8.94
1.0	9.05	9.07	9.10	9.13	9.21	9.29	9.38	9.49	9.62	9.77	9.89
1.5	9.58	9.61	9.66	9.71	9.81	9.94	10.08	10.25	10.44	10.67	10.85
2.0	10.11	10.15	10.21	10.28	10.43	10.59	10.78	11.00	11.26	11.57	11.82
2.5	10.65	10.70	10.78	10.86	11.04	11.25	11.49	11.77	12.09	12.48	12.79
3.0	11.18	11.25	11.34	11.44	11.66	11.92	12.20	12.54	12.93	13.39	13.77
3.5	11.73	11.80	11.91	12.03	12.29	12.58	12.92	13.31	13.77	14.31	14.76
4.0	12.27	12.35	12.48	12.62	12.92	13.25	13.64	14.09	14.62	15.24	15.75
4.5	12.82	12.91	13.06	13.21	13.55	13.93	14.37	14.88	15.47	16.18	16.75
5.0	13.37	13.47	13.63	13.81	14.18	14.61	15.10	15.67	16.33	17.12	17.76
5.5	13.92	14.04	14.22	14.41	14.82	15.30	15.84	16.47	17.20	18.07	18.78
6.0	14.48	14.61	14.80	15.01	15.47	15.99	16.58	17.27	18.07	19.03	19.80
6.5	15.04	15.18	15.39	15.62	16.12	16.68	17.33	18.08	18.95	19.99	20.84
7.0	15.60	15.75	15.98	16.23	16.77	17.38	18.08	18.89	19.84	20.96	21.88
7.5	16.17	16.33	16.58	16.84	17.42	18.08	18.84	19.71	20.73	21.94	22.93
8.0	16.74	16.91	17.18	17.46	18.09	18.79	19.60	20.54	21.63	22.93	23.98
8.5	17.32	17.50	17.78	18.09	18.75	19.51	20.37	21.37	22.54	23.93	25.05
9.0	17.90	18.09	18.39	18.71	19.42	20.22	21.14	22.21	23.46	24.93	26.13
9.5	18.48	18.68	19.00	19.35	20.10	20.95	21.92	23.06	24.38	25.94	27.21
10.0	19.06	19.28	19.62	19.98	20.77	21.68	22.71	23.91	25.31	26.96	28.30
10.5	19.65	19.88	20.24	20.62	21.46	22.41	23.50	24.77	26.24	27.99	29.40
11.0	20.24	20.48	20.86	21.26	22.15	23.15	24.30	25.63	27.18	29.02	30.51
11.5	20.84	21.09	21.49	21.91	22.84	23.89	25.10	26.50	28.14	30.07	31.63
12.0	21.44	21.70	22.12	22.56	23.54	24.64	25.91	27.38	29.09	31.12	32.76
12.5	22.04	22.32	22.76	23.22	24.24	25.40	26.73	28.26	30.06	32.18	33.90
13.0	22.65	22.94	23.40	23.88	24.95	26.16	27.55	29.16	31.03	33.25	35.05
13.5	23.26	23.56	24.04	24.55	25.66	26.92	28.38	30.05	32.02	34.33	36.20
14.0	23.88	24.19	24.69	25.22	26.38	27.70	29.21	30.96	33.01	35.42	37.37
14.5	24.49	24.82	25.34	25.89	27.10	28.47	30.05	31.87	34.00	36.52	38.55
15.0	25.12	25.46	26.00	26.57	27.83	29.26	30.90	32.80	35.01	37.62	39.74
15.5	25.74	26.10	26.66	27.26	28.56	30.05	31.75	33.72	36.03	38.74	40.94
16.0	26.38	26.75	27.33	27.94	29.30	30.84	32.61	34.66	37.05	39.87	42.14
16.5	27.01	27.40	28.00	28.64	30.04	31.64	33.48	35.60	38.08	41.00	43.36
17.0	27.65	28.05	28.67	29.34	30.79	32.45	34.35	36.55	39.12	42.15	44.59
17.5	28.30	28.71	29.35	30.04	31.55	33.26	35.23	37.51	40.17	43.31	45.84
18.0	28.94	29.37	30.04	30.75	32.31	34.08	36.12	38.48	41.23	44.47	47.09
18.5	29.60	30.04	30.73	31.46	33.07	34.91	37.02	39.46	42.30	45.65	48.35
19.0	30.25	30.71	31.42	32.18	33.85	35.74	37.92	40.44	43.38	46.84	49.63
19.5	30.92	31.39	32.12	32.90	34.62	36.58	38.83	41.43	44.47	48.04	50.92
20.0	31.58	32.07	32.83	33.63	35.41	37.43	39.75	42.43	45.56	49.25	52.21
20.5	32.25	32.75	33.54	34.37	36.20	38.28	40.68	43.44	46.67	50.47	53.53
21.0	32.93	33.44	34.25	35.11	36.99	39.14	41.61	44.46	47.79	51.70	54.85
21.5	33.61	34.14	34.97	35.85	37.80	40.01	42.55	45.49	48.92	52.94	56.19
22.0	34.30	34.84	35.70	36.61	38.60	40.88	43.50	46.53	50.05	54.20	57.54
22.5	34.99	35.55	36.43	37.36	39.42	41.77	44.46	47.57	51.20	55.47	58.90
23.0	35.68	36.26	37.16	38.13	40.24	42.65	45.42	48.63	52.36	56.75	60.28
23.5	36.38	36.98	37.91	38.90	41.07	43.55	46.40	49.69	53.53	58.04	61.66
24.0	37.09	37.70	38.65	39.67	41.91	44.45	47.38	50.77	54.71	59.34	63.07
24.5	37.80	38.42	39.41	40.45	42.75	45.37	48.37	51.85	55.91	60.66	64.48
25.0	38.52	39.16	40.17	41.24	43.60	46.29	49.38	52.95	57.11	61.99	65.92
25.5	39.24	39.90	40.93	42.03	44.45	47.21	50.39	54.05	58.33	63.34	67.36
26.0	39.96	40.64	41.70	42.83	45.31	48.15	51.40	55.17	59.56	64.70	68.82
26.5	40.70	41.39	42.48	43.64	46.18	49.09	52.43	56.30	60.80	66.07	70.30
27.0	41.44	42.14	43.26	44.45	47.06	50.05	53.47	57.43	62.05	67.45	71.79
27.5	42.18	42.91	44.05	45.27	47.95	51.01	54.52	58.58	63.31	68.85	73.29
28.0	42.93	43.67	44.85	46.09	48.84	51.98	55.58	59.74	64.59	70.27	74.82
28.5	43.68	44.45	45.65	46.93	49.74	52.95	56.64	60.91	65.88	71.70	76.35
29.0	44.44	45.23	46.46	47.77	50.65	53.94	57.72	62.10	67.19	73.14	77.91
29.5	45.21	46.01	47.27	48.61	51.57	54.94	58.81	63.29	68.50	74.60	79.48
30.0	45.99	46.80	48.09	49.47	52.49	55.94	59.91	64.50	69.83	76.08	81.07
▽Φ	PERCENTAGE OF LOAN AMOUNT LEFT UNPAID AT DUE DATE										
	100.0	95.85	89.63	83.40	70.95	58.50	46.05	33.60	21.15	8.70	.00

DISCOUNT %	MONTHLY PAYBACK RATE (%) (MONTHLY PAYMENT DIVIDED BY LOAN AMOUNT)										
	.67	.75	1.00	1.25	1.50	2.00	2.50	3.00	3.50	4.00	4.52
.5	8.27	8.27	8.28	8.29	8.30	8.32	8.35	8.38	8.41	8.45	8.50
1.0	8.54	8.55	8.57	8.59	8.61	8.65	8.70	8.75	8.82	8.90	9.00
1.5	8.82	8.83	8.85	8.88	8.91	8.97	9.05	9.13	9.23	9.35	9.50
2.0	9.10	9.11	9.14	9.18	9.22	9.30	9.40	9.51	9.65	9.81	10.01
2.5	9.37	9.39	9.43	9.48	9.53	9.63	9.76	9.90	10.07	10.27	10.52
3.0	9.65	9.67	9.72	9.78	9.84	9.97	10.11	10.29	10.49	10.73	11.04
3.5	9.94	9.96	10.02	10.08	10.15	10.30	10.48	10.68	10.92	11.20	11.56
4.0	10.22	10.24	10.31	10.39	10.46	10.64	10.84	11.07	11.34	11.67	12.08
4.5	10.50	10.53	10.61	10.69	10.78	10.98	11.20	11.47	11.77	12.14	12.61
5.0	10.79	10.82	10.91	11.00	11.10	11.32	11.57	11.86	12.21	12.62	13.14
5.5	11.08	11.11	11.21	11.31	11.42	11.66	11.94	12.27	12.65	13.10	13.67
6.0	11.37	11.40	11.51	11.62	11.74	12.01	12.31	12.67	13.09	13.58	14.21
6.5	11.66	11.70	11.81	11.94	12.07	12.36	12.69	13.08	13.53	14.07	14.76
7.0	11.95	11.99	12.12	12.25	12.39	12.71	13.07	13.49	13.98	14.56	15.30
7.5	12.25	12.29	12.42	12.57	12.72	13.06	13.45	13.90	14.43	15.06	15.86
8.0	12.54	12.59	12.73	12.89	13.05	13.41	13.83	14.31	14.88	15.56	16.41
8.5	12.84	12.89	13.05	13.21	13.38	13.77	14.22	14.73	15.34	16.06	16.97
9.0	13.14	13.19	13.36	13.53	13.72	14.13	14.60	15.15	15.80	16.57	17.54
9.5	13.44	13.50	13.67	13.86	14.06	14.49	14.99	15.58	16.26	17.08	18.10
10.0	13.75	13.81	13.99	14.19	14.40	14.86	15.39	16.01	16.73	17.59	18.68
10.5	14.05	14.11	14.31	14.52	14.74	15.22	15.78	16.44	17.20	18.11	19.26
11.0	14.36	14.43	14.63	14.85	15.08	15.59	16.18	16.87	17.68	18.63	19.84
11.5	14.67	14.74	14.95	15.18	15.43	15.97	16.59	17.31	18.15	19.16	20.43
12.0	14.98	15.05	15.28	15.52	15.77	16.34	16.99	17.75	18.64	19.69	21.02
12.5	15.29	15.37	15.61	15.86	16.13	16.72	17.40	18.19	19.12	20.22	21.61
13.0	15.61	15.69	15.94	16.20	16.48	17.10	17.81	18.64	19.61	20.76	22.22
13.5	15.93	16.01	16.27	16.54	16.83	17.48	18.23	19.09	20.10	21.31	22.82
14.0	16.24	16.33	16.60	16.89	17.19	17.87	18.64	19.54	20.60	21.86	23.44
14.5	16.57	16.66	16.94	17.23	17.55	18.25	19.06	20.00	21.10	22.41	24.05
15.0	16.89	16.98	17.27	17.58	17.91	18.64	19.49	20.46	21.61	22.97	24.67
15.5	17.21	17.31	17.61	17.94	18.28	19.04	19.91	20.93	22.12	23.53	25.30
16.0	17.54	17.64	17.96	18.29	18.65	19.44	20.34	21.40	22.63	24.10	25.93
16.5	17.87	17.98	18.30	18.65	19.02	19.84	20.78	21.87	23.15	24.67	26.57
17.0	18.20	18.31	18.65	19.01	19.39	20.24	21.21	22.35	23.67	25.24	27.22
17.5	18.54	18.65	19.00	19.37	19.77	20.64	21.65	22.83	24.20	25.83	27.87
18.0	18.87	18.99	19.35	19.74	20.15	21.05	22.10	23.31	24.73	26.41	28.52
18.5	19.21	19.33	19.71	20.10	20.53	21.46	22.54	23.80	25.27	27.00	29.18
19.0	19.55	19.68	20.06	20.47	20.91	21.88	22.99	24.29	25.81	27.60	29.85
19.5	19.90	20.03	20.42	20.85	21.30	22.30	23.45	24.78	26.35	28.20	30.52
20.0	20.24	20.37	20.78	21.22	21.69	22.72	23.91	25.29	26.90	28.81	31.20
21.0	20.94	21.08	21.52	21.98	22.48	23.57	24.83	26.30	28.02	30.04	32.58
22.0	21.65	21.80	22.26	22.75	23.28	24.44	25.78	27.33	29.15	31.30	33.98
23.0	22.37	22.52	23.01	23.53	24.09	25.32	26.73	28.38	30.30	32.58	35.41
24.0	23.10	23.26	23.78	24.33	24.91	26.21	27.71	29.45	31.48	33.88	36.87
25.0	23.84	24.01	24.55	25.13	25.75	27.12	28.70	30.53	32.68	35.21	38.35
26.0	24.59	24.77	25.34	25.95	26.60	28.05	29.71	31.64	33.90	36.56	39.87
27.0	25.35	25.54	26.14	26.78	27.47	28.99	30.74	32.77	35.14	37.94	41.42
28.0	26.12	26.32	26.96	27.63	28.35	29.94	31.78	33.92	36.41	39.35	42.99
29.0	26.91	27.12	27.78	28.49	29.24	30.92	32.85	35.09	37.71	40.79	44.60
30.0	27.70	27.93	28.62	29.36	30.15	31.91	33.93	36.28	39.03	42.25	46.25
31.0	28.52	28.75	29.48	30.25	31.08	32.92	35.04	37.50	40.37	43.75	47.93
32.0	29.34	29.58	30.34	31.15	32.02	33.94	36.16	38.74	41.75	45.28	49.64
33.0	30.18	30.43	31.23	32.07	32.98	34.99	37.31	40.01	43.15	46.85	51.40
34.0	31.03	31.29	32.12	33.01	33.96	36.06	38.49	41.30	44.59	48.45	53.19
35.0	31.89	32.17	33.04	33.96	34.95	37.15	39.68	42.62	46.06	50.08	55.03
36.0	32.77	33.06	33.97	34.93	35.96	38.26	40.90	43.98	47.56	51.76	56.91
37.0	33.67	33.97	34.91	35.92	37.00	39.39	42.15	45.36	49.10	53.47	58.84
38.0	34.58	34.90	35.88	36.93	38.05	40.54	43.42	46.77	50.67	55.23	60.81
39.0	35.51	35.84	36.86	37.96	39.12	41.72	44.73	48.21	52.28	57.02	62.83
40.0	36.46	36.80	37.86	39.00	40.22	42.93	46.06	49.69	53.93	58.87	64.90
▽∅	PERCENTAGE OF LOAN AMOUNT LEFT UNPAID AT DUE DATE										
	100.0	97.84	91.36	84.87	78.39	65.42	52.46	39.49	26.52	13.56	.00

DISCOUNT %	MONTHLY PAYBACK RATE (%) (MONTHLY PAYMENT DIVIDED BY LOAN AMOUNT)										
	.67	.75	1.00	1.25	1.50	1.75	2.00	2.25	2.50	2.75	3.13
.5	8.19	8.19	8.20	8.21	8.22	8.23	8.25	8.26	8.28	8.30	8.34
1.0	8.38	8.38	8.40	8.42	8.45	8.47	8.50	8.53	8.57	8.61	8.68
1.5	8.57	8.58	8.61	8.64	8.67	8.71	8.75	8.80	8.85	8.91	9.03
2.0	8.76	8.77	8.81	8.85	8.90	8.95	9.00	9.07	9.14	9.22	9.38
2.5	8.95	8.97	9.02	9.07	9.12	9.19	9.26	9.34	9.43	9.54	9.73
3.0	9.15	9.17	9.22	9.28	9.35	9.43	9.52	9.61	9.72	9.85	10.08
3.5	9.34	9.36	9.43	9.50	9.58	9.67	9.77	9.89	10.02	10.16	10.44
4.0	9.54	9.56	9.64	9.72	9.82	9.92	10.04	10.17	10.31	10.48	10.79
4.5	9.73	9.76	9.85	9.94	10.05	10.17	10.30	10.44	10.61	10.80	11.16
5.0	9.93	9.96	10.06	10.17	10.28	10.41	10.56	10.73	10.91	11.13	11.52
5.5	10.13	10.17	10.27	10.39	10.52	10.67	10.83	11.01	11.22	11.45	11.89
6.0	10.33	10.37	10.49	10.62	10.76	10.92	11.09	11.29	11.52	11.78	12.25
6.5	10.54	10.58	10.70	10.84	11.00	11.17	11.36	11.58	11.83	12.11	12.63
7.0	10.74	10.78	10.92	11.07	11.24	11.43	11.63	11.87	12.14	12.44	13.00
7.5	10.94	10.99	11.14	11.30	11.48	11.68	11.91	12.16	12.45	12.78	13.38
8.0	11.15	11.20	11.36	11.53	11.73	11.94	12.18	12.45	12.76	13.11	13.76
8.5	11.36	11.41	11.58	11.77	11.97	12.20	12.46	12.75	13.08	13.45	14.14
9.0	11.56	11.62	11.81	12.00	12.22	12.47	12.74	13.05	13.40	13.80	14.53
9.5	11.77	11.83	12.03	12.24	12.47	12.73	13.02	13.35	13.72	14.14	14.92
10.0	11.98	12.05	12.25	12.47	12.72	13.00	13.30	13.65	14.04	14.49	15.31
11.0	12.41	12.48	12.71	12.95	13.23	13.53	13.88	14.26	14.70	15.19	16.11
12.0	12.84	12.92	13.17	13.44	13.74	14.08	14.46	14.88	15.36	15.91	16.91
13.0	13.28	13.36	13.63	13.93	14.26	14.63	15.05	15.51	16.04	16.64	17.73
14.0	13.72	13.81	14.11	14.43	14.79	15.19	15.64	16.15	16.72	17.37	18.57
15.0	14.17	14.27	14.59	14.94	15.33	15.77	16.25	16.80	17.42	18.13	19.41
16.0	14.62	14.73	15.07	15.45	15.87	16.34	16.87	17.46	18.13	18.89	20.28
17.0	15.08	15.20	15.57	15.97	16.43	16.93	17.50	18.13	18.85	19.67	21.15
18.0	15.54	15.67	16.07	16.50	16.99	17.53	18.13	18.81	19.58	20.46	22.05
19.0	16.02	16.15	16.57	17.04	17.56	18.14	18.78	19.51	20.33	21.26	22.96
20.0	16.50	16.64	17.09	17.59	18.14	18.75	19.44	20.21	21.08	22.08	23.88
21.0	16.98	17.13	17.61	18.14	18.73	19.38	20.11	20.93	21.86	22.91	24.82
22.0	17.47	17.63	18.14	18.70	19.32	20.01	20.79	21.66	22.64	23.76	25.78
23.0	17.97	18.14	18.68	19.27	19.93	20.66	21.48	22.40	23.44	24.62	26.76
24.0	18.48	18.66	19.23	19.85	20.55	21.32	22.19	23.16	24.26	25.50	27.76
25.0	19.00	19.18	19.78	20.44	21.17	21.99	22.90	23.93	25.09	26.40	28.77
26.0	19.52	19.72	20.34	21.04	21.81	22.67	23.63	24.71	25.93	27.31	29.81
27.0	20.05	20.26	20.92	21.65	22.46	23.37	24.38	25.51	26.80	28.25	30.86
28.0	20.59	20.80	21.50	22.27	23.12	24.07	25.13	26.33	27.68	29.20	31.94
29.0	21.13	21.36	22.09	22.90	23.79	24.79	25.91	27.16	28.57	30.17	33.04
30.0	21.69	21.93	22.69	23.54	24.48	25.52	26.69	28.01	29.49	31.16	34.17
31.0	22.26	22.51	23.31	24.19	25.17	26.27	27.50	28.87	30.42	32.17	35.31
32.0	22.83	23.09	23.93	24.86	25.88	27.03	28.31	29.76	31.38	33.21	36.49
33.0	23.41	23.69	24.56	25.53	26.61	27.81	29.15	30.66	32.35	34.26	37.69
34.0	24.01	24.29	25.21	26.22	27.35	28.60	30.00	31.58	33.35	35.34	38.91
35.0	24.61	24.91	25.87	26.92	28.10	29.41	30.87	32.52	34.37	36.45	40.17
36.0	25.23	25.54	26.54	27.64	28.87	30.23	31.76	33.48	35.41	37.58	41.45
37.0	25.85	26.18	27.22	28.37	29.65	31.08	32.67	34.46	36.48	38.74	42.77
38.0	26.49	26.83	27.91	29.11	30.45	31.94	33.60	35.47	37.57	39.92	44.12
39.0	27.14	27.49	28.62	29.87	31.26	32.82	34.55	36.50	38.68	41.14	45.50
40.0	27.80	28.17	29.34	30.65	32.10	33.72	35.52	37.55	39.83	42.38	46.92
41.0	28.48	28.86	30.08	31.44	32.95	34.64	36.52	38.63	41.00	43.66	48.37
42.0	29.16	29.56	30.84	32.25	33.82	35.58	37.54	39.74	42.21	44.97	49.86
43.0	29.87	30.28	31.61	33.08	34.71	36.54	38.59	40.88	43.44	46.32	51.39
44.0	30.58	31.01	32.39	33.92	35.63	37.53	39.66	42.04	44.71	47.70	52.97
45.0	31.31	31.76	33.19	34.79	36.56	38.54	40.76	43.24	46.02	49.12	54.59
46.0	32.06	32.52	34.02	35.67	37.52	39.58	41.88	44.47	47.36	50.58	56.25
47.0	32.82	33.31	34.86	36.58	38.50	40.64	43.04	45.73	48.73	52.09	57.97
48.0	33.60	34.10	35.71	37.51	39.51	41.74	44.24	47.03	50.15	53.64	59.73
49.0	34.40	34.92	36.60	38.46	40.54	42.86	45.46	48.37	51.62	55.23	61.55
50.0	35.21	35.76	37.50	39.44	41.60	44.02	46.72	49.74	53.12	56.88	63.43
▽Φ	PERCENTAGE OF LOAN AMOUNT LEFT UNPAID AT DUE DATE										
	100.0	96.62	86.49	76.35	66.22	56.09	45.95	35.82	25.68	15.55	.00

DISCOUNT %	MONTHLY PAYBACK RATE (%) (MONTHLY PAYMENT DIVIDED BY LOAN AMOUNT)										
	.67	.70	.80	1.00	1.20	1.40	1.60	1.80	2.00	2.20	2.44
.5	8.15	8.15	8.15	8.16	8.17	8.18	8.19	8.20	8.22	8.23	8.26
1.0	8.29	8.30	8.30	8.32	8.34	8.36	8.38	8.41	8.44	8.47	8.52
1.5	8.44	8.45	8.46	8.48	8.51	8.54	8.58	8.61	8.66	8.71	8.79
2.0	8.59	8.60	8.61	8.65	8.68	8.72	8.77	8.82	8.88	8.95	9.05
2.5	8.74	8.75	8.77	8.81	8.86	8.91	8.97	9.03	9.11	9.20	9.32
3.0	8.89	8.90	8.92	8.97	9.03	9.09	9.16	9.24	9.34	9.44	9.59
3.5	9.05	9.05	9.08	9.14	9.21	9.28	9.36	9.45	9.56	9.69	9.86
4.0	9.20	9.21	9.24	9.31	9.38	9.47	9.56	9.67	9.79	9.93	10.14
4.5	9.35	9.36	9.40	9.48	9.56	9.66	9.76	9.88	10.02	10.18	10.41
5.0	9.51	9.52	9.56	9.64	9.74	9.85	9.97	10.10	10.26	10.44	10.69
5.5	9.66	9.68	9.72	9.81	9.92	10.04	10.17	10.32	10.49	10.69	10.97
6.0	9.82	9.84	9.88	9.99	10.10	10.23	10.37	10.54	10.73	10.94	11.26
6.5	9.98	9.99	10.05	10.16	10.28	10.42	10.58	10.76	10.97	11.20	11.54
7.0	10.14	10.15	10.21	10.33	10.47	10.62	10.79	10.98	11.21	11.46	11.83
7.5	10.29	10.31	10.38	10.51	10.65	10.82	11.00	11.21	11.45	11.72	12.12
8.0	10.46	10.48	10.54	10.68	10.84	11.01	11.21	11.43	11.69	11.99	12.41
8.5	10.62	10.64	10.71	10.86	11.03	11.21	11.42	11.66	11.94	12.25	12.70
9.0	10.78	10.80	10.88	11.04	11.21	11.41	11.64	11.89	12.18	12.52	13.00
9.5	10.94	10.97	11.05	11.22	11.40	11.62	11.85	12.12	12.43	12.79	13.30
10.0	11.11	11.13	11.22	11.40	11.60	11.82	12.07	12.36	12.68	13.06	13.60
11.0	11.44	11.47	11.56	11.76	11.98	12.23	12.51	12.83	13.19	13.61	14.20
12.0	11.78	11.81	11.91	12.13	12.37	12.65	12.96	13.31	13.71	14.17	14.82
13.0	12.12	12.15	12.26	12.50	12.77	13.07	13.41	13.79	14.23	14.73	15.45
14.0	12.46	12.50	12.62	12.88	13.17	13.50	13.87	14.28	14.76	15.31	16.09
15.0	12.81	12.85	12.99	13.27	13.58	13.94	14.34	14.79	15.30	15.90	16.74
16.0	13.17	13.21	13.35	13.66	14.00	14.38	14.81	15.30	15.85	16.49	17.40
17.0	13.53	13.58	13.73	14.05	14.42	14.83	15.29	15.81	16.41	17.10	18.07
18.0	13.89	13.94	14.11	14.46	14.85	15.29	15.78	16.34	16.98	17.72	18.75
19.0	14.26	14.32	14.49	14.86	15.28	15.75	16.28	16.88	17.56	18.34	19.45
20.0	14.63	14.69	14.88	15.28	15.72	16.22	16.79	17.42	18.15	18.98	20.16
21.0	15.01	15.08	15.27	15.70	16.17	16.70	17.30	17.98	18.75	19.63	20.88
22.0	15.40	15.47	15.68	16.13	16.63	17.19	17.82	18.54	19.36	20.29	21.62
23.0	15.79	15.86	16.08	16.56	17.09	17.69	18.36	19.11	19.98	20.97	22.36
24.0	16.19	16.26	16.50	17.00	17.56	18.19	18.90	19.70	20.62	21.66	23.13
25.0	16.59	16.67	16.92	17.45	18.04	18.70	19.45	20.29	21.26	22.36	23.90
26.0	17.00	17.09	17.34	17.90	18.53	19.22	20.01	20.90	21.92	23.07	24.70
27.0	17.42	17.51	17.78	18.36	19.02	19.76	20.58	21.52	22.59	23.80	25.51
28.0	17.84	17.93	18.22	18.84	19.52	20.30	21.17	22.15	23.27	24.55	26.33
29.0	18.27	18.37	18.67	19.31	20.04	20.85	21.76	22.79	23.97	25.31	27.18
30.0	18.71	18.81	19.12	19.80	20.56	21.41	22.37	23.45	24.68	26.08	28.04
31.0	19.15	19.26	19.59	20.30	21.09	21.98	22.99	24.12	25.41	26.87	28.92
32.0	19.60	19.71	20.06	20.80	21.63	22.57	23.62	24.80	26.15	27.68	29.82
33.0	20.06	20.18	20.54	21.32	22.18	23.16	24.26	25.50	26.91	28.51	30.74
34.0	20.53	20.65	21.03	21.84	22.75	23.77	24.92	26.21	27.69	29.36	31.68
35.0	21.01	21.13	21.52	22.37	23.32	24.39	25.59	26.94	28.48	30.22	32.64
36.0	21.49	21.62	22.03	22.92	23.91	25.02	26.27	27.69	29.29	31.11	33.62
37.0	21.98	22.12	22.55	23.47	24.51	25.67	26.97	28.45	30.12	32.01	34.63
38.0	22.49	22.63	23.07	24.04	25.12	26.33	27.69	29.23	30.97	32.94	35.67
39.0	23.00	23.15	23.61	24.62	25.74	27.00	28.42	30.03	31.85	33.90	36.72
40.0	23.52	23.68	24.16	25.21	26.38	27.69	29.18	30.85	32.74	34.87	37.81
41.0	24.05	24.22	24.72	25.81	27.03	28.40	29.94	31.68	33.65	35.87	38.92
42.0	24.60	24.77	25.29	26.42	27.69	29.12	30.73	32.54	34.59	36.90	40.07
43.0	25.15	25.33	25.87	27.05	28.38	29.86	31.54	33.43	35.56	37.96	41.24
44.0	25.72	25.90	26.47	27.70	29.07	30.62	32.37	34.33	36.55	39.04	42.45
45.0	26.30	26.49	27.07	28.35	29.79	31.40	33.22	35.26	37.57	40.16	43.69
46.0	26.89	27.09	27.70	29.03	30.52	32.20	34.09	36.21	38.61	41.30	44.97
47.0	27.49	27.70	28.33	29.72	31.27	33.02	34.98	37.20	39.69	42.48	46.29
48.0	28.11	28.32	28.99	30.43	32.04	33.86	35.91	38.21	40.80	43.70	47.64
49.0	28.74	28.97	29.65	31.15	32.83	34.72	36.85	39.25	41.94	44.96	49.04
50.0	29.39	29.62	30.34	31.89	33.64	35.61	37.83	40.32	43.12	46.25	50.48
⬙	PERCENTAGE OF LOAN AMOUNT LEFT UNPAID AT DUE DATE										
	100.0	98.12	92.49	81.22	69.95	58.68	47.41	36.14	24.87	13.60	.00

DISCOUNT %	MONTHLY PAYBACK RATE (%) (MONTHLY PAYMENT DIVIDED BY LOAN AMOUNT)										
	.67	.70	.80	.90	1.00	1.10	1.20	1.40	1.60	1.80	2.03
.5	8.12	8.12	8.13	8.13	8.14	8.14	8.15	8.16	8.17	8.19	8.21
1.0	8.24	8.25	8.26	8.26	8.27	8.28	8.29	8.32	8.35	8.38	8.43
1.5	8.37	8.37	8.38	8.40	8.41	8.42	8.44	8.48	8.52	8.57	8.64
2.0	8.49	8.50	8.51	8.53	8.55	8.57	8.59	8.64	8.70	8.76	8.86
2.5	8.62	8.62	8.64	8.66	8.69	8.71	8.74	8.80	8.87	8.96	9.08
3.0	8.74	8.75	8.78	8.80	8.83	8.86	8.89	8.97	9.05	9.15	9.30
3.5	8.87	8.88	8.91	8.94	8.97	9.01	9.05	9.13	9.23	9.35	9.52
4.0	9.00	9.01	9.04	9.07	9.11	9.15	9.20	9.30	9.41	9.55	9.74
4.5	9.12	9.14	9.17	9.21	9.26	9.30	9.35	9.46	9.60	9.75	9.97
5.0	9.25	9.27	9.31	9.35	9.40	9.45	9.51	9.63	9.78	9.95	10.20
5.5	9.38	9.40	9.44	9.49	9.55	9.60	9.66	9.80	9.96	10.15	10.42
6.0	9.51	9.53	9.58	9.63	9.69	9.75	9.82	9.97	10.15	10.36	10.65
6.5	9.64	9.66	9.72	9.77	9.84	9.91	9.98	10.14	10.34	10.56	10.89
7.0	9.77	9.79	9.85	9.92	9.99	10.06	10.14	10.32	10.53	10.77	11.12
7.5	9.91	9.93	9.99	10.06	10.14	10.21	10.30	10.49	10.72	10.98	11.36
8.0	10.04	10.06	10.13	10.21	10.29	10.37	10.46	10.67	10.91	11.19	11.59
8.5	10.18	10.20	10.27	10.35	10.44	10.53	10.63	10.84	11.10	11.41	11.83
9.0	10.31	10.34	10.42	10.50	10.59	10.68	10.79	11.02	11.30	11.62	12.07
9.5	10.45	10.47	10.56	10.65	10.74	10.84	10.96	11.20	11.49	11.84	12.32
10.0	10.58	10.61	10.70	10.79	10.90	11.00	11.12	11.38	11.69	12.05	12.56
11.0	10.86	10.89	10.99	11.09	11.21	11.33	11.46	11.75	12.09	12.49	13.06
12.0	11.14	11.18	11.28	11.40	11.52	11.66	11.80	12.12	12.50	12.94	13.56
13.0	11.42	11.46	11.58	11.71	11.84	11.99	12.15	12.50	12.91	13.40	14.07
14.0	11.71	11.75	11.88	12.02	12.17	12.33	12.50	12.88	13.33	13.86	14.59
15.0	12.00	12.05	12.19	12.34	12.50	12.67	12.85	13.27	13.75	14.33	15.12
16.0	12.30	12.35	12.50	12.66	12.83	13.02	13.22	13.66	14.19	14.80	15.66
17.0	12.60	12.65	12.81	12.99	13.17	13.37	13.59	14.07	14.63	15.29	16.21
18.0	12.90	12.96	13.13	13.32	13.52	13.73	13.96	14.47	15.08	15.78	16.77
19.0	13.21	13.27	13.46	13.65	13.87	14.09	14.34	14.89	15.53	16.29	17.33
20.0	13.52	13.59	13.79	14.00	14.22	14.46	14.73	15.31	15.99	16.80	17.91
21.0	13.84	13.91	14.12	14.34	14.58	14.84	15.12	15.74	16.47	17.32	18.50
22.0	14.16	14.24	14.46	14.70	14.95	15.22	15.52	16.18	16.95	17.85	19.10
23.0	14.49	14.57	14.80	15.05	15.32	15.61	15.92	16.62	17.44	18.39	19.71
24.0	14.82	14.90	15.15	15.42	15.70	16.01	16.34	17.07	17.93	18.95	20.33
25.0	15.16	15.25	15.51	15.79	16.09	16.41	16.76	17.53	18.44	19.51	20.97
26.0	15.50	15.59	15.87	16.16	16.48	16.82	17.19	18.00	18.96	20.08	21.61
27.0	15.85	15.95	16.24	16.55	16.88	17.24	17.62	18.48	19.49	20.67	22.27
28.0	16.21	16.31	16.61	16.94	17.29	17.66	18.07	18.97	20.03	21.26	22.95
29.0	16.57	16.67	16.99	17.33	17.70	18.09	18.52	19.47	20.57	21.87	23.64
30.0	16.93	17.04	17.38	17.73	18.12	18.53	18.98	19.97	21.13	22.49	24.34
31.0	17.31	17.42	17.77	18.14	18.55	18.98	19.45	20.49	21.71	23.13	25.06
32.0	17.68	17.80	18.17	18.56	18.99	19.44	19.93	21.02	22.29	23.78	25.79
33.0	18.07	18.19	18.58	18.99	19.43	19.90	20.42	21.56	22.89	24.44	26.54
34.0	18.46	18.59	18.99	19.42	19.89	20.38	20.91	22.11	23.50	25.12	27.31
35.0	18.86	19.00	19.42	19.87	20.35	20.87	21.42	22.67	24.12	25.82	28.10
36.0	19.27	19.41	19.85	20.32	20.82	21.36	21.94	23.25	24.76	26.53	28.90
37.0	19.68	19.83	20.29	20.78	21.30	21.87	22.48	23.83	25.41	27.25	29.72
38.0	20.11	20.26	20.74	21.25	21.80	22.38	23.02	24.44	26.08	28.00	30.57
39.0	20.54	20.70	21.20	21.73	22.30	22.91	23.57	25.05	26.77	28.76	31.43
40.0	20.98	21.15	21.66	22.22	22.81	23.45	24.14	25.68	27.47	29.55	32.32
41.0	21.43	21.60	22.14	22.72	23.34	24.00	24.72	26.33	28.19	30.35	33.23
42.0	21.89	22.07	22.63	23.23	23.88	24.57	25.32	26.99	28.93	31.18	34.17
43.0	22.35	22.54	23.13	23.75	24.43	25.15	25.93	27.67	29.69	32.02	35.13
44.0	22.83	23.03	23.64	24.29	24.99	25.74	26.55	28.37	30.47	32.90	36.11
45.0	23.32	23.52	24.16	24.84	25.57	26.35	27.20	29.08	31.27	33.79	37.13
46.0	23.82	24.03	24.69	25.40	26.16	26.97	27.85	29.82	32.09	34.71	38.18
47.0	24.33	24.55	25.24	25.97	26.76	27.61	28.53	30.57	32.94	35.66	39.25
48.0	24.86	25.09	25.80	26.56	27.39	28.27	29.22	31.35	33.81	36.64	40.36
49.0	25.39	25.63	26.37	27.17	28.03	28.94	29.94	32.15	34.71	37.65	41.51
50.0	25.94	26.19	26.96	27.79	28.68	29.64	30.67	32.97	35.63	38.69	42.69
▽Φ	PERCENTAGE OF LOAN AMOUNT LEFT UNPAID AT DUE DATE										
	100.0	97.55	90.20	82.86	75.51	68.16	60.81	46.12	31.42	16.73	.00

DISCOUNT %	MONTHLY PAYBACK RATE (%) (MONTHLY PAYMENT DIVIDED BY LOAN AMOUNT)										
	.67	.70	.80	.90	1.00	1.10	1.20	1.30	1.40	1.60	1.75
1.0	8.21	8.21	8.22	8.23	8.24	8.25	8.27	8.28	8.29	8.33	8.36
2.0	8.42	8.43	8.45	8.47	8.49	8.51	8.54	8.56	8.59	8.66	8.73
3.0	8.64	8.65	8.68	8.70	8.74	8.77	8.81	8.85	8.89	9.00	9.10
4.0	8.86	8.87	8.91	8.95	8.99	9.03	9.08	9.14	9.20	9.34	9.48
5.0	9.08	9.10	9.14	9.19	9.24	9.30	9.37	9.43	9.51	9.69	9.86
6.0	9.31	9.33	9.38	9.44	9.50	9.57	9.65	9.73	9.83	10.05	10.25
7.0	9.54	9.56	9.62	9.69	9.77	9.85	9.94	10.04	10.15	10.40	10.64
8.0	9.77	9.79	9.86	9.94	10.03	10.13	10.23	10.34	10.47	10.77	11.05
9.0	10.00	10.03	10.11	10.20	10.30	10.41	10.53	10.66	10.80	11.14	11.45
10.0	10.24	10.27	10.36	10.46	10.58	10.70	10.83	10.97	11.14	11.52	11.87
11.0	10.48	10.51	10.62	10.73	10.85	10.99	11.14	11.30	11.48	11.90	12.29
12.0	10.72	10.76	10.87	11.00	11.13	11.28	11.45	11.62	11.82	12.29	12.71
13.0	10.97	11.01	11.13	11.27	11.42	11.58	11.76	11.96	12.17	12.68	13.15
14.0	11.22	11.26	11.40	11.55	11.71	11.89	12.08	12.29	12.53	13.08	13.59
15.0	11.47	11.52	11.67	11.83	12.00	12.20	12.41	12.64	12.89	13.49	14.04
16.0	11.73	11.78	11.94	12.11	12.30	12.51	12.74	12.99	13.26	13.90	14.50
17.0	11.99	12.04	12.21	12.40	12.61	12.83	13.07	13.34	13.64	14.33	14.96
18.0	12.25	12.31	12.50	12.69	12.92	13.15	13.42	13.70	14.02	14.75	15.43
19.0	12.52	12.58	12.78	12.99	13.23	13.48	13.76	14.07	14.41	15.19	15.92
20.0	12.79	12.86	13.07	13.30	13.55	13.82	14.12	14.44	14.80	15.64	16.41
21.0	13.07	13.14	13.36	13.60	13.87	14.16	14.48	14.82	15.20	16.09	16.91
22.0	13.35	13.42	13.66	13.92	14.20	14.50	14.84	15.21	15.61	16.55	17.41
23.0	13.63	13.71	13.96	14.24	14.53	14.86	15.21	15.60	16.03	17.02	17.93
24.0	13.92	14.01	14.27	14.56	14.87	15.22	15.59	16.00	16.45	17.50	18.46
25.0	14.22	14.31	14.59	14.89	15.22	15.58	15.98	16.41	16.89	17.99	19.00
26.0	14.51	14.61	14.90	15.22	15.57	15.95	16.37	16.82	17.33	18.49	19.55
27.0	14.82	14.92	15.23	15.56	15.93	16.33	16.77	17.25	17.78	19.00	20.11
28.0	15.13	15.23	15.56	15.91	16.30	16.72	17.18	17.68	18.24	19.52	20.68
29.0	15.44	15.55	15.89	16.26	16.67	17.11	17.59	18.12	18.71	20.05	21.27
30.0	15.76	15.88	16.23	16.62	17.05	17.51	18.02	18.57	19.18	20.59	21.87
31.0	16.09	16.21	16.58	16.99	17.44	17.92	18.45	19.03	19.67	21.14	22.48
32.0	16.42	16.54	16.94	17.36	17.83	18.34	18.89	19.50	20.17	21.71	23.10
33.0	16.75	16.89	17.30	17.74	18.23	18.76	19.35	19.98	20.68	22.29	23.74
34.0	17.10	17.23	17.67	18.13	18.64	19.20	19.81	20.47	21.20	22.88	24.39
35.0	17.45	17.59	18.04	18.53	19.06	19.64	20.28	20.97	21.73	23.48	25.06
36.0	17.80	17.95	18.42	18.93	19.49	20.10	20.76	21.48	22.28	24.10	25.74
37.0	18.17	18.32	18.81	19.35	19.93	20.56	21.25	22.01	22.84	24.74	26.44
38.0	18.54	18.70	19.21	19.77	20.37	21.03	21.76	22.54	23.41	25.39	27.16
39.0	18.92	19.09	19.62	20.20	20.83	21.52	22.27	23.09	24.00	26.06	27.90
40.0	19.30	19.48	20.04	20.64	21.30	22.01	22.80	23.66	24.60	26.74	28.65
41.0	19.70	19.88	20.46	21.09	21.78	22.52	23.34	24.23	25.21	27.44	29.43
42.0	20.10	20.29	20.90	21.55	22.27	23.04	23.90	24.83	25.84	28.16	30.22
43.0	20.51	20.71	21.34	22.02	22.77	23.58	24.47	25.43	26.49	28.90	31.04
44.0	20.93	21.14	21.79	22.50	23.28	24.13	25.05	26.06	27.16	29.66	31.88
45.0	21.36	21.58	22.26	23.00	23.81	24.69	25.65	26.70	27.84	30.45	32.75
46.0	21.81	22.03	22.74	23.51	24.35	25.26	26.27	27.36	28.55	31.25	33.64
47.0	22.26	22.49	23.23	24.03	24.91	25.86	26.90	28.04	29.28	32.08	34.56
48.0	22.72	22.96	23.73	24.56	25.48	26.47	27.55	28.73	30.02	32.94	35.50
49.0	23.19	23.45	24.24	25.11	26.06	27.09	28.23	29.45	30.79	33.82	36.48
50.0	23.68	23.94	24.77	25.68	26.67	27.74	28.92	30.19	31.59	34.73	37.48
51.0	24.18	24.45	25.32	26.26	27.29	28.41	29.63	30.96	32.41	35.68	38.52
52.0	24.69	24.97	25.87	26.85	27.93	29.09	30.37	31.75	33.26	36.65	39.60
53.0	25.22	25.51	26.45	27.47	28.59	29.80	31.13	32.57	34.13	37.66	40.71
54.0	25.76	26.06	27.04	28.10	29.27	30.53	31.91	33.41	35.04	38.70	41.87
55.0	26.31	26.63	27.65	28.76	29.97	31.29	32.72	34.29	35.98	39.78	43.06
56.0	26.89	27.22	28.28	29.43	30.69	32.07	33.57	35.19	36.96	40.90	44.30
57.0	27.48	27.83	28.93	30.13	31.45	32.88	34.44	36.13	37.97	42.07	45.59
58.0	28.09	28.45	29.60	30.85	32.22	33.72	35.35	37.11	39.02	43.28	46.93
59.0	28.72	29.09	30.29	31.60	33.03	34.59	36.29	38.12	40.12	44.55	48.33
60.0	29.37	29.76	31.01	32.37	33.87	35.49	37.27	39.18	41.26	45.86	49.78
▽◇	PERCENTAGE OF LOAN AMOUNT LEFT UNPAID AT DUE DATE										
	100.0	96.93	87.73	78.53	69.32	60.12	50.92	41.72	32.51	14.11	.00

DISCOUNT %	MONTHLY PAYBACK RATE (%) (MONTHLY PAYMENT DIVIDED BY LOAN AMOUNT)										
	.67	.70	.80	.90	1.00	1.10	1.20	1.30	1.40	1.50	1.56
1.0	8.19	8.19	8.20	8.21	8.22	8.23	8.25	8.26	8.28	8.30	8.31
2.0	8.38	8.38	8.40	8.42	8.45	8.47	8.50	8.53	8.57	8.61	8.63
3.0	8.57	8.58	8.61	8.64	8.67	8.71	8.75	8.80	8.86	8.92	8.96
4.0	8.77	8.78	8.82	8.86	8.90	8.95	9.01	9.08	9.15	9.23	9.29
5.0	8.96	8.98	9.03	9.08	9.14	9.20	9.27	9.35	9.45	9.55	9.62
6.0	9.16	9.18	9.24	9.30	9.37	9.45	9.54	9.64	9.75	9.88	9.96
7.0	9.37	9.39	9.46	9.53	9.62	9.71	9.81	9.93	10.06	10.21	10.30
8.0	9.57	9.60	9.68	9.76	9.86	9.96	10.08	10.22	10.37	10.54	10.65
9.0	9.78	9.81	9.90	10.00	10.11	10.23	10.36	10.51	10.69	10.88	11.01
10.0	9.99	10.02	10.12	10.23	10.36	10.49	10.65	10.81	11.01	11.23	11.37
11.0	10.20	10.24	10.35	10.47	10.61	10.76	10.93	11.12	11.34	11.58	11.74
12.0	10.42	10.46	10.58	10.72	10.87	11.04	11.22	11.43	11.67	11.94	12.11
13.0	10.64	10.68	10.82	10.97	11.13	11.31	11.52	11.75	12.01	12.30	12.49
14.0	10.86	10.91	11.06	11.22	11.40	11.60	11.82	12.07	12.35	12.67	12.87
15.0	11.09	11.14	11.30	11.47	11.67	11.88	12.13	12.39	12.70	13.04	13.27
16.0	11.32	11.37	11.55	11.73	11.94	12.18	12.44	12.72	13.05	13.42	13.66
17.0	11.55	11.61	11.80	12.00	12.22	12.47	12.75	13.06	13.42	13.81	14.07
18.0	11.79	11.85	12.05	12.26	12.51	12.77	13.07	13.41	13.78	14.21	14.48
19.0	12.03	12.09	12.31	12.54	12.80	13.08	13.40	13.75	14.16	14.61	14.90
20.0	12.27	12.34	12.57	12.81	13.09	13.39	13.73	14.11	14.54	15.02	15.33
21.0	12.52	12.59	12.83	13.09	13.39	13.71	14.07	14.47	14.93	15.44	15.77
22.0	12.77	12.85	13.10	13.38	13.69	14.03	14.42	14.84	15.32	15.86	16.21
23.0	13.02	13.11	13.38	13.67	14.00	14.36	14.77	15.22	15.73	16.30	16.66
24.0	13.28	13.37	13.66	13.97	14.31	14.70	15.13	15.60	16.14	16.74	17.12
25.0	13.55	13.64	13.94	14.27	14.63	15.04	15.49	15.99	16.56	17.19	17.60
26.0	13.81	13.91	14.23	14.58	14.96	15.39	15.86	16.39	16.98	17.65	18.08
27.0	14.09	14.19	14.52	14.89	15.29	15.74	16.24	16.80	17.42	18.12	18.57
28.0	14.36	14.47	14.82	15.21	15.63	16.10	16.63	17.21	17.87	18.60	19.07
29.0	14.65	14.76	15.13	15.53	15.98	16.47	17.02	17.63	18.32	19.09	19.58
30.0	14.93	15.05	15.44	15.86	16.33	16.85	17.42	18.07	18.78	19.59	20.10
31.0	15.22	15.35	15.75	16.20	16.69	17.23	17.84	18.51	19.26	20.10	20.63
32.0	15.52	15.65	16.08	16.54	17.05	17.62	18.26	18.96	19.74	20.62	21.18
33.0	15.83	15.96	16.40	16.89	17.43	18.02	18.69	19.42	20.24	21.15	21.74
34.0	16.13	16.28	16.74	17.25	17.81	18.43	19.12	19.89	20.75	21.70	22.31
35.0	16.45	16.60	17.08	17.61	18.20	18.85	19.57	20.37	21.27	22.26	22.89
36.0	16.77	16.93	17.43	17.98	18.60	19.28	20.03	20.87	21.80	22.83	23.49
37.0	17.10	17.26	17.79	18.37	19.01	19.71	20.50	21.37	22.34	23.42	24.10
38.0	17.43	17.60	18.15	18.75	19.42	20.16	20.98	21.89	22.90	24.02	24.73
39.0	17.77	17.95	18.52	19.15	19.85	20.62	21.48	22.42	23.48	24.64	25.37
40.0	18.12	18.31	18.90	19.56	20.29	21.09	21.98	22.97	24.06	25.27	26.03
41.0	18.48	18.67	19.29	19.98	20.74	21.57	22.50	23.53	24.67	25.92	26.71
42.0	18.84	19.05	19.69	20.40	21.19	22.06	23.03	24.10	25.29	26.59	27.41
43.0	19.21	19.43	20.10	20.84	21.66	22.57	23.58	24.69	25.92	27.27	28.13
44.0	19.60	19.82	20.52	21.29	22.15	23.09	24.14	25.30	26.58	27.98	28.86
45.0	19.99	20.22	20.95	21.75	22.64	23.63	24.72	25.92	27.25	28.71	29.62
46.0	20.39	20.62	21.38	22.22	23.15	24.18	25.31	26.56	27.94	29.45	30.40
47.0	20.79	21.04	21.83	22.71	23.68	24.74	25.92	27.22	28.66	30.22	31.20
48.0	21.21	21.47	22.30	23.21	24.21	25.32	26.55	27.90	29.39	31.02	32.03
49.0	21.65	21.91	22.77	23.72	24.77	25.92	27.20	28.61	30.15	31.84	32.89
50.0	22.09	22.37	23.26	24.24	25.34	26.54	27.87	29.33	30.94	32.68	33.77
51.0	22.54	22.83	23.76	24.79	25.93	27.18	28.56	30.08	31.75	33.56	34.68
52.0	23.01	23.31	24.28	25.35	26.53	27.84	29.28	30.85	32.58	34.46	35.63
53.0	23.49	23.80	24.81	25.92	27.16	28.52	30.02	31.66	33.45	35.40	36.61
54.0	23.98	24.31	25.36	26.52	27.81	29.22	30.78	32.49	34.35	36.37	37.62
55.0	24.49	24.83	25.93	27.14	28.47	29.95	31.57	33.35	35.28	37.37	38.67
56.0	25.02	25.37	26.51	27.77	29.17	30.70	32.39	34.24	36.25	38.42	39.76
57.0	25.56	25.93	27.12	28.43	29.89	31.48	33.25	35.17	37.26	39.50	40.89
58.0	26.12	26.50	27.74	29.11	30.63	32.30	34.13	36.13	38.30	40.63	42.07
59.0	26.69	27.10	28.39	29.82	31.40	33.14	35.06	37.13	39.39	41.81	43.29
60.0	27.29	27.71	29.06	30.55	32.21	34.02	36.02	38.18	40.53	43.03	44.57
PERCENTAGE OF LOAN AMOUNT LEFT UNPAID AT DUE DATE											
	100.0	96.26	85.05	73.84	62.63	51.42	40.21	28.99	17.78	6.57	.00

DISCOUNT %	MONTHLY PAYBACK RATE (%) (MONTHLY PAYMENT DIVIDED BY LOAN AMOUNT)										
	.67	.70	.75	.80	.85	.90	1.00	1.10	1.20	1.30	1.41
1.0	8.17	8.17	8.18	8.18	8.19	8.19	8.21	8.22	8.24	8.25	8.28
2.0	8.34	8.35	8.36	8.37	8.38	8.39	8.42	8.44	8.48	8.51	8.56
3.0	8.52	8.53	8.54	8.56	8.57	8.59	8.63	8.67	8.72	8.78	8.85
4.0	8.69	8.71	8.73	8.75	8.77	8.79	8.84	8.90	8.97	9.04	9.14
5.0	8.87	8.89	8.92	8.94	8.97	9.00	9.06	9.13	9.22	9.31	9.44
6.0	9.06	9.08	9.11	9.14	9.17	9.21	9.28	9.37	9.47	9.59	9.74
7.0	9.24	9.26	9.30	9.34	9.38	9.42	9.51	9.61	9.73	9.87	10.05
8.0	9.43	9.45	9.49	9.54	9.58	9.63	9.74	9.86	9.99	10.15	10.36
9.0	9.62	9.65	9.69	9.74	9.79	9.85	9.97	10.10	10.26	10.44	10.68
10.0	9.81	9.84	9.89	9.95	10.01	10.07	10.20	10.36	10.53	10.73	11.00
11.0	10.00	10.04	10.10	10.16	10.22	10.29	10.44	10.61	10.81	11.03	11.32
12.0	10.20	10.24	10.30	10.37	10.44	10.52	10.68	10.87	11.09	11.33	11.65
13.0	10.40	10.44	10.51	10.59	10.67	10.75	10.93	11.13	11.37	11.64	11.99
14.0	10.60	10.65	10.73	10.81	10.89	10.98	11.18	11.40	11.66	11.95	12.33
15.0	10.81	10.86	10.94	11.03	11.12	11.22	11.43	11.67	11.95	12.27	12.68
16.0	11.02	11.07	11.16	11.26	11.36	11.46	11.69	11.95	12.25	12.59	13.04
17.0	11.23	11.29	11.39	11.49	11.59	11.71	11.96	12.23	12.55	12.92	13.40
18.0	11.44	11.51	11.61	11.72	11.84	11.96	12.22	12.52	12.86	13.25	13.77
19.0	11.66	11.73	11.84	11.96	12.08	12.21	12.49	12.81	13.18	13.59	14.14
20.0	11.88	11.96	12.08	12.20	12.33	12.47	12.77	13.11	13.50	13.94	14.52
21.0	12.11	12.19	12.31	12.45	12.58	12.73	13.05	13.41	13.83	14.29	14.91
22.0	12.34	12.42	12.56	12.69	12.84	13.00	13.34	13.72	14.16	14.65	15.31
23.0	12.57	12.66	12.80	12.95	13.10	13.27	13.63	14.03	14.50	15.02	15.71
24.0	12.81	12.90	13.05	13.21	13.37	13.54	13.93	14.35	14.84	15.39	16.12
25.0	13.05	13.15	13.30	13.47	13.64	13.82	14.23	14.68	15.19	15.78	16.54
26.0	13.29	13.40	13.56	13.74	13.92	14.11	14.54	15.01	15.55	16.17	16.97
27.0	13.54	13.65	13.83	14.01	14.20	14.40	14.85	15.35	15.92	16.56	17.41
28.0	13.80	13.91	14.09	14.29	14.49	14.70	15.17	15.70	16.29	16.97	17.85
29.0	14.06	14.18	14.37	14.57	14.78	15.00	15.50	16.05	16.68	17.38	18.31
30.0	14.32	14.45	14.65	14.86	15.08	15.31	15.83	16.41	17.07	17.81	18.77
31.0	14.59	14.72	14.93	15.15	15.38	15.63	16.17	16.78	17.47	18.24	19.25
32.0	14.86	15.00	15.22	15.45	15.69	15.95	16.52	17.15	17.87	18.68	19.73
33.0	15.14	15.28	15.51	15.75	16.01	16.28	16.87	17.54	18.29	19.13	20.23
34.0	15.42	15.57	15.81	16.07	16.33	16.62	17.24	17.93	18.72	19.60	20.74
35.0	15.71	15.87	16.12	16.38	16.66	16.96	17.61	18.33	19.15	20.07	21.26
36.0	16.00	16.17	16.43	16.71	17.00	17.31	17.99	18.74	19.60	20.56	21.80
37.0	16.31	16.48	16.75	17.04	17.35	17.67	18.37	19.16	20.06	21.06	22.34
38.0	16.61	16.80	17.08	17.38	17.70	18.03	18.77	19.60	20.53	21.57	22.91
39.0	16.93	17.12	17.41	17.73	18.06	18.41	19.18	20.04	21.01	22.09	23.48
40.0	17.25	17.45	17.76	18.08	18.43	18.79	19.60	20.49	21.50	22.63	24.07
41.0	17.58	17.78	18.11	18.45	18.81	19.19	20.02	20.96	22.01	23.18	24.68
42.0	17.91	18.13	18.46	18.82	19.20	19.59	20.46	21.43	22.53	23.74	25.30
43.0	18.26	18.48	18.83	19.20	19.59	20.01	20.91	21.92	23.06	24.33	25.94
44.0	18.61	18.84	19.21	19.59	20.00	20.43	21.38	22.43	23.61	24.93	26.60
45.0	18.97	19.21	19.59	19.99	20.42	20.87	21.85	22.95	24.18	25.54	27.28
46.0	19.34	19.59	19.99	20.41	20.85	21.32	22.34	23.48	24.76	26.18	27.98
47.0	19.72	19.98	20.39	20.83	21.29	21.78	22.84	24.03	25.36	26.83	28.69
48.0	20.11	20.38	20.81	21.26	21.74	22.25	23.36	24.59	25.98	27.51	29.44
49.0	20.51	20.79	21.24	21.71	22.21	22.74	23.89	25.18	26.62	28.20	30.20
50.0	20.92	21.21	21.68	22.17	22.69	23.24	24.44	25.78	27.27	28.92	30.99
52.0	21.77	22.09	22.60	23.13	23.70	24.29	25.60	27.05	28.66	30.43	32.66
54.0	22.68	23.03	23.58	24.16	24.77	25.42	26.83	28.40	30.14	32.06	34.44
56.0	23.64	24.02	24.62	25.25	25.92	26.62	28.15	29.85	31.74	33.80	36.36
58.0	24.67	25.09	25.73	26.42	27.15	27.91	29.58	31.43	33.47	35.69	38.43
60.0	25.78	26.23	26.93	27.68	28.47	29.30	31.12	33.13	35.34	37.74	40.68
62.0	26.96	27.45	28.22	29.04	29.91	30.82	32.80	34.98	37.38	39.97	43.14
64.0	28.25	28.78	29.63	30.52	31.47	32.46	34.63	37.02	39.62	42.43	45.83
66.0	29.64	30.23	31.16	32.14	33.18	34.28	36.65	39.26	42.10	45.14	48.81
68.0	31.17	31.82	32.85	33.93	35.07	36.28	38.89	41.75	44.86	48.15	52.11
70.0	32.86	33.58	34.71	35.91	37.18	38.52	41.40	44.55	47.95	51.54	55.83
	PERCENTAGE OF LOAN AMOUNT LEFT UNPAID AT DUE DATE										
	100.0	95.54	88.84	82.15	75.46	68.76	55.38	41.99	28.60	15.22	.00

DISCOUNT %	MONTHLY PAYBACK RATE (%) (MONTHLY PAYMENT DIVIDED BY LOAN AMOUNT)										
	.67	.70	.75	.80	.85	.90	.95	1.00	1.05	1.10	1.30
1.0	8.16	8.16	8.17	8.17	8.18	8.18	8.19	8.20	8.20	8.21	8.25
2.0	8.32	8.32	8.33	8.34	8.36	8.37	8.38	8.40	8.41	8.43	8.51
3.0	8.48	8.49	8.50	8.52	8.54	8.55	8.58	8.60	8.62	8.64	8.77
4.0	8.64	8.65	8.67	8.70	8.72	8.74	8.77	8.80	8.83	8.86	9.03
5.0	8.81	8.82	8.85	8.88	8.91	8.94	8.97	9.01	9.05	9.09	9.30
6.0	8.97	8.99	9.03	9.06	9.10	9.13	9.18	9.22	9.27	9.32	9.57
7.0	9.14	9.17	9.21	9.25	9.29	9.33	9.38	9.43	9.49	9.55	9.85
8.0	9.32	9.34	9.39	9.43	9.48	9.53	9.59	9.65	9.71	9.78	10.13
9.0	9.49	9.52	9.57	9.62	9.68	9.74	9.80	9.87	9.94	10.02	10.42
10.0	9.67	9.70	9.76	9.82	9.88	9.95	10.02	10.10	10.18	10.27	10.71
11.0	9.85	9.89	9.95	10.01	10.08	10.16	10.24	10.32	10.41	10.51	11.00
12.0	10.03	10.07	10.14	10.21	10.29	10.37	10.46	10.55	10.65	10.76	11.30
13.0	10.21	10.26	10.34	10.41	10.50	10.59	10.68	10.79	10.90	11.02	11.61
14.0	10.40	10.45	10.53	10.62	10.71	10.81	10.91	11.03	11.15	11.28	11.92
15.0	10.59	10.65	10.74	10.83	10.93	11.03	11.15	11.27	11.40	11.54	12.23
16.0	10.78	10.85	10.94	11.04	11.15	11.26	11.38	11.52	11.65	11.81	12.55
17.0	10.98	11.05	11.15	11.26	11.37	11.49	11.63	11.77	11.92	12.08	12.88
18.0	11.18	11.25	11.36	11.47	11.60	11.73	11.87	12.02	12.18	12.36	13.21
19.0	11.38	11.46	11.57	11.70	11.83	11.97	12.12	12.28	12.45	12.64	13.55
20.0	11.59	11.67	11.79	11.92	12.06	12.21	12.37	12.55	12.73	12.93	13.90
21.0	11.80	11.88	12.01	12.15	12.30	12.46	12.63	12.81	13.01	13.22	14.25
22.0	12.01	12.10	12.24	12.39	12.54	12.71	12.89	13.09	13.29	13.52	14.60
23.0	12.23	12.32	12.47	12.62	12.79	12.97	13.16	13.37	13.59	13.82	14.97
24.0	12.44	12.54	12.70	12.87	13.04	13.23	13.44	13.65	13.88	14.13	15.34
25.0	12.67	12.77	12.94	13.11	13.30	13.50	13.71	13.94	14.18	14.45	15.72
26.0	12.90	13.01	13.18	13.37	13.56	13.77	14.00	14.24	14.49	14.77	16.11
27.0	13.13	13.24	13.43	13.62	13.83	14.05	14.29	14.54	14.81	15.10	16.51
28.0	13.36	13.49	13.68	13.88	14.10	14.33	14.58	14.85	15.13	15.43	16.91
29.0	13.60	13.73	13.93	14.15	14.38	14.62	14.88	15.16	15.46	15.78	17.32
30.0	13.85	13.98	14.19	14.42	14.66	14.91	15.19	15.48	15.79	16.13	17.74
31.0	14.10	14.24	14.46	14.70	14.95	15.21	15.50	15.81	16.14	16.49	18.18
32.0	14.35	14.50	14.73	14.98	15.24	15.52	15.82	16.14	16.49	16.85	18.62
33.0	14.61	14.76	15.01	15.27	15.54	15.83	16.15	16.49	16.84	17.23	19.07
34.0	14.87	15.04	15.29	15.56	15.85	16.16	16.49	16.84	17.21	17.61	19.53
35.0	15.14	15.31	15.58	15.86	16.16	16.48	16.83	17.19	17.58	18.00	20.00
36.0	15.42	15.60	15.87	16.17	16.48	16.82	17.18	17.56	17.97	18.40	20.49
37.0	15.70	15.88	16.17	16.48	16.81	17.16	17.54	17.94	18.36	18.82	20.98
38.0	15.99	16.18	16.48	16.80	17.15	17.51	17.90	18.32	18.76	19.24	21.49
39.0	16.28	16.48	16.80	17.13	17.49	17.87	18.28	18.71	19.18	19.67	22.01
40.0	16.58	16.79	17.12	17.47	17.84	18.24	18.67	19.12	19.60	20.11	22.55
41.0	16.89	17.11	17.45	17.82	18.21	18.62	19.06	19.53	20.03	20.57	23.10
42.0	17.20	17.43	17.79	18.17	18.58	19.01	19.47	19.96	20.48	21.04	23.67
43.0	17.53	17.76	18.14	18.53	18.96	19.40	19.89	20.40	20.94	21.52	24.25
44.0	17.86	18.10	18.49	18.90	19.35	19.81	20.31	20.85	21.41	22.01	24.85
45.0	18.19	18.45	18.86	19.29	19.75	20.23	20.76	21.31	21.90	22.52	25.46
46.0	18.54	18.81	19.23	19.68	20.16	20.66	21.21	21.79	22.40	23.05	26.10
47.0	18.90	19.18	19.61	20.08	20.58	21.11	21.68	22.28	22.91	23.59	26.75
48.0	19.26	19.55	20.01	20.50	21.02	21.57	22.16	22.78	23.44	24.15	27.42
49.0	19.64	19.94	20.42	20.92	21.47	22.04	22.65	23.30	23.99	24.72	28.12
50.0	20.02	20.34	20.84	21.36	21.93	22.52	23.16	23.84	24.56	25.32	28.84
52.0	20.83	21.17	21.71	22.29	22.90	23.54	24.24	24.97	25.74	26.57	30.35
54.0	21.69	22.06	22.65	23.27	23.93	24.63	25.39	26.18	27.02	27.91	31.98
56.0	22.60	23.01	23.64	24.32	25.04	25.80	26.62	27.48	28.39	29.35	33.72
58.0	23.58	24.02	24.71	25.45	26.24	27.07	27.95	28.89	29.87	30.91	35.61
60.0	24.63	25.11	25.87	26.67	27.53	28.43	29.39	30.41	31.48	32.60	37.67
62.0	25.76	26.29	27.11	27.99	28.93	29.91	30.97	32.07	33.23	34.46	39.91
64.0	26.99	27.57	28.47	29.44	30.46	31.54	32.69	33.90	35.16	36.49	42.37
66.0	28.34	28.97	29.96	31.02	32.14	33.33	34.59	35.91	37.29	38.74	45.09
68.0	29.81	30.51	31.61	32.77	34.01	35.32	36.70	38.15	39.66	41.24	48.12
70.0	31.45	32.22	33.44	34.73	36.10	37.55	39.07	40.67	42.33	44.05	51.52
▽ᗡ	PERCENTAGE OF LOAN AMOUNT LEFT UNPAID AT DUE DATE										
	100.0	94.75	86.88	79.01	71.14	63.27	55.39	47.52	39.65	31.78	.00

DISCOUNT %	MONTHLY PAYBACK RATE (%) (MONTHLY PAYMENT DIVIDED BY LOAN AMOUNT)										
	.67	.70	.75	.80	.85	.90	.95	1.00	1.05	1.10	1.21
1.0	8.15	8.15	8.16	8.16	8.17	8.17	8.18	8.19	8.20	8.20	8.23
2.0	8.29	8.30	8.31	8.32	8.34	8.35	8.36	8.38	8.40	8.41	8.46
3.0	8.44	8.46	8.47	8.49	8.51	8.53	8.55	8.57	8.60	8.63	8.70
4.0	8.60	8.61	8.63	8.66	8.68	8.71	8.74	8.77	8.80	8.84	8.94
5.0	8.75	8.77	8.80	8.83	8.86	8.89	8.93	8.97	9.01	9.06	9.19
6.0	8.91	8.93	8.96	9.00	9.04	9.08	9.13	9.17	9.23	9.28	9.44
7.0	9.07	9.09	9.13	9.17	9.22	9.27	9.32	9.38	9.44	9.51	9.69
8.0	9.23	9.26	9.30	9.35	9.40	9.46	9.52	9.59	9.66	9.74	9.95
9.0	9.39	9.42	9.48	9.53	9.59	9.66	9.73	9.80	9.88	9.97	10.21
10.0	9.56	9.59	9.65	9.71	9.78	9.85	9.93	10.02	10.11	10.21	10.48
11.0	9.72	9.77	9.83	9.90	9.97	10.05	10.14	10.24	10.34	10.45	10.75
12.0	9.89	9.94	10.01	10.09	10.17	10.26	10.36	10.46	10.57	10.70	11.02
13.0	10.07	10.12	10.20	10.28	10.37	10.47	10.57	10.69	10.81	10.94	11.30
14.0	10.24	10.30	10.38	10.47	10.57	10.68	10.79	10.92	11.05	11.20	11.58
15.0	10.42	10.48	10.57	10.67	10.78	10.89	11.02	11.15	11.30	11.46	11.87
16.0	10.60	10.66	10.76	10.87	10.99	11.11	11.25	11.39	11.55	11.72	12.17
17.0	10.78	10.85	10.96	11.08	11.20	11.33	11.48	11.63	11.80	11.98	12.46
18.0	10.97	11.04	11.16	11.28	11.42	11.56	11.71	11.88	12.06	12.26	12.77
19.0	11.16	11.24	11.36	11.49	11.64	11.79	11.95	12.13	12.32	12.53	13.08
20.0	11.35	11.44	11.57	11.71	11.86	12.02	12.20	12.39	12.59	12.81	13.40
21.0	11.55	11.64	11.78	11.93	12.09	12.26	12.45	12.65	12.87	13.10	13.72
22.0	11.75	11.84	11.99	12.15	12.32	12.50	12.70	12.91	13.14	13.39	14.05
23.0	11.95	12.05	12.21	12.38	12.56	12.75	12.96	13.19	13.43	13.69	14.38
24.0	12.16	12.26	12.43	12.61	12.80	13.00	13.22	13.46	13.72	14.00	14.72
25.0	12.37	12.48	12.65	12.84	13.04	13.26	13.49	13.74	14.01	14.31	15.07
26.0	12.58	12.70	12.88	13.08	13.29	13.52	13.77	14.03	14.32	14.62	15.42
27.0	12.80	12.92	13.12	13.32	13.55	13.78	14.04	14.32	14.62	14.95	15.79
28.0	13.02	13.15	13.35	13.57	13.81	14.06	14.33	14.62	14.94	15.28	16.16
29.0	13.25	13.38	13.60	13.82	14.07	14.33	14.62	14.93	15.26	15.62	16.54
30.0	13.48	13.62	13.84	14.08	14.34	14.62	14.92	15.24	15.59	15.96	16.92
31.0	13.71	13.86	14.10	14.35	14.62	14.91	15.22	15.56	15.92	16.31	17.32
32.0	13.95	14.11	14.35	14.62	14.90	15.20	15.53	15.89	16.27	16.67	17.72
33.0	14.19	14.36	14.62	14.89	15.19	15.51	15.85	16.22	16.62	17.04	18.14
34.0	14.44	14.61	14.88	15.17	15.48	15.82	16.18	16.56	16.98	17.42	18.56
35.0	14.70	14.88	15.16	15.46	15.79	16.13	16.51	16.91	17.34	17.81	19.00
36.0	14.96	15.14	15.44	15.76	16.09	16.46	16.85	17.27	17.72	18.21	19.44
37.0	15.22	15.42	15.73	16.06	16.41	16.79	17.20	17.64	18.11	18.61	19.90
38.0	15.49	15.70	16.02	16.36	16.73	17.13	17.56	18.01	18.50	19.03	20.36
39.0	15.77	15.98	16.32	16.68	17.07	17.48	17.92	18.40	18.91	19.46	20.84
40.0	16.06	16.28	16.63	17.00	17.40	17.83	18.30	18.80	19.33	19.90	21.34
41.0	16.35	16.58	16.94	17.33	17.75	18.20	18.68	19.20	19.75	20.35	21.84
42.0	16.65	16.89	17.27	17.67	18.11	18.58	19.08	19.62	20.19	20.81	22.36
43.0	16.95	17.20	17.60	18.02	18.48	18.96	19.49	20.05	20.65	21.29	22.90
44.0	17.26	17.53	17.94	18.38	18.86	19.36	19.91	20.49	21.11	21.78	23.45
45.0	17.59	17.86	18.29	18.75	19.24	19.77	20.34	20.95	21.59	22.28	24.01
46.0	17.92	18.20	18.65	19.13	19.64	20.19	20.78	21.41	22.09	22.80	24.60
47.0	18.25	18.55	19.02	19.52	20.05	20.62	21.24	21.90	22.59	23.34	25.20
48.0	18.60	18.91	19.40	19.92	20.48	21.07	21.71	22.39	23.12	23.89	25.82
49.0	18.96	19.28	19.79	20.33	20.91	21.53	22.20	22.91	23.66	24.47	26.46
50.0	19.33	19.66	20.19	20.76	21.36	22.01	22.70	23.44	24.22	25.06	27.13
52.0	20.10	20.46	21.04	21.65	22.31	23.01	23.76	24.56	25.40	26.30	28.52
54.0	20.92	21.31	21.94	22.60	23.32	24.08	24.89	25.76	26.67	27.64	30.02
56.0	21.80	22.22	22.90	23.63	24.40	25.23	26.11	27.05	28.03	29.08	31.63
58.0	22.74	23.20	23.94	24.73	25.57	26.47	27.43	28.44	29.51	30.63	33.37
60.0	23.75	24.26	25.06	25.92	26.84	27.82	28.86	29.96	31.11	32.33	35.27
62.0	24.84	25.40	26.28	27.22	28.23	29.29	30.42	31.62	32.87	34.18	37.34
64.0	26.03	26.64	27.61	28.64	29.74	30.90	32.14	33.44	34.80	36.22	39.62
66.0	27.34	28.01	29.07	30.21	31.41	32.69	34.04	35.46	36.93	38.47	42.14
68.0	28.78	29.52	30.69	31.94	33.27	34.68	36.16	37.71	39.32	40.98	44.94
70.0	30.38	31.20	32.50	33.89	35.36	36.91	38.54	40.24	41.99	43.81	48.09

	PERCENTAGE OF LOAN AMOUNT LEFT UNPAID AT DUE DATE										
	100.0	93.90	84.75	75.61	66.46	57.31	48.17	39.02	29.87	20.72	.00

DISCOUNT %	MONTHLY PAYBACK RATE (%) (MONTHLY PAYMENT DIVIDED BY LOAN AMOUNT)										
	.75	1.00	1.25	1.50	1.75	2.00	2.25	2.50	3.00	3.50	4.00
1.0	8.11	8.18	8.24	8.30	8.36	8.42	8.48	8.54	8.65	8.77	8.88
2.0	8.22	8.36	8.48	8.61	8.73	8.85	8.96	9.08	9.32	9.55	9.77
3.0	8.34	8.54	8.73	8.92	9.10	9.28	9.46	9.64	9.99	10.34	10.68
4.0	8.46	8.73	8.98	9.23	9.47	9.72	9.96	10.20	10.67	11.14	11.60
5.0	8.57	8.92	9.24	9.55	9.86	10.16	10.46	10.77	11.36	11.95	12.53
6.0	8.69	9.11	9.50	9.87	10.25	10.61	10.98	11.34	12.06	12.78	13.48
7.0	8.82	9.31	9.76	10.20	10.64	11.07	11.50	11.93	12.78	13.61	14.44
8.0	8.94	9.50	10.03	10.54	11.04	11.54	12.03	12.53	13.50	14.47	15.42
9.0	9.07	9.71	10.30	10.88	11.45	12.01	12.57	13.13	14.24	15.33	16.41
10.0	9.20	9.91	10.57	11.22	11.86	12.49	13.12	13.74	14.98	16.21	17.42
11.0	9.33	10.12	10.85	11.57	12.28	12.98	13.68	14.37	15.74	17.10	18.44
12.0	9.47	10.33	11.14	11.93	12.70	13.48	14.24	15.00	16.51	18.01	19.48
13.0	9.60	10.55	11.43	12.29	13.14	13.98	14.82	15.65	17.30	18.93	20.54
14.0	9.74	10.77	11.72	12.66	13.58	14.49	15.40	16.30	18.09	19.86	21.61
15.0	9.89	10.99	12.02	13.03	14.03	15.01	15.99	16.97	18.90	20.81	22.71
16.0	10.03	11.22	12.33	13.41	14.48	15.54	16.60	17.65	19.72	21.78	23.82
17.0	10.18	11.45	12.64	13.80	14.95	16.08	17.21	18.34	20.56	22.77	24.95
18.0	10.33	11.69	12.95	14.19	15.42	16.63	17.84	19.04	21.41	23.77	26.10
19.0	10.49	11.93	13.28	14.60	15.90	17.19	18.48	19.75	22.28	24.79	27.27
20.0	10.64	12.17	13.60	15.00	16.39	17.76	19.12	20.48	23.17	25.83	28.46
21.0	10.80	12.42	13.94	15.42	16.89	18.34	19.78	21.22	24.07	26.89	29.68
22.0	10.97	12.68	14.28	15.85	17.39	18.93	20.46	21.97	24.98	27.96	30.91
23.0	11.14	12.94	14.63	16.28	17.91	19.53	21.14	22.74	25.92	29.06	32.17
24.0	11.31	13.20	14.98	16.72	18.44	20.15	21.84	23.52	26.87	30.18	33.46
25.0	11.49	13.47	15.34	17.17	18.98	20.77	22.55	24.32	27.84	31.32	34.77
26.0	11.67	13.75	15.71	17.63	19.53	21.41	23.28	25.14	28.83	32.48	36.10
27.0	11.85	14.03	16.09	18.10	20.09	22.06	24.02	25.97	29.83	33.67	37.47
28.0	12.04	14.32	16.47	18.58	20.66	22.72	24.77	26.81	30.86	34.88	38.86
29.0	12.23	14.62	16.86	19.07	21.24	23.40	25.55	27.68	31.92	36.11	40.28
30.0	12.43	14.92	17.27	19.56	21.84	24.09	26.33	28.56	32.99	37.38	41.73
31.0	12.63	15.23	17.68	20.07	22.45	24.80	27.14	29.46	34.09	38.67	43.21
32.0	12.84	15.55	18.10	20.60	23.07	25.52	27.96	30.39	35.21	39.98	44.72
33.0	13.06	15.87	18.53	21.13	23.71	26.26	28.80	31.33	36.35	41.33	46.27
34.0	13.28	16.20	18.97	21.68	24.36	27.02	29.66	32.29	37.52	42.71	47.85
35.0	13.50	16.54	19.42	22.23	25.02	27.79	30.54	33.28	38.72	44.12	49.47
36.0	13.74	16.89	19.88	22.81	25.71	28.58	31.45	34.29	39.95	45.56	51.12
37.0	13.98	17.25	20.35	23.39	26.40	29.40	32.37	35.33	41.21	47.04	52.82
38.0	14.22	17.62	20.83	23.99	27.12	30.23	33.31	36.39	42.49	48.55	54.56
39.0	14.47	17.99	21.33	24.61	27.86	31.08	34.28	37.47	43.81	50.10	56.34
40.0	14.73	18.38	21.84	25.24	28.61	31.95	35.28	38.59	45.16	51.69	58.17
41.0	15.00	18.78	22.37	25.89	29.38	32.85	36.30	39.73	46.55	53.32	60.04
42.0	15.28	19.19	22.91	26.56	30.18	33.77	37.35	40.90	47.98	55.00	61.96
43.0	15.57	19.61	23.46	27.24	30.99	34.72	38.42	42.11	49.44	56.72	63.94
44.0	15.86	20.04	24.03	27.95	31.83	35.69	39.53	43.35	50.94	58.48	65.97
45.0	16.17	20.49	24.62	28.68	32.70	36.69	40.67	44.62	52.49	60.30	68.06
46.0	16.48	20.95	25.22	29.42	33.58	37.72	41.84	45.93	54.08	62.17	70.21
47.0	16.81	21.43	25.85	30.19	34.50	38.78	43.04	47.28	55.72	64.10	72.42
48.0	17.15	21.92	26.49	30.99	35.44	39.87	44.28	48.67	57.41	66.08	74.70
49.0	17.50	22.43	27.15	31.80	36.42	41.00	45.56	50.11	59.15	68.13	77.04
50.0	17.86	22.95	27.84	32.65	37.42	42.17	46.89	51.59	60.94	70.23	79.47
51.0	18.24	23.50	28.55	33.52	38.46	43.37	48.25	53.11	62.79	72.41	81.97
52.0	18.64	24.06	29.28	34.43	39.53	44.61	49.66	54.69	64.71	74.66	84.55
53.0	19.04	24.65	30.04	35.36	40.64	45.89	51.12	56.33	66.69	76.99	87.23
54.0	19.47	25.25	30.83	36.33	41.79	47.23	52.63	58.02	68.74	79.40	89.99
55.0	19.91	25.88	31.65	37.34	42.99	48.60	54.20	59.77	70.86	81.89	92.86
56.0	20.38	26.54	32.50	38.38	44.22	50.04	55.82	61.59	73.07	84.48	95.83
57.0	20.86	27.22	33.39	39.47	45.51	51.52	57.51	63.47	75.35	87.17	98.92
58.0	21.37	27.94	34.31	40.60	46.85	53.07	59.26	65.44	77.73	89.96	102.12
59.0	21.90	28.68	35.27	41.78	48.24	54.68	61.09	67.48	80.20	92.86	105.46
60.0	22.45	29.46	36.27	43.03	49.69	56.35	62.99	69.60	82.78	95.89	108.93
▽Φ	NUMBER OF MONTHLY PAYMENTS NEEDED TO PAY OFF LOAN										
	330.7	165.3	114.7	88.5	72.2	61.0	52.9	46.7	37.8	31.8	27.4

DISCOUNT %	MONTHLY PAYBACK RATE (%) (MONTHLY PAYMENT DIVIDED BY LOAN AMOUNT)										
	.69	1.00	1.50	2.00	3.00	4.00	5.00	6.00	7.00	8.00	8.71
.5	8.77	8.78	8.80	8.82	8.85	8.89	8.94	8.99	9.06	9.13	9.19
1.0	9.30	9.32	9.35	9.38	9.46	9.54	9.63	9.74	9.87	10.02	10.15
1.5	9.83	9.86	9.91	9.96	10.06	10.19	10.33	10.50	10.69	10.92	11.10
2.0	10.36	10.40	10.46	10.53	10.68	10.84	11.03	11.25	11.51	11.82	12.07
2.5	10.90	10.95	11.03	11.11	11.29	11.50	11.74	12.02	12.34	12.72	13.04
3.0	11.44	11.50	11.59	11.69	11.91	12.17	12.45	12.79	13.18	13.64	14.02
3.5	11.98	12.05	12.16	12.28	12.54	12.83	13.17	13.56	14.02	14.56	15.01
4.0	12.53	12.60	12.73	12.87	13.17	13.50	13.89	14.34	14.87	15.49	16.01
4.5	13.07	13.16	13.31	13.46	13.80	14.18	14.62	15.13	15.72	16.42	17.01
5.0	13.63	13.72	13.89	14.06	14.43	14.86	15.35	15.92	16.58	17.37	18.02
5.5	14.18	14.29	14.47	14.66	15.07	15.55	16.09	16.71	17.45	18.32	19.04
6.0	14.74	14.86	15.05	15.26	15.72	16.24	16.83	17.52	18.32	19.27	20.06
6.5	15.30	15.43	15.64	15.87	16.37	16.93	17.58	18.33	19.20	20.24	21.09
7.0	15.86	16.00	16.24	16.48	17.02	17.63	18.33	19.14	20.09	21.21	22.14
7.5	16.43	16.58	16.83	17.10	17.67	18.33	19.09	19.96	20.98	22.19	23.19
8.0	17.00	17.17	17.43	17.71	18.34	19.04	19.85	20.79	21.88	23.17	24.25
8.5	17.58	17.75	18.04	18.34	19.00	19.75	20.62	21.62	22.79	24.17	25.31
9.0	18.16	18.34	18.64	18.97	19.67	20.47	21.39	22.46	23.70	25.17	26.39
9.5	18.74	18.93	19.26	19.60	20.35	21.20	22.17	23.30	24.62	26.18	27.47
10.0	19.33	19.53	19.87	20.23	21.02	21.93	22.96	24.15	25.55	27.20	28.56
10.5	19.92	20.13	20.49	20.87	21.71	22.66	23.75	25.01	26.49	28.23	29.67
11.0	20.51	20.74	21.11	21.52	22.40	23.40	24.55	25.88	27.43	29.26	30.78
11.5	21.11	21.34	21.74	22.16	23.09	24.14	25.35	26.75	28.38	30.31	31.90
12.0	21.71	21.96	22.37	22.82	23.79	24.89	26.16	27.62	29.34	31.36	33.03
12.5	22.31	22.57	23.01	23.47	24.49	25.65	26.97	28.51	30.30	32.42	34.17
13.0	22.92	23.19	23.65	24.13	25.20	26.41	27.80	29.40	31.28	33.49	35.31
13.5	23.53	23.82	24.29	24.80	25.91	27.17	28.62	30.30	32.26	34.57	36.47
14.0	24.15	24.44	24.94	25.47	26.63	27.95	29.46	31.21	33.25	35.66	37.64
14.5	24.77	25.08	25.59	26.14	27.35	28.72	30.30	32.12	34.25	36.75	38.82
15.0	25.39	25.71	26.25	26.82	28.08	29.51	31.14	33.04	35.25	37.86	40.01
15.5	26.02	26.35	26.91	27.51	28.81	30.30	32.00	33.97	36.27	38.98	41.21
16.0	26.65	27.00	27.58	28.20	29.55	31.09	32.86	34.90	37.29	40.10	42.42
16.5	27.29	27.65	28.25	28.89	30.29	31.89	33.73	35.85	38.32	41.24	43.64
17.0	27.93	28.30	28.93	29.59	31.04	32.70	34.60	36.80	39.36	42.38	44.87
17.5	28.57	28.96	29.61	30.29	31.80	33.51	35.48	37.76	40.41	43.54	46.11
18.0	29.22	29.62	30.29	31.00	32.56	34.33	36.37	38.72	41.47	44.71	47.36
18.5	29.88	30.29	30.98	31.71	33.32	35.16	37.26	39.70	42.54	45.88	48.63
19.0	30.54	30.96	31.68	32.43	34.10	35.99	38.17	40.68	43.62	47.07	49.90
19.5	31.20	31.64	32.38	33.16	34.87	36.83	39.08	41.68	44.70	48.27	51.19
20.0	31.87	32.32	33.08	33.89	35.66	37.68	40.00	42.68	45.80	49.48	52.49
20.5	32.54	33.01	33.79	34.62	36.45	38.53	40.92	43.69	46.91	50.70	53.81
21.0	33.22	33.70	34.50	35.36	37.25	39.39	41.85	44.71	48.03	51.93	55.13
21.5	33.90	34.39	35.22	36.11	38.05	40.26	42.80	45.73	49.15	53.17	56.47
22.0	34.58	35.10	35.95	36.86	38.86	41.13	43.75	46.77	50.29	54.43	57.82
22.5	35.28	35.80	36.68	37.62	39.67	42.01	44.70	47.81	51.44	55.70	59.18
23.0	35.97	36.51	37.42	38.38	40.49	42.90	45.67	48.87	52.60	56.97	60.56
23.5	36.67	37.23	38.16	39.15	41.32	43.80	46.64	49.93	53.77	58.27	61.95
24.0	37.38	37.95	38.91	39.92	42.16	44.70	47.63	51.01	54.95	59.57	63.35
24.5	38.09	38.68	39.66	40.70	43.00	45.61	48.62	52.09	56.14	60.89	64.77
25.0	38.81	39.41	40.42	41.49	43.85	46.53	49.62	53.19	57.34	62.22	66.20
25.5	39.53	40.15	41.18	42.28	44.70	47.46	50.63	54.29	58.56	63.56	67.65
26.0	40.26	40.89	41.96	43.08	45.57	48.40	51.65	55.41	59.79	64.92	69.11
26.5	40.99	41.64	42.73	43.89	46.44	49.34	52.68	56.54	61.03	66.29	70.59
27.0	41.73	42.40	43.52	44.70	47.31	50.29	53.71	57.67	62.28	67.68	72.08
27.5	42.48	43.16	44.31	45.52	48.20	51.25	54.76	58.82	63.54	69.08	73.59
28.0	43.23	43.93	45.10	46.35	49.09	52.22	55.82	59.98	64.82	70.49	75.11
28.5	43.99	44.70	45.90	47.18	49.99	53.20	56.89	61.15	66.11	71.92	76.65
29.0	44.75	45.48	46.71	48.02	50.90	54.19	57.97	62.33	67.42	73.36	78.21
29.5	45.52	46.27	47.53	48.87	51.82	55.18	59.05	63.53	68.73	74.82	79.78
30.0	46.29	47.06	48.35	49.72	52.74	56.19	60.15	64.73	70.06	76.30	81.37
⬦	PERCENTAGE OF LOAN AMOUNT LEFT UNPAID AT DUE DATE										
	100.0	96.10	89.87	83.64	71.18	58.71	46.25	33.78	21.32	8.85	.00

DISCOUNT %	MONTHLY PAYBACK RATE (%) (MONTHLY PAYMENT DIVIDED BY LOAN AMOUNT)										
	.69	.75	1.00	1.25	1.50	2.00	2.50	3.00	3.50	4.00	4.53
.5	8.52	8.52	8.53	8.54	8.55	8.57	8.60	8.62	8.66	8.70	8.75
1.0	8.80	8.80	8.82	8.84	8.86	8.90	8.95	9.00	9.07	9.15	9.25
1.5	9.07	9.08	9.10	9.13	9.16	9.22	9.30	9.38	9.48	9.60	9.75
2.0	9.35	9.36	9.39	9.43	9.47	9.55	9.65	9.76	9.90	10.06	10.26
2.5	9.63	9.64	9.68	9.73	9.78	9.88	10.01	10.15	10.32	10.52	10.78
3.0	9.91	9.92	9.97	10.03	10.09	10.22	10.36	10.54	10.74	10.98	11.29
3.5	10.19	10.21	10.27	10.33	10.40	10.55	10.72	10.93	11.16	11.45	11.81
4.0	10.47	10.49	10.56	10.64	10.71	10.89	11.09	11.32	11.59	11.91	12.34
4.5	10.76	10.78	10.86	10.94	11.03	11.23	11.45	11.71	12.02	12.39	12.86
5.0	11.05	11.07	11.16	11.25	11.35	11.57	11.82	12.11	12.46	12.86	13.39
5.5	11.34	11.36	11.46	11.56	11.67	11.91	12.19	12.51	12.89	13.34	13.93
6.0	11.63	11.65	11.76	11.87	11.99	12.26	12.56	12.92	13.33	13.83	14.47
6.5	11.92	11.95	12.06	12.18	12.32	12.60	12.94	13.32	13.78	14.31	15.01
7.0	12.21	12.24	12.37	12.50	12.64	12.95	13.31	13.73	14.22	14.81	15.56
7.5	12.51	12.54	12.67	12.82	12.97	13.31	13.69	14.14	14.67	15.30	16.11
8.0	12.80	12.84	12.98	13.14	13.30	13.66	14.08	14.56	15.13	15.80	16.67
8.5	13.10	13.14	13.30	13.46	13.63	14.02	14.46	14.98	15.58	16.30	17.23
9.0	13.40	13.44	13.61	13.78	13.97	14.38	14.85	15.40	16.04	16.81	17.80
9.5	13.71	13.75	13.92	14.11	14.31	14.74	15.24	15.82	16.51	17.32	18.36
10.0	14.01	14.06	14.24	14.44	14.64	15.11	15.64	16.25	16.97	17.83	18.94
10.5	14.32	14.37	14.56	14.77	14.99	15.47	16.03	16.68	17.44	18.35	19.52
11.0	14.63	14.68	14.88	15.10	15.33	15.84	16.43	17.11	17.92	18.87	20.10
11.5	14.94	14.99	15.20	15.43	15.68	16.21	16.83	17.55	18.40	19.40	20.69
12.0	15.25	15.30	15.53	15.77	16.02	16.59	17.24	17.99	18.88	19.93	21.28
12.5	15.56	15.62	15.86	16.11	16.37	16.97	17.65	18.44	19.36	20.46	21.88
13.0	15.88	15.94	16.19	16.45	16.73	17.35	18.06	18.88	19.85	21.00	22.48
13.5	16.20	16.26	16.52	16.79	17.08	17.73	18.47	19.33	20.34	21.54	23.09
14.0	16.52	16.58	16.85	17.14	17.44	18.11	18.89	19.79	20.84	22.09	23.70
14.5	16.84	16.91	17.19	17.48	17.80	18.50	19.31	20.24	21.34	22.64	24.32
15.0	17.16	17.23	17.52	17.83	18.16	18.89	19.73	20.71	21.85	23.20	24.94
15.5	17.49	17.56	17.86	18.19	18.53	19.29	20.16	21.17	22.36	23.76	25.57
16.0	17.82	17.89	18.21	18.54	18.90	19.68	20.59	21.64	22.87	24.33	26.20
16.5	18.15	18.23	18.55	18.90	19.27	20.08	21.02	22.11	23.39	24.90	26.84
17.0	18.48	18.56	18.90	19.26	19.64	20.48	21.46	22.59	23.91	25.47	27.49
17.5	18.82	18.90	19.25	19.62	20.01	20.89	21.90	23.07	24.44	26.06	28.14
18.0	19.15	19.24	19.60	19.98	20.39	21.30	22.34	23.55	24.97	26.64	28.79
18.5	19.49	19.58	19.96	20.35	20.77	21.71	22.79	24.04	25.50	27.23	29.46
19.0	19.83	19.93	20.31	20.72	21.16	22.12	23.24	24.53	26.04	27.83	30.12
19.5	20.18	20.28	20.67	21.09	21.55	22.54	23.69	25.02	26.59	28.43	30.80
20.0	20.53	20.63	21.03	21.47	21.93	22.96	24.15	25.52	27.13	29.04	31.48
21.0	21.23	21.33	21.77	22.23	22.72	23.82	25.08	26.54	28.25	30.27	32.86
22.0	21.94	22.05	22.51	23.00	23.52	24.68	26.02	27.57	29.38	31.52	34.26
23.0	22.66	22.78	23.26	23.78	24.34	25.56	26.97	28.61	30.53	32.80	35.69
24.0	23.39	23.51	24.03	24.58	25.16	26.46	27.95	29.68	31.71	34.10	37.15
25.0	24.13	24.26	24.80	25.38	26.00	27.37	28.94	30.77	32.91	35.43	38.64
26.0	24.88	25.02	25.59	26.20	26.85	28.29	29.95	31.87	34.13	36.78	40.16
27.0	25.65	25.79	26.39	27.03	27.72	29.23	30.97	33.00	35.37	38.16	41.70
28.0	26.42	26.58	27.21	27.88	28.60	30.19	32.02	34.15	36.64	39.56	43.28
29.0	27.21	27.37	28.03	28.74	29.49	31.16	33.08	35.32	37.93	41.00	44.89
30.0	28.01	28.18	28.87	29.61	30.40	32.15	34.17	36.51	39.25	42.46	46.54
31.0	28.82	29.00	29.72	30.50	31.33	33.16	35.27	37.73	40.60	43.96	48.22
32.0	29.65	29.83	30.59	31.40	32.27	34.19	36.40	38.97	41.97	45.49	49.94
33.0	30.49	30.68	31.48	32.32	33.23	35.23	37.55	40.24	43.37	47.05	51.70
34.0	31.34	31.55	32.37	33.26	34.20	36.30	38.72	41.53	44.81	48.65	53.50
35.0	32.21	32.42	33.29	34.21	35.20	37.39	39.92	42.85	46.28	50.29	55.34
36.0	33.10	33.32	34.22	35.18	36.21	38.50	41.14	44.20	47.78	51.96	57.22
37.0	34.00	34.22	35.16	36.17	37.24	39.63	42.38	45.58	49.31	53.67	59.15
38.0	34.91	35.15	36.13	37.18	38.30	40.78	43.66	46.99	50.88	55.42	61.12
39.0	35.84	36.09	37.11	38.20	39.37	41.96	44.96	48.44	52.49	57.22	63.14
40.0	36.79	37.05	38.11	39.25	40.47	43.17	46.29	49.91	54.14	59.06	65.22
⌀	PERCENTAGE OF LOAN AMOUNT LEFT UNPAID AT DUE DATE										
	100.0	98.38	91.88	85.38	78.88	65.88	52.88	39.88	26.88	13.89	.00

DISCOUNT %	MONTHLY PAYBACK RATE (%) (MONTHLY PAYMENT DIVIDED BY LOAN AMOUNT)										
	.69	.75	1.00	1.25	1.50	1.75	2.00	2.25	2.50	2.75	3.15
.5	8.44	8.44	8.45	8.46	8.47	8.48	8.50	8.51	8.53	8.55	8.59
1.0	8.63	8.63	8.65	8.67	8.70	8.72	8.75	8.78	8.82	8.86	8.93
1.5	8.82	8.83	8.86	8.89	8.92	8.96	9.00	9.05	9.10	9.16	9.28
2.0	9.01	9.02	9.06	9.10	9.15	9.20	9.25	9.32	9.39	9.47	9.63
2.5	9.21	9.22	9.26	9.32	9.37	9.44	9.51	9.59	9.68	9.78	9.98
3.0	9.40	9.41	9.47	9.53	9.60	9.68	9.76	9.86	9.97	10.10	10.33
3.5	9.60	9.61	9.68	9.75	9.83	9.92	10.02	10.14	10.26	10.41	10.69
4.0	9.79	9.81	9.89	9.97	10.06	10.17	10.28	10.41	10.56	10.73	11.05
4.5	9.99	10.01	10.10	10.19	10.30	10.41	10.55	10.69	10.86	11.05	11.41
5.0	10.19	10.21	10.31	10.42	10.53	10.66	10.81	10.97	11.16	11.37	11.77
5.5	10.39	10.42	10.52	10.64	10.77	10.91	11.07	11.26	11.46	11.70	12.14
6.0	10.59	10.62	10.74	10.87	11.01	11.16	11.34	11.54	11.77	12.02	12.51
6.5	10.79	10.83	10.95	11.09	11.25	11.42	11.61	11.83	12.07	12.35	12.88
7.0	11.00	11.03	11.17	11.32	11.49	11.67	11.88	12.12	12.38	12.68	13.26
7.5	11.20	11.24	11.39	11.55	11.73	11.93	12.15	12.41	12.69	13.02	13.64
8.0	11.41	11.45	11.61	11.78	11.97	12.19	12.43	12.70	13.01	13.35	14.02
8.5	11.62	11.66	11.83	12.01	12.22	12.45	12.71	12.99	13.32	13.69	14.40
9.0	11.83	11.87	12.05	12.25	12.47	12.71	12.98	13.29	13.64	14.04	14.79
9.5	12.04	12.08	12.27	12.48	12.72	12.98	13.27	13.59	13.96	14.38	15.18
10.0	12.25	12.30	12.50	12.72	12.97	13.24	13.55	13.89	14.28	14.73	15.57
11.0	12.68	12.73	12.95	13.20	13.47	13.78	14.12	14.50	14.94	15.43	16.37
12.0	13.11	13.17	13.41	13.69	13.99	14.32	14.70	15.12	15.60	16.15	17.17
13.0	13.55	13.61	13.88	14.18	14.51	14.88	15.29	15.75	16.27	16.87	18.00
14.0	13.99	14.06	14.35	14.68	15.04	15.44	15.89	16.39	16.96	17.61	18.83
15.0	14.44	14.52	14.83	15.19	15.58	16.01	16.49	17.04	17.66	18.36	19.68
16.0	14.89	14.98	15.32	15.70	16.12	16.59	17.11	17.70	18.36	19.12	20.54
17.0	15.36	15.44	15.81	16.22	16.67	17.17	17.74	18.37	19.08	19.89	21.42
18.0	15.82	15.92	16.31	16.75	17.23	17.77	18.37	19.05	19.81	20.68	22.32
19.0	16.30	16.40	16.82	17.29	17.80	18.38	19.02	19.74	20.56	21.49	23.23
20.0	16.78	16.89	17.34	17.83	18.38	18.99	19.68	20.45	21.32	22.30	24.15
21.0	17.27	17.38	17.86	18.38	18.97	19.62	20.35	21.16	22.09	23.13	25.10
22.0	17.76	17.88	18.39	18.95	19.57	20.25	21.03	21.89	22.87	23.98	26.06
23.0	18.26	18.39	18.93	19.52	20.17	20.90	21.72	22.63	23.67	24.84	27.04
24.0	18.77	18.91	19.47	20.10	20.79	21.56	22.42	23.39	24.48	25.72	28.04
25.0	19.29	19.43	20.03	20.69	21.42	22.23	23.14	24.16	25.31	26.62	29.05
26.0	19.81	19.96	20.59	21.28	22.05	22.91	23.87	24.94	26.16	27.53	30.09
27.0	20.35	20.50	21.16	21.89	22.70	23.60	24.61	25.74	27.02	28.46	31.15
28.0	20.89	21.05	21.75	22.51	23.36	24.31	25.37	26.56	27.90	29.41	32.23
29.0	21.44	21.61	22.34	23.14	24.03	25.03	26.14	27.39	28.79	30.38	33.33
30.0	22.00	22.18	22.94	23.78	24.72	25.76	26.92	28.23	29.71	31.37	34.46
31.0	22.56	22.75	23.55	24.43	25.41	26.51	27.73	29.10	30.64	32.38	35.61
32.0	23.14	23.34	24.17	25.10	26.12	27.27	28.54	29.98	31.59	33.41	36.78
33.0	23.73	23.94	24.81	25.77	26.85	28.04	29.38	30.88	32.57	34.47	37.99
34.0	24.33	24.54	25.46	26.46	27.58	28.83	30.23	31.80	33.56	35.55	39.21
35.0	24.93	25.16	26.11	27.16	28.33	29.64	31.10	32.74	34.58	36.65	40.47
36.0	25.55	25.79	26.78	27.88	29.10	30.46	31.99	33.70	35.62	37.78	41.76
37.0	26.18	26.43	27.46	28.61	29.88	31.31	32.90	34.68	36.68	38.94	43.08
38.0	26.82	27.08	28.16	29.35	30.68	32.17	33.82	35.68	37.77	40.12	44.43
39.0	27.47	27.74	28.86	30.11	31.50	33.04	34.77	36.71	38.89	41.33	45.81
40.0	28.14	28.42	29.59	30.89	32.33	33.94	35.75	37.77	40.03	42.57	47.23
41.0	28.82	29.11	30.33	31.68	33.18	34.86	36.74	38.84	41.20	43.85	48.69
42.0	29.51	29.81	31.08	32.49	34.05	35.80	37.76	39.95	42.41	45.16	50.18
43.0	30.21	30.53	31.85	33.31	34.94	36.77	38.80	41.08	43.64	46.50	51.72
44.0	30.93	31.26	32.63	34.16	35.86	37.75	39.87	42.25	44.91	47.88	53.29
45.0	31.67	32.01	33.44	35.02	36.79	38.76	40.97	43.44	46.21	49.30	54.92
46.0	32.42	32.77	34.26	35.91	37.75	39.80	42.10	44.67	47.55	50.76	56.59
47.0	33.19	33.55	35.10	36.81	38.73	40.87	43.26	45.93	48.92	52.26	58.30
48.0	33.97	34.35	35.96	37.74	39.73	41.96	44.45	47.23	50.34	53.81	60.07
49.0	34.77	35.16	36.84	38.69	40.77	43.08	45.67	48.56	51.80	55.40	61.90
50.0	35.59	36.00	37.74	39.67	41.82	44.23	46.93	49.94	53.30	57.05	63.78
PERCENTAGE OF LOAN AMOUNT LEFT UNPAID AT DUE DATE											
	100.0	97.46	87.28	77.11	66.94	56.77	46.60	36.42	26.25	16.08	.00

DISCOUNT %	MONTHLY PAYBACK RATE (%) (MONTHLY PAYMENT DIVIDED BY LOAN AMOUNT)										
	.69	.70	.80	1.00	1.20	1.40	1.60	1.80	2.00	2.20	2.45
.5	8.40	8.40	8.40	8.41	8.42	8.43	8.44	8.45	8.47	8.48	8.51
1.0	8.54	8.55	8.55	8.57	8.59	8.61	8.63	8.66	8.69	8.72	8.77
1.5	8.69	8.70	8.71	8.73	8.76	8.79	8.83	8.83	8.91	8.96	9.04
2.0	8.84	8.85	8.86	8.90	8.93	8.97	9.02	9.07	9.13	9.20	9.31
2.5	9.00	9.00	9.02	9.06	9.11	9.16	9.22	9.28	9.36	9.44	9.58
3.0	9.15	9.15	9.17	9.22	9.28	9.34	9.41	9.49	9.58	9.69	9.85
3.5	9.30	9.30	9.33	9.39	9.46	9.53	9.61	9.70	9.81	9.93	10.12
4.0	9.45	9.46	9.49	9.56	9.63	9.72	9.81	9.92	10.04	10.18	10.39
4.5	9.61	9.61	9.65	9.72	9.81	9.90	10.01	10.13	10.27	10.43	10.67
5.0	9.76	9.77	9.81	9.89	9.99	10.09	10.21	10.35	10.50	10.68	10.95
5.5	9.92	9.93	9.97	10.06	10.17	10.28	10.42	10.56	10.74	10.93	11.23
6.0	10.08	10.08	10.13	10.23	10.35	10.48	10.62	10.78	10.97	11.19	11.51
6.5	10.24	10.24	10.30	10.41	10.53	10.67	10.83	11.00	11.21	11.45	11.80
7.0	10.40	10.40	10.46	10.58	10.72	10.87	11.04	11.23	11.45	11.70	12.09
7.5	10.56	10.56	10.62	10.75	10.90	11.06	11.25	11.45	11.69	11.96	12.38
8.0	10.72	10.73	10.79	10.93	11.09	11.26	11.46	11.68	11.93	12.23	12.67
8.5	10.88	10.89	10.96	11.11	11.27	11.46	11.67	11.90	12.18	12.49	12.96
9.0	11.04	11.05	11.13	11.28	11.46	11.66	11.88	12.13	12.42	12.76	13.26
9.5	11.21	11.22	11.30	11.46	11.65	11.86	12.10	12.36	12.67	13.03	13.56
10.0	11.37	11.38	11.47	11.64	11.84	12.06	12.32	12.60	12.92	13.30	13.86
11.0	11.71	11.72	11.81	12.01	12.23	12.48	12.75	13.07	13.43	13.84	14.47
12.0	12.04	12.06	12.16	12.38	12.62	12.89	13.20	13.55	13.95	14.40	15.09
13.0	12.39	12.40	12.51	12.75	13.02	13.32	13.65	14.03	14.47	14.97	15.72
14.0	12.73	12.75	12.87	13.13	13.42	13.74	14.11	14.52	15.00	15.54	16.36
15.0	13.09	13.10	13.23	13.51	13.83	14.18	14.58	15.02	15.54	16.13	17.01
16.0	13.44	13.46	13.60	13.90	14.24	14.62	15.05	15.53	16.09	16.72	17.67
17.0	13.80	13.82	13.97	14.30	14.66	15.07	15.53	16.05	16.65	17.33	18.34
18.0	14.17	14.19	14.35	14.70	15.09	15.53	16.02	16.58	17.21	17.94	19.03
19.0	14.54	14.56	14.74	15.11	15.53	15.99	16.52	17.11	17.79	18.57	19.72
20.0	14.92	14.94	15.13	15.52	15.97	16.46	17.02	17.65	18.38	19.20	20.43
21.0	15.30	15.33	15.52	15.94	16.41	16.94	17.54	18.21	18.98	19.85	21.16
22.0	15.69	15.72	15.92	16.37	16.87	17.43	18.06	18.77	19.59	20.51	21.89
23.0	16.08	16.11	16.33	16.80	17.33	17.92	18.59	19.34	20.21	21.19	22.64
24.0	16.48	16.51	16.74	17.24	17.80	18.43	19.13	19.93	20.84	21.87	23.41
25.0	16.89	16.92	17.16	17.69	18.28	18.94	19.68	20.52	21.48	22.57	24.19
26.0	17.30	17.33	17.59	18.14	18.77	19.46	20.24	21.13	22.14	23.29	24.98
27.0	17.72	17.75	18.02	18.61	19.26	19.99	20.82	21.75	22.81	24.01	25.80
28.0	18.14	18.18	18.46	19.08	19.76	20.53	21.40	22.38	23.49	24.76	26.62
29.0	18.58	18.61	18.91	19.56	20.28	21.08	21.99	23.02	24.19	25.51	27.47
30.0	19.02	19.06	19.37	20.04	20.80	21.64	22.60	23.67	24.90	26.29	28.33
31.0	19.46	19.50	19.83	20.54	21.33	22.21	23.21	24.34	25.62	27.08	29.21
32.0	19.92	19.96	20.30	21.04	21.87	22.80	23.84	25.02	26.36	27.88	30.12
33.0	20.38	20.42	20.78	21.56	22.42	23.39	24.49	25.72	27.12	28.71	31.04
34.0	20.85	20.90	21.27	22.08	22.98	24.00	25.14	26.43	27.90	29.55	31.98
35.0	21.33	21.38	21.77	22.61	23.56	24.62	25.81	27.16	28.69	30.42	32.94
36.0	21.82	21.87	22.27	23.16	24.14	25.25	26.50	27.90	29.50	31.30	33.93
37.0	22.31	22.37	22.79	23.71	24.74	25.89	27.20	28.66	30.33	32.20	34.94
38.0	22.82	22.87	23.32	24.28	25.35	26.55	27.91	29.44	31.17	33.13	35.98
39.0	23.33	23.39	23.85	24.85	25.97	27.23	28.64	30.24	32.04	34.08	37.04
40.0	23.86	23.92	24.40	25.44	26.61	27.92	29.39	31.05	32.93	35.05	38.13
41.0	24.40	24.46	24.96	26.04	27.26	28.62	30.16	31.89	33.85	36.05	39.25
42.0	24.94	25.01	25.53	26.66	27.92	29.35	30.95	32.75	34.79	37.08	40.39
43.0	25.50	25.57	26.11	27.29	28.61	30.09	31.75	33.63	35.75	38.13	41.57
44.0	26.07	26.14	26.71	27.93	29.30	30.84	32.58	34.53	36.74	39.21	42.78
45.0	26.66	26.73	27.31	28.59	30.02	31.62	33.43	35.46	37.75	40.33	44.03
46.0	27.25	27.33	27.94	29.26	30.75	32.42	34.30	36.41	38.80	41.47	45.31
47.0	27.86	27.94	28.57	29.95	31.50	33.23	35.19	37.39	39.87	42.65	46.63
48.0	28.48	28.56	29.22	30.66	32.27	34.07	36.11	38.40	40.98	43.86	47.99
49.0	29.12	29.21	29.89	31.38	33.06	34.94	37.06	39.44	42.12	45.12	49.39
50.0	29.77	29.86	30.57	32.13	33.87	35.83	38.03	40.51	43.30	46.41	50.84
◁▷	PERCENTAGE OF LOAN AMOUNT LEFT UNPAID AT DUE DATE										
	100.0	99.29	93.63	82.30	70.97	59.64	48.32	36.99	25.66	14.33	.00

DISCOUNT %	MONTHLY PAYBACK RATE (%) (MONTHLY PAYMENT DIVIDED BY LOAN AMOUNT)										
	.69	.70	.80	.90	1.00	1.10	1.20	1.40	1.60	1.80	2.04
.5	8.37	8.37	8.38	8.38	8.39	8.39	8.40	8.41	8.42	8.44	8.46
1.0	8.49	8.50	8.51	8.51	8.52	8.53	8.54	8.57	8.60	8.63	8.68
1.5	8.62	8.62	8.63	8.65	8.66	8.67	8.69	8.73	8.77	8.82	8.89
2.0	8.74	8.75	8.76	8.78	8.80	8.82	8.84	8.89	8.94	9.01	9.11
2.5	8.87	8.87	8.89	8.91	8.94	8.96	8.99	9.05	9.12	9.20	9.33
3.0	9.00	9.00	9.02	9.05	9.08	9.11	9.14	9.21	9.30	9.40	9.55
3.5	9.12	9.13	9.16	9.19	9.22	9.25	9.29	9.38	9.48	9.60	9.77
4.0	9.25	9.26	9.29	9.32	9.36	9.40	9.45	9.54	9.66	9.79	10.00
4.5	9.38	9.39	9.42	9.46	9.51	9.55	9.60	9.71	9.84	9.99	10.22
5.0	9.51	9.52	9.56	9.60	9.65	9.70	9.76	9.88	10.02	10.19	10.45
5.5	9.64	9.65	9.69	9.74	9.79	9.85	9.91	10.05	10.21	10.40	10.68
6.0	9.77	9.78	9.83	9.88	9.94	10.00	10.07	10.22	10.39	10.60	10.91
6.5	9.90	9.91	9.97	10.02	10.09	10.15	10.23	10.39	10.58	10.81	11.14
7.0	10.03	10.04	10.10	10.17	10.24	10.31	10.39	10.56	10.77	11.01	11.38
7.5	10.17	10.18	10.24	10.31	10.38	10.46	10.55	10.74	10.96	11.22	11.61
8.0	10.30	10.31	10.38	10.45	10.53	10.62	10.71	10.91	11.15	11.43	11.85
8.5	10.44	10.45	10.52	10.60	10.68	10.77	10.87	11.09	11.34	11.64	12.09
9.0	10.57	10.58	10.66	10.75	10.84	10.93	11.04	11.27	11.54	11.86	12.33
9.5	10.71	10.72	10.81	10.89	10.99	11.09	11.20	11.45	11.73	12.07	12.58
10.0	10.85	10.86	10.95	11.04	11.14	11.25	11.37	11.63	11.93	12.29	12.82
11.0	11.13	11.14	11.24	11.34	11.45	11.57	11.70	11.99	12.33	12.73	13.32
12.0	11.41	11.42	11.53	11.64	11.77	11.90	12.04	12.36	12.73	13.17	13.82
13.0	11.69	11.71	11.83	11.95	12.09	12.23	12.39	12.74	13.15	13.63	14.34
14.0	11.98	12.00	12.13	12.27	12.41	12.57	12.74	13.12	13.56	14.09	14.86
15.0	12.28	12.30	12.44	12.58	12.74	12.91	13.10	13.51	13.99	14.56	15.39
16.0	12.58	12.60	12.75	12.90	13.08	13.26	13.46	13.90	14.42	15.03	15.93
17.0	12.88	12.90	13.06	13.23	13.42	13.61	13.83	14.30	14.86	15.52	16.48
18.0	13.18	13.21	13.38	13.56	13.76	13.97	14.20	14.71	15.31	16.01	17.04
19.0	13.49	13.52	13.70	13.90	14.11	14.33	14.58	15.12	15.76	16.51	17.61
20.0	13.81	13.83	14.03	14.24	14.47	14.70	14.97	15.55	16.22	17.02	18.19
21.0	14.13	14.16	14.36	14.59	14.83	15.08	15.36	15.97	16.69	17.54	18.78
22.0	14.45	14.48	14.70	14.94	15.19	15.46	15.76	16.41	17.17	18.07	19.38
23.0	14.78	14.81	15.05	15.30	15.57	15.85	16.16	16.85	17.66	18.61	19.99
24.0	15.12	15.15	15.40	15.66	15.94	16.25	16.57	17.30	18.16	19.16	20.61
25.0	15.46	15.49	15.75	16.03	16.33	16.65	16.99	17.76	18.66	19.72	21.25
26.0	15.80	15.84	16.11	16.40	16.72	17.06	17.42	18.23	19.18	20.29	21.90
27.0	16.15	16.19	16.48	16.79	17.12	17.47	17.86	18.71	19.71	20.88	22.56
28.0	16.51	16.55	16.85	17.18	17.52	17.90	18.30	19.20	20.24	21.47	23.24
29.0	16.87	16.91	17.23	17.57	17.94	18.33	18.75	19.69	20.79	22.08	23.93
30.0	17.24	17.28	17.62	17.97	18.36	18.77	19.21	20.20	21.35	22.70	24.63
31.0	17.62	17.66	18.01	18.38	18.79	19.21	19.68	20.71	21.92	23.33	25.35
32.0	18.00	18.05	18.41	18.80	19.22	19.67	20.16	21.24	22.50	23.98	26.09
33.0	18.39	18.44	18.82	19.23	19.67	20.14	20.65	21.78	23.10	24.64	26.84
34.0	18.78	18.83	19.23	19.66	20.12	20.61	21.14	22.33	23.71	25.32	27.61
35.0	19.19	19.24	19.66	20.10	20.58	21.10	21.65	22.89	24.33	26.01	28.40
36.0	19.60	19.65	20.09	20.55	21.06	21.59	22.17	23.46	24.97	26.72	29.21
37.0	20.02	20.07	20.53	21.01	21.54	22.10	22.70	24.05	25.62	27.44	30.03
38.0	20.44	20.50	20.98	21.48	22.03	22.61	23.24	24.65	26.28	28.19	30.88
39.0	20.88	20.94	21.43	21.96	22.53	23.14	23.80	25.26	26.97	28.95	31.75
40.0	21.32	21.38	21.90	22.45	23.04	23.68	24.36	25.89	27.67	29.73	32.64
41.0	21.77	21.84	22.38	22.95	23.57	24.23	24.94	26.54	28.39	30.53	33.55
42.0	22.24	22.31	22.86	23.46	24.11	24.79	25.54	27.20	29.12	31.35	34.49
43.0	22.71	22.78	23.36	23.98	24.65	25.37	26.15	27.88	29.88	32.20	35.46
44.0	23.19	23.27	23.87	24.52	25.22	25.96	26.77	28.57	30.66	33.07	36.45
45.0	23.68	23.76	24.39	25.07	25.79	26.57	27.41	29.28	31.46	33.96	37.47
46.0	24.19	24.27	24.93	25.63	26.38	27.19	28.07	30.02	32.28	34.88	38.51
47.0	24.71	24.79	25.47	26.20	26.99	27.83	28.74	30.77	33.12	35.83	39.59
48.0	25.23	25.32	26.03	26.79	27.61	28.49	29.43	31.55	33.99	36.80	40.71
49.0	25.78	25.87	26.60	27.39	28.25	29.16	30.15	32.35	34.89	37.81	41.86
50.0	26.33	26.42	27.19	28.01	28.90	29.85	30.88	33.17	35.81	38.85	43.04
⊕	PERCENTAGE OF LOAN AMOUNT LEFT UNPAID AT DUE DATE										
	100.0	99.08	91.68	84.28	76.89	69.49	62.10	47.31	32.51	17.72	.00

DISCOUNT %	MONTHLY PAYBACK RATE (%) (MONTHLY PAYMENT DIVIDED BY LOAN AMOUNT)										
	.69	.70	.80	.90	1.00	1.10	1.20	1.30	1.40	1.60	1.77
1.0	8.46	8.46	8.47	8.48	8.49	8.50	8.52	8.53	8.54	8.58	8.61
2.0	8.68	8.68	8.70	8.72	8.74	8.76	8.78	8.81	8.84	8.91	8.98
3.0	8.90	8.90	8.93	8.95	8.99	9.02	9.06	9.10	9.14	9.25	9.35
4.0	9.12	9.12	9.16	9.19	9.24	9.28	9.33	9.39	9.45	9.59	9.73
5.0	9.34	9.35	9.39	9.44	9.49	9.55	9.61	9.68	9.76	9.94	10.12
6.0	9.57	9.57	9.63	9.69	9.75	9.82	9.90	9.98	10.07	10.29	10.51
7.0	9.80	9.81	9.87	9.94	10.01	10.09	10.18	10.28	10.39	10.64	10.90
8.0	10.03	10.04	10.11	10.19	10.28	10.37	10.48	10.59	10.71	11.01	11.30
9.0	10.26	10.28	10.36	10.45	10.55	10.65	10.77	10.90	11.04	11.38	11.71
10.0	10.50	10.51	10.61	10.71	10.82	10.94	11.07	11.22	11.38	11.75	12.13
11.0	10.74	10.76	10.86	10.97	11.10	11.23	11.38	11.54	11.72	12.13	12.55
12.0	10.99	11.00	11.12	11.24	11.38	11.52	11.69	11.86	12.06	12.52	12.98
13.0	11.24	11.25	11.38	11.51	11.66	11.82	12.00	12.19	12.41	12.91	13.41
14.0	11.49	11.51	11.64	11.79	11.95	12.13	12.32	12.53	12.77	13.31	13.86
15.0	11.74	11.76	11.91	12.07	12.25	12.44	12.65	12.87	13.13	13.72	14.31
16.0	12.00	12.02	12.18	12.36	12.55	12.75	12.98	13.22	13.49	14.13	14.77
17.0	12.27	12.29	12.46	12.64	12.85	13.07	13.31	13.57	13.87	14.55	15.23
18.0	12.53	12.55	12.74	12.94	13.16	13.39	13.65	13.93	14.25	14.98	15.71
19.0	12.80	12.83	13.02	13.24	13.47	13.72	14.00	14.30	14.64	15.41	16.19
20.0	13.08	13.10	13.31	13.54	13.79	14.05	14.35	14.67	15.03	15.86	16.68
21.0	13.35	13.38	13.61	13.85	14.11	14.39	14.71	15.05	15.43	16.31	17.18
22.0	13.64	13.67	13.90	14.16	14.44	14.74	15.07	15.44	15.84	16.77	17.69
23.0	13.92	13.96	14.21	14.48	14.77	15.09	15.44	15.83	16.25	17.24	18.21
24.0	14.22	14.25	14.51	14.80	15.11	15.45	15.82	16.23	16.68	17.71	18.74
25.0	14.51	14.55	14.83	15.13	15.46	15.81	16.21	16.63	17.11	18.20	19.28
26.0	14.81	14.85	15.14	15.46	15.81	16.18	16.60	17.05	17.55	18.70	19.84
27.0	15.12	15.16	15.47	15.80	16.17	16.56	17.00	17.47	18.00	19.20	20.40
28.0	15.43	15.47	15.80	16.15	16.53	16.95	17.41	17.90	18.45	19.72	20.97
29.0	15.75	15.79	16.13	16.50	16.90	17.34	17.82	18.34	18.92	20.25	21.56
30.0	16.07	16.12	16.47	16.86	17.28	17.74	18.24	18.79	19.40	20.79	22.16
31.0	16.40	16.45	16.82	17.22	17.67	18.15	18.68	19.25	19.88	21.34	22.77
32.0	16.73	16.78	17.17	17.60	18.06	18.56	19.12	19.72	20.38	21.90	23.40
33.0	17.07	17.13	17.53	17.98	18.46	18.99	19.57	20.19	20.89	22.48	24.04
34.0	17.42	17.47	17.90	18.36	18.87	19.42	20.03	20.68	21.41	23.07	24.69
35.0	17.77	17.83	18.28	18.76	19.29	19.86	20.50	21.18	21.94	23.67	25.36
36.0	18.13	18.19	18.66	19.16	19.72	20.32	20.98	21.69	22.48	24.29	26.05
37.0	18.50	18.56	19.05	19.58	20.15	20.78	21.47	22.22	23.04	24.92	26.75
38.0	18.88	18.94	19.45	20.00	20.60	21.25	21.97	22.75	23.61	25.57	27.48
39.0	19.26	19.32	19.85	20.43	21.06	21.74	22.48	23.30	24.19	26.23	28.21
40.0	19.65	19.72	20.27	20.87	21.52	22.23	23.01	23.86	24.79	26.92	28.97
41.0	20.05	20.12	20.69	21.32	22.00	22.74	23.55	24.43	25.40	27.61	29.75
42.0	20.45	20.53	21.13	21.78	22.49	23.26	24.11	25.03	26.03	28.33	30.55
43.0	20.87	20.95	21.57	22.25	22.99	23.79	24.67	25.63	26.68	29.07	31.37
44.0	21.30	21.37	22.02	22.73	23.50	24.34	25.26	26.25	27.35	29.83	32.22
45.0	21.73	21.81	22.49	23.22	24.03	24.90	25.85	26.89	28.03	30.61	33.08
46.0	22.18	22.26	22.97	23.73	24.57	25.47	26.47	27.55	28.73	31.41	33.98
47.0	22.63	22.72	23.45	24.25	25.12	26.07	27.10	28.23	29.46	32.24	34.90
48.0	23.10	23.19	23.95	24.78	25.69	26.67	27.75	28.92	30.20	33.09	35.85
49.0	23.58	23.68	24.47	25.33	26.27	27.30	28.42	29.64	30.97	33.97	36.83
50.0	24.07	24.17	25.00	25.89	26.88	27.94	29.11	30.38	31.76	34.88	37.84
51.0	24.58	24.68	25.54	26.47	27.50	28.61	29.82	31.14	32.58	35.82	38.88
52.0	25.09	25.20	26.10	27.07	28.13	29.29	30.56	31.93	33.42	36.79	39.97
53.0	25.63	25.74	26.67	27.68	28.79	30.00	31.31	32.74	34.30	37.79	41.08
54.0	26.17	26.29	27.26	28.32	29.47	30.72	32.10	33.58	35.20	38.83	42.24
55.0	26.74	26.86	27.87	28.97	30.17	31.48	32.91	34.46	36.14	39.91	43.44
56.0	27.32	27.45	28.50	29.64	30.90	32.26	33.75	35.36	37.11	41.03	44.69
57.0	27.92	28.05	29.14	30.34	31.65	33.07	34.62	36.30	38.12	42.19	45.98
58.0	28.53	28.67	29.81	31.06	32.42	33.90	35.52	37.27	39.17	43.40	47.33
59.0	29.17	29.32	30.51	31.80	33.23	34.77	36.46	38.28	40.26	44.66	48.73
60.0	29.83	29.98	31.22	32.58	34.06	35.67	37.43	39.34	41.40	45.97	50.19
▽Φ	PERCENTAGE OF LOAN AMOUNT LEFT UNPAID AT DUE DATE										
	100.0	98.84	89.56	80.29	71.01	61.74	52.46	43.18	33.91	15.36	.00

DISCOUNT %	MONTHLY PAYBACK RATE (%) (MONTHLY PAYMENT DIVIDED BY LOAN AMOUNT)										
	.69	.70	.80	.90	1.00	1.10	1.20	1.30	1.40	1.50	1.57
1.0	8.44	8.44	8.45	8.46	8.47	8.48	8.50	8.51	8.53	8.55	8.57
2.0	8.63	8.63	8.65	8.67	8.69	8.72	8.75	8.78	8.81	8.85	8.89
3.0	8.82	8.83	8.86	8.89	8.92	8.96	9.00	9.05	9.10	9.16	9.21
4.0	9.02	9.03	9.06	9.10	9.15	9.20	9.26	9.32	9.39	9.48	9.54
5.0	9.22	9.23	9.28	9.33	9.38	9.45	9.52	9.60	9.69	9.79	9.88
6.0	9.42	9.43	9.49	9.55	9.62	9.70	9.79	9.88	9.99	10.12	10.22
7.0	9.63	9.64	9.70	9.78	9.86	9.95	10.05	10.17	10.30	10.45	10.56
8.0	9.83	9.84	9.92	10.01	10.10	10.21	10.33	10.46	10.61	10.78	10.91
9.0	10.04	10.06	10.14	10.24	10.35	10.47	10.60	10.75	10.92	11.12	11.27
10.0	10.26	10.27	10.37	10.48	10.60	10.73	10.89	11.05	11.24	11.46	11.63
11.0	10.47	10.49	10.60	10.72	10.85	11.00	11.17	11.36	11.57	11.81	12.00
12.0	10.69	10.71	10.83	10.96	11.11	11.28	11.46	11.67	11.90	12.16	12.37
13.0	10.91	10.93	11.06	11.21	11.37	11.55	11.76	11.98	12.24	12.53	12.75
14.0	11.14	11.16	11.30	11.46	11.64	11.83	12.06	12.30	12.58	12.89	13.14
15.0	11.37	11.39	11.54	11.72	11.91	12.12	12.36	12.62	12.93	13.27	13.53
16.0	11.60	11.62	11.79	11.97	12.18	12.41	12.67	12.96	13.28	13.64	13.93
17.0	11.83	11.85	12.04	12.24	12.46	12.71	12.98	13.29	13.64	14.03	14.34
18.0	12.07	12.09	12.29	12.51	12.75	13.01	13.30	13.63	14.01	14.42	14.76
19.0	12.31	12.34	12.55	12.78	13.03	13.31	13.63	13.98	14.38	14.82	15.18
20.0	12.56	12.59	12.81	13.05	13.32	13.62	13.96	14.34	14.76	15.23	15.61
21.0	12.81	12.84	13.07	13.33	13.62	13.94	14.30	14.70	15.14	15.65	16.04
22.0	13.06	13.09	13.34	13.62	13.93	14.26	14.64	15.06	15.54	16.07	16.49
23.0	13.32	13.35	13.62	13.91	14.23	14.59	14.99	15.44	15.94	16.50	16.94
24.0	13.58	13.61	13.90	14.20	14.55	14.93	15.35	15.82	16.35	16.94	17.41
25.0	13.85	13.88	14.18	14.50	14.87	15.27	15.71	16.21	16.77	17.39	17.88
26.0	14.12	14.15	14.47	14.81	15.19	15.61	16.08	16.60	17.19	17.85	18.36
27.0	14.39	14.43	14.76	15.12	15.52	15.97	16.46	17.01	17.63	18.31	18.85
28.0	14.67	14.71	15.06	15.44	15.86	16.33	16.85	17.42	18.07	18.79	19.36
29.0	14.96	15.00	15.36	15.76	16.20	16.69	17.24	17.84	18.52	19.28	19.87
30.0	15.25	15.29	15.67	16.09	16.56	17.07	17.64	18.27	18.98	19.78	20.39
31.0	15.54	15.59	15.99	16.43	16.91	17.45	18.05	18.71	19.46	20.28	20.93
32.0	15.84	15.89	16.31	16.77	17.28	17.84	18.47	19.16	19.94	20.80	21.48
33.0	16.15	16.20	16.64	17.12	17.65	18.24	18.90	19.62	20.43	21.34	22.04
34.0	16.46	16.52	16.97	17.47	18.03	18.65	19.33	20.09	20.94	21.88	22.61
35.0	16.78	16.84	17.31	17.84	18.42	19.06	19.78	20.57	21.46	22.44	23.20
36.0	17.10	17.16	17.66	18.21	18.82	19.49	20.24	21.06	21.99	23.01	23.80
37.0	17.43	17.50	18.02	18.59	19.23	19.93	20.71	21.57	22.53	23.59	24.41
38.0	17.77	17.84	18.38	18.98	19.64	20.37	21.19	22.08	23.08	24.19	25.04
39.0	18.12	18.19	18.75	19.38	20.07	20.83	21.68	22.61	23.65	24.80	25.69
40.0	18.47	18.54	19.13	19.78	20.50	21.30	22.18	23.16	24.24	25.43	26.36
41.0	18.83	18.90	19.52	20.20	20.95	21.78	22.70	23.71	24.84	26.08	27.04
42.0	19.20	19.28	19.92	20.62	21.41	22.27	23.23	24.28	25.46	26.75	27.74
43.0	19.58	19.66	20.32	21.06	21.88	22.77	23.77	24.87	26.09	27.43	28.46
44.0	19.96	20.05	20.74	21.51	22.36	23.29	24.33	25.47	26.74	28.13	29.20
45.0	20.36	20.44	21.17	21.97	22.85	23.82	24.91	26.10	27.41	28.85	29.96
46.0	20.76	20.85	21.61	22.44	23.36	24.37	25.50	26.74	28.10	29.60	30.74
47.0	21.18	21.27	22.06	22.92	23.88	24.94	26.11	27.39	28.81	30.36	31.55
48.0	21.60	21.70	22.52	23.42	24.42	25.52	26.73	28.07	29.55	31.16	32.38
49.0	22.04	22.14	22.99	23.93	24.97	26.11	27.38	28.77	30.30	31.97	33.24
50.0	22.48	22.59	23.48	24.45	25.54	26.73	28.05	29.49	31.08	32.81	34.13
51.0	22.94	23.06	23.98	24.99	26.12	27.36	28.74	30.24	31.89	33.69	35.05
52.0	23.42	23.53	24.49	25.55	26.73	28.02	29.45	31.01	32.73	34.59	36.00
53.0	23.90	24.02	25.02	26.13	27.35	28.70	30.18	31.81	33.59	35.52	36.98
54.0	24.41	24.53	25.57	26.72	28.00	29.40	30.94	32.64	34.49	36.48	38.00
55.0	24.92	25.05	26.14	27.34	28.66	30.12	31.73	33.49	35.41	37.49	39.05
56.0	25.45	25.59	26.72	27.97	29.35	30.88	32.55	34.38	36.38	38.53	40.15
57.0	26.00	26.14	27.32	28.63	30.07	31.66	33.40	35.31	37.38	39.61	41.29
58.0	26.57	26.72	27.95	29.31	30.81	32.47	34.29	36.27	38.42	40.73	42.47
59.0	27.16	27.31	28.59	30.01	31.58	33.31	35.20	37.27	39.51	41.91	43.71
60.0	27.76	27.93	29.27	30.74	32.38	34.18	36.16	38.31	40.64	43.13	44.99
PERCENTAGE OF LOAN AMOUNT LEFT UNPAID AT DUE DATE											
	100.0	98.59	87.27	75.95	64.63	53.32	42.00	30.68	19.36	8.05	.00

DISCOUNT %	MONTHLY PAYBACK RATE (%) (MONTHLY PAYMENT DIVIDED BY LOAN AMOUNT)										
	.69	.70	.75	.80	.85	.90	1.00	1.10	1.20	1.30	1.43
1.0	8.42	8.42	8.43	8.43	8.44	8.44	8.46	8.47	8.49	8.50	8.53
2.0	8.60	8.60	8.61	8.62	8.63	8.64	8.66	8.69	8.72	8.76	8.82
3.0	8.77	8.78	8.79	8.81	8.82	8.84	8.88	8.92	8.97	9.02	9.11
4.0	8.95	8.96	8.98	9.00	9.02	9.04	9.09	9.15	9.21	9.29	9.40
5.0	9.13	9.14	9.16	9.19	9.22	9.24	9.31	9.38	9.46	9.55	9.70
6.0	9.32	9.32	9.35	9.38	9.42	9.45	9.53	9.62	9.72	9.83	10.00
7.0	9.50	9.51	9.55	9.58	9.62	9.66	9.75	9.85	9.97	10.11	10.31
8.0	9.69	9.70	9.74	9.78	9.83	9.88	9.98	10.10	10.23	10.39	10.62
9.0	9.88	9.89	9.94	9.99	10.04	10.09	10.21	10.34	10.50	10.67	10.94
10.0	10.07	10.09	10.14	10.19	10.25	10.31	10.45	10.60	10.77	10.96	11.26
11.0	10.27	10.29	10.34	10.40	10.47	10.53	10.68	10.85	11.04	11.26	11.59
12.0	10.47	10.49	10.55	10.62	10.69	10.76	10.93	11.11	11.32	11.56	11.92
13.0	10.67	10.69	10.76	10.83	10.91	10.99	11.17	11.37	11.60	11.86	12.26
14.0	10.88	10.90	10.97	11.05	11.14	11.22	11.42	11.64	11.89	12.17	12.60
15.0	11.08	11.11	11.19	11.27	11.36	11.46	11.67	11.91	12.18	12.49	12.95
16.0	11.30	11.32	11.41	11.50	11.60	11.70	11.93	12.19	12.48	12.81	13.31
17.0	11.51	11.53	11.63	11.73	11.83	11.94	12.19	12.47	12.78	13.14	13.67
18.0	11.73	11.75	11.85	11.96	12.07	12.19	12.46	12.75	13.09	13.47	14.04
19.0	11.95	11.98	12.08	12.20	12.32	12.45	12.73	13.04	13.40	13.81	14.42
20.0	12.17	12.20	12.32	12.44	12.57	12.70	13.00	13.34	13.72	14.16	14.80
21.0	12.40	12.43	12.55	12.68	12.82	12.96	13.28	13.64	14.05	14.51	15.19
22.0	12.63	12.66	12.79	12.93	13.08	13.23	13.57	13.95	14.38	14.86	15.59
23.0	12.87	12.90	13.04	13.19	13.34	13.50	13.86	14.26	14.71	15.23	15.99
24.0	13.11	13.14	13.29	13.44	13.61	13.78	14.15	14.58	15.06	15.60	16.41
25.0	13.35	13.39	13.54	13.70	13.88	14.06	14.46	14.90	15.41	15.98	16.83
26.0	13.60	13.64	13.80	13.97	14.15	14.34	14.76	15.23	15.77	16.37	17.26
27.0	13.85	13.89	14.06	14.24	14.43	14.63	15.07	15.57	16.13	16.76	17.70
28.0	14.11	14.15	14.33	14.52	14.72	14.93	15.39	15.91	16.50	17.17	18.14
29.0	14.37	14.41	14.60	14.80	15.01	15.23	15.72	16.26	16.88	17.58	18.60
30.0	14.63	14.68	14.88	15.09	15.31	15.54	16.05	16.62	17.27	18.00	19.07
31.0	14.90	14.96	15.16	15.38	15.61	15.85	16.39	16.99	17.67	18.43	19.55
32.0	15.18	15.23	15.45	15.68	15.92	16.18	16.74	17.36	18.07	18.87	20.04
33.0	15.46	15.52	15.74	15.98	16.24	16.50	17.09	17.74	18.49	19.32	20.54
34.0	15.75	15.81	16.04	16.29	16.56	16.84	17.45	18.14	18.91	19.78	21.05
35.0	16.04	16.10	16.35	16.61	16.89	17.18	17.82	18.54	19.35	20.26	21.57
36.0	16.34	16.40	16.66	16.94	17.22	17.53	18.20	18.95	19.79	20.74	22.11
37.0	16.64	16.71	16.98	17.27	17.57	17.89	18.58	19.37	20.25	21.23	22.66
38.0	16.96	17.03	17.31	17.61	17.92	18.25	18.98	19.79	20.71	21.74	23.22
39.0	17.27	17.35	17.64	17.95	18.28	18.63	19.39	20.23	21.19	22.26	23.80
40.0	17.60	17.68	17.98	18.31	18.65	19.01	19.80	20.69	21.68	22.80	24.40
41.0	17.93	18.01	18.33	18.67	19.03	19.40	20.23	21.15	22.19	23.34	25.01
42.0	18.27	18.35	18.69	19.04	19.41	19.80	20.66	21.62	22.71	23.91	25.63
43.0	18.62	18.71	19.05	19.42	19.81	20.22	21.11	22.11	23.24	24.49	26.28
44.0	18.98	19.07	19.43	19.81	20.21	20.64	21.57	22.61	23.78	25.08	26.94
45.0	19.34	19.44	19.81	20.21	20.63	21.07	22.05	23.13	24.35	25.70	27.62
46.0	19.72	19.81	20.21	20.62	21.06	21.52	22.53	23.66	24.93	26.33	28.32
47.0	20.10	20.20	20.61	21.04	21.50	21.98	23.03	24.21	25.52	26.98	29.04
48.0	20.50	20.60	21.03	21.48	21.95	22.45	23.55	24.77	26.14	27.65	29.79
49.0	20.90	21.01	21.45	21.92	22.42	22.94	24.08	25.35	26.77	28.34	30.56
50.0	21.32	21.43	21.89	22.38	22.90	23.44	24.63	25.95	27.43	29.06	31.36
52.0	22.19	22.31	22.81	23.34	23.90	24.49	25.78	27.21	28.81	30.57	33.03
54.0	23.11	23.24	23.78	24.36	24.97	25.61	27.01	28.56	30.29	32.18	34.82
56.0	24.09	24.23	24.82	25.45	26.11	26.80	28.32	30.01	31.88	33.92	36.75
58.0	25.14	25.29	25.93	26.61	27.33	28.09	29.74	31.57	33.60	35.80	38.84
60.0	26.26	26.43	27.13	27.87	28.65	29.48	31.28	33.27	35.46	37.84	41.10
62.0	27.47	27.65	28.42	29.23	30.08	30.99	32.95	35.12	37.50	40.07	43.58
64.0	28.78	28.98	29.82	30.70	31.64	32.63	34.78	37.14	39.73	42.51	46.29
66.0	30.20	30.42	31.34	32.32	33.35	34.43	36.79	39.38	42.20	45.21	49.29
68.0	31.76	32.01	33.03	34.10	35.23	36.43	39.02	41.86	44.94	48.22	52.62
70.0	33.49	33.76	34.88	36.07	37.33	38.66	41.52	44.65	48.02	51.60	56.36
⟟	PERCENTAGE OF LOAN AMOUNT LEFT UNPAID AT DUE DATE										
	100.0	98.31	91.54	84.77	78.01	71.24	57.71	44.17	30.64	17.11	.00

DISCOUNT %	MONTHLY PAYBACK RATE (%) (MONTHLY PAYMENT DIVIDED BY LOAN AMOUNT)										
	.69	.70	.75	.80	.85	.90	.95	1.00	1.05	1.10	1.31
1.0	8.41	8.41	8.41	8.42	8.43	8.43	8.44	8.45	8.45	8.46	8.50
2.0	8.57	8.57	8.58	8.59	8.60	8.61	8.63	8.64	8.66	8.67	8.76
3.0	8.73	8.74	8.75	8.77	8.78	8.80	8.82	8.84	8.87	8.89	9.02
4.0	8.90	8.90	8.92	8.94	8.97	8.99	9.02	9.05	9.08	9.11	9.29
5.0	9.06	9.07	9.10	9.12	9.15	9.18	9.22	9.25	9.29	9.33	9.56
6.0	9.23	9.24	9.27	9.31	9.34	9.38	9.42	9.46	9.51	9.56	9.83
7.0	9.40	9.41	9.45	9.49	9.53	9.58	9.63	9.68	9.73	9.79	10.11
8.0	9.58	9.59	9.63	9.68	9.73	9.78	9.83	9.89	9.96	10.02	10.39
9.0	9.76	9.77	9.82	9.87	9.92	9.98	10.04	10.11	10.18	10.26	10.68
10.0	9.93	9.95	10.00	10.06	10.12	10.19	10.26	10.34	10.41	10.50	10.97
11.0	10.12	10.13	10.19	10.26	10.33	10.40	10.48	10.56	10.65	10.75	11.27
12.0	10.30	10.32	10.38	10.45	10.53	10.61	10.70	10.79	10.89	11.00	11.57
13.0	10.49	10.51	10.58	10.66	10.74	10.83	10.92	11.02	11.13	11.25	11.87
14.0	10.68	10.70	10.78	10.86	10.95	11.05	11.15	11.26	11.38	11.51	12.18
15.0	10.87	10.89	10.98	11.07	11.17	11.27	11.38	11.50	11.63	11.77	12.50
16.0	11.06	11.09	11.18	11.28	11.39	11.50	11.62	11.75	11.89	12.03	12.82
17.0	11.26	11.29	11.39	11.49	11.61	11.73	11.86	12.00	12.15	12.31	13.15
18.0	11.46	11.49	11.60	11.71	11.83	11.96	12.10	12.25	12.41	12.58	13.49
19.0	11.67	11.70	11.81	11.93	12.06	12.20	12.35	12.51	12.68	12.86	13.83
20.0	11.88	11.91	12.03	12.16	12.30	12.44	12.60	12.77	12.95	13.15	14.17
21.0	12.09	12.12	12.25	12.39	12.54	12.69	12.86	13.04	13.23	13.44	14.53
22.0	12.30	12.34	12.48	12.62	12.78	12.94	13.12	13.31	13.52	13.74	14.89
23.0	12.52	12.56	12.70	12.86	13.02	13.20	13.39	13.59	13.81	14.04	15.25
24.0	12.74	12.78	12.94	13.10	13.28	13.46	13.66	13.87	14.10	14.35	15.63
25.0	12.97	13.01	13.17	13.35	13.53	13.73	13.94	14.16	14.40	14.66	16.01
26.0	13.20	13.24	13.41	13.60	13.79	14.00	14.22	14.46	14.71	14.98	16.40
27.0	13.43	13.48	13.66	13.85	14.06	14.27	14.51	14.76	15.02	15.31	16.80
28.0	13.67	13.72	13.91	14.11	14.33	14.55	14.80	15.06	15.34	15.64	17.20
29.0	13.92	13.97	14.16	14.38	14.60	14.84	15.10	15.38	15.67	15.98	17.62
30.0	14.16	14.22	14.42	14.65	14.88	15.14	15.41	15.70	16.00	16.33	18.04
31.0	14.42	14.47	14.69	14.92	15.17	15.43	15.72	16.02	16.34	16.69	18.48
32.0	14.67	14.73	14.96	15.20	15.46	15.74	16.04	16.35	16.69	17.05	18.92
33.0	14.94	15.00	15.24	15.49	15.76	16.05	16.36	16.70	17.05	17.42	19.37
34.0	15.20	15.27	15.52	15.78	16.07	16.37	16.70	17.04	17.41	17.81	19.84
35.0	15.48	15.54	15.80	16.08	16.38	16.70	17.04	17.40	17.78	18.20	20.31
36.0	15.76	15.82	16.10	16.39	16.70	17.03	17.39	17.76	18.17	18.60	20.80
37.0	16.04	16.11	16.40	16.70	17.03	17.37	17.74	18.14	18.56	19.00	21.30
38.0	16.33	16.41	16.71	17.02	17.36	17.72	18.11	18.52	18.96	19.42	21.81
39.0	16.63	16.71	17.02	17.35	17.71	18.08	18.48	18.91	19.37	19.85	22.34
40.0	16.93	17.01	17.34	17.69	18.06	18.45	18.87	19.31	19.79	20.30	22.87
41.0	17.25	17.33	17.67	18.03	18.42	18.82	19.26	19.73	20.22	20.75	23.43
42.0	17.57	17.65	18.01	18.38	18.78	19.21	19.67	20.15	20.67	21.22	24.00
43.0	17.89	17.98	18.35	18.74	19.16	19.61	20.08	20.59	21.12	21.69	24.58
44.0	18.23	18.32	18.71	19.12	19.55	20.01	20.51	21.03	21.59	22.19	25.18
45.0	18.57	18.67	19.07	19.50	19.95	20.43	20.95	21.49	22.07	22.69	25.80
46.0	18.92	19.03	19.44	19.89	20.36	20.86	21.40	21.97	22.57	23.22	26.44
47.0	19.29	19.39	19.83	20.29	20.78	21.30	21.86	22.46	23.08	23.75	27.10
48.0	19.66	19.77	20.22	20.70	21.21	21.76	22.34	22.96	23.61	24.31	27.78
49.0	20.04	20.15	20.63	21.13	21.66	22.23	22.83	23.48	24.16	24.88	28.48
50.0	20.43	20.55	21.04	21.57	22.12	22.71	23.34	24.01	24.72	25.47	29.20
52.0	21.25	21.38	21.92	22.48	23.09	23.73	24.41	25.14	25.90	26.72	30.73
54.0	22.13	22.27	22.85	23.46	24.12	24.81	25.56	26.34	27.17	28.05	32.36
56.0	23.06	23.21	23.84	24.51	25.22	25.98	26.78	27.64	28.53	29.49	34.12
58.0	24.05	24.22	24.91	25.63	26.41	27.23	28.11	29.03	30.01	31.04	36.03
60.0	25.12	25.31	26.05	26.85	27.70	28.59	29.55	30.55	31.61	32.72	38.09
62.0	26.28	26.48	27.30	28.17	29.09	30.07	31.11	32.21	33.36	34.57	40.35
64.0	27.54	27.75	28.65	29.60	30.62	31.69	32.83	34.02	35.28	36.59	42.83
66.0	28.91	29.15	30.13	31.18	32.29	33.47	34.72	36.03	37.40	38.83	45.58
68.0	30.42	30.68	31.77	32.93	34.15	35.45	36.82	38.26	39.76	41.32	48.63
70.0	32.09	32.38	33.59	34.87	36.23	37.67	39.18	40.76	42.41	44.13	52.06
PERCENTAGE OF LOAN AMOUNT LEFT UNPAID AT DUE DATE											
	100.0	98.01	90.04	82.07	74.10	66.13	58.16	50.19	42.22	34.25	.00

DISCOUNT %	MONTHLY PAYBACK RATE (%) (MONTHLY PAYMENT DIVIDED BY LOAN AMOUNT)										
	.69	.70	.75	.80	.85	.90	.95	1.00	1.05	1.10	1.23
1.0	8.40	8.40	8.40	8.41	8.42	8.42	8.43	8.44	8.44	8.45	8.48
2.0	8.55	8.55	8.56	8.57	8.58	8.60	8.61	8.63	8.64	8.66	8.72
3.0	8.70	8.70	8.70	8.72	8.74	8.76	8.77	8.80	8.82	8.84	8.87	8.96
4.0	8.85	8.86	8.88	8.90	8.93	8.95	8.99	9.02	9.05	9.09	9.20
5.0	9.01	9.02	9.04	9.07	9.11	9.14	9.18	9.22	9.26	9.30	9.45
6.0	9.17	9.18	9.21	9.25	9.28	9.32	9.37	9.42	9.47	9.53	9.70
7.0	9.33	9.34	9.38	9.42	9.46	9.51	9.57	9.62	9.68	9.75	9.95
8.0	9.49	9.50	9.55	9.60	9.65	9.70	9.76	9.83	9.90	9.98	10.21
9.0	9.66	9.67	9.72	9.78	9.83	9.90	9.97	10.04	10.12	10.21	10.47
10.0	9.82	9.84	9.90	9.96	10.02	10.09	10.17	10.26	10.35	10.44	10.74
11.0	9.99	10.01	10.07	10.14	10.22	10.29	10.38	10.47	10.57	10.68	11.01
12.0	10.16	10.18	10.25	10.33	10.41	10.50	10.59	10.70	10.81	10.93	11.29
13.0	10.34	10.36	10.44	10.52	10.61	10.70	10.81	10.92	11.04	11.17	11.57
14.0	10.52	10.54	10.62	10.71	10.81	10.91	11.03	11.15	11.28	11.42	11.85
15.0	10.70	10.72	10.81	10.91	11.02	11.13	11.25	11.38	11.53	11.68	12.14
16.0	10.88	10.91	11.00	11.11	11.22	11.34	11.48	11.62	11.77	11.94	12.44
17.0	11.07	11.09	11.20	11.31	11.44	11.56	11.71	11.86	12.03	12.21	12.74
18.0	11.26	11.28	11.40	11.52	11.65	11.79	11.94	12.11	12.28	12.48	13.04
19.0	11.45	11.48	11.60	11.73	11.87	12.02	12.18	12.36	12.54	12.75	13.36
20.0	11.64	11.68	11.80	11.94	12.09	12.25	12.42	12.61	12.81	13.03	13.67
21.0	11.84	11.88	12.01	12.16	12.32	12.49	12.67	12.87	13.08	13.32	14.00
22.0	12.04	12.08	12.23	12.38	12.55	12.73	12.92	13.13	13.36	13.61	14.33
23.0	12.25	12.29	12.44	12.61	12.78	12.97	13.18	13.40	13.64	13.90	14.66
24.0	12.46	12.50	12.66	12.84	13.02	13.22	13.44	13.68	13.93	14.20	15.01
25.0	12.67	12.71	12.88	13.07	13.27	13.48	13.71	13.96	14.22	14.51	15.36
26.0	12.89	12.93	13.11	13.31	13.52	13.74	13.98	14.24	14.52	14.83	15.72
27.0	13.11	13.15	13.35	13.55	13.77	14.00	14.26	14.54	14.83	15.15	16.08
28.0	13.33	13.38	13.58	13.80	14.03	14.28	14.54	14.83	15.14	15.48	16.45
29.0	13.56	13.61	13.82	14.05	14.29	14.55	14.83	15.13	15.46	15.81	16.83
30.0	13.79	13.85	14.07	14.31	14.56	14.83	15.13	15.45	15.79	16.16	17.22
31.0	14.03	14.09	14.32	14.57	14.84	15.12	15.43	15.76	16.12	16.51	17.62
32.0	14.27	14.33	14.58	14.84	15.12	15.42	15.74	16.09	16.46	16.86	18.03
33.0	14.52	14.58	14.84	15.11	15.41	15.72	16.06	16.42	16.81	17.23	18.44
34.0	14.78	14.84	15.11	15.39	15.70	16.03	16.38	16.76	17.17	17.61	18.87
35.0	15.03	15.10	15.38	15.68	16.00	16.34	16.71	17.11	17.53	17.99	19.31
36.0	15.30	15.37	15.66	15.97	16.31	16.66	17.05	17.46	17.91	18.38	19.76
37.0	15.57	15.64	15.95	16.27	16.62	16.99	17.40	17.83	18.29	18.79	20.21
38.0	15.84	15.92	16.24	16.58	16.94	17.33	17.75	18.20	18.68	19.20	20.69
39.0	16.12	16.21	16.54	16.89	17.27	17.68	18.12	18.59	19.09	19.63	21.17
40.0	16.41	16.50	16.84	17.21	17.61	18.03	18.49	18.98	19.50	20.06	21.66
41.0	16.71	16.80	17.16	17.54	17.96	18.40	18.87	19.38	19.93	20.51	22.17
42.0	17.01	17.10	17.48	17.88	18.31	18.77	19.27	19.80	20.37	20.97	22.70
43.0	17.32	17.42	17.81	18.23	18.68	19.16	19.67	20.23	20.81	21.45	23.24
44.0	17.64	17.74	18.15	18.58	19.05	19.56	20.09	20.67	21.28	21.93	23.79
45.0	17.97	18.07	18.50	18.95	19.44	19.96	20.52	21.12	21.75	22.44	24.36
46.0	18.30	18.41	18.85	19.33	19.84	20.38	20.96	21.58	22.25	22.95	24.95
47.0	18.65	18.76	19.22	19.72	20.24	20.81	21.42	22.06	22.75	23.49	25.55
48.0	19.00	19.12	19.60	20.11	20.67	21.25	21.89	22.56	23.27	24.04	26.18
49.0	19.37	19.49	19.99	20.53	21.10	21.71	22.37	23.07	23.81	24.61	26.83
50.0	19.74	19.87	20.39	20.95	21.55	22.18	22.87	23.60	24.37	25.19	27.49
52.0	20.53	20.66	21.23	21.84	22.49	23.18	23.92	24.71	25.54	26.43	28.90
54.0	21.36	21.51	22.13	22.79	23.49	24.24	25.05	25.90	26.80	27.76	30.41
56.0	22.26	22.42	23.09	23.81	24.57	25.39	26.26	27.18	28.16	29.19	32.03
58.0	23.21	23.39	24.12	24.90	25.74	26.62	27.57	28.57	29.63	30.74	33.79
60.0	24.25	24.44	25.24	26.09	27.00	27.96	28.99	30.08	31.23	32.43	35.70
62.0	25.37	25.58	26.45	27.38	28.37	29.43	30.55	31.73	32.97	34.27	37.79
64.0	26.59	26.82	27.77	28.79	29.88	31.03	32.26	33.55	34.89	36.30	40.09
66.0	27.92	28.18	29.23	30.35	31.55	32.81	34.15	35.55	37.02	38.55	42.63
68.0	29.40	29.68	30.84	32.08	33.40	34.79	36.26	37.79	39.39	41.05	45.46
70.0	31.04	31.35	32.64	34.02	35.47	37.01	38.63	40.31	42.06	43.87	48.64

▽φ	PERCENTAGE OF LOAN AMOUNT LEFT UNPAID AT DUE DATE										
	100.0	97.68	88.41	79.13	69.85	60.58	51.30	42.03	32.75	23.47	.00

DISCOUNT %	MONTHLY PAYBACK RATE (%) (MONTHLY PAYMENT DIVIDED BY LOAN AMOUNT)										
	1.00	1.25	1.50	1.75	2.00	2.25	2.50	2.75	3.00	3.50	4.00
1.0	8.43	8.49	8.55	8.61	8.67	8.73	8.79	8.84	8.90	9.02	9.13
2.0	8.60	8.73	8.85	8.97	9.09	9.21	9.33	9.45	9.56	9.79	10.02
3.0	8.79	8.98	9.16	9.34	9.52	9.70	9.88	10.06	10.23	10.58	10.93
4.0	8.97	9.22	9.47	9.72	9.96	10.20	10.44	10.68	10.91	11.38	11.84
5.0	9.16	9.48	9.79	10.10	10.40	10.71	11.01	11.31	11.60	12.19	12.78
6.0	9.35	9.73	10.11	10.48	10.85	11.22	11.58	11.94	12.30	13.02	13.72
7.0	9.54	9.99	10.44	10.88	11.31	11.74	12.17	12.59	13.02	13.85	14.68
8.0	9.73	10.26	10.77	11.27	11.77	12.27	12.76	13.25	13.74	14.70	15.66
9.0	9.93	10.53	11.11	11.68	12.24	12.81	13.36	13.92	14.47	15.57	16.65
10.0	10.14	10.80	11.45	12.09	12.72	13.35	13.98	14.60	15.22	16.44	17.65
11.0	10.34	11.08	11.80	12.51	13.21	13.91	14.60	15.29	15.97	17.33	18.67
12.0	10.55	11.36	12.15	12.93	13.70	14.47	15.23	15.99	16.74	18.24	19.71
13.0	10.76	11.65	12.51	13.36	14.20	15.04	15.87	16.70	17.52	19.15	20.77
14.0	10.98	11.94	12.88	13.80	14.72	15.62	16.53	17.42	18.32	20.09	21.84
15.0	11.20	12.24	13.25	14.25	15.23	16.22	17.19	18.16	19.12	21.04	22.93
16.0	11.43	12.54	13.63	14.70	15.76	16.82	17.87	18.91	19.95	22.00	24.04
17.0	11.66	12.85	14.01	15.16	16.30	17.43	18.55	19.67	20.78	22.99	25.17
18.0	11.89	13.16	14.41	15.63	16.85	18.05	19.25	20.45	21.63	23.99	26.32
19.0	12.13	13.48	14.80	16.11	17.40	18.69	19.96	21.23	22.50	25.01	27.49
20.0	12.37	13.81	15.21	16.60	17.97	19.33	20.69	22.04	23.38	26.04	28.68
21.0	12.62	14.14	15.63	17.09	18.55	19.99	21.43	22.86	24.28	27.10	29.89
22.0	12.87	14.48	16.05	17.60	19.13	20.66	22.18	23.69	25.19	28.17	31.13
23.0	13.13	14.82	16.48	18.11	19.73	21.34	22.95	24.54	26.12	29.27	32.38
24.0	13.39	15.17	16.92	18.64	20.34	22.04	23.73	25.40	27.07	30.39	33.67
25.0	13.66	15.53	17.36	19.17	20.97	22.75	24.52	26.29	28.04	31.52	34.97
26.0	13.93	15.90	17.82	19.72	21.60	23.47	25.33	27.19	29.03	32.68	36.31
27.0	14.21	16.27	18.29	20.28	22.25	24.21	26.16	28.10	30.03	33.87	37.67
28.0	14.50	16.65	18.76	20.85	22.91	24.97	27.01	29.04	31.06	35.08	39.06
29.0	14.79	17.04	19.25	21.43	23.59	25.73	27.87	30.00	32.11	36.31	40.47
30.0	15.09	17.44	19.74	22.02	24.28	26.52	28.75	30.97	33.18	37.57	41.92
31.0	15.39	17.85	20.25	22.63	24.98	27.32	29.65	31.97	34.28	38.86	43.40
32.0	15.71	18.27	20.77	23.25	25.70	28.14	30.57	32.99	35.39	40.17	44.91
33.0	16.03	18.69	21.30	23.88	26.44	28.98	31.51	34.03	36.54	41.52	46.45
34.0	16.36	19.13	21.84	24.53	27.19	29.84	32.47	35.10	37.71	42.89	48.03
35.0	16.69	19.58	22.40	25.19	27.96	30.72	33.46	36.19	38.90	44.30	49.65
36.0	17.04	20.03	22.97	25.87	28.75	31.62	34.47	37.30	40.13	45.74	51.30
37.0	17.39	20.50	23.55	26.57	29.56	32.54	35.50	38.45	41.38	47.21	53.00
38.0	17.76	20.99	24.15	27.28	30.39	33.48	36.56	39.62	42.66	48.72	54.73
39.0	18.13	21.48	24.76	28.01	31.24	34.45	37.64	40.82	43.98	50.27	56.51
40.0	18.51	21.99	25.39	28.76	32.11	35.44	38.75	42.05	45.33	51.86	58.34
41.0	18.91	22.51	26.04	29.54	33.01	36.46	39.89	43.31	46.72	53.49	60.21
42.0	19.31	23.04	26.70	30.33	33.92	37.50	41.06	44.61	48.14	55.16	62.13
43.0	19.73	23.60	27.39	31.14	34.87	38.57	42.26	45.94	49.60	56.88	64.10
44.0	20.16	24.16	28.09	31.98	35.84	39.68	43.50	47.31	51.10	58.64	66.13
45.0	20.61	24.75	28.81	32.84	36.83	40.81	44.77	48.71	52.64	60.46	68.21
46.0	21.06	25.35	29.55	33.72	37.86	41.98	46.08	50.16	54.23	62.33	70.36
47.0	21.54	25.97	30.32	34.63	38.92	43.18	47.43	51.65	55.87	64.25	72.57
48.0	22.02	26.61	31.11	35.57	40.01	44.42	48.81	53.19	57.55	66.23	74.84
49.0	22.53	27.27	31.93	36.54	41.13	45.70	50.24	54.77	59.29	68.27	77.19
50.0	23.05	27.95	32.77	37.55	42.29	47.02	51.72	56.41	61.08	70.38	79.61
51.0	23.59	28.66	33.64	38.58	43.49	48.38	53.25	58.10	62.93	72.55	82.11
52.0	24.15	29.39	34.54	39.65	44.73	49.78	54.82	59.84	64.84	74.80	84.69
53.0	24.73	30.14	35.47	40.76	46.01	51.24	56.45	61.64	66.82	77.12	87.36
54.0	25.34	30.93	36.44	41.90	47.34	52.75	58.14	63.51	68.87	79.53	90.12
55.0	25.96	31.74	37.44	43.09	48.71	54.31	59.89	65.45	70.99	82.02	92.99
56.0	26.61	32.59	38.48	44.33	50.14	55.93	61.70	67.45	73.19	84.60	95.95
57.0	27.29	33.47	39.56	45.61	51.62	57.61	63.58	69.54	75.47	87.29	99.04
58.0	28.00	34.39	40.69	46.94	53.17	59.36	65.54	71.70	77.84	90.07	102.24
59.0	28.74	35.34	41.86	48.33	54.77	61.18	67.58	73.95	80.31	92.97	105.57
60.0	29.52	36.34	43.08	49.78	56.44	63.08	69.70	76.30	82.88	95.99	109.04
◁▽	NUMBER OF MONTHLY PAYMENTS NEEDED TO PAY OFF LOAN										
	169.8	116.5	89.5	72.8	61.5	53.2	46.9	42.0	38.0	31.9	27.5

DISCOUNT %	MONTHLY PAYBACK RATE (%) (MONTHLY PAYMENT DIVIDED BY LOAN AMOUNT)										
	.71	1.00	1.50	2.00	3.00	4.00	5.00	6.00	7.00	8.00	8.72
.5	9.02	9.03	9.05	9.07	9.10	9.14	9.19	9.24	9.31	9.38	9.44
1.0	9.55	9.57	9.60	9.63	9.71	9.79	9.88	9.99	10.12	10.27	10.40
1.5	10.08	10.11	10.16	10.21	10.32	10.44	10.58	10.74	10.94	11.16	11.35
2.0	10.62	10.65	10.71	10.78	10.93	11.09	11.28	11.50	11.76	12.07	12.32
2.5	11.15	11.20	11.28	11.36	11.54	11.75	11.99	12.27	12.59	12.97	13.29
3.0	11.69	11.75	11.84	11.94	12.16	12.42	12.70	13.04	13.43	13.89	14.27
3.5	12.24	12.30	12.41	12.53	12.79	13.08	13.42	13.81	14.27	14.81	15.26
4.0	12.78	12.85	12.98	13.12	13.42	13.75	14.14	14.59	15.11	15.74	16.26
4.5	13.33	13.41	13.56	13.71	14.05	14.43	14.87	15.38	15.97	16.67	17.26
5.0	13.88	13.97	14.14	14.31	14.68	15.11	15.60	16.17	16.83	17.61	18.27
5.5	14.44	14.54	14.72	14.91	15.32	15.80	16.34	16.96	17.70	18.56	19.29
6.0	15.00	15.11	15.30	15.51	15.97	16.49	17.08	17.77	18.57	19.52	20.32
6.5	15.56	15.68	15.89	16.12	16.62	17.18	17.83	18.57	19.45	20.48	21.35
7.0	16.13	16.26	16.49	16.73	17.27	17.88	18.58	19.39	20.33	21.45	22.39
7.5	16.70	16.83	17.08	17.35	17.92	18.58	19.34	20.21	21.23	22.43	23.44
8.0	17.27	17.42	17.68	17.97	18.59	19.29	20.10	21.03	22.13	23.42	24.50
8.5	17.84	18.00	18.29	18.59	19.25	20.00	20.87	21.87	23.03	24.41	25.57
9.0	18.42	18.59	18.90	19.22	19.92	20.72	21.64	22.70	23.95	25.41	26.65
9.5	19.01	19.19	19.51	19.85	20.60	21.45	22.42	23.55	24.87	26.42	27.73
10.0	19.59	19.78	20.12	20.48	21.27	22.17	23.21	24.40	25.79	27.44	28.82
10.5	20.18	20.38	20.74	21.12	21.96	22.91	24.00	25.26	26.73	28.47	29.93
11.0	20.78	20.99	21.37	21.77	22.65	23.65	24.80	26.12	27.67	29.50	31.04
11.5	21.37	21.60	21.99	22.41	23.34	24.39	25.60	26.99	28.62	30.55	32.16
12.0	21.98	22.21	22.63	23.07	24.04	25.14	26.41	27.87	29.58	31.60	33.29
12.5	22.58	22.82	23.26	23.72	24.74	25.90	27.22	28.76	30.55	32.66	34.43
13.0	23.19	23.44	23.90	24.39	25.45	26.66	28.04	29.65	31.52	33.73	35.58
13.5	23.80	24.07	24.55	25.05	26.16	27.42	28.87	30.54	32.50	34.81	36.74
14.0	24.42	24.70	25.19	25.72	26.88	28.19	29.70	31.45	33.49	35.89	37.91
14.5	25.04	25.33	25.85	26.40	27.60	28.97	30.54	32.36	34.49	36.99	39.09
15.0	25.67	25.97	26.50	27.08	28.33	29.76	31.39	33.28	35.49	38.10	40.28
15.5	26.29	26.61	27.17	27.76	29.06	30.54	32.25	34.21	36.51	39.21	41.48
16.0	26.93	27.25	27.83	28.45	29.80	31.34	33.11	35.15	37.53	40.34	42.69
16.5	27.57	27.90	28.50	29.14	30.54	32.14	33.97	36.09	38.56	41.47	43.91
17.0	28.21	28.56	29.18	29.84	31.29	32.95	34.85	37.04	39.60	42.62	45.14
17.5	28.85	29.21	29.86	30.54	32.05	33.76	35.73	38.00	40.65	43.77	46.38
18.0	29.50	29.88	30.54	31.25	32.81	34.58	36.62	38.97	41.71	44.94	47.64
18.5	30.16	30.54	31.23	31.97	33.58	35.41	37.51	39.94	42.78	46.11	48.90
19.0	30.82	31.22	31.93	32.69	34.35	36.24	38.41	40.93	43.86	47.30	50.18
19.5	31.48	31.89	32.63	33.41	35.13	37.08	39.32	41.92	44.94	48.50	51.47
20.0	32.15	32.57	33.33	34.14	35.91	37.93	40.24	42.92	46.04	49.71	52.77
20.5	32.82	33.26	34.04	34.87	36.70	38.78	41.17	43.93	47.15	50.93	54.08
21.0	33.50	33.95	34.76	35.61	37.50	39.64	42.10	44.95	48.26	52.16	55.41
21.5	34.19	34.65	35.48	36.36	38.30	40.51	43.04	45.97	49.39	53.40	56.75
22.0	34.87	35.35	36.20	37.11	39.11	41.38	43.99	47.01	50.53	54.66	58.10
22.5	35.57	36.06	36.93	37.87	39.92	42.26	44.95	48.05	51.67	55.92	59.46
23.0	36.26	36.77	37.67	38.63	40.74	43.15	45.91	49.11	52.83	57.20	60.84
23.5	36.97	37.48	38.41	39.40	41.57	44.05	46.89	50.17	54.00	58.49	62.23
24.0	37.67	38.21	39.16	40.18	42.41	44.95	47.87	51.25	55.18	59.80	63.64
24.5	38.39	38.93	39.91	40.96	43.25	45.86	48.86	52.33	56.37	61.11	65.06
25.0	39.11	39.67	40.67	41.74	44.10	46.78	49.86	53.43	57.58	62.44	66.49
25.5	39.83	40.41	41.44	42.54	44.95	47.71	50.87	54.53	58.79	63.79	67.94
26.0	40.56	41.15	42.21	43.34	45.82	48.64	51.89	55.65	60.02	65.14	69.40
26.5	41.29	41.90	42.99	44.14	46.69	49.59	52.92	56.77	61.26	66.51	70.88
27.0	42.03	42.65	43.77	44.96	47.56	50.54	53.96	57.91	62.51	67.90	72.37
27.5	42.78	43.42	44.56	45.77	48.45	51.50	55.01	59.06	63.77	69.30	73.88
28.0	43.53	44.18	45.36	46.60	49.34	52.47	56.06	60.22	65.05	70.71	75.40
28.5	44.29	44.96	46.16	47.43	50.24	53.45	57.13	61.39	66.34	72.14	76.94
29.0	45.05	45.74	46.97	48.27	51.15	54.44	58.21	62.57	67.64	73.58	78.50
29.5	45.82	46.52	47.78	49.12	52.07	55.43	59.30	63.76	68.96	75.04	80.07
30.0	46.60	47.32	48.60	49.97	52.99	56.44	60.39	64.97	70.29	76.51	81.66
⟨logo⟩	PERCENTAGE OF LOAN AMOUNT LEFT UNPAID AT DUE DATE										
	100.0	96.36	90.12	83.88	71.40	58.92	46.45	33.97	21.49	9.01	.00

DISCOUNT %	MONTHLY PAYBACK RATE (%) (MONTHLY PAYMENT DIVIDED BY LOAN AMOUNT)										
	.71	1.00	1.25	1.50	1.75	2.00	2.50	3.00	3.50	4.00	4.55
.5	8.77	8.78	8.79	8.80	8.81	8.82	8.85	8.87	8.91	8.95	9.00
1.0	9.05	9.07	9.09	9.11	9.13	9.15	9.20	9.25	9.32	9.40	9.50
1.5	9.32	9.35	9.38	9.41	9.44	9.47	9.55	9.63	9.73	9.85	10.00
2.0	9.60	9.64	9.68	9.72	9.76	9.80	9.90	10.01	10.15	10.30	10.51
2.5	9.88	9.93	9.98	10.03	10.08	10.13	10.26	10.40	10.56	10.76	11.03
3.0	10.16	10.22	10.28	10.34	10.40	10.47	10.61	10.78	10.99	11.23	11.54
3.5	10.45	10.52	10.58	10.65	10.72	10.80	10.97	11.17	11.41	11.69	12.06
4.0	10.73	10.81	10.89	10.96	11.05	11.14	11.34	11.57	11.84	12.16	12.59
4.5	11.02	11.11	11.19	11.28	11.37	11.48	11.70	11.96	12.27	12.63	13.12
5.0	11.30	11.41	11.50	11.60	11.70	11.82	12.07	12.36	12.70	13.11	13.65
5.5	11.59	11.71	11.81	11.92	12.04	12.16	12.44	12.76	13.14	13.59	14.19
6.0	11.89	12.01	12.12	12.24	12.37	12.51	12.81	13.16	13.58	14.07	14.73
6.5	12.18	12.31	12.43	12.57	12.70	12.85	13.18	13.57	14.02	14.56	15.27
7.0	12.47	12.62	12.75	12.89	13.04	13.20	13.56	13.98	14.47	15.05	15.82
7.5	12.77	12.92	13.07	13.22	13.38	13.56	13.94	14.39	14.92	15.54	16.37
8.0	13.07	13.23	13.39	13.55	13.72	13.91	14.32	14.81	15.37	16.04	16.93
8.5	13.37	13.55	13.71	13.88	14.07	14.27	14.71	15.22	15.83	16.54	17.49
9.0	13.67	13.86	14.03	14.22	14.42	14.63	15.10	15.64	16.29	17.05	18.05
9.5	13.97	14.17	14.36	14.55	14.76	14.99	15.49	16.07	16.75	17.56	18.62
10.0	14.28	14.49	14.69	14.89	15.12	15.35	15.88	16.50	17.22	18.07	19.20
10.5	14.58	14.81	15.02	15.23	15.47	15.72	16.28	16.93	17.69	18.59	19.78
11.0	14.89	15.13	15.35	15.58	15.83	16.09	16.68	17.36	18.16	19.11	20.36
11.5	15.20	15.45	15.68	15.92	16.18	16.46	17.08	17.80	18.64	19.63	20.95
12.0	15.52	15.78	16.02	16.27	16.54	16.84	17.48	18.24	19.12	20.16	21.54
12.5	15.83	16.11	16.36	16.62	16.91	17.21	17.89	18.68	19.60	20.70	22.14
13.0	16.15	16.43	16.70	16.98	17.27	17.59	18.30	19.13	20.09	21.24	22.75
13.5	16.47	16.77	17.04	17.33	17.64	17.98	18.72	19.58	20.58	21.78	23.35
14.0	16.79	17.10	17.38	17.69	18.01	18.36	19.13	20.03	21.08	22.33	23.97
14.5	17.11	17.44	17.73	18.05	18.39	18.75	19.55	20.49	21.58	22.88	24.59
15.0	17.44	17.77	18.08	18.41	18.76	19.14	19.98	20.95	22.09	23.43	25.21
15.5	17.76	18.11	18.43	18.78	19.14	19.53	20.40	21.41	22.59	23.99	25.84
16.0	18.09	18.46	18.79	19.14	19.52	19.93	20.83	21.88	23.11	24.56	26.47
16.5	18.43	18.80	19.15	19.51	19.91	20.33	21.26	22.35	23.62	25.13	27.11
17.0	18.76	19.15	19.51	19.89	20.29	20.73	21.70	22.83	24.15	25.71	27.76
17.5	19.10	19.50	19.87	20.26	20.68	21.14	22.14	23.31	24.67	26.29	28.41
18.0	19.43	19.85	20.23	20.64	21.08	21.54	22.58	23.79	25.20	26.87	29.07
18.5	19.77	20.21	20.60	21.02	21.47	21.96	23.03	24.28	25.74	27.46	29.73
19.0	20.12	20.56	20.97	21.41	21.87	22.37	23.48	24.77	26.28	28.06	30.40
19.5	20.46	20.92	21.34	21.79	22.27	22.79	23.93	25.26	26.82	28.66	31.07
20.0	20.81	21.28	21.72	22.18	22.68	23.21	24.39	25.76	27.37	29.27	31.75
21.0	21.51	22.02	22.48	22.97	23.50	24.06	25.32	26.78	28.48	30.51	33.13
22.0	22.22	22.76	23.25	23.77	24.33	24.93	26.26	27.80	29.61	31.75	34.54
23.0	22.95	23.51	24.03	24.58	25.17	25.81	27.22	28.85	30.77	33.02	35.97
24.0	23.68	24.28	24.82	25.41	26.03	26.70	28.19	29.92	31.94	34.32	37.43
25.0	24.42	25.05	25.63	26.25	26.90	27.61	29.18	31.00	33.14	35.65	38.92
26.0	25.18	25.84	26.45	27.10	27.79	28.53	30.19	32.11	34.35	37.00	40.44
27.0	25.95	26.64	27.28	27.96	28.69	29.47	31.21	33.23	35.60	38.37	41.99
28.0	26.72	27.46	28.13	28.84	29.61	30.43	32.26	34.38	36.86	39.78	43.57
29.0	27.51	28.28	28.98	29.74	30.54	31.40	33.32	35.55	38.15	41.21	45.18
30.0	28.32	29.12	29.86	30.65	31.49	32.39	34.41	36.74	39.47	42.68	46.83
31.0	29.13	29.97	30.75	31.57	32.45	33.40	35.51	37.96	40.82	44.17	48.52
32.0	29.96	30.84	31.65	32.51	33.44	34.43	36.64	39.20	42.19	45.70	50.24
33.0	30.81	31.72	32.57	33.47	34.44	35.47	37.78	40.47	43.59	47.26	52.00
34.0	31.66	32.62	33.51	34.45	35.46	36.54	38.96	41.76	45.03	48.86	53.80
35.0	32.53	33.54	34.46	35.44	36.50	37.63	40.15	43.08	46.49	50.49	55.64
36.0	33.42	34.47	35.43	36.46	37.56	38.74	41.37	44.43	47.99	52.16	57.52
37.0	34.32	35.41	36.42	37.49	38.64	39.87	42.62	45.81	49.52	53.87	59.45
38.0	35.24	36.38	37.42	38.54	39.74	41.02	43.89	47.22	51.09	55.62	61.43
39.0	36.18	37.36	38.45	39.61	40.86	42.20	45.19	48.66	52.70	57.42	63.46
40.0	37.13	38.36	39.50	40.71	42.01	43.41	46.52	50.14	54.35	59.26	65.54
PERCENTAGE OF LOAN AMOUNT LEFT UNPAID AT DUE DATE											
	100.0	92.40	85.88	79.37	72.85	66.34	53.31	40.28	27.25	14.22	.00

DISCOUNT %	MONTHLY PAYBACK RATE (%) (MONTHLY PAYMENT DIVIDED BY LOAN AMOUNT)										
	.71	1.00	1.25	1.50	1.75	2.00	2.25	2.50	2.75	3.00	3.16
.5	8.69	8.70	8.71	8.72	8.73	8.75	8.76	8.78	8.80	8.83	8.84
1.0	8.88	8.90	8.92	8.95	8.97	9.00	9.03	9.06	9.11	9.15	9.18
1.5	9.07	9.11	9.14	9.17	9.21	9.25	9.30	9.35	9.41	9.48	9.53
2.0	9.27	9.31	9.35	9.40	9.45	9.50	9.57	9.64	9.72	9.81	9.88
2.5	9.46	9.51	9.57	9.62	9.69	9.76	9.84	9.93	10.03	10.15	10.23
3.0	9.66	9.72	9.78	9.85	9.93	10.01	10.11	10.22	10.34	10.49	10.59
3.5	9.85	9.93	10.00	10.08	10.17	10.27	10.38	10.51	10.66	10.83	10.94
4.0	10.05	10.14	10.22	10.31	10.42	10.53	10.66	10.81	10.97	11.17	11.30
4.5	10.25	10.35	10.44	10.55	10.66	10.79	10.94	11.10	11.29	11.51	11.66
5.0	10.45	10.56	10.66	10.78	10.91	11.06	11.22	11.40	11.62	11.86	12.03
5.5	10.65	10.77	10.89	11.02	11.16	11.32	11.50	11.71	11.94	12.21	12.40
6.0	10.85	10.99	11.11	11.26	11.41	11.59	11.79	12.01	12.27	12.56	12.77
6.5	11.06	11.20	11.34	11.49	11.67	11.86	12.07	12.32	12.59	12.91	13.14
7.0	11.26	11.42	11.57	11.74	11.92	12.13	12.36	12.62	12.93	13.27	13.52
7.5	11.47	11.64	11.80	11.98	12.18	12.40	12.65	12.94	13.26	13.63	13.89
8.0	11.67	11.86	12.03	12.22	12.44	12.67	12.94	13.25	13.60	14.00	14.28
8.5	11.88	12.08	12.26	12.47	12.70	12.95	13.24	13.56	13.93	14.36	14.66
9.0	12.09	12.30	12.50	12.72	12.96	13.23	13.54	13.88	14.28	14.73	15.05
9.5	12.30	12.52	12.73	12.96	13.22	13.51	13.83	14.20	14.62	15.10	15.44
10.0	12.51	12.75	12.97	13.21	13.49	13.79	14.14	14.52	14.97	15.48	15.83
11.0	12.94	13.20	13.45	13.72	14.02	14.36	14.75	15.18	15.67	16.23	16.63
12.0	13.38	13.66	13.93	14.24	14.57	14.94	15.36	15.84	16.38	17.00	17.44
13.0	13.82	14.13	14.43	14.76	15.12	15.53	15.99	16.51	17.11	17.78	18.26
14.0	14.26	14.60	14.93	15.28	15.68	16.13	16.63	17.20	17.84	18.58	19.10
15.0	14.71	15.08	15.43	15.82	16.25	16.74	17.28	17.89	18.59	19.39	19.95
16.0	15.17	15.57	15.95	16.37	16.83	17.35	17.94	18.60	19.35	20.21	20.81
17.0	15.63	16.06	16.47	16.92	17.42	17.98	18.61	19.32	20.12	21.05	21.69
18.0	16.10	16.56	17.00	17.48	18.01	18.61	19.29	20.05	20.91	21.90	22.59
19.0	16.58	17.07	17.53	18.05	18.62	19.26	19.98	20.79	21.71	22.77	23.50
20.0	17.06	17.58	18.08	18.62	19.23	19.92	20.68	21.55	22.53	23.65	24.43
21.0	17.55	18.10	18.63	19.21	19.86	20.58	21.40	22.32	23.36	24.55	25.37
22.0	18.05	18.63	19.19	19.81	20.50	21.26	22.13	23.10	24.20	25.46	26.34
23.0	18.55	19.17	19.76	20.41	21.14	21.95	22.87	23.90	25.06	26.39	27.32
24.0	19.07	19.72	20.34	21.03	21.80	22.66	23.62	24.71	25.94	27.34	28.32
25.0	19.59	20.27	20.93	21.66	22.47	23.37	24.39	25.54	26.83	28.31	29.34
26.0	20.11	20.84	21.53	22.29	23.15	24.10	25.17	26.38	27.75	29.30	30.38
27.0	20.65	21.41	22.14	22.94	23.84	24.84	25.97	27.24	28.68	30.31	31.44
28.0	21.19	21.99	22.76	23.60	24.55	25.60	26.78	28.12	29.62	31.33	32.52
29.0	21.74	22.58	23.38	24.27	25.26	26.37	27.61	29.01	30.59	32.38	33.62
30.0	22.31	23.18	24.02	24.96	25.99	27.16	28.46	29.92	31.58	33.45	34.75
31.0	22.88	23.80	24.68	25.65	26.74	27.96	29.32	30.86	32.59	34.55	35.90
32.0	23.46	24.42	25.34	26.36	27.50	28.77	30.20	31.81	33.62	35.67	37.08
33.0	24.05	25.05	26.02	27.08	28.27	29.61	31.10	32.78	34.67	36.81	38.29
34.0	24.65	25.70	26.70	27.82	29.07	30.46	32.02	33.77	35.75	37.98	39.52
35.0	25.26	26.35	27.40	28.57	29.87	31.33	32.96	34.79	36.85	39.17	40.78
36.0	25.88	27.02	28.12	29.34	30.70	32.21	33.91	35.83	37.98	40.40	42.07
37.0	26.51	27.70	28.85	30.12	31.54	33.12	34.90	36.89	39.13	41.65	43.39
38.0	27.15	28.40	29.59	30.92	32.40	34.05	35.90	37.98	40.31	42.94	44.74
39.0	27.81	29.11	30.35	31.73	33.27	35.00	36.93	39.09	41.52	44.25	46.13
40.0	28.48	29.83	31.13	32.57	34.17	35.97	37.98	40.23	42.77	45.60	47.55
41.0	29.16	30.57	31.92	33.42	35.09	36.96	39.05	41.40	44.04	46.99	49.01
42.0	29.86	31.32	32.72	34.29	36.03	37.98	40.16	42.60	45.34	48.41	50.51
43.0	30.56	32.09	33.55	35.18	36.99	39.02	41.29	43.84	46.69	49.87	52.04
44.0	31.29	32.87	34.40	36.09	37.98	40.09	42.45	45.10	48.06	51.37	53.62
45.0	32.03	33.68	35.26	37.02	38.99	41.19	43.65	46.40	49.48	52.91	55.25
46.0	32.78	34.50	36.14	37.98	40.02	42.31	44.87	47.74	50.94	54.50	56.92
47.0	33.55	35.34	37.05	38.96	41.09	43.47	46.13	49.11	52.44	56.13	58.64
48.0	34.34	36.20	37.98	39.96	42.18	44.66	47.43	50.53	53.98	57.82	60.42
49.0	35.15	37.07	38.93	40.99	43.30	45.88	48.76	51.98	55.57	59.55	62.25
50.0	35.97	37.98	39.90	42.05	44.45	47.14	50.14	53.49	57.21	61.34	64.14
◁ᐅ	PERCENTAGE OF LOAN AMOUNT LEFT UNPAID AT DUE DATE										
	100.0	88.09	77.88	67.67	57.46	47.24	37.03	26.82	16.61	6.40	.00

MONTHLY PAYBACK RATE (%)
(MONTHLY PAYMENT DIVIDED BY LOAN AMOUNT)

DISCOUNT %	.71	.80	.90	1.00	1.20	1.40	1.60	1.80	2.00	2.20	2.46
.5	8.65	8.65	8.65	8.66	8.67	8.68	8.69	8.70	8.72	8.73	8.76
1.0	8.80	8.80	8.81	8.82	8.84	8.86	8.88	8.91	8.94	8.97	9.03
1.5	8.95	8.96	8.97	8.98	9.01	9.04	9.07	9.11	9.16	9.21	9.29
2.0	9.10	9.11	9.13	9.15	9.18	9.22	9.27	9.32	9.38	9.45	9.56
2.5	9.25	9.27	9.29	9.31	9.35	9.41	9.46	9.53	9.60	9.69	9.83
3.0	9.40	9.42	9.45	9.47	9.53	9.59	9.66	9.74	9.83	9.93	10.10
3.5	9.56	9.58	9.61	9.64	9.70	9.78	9.86	9.95	10.06	10.18	10.37
4.0	9.71	9.74	9.77	9.81	9.88	9.96	10.06	10.16	10.29	10.42	10.65
4.5	9.87	9.90	9.93	9.97	10.06	10.15	10.26	10.38	10.52	10.67	10.93
5.0	10.02	10.06	10.10	10.14	10.24	10.34	10.46	10.59	10.75	10.92	11.21
5.5	10.18	10.22	10.26	10.31	10.42	10.53	10.66	10.81	10.98	11.18	11.49
6.0	10.34	10.38	10.43	10.48	10.60	10.72	10.87	11.03	11.22	11.43	11.77
6.5	10.50	10.54	10.60	10.66	10.78	10.92	11.07	11.25	11.45	11.69	12.06
7.0	10.66	10.71	10.77	10.83	10.96	11.11	11.28	11.47	11.69	11.94	12.34
7.5	10.82	10.87	10.94	11.00	11.15	11.31	11.49	11.70	11.93	12.20	12.63
8.0	10.98	11.04	11.11	11.18	11.33	11.51	11.70	11.92	12.18	12.47	12.93
8.5	11.14	11.21	11.28	11.35	11.52	11.71	11.91	12.15	12.42	12.73	13.22
9.0	11.31	11.37	11.45	11.53	11.71	11.91	12.13	12.38	12.67	12.99	13.52
9.5	11.47	11.54	11.62	11.71	11.90	12.11	12.34	12.61	12.91	13.26	13.82
10.0	11.64	11.71	11.80	11.89	12.09	12.31	12.56	12.84	13.16	13.53	14.12
11.0	11.97	12.06	12.15	12.26	12.47	12.72	13.00	13.31	13.67	14.08	14.73
12.0	12.31	12.41	12.51	12.62	12.87	13.14	13.44	13.79	14.18	14.63	15.35
13.0	12.66	12.76	12.87	13.00	13.26	13.56	13.89	14.27	14.70	15.20	15.98
14.0	13.01	13.12	13.24	13.38	13.67	13.99	14.35	14.76	15.23	15.77	16.62
15.0	13.36	13.48	13.62	13.76	14.07	14.42	14.82	15.26	15.77	16.36	17.28
16.0	13.72	13.85	13.99	14.15	14.49	14.87	15.29	15.77	16.32	16.95	17.94
17.0	14.08	14.22	14.38	14.55	14.91	15.31	15.77	16.29	16.88	17.55	18.61
18.0	14.45	14.60	14.77	14.95	15.34	15.77	16.26	16.81	17.44	18.17	19.30
19.0	14.82	14.98	15.16	15.35	15.77	16.23	16.76	17.34	18.02	18.79	20.00
20.0	15.20	15.37	15.56	15.77	16.21	16.70	17.26	17.89	18.61	19.43	20.71
21.0	15.59	15.77	15.97	16.19	16.66	17.18	17.77	18.44	19.20	20.07	21.43
22.0	15.98	16.17	16.38	16.61	17.11	17.67	18.29	19.00	19.81	20.73	22.17
23.0	16.37	16.58	16.80	17.05	17.57	18.16	18.83	19.57	20.43	21.40	22.92
24.0	16.78	16.99	17.23	17.49	18.04	18.66	19.37	20.16	21.06	22.09	23.69
25.0	17.18	17.41	17.66	17.93	18.52	19.18	19.92	20.75	21.70	22.79	24.47
26.0	17.60	17.83	18.10	18.39	19.01	19.70	20.48	21.36	22.36	23.50	25.27
27.0	18.02	18.27	18.55	18.85	19.50	20.23	21.05	21.97	23.03	24.22	26.08
28.0	18.45	18.71	19.00	19.32	20.00	20.77	21.63	22.60	23.71	24.96	26.91
29.0	18.88	19.16	19.47	19.80	20.51	21.32	22.22	23.24	24.40	25.72	27.76
30.0	19.33	19.61	19.94	20.28	21.03	21.88	22.82	23.89	25.11	26.49	28.63
31.0	19.78	20.07	20.42	20.78	21.57	22.45	23.44	24.56	25.83	27.28	29.51
32.0	20.23	20.55	20.90	21.28	22.11	23.03	24.07	25.24	26.57	28.08	30.41
33.0	20.70	21.02	21.40	21.80	22.66	23.62	24.71	25.94	27.33	28.91	31.34
34.0	21.17	21.51	21.90	22.32	23.22	24.23	25.37	26.65	28.10	29.75	32.28
35.0	21.65	22.01	22.42	22.85	23.79	24.85	26.03	27.37	28.89	30.61	33.25
36.0	22.14	22.52	22.94	23.39	24.38	25.48	26.72	28.11	29.70	31.49	34.24
37.0	22.64	23.03	23.48	23.95	24.97	26.12	27.42	28.87	30.53	32.39	35.25
38.0	23.15	23.56	24.02	24.51	25.58	26.78	28.13	29.65	31.37	33.32	36.29
39.0	23.67	24.09	24.58	25.09	26.20	27.45	28.86	30.45	32.24	34.27	37.36
40.0	24.20	24.64	25.14	25.68	26.84	28.14	29.61	31.26	33.13	35.24	38.45
41.0	24.74	25.20	25.72	26.28	27.49	28.85	30.38	32.10	34.04	36.23	39.57
42.0	25.29	25.77	26.31	26.89	28.15	29.57	31.16	32.95	34.98	37.26	40.72
43.0	25.86	26.35	26.92	27.52	28.83	30.31	31.96	33.83	35.94	38.31	41.90
44.0	26.43	26.95	27.54	28.17	29.53	31.06	32.79	34.73	36.93	39.39	43.11
45.0	27.02	27.55	28.17	28.82	30.24	31.84	33.64	35.66	37.94	40.50	44.36
46.0	27.62	28.18	28.81	29.50	30.97	32.64	34.51	36.61	38.98	41.64	45.65
47.0	28.23	28.81	29.48	30.18	31.72	33.45	35.40	37.59	40.05	42.82	46.97
48.0	28.86	29.46	30.15	30.89	32.49	34.29	36.32	38.59	41.16	44.03	48.33
49.0	29.50	30.13	30.85	31.61	33.28	35.15	37.26	39.63	42.30	45.28	49.74
50.0	30.16	30.81	31.56	32.36	34.09	36.04	38.23	40.70	43.47	46.56	51.19

PERCENTAGE OF LOAN AMOUNT LEFT UNPAID AT DUE DATE

| | 100.0 | 94.78 | 89.09 | 83.39 | 72.01 | 60.62 | 49.24 | 37.85 | 26.46 | 15.08 | .00 |

DISCOUNT %	MONTHLY PAYBACK RATE (%) (MONTHLY PAYMENT DIVIDED BY LOAN AMOUNT)										
	.71	.80	.90	1.00	1.10	1.20	1.30	1.40	1.60	1.80	2.05
.5	8.62	8.63	8.63	8.64	8.64	8.65	8.65	8.66	8.67	8.69	8.71
1.0	8.75	8.76	8.76	8.77	8.78	8.79	8.80	8.82	8.84	8.88	8.93
1.5	8.87	8.88	8.90	8.91	8.92	8.94	8.96	8.98	9.02	9.07	9.14
2.0	9.00	9.01	9.03	9.05	9.07	9.09	9.11	9.14	9.19	9.26	9.36
2.5	9.12	9.14	9.16	9.19	9.21	9.24	9.27	9.30	9.37	9.45	9.58
3.0	9.25	9.27	9.30	9.33	9.36	9.39	9.42	9.46	9.55	9.65	9.80
3.5	9.38	9.41	9.44	9.47	9.50	9.54	9.58	9.63	9.73	9.84	10.03
4.0	9.51	9.54	9.57	9.61	9.65	9.69	9.74	9.79	9.91	10.04	10.25
4.5	9.64	9.67	9.71	9.75	9.80	9.85	9.90	9.96	10.09	10.24	10.48
5.0	9.77	9.81	9.85	9.90	9.95	10.00	10.06	10.13	10.27	10.44	10.71
5.5	9.90	9.94	9.99	10.04	10.10	10.16	10.22	10.29	10.45	10.64	10.94
6.0	10.03	10.08	10.13	10.19	10.25	10.32	10.39	10.46	10.64	10.84	11.17
6.5	10.16	10.21	10.27	10.34	10.40	10.47	10.55	10.64	10.83	11.05	11.40
7.0	10.30	10.35	10.41	10.48	10.55	10.63	10.72	10.81	11.01	11.26	11.63
7.5	10.43	10.49	10.56	10.63	10.71	10.79	10.88	10.98	11.20	11.46	11.87
8.0	10.57	10.63	10.70	10.78	10.86	10.96	11.05	11.16	11.39	11.67	12.11
8.5	10.70	10.77	10.85	10.93	11.02	11.12	11.22	11.33	11.59	11.88	12.35
9.0	10.84	10.91	10.99	11.08	11.18	11.28	11.39	11.51	11.78	12.10	12.59
9.5	10.98	11.05	11.14	11.24	11.34	11.45	11.56	11.69	11.97	12.31	12.84
10.0	11.12	11.20	11.29	11.39	11.50	11.61	11.73	11.87	12.17	12.53	13.08
11.0	11.40	11.49	11.59	11.70	11.82	11.95	12.08	12.23	12.57	12.96	13.58
12.0	11.68	11.78	11.89	12.02	12.15	12.29	12.44	12.60	12.97	13.41	14.09
13.0	11.97	12.08	12.20	12.33	12.48	12.63	12.80	12.98	13.38	13.86	14.60
14.0	12.26	12.38	12.51	12.66	12.81	12.98	13.16	13.36	13.80	14.32	15.13
15.0	12.55	12.68	12.83	12.99	13.16	13.34	13.53	13.75	14.22	14.79	15.66
16.0	12.85	12.99	13.15	13.32	13.50	13.70	13.91	14.14	14.66	15.26	16.20
17.0	13.16	13.31	13.48	13.66	13.86	14.07	14.29	14.54	15.09	15.74	16.75
18.0	13.47	13.62	13.81	14.00	14.21	14.44	14.68	14.95	15.54	16.24	17.31
19.0	13.78	13.95	14.14	14.35	14.58	14.82	15.08	15.36	15.99	16.74	17.88
20.0	14.10	14.28	14.48	14.71	14.95	15.20	15.48	15.78	16.45	17.24	18.46
21.0	14.42	14.61	14.83	15.07	15.32	15.60	15.89	16.21	16.92	17.76	19.05
22.0	14.74	14.95	15.18	15.43	15.70	15.99	16.30	16.64	17.40	18.29	19.66
23.0	15.08	15.29	15.54	15.81	16.09	16.40	16.73	17.08	17.89	18.83	20.27
24.0	15.41	15.64	15.90	16.18	16.48	16.81	17.16	17.54	18.38	19.38	20.90
25.0	15.76	16.00	16.27	16.57	16.89	17.23	17.60	17.99	18.89	19.94	21.53
26.0	16.10	16.36	16.65	16.96	17.29	17.66	18.04	18.46	19.40	20.50	22.19
27.0	16.46	16.72	17.03	17.36	17.71	18.09	18.50	18.94	19.93	21.09	22.85
28.0	16.82	17.09	17.42	17.76	18.13	18.53	18.96	19.42	20.46	21.68	23.53
29.0	17.18	17.47	17.81	18.18	18.56	18.98	19.43	19.92	21.01	22.28	24.22
30.0	17.55	17.86	18.21	18.60	19.00	19.44	19.91	20.42	21.57	22.90	24.93
31.0	17.93	18.25	18.62	19.02	19.45	19.91	20.40	20.94	22.13	23.53	25.65
32.0	18.32	18.65	19.04	19.46	19.90	20.39	20.90	21.46	22.72	24.18	26.39
33.0	18.71	19.06	19.46	19.90	20.37	20.87	21.41	22.00	23.31	24.84	27.14
34.0	19.11	19.47	19.90	20.36	20.84	21.37	21.94	22.55	23.92	25.51	27.92
35.0	19.51	19.90	20.34	20.82	21.33	21.88	22.47	23.11	24.54	26.20	28.71
36.0	19.93	20.33	20.79	21.29	21.82	22.40	23.01	23.68	25.17	26.91	29.52
37.0	20.35	20.77	21.25	21.77	22.32	22.93	23.57	24.27	25.82	27.63	30.34
38.0	20.78	21.21	21.72	22.26	22.84	23.47	24.14	24.86	26.49	28.37	31.19
39.0	21.22	21.67	22.20	22.76	23.37	24.02	24.72	25.48	27.17	29.13	32.06
40.0	21.67	22.14	22.68	23.27	23.90	24.59	25.32	26.10	27.87	29.91	32.96
41.0	22.12	22.61	23.18	23.80	24.46	25.17	25.93	26.75	28.58	30.71	33.87
42.0	22.59	23.10	23.69	24.33	25.02	25.76	26.55	27.41	29.32	31.53	34.82
43.0	23.07	23.60	24.22	24.88	25.60	26.37	27.19	28.08	30.07	32.38	35.78
44.0	23.55	24.11	24.75	25.44	26.19	26.99	27.85	28.78	30.85	33.24	36.78
45.0	24.05	24.63	25.30	26.02	26.79	27.63	28.52	29.49	31.64	34.13	37.80
46.0	24.56	25.16	25.86	26.61	27.41	28.28	29.21	30.22	32.46	35.05	38.85
47.0	25.08	25.70	26.43	27.21	28.05	28.96	29.92	30.97	33.31	35.99	39.94
48.0	25.61	26.26	27.02	27.83	28.71	29.65	30.66	31.75	34.17	36.97	41.05
49.0	26.16	26.84	27.62	28.47	29.38	30.36	31.41	32.54	35.07	37.97	42.21
50.0	26.72	27.42	28.24	29.12	30.07	31.09	32.18	33.36	35.99	39.00	43.40
▽Φ	PERCENTAGE OF LOAN AMOUNT LEFT UNPAID AT DUE DATE										
	100.0	93.18	85.73	78.29	70.84	63.40	55.95	48.51	33.62	18.73	.00

DISCOUNT %	MONTHLY PAYBACK RATE (%) (MONTHLY PAYMENT DIVIDED BY LOAN AMOUNT)										
	.71	.80	.90	1.00	1.10	1.20	1.30	1.40	1.50	1.60	1.78
1.0	8.71	8.72	8.73	8.74	8.75	8.76	8.78	8.79	8.81	8.83	8.86
2.0	8.93	8.95	8.96	8.99	9.01	9.03	9.06	9.09	9.12	9.16	9.23
3.0	9.15	9.18	9.20	9.23	9.27	9.30	9.34	9.39	9.44	9.49	9.61
4.0	9.37	9.41	9.44	9.49	9.53	9.58	9.63	9.69	9.76	9.83	9.99
5.0	9.60	9.64	9.69	9.74	9.80	9.86	9.93	10.00	10.09	10.18	10.37
6.0	9.83	9.88	9.93	10.00	10.07	10.14	10.22	10.32	10.42	10.53	10.76
7.0	10.06	10.12	10.18	10.26	10.34	10.43	10.52	10.63	10.75	10.88	11.16
8.0	10.29	10.36	10.44	10.52	10.62	10.72	10.83	10.96	11.09	11.25	11.56
9.0	10.53	10.61	10.69	10.79	10.90	11.02	11.14	11.28	11.44	11.61	11.97
10.0	10.77	10.86	10.96	11.07	11.18	11.32	11.46	11.62	11.79	11.99	12.39
11.0	11.01	11.11	11.22	11.34	11.47	11.62	11.78	11.96	12.15	12.37	12.81
12.0	11.26	11.37	11.49	11.62	11.77	11.93	12.10	12.30	12.51	12.75	13.24
13.0	11.51	11.63	11.76	11.91	12.07	12.24	12.43	12.65	12.88	13.14	13.68
14.0	11.76	11.89	12.03	12.20	12.37	12.56	12.77	13.00	13.26	13.54	14.12
15.0	12.02	12.16	12.31	12.49	12.68	12.89	13.11	13.36	13.64	13.94	14.58
16.0	12.28	12.43	12.60	12.79	12.99	13.21	13.46	13.73	14.03	14.36	15.04
17.0	12.55	12.70	12.89	13.09	13.31	13.55	13.81	14.10	14.42	14.77	15.50
18.0	12.81	12.98	13.18	13.40	13.63	13.89	14.17	14.48	14.82	15.20	15.98
19.0	13.09	13.27	13.48	13.71	13.96	14.23	14.53	14.86	15.23	15.63	16.46
20.0	13.36	13.56	13.78	14.03	14.29	14.58	14.90	15.26	15.65	16.07	16.96
21.0	13.64	13.85	14.09	14.35	14.63	14.94	15.28	15.66	16.07	16.52	17.46
22.0	13.93	14.15	14.40	14.68	14.98	15.31	15.66	16.06	16.50	16.98	17.97
23.0	14.22	14.45	14.72	15.01	15.33	15.68	16.06	16.48	16.94	17.45	18.49
24.0	14.51	14.76	15.04	15.35	15.68	16.05	16.45	16.90	17.39	17.92	19.03
25.0	14.81	15.07	15.37	15.69	16.05	16.44	16.86	17.33	17.84	18.41	19.57
26.0	15.12	15.38	15.70	16.04	16.42	16.83	17.27	17.77	18.31	18.90	20.12
27.0	15.43	15.71	16.04	16.40	16.79	17.23	17.70	18.21	18.78	19.41	20.69
28.0	15.74	16.04	16.38	16.77	17.18	17.63	18.12	18.67	19.27	19.92	21.26
29.0	16.06	16.37	16.74	17.14	17.57	18.05	18.56	19.14	19.76	20.45	21.85
30.0	16.39	16.71	17.09	17.51	17.97	18.47	19.01	19.61	20.27	20.99	22.46
31.0	16.72	17.06	17.46	17.90	18.38	18.90	19.47	20.10	20.78	21.54	23.07
32.0	17.05	17.41	17.83	18.29	18.79	19.34	19.93	20.59	21.31	22.10	23.70
33.0	17.40	17.77	18.21	18.69	19.21	19.79	20.41	21.10	21.85	22.67	24.34
34.0	17.75	18.14	18.60	19.10	19.65	20.25	20.90	21.61	22.40	23.26	25.00
35.0	18.10	18.51	18.99	19.52	20.09	20.71	21.39	22.14	22.96	23.86	25.67
36.0	18.47	18.89	19.40	19.94	20.54	21.19	21.90	22.69	23.54	24.48	26.36
37.0	18.84	19.28	19.81	20.38	21.00	21.68	22.42	23.24	24.13	25.11	27.07
38.0	19.22	19.68	20.23	20.82	21.47	22.18	22.96	23.81	24.74	25.75	27.79
39.0	19.60	20.09	20.66	21.28	21.96	22.70	23.50	24.39	25.36	26.41	28.53
40.0	20.00	20.50	21.09	21.74	22.45	23.22	24.06	24.99	25.99	27.09	29.29
41.0	20.40	20.92	21.54	22.22	22.96	23.76	24.64	25.60	26.65	27.79	30.07
42.0	20.81	21.36	22.00	22.71	23.47	24.31	25.23	26.23	27.32	28.50	30.88
43.0	21.23	21.80	22.47	23.21	24.01	24.88	25.83	26.87	28.00	29.24	31.70
44.0	21.66	22.25	22.95	23.72	24.55	25.46	26.45	27.53	28.71	30.00	32.55
45.0	22.10	22.72	23.45	24.24	25.11	26.06	27.09	28.21	29.44	30.77	33.42
46.0	22.55	23.19	23.95	24.78	25.68	26.67	27.74	28.92	30.19	31.57	34.32
47.0	23.01	23.68	24.47	25.34	26.27	27.30	28.42	29.64	30.96	32.40	35.24
48.0	23.48	24.18	25.00	25.90	26.88	27.95	29.11	30.38	31.76	33.25	36.20
49.0	23.97	24.69	25.55	26.49	27.50	28.62	29.82	31.14	32.58	34.13	37.18
50.0	24.47	25.22	26.11	27.09	28.15	29.30	30.56	31.93	33.42	35.03	38.20
51.0	24.98	25.76	26.69	27.71	28.81	30.01	31.32	32.75	34.30	35.97	39.25
52.0	25.50	26.32	27.28	28.34	29.49	30.75	32.11	33.59	35.20	36.93	40.33
53.0	26.04	26.89	27.90	29.00	30.19	31.50	32.92	34.46	36.13	37.93	41.46
54.0	26.59	27.48	28.53	29.67	30.92	32.28	33.76	35.37	37.10	38.97	42.62
55.0	27.16	28.09	29.18	30.37	31.67	33.09	34.63	36.30	38.10	40.04	43.83
56.0	27.75	28.71	29.85	31.10	32.45	33.93	35.53	37.27	39.14	41.16	45.08
57.0	28.36	29.36	30.55	31.84	33.25	34.79	36.46	38.27	40.23	42.32	46.38
58.0	28.98	30.03	31.27	32.62	34.09	35.70	37.43	41.35	41.35	43.52	47.73
59.0	29.63	30.72	32.01	33.42	34.96	36.63	38.44	40.41	42.52	44.78	49.14
60.0	30.30	31.44	32.78	34.25	35.86	37.60	39.49	41.54	43.74	46.09	50.61

	PERCENTAGE OF LOAN AMOUNT LEFT UNPAID AT DUE DATE										
	100.0	91.43	82.08	72.73	63.38	54.03	44.68	35.33	25.98	16.63	.00

DISCOUNT %	MONTHLY PAYBACK RATE (%) (MONTHLY PAYMENT DIVIDED BY LOAN AMOUNT)										
	.71	.75	.80	.90	1.00	1.10	1.20	1.30	1.40	1.50	1.58
1.0	8.69	8.69	8.70	8.71	8.72	8.73	8.75	8.76	8.78	8.80	8.82
2.0	8.88	8.89	8.90	8.92	8.94	8.97	9.00	9.02	9.06	9.10	9.14
3.0	9.08	9.09	9.11	9.14	9.17	9.21	9.25	9.29	9.35	9.41	9.46
4.0	9.28	9.29	9.31	9.35	9.40	9.45	9.51	9.57	9.64	9.72	9.80
5.0	9.48	9.50	9.52	9.57	9.63	9.69	9.77	9.84	9.93	10.04	10.13
6.0	9.68	9.71	9.74	9.80	9.87	9.94	10.03	10.12	10.23	10.36	10.47
7.0	9.89	9.92	9.95	10.02	10.11	10.20	10.30	10.41	10.54	10.68	10.82
8.0	10.10	10.13	10.17	10.25	10.35	10.45	10.57	10.70	10.85	11.01	11.17
9.0	10.31	10.35	10.39	10.49	10.60	10.71	10.85	10.99	11.16	11.35	11.53
10.0	10.52	10.57	10.62	10.72	10.84	10.98	11.13	11.29	11.48	11.69	11.89
11.0	10.74	10.79	10.84	10.96	11.10	11.24	11.41	11.59	11.80	12.04	12.26
12.0	10.96	11.01	11.07	11.21	11.35	11.52	11.70	11.90	12.13	12.39	12.64
13.0	11.19	11.24	11.31	11.45	11.62	11.79	11.99	12.22	12.47	12.75	13.02
14.0	11.41	11.47	11.55	11.70	11.88	12.07	12.29	12.53	12.81	13.12	13.41
15.0	11.64	11.71	11.79	11.96	12.15	12.36	12.60	12.86	13.15	13.49	13.80
16.0	11.88	11.95	12.03	12.22	12.42	12.65	12.90	13.19	13.51	13.87	14.20
17.0	12.11	12.19	12.28	12.48	12.70	12.94	13.22	13.52	13.86	14.25	14.61
18.0	12.35	12.43	12.53	12.75	12.98	13.24	13.54	13.86	14.23	14.64	15.03
19.0	12.60	12.68	12.79	13.02	13.27	13.55	13.86	14.21	14.60	15.04	15.45
20.0	12.85	12.94	13.05	13.29	13.56	13.86	14.19	14.56	14.98	15.45	15.88
21.0	13.10	13.19	13.31	13.57	13.86	14.17	14.53	14.92	15.36	15.86	16.32
22.0	13.35	13.46	13.58	13.86	14.16	14.49	14.87	15.29	15.75	16.28	16.77
23.0	13.61	13.72	13.86	14.15	14.47	14.82	15.22	15.66	16.15	16.71	17.23
24.0	13.88	13.99	14.13	14.44	14.78	15.15	15.57	16.04	16.56	17.15	17.69
25.0	14.15	14.27	14.42	14.74	15.10	15.49	15.94	16.42	16.98	17.59	18.17
26.0	14.42	14.55	14.70	15.04	15.42	15.84	16.30	16.82	17.40	18.05	18.65
27.0	14.70	14.83	15.00	15.35	15.75	16.19	16.68	17.22	17.83	18.51	19.14
28.0	14.98	15.12	15.30	15.67	16.09	16.55	17.06	17.63	18.27	18.99	19.65
29.0	15.27	15.41	15.60	15.99	16.43	16.92	17.46	18.05	18.72	19.47	20.16
30.0	15.56	15.71	15.91	16.32	16.78	17.29	17.86	18.48	19.18	19.97	20.69
31.0	15.86	16.02	16.22	16.66	17.14	17.67	18.26	18.92	19.65	20.47	21.23
32.0	16.16	16.33	16.54	17.00	17.50	18.06	18.68	19.37	20.14	20.99	21.78
33.0	16.47	16.65	16.87	17.35	17.88	18.46	19.11	19.82	20.63	21.52	22.34
34.0	16.79	16.97	17.20	17.70	18.26	18.86	19.54	20.29	21.13	22.06	22.91
35.0	17.11	17.30	17.55	18.07	18.64	19.28	19.99	20.77	21.64	22.61	23.50
36.0	17.44	17.64	17.89	18.44	19.04	19.70	20.44	21.26	22.17	23.18	24.11
37.0	17.77	17.98	18.25	18.81	19.44	20.14	20.91	21.76	22.71	23.76	24.73
38.0	18.11	18.33	18.61	19.20	19.86	20.58	21.39	22.28	23.27	24.36	25.36
39.0	18.46	18.69	18.98	19.60	20.28	21.04	21.88	22.80	23.83	24.97	26.01
40.0	18.82	19.06	19.36	20.00	20.72	21.50	22.38	23.34	24.42	25.60	26.68
41.0	19.18	19.43	19.75	20.42	21.16	21.98	22.89	23.90	25.01	26.24	27.36
42.0	19.56	19.82	20.14	20.84	21.62	22.47	23.42	24.47	25.63	26.90	28.06
43.0	19.94	20.21	20.55	21.28	22.09	22.98	23.96	25.05	26.26	27.58	28.79
44.0	20.33	20.61	20.97	21.72	22.57	23.49	24.52	25.65	26.91	28.28	29.53
45.0	20.73	21.02	21.39	22.18	23.06	24.02	25.09	26.27	27.58	29.00	30.30
46.0	21.14	21.44	21.83	22.65	23.56	24.57	25.68	26.91	28.26	29.74	31.08
47.0	21.56	21.88	22.28	23.13	24.08	25.13	26.29	27.56	28.97	30.51	31.90
48.0	21.99	22.32	22.74	23.63	24.62	25.71	26.92	28.24	29.70	31.30	32.73
49.0	22.43	22.78	23.21	24.14	25.17	26.30	27.56	28.94	30.45	32.11	33.60
50.0	22.88	23.24	23.69	24.66	25.74	26.92	28.22	29.66	31.23	32.95	34.49
51.0	23.35	23.73	24.19	25.20	26.32	27.55	28.91	30.40	32.04	33.81	35.41
52.0	23.83	24.22	24.71	25.76	26.92	28.20	29.62	31.17	32.87	34.71	36.37
53.0	24.32	24.73	25.24	26.33	27.55	28.88	30.35	31.96	33.73	35.64	37.35
54.0	24.83	25.25	25.79	26.92	28.19	29.58	31.11	32.79	34.62	36.60	38.38
55.0	25.36	25.80	26.35	27.54	28.85	30.30	31.90	33.64	35.55	37.60	39.44
56.0	25.90	26.35	26.93	28.17	29.54	31.05	32.71	34.53	36.51	38.64	40.54
57.0	26.45	26.93	27.53	28.82	30.25	31.83	33.56	35.45	37.50	39.72	41.68
58.0	27.03	27.53	28.15	29.50	30.99	32.63	34.44	36.40	38.54	40.84	42.87
59.0	27.63	28.15	28.80	30.20	31.76	33.47	35.36	37.40	39.62	42.01	44.12
60.0	28.24	28.79	29.47	30.94	32.56	34.35	36.31	38.44	40.75	43.23	45.41
▽Φ	PERCENTAGE OF LOAN AMOUNT LEFT UNPAID AT DUE DATE										
	100.0	95.24	89.53	78.10	66.68	55.25	43.83	32.41	20.98	9.56	.00

DISCOUNT %	MONTHLY PAYBACK RATE (%) (MONTHLY PAYMENT DIVIDED BY LOAN AMOUNT)										
	.71	.75	.80	.85	.90	1.00	1.10	1.20	1.30	1.40	1.44
1.0	8.67	8.68	8.68	8.69	8.69	8.71	8.72	8.73	8.75	8.77	8.78
2.0	8.85	8.86	8.87	8.88	8.89	8.91	8.94	8.97	9.01	9.05	9.07
3.0	9.03	9.04	9.05	9.07	9.09	9.12	9.16	9.21	9.27	9.33	9.36
4.0	9.21	9.22	9.24	9.27	9.29	9.34	9.39	9.46	9.53	9.62	9.65
5.0	9.39	9.41	9.44	9.46	9.49	9.56	9.62	9.71	9.80	9.91	9.95
6.0	9.58	9.60	9.63	9.66	9.70	9.78	9.86	9.96	10.07	10.20	10.26
7.0	9.76	9.79	9.83	9.87	9.91	10.00	10.10	10.21	10.34	10.50	10.57
8.0	9.95	9.99	10.03	10.07	10.12	10.22	10.34	10.47	10.62	10.80	10.88
9.0	10.15	10.19	10.23	10.28	10.34	10.45	10.59	10.74	10.91	11.11	11.20
10.0	10.34	10.39	10.44	10.50	10.56	10.69	10.84	11.01	11.20	11.42	11.52
11.0	10.54	10.59	10.65	10.71	10.78	10.92	11.09	11.28	11.49	11.74	11.85
12.0	10.74	10.79	10.86	10.93	11.00	11.17	11.35	11.55	11.79	12.07	12.18
13.0	10.95	11.00	11.08	11.15	11.23	11.41	11.61	11.84	12.09	12.40	12.52
14.0	11.15	11.22	11.29	11.38	11.46	11.66	11.87	12.12	12.40	12.73	12.87
15.0	11.36	11.43	11.52	11.61	11.70	11.91	12.14	12.41	12.72	13.07	13.22
16.0	11.58	11.65	11.74	11.84	11.94	12.17	12.42	12.71	13.04	13.42	13.58
17.0	11.79	11.87	11.97	12.07	12.18	12.43	12.70	13.01	13.36	13.77	13.94
18.0	12.01	12.10	12.20	12.31	12.43	12.69	12.98	13.32	13.69	14.13	14.31
19.0	12.23	12.33	12.44	12.56	12.68	12.96	13.27	13.63	14.03	14.49	14.69
20.0	12.46	12.56	12.68	12.81	12.94	13.24	13.57	13.94	14.37	14.87	15.08
21.0	12.69	12.79	12.92	13.06	13.20	13.51	13.87	14.27	14.72	15.24	15.47
22.0	12.93	13.03	13.17	13.31	13.46	13.80	14.17	14.60	15.08	15.63	15.87
23.0	13.16	13.28	13.42	13.57	13.73	14.09	14.48	14.93	15.44	16.02	16.28
24.0	13.41	13.53	13.68	13.84	14.01	14.38	14.80	15.27	15.81	16.43	16.69
25.0	13.65	13.78	13.94	14.11	14.29	14.68	15.12	15.62	16.19	16.84	17.11
26.0	13.90	14.04	14.21	14.39	14.57	14.99	15.45	15.98	16.57	17.25	17.55
27.0	14.16	14.30	14.48	14.67	14.86	15.30	15.79	16.34	16.97	17.68	17.99
28.0	14.42	14.57	14.75	14.95	15.16	15.62	16.13	16.71	17.37	18.12	18.44
29.0	14.68	14.84	15.03	15.24	15.46	15.94	16.48	17.09	17.78	18.56	18.90
30.0	14.95	15.11	15.32	15.54	15.77	16.27	16.84	17.48	18.20	19.02	19.37
31.0	15.22	15.40	15.61	15.84	16.08	16.61	17.20	17.87	18.63	19.48	19.85
32.0	15.50	15.68	15.91	16.15	16.40	16.95	17.57	18.28	19.06	19.96	20.34
33.0	15.79	15.98	16.21	16.46	16.73	17.31	17.95	18.69	19.51	20.44	20.84
34.0	16.08	16.28	16.52	16.78	17.06	17.67	18.34	19.11	19.97	20.94	21.36
35.0	16.37	16.58	16.84	17.11	17.40	18.03	18.74	19.54	20.44	21.45	21.88
36.0	16.68	16.89	17.16	17.45	17.75	18.41	19.15	19.98	20.92	21.97	22.42
37.0	16.99	17.21	17.49	17.79	18.11	18.80	19.57	20.44	21.41	22.51	22.97
38.0	17.30	17.54	17.83	18.14	18.47	19.19	19.99	20.90	21.92	23.06	23.54
39.0	17.62	17.87	18.18	18.50	18.84	19.59	20.43	21.38	22.44	23.62	24.12
40.0	17.95	18.21	18.53	18.87	19.22	20.01	20.88	21.87	22.97	24.20	24.72
41.0	18.29	18.56	18.89	19.24	19.62	20.43	21.34	22.37	23.51	24.79	25.33
42.0	18.64	18.91	19.26	19.63	20.02	20.87	21.82	22.88	24.07	25.40	25.96
43.0	18.99	19.28	19.64	20.02	20.43	21.31	22.30	23.41	24.65	26.03	26.61
44.0	19.35	19.65	20.03	20.43	20.85	21.77	22.80	23.96	25.24	26.67	27.27
45.0	19.72	20.03	20.43	20.84	21.28	22.24	23.32	24.52	25.85	27.34	27.96
46.0	20.10	20.43	20.84	21.27	21.73	22.73	23.85	25.10	26.48	28.02	28.67
47.0	20.49	20.83	21.26	21.71	22.19	23.23	24.39	25.69	27.13	28.73	29.39
48.0	20.89	21.24	21.69	22.16	22.66	23.74	24.95	26.30	27.80	29.45	30.14
49.0	21.30	21.67	22.13	22.62	23.14	24.27	25.53	26.94	28.49	30.20	30.92
50.0	21.72	22.11	22.59	23.10	23.64	24.82	26.13	27.59	29.20	30.98	31.72
52.0	22.61	23.02	23.55	24.10	24.68	25.96	27.38	28.96	30.70	32.61	33.40
54.0	23.54	23.99	24.56	25.16	25.80	27.18	28.72	30.43	32.31	34.36	35.21
56.0	24.54	25.03	25.65	26.30	26.99	28.50	30.17	32.02	34.04	36.24	37.15
58.0	25.60	26.14	26.81	27.52	28.27	29.91	31.72	33.73	35.91	38.28	39.25
60.0	26.75	27.33	28.06	28.84	29.66	31.44	33.41	35.58	37.94	40.49	41.53
62.0	27.98	28.61	29.41	30.26	31.16	33.10	35.25	37.61	40.16	42.90	44.02
64.0	29.31	30.01	30.88	31.81	32.79	34.92	37.27	39.84	42.60	45.55	46.75
66.0	30.76	31.53	32.49	33.51	34.59	36.93	39.49	42.29	45.29	48.48	49.77
68.0	32.36	33.20	34.27	35.39	36.58	39.15	41.97	45.03	48.29	51.74	53.13
70.0	34.12	35.05	36.23	37.48	38.80	41.64	44.75	48.10	51.66	55.39	56.89
PERCENTAGE OF LOAN AMOUNT LEFT UNPAID AT DUE DATE											
	100.0	94.30	87.46	80.62	73.78	60.09	46.41	32.73	19.05	5.37	.00

DISCOUNT %	MONTHLY PAYBACK RATE (%) (MONTHLY PAYMENT DIVIDED BY LOAN AMOUNT)										
	.71	.75	.80	.85	.90	.95	1.00	1.05	1.10	1.20	1.33
1.0	8.66	8.66	8.67	8.68	8.68	8.69	8.69	8.70	8.71	8.73	8.75
2.0	8.82	8.83	8.84	8.85	8.86	8.88	8.89	8.90	8.92	8.96	9.01
3.0	8.99	9.00	9.02	9.03	9.05	9.07	9.09	9.11	9.14	9.19	9.28
4.0	9.15	9.17	9.19	9.22	9.24	9.27	9.29	9.32	9.36	9.43	9.54
5.0	9.32	9.34	9.37	9.40	9.43	9.46	9.50	9.54	9.58	9.67	9.81
6.0	9.49	9.52	9.55	9.59	9.62	9.67	9.71	9.75	9.80	9.92	10.09
7.0	9.67	9.70	9.74	9.78	9.82	9.87	9.92	9.97	10.03	10.16	10.37
8.0	9.84	9.88	9.92	9.97	10.02	10.08	10.14	10.20	10.26	10.42	10.65
9.0	10.02	10.06	10.11	10.17	10.22	10.29	10.35	10.42	10.50	10.67	10.94
10.0	10.20	10.25	10.31	10.37	10.43	10.50	10.58	10.65	10.74	10.94	11.23
11.0	10.39	10.44	10.50	10.57	10.64	10.72	10.80	10.89	10.98	11.20	11.53
12.0	10.57	10.63	10.70	10.77	10.85	10.94	11.03	11.13	11.23	11.47	11.83
13.0	10.76	10.82	10.90	10.98	11.07	11.16	11.26	11.37	11.48	11.74	12.14
14.0	10.95	11.02	11.10	11.19	11.29	11.39	11.50	11.61	11.74	12.02	12.45
15.0	11.15	11.22	11.31	11.41	11.51	11.62	11.74	11.86	12.00	12.31	12.77
16.0	11.34	11.42	11.52	11.62	11.73	11.85	11.98	12.12	12.26	12.59	13.10
17.0	11.55	11.63	11.73	11.85	11.96	12.09	12.23	12.38	12.53	12.89	13.42
18.0	11.75	11.84	11.95	12.07	12.20	12.34	12.48	12.64	12.81	13.19	13.76
19.0	11.96	12.05	12.17	12.30	12.44	12.58	12.74	12.91	13.09	13.49	14.10
20.0	12.17	12.27	12.40	12.53	12.68	12.84	13.00	13.18	13.37	13.80	14.45
21.0	12.38	12.49	12.62	12.77	12.92	13.09	13.27	13.46	13.66	14.12	14.81
22.0	12.60	12.71	12.86	13.01	13.17	13.35	13.54	13.74	13.96	14.44	15.17
23.0	12.82	12.94	13.09	13.26	13.43	13.62	13.82	14.03	14.26	14.77	15.54
24.0	13.04	13.17	13.33	13.51	13.69	13.89	14.10	14.32	14.56	15.10	15.91
25.0	13.27	13.41	13.58	13.76	13.95	14.16	14.39	14.62	14.88	15.44	16.30
26.0	13.51	13.65	13.83	14.02	14.22	14.44	14.68	14.93	15.19	15.79	16.69
27.0	13.74	13.89	14.08	14.29	14.50	14.73	14.98	15.24	15.52	16.15	17.09
28.0	13.98	14.14	14.34	14.55	14.78	15.02	15.28	15.56	15.85	16.51	17.50
29.0	14.23	14.40	14.61	14.83	15.07	15.32	15.59	15.88	16.19	16.88	17.91
30.0	14.48	14.66	14.88	15.11	15.36	15.63	15.91	16.21	16.54	17.26	18.34
31.0	14.74	14.92	15.15	15.40	15.66	15.94	16.23	16.55	16.89	17.65	18.78
32.0	15.00	15.19	15.43	15.69	15.96	16.25	16.57	16.90	17.25	18.04	19.22
33.0	15.26	15.46	15.72	15.99	16.27	16.58	16.90	17.25	17.62	18.45	19.68
34.0	15.54	15.74	16.01	16.29	16.59	16.91	17.25	17.61	18.00	18.87	20.14
35.0	15.81	16.03	16.31	16.60	16.91	17.25	17.61	17.98	18.39	19.29	20.62
36.0	16.10	16.32	16.61	16.92	17.25	17.60	17.97	18.36	18.79	19.73	21.11
37.0	16.38	16.62	16.92	17.25	17.59	17.95	18.34	18.75	19.20	20.17	21.61
38.0	16.68	16.93	17.24	17.58	17.93	18.32	18.72	19.15	19.61	20.63	22.13
39.0	16.98	17.24	17.57	17.92	18.29	18.69	19.11	19.56	20.04	21.10	22.66
40.0	17.29	17.56	17.90	18.27	18.65	19.07	19.51	19.98	20.48	21.58	23.20
41.0	17.61	17.89	18.25	18.63	19.03	19.46	19.92	20.41	20.93	22.08	23.76
42.0	17.93	18.23	18.60	18.99	19.41	19.87	20.34	20.85	21.39	22.59	24.33
43.0	18.26	18.57	18.96	19.37	19.81	20.28	20.78	21.31	21.87	23.11	24.92
44.0	18.60	18.92	19.33	19.76	20.21	20.70	21.22	21.77	22.36	23.65	25.52
45.0	18.95	19.28	19.71	20.15	20.63	21.14	21.68	22.25	22.86	24.20	26.15
46.0	19.31	19.66	20.10	20.56	21.06	21.59	22.15	22.75	23.38	24.77	26.79
47.0	19.68	20.04	20.50	20.98	21.50	22.05	22.64	23.26	23.92	25.36	27.45
48.0	20.06	20.43	20.91	21.41	21.95	22.53	23.14	23.78	24.47	25.97	28.14
49.0	20.44	20.83	21.33	21.86	22.42	23.02	23.65	24.32	25.04	26.60	28.84
50.0	20.84	21.25	21.77	22.32	22.90	23.52	24.19	24.88	25.63	27.25	29.57
52.0	21.68	22.12	22.68	23.28	23.91	24.59	25.30	26.06	26.87	28.61	31.10
54.0	22.57	23.05	23.66	24.30	24.99	25.73	26.50	27.32	28.19	30.08	32.75
56.0	23.51	24.04	24.70	25.40	26.15	26.95	27.79	28.68	29.62	31.65	34.52
58.0	24.53	25.10	25.82	26.59	27.40	28.27	29.18	30.15	31.17	33.36	36.44
60.0	25.62	26.24	27.03	27.87	28.75	29.70	30.69	31.74	32.85	35.22	38.52
62.0	26.80	27.48	28.34	29.26	30.22	31.26	32.34	33.48	34.68	37.24	40.80
64.0	28.08	28.83	29.77	30.77	31.83	32.96	34.15	35.39	36.70	39.47	43.30
66.0	29.49	30.30	31.34	32.44	33.61	34.85	36.14	37.50	38.92	41.94	46.07
68.0	31.03	31.93	33.08	34.30	35.58	36.94	38.37	39.86	41.41	44.69	49.14
70.0	32.75	33.75	35.02	36.37	37.79	39.29	40.86	42.50	44.20	47.78	52.60
	PERCENTAGE OF LOAN AMOUNT LEFT UNPAID AT DUE DATE										
	100.0	93.28	85.21	77.14	69.07	61.00	52.93	44.86	36.79	20.65	.00

DISCOUNT %	MONTHLY PAYBACK RATE (%) (MONTHLY PAYMENT DIVIDED BY LOAN AMOUNT)										
	.71	.75	.80	.85	.90	.95	1.00	1.05	1.10	1.15	1.24
1.0	8.65	8.65	8.66	8.67	8.67	8.68	8.69	8.69	8.70	8.71	8.73
2.0	8.80	8.81	8.82	8.83	8.85	8.86	8.88	8.89	8.91	8.93	8.97
3.0	8.95	8.97	8.99	9.00	9.02	9.04	9.07	9.09	9.12	9.15	9.21
4.0	9.11	9.13	9.15	9.18	9.20	9.23	9.26	9.29	9.33	9.37	9.45
5.0	9.27	9.29	9.32	9.35	9.38	9.42	9.46	9.50	9.55	9.60	9.70
6.0	9.43	9.46	9.49	9.53	9.57	9.61	9.66	9.71	9.77	9.83	9.95
7.0	9.59	9.62	9.66	9.71	9.76	9.81	9.86	9.92	9.99	10.06	10.21
8.0	9.76	9.79	9.84	9.89	9.95	10.01	10.07	10.14	10.22	10.30	10.47
9.0	9.92	9.96	10.02	10.08	10.14	10.21	10.28	10.36	10.45	10.54	10.73
10.0	10.09	10.14	10.20	10.27	10.33	10.41	10.49	10.58	10.68	10.78	11.00
11.0	10.26	10.32	10.38	10.46	10.53	10.62	10.71	10.81	10.92	11.03	11.27
12.0	10.44	10.50	10.57	10.65	10.74	10.83	10.93	11.04	11.16	11.29	11.55
13.0	10.61	10.68	10.76	10.85	10.94	11.05	11.16	11.27	11.40	11.54	11.83
14.0	10.79	10.86	10.95	11.05	11.15	11.26	11.38	11.51	11.65	11.81	12.12
15.0	10.98	11.05	11.15	11.25	11.36	11.48	11.61	11.75	11.91	12.07	12.41
16.0	11.16	11.24	11.35	11.46	11.58	11.71	11.85	12.00	12.16	12.34	12.71
17.0	11.35	11.44	11.55	11.67	11.80	11.94	12.09	12.25	12.43	12.62	13.01
18.0	11.54	11.64	11.76	11.88	12.02	12.17	12.33	12.51	12.70	12.90	13.32
19.0	11.74	11.84	11.97	12.10	12.25	12.41	12.58	12.77	12.97	13.19	13.63
20.0	11.93	12.04	12.18	12.32	12.48	12.65	12.84	13.03	13.25	13.48	13.95
21.0	12.13	12.25	12.39	12.55	12.72	12.90	13.09	13.30	13.53	13.78	14.28
22.0	12.34	12.46	12.61	12.78	12.96	13.15	13.36	13.58	13.82	14.08	14.61
23.0	12.55	12.68	12.84	13.01	13.20	13.40	13.62	13.86	14.11	14.39	14.95
24.0	12.76	12.89	13.07	13.25	13.45	13.67	13.90	14.14	14.41	14.70	15.29
25.0	12.97	13.12	13.30	13.49	13.70	13.93	14.17	14.44	14.72	15.03	15.64
26.0	13.19	13.34	13.54	13.74	13.96	14.20	14.46	14.73	15.03	15.35	16.00
27.0	13.42	13.58	13.78	13.99	14.23	14.48	14.75	15.04	15.35	15.69	16.37
28.0	13.65	13.81	14.02	14.25	14.50	14.76	15.04	15.35	15.68	16.03	16.75
29.0	13.88	14.05	14.28	14.51	14.77	15.05	15.35	15.66	16.01	16.38	17.13
30.0	14.11	14.30	14.53	14.78	15.05	15.34	15.65	15.99	16.35	16.74	17.52
31.0	14.36	14.55	14.79	15.06	15.34	15.64	15.97	16.32	16.70	17.11	17.92
32.0	14.60	14.80	15.06	15.34	15.63	15.95	16.29	16.66	17.05	17.48	18.33
33.0	14.85	15.06	15.33	15.62	15.93	16.26	16.62	17.00	17.42	17.86	18.75
34.0	15.11	15.33	15.61	15.91	16.24	16.59	16.96	17.36	17.79	18.26	19.18
35.0	15.37	15.60	15.90	16.21	16.55	16.91	17.30	17.72	18.17	18.66	19.62
36.0	15.64	15.88	16.19	16.52	16.87	17.25	17.66	18.09	18.56	19.07	20.07
37.0	15.91	16.17	16.49	16.83	17.20	17.60	18.02	18.48	18.97	19.49	20.53
38.0	16.19	16.46	16.79	17.15	17.53	17.95	18.39	18.87	19.38	19.92	21.01
39.0	16.48	16.75	17.10	17.48	17.88	18.31	18.77	19.27	19.80	20.37	21.49
40.0	16.77	17.06	17.42	17.82	18.23	18.68	19.17	19.68	20.23	20.82	21.99
41.0	17.07	17.37	17.75	18.16	18.60	19.07	19.57	20.10	20.68	21.29	22.50
42.0	17.38	17.69	18.09	18.51	18.97	19.46	19.98	20.54	21.14	21.78	23.03
43.0	17.70	18.02	18.43	18.88	19.35	19.86	20.41	20.99	21.61	22.27	23.57
44.0	18.02	18.36	18.79	19.25	19.74	20.28	20.84	21.45	22.09	22.78	24.13
45.0	18.35	18.70	19.15	19.63	20.15	20.70	21.29	21.92	22.59	23.31	24.71
46.0	18.69	19.06	19.53	20.03	20.56	21.14	21.75	22.41	23.11	23.85	25.30
47.0	19.04	19.43	19.91	20.44	20.99	21.59	22.23	22.91	23.64	24.41	25.91
48.0	19.40	19.80	20.31	20.86	21.43	22.06	22.72	23.43	24.18	24.98	26.54
49.0	19.78	20.19	20.72	21.29	21.89	22.54	23.23	23.97	24.75	25.58	27.19
50.0	20.16	20.59	21.14	21.73	22.36	23.04	23.76	24.52	25.33	26.19	27.86
52.0	20.96	21.43	22.03	22.67	23.35	24.08	24.86	25.69	26.56	27.49	29.28
54.0	21.81	22.32	22.97	23.67	24.41	25.20	26.05	26.94	27.88	28.88	30.80
56.0	22.72	23.28	23.99	24.74	25.55	26.41	27.32	28.29	29.31	30.38	32.44
58.0	23.70	24.30	25.08	25.90	26.78	27.71	28.70	29.75	30.85	32.01	34.21
60.0	24.75	25.42	26.26	27.16	28.11	29.13	30.21	31.34	32.53	33.77	36.14
62.0	25.90	26.62	27.54	28.53	29.57	30.66	31.85	33.08	34.36	35.71	38.24
64.0	27.15	27.94	28.95	30.03	31.17	32.38	33.65	34.99	36.38	37.83	40.56
66.0	28.51	29.39	30.50	31.68	32.93	34.26	35.65	37.11	38.62	40.19	43.13
68.0	30.03	30.99	32.22	33.52	34.90	36.36	37.88	39.47	41.12	42.82	45.98
70.0	31.71	32.78	34.15	35.59	37.11	38.72	40.39	42.13	43.92	45.77	49.19
PERCENTAGE OF LOAN AMOUNT LEFT UNPAID AT DUE DATE											
	100.0	92.16	82.75	73.35	63.94	54.53	45.13	35.72	26.31	16.91	.00

8.5% NO DUE DATE 8.5%

MONTHLY PAYBACK RATE (%)
(MONTHLY PAYMENT DIVIDED BY LOAN AMOUNT)

DISCOUNT %	1.00	1.25	1.50	1.75	2.00	2.25	2.50	2.75	3.00	3.50	4.00
1.0	8.67	8.74	8.80	8.86	8.92	8.98	9.03	9.09	9.15	9.26	9.38
2.0	8.85	8.98	9.10	9.22	9.34	9.46	9.58	9.69	9.81	10.04	10.27
3.0	9.03	9.22	9.40	9.59	9.77	9.95	10.12	10.30	10.48	10.83	11.17
4.0	9.21	9.47	9.71	9.96	10.20	10.44	10.68	10.92	11.16	11.63	12.09
5.0	9.39	9.72	10.03	10.34	10.64	10.95	11.25	11.55	11.84	12.44	13.02
6.0	9.58	9.97	10.35	10.72	11.09	11.46	11.82	12.18	12.54	13.26	13.96
7.0	9.77	10.23	10.67	11.11	11.55	11.98	12.40	12.83	13.25	14.09	14.92
8.0	9.96	10.49	11.00	11.51	12.01	12.50	13.00	13.49	13.97	14.94	15.89
9.0	10.16	10.76	11.34	11.91	12.48	13.04	13.60	14.15	14.70	15.80	16.88
10.0	10.36	11.03	11.68	12.32	12.95	13.58	14.21	14.83	15.45	16.67	17.89
11.0	10.56	11.30	12.02	12.73	13.44	14.14	14.83	15.52	16.20	17.56	18.91
12.0	10.77	11.58	12.38	13.16	13.93	14.70	15.46	16.22	16.97	18.46	19.94
13.0	10.98	11.87	12.73	13.59	14.43	15.27	16.10	16.93	17.75	19.38	21.00
14.0	11.19	12.16	13.10	14.02	14.94	15.85	16.75	17.65	18.54	20.31	22.07
15.0	11.41	12.45	13.47	14.47	15.46	16.44	17.41	18.38	19.35	21.26	23.16
16.0	11.63	12.75	13.84	14.92	15.98	17.04	18.09	19.13	20.17	22.23	24.26
17.0	11.86	13.06	14.23	15.38	16.52	17.65	18.77	19.89	21.00	23.21	25.39
18.0	12.09	13.37	14.62	15.84	17.06	18.27	19.47	20.66	21.85	24.21	26.54
19.0	12.33	13.69	15.01	16.32	17.62	18.90	20.18	21.45	22.71	25.22	27.71
20.0	12.57	14.01	15.42	16.80	18.18	19.54	20.90	22.25	23.59	26.26	28.89
21.0	12.81	14.34	15.83	17.30	18.75	20.20	21.64	23.07	24.49	27.31	30.10
22.0	13.06	14.67	16.25	17.80	19.34	20.87	22.39	23.90	25.40	28.38	31.34
23.0	13.31	15.02	16.68	18.31	19.94	21.55	23.15	24.74	26.33	29.48	32.59
24.0	13.57	15.37	17.11	18.84	20.55	22.24	23.93	25.61	27.28	30.59	33.87
25.0	13.84	15.72	17.56	19.37	21.17	22.95	24.72	26.49	28.24	31.73	35.18
26.0	14.11	16.08	18.01	19.91	21.80	23.67	25.53	27.38	29.23	32.89	36.51
27.0	14.39	16.46	18.47	20.47	22.44	24.41	26.36	28.30	30.23	34.07	37.87
28.0	14.67	16.83	18.95	21.03	23.10	25.16	27.20	29.23	31.26	35.28	39.25
29.0	14.96	17.22	19.43	21.61	23.78	25.92	28.06	30.19	32.30	36.51	40.67
30.0	15.25	17.62	19.92	22.20	24.46	26.71	28.94	31.16	33.37	37.76	42.11
31.0	15.56	18.02	20.43	22.81	25.17	27.51	29.84	32.15	34.46	39.05	43.59
32.0	15.86	18.44	20.95	23.42	25.88	28.33	30.75	33.17	35.58	40.36	45.10
33.0	16.18	18.86	21.47	24.06	26.62	29.16	31.69	34.21	36.72	41.70	46.64
34.0	16.51	19.29	22.01	24.70	27.37	30.02	32.65	35.27	37.89	43.08	48.22
35.0	16.84	19.74	22.57	25.36	28.14	30.89	33.63	36.36	39.08	44.48	49.83
36.0	17.18	20.19	23.13	26.04	28.92	31.79	34.64	37.48	40.30	45.92	51.48
37.0	17.53	20.66	23.71	26.73	29.73	32.71	35.67	38.62	41.55	47.39	53.17
38.0	17.89	21.14	24.31	27.44	30.55	33.65	36.72	39.78	42.83	48.90	54.91
39.0	18.26	21.63	24.92	28.17	31.40	34.61	37.80	40.98	44.15	50.44	56.68
40.0	18.64	22.13	25.54	28.92	32.27	35.60	38.91	42.21	45.49	52.03	58.51
41.0	19.04	22.65	26.19	29.69	33.16	36.61	40.05	43.47	46.88	53.65	60.37
42.0	19.44	23.18	26.85	30.48	34.08	37.65	41.22	44.76	48.30	55.32	62.29
43.0	19.85	23.73	27.53	31.29	35.02	38.72	42.42	46.09	49.75	57.04	64.26
44.0	20.28	24.29	28.23	32.12	35.98	39.82	43.65	47.46	51.25	58.80	66.29
45.0	20.72	24.87	28.95	32.98	36.98	40.96	44.92	48.86	52.79	60.61	68.37
46.0	21.17	25.47	29.69	33.86	38.00	42.12	46.22	50.31	54.38	62.48	70.51
47.0	21.64	26.09	30.45	34.77	39.05	43.32	47.57	51.80	56.01	64.40	72.72
48.0	22.13	26.72	31.24	35.70	40.14	44.55	48.95	53.33	57.69	66.37	74.99
49.0	22.63	27.38	32.05	36.67	41.26	45.83	50.38	54.91	59.42	68.41	77.33
50.0	23.15	28.06	32.89	37.67	42.42	47.14	51.85	56.54	61.21	70.52	79.75
51.0	23.68	28.76	33.75	38.70	43.61	48.50	53.37	58.22	63.06	72.69	82.25
52.0	24.24	29.49	34.65	39.77	44.85	49.91	54.94	59.96	64.97	74.93	84.82
53.0	24.82	30.24	35.58	40.87	46.13	51.36	56.57	61.77	66.94	77.25	87.49
54.0	25.41	31.02	36.54	42.01	47.45	52.86	58.26	63.63	68.99	79.65	90.25
55.0	26.04	31.83	37.54	43.20	48.82	54.42	60.00	65.56	71.10	82.14	93.11
56.0	26.69	32.68	38.58	44.43	50.25	56.04	61.81	67.56	73.30	84.72	96.08
57.0	27.36	33.55	39.66	45.71	51.73	57.72	63.69	69.64	75.58	87.40	99.15
58.0	28.07	34.47	40.78	47.04	53.26	59.46	65.64	71.80	77.95	90.19	102.35
59.0	28.80	35.42	41.95	48.42	54.87	61.28	67.68	74.05	80.41	93.08	105.68
60.0	29.57	36.41	43.16	49.87	56.53	63.18	69.80	76.44	82.98	96.10	109.15

NUMBER OF MONTHLY PAYMENTS NEEDED TO PAY OFF LOAN

| 174.6 | 118.5 | 90.5 | 73.5 | 61.9 | 53.6 | 47.2 | 42.2 | 38.2 | 32.0 | 27.6 |

DISCOUNT %	MONTHLY PAYBACK RATE (%) (MONTHLY PAYMENT DIVIDED BY LOAN AMOUNT)										
	.73	1.00	1.50	2.00	3.00	4.00	5.00	6.00	7.00	8.00	8.73
.5	9.27	9.28	9.30	9.32	9.35	9.39	9.44	9.49	9.56	9.63	9.69
1.0	9.80	9.82	9.85	9.88	9.96	10.04	10.13	10.24	10.37	10.52	10.65
1.5	10.33	10.36	10.41	10.46	10.57	10.69	10.83	10.99	11.19	11.41	11.61
2.0	10.87	10.90	10.97	11.03	11.18	11.34	11.53	11.75	12.01	12.31	12.57
2.5	11.41	11.45	11.53	11.61	11.79	12.00	12.24	12.52	12.84	13.22	13.55
3.0	11.95	12.00	12.09	12.19	12.41	12.66	12.95	13.28	13.67	14.13	14.53
3.5	12.49	12.55	12.66	12.78	13.04	13.33	13.67	14.06	14.52	15.06	15.52
4.0	13.04	13.10	13.23	13.37	13.67	14.00	14.39	14.84	15.36	15.98	16.51
4.5	13.59	13.66	13.81	13.96	14.30	14.68	15.12	15.62	16.22	16.92	17.52
5.0	14.14	14.23	14.39	14.56	14.93	15.36	15.85	16.41	17.08	17.86	18.53
5.5	14.70	14.79	14.97	15.16	15.57	16.05	16.59	17.21	17.94	18.81	19.55
6.0	15.26	15.36	15.55	15.76	16.22	16.74	17.33	18.01	18.81	19.76	20.57
6.5	15.82	15.93	16.14	16.37	16.87	17.43	18.07	18.82	19.69	20.73	21.61
7.0	16.39	16.51	16.74	16.98	17.52	18.13	18.83	19.64	20.58	21.70	22.65
7.5	16.96	17.09	17.33	17.60	18.18	18.83	19.58	20.46	21.47	22.67	23.70
8.0	17.53	17.67	17.93	18.22	18.84	19.54	20.35	21.28	22.37	23.66	24.76
8.5	18.11	18.25	18.54	18.84	19.50	20.25	21.12	22.11	23.28	24.65	25.83
9.0	18.69	18.84	19.15	19.47	20.17	20.97	21.89	22.95	24.19	25.66	26.91
9.5	19.27	19.44	19.76	20.10	20.85	21.70	22.67	23.80	25.11	26.67	27.99
10.0	19.86	20.03	20.37	20.73	21.53	22.42	23.45	24.65	26.04	27.68	29.09
10.5	20.45	20.63	20.99	21.37	22.21	23.16	24.25	25.50	26.97	28.71	30.19
11.0	21.04	21.24	21.62	22.02	22.90	23.90	25.04	26.37	27.92	29.74	31.30
11.5	21.64	21.85	22.25	22.67	23.59	24.64	25.85	27.24	28.87	30.79	32.42
12.0	22.24	22.46	22.88	23.32	24.29	25.39	26.65	28.12	29.82	31.84	33.56
12.5	22.85	23.08	23.51	23.98	24.99	26.15	27.47	29.00	30.79	32.90	34.70
13.0	23.46	23.70	24.15	24.64	25.70	26.91	28.29	29.89	31.76	33.97	35.85
13.5	24.07	24.32	24.80	25.30	26.41	27.67	29.12	30.79	32.74	35.04	37.01
14.0	24.69	24.95	25.45	25.97	27.13	28.44	29.95	31.70	33.73	36.13	38.18
14.5	25.31	25.58	26.10	26.65	27.85	29.22	30.79	32.61	34.73	37.23	39.36
15.0	25.94	26.22	26.76	27.33	28.58	30.00	31.64	33.53	35.73	38.33	40.55
15.5	26.57	26.86	27.42	28.01	29.31	30.79	32.49	34.46	36.75	39.45	41.75
16.0	27.20	27.50	28.08	28.70	30.05	31.59	33.35	35.39	37.77	40.57	42.96
16.5	27.84	28.15	28.76	29.39	30.79	32.39	34.22	36.33	38.80	41.71	44.18
17.0	28.48	28.81	29.43	30.09	31.54	33.20	35.09	37.28	39.84	42.85	45.41
17.5	29.13	29.47	30.11	30.80	32.30	34.01	35.97	38.24	40.89	44.01	46.66
18.0	29.78	30.13	30.80	31.50	33.06	34.83	36.86	39.21	41.95	45.17	47.91
18.5	30.44	30.80	31.49	32.22	33.83	35.66	37.76	40.19	43.02	46.35	49.18
19.0	31.10	31.47	32.18	32.94	34.60	36.49	38.66	41.17	44.09	47.53	50.46
19.5	31.76	32.15	32.88	33.66	35.38	37.33	39.57	42.16	45.18	48.73	51.75
20.0	32.43	32.83	33.59	34.39	36.16	38.18	40.49	43.16	46.28	49.94	53.05
20.5	33.11	33.51	34.30	35.13	36.95	39.03	41.41	44.17	47.38	51.16	54.36
21.0	33.79	34.21	35.01	35.87	37.75	39.89	42.35	45.18	48.50	52.39	55.69
21.5	34.47	34.90	35.73	36.61	38.55	40.76	43.29	46.21	49.63	53.63	57.03
22.0	35.16	35.60	36.46	37.36	39.36	41.63	44.24	47.25	50.76	54.89	58.38
22.5	35.85	36.31	37.19	38.12	40.17	42.51	45.19	48.30	51.91	56.15	59.75
23.0	36.55	37.02	37.92	38.88	40.99	43.40	46.16	49.35	53.07	57.43	61.12
23.5	37.26	37.74	38.67	39.65	41.82	44.30	47.13	50.41	54.24	58.72	62.52
24.0	37.97	38.46	39.41	40.43	42.66	45.20	48.12	51.49	55.42	60.02	63.92
24.5	38.68	39.19	40.17	41.21	43.50	46.11	49.11	52.57	56.61	61.34	65.34
25.0	39.40	39.92	40.93	42.00	44.35	47.03	50.11	53.67	57.81	62.67	66.78
25.5	40.12	40.66	41.69	42.79	45.20	47.96	51.12	54.77	59.03	64.01	68.22
26.0	40.86	41.40	42.46	43.59	46.07	48.89	52.14	55.89	60.25	65.37	69.69
26.5	41.59	42.15	43.24	44.40	46.94	49.84	53.16	57.01	61.49	66.74	71.17
27.0	42.33	42.91	44.02	45.21	47.82	50.79	54.20	58.15	62.74	68.12	72.66
27.5	43.08	43.67	44.81	46.03	48.70	51.75	55.25	59.30	64.01	69.52	74.17
28.0	43.83	44.44	45.61	46.85	49.59	52.72	56.31	60.46	65.28	70.93	75.69
28.5	44.59	45.21	46.41	47.69	50.49	53.70	57.37	61.63	66.57	72.36	77.24
29.0	45.36	45.99	47.22	48.53	51.40	54.68	58.45	62.81	67.87	73.80	78.79
29.5	46.13	46.78	48.04	49.37	52.32	55.68	59.54	64.00	69.19	75.26	80.37
30.0	46.91	47.57	48.86	50.23	53.24	56.68	60.64	65.21	70.52	76.73	81.96

	PERCENTAGE OF LOAN AMOUNT LEFT UNPAID AT DUE DATE										
⊕	100.0	96.62	90.37	84.12	71.63	59.14	46.64	34.15	21.66	9.16	.00

DISCOUNT %	MONTHLY PAYBACK RATE (%) (MONTHLY PAYMENT DIVIDED BY LOAN AMOUNT)										
	.73	1.00	1.25	1.50	1.75	2.00	2.50	3.00	3.50	4.00	4.56
.5	9.02	9.03	9.04	9.05	9.06	9.07	9.10	9.12	9.16	9.20	9.25
1.0	9.30	9.32	9.34	9.35	9.38	9.40	9.45	9.50	9.57	9.64	9.75
1.5	9.58	9.60	9.63	9.66	9.69	9.72	9.80	9.88	9.98	10.10	10.26
2.0	9.86	9.89	9.93	9.97	10.01	10.05	10.15	10.26	10.39	10.55	10.77
2.5	10.14	10.18	10.23	10.28	10.33	10.38	10.50	10.65	10.81	11.01	11.28
3.0	10.42	10.47	10.53	10.59	10.65	10.71	10.86	11.03	11.23	11.47	11.80
3.5	10.70	10.77	10.83	10.90	10.97	11.05	11.22	11.42	11.66	11.94	12.32
4.0	10.99	11.06	11.14	11.21	11.30	11.39	11.58	11.81	12.09	12.41	12.84
4.5	11.27	11.36	11.44	11.53	11.62	11.72	11.95	12.21	12.52	12.88	13.37
5.0	11.56	11.66	11.75	11.85	11.95	12.07	12.32	12.61	12.95	13.35	13.91
5.5	11.85	11.96	12.06	12.17	12.28	12.41	12.69	13.01	13.38	13.83	14.44
6.0	12.14	12.26	12.37	12.49	12.62	12.75	13.06	13.41	13.82	14.32	14.98
6.5	12.44	12.56	12.68	12.81	12.95	13.10	13.43	13.82	14.27	14.80	15.53
7.0	12.73	12.87	13.00	13.14	13.29	13.45	13.81	14.23	14.71	15.29	16.08
7.5	13.03	13.17	13.32	13.47	13.63	13.80	14.19	14.64	15.16	15.78	16.63
8.0	13.33	13.48	13.64	13.80	13.97	14.16	14.57	15.05	15.61	16.28	17.19
8.5	13.63	13.80	13.96	14.13	14.32	14.52	14.96	15.47	16.07	16.78	17.75
9.0	13.93	14.11	14.28	14.47	14.66	14.88	15.35	15.89	16.53	17.29	18.32
9.5	14.24	14.42	14.61	14.80	15.01	15.24	15.74	16.31	16.99	17.80	18.89
10.0	14.54	14.74	14.94	15.14	15.36	15.60	16.13	16.74	17.46	18.31	19.46
10.5	14.85	15.06	15.26	15.48	15.72	15.97	16.52	17.17	17.93	18.83	20.04
11.0	15.16	15.38	15.60	15.83	16.07	16.34	16.92	17.60	18.40	19.35	20.63
11.5	15.47	15.70	15.93	16.17	16.43	16.71	17.33	18.04	18.88	19.87	21.22
12.0	15.79	16.03	16.27	16.52	16.79	17.08	17.73	18.48	19.36	20.40	21.81
12.5	16.10	16.36	16.61	16.87	17.16	17.46	18.14	18.92	19.84	20.93	22.41
13.0	16.42	16.68	16.95	17.22	17.52	17.84	18.55	19.37	20.33	21.47	23.01
13.5	16.74	17.02	17.29	17.58	17.89	18.22	18.96	19.82	20.82	22.01	23.62
14.0	17.06	17.35	17.63	17.94	18.26	18.61	19.38	20.27	21.32	22.56	24.23
14.5	17.38	17.69	17.98	18.30	18.63	19.00	19.80	20.73	21.82	23.11	24.85
15.0	17.71	18.02	18.33	18.66	19.01	19.39	20.22	21.19	22.32	23.67	25.48
15.5	18.04	18.36	18.68	19.03	19.39	19.78	20.65	21.65	22.83	24.23	26.11
16.0	18.37	18.71	19.04	19.39	19.77	20.18	21.08	22.12	23.34	24.79	26.74
16.5	18.70	19.05	19.40	19.76	20.16	20.58	21.51	22.59	23.86	25.36	27.38
17.0	19.04	19.40	19.76	20.14	20.54	20.98	21.95	23.07	24.38	25.94	28.03
17.5	19.37	19.75	20.12	20.51	20.93	21.38	22.38	23.55	24.91	26.52	28.68
18.0	19.71	20.10	20.48	20.89	21.33	21.79	22.83	24.03	25.44	27.10	29.34
18.5	20.05	20.46	20.85	21.27	21.72	22.20	23.27	24.52	25.97	27.69	30.00
19.0	20.40	20.81	21.22	21.65	22.12	22.62	23.72	25.01	26.51	28.29	30.67
19.5	20.74	21.17	21.59	22.04	22.52	23.03	24.18	25.50	27.05	28.89	31.35
20.0	21.09	21.53	21.97	22.43	22.93	23.46	24.63	26.00	27.60	29.49	32.03
21.0	21.80	22.27	22.73	23.22	23.74	24.31	25.56	27.01	28.71	30.72	33.41
22.0	22.51	23.01	23.50	24.02	24.58	25.17	26.50	28.04	29.85	31.97	34.82
23.0	23.24	23.76	24.28	24.83	25.42	26.05	27.46	29.09	31.00	33.25	36.25
24.0	23.97	24.53	25.07	25.66	26.28	26.95	28.43	30.15	32.17	34.54	37.72
25.0	24.72	25.30	25.88	26.49	27.15	27.85	29.42	31.24	33.36	35.87	39.21
26.0	25.48	26.09	26.70	27.34	28.04	28.78	30.43	32.34	34.58	37.22	40.73
27.0	26.24	26.89	27.53	28.21	28.94	29.72	31.45	33.47	35.82	38.59	42.28
28.0	27.03	27.70	28.37	29.09	29.85	30.67	32.50	34.61	37.09	40.00	43.86
29.0	27.82	28.53	29.23	29.98	30.79	31.65	33.56	35.78	38.38	41.43	45.48
30.0	28.62	29.37	30.11	30.89	31.73	32.64	34.64	36.97	39.70	42.89	47.13
31.0	29.44	30.22	30.99	31.82	32.70	33.64	35.75	38.19	41.04	44.38	48.81
32.0	30.27	31.09	31.90	32.76	33.68	34.67	36.87	39.43	42.41	45.91	50.54
33.0	31.12	31.97	32.82	33.72	34.68	35.72	38.02	40.69	43.81	47.47	52.30
34.0	31.98	32.87	33.75	34.69	35.70	36.78	39.19	41.99	45.25	49.06	54.10
35.0	32.85	33.79	34.71	35.69	36.74	37.87	40.39	43.31	46.71	50.69	55.95
36.0	33.74	34.72	35.68	36.70	37.80	38.98	41.61	44.65	48.21	52.36	57.83
37.0	34.65	35.66	36.66	37.73	38.88	40.11	42.85	46.03	49.74	54.07	59.77
38.0	35.57	36.63	37.67	38.79	39.98	41.26	44.12	47.44	51.31	55.82	61.75
39.0	36.51	37.61	38.70	39.86	41.11	42.44	45.42	48.88	52.91	57.61	63.78
40.0	37.47	38.61	39.74	40.95	42.25	43.65	46.75	50.36	54.56	59.45	65.86
▽∅	PERCENTAGE OF LOAN AMOUNT LEFT UNPAID AT DUE DATE										
	100.0	92.92	86.39	79.86	73.33	66.80	53.74	40.68	27.61	14.55	.00

DISCOUNT %	MONTHLY PAYBACK RATE (%) (MONTHLY PAYMENT DIVIDED BY LOAN AMOUNT)										
	.73	**1.00**	**1.25**	**1.50**	**1.75**	**2.00**	**2.25**	**2.50**	**2.75**	**3.00**	**3.17**
.5	8.94	8.95	8.96	8.97	8.98	9.00	9.01	9.03	9.05	9.07	9.09
1.0	9.13	9.15	9.17	9.19	9.22	9.25	9.28	9.31	9.35	9.40	9.44
1.5	9.32	9.36	9.39	9.42	9.46	9.50	9.55	9.60	9.66	9.73	9.78
2.0	9.52	9.56	9.60	9.65	9.70	9.75	9.81	9.89	9.97	10.06	10.13
2.5	9.71	9.76	9.82	9.87	9.94	10.01	10.09	10.17	10.28	10.40	10.49
3.0	9.91	9.97	10.03	10.10	10.18	10.26	10.36	10.47	10.59	10.73	10.84
3.5	10.11	10.18	10.25	10.33	10.42	10.52	10.63	10.76	10.90	11.07	11.20
4.0	10.30	10.39	10.47	10.56	10.66	10.78	10.91	11.05	11.22	11.41	11.56
4.5	10.50	10.60	10.69	10.80	10.91	11.04	11.19	11.35	11.54	11.76	11.92
5.0	10.71	10.81	10.91	11.03	11.16	11.30	11.47	11.65	11.86	12.10	12.28
5.5	10.91	11.02	11.14	11.27	11.41	11.57	11.75	11.95	12.18	12.45	12.65
6.0	11.11	11.24	11.36	11.50	11.66	11.84	12.03	12.25	12.51	12.80	13.02
6.5	11.31	11.45	11.59	11.74	11.91	12.10	12.32	12.56	12.84	13.16	13.40
7.0	11.52	11.67	11.82	11.98	12.17	12.37	12.61	12.87	13.17	13.51	13.77
7.5	11.73	11.89	12.05	12.23	12.42	12.65	12.90	13.18	13.50	13.87	14.15
8.0	11.93	12.11	12.28	12.47	12.68	12.92	13.19	13.49	13.84	14.23	14.53
8.5	12.14	12.33	12.51	12.72	12.94	13.20	13.48	13.81	14.18	14.60	14.92
9.0	12.35	12.55	12.75	12.96	13.20	13.48	13.78	14.12	14.52	14.97	15.31
9.5	12.57	12.77	12.98	13.21	13.47	13.76	14.08	14.44	14.86	15.34	15.70
10.0	12.78	13.00	13.22	13.46	13.73	14.04	14.38	14.77	15.21	15.71	16.09
11.0	13.21	13.45	13.70	13.97	14.27	14.61	14.99	15.42	15.91	16.47	16.89
12.0	13.65	13.91	14.18	14.48	14.82	15.19	15.61	16.08	16.62	17.24	17.70
13.0	14.09	14.38	14.67	15.00	15.37	15.77	16.23	16.75	17.34	18.02	18.53
14.0	14.53	14.85	15.17	15.53	15.93	16.37	16.87	17.43	18.08	18.81	19.36
15.0	14.99	15.33	15.68	16.07	16.50	16.98	17.52	18.13	18.82	19.62	20.22
16.0	15.45	15.82	16.19	16.61	17.07	17.59	18.18	18.83	19.58	20.44	21.08
17.0	15.91	16.31	16.71	17.16	17.66	18.22	18.84	19.55	20.35	21.27	21.96
18.0	16.38	16.81	17.24	17.72	18.26	18.85	19.52	20.28	21.14	22.12	22.86
19.0	16.86	17.32	17.78	18.29	18.86	19.50	20.21	21.02	21.94	22.99	23.78
20.0	17.35	17.83	18.32	18.87	19.48	20.15	20.92	21.78	22.75	23.87	24.70
21.0	17.84	18.35	18.88	19.46	20.10	20.82	21.63	22.55	23.58	24.76	25.65
22.0	18.34	18.88	19.44	20.05	20.74	21.50	22.36	23.33	24.43	25.68	26.62
23.0	18.84	19.42	20.01	20.66	21.38	22.19	23.10	24.12	25.29	26.61	27.60
24.0	19.36	19.97	20.59	21.27	22.04	22.89	23.85	24.94	26.16	27.55	28.60
25.0	19.88	20.52	21.17	21.90	22.71	23.61	24.62	25.76	27.05	28.52	29.62
26.0	20.41	21.08	21.77	22.54	23.39	24.34	25.40	26.60	27.96	29.51	30.66
27.0	20.95	21.66	22.38	23.18	24.08	25.08	26.20	27.46	28.89	30.51	31.72
28.0	21.49	22.24	23.00	23.84	24.78	25.83	27.01	28.34	29.84	31.54	32.81
29.0	22.05	22.83	23.63	24.51	25.50	26.60	27.84	29.23	30.80	32.58	33.91
30.0	22.61	23.43	24.27	25.20	26.23	27.39	28.68	30.14	31.79	33.65	35.04
31.0	23.19	24.04	24.92	25.89	26.98	28.19	29.54	31.07	32.80	34.75	36.20
32.0	23.77	24.66	25.58	26.60	27.73	29.00	30.42	32.02	33.83	35.86	37.38
33.0	24.36	25.30	26.26	27.32	28.51	29.83	31.32	32.99	34.88	37.00	38.59
34.0	24.96	25.94	26.94	28.06	29.30	30.68	32.24	33.99	35.95	38.17	39.82
35.0	25.58	26.60	27.65	28.81	30.10	31.55	33.18	35.00	37.05	39.36	41.08
36.0	26.20	27.27	28.36	29.57	30.93	32.44	34.13	36.04	38.18	40.59	42.37
37.0	26.84	27.95	29.09	30.36	31.77	33.34	35.11	37.10	39.33	41.84	43.70
38.0	27.48	28.64	29.83	31.15	32.63	34.27	36.11	38.18	40.51	43.12	45.05
39.0	28.14	29.35	30.59	31.97	33.50	35.22	37.14	39.30	41.72	44.43	46.44
40.0	28.82	30.07	31.36	32.80	34.40	36.19	38.19	40.44	42.96	45.78	47.87
41.0	29.50	30.81	32.15	33.65	35.32	37.18	39.27	41.61	44.23	47.16	49.33
42.0	30.20	31.56	32.96	34.52	36.26	38.20	40.37	42.80	45.53	48.58	50.83
43.0	30.91	32.33	33.79	35.41	37.22	39.24	41.50	44.03	46.87	50.04	52.37
44.0	31.64	33.12	34.63	36.32	38.20	40.31	42.66	45.30	48.25	51.54	53.95
45.0	32.38	33.92	35.50	37.25	39.21	41.41	43.85	46.59	49.66	53.08	55.58
46.0	33.14	34.74	36.38	38.21	40.25	42.53	45.08	47.93	51.11	54.66	57.26
47.0	33.92	35.58	37.28	39.19	41.31	43.68	46.33	49.30	52.61	56.29	58.98
48.0	34.71	36.44	38.21	40.19	42.40	44.87	47.63	50.71	54.15	57.97	60.76
49.0	35.52	37.31	39.16	41.22	43.52	46.09	48.96	52.17	55.74	59.70	62.60
50.0	36.35	38.22	40.14	42.28	44.67	47.34	50.33	53.67	57.38	61.49	64.49
◁⏀ PERCENTAGE OF LOAN AMOUNT LEFT UNPAID AT DUE DATE											
	100.0	88.90	78.65	68.40	58.15	47.90	37.65	27.40	17.15	6.90	.00

DISCOUNT %	MONTHLY PAYBACK RATE (%) (MONTHLY PAYMENT DIVIDED BY LOAN AMOUNT)										
	.73	.80	.90	1.00	1.20	1.40	1.60	1.80	2.00	2.20	2.48
.5	8.90	8.90	8.90	8.91	8.92	8.93	8.94	8.95	8.97	8.98	9.01
1.0	9.05	9.05	9.06	9.07	9.09	9.11	9.13	9.16	9.19	9.22	9.28
1.5	9.20	9.21	9.22	9.23	9.26	9.29	9.32	9.36	9.41	9.46	9.54
2.0	9.35	9.36	9.38	9.39	9.43	9.47	9.52	9.57	9.63	9.70	9.81
2.5	9.50	9.52	9.54	9.56	9.60	9.65	9.71	9.78	9.85	9.94	10.08
3.0	9.66	9.67	9.70	9.72	9.78	9.84	9.91	9.99	10.08	10.18	10.35
3.5	9.81	9.83	9.86	9.89	9.95	10.03	10.11	10.20	10.30	10.42	10.63
4.0	9.97	9.99	10.02	10.06	10.13	10.21	10.31	10.41	10.53	10.67	10.90
4.5	10.12	10.15	10.18	10.22	10.31	10.40	10.51	10.62	10.76	10.92	11.18
5.0	10.28	10.31	10.35	10.39	10.49	10.59	10.71	10.84	10.99	11.17	11.46
5.5	10.44	10.47	10.51	10.56	10.66	10.78	10.91	11.06	11.23	11.42	11.74
6.0	10.60	10.63	10.68	10.73	10.85	10.97	11.11	11.27	11.46	11.67	12.03
6.5	10.76	10.79	10.85	10.90	11.03	11.17	11.32	11.49	11.70	11.93	12.31
7.0	10.92	10.96	11.01	11.08	11.21	11.36	11.53	11.72	11.94	12.18	12.60
7.5	11.08	11.12	11.18	11.25	11.40	11.56	11.74	11.94	12.18	12.44	12.89
8.0	11.24	11.29	11.35	11.43	11.58	11.75	11.95	12.17	12.42	12.71	13.19
8.5	11.41	11.46	11.53	11.60	11.77	11.95	12.16	12.39	12.66	12.97	13.48
9.0	11.57	11.62	11.70	11.78	11.96	12.15	12.37	12.62	12.91	13.23	13.78
9.5	11.74	11.79	11.87	11.96	12.15	12.35	12.59	12.85	13.15	13.50	14.08
10.0	11.90	11.96	12.05	12.14	12.34	12.56	12.80	13.08	13.40	13.77	14.38
11.0	12.24	12.31	12.40	12.50	12.72	12.97	13.24	13.55	13.91	14.32	14.99
12.0	12.58	12.65	12.76	12.87	13.11	13.38	13.69	14.03	14.42	14.87	15.61
13.0	12.93	13.01	13.12	13.24	13.51	13.80	14.14	14.51	14.94	15.43	16.25
14.0	13.28	13.37	13.49	13.62	13.91	14.23	14.59	15.00	15.47	16.00	16.89
15.0	13.64	13.73	13.86	14.01	14.32	14.67	15.06	15.50	16.01	16.59	17.54
16.0	14.00	14.10	14.24	14.40	14.73	15.11	15.53	16.01	16.55	17.18	18.21
17.0	14.36	14.47	14.62	14.79	15.15	15.56	16.01	16.52	17.11	17.78	18.88
18.0	14.73	14.85	15.01	15.19	15.58	16.01	16.50	17.05	17.68	18.39	19.57
19.0	15.11	15.23	15.41	15.60	16.01	16.47	16.99	17.58	18.25	19.01	20.27
20.0	15.49	15.62	15.81	16.01	16.45	16.94	17.50	18.12	18.84	19.65	20.98
21.0	15.87	16.01	16.22	16.43	16.90	17.42	18.01	18.67	19.43	20.29	21.71
22.0	16.27	16.41	16.63	16.86	17.35	17.91	18.53	19.23	20.04	20.95	22.45
23.0	16.67	16.82	17.05	17.29	17.81	18.40	19.06	19.80	20.65	21.62	23.20
24.0	17.07	17.23	17.47	17.73	18.28	18.90	19.60	20.39	21.28	22.30	23.97
25.0	17.48	17.65	17.91	18.18	18.76	19.41	20.15	20.98	21.92	23.00	24.76
26.0	17.90	18.08	18.35	18.63	19.25	19.93	20.71	21.58	22.58	23.71	25.56
27.0	18.32	18.51	18.80	19.09	19.74	20.46	21.28	22.20	23.24	24.43	26.37
28.0	18.75	18.95	19.25	19.56	20.24	21.00	21.86	22.82	23.92	25.17	27.20
29.0	19.19	19.40	19.71	20.04	20.75	21.55	22.45	23.46	24.62	25.93	28.05
30.0	19.63	19.86	20.18	20.53	21.27	22.11	23.05	24.12	25.33	26.70	28.92
31.0	20.09	20.32	20.66	21.02	21.80	22.68	23.67	24.78	26.05	27.48	29.81
32.0	20.55	20.79	21.14	21.52	22.34	23.26	24.30	25.46	26.79	28.29	30.71
33.0	21.01	21.27	21.64	22.04	22.89	23.85	24.94	26.15	27.54	29.11	31.64
34.0	21.49	21.76	22.15	22.56	23.45	24.46	25.59	26.86	28.31	29.95	32.58
35.0	21.98	22.25	22.66	23.09	24.03	25.08	26.26	27.59	29.10	30.81	33.55
36.0	22.47	22.76	23.18	23.63	24.61	25.71	26.94	28.33	29.91	31.69	34.55
37.0	22.97	23.27	23.72	24.19	25.21	26.35	27.64	29.09	30.73	32.59	35.56
38.0	23.49	23.80	24.26	24.75	25.82	27.01	28.35	29.86	31.58	33.51	36.60
39.0	24.01	24.34	24.82	25.33	26.44	27.68	29.08	30.66	32.44	34.45	37.67
40.0	24.54	24.88	25.38	25.92	27.07	28.37	29.83	31.47	33.33	35.42	38.76
41.0	25.09	25.44	25.96	26.52	27.72	29.07	30.59	32.30	34.24	36.42	39.89
42.0	25.64	26.01	26.55	27.13	28.38	29.79	31.38	33.16	35.17	37.44	41.04
43.0	26.21	26.59	27.16	27.76	29.06	30.53	32.18	34.03	36.13	38.48	42.22
44.0	26.79	27.19	27.77	28.40	29.76	31.28	33.00	34.93	37.11	39.56	43.44
45.0	27.38	27.79	28.41	29.06	30.47	32.06	33.85	35.86	38.13	40.67	44.69
46.0	27.98	28.41	29.05	29.73	31.20	32.85	34.71	36.81	39.17	41.81	45.98
47.0	28.60	29.05	29.71	30.42	31.95	33.67	35.61	37.78	40.24	42.98	47.31
48.0	29.23	29.70	30.39	31.12	32.72	34.51	36.52	38.79	41.34	44.19	48.68
49.0	29.88	30.37	31.08	31.85	33.50	35.37	37.47	39.82	42.47	45.44	50.09
50.0	30.54	31.05	31.79	32.59	34.31	36.25	38.44	40.89	43.65	46.72	51.54
▽∅	PERCENTAGE OF LOAN AMOUNT LEFT UNPAID AT DUE DATE										
	100.0	95.95	90.22	84.50	73.06	61.61	50.17	38.72	27.28	15.83	.00

DISCOUNT %	MONTHLY PAYBACK RATE (%) (MONTHLY PAYMENT DIVIDED BY LOAN AMOUNT)										
	.73	.80	.90	1.00	1.10	1.20	1.30	1.40	1.60	1.80	2.06
.5	8.87	8.88	8.88	8.89	8.89	8.90	8.90	8.91	8.92	8.94	8.96
1.0	9.00	9.00	9.01	9.02	9.03	9.04	9.05	9.07	9.09	9.12	9.18
1.5	9.12	9.13	9.14	9.16	9.17	9.19	9.21	9.23	9.27	9.31	9.40
2.0	9.25	9.26	9.28	9.30	9.32	9.34	9.36	9.39	9.44	9.51	9.62
2.5	9.38	9.39	9.41	9.44	9.46	9.49	9.52	9.55	9.62	9.70	9.84
3.0	9.51	9.52	9.55	9.58	9.61	9.64	9.67	9.71	9.79	9.89	10.06
3.5	9.63	9.66	9.68	9.72	9.75	9.79	9.83	9.87	9.97	10.09	10.28
4.0	9.76	9.79	9.82	9.86	9.90	9.94	9.99	10.04	10.15	10.28	10.51
4.5	9.89	9.92	9.96	10.00	10.05	10.10	10.15	10.21	10.33	10.48	10.73
5.0	10.02	10.06	10.10	10.15	10.20	10.25	10.31	10.37	10.52	10.68	10.96
5.5	10.16	10.19	10.24	10.29	10.35	10.41	10.47	10.54	10.70	10.88	11.19
6.0	10.29	10.33	10.38	10.44	10.50	10.56	10.63	10.71	10.88	11.09	11.42
6.5	10.42	10.46	10.52	10.58	10.65	10.72	10.80	10.88	11.07	11.29	11.66
7.0	10.56	10.60	10.66	10.73	10.80	10.88	10.96	11.05	11.26	11.50	11.89
7.5	10.69	10.74	10.81	10.88	10.96	11.04	11.13	11.23	11.45	11.70	12.13
8.0	10.83	10.88	10.95	11.03	11.11	11.20	11.30	11.40	11.64	11.91	12.37
8.5	10.97	11.02	11.09	11.18	11.27	11.36	11.46	11.58	11.83	12.12	12.61
9.0	11.10	11.16	11.24	11.33	11.42	11.53	11.63	11.75	12.02	12.34	12.85
9.5	11.24	11.30	11.39	11.48	11.58	11.69	11.81	11.93	12.22	12.55	13.10
10.0	11.38	11.44	11.54	11.64	11.74	11.86	11.98	12.11	12.41	12.76	13.34
11.0	11.66	11.73	11.83	11.95	12.06	12.19	12.33	12.48	12.81	13.20	13.84
12.0	11.95	12.03	12.14	12.26	12.39	12.53	12.68	12.84	13.21	13.64	14.35
13.0	12.24	12.32	12.45	12.58	12.72	12.88	13.04	13.22	13.62	14.09	14.87
14.0	12.53	12.62	12.76	12.90	13.06	13.23	13.40	13.60	14.04	14.55	15.39
15.0	12.83	12.93	13.07	13.23	13.40	13.58	13.77	13.99	14.46	15.02	15.93
16.0	13.13	13.24	13.39	13.57	13.75	13.94	14.15	14.38	14.89	15.49	16.47
17.0	13.44	13.55	13.72	13.90	14.10	14.31	14.53	14.78	15.33	15.97	17.02
18.0	13.75	13.87	14.05	14.25	14.45	14.68	14.92	15.18	15.77	16.46	17.58
19.0	14.06	14.19	14.39	14.60	14.82	15.06	15.32	15.60	16.22	16.96	18.15
20.0	14.38	14.52	14.73	14.95	15.19	15.44	15.72	16.02	16.68	17.47	18.74
21.0	14.71	14.85	15.07	15.31	15.56	15.83	16.12	16.44	17.15	17.98	19.33
22.0	15.03	15.19	15.42	15.68	15.94	16.23	16.54	16.88	17.63	18.51	19.93
23.0	15.37	15.54	15.78	16.05	16.33	16.64	16.96	17.32	18.11	19.05	20.55
24.0	15.71	15.88	16.14	16.42	16.72	17.05	17.39	17.77	18.61	19.59	21.18
25.0	16.05	16.24	16.51	16.81	17.12	17.46	17.83	18.22	19.11	20.15	21.82
26.0	16.40	16.60	16.89	17.20	17.53	17.89	18.27	18.69	19.62	20.72	22.47
27.0	16.76	16.96	17.27	17.60	17.95	18.32	18.73	19.17	20.15	21.30	23.14
28.0	17.12	17.34	17.66	18.00	18.37	18.77	19.19	19.65	20.68	21.89	23.82
29.0	17.49	17.72	18.05	18.41	18.80	19.22	19.66	20.14	21.23	22.49	24.51
30.0	17.86	18.10	18.45	18.83	19.24	19.67	20.14	20.65	21.78	23.11	25.22
31.0	18.25	18.49	18.86	19.26	19.68	20.14	20.63	21.16	22.35	23.74	25.95
32.0	18.63	18.89	19.28	19.69	20.14	20.62	21.13	21.69	22.93	24.38	26.69
33.0	19.03	19.30	19.70	20.14	20.60	21.10	21.64	22.22	23.52	25.04	27.44
34.0	19.43	19.71	20.14	20.59	21.08	21.60	22.16	22.77	24.13	25.71	28.22
35.0	19.84	20.14	20.58	21.05	21.56	22.11	22.69	23.33	24.75	26.40	29.01
36.0	20.26	20.57	21.03	21.52	22.05	22.62	23.23	23.90	25.38	27.10	29.82
37.0	20.68	21.00	21.48	22.00	22.55	23.15	23.79	24.48	26.03	27.82	30.66
38.0	21.12	21.45	21.95	22.49	23.07	23.69	24.36	25.08	26.69	28.56	31.51
39.0	21.56	21.91	22.43	22.99	23.59	24.24	24.94	25.69	27.37	29.32	32.38
40.0	22.01	22.37	22.92	23.51	24.13	24.81	25.53	26.32	28.07	30.10	33.28
41.0	22.47	22.85	23.42	24.03	24.68	25.39	26.14	26.96	28.78	30.89	34.20
42.0	22.94	23.34	23.93	24.56	25.24	25.98	26.77	27.62	29.51	31.71	35.14
43.0	23.42	23.83	24.45	25.11	25.82	26.59	27.40	28.29	30.27	32.55	36.11
44.0	23.91	24.34	24.98	25.67	26.41	27.21	28.06	28.98	31.04	33.42	37.11
45.0	24.41	24.86	25.53	26.25	27.01	27.84	28.73	29.69	31.83	34.30	38.14
46.0	24.93	25.39	26.09	26.83	27.63	28.50	29.42	30.42	32.65	35.22	39.19
47.0	25.45	25.94	26.66	27.44	28.27	29.17	30.13	31.17	33.49	36.16	40.28
48.0	25.99	26.50	27.25	28.06	28.92	29.86	30.86	31.94	34.36	37.13	41.40
49.0	26.54	27.07	27.85	28.69	29.59	30.57	31.61	32.74	35.25	38.13	42.56
50.0	27.11	27.65	28.47	29.35	30.28	31.30	32.38	33.56	36.17	39.16	43.75
∇Φ	PERCENTAGE OF LOAN AMOUNT LEFT UNPAID AT DUE DATE										
	100.0	94.69	87.20	79.71	72.21	64.72	57.23	49.73	34.75	19.76	.00

DISCOUNT %	MONTHLY PAYBACK RATE (%) (MONTHLY PAYMENT DIVIDED BY LOAN AMOUNT)										
	.73	.80	.90	1.00	1.10	1.20	1.30	1.40	1.50	1.60	1.79
1.0	8.97	8.97	8.98	8.99	9.00	9.01	9.03	9.04	9.06	9.07	9.11
2.0	9.18	9.20	9.21	9.24	9.26	9.28	9.31	9.34	9.37	9.40	9.48
3.0	9.41	9.42	9.45	9.48	9.51	9.55	9.59	9.64	9.68	9.74	9.86
4.0	9.63	9.66	9.69	9.73	9.78	9.83	9.88	9.94	10.00	10.08	10.24
5.0	9.86	9.89	9.93	9.99	10.04	10.11	10.17	10.25	10.33	10.42	10.63
6.0	10.09	10.13	10.18	10.25	10.31	10.39	10.47	10.56	10.66	10.77	11.02
7.0	10.32	10.36	10.43	10.51	10.59	10.67	10.77	10.88	10.99	11.13	11.42
8.0	10.55	10.61	10.68	10.77	10.86	10.97	11.07	11.20	11.33	11.49	11.82
9.0	10.79	10.85	10.94	11.04	11.14	11.26	11.38	11.53	11.68	11.85	12.23
10.0	11.04	11.10	11.20	11.31	11.43	11.56	11.70	11.86	12.03	12.22	12.65
11.0	11.28	11.36	11.47	11.59	11.72	11.86	12.02	12.19	12.39	12.60	13.07
12.0	11.53	11.61	11.73	11.87	12.01	12.17	12.34	12.54	12.75	12.98	13.51
13.0	11.78	11.87	12.00	12.15	12.31	12.48	12.67	12.88	13.12	13.37	13.94
14.0	12.04	12.13	12.28	12.44	12.61	12.80	13.01	13.24	13.49	13.77	14.39
15.0	12.30	12.40	12.56	12.73	12.92	13.12	13.35	13.60	13.87	14.17	14.84
16.0	12.56	12.67	12.84	13.03	13.23	13.45	13.69	13.96	14.26	14.58	15.30
17.0	12.83	12.95	13.13	13.33	13.55	13.79	14.04	14.33	14.65	15.00	15.77
18.0	13.10	13.23	13.42	13.64	13.87	14.12	14.40	14.71	15.05	15.42	16.25
19.0	13.37	13.51	13.72	13.95	14.20	14.47	14.77	15.09	15.46	15.85	16.74
20.0	13.65	13.80	14.02	14.27	14.53	14.82	15.14	15.49	15.87	16.29	17.23
21.0	13.93	14.09	14.33	14.59	14.87	15.18	15.51	15.88	16.29	16.74	17.74
22.0	14.22	14.39	14.64	14.91	15.21	15.54	15.89	16.29	16.72	17.20	18.25
23.0	14.51	14.69	14.96	15.25	15.56	15.91	16.28	16.70	17.16	17.66	18.77
24.0	14.81	15.00	15.28	15.59	15.92	16.28	16.68	17.12	17.60	18.14	19.31
25.0	15.11	15.31	15.60	15.93	16.28	16.67	17.09	17.55	18.06	18.62	19.85
26.0	15.42	15.63	15.94	16.28	16.65	17.06	17.50	17.99	18.52	19.11	20.41
27.0	15.73	15.95	16.28	16.64	17.03	17.45	17.92	18.43	19.00	19.62	20.98
28.0	16.05	16.28	16.62	17.00	17.41	17.86	18.35	18.89	19.48	20.13	21.55
29.0	16.37	16.61	16.97	17.37	17.80	18.27	18.78	19.35	19.97	20.65	22.15
30.0	16.70	16.95	17.33	17.75	18.20	18.69	19.23	19.82	20.47	21.19	22.75
31.0	17.03	17.30	17.69	18.13	18.60	19.12	19.69	20.31	20.99	21.74	23.37
32.0	17.37	17.65	18.07	18.52	19.02	19.56	20.15	20.80	21.51	22.29	24.00
33.0	17.72	18.01	18.44	18.92	19.44	20.01	20.63	21.31	22.05	22.87	24.64
34.0	18.07	18.37	18.83	19.33	19.87	20.47	21.11	21.82	22.60	23.45	25.30
35.0	18.43	18.75	19.23	19.75	20.31	20.93	21.61	22.35	23.16	24.05	25.98
36.0	18.80	19.13	19.63	20.17	20.76	21.41	22.12	22.89	23.74	24.66	26.67
37.0	19.17	19.52	20.04	20.61	21.22	21.90	22.63	23.44	24.32	25.29	27.38
38.0	19.55	19.91	20.46	21.05	21.69	22.40	23.17	24.01	24.93	25.93	28.10
39.0	19.94	20.32	20.89	21.50	22.18	22.91	23.71	24.59	25.55	26.59	28.85
40.0	20.34	20.73	21.32	21.97	22.67	23.43	24.27	25.18	26.18	27.27	29.61
41.0	20.75	21.16	21.77	22.44	23.17	23.97	24.84	25.79	26.83	27.96	30.40
42.0	21.16	21.59	22.23	22.93	23.69	24.52	25.43	26.42	27.50	28.68	31.20
43.0	21.59	22.03	22.70	23.43	24.22	25.09	26.03	27.06	28.19	29.41	32.03
44.0	22.02	22.48	23.18	23.94	24.76	25.67	26.65	27.72	28.89	30.16	32.88
45.0	22.47	22.95	23.67	24.46	25.32	26.26	27.28	28.40	29.62	30.94	33.76
46.0	22.92	23.42	24.18	25.00	25.89	26.87	27.94	29.10	30.36	31.73	34.66
47.0	23.39	23.91	24.69	25.55	26.48	27.50	28.61	29.82	31.13	32.56	35.59
48.0	23.87	24.41	25.22	26.12	27.09	28.15	29.30	30.56	31.92	33.40	36.55
49.0	24.36	24.92	25.77	26.70	27.71	28.81	30.01	31.32	32.74	34.28	37.53
50.0	24.86	25.45	26.33	27.30	28.35	29.50	30.75	32.11	33.58	35.18	38.55
51.0	25.38	25.99	26.91	27.92	29.01	30.21	31.50	32.92	34.45	36.11	39.61
52.0	25.91	26.54	27.50	28.55	29.69	30.94	32.29	33.76	35.35	37.08	40.70
53.0	26.45	27.11	28.11	29.20	30.39	31.69	33.10	34.63	36.29	38.07	41.83
54.0	27.01	27.70	28.74	29.88	31.12	32.47	33.93	35.53	37.25	39.11	43.00
55.0	27.59	28.31	29.39	30.58	31.87	33.27	34.80	36.46	38.25	'40.18	44.21
56.0	28.19	28.93	30.06	31.30	32.64	34.11	35.70	37.43	39.29	41.29	45.47
57.0	28.80	29.58	30.76	32.04	33.44	34.97	36.63	38.43	40.37	42.44	46.77
58.0	29.43	30.25	31.47	32.82	34.28	35.87	37.60	39.47	41.49	43.65	48.13
59.0	30.09	30.93	32.22	33.62	35.14	36.80	38.60	40.56	42.65	44.90	49.55
60.0	30.77	31.65	32.98	34.45	36.04	37.77	39.65	41.69	43.87	46.20	51.02
PERCENTAGE OF LOAN AMOUNT LEFT UNPAID AT DUE DATE											
	100.0	93.32	83.90	74.47	65.05	55.62	46.20	36.77	27.35	17.92	.00

DISCOUNT %	MONTHLY PAYBACK RATE (%) (MONTHLY PAYMENT DIVIDED BY LOAN AMOUNT)										
	.73	.75	.80	.90	1.00	1.10	1.20	1.30	1.40	1.50	1.60
1.0	8.94	8.94	8.95	8.96	8.97	8.98	9.00	9.01	9.03	9.05	9.07
2.0	9.14	9.14	9.15	9.17	9.19	9.22	9.24	9.27	9.31	9.35	9.39
3.0	9.33	9.34	9.36	9.38	9.42	9.45	9.50	9.54	9.59	9.65	9.72
4.0	9.53	9.54	9.56	9.60	9.65	9.70	9.75	9.81	9.88	9.96	10.05
5.0	9.74	9.75	9.77	9.82	9.88	9.94	10.01	10.09	10.18	10.28	10.39
6.0	9.94	9.95	9.98	10.04	10.11	10.19	10.27	10.37	10.48	10.60	10.73
7.0	10.15	10.16	10.20	10.27	10.35	10.44	10.54	10.65	10.78	10.92	11.08
8.0	10.36	10.38	10.42	10.50	10.59	10.70	10.81	10.94	11.09	11.25	11.43
9.0	10.57	10.59	10.64	10.73	10.84	10.96	11.09	11.23	11.40	11.59	11.79
10.0	10.79	10.81	10.86	10.97	11.09	11.22	11.37	11.53	11.72	11.93	12.15
11.0	11.01	11.03	11.09	11.21	11.34	11.49	11.65	11.83	12.04	12.27	12.53
12.0	11.23	11.26	11.32	11.45	11.60	11.76	11.94	12.14	12.37	12.62	12.90
13.0	11.46	11.49	11.55	11.70	11.86	12.03	12.23	12.45	12.70	12.98	13.28
14.0	11.69	11.72	11.79	11.95	12.12	12.31	12.53	12.77	13.04	13.34	13.67
15.0	11.92	11.95	12.03	12.20	12.39	12.60	12.83	13.09	13.38	13.71	14.07
16.0	12.15	12.19	12.28	12.46	12.66	12.89	13.14	13.42	13.73	14.09	14.47
17.0	12.39	12.43	12.52	12.72	12.94	13.18	13.45	13.75	14.09	14.47	14.88
18.0	12.64	12.68	12.78	12.99	13.22	13.48	13.77	14.09	14.45	14.86	15.30
19.0	12.88	12.93	13.03	13.26	13.51	13.78	14.09	14.43	14.82	15.26	15.73
20.0	13.13	13.18	13.29	13.53	13.80	14.09	14.42	14.79	15.20	15.66	16.16
21.0	13.39	13.44	13.56	13.81	14.09	14.41	14.76	15.14	15.58	16.07	16.60
22.0	13.64	13.70	13.82	14.09	14.40	14.73	15.10	15.51	15.97	16.49	17.05
23.0	13.91	13.96	14.10	14.38	14.70	15.05	15.44	15.88	16.37	16.92	17.51
24.0	14.17	14.23	14.37	14.68	15.01	15.38	15.80	16.26	16.77	17.35	17.97
25.0	14.45	14.51	14.66	14.98	15.33	15.72	16.16	16.64	17.19	17.80	18.45
26.0	14.72	14.79	14.94	15.28	15.65	16.07	16.53	17.04	17.61	18.25	18.94
27.0	15.00	15.07	15.23	15.59	15.98	16.42	16.90	17.44	18.04	18.71	19.43
28.0	15.29	15.36	15.53	15.90	16.32	16.77	17.28	17.85	18.48	19.18	19.94
29.0	15.58	15.65	15.83	16.23	16.66	17.14	17.67	18.26	18.93	19.67	20.46
30.0	15.87	15.95	16.14	16.55	17.01	17.51	18.07	18.69	19.39	20.16	20.98
31.0	16.18	16.26	16.46	16.89	17.37	17.89	18.48	19.13	19.85	20.66	21.52
32.0	16.48	16.57	16.78	17.23	17.73	18.28	18.89	19.57	20.33	21.18	22.08
33.0	16.79	16.88	17.10	17.58	18.10	18.68	19.32	20.03	20.82	21.70	22.64
34.0	17.11	17.21	17.44	17.93	18.48	19.08	19.75	20.49	21.32	22.24	23.22
35.0	17.44	17.54	17.78	18.29	18.87	19.49	20.20	20.97	21.84	22.79	23.81
36.0	17.77	17.87	18.12	18.66	19.26	19.92	20.65	21.46	22.36	23.36	24.42
37.0	18.11	18.22	18.48	19.04	19.66	20.35	21.12	21.96	22.90	23.94	25.04
38.0	18.46	18.57	18.84	19.43	20.08	20.79	21.59	22.47	23.45	24.53	25.68
39.0	18.81	18.92	19.21	19.82	20.50	21.25	22.08	22.99	24.01	25.14	26.33
40.0	19.17	19.29	19.59	20.23	20.93	21.71	22.58	23.53	24.59	25.76	27.00
41.0	19.54	19.66	19.97	20.64	21.38	22.19	23.09	24.09	25.19	26.40	27.69
42.0	19.92	20.05	20.37	21.06	21.83	22.68	23.62	24.65	25.80	27.06	28.39
43.0	20.30	20.44	20.77	21.50	22.30	23.18	24.16	25.24	26.43	27.74	29.12
44.0	20.70	20.84	21.19	21.94	22.78	23.69	24.71	25.83	27.08	28.44	29.87
45.0	21.10	21.25	21.61	22.40	23.27	24.22	25.28	26.45	27.74	29.15	30.64
46.0	21.52	21.67	22.05	22.87	23.77	24.77	25.87	27.08	28.42	29.89	31.43
47.0	21.94	22.10	22.50	23.35	24.29	25.33	26.48	27.74	29.13	30.65	32.24
48.0	22.38	22.54	22.96	23.84	24.82	25.90	27.10	28.41	29.86	31.44	33.08
49.0	22.82	23.00	23.43	24.35	25.37	26.50	27.74	29.10	30.61	32.25	33.95
50.0	23.28	23.47	23.91	24.87	25.94	27.11	28.40	29.82	31.38	33.08	34.85
51.0	23.76	23.95	24.41	25.41	26.52	27.74	29.09	30.56	32.18	33.95	35.78
52.0	24.24	24.44	24.92	25.96	27.12	28.39	29.79	31.33	33.01	34.84	36.74
53.0	24.74	24.95	25.45	26.54	27.74	29.06	30.52	32.12	33.87	35.77	37.73
54.0	25.26	25.47	26.00	27.13	28.38	29.76	31.28	32.94	34.76	36.72	38.76
55.0	25.79	26.01	26.56	27.74	29.04	30.48	32.06	33.79	35.68	37.72	39.82
56.0	26.34	26.57	27.14	28.37	29.73	31.22	32.87	34.67	36.64	38.75	40.93
57.0	26.90	27.14	27.74	29.02	30.44	32.00	33.72	35.59	37.63	39.83	42.08
58.0	27.49	27.74	28.36	29.70	31.18	32.80	34.59	36.54	38.66	40.94	43.28
59.0	28.09	28.36	29.00	30.40	31.94	33.64	35.51	37.54	39.74	42.11	44.53
60.0	28.72	28.99	29.67	31.13	32.74	34.51	36.46	38.57	40.87	43.32	45.83
PERCENTAGE OF LOAN AMOUNT LEFT UNPAID AT DUE DATE											
	100.0	97.60	91.83	80.30	68.76	57.23	45.70	34.17	22.63	11.10	.00

DISCOUNT %	MONTHLY PAYBACK RATE (%) (MONTHLY PAYMENT DIVIDED BY LOAN AMOUNT)										
	.73	.75	.80	.85	.90	1.00	1.10	1.20	1.30	1.40	1.45
1.0	8.92	8.93	8.93	8.94	8.94	8.95	8.97	8.98	9.00	9.02	9.03
2.0	9.10	9.11	9.12	9.13	9.14	9.16	9.19	9.22	9.25	9.30	9.32
3.0	9.28	9.29	9.30	9.32	9.33	9.37	9.41	9.46	9.51	9.58	9.61
4.0	9.46	9.47	9.49	9.51	9.54	9.59	9.64	9.70	9.77	9.86	9.91
5.0	9.65	9.66	9.68	9.71	9.74	9.80	9.87	9.95	10.04	10.15	10.21
6.0	9.84	9.85	9.88	9.91	9.94	10.02	10.10	10.20	10.31	10.44	10.51
7.0	10.02	10.04	10.08	10.11	10.15	10.24	10.34	10.46	10.58	10.74	10.82
8.0	10.22	10.23	10.28	10.32	10.37	10.47	10.58	10.71	10.86	11.04	11.14
9.0	10.41	10.43	10.48	10.53	10.58	10.70	10.83	10.98	11.15	11.34	11.46
10.0	10.61	10.63	10.68	10.74	10.80	10.93	11.08	11.24	11.43	11.66	11.78
11.0	10.81	10.83	10.89	10.96	11.02	11.17	11.33	11.51	11.73	11.97	12.11
12.0	11.01	11.04	11.10	11.17	11.25	11.41	11.58	11.79	12.02	12.29	12.45
13.0	11.22	11.25	11.32	11.39	11.47	11.65	11.84	12.07	12.32	12.62	12.79
14.0	11.43	11.46	11.54	11.62	11.71	11.90	12.11	12.35	12.63	12.95	13.14
15.0	11.64	11.67	11.76	11.85	11.94	12.15	12.38	12.64	12.94	13.29	13.49
16.0	11.85	11.89	11.98	12.08	12.18	12.40	12.65	12.94	13.26	13.63	13.85
17.0	12.07	12.11	12.21	12.31	12.42	12.66	12.93	13.24	13.58	13.99	14.21
18.0	12.29	12.34	12.44	12.55	12.67	12.93	13.21	13.54	13.91	14.34	14.59
19.0	12.52	12.57	12.68	12.80	12.92	13.20	13.50	13.85	14.25	14.70	14.97
20.0	12.75	12.80	12.92	13.04	13.18	13.47	13.79	14.17	14.59	15.07	15.35
21.0	12.98	13.03	13.16	13.30	13.44	13.75	14.09	14.49	14.94	15.45	15.75
22.0	13.22	13.27	13.41	13.55	13.70	14.03	14.40	14.82	15.29	15.84	16.15
23.0	13.46	13.52	13.66	13.81	13.97	14.32	14.71	15.15	15.65	16.23	16.56
24.0	13.70	13.77	13.92	14.08	14.24	14.61	15.02	15.49	16.02	16.63	16.97
25.0	13.95	14.02	14.18	14.34	14.52	14.91	15.34	15.84	16.40	17.03	17.40
26.0	14.21	14.27	14.44	14.62	14.80	15.21	15.67	16.19	16.78	17.45	17.83
27.0	14.46	14.54	14.71	14.90	15.09	15.52	16.01	16.55	17.17	17.87	18.28
28.0	14.73	14.80	14.99	15.18	15.39	15.84	16.35	16.92	17.57	18.31	18.73
29.0	14.99	15.07	15.27	15.47	15.69	16.16	16.70	17.30	17.98	18.75	19.19
30.0	15.26	15.35	15.55	15.77	15.99	16.49	17.05	17.68	18.39	19.20	19.66
31.0	15.54	15.63	15.84	16.07	16.31	16.83	17.41	18.08	18.82	19.67	20.14
32.0	15.82	15.92	16.14	16.38	16.63	17.17	17.78	18.48	19.26	20.14	20.64
33.0	16.11	16.21	16.44	16.69	16.95	17.52	18.16	18.89	19.70	20.62	21.14
34.0	16.41	16.51	16.75	17.01	17.28	17.88	18.55	19.31	20.16	21.12	21.66
35.0	16.71	16.81	17.07	17.34	17.62	18.25	18.95	19.74	20.62	21.62	22.19
36.0	17.01	17.12	17.39	17.67	17.97	18.62	19.35	20.18	21.10	22.14	22.73
37.0	17.33	17.44	17.72	18.01	18.33	19.01	19.77	20.63	21.59	22.68	23.29
38.0	17.65	17.76	18.06	18.36	18.69	19.40	20.20	21.09	22.09	23.22	23.86
39.0	17.97	18.09	18.40	18.72	19.06	19.80	20.63	21.57	22.61	23.78	24.44
40.0	18.31	18.43	18.75	19.09	19.44	20.22	21.08	22.05	23.14	24.36	25.04
41.0	18.65	18.78	19.11	19.46	19.83	20.64	21.54	22.55	23.68	24.95	25.66
42.0	19.00	19.14	19.48	19.85	20.23	21.07	22.01	23.07	24.24	25.55	26.29
43.0	19.35	19.50	19.86	20.24	20.64	21.52	22.49	23.59	24.81	26.18	26.94
44.0	19.72	19.87	20.25	20.64	21.06	21.97	22.99	24.13	25.40	26.82	27.61
45.0	20.10	20.25	20.64	21.06	21.49	22.44	23.50	24.69	26.01	27.48	28.30
46.0	20.48	20.65	21.05	21.48	21.93	22.93	24.03	25.27	26.64	28.16	29.01
47.0	20.88	21.05	21.47	21.92	22.39	23.42	24.57	25.86	27.28	28.86	29.74
48.0	21.28	21.46	21.90	22.37	22.86	23.93	25.13	26.47	27.95	29.59	30.50
49.0	21.70	21.89	22.34	22.83	23.34	24.46	25.71	27.10	28.63	30.33	31.27
50.0	22.13	22.32	22.80	23.31	23.84	25.00	26.30	27.75	29.34	31.10	32.08
52.0	23.02	23.23	23.75	24.30	24.88	26.14	27.55	29.11	30.84	32.73	33.77
54.0	23.98	24.20	24.77	25.36	25.99	27.36	28.89	30.58	32.44	34.47	35.59
56.0	24.99	25.23	25.85	26.50	27.18	28.67	30.32	32.16	34.16	36.34	37.54
58.0	26.07	26.34	27.01	27.71	28.46	30.08	31.87	33.86	36.02	38.37	39.66
60.0	27.23	27.53	28.25	29.02	29.83	31.60	33.55	35.71	38.05	40.57	41.95
62.0	28.49	28.81	29.60	30.44	31.33	33.26	35.39	37.73	40.26	42.98	44.46
64.0	29.85	30.20	31.07	31.99	32.96	35.07	37.40	39.94	42.69	45.62	47.21
66.0	31.33	31.71	32.67	33.68	34.75	37.07	39.61	42.39	45.37	48.54	50.25
68.0	32.95	33.38	34.44	35.55	36.73	39.28	42.08	45.12	48.36	51.79	53.63
70.0	34.76	35.23	36.40	37.64	38.94	41.76	44.85	48.18	51.72	55.44	57.43
⏦Φ	PERCENTAGE OF LOAN AMOUNT LEFT UNPAID AT DUE DATE										
	100.0	97.12	90.20	83.29	76.37	62.54	48.70	34.87	21.04	7.20	.00

DISCOUNT %	MONTHLY PAYBACK RATE (%) (MONTHLY PAYMENT DIVIDED BY LOAN AMOUNT)										
	.73	.75	.80	.85	.90	.95	1.00	1.05	1.10	1.20	1.34
1.0	8.91	8.91	8.92	8.92	8.93	8.94	8.94	8.95	8.96	8.98	9.00
2.0	9.08	9.08	9.09	9.10	9.11	9.13	9.14	9.15	9.17	9.21	9.26
3.0	9.24	9.25	9.26	9.28	9.30	9.32	9.34	9.36	9.38	9.44	9.53
4.0	9.41	9.42	9.44	9.46	9.49	9.51	9.54	9.57	9.60	9.67	9.80
5.0	9.58	9.59	9.62	9.65	9.68	9.71	9.75	9.78	9.82	9.91	10.07
6.0	9.75	9.77	9.80	9.83	9.87	9.91	9.95	10.00	10.05	10.16	10.34
7.0	9.93	9.94	9.98	10.02	10.07	10.11	10.16	10.22	10.27	10.40	10.63
8.0	10.11	10.12	10.17	10.22	10.27	10.32	10.38	10.44	10.50	10.66	10.91
9.0	10.29	10.31	10.36	10.41	10.47	10.53	10.60	10.66	10.74	10.91	11.20
10.0	10.47	10.49	10.55	10.61	10.67	10.74	10.82	10.89	10.98	11.17	11.49
11.0	10.65	10.68	10.74	10.81	10.88	10.96	11.04	11.13	11.22	11.43	11.79
12.0	10.84	10.87	10.94	11.01	11.09	11.18	11.27	11.36	11.47	11.70	12.10
13.0	11.03	11.06	11.14	11.22	11.31	11.40	11.50	11.60	11.72	11.97	12.41
14.0	11.23	11.26	11.34	11.43	11.52	11.63	11.73	11.85	11.97	12.25	12.72
15.0	11.42	11.46	11.55	11.65	11.75	11.86	11.97	12.10	12.23	12.53	13.04
16.0	11.62	11.66	11.76	11.86	11.97	12.09	12.22	12.35	12.49	12.82	13.37
17.0	11.83	11.87	11.97	12.08	12.20	12.33	12.46	12.61	12.76	13.11	13.70
18.0	12.03	12.08	12.19	12.31	12.43	12.57	12.71	12.87	13.03	13.41	14.03
19.0	12.24	12.29	12.41	12.54	12.67	12.82	12.97	13.13	13.31	13.71	14.38
20.0	12.46	12.51	12.63	12.77	12.91	13.07	13.23	13.41	13.59	14.02	14.73
21.0	12.67	12.73	12.86	13.01	13.16	13.32	13.50	13.68	13.88	14.33	15.08
22.0	12.89	12.95	13.09	13.25	13.41	13.58	13.77	13.96	14.18	14.65	15.45
23.0	13.12	13.18	13.33	13.49	13.66	13.85	14.04	14.25	14.47	14.98	15.82
24.0	13.34	13.41	13.57	13.74	13.92	14.11	14.32	14.54	14.78	15.31	16.20
25.0	13.57	13.64	13.81	13.99	14.18	14.39	14.61	14.84	15.09	15.65	16.58
26.0	13.81	13.88	14.06	14.25	14.45	14.67	14.90	15.14	15.41	16.00	16.98
27.0	14.05	14.13	14.31	14.51	14.73	14.95	15.20	15.45	15.73	16.35	17.38
28.0	14.30	14.38	14.57	14.78	15.00	15.24	15.50	15.77	16.06	16.71	17.79
29.0	14.54	14.63	14.84	15.06	15.29	15.54	15.81	16.09	16.40	17.08	18.21
30.0	14.80	14.89	15.10	15.34	15.58	15.84	16.12	16.42	16.74	17.46	18.64
31.0	15.06	15.15	15.38	15.62	15.88	16.15	16.45	16.76	17.10	17.84	19.08
32.0	15.32	15.42	15.66	15.91	16.18	16.47	16.78	17.10	17.46	18.24	19.52
33.0	15.59	15.69	15.94	16.21	16.49	16.79	17.11	17.46	17.82	18.64	19.98
34.0	15.87	15.97	16.23	16.51	16.81	17.12	17.46	17.82	18.20	19.05	20.45
35.0	16.15	16.26	16.53	16.82	17.13	17.46	17.81	18.19	18.59	19.47	20.93
36.0	16.43	16.55	16.83	17.14	17.46	17.81	18.17	18.56	18.98	19.91	21.43
37.0	16.73	16.85	17.15	17.46	17.80	18.16	18.54	18.95	19.39	20.35	21.93
38.0	17.03	17.15	17.46	17.79	18.14	18.52	18.92	19.35	19.80	20.81	22.45
39.0	17.33	17.46	17.79	18.13	18.50	18.89	19.31	19.75	20.23	21.27	22.98
40.0	17.65	17.78	18.12	18.48	18.86	19.27	19.71	20.17	20.66	21.75	23.53
41.0	17.97	18.11	18.46	18.84	19.24	19.66	20.12	20.60	21.11	22.25	24.09
42.0	18.30	18.44	18.81	19.20	19.62	20.06	20.54	21.04	21.57	22.75	24.66
43.0	18.63	18.79	19.17	19.58	20.01	20.48	20.97	21.49	22.05	23.27	25.25
44.0	18.98	19.14	19.54	19.96	20.41	20.90	21.41	21.95	22.53	23.81	25.86
45.0	19.33	19.50	19.92	20.36	20.83	21.33	21.87	22.43	23.04	24.36	26.49
46.0	19.70	19.87	20.30	20.77	21.26	21.78	22.34	22.92	23.55	24.93	27.14
47.0	20.07	20.25	20.70	21.18	21.69	22.24	22.82	23.43	24.08	25.51	27.80
48.0	20.45	20.64	21.11	21.61	22.15	22.71	23.32	23.95	24.63	26.12	28.49
49.0	20.85	21.04	21.54	22.06	22.61	23.20	23.83	24.49	25.20	26.74	29.20
50.0	21.25	21.46	21.97	22.51	23.09	23.71	24.36	25.05	25.79	27.39	29.94
52.0	22.10	22.33	22.88	23.47	24.10	24.77	25.47	26.22	27.02	28.74	31.48
54.0	23.01	23.25	23.85	24.49	25.17	25.90	26.67	27.48	28.34	30.20	33.14
56.0	23.97	24.23	24.89	25.59	26.33	27.12	27.95	28.83	29.76	31.77	34.92
58.0	25.00	25.29	26.01	26.77	27.57	28.43	29.33	30.29	31.30	33.47	36.85
60.0	26.12	26.43	27.21	28.04	28.92	29.85	30.84	31.87	32.97	35.32	38.95
62.0	27.32	27.66	28.52	29.42	30.38	31.40	32.48	33.61	34.79	37.34	41.25
64.0	28.63	29.01	29.94	30.93	31.98	33.10	34.28	35.51	36.80	39.56	43.77
66.0	30.06	30.48	31.50	32.60	33.75	34.98	36.26	37.61	39.02	42.02	46.55
68.0	31.64	32.10	33.23	34.44	35.71	37.06	38.48	39.95	41.50	44.76	49.66
70.0	33.40	33.91	35.17	36.50	37.91	39.40	40.96	42.59	44.28	47.84	53.14
PERCENTAGE OF LOAN AMOUNT LEFT UNPAID AT DUE DATE											
	100.0	96.60	88.42	80.25	72.08	63.91	55.74	47.57	39.40	23.06	.00

DISCOUNT %	MONTHLY PAYBACK RATE (%) (MONTHLY PAYMENT DIVIDED BY LOAN AMOUNT)										
	.73	.75	.80	.85	.90	.95	1.00	1.05	1.10	1.15	1.25
1.0	8.90	8.90	8.91	8.91	8.92	8.93	8.94	8.94	8.95	8.96	8.98
2.0	9.05	9.06	9.07	9.08	9.09	9.11	9.12	9.14	9.16	9.17	9.22
3.0	9.21	9.22	9.23	9.25	9.27	9.29	9.31	9.34	9.36	9.39	9.46
4.0	9.37	9.38	9.40	9.42	9.45	9.48	9.51	9.54	9.58	9.61	9.71
5.0	9.53	9.54	9.57	9.60	9.63	9.67	9.70	9.74	9.79	9.84	9.96
6.0	9.69	9.70	9.74	9.77	9.81	9.86	9.90	9.95	10.01	10.07	10.21
7.0	9.85	9.87	9.91	9.95	10.00	10.05	10.11	10.16	10.23	10.30	10.47
8.0	10.02	10.04	10.09	10.14	10.19	10.25	10.31	10.38	10.45	10.53	10.73
9.0	10.19	10.21	10.26	10.32	10.38	10.45	10.52	10.60	10.68	10.77	10.99
10.0	10.36	10.38	10.44	10.51	10.58	10.65	10.73	10.82	10.91	11.02	11.26
11.0	10.53	10.56	10.63	10.70	10.77	10.86	10.95	11.04	11.15	11.26	11.54
12.0	10.71	10.74	10.81	10.89	10.98	11.07	11.17	11.27	11.39	11.52	11.82
13.0	10.89	10.92	11.00	11.09	11.18	11.28	11.39	11.51	11.63	11.77	12.10
14.0	11.07	11.11	11.19	11.29	11.39	11.50	11.62	11.74	11.88	12.03	12.39
15.0	11.25	11.29	11.39	11.49	11.60	11.72	11.85	11.98	12.13	12.30	12.68
16.0	11.44	11.48	11.59	11.70	11.81	11.94	12.08	12.23	12.39	12.56	12.98
17.0	11.63	11.68	11.79	11.91	12.03	12.17	12.32	12.48	12.65	12.84	13.28
18.0	11.83	11.87	11.99	12.12	12.25	12.40	12.56	12.73	12.92	13.12	13.59
19.0	12.02	12.07	12.20	12.34	12.48	12.64	12.81	12.99	13.19	13.40	13.91
20.0	12.22	12.28	12.41	12.56	12.71	12.88	13.06	13.25	13.46	13.69	14.23
21.0	12.43	12.48	12.63	12.78	12.95	13.12	13.32	13.52	13.75	13.99	14.56
22.0	12.63	12.70	12.85	13.01	13.18	13.37	13.58	13.79	14.03	14.29	14.89
23.0	12.84	12.91	13.07	13.24	13.43	13.63	13.84	14.07	14.32	14.60	15.23
24.0	13.06	13.13	13.30	13.48	13.67	13.89	14.11	14.36	14.62	14.91	15.58
25.0	13.28	13.35	13.53	13.72	13.93	14.15	14.39	14.65	14.93	15.23	15.93
26.0	13.50	13.58	13.77	13.97	14.18	14.42	14.67	14.94	15.24	15.55	16.29
27.0	13.73	13.81	14.01	14.22	14.45	14.70	14.96	15.25	15.55	15.89	16.66
28.0	13.96	14.04	14.25	14.48	14.72	14.98	15.25	15.55	15.88	16.23	17.04
29.0	14.19	14.28	14.50	14.74	14.99	15.26	15.56	15.87	16.21	16.57	17.43
30.0	14.43	14.53	14.76	15.00	15.27	15.55	15.86	16.19	16.55	16.93	17.82
31.0	14.68	14.77	15.02	15.28	15.55	15.85	16.18	16.52	16.89	17.29	18.22
32.0	14.93	15.03	15.28	15.55	15.84	16.16	16.50	16.86	17.25	17.67	18.64
33.0	15.18	15.29	15.55	15.84	16.14	16.47	16.82	17.20	17.61	18.05	19.06
34.0	15.44	15.55	15.83	16.13	16.45	16.79	17.16	17.55	17.98	18.44	19.49
35.0	15.71	15.83	16.12	16.43	16.76	17.12	17.50	17.91	18.36	18.83	19.93
36.0	15.98	16.10	16.41	16.73	17.08	17.45	17.85	18.28	18.75	19.24	20.38
37.0	16.26	16.39	16.70	17.04	17.40	17.80	18.22	18.66	19.15	19.66	20.85
38.0	16.54	16.68	17.01	17.36	17.74	18.15	18.58	19.05	19.55	20.09	21.33
39.0	16.83	16.97	17.32	17.69	18.08	18.51	18.96	19.45	19.97	20.53	21.82
40.0	17.13	17.28	17.64	18.02	18.43	18.88	19.35	19.86	20.40	20.99	22.32
41.0	17.44	17.59	17.96	18.36	18.79	19.26	19.75	20.28	20.85	21.45	22.83
42.0	17.75	17.91	18.30	18.72	19.16	19.66	20.16	20.71	21.30	21.93	23.36
43.0	18.07	18.23	18.64	19.08	19.54	20.05	20.58	21.16	21.77	22.42	23.91
44.0	18.40	18.57	19.00	19.45	19.94	20.46	21.02	21.61	22.25	22.93	24.47
45.0	18.74	18.91	19.36	19.83	20.34	20.88	21.47	22.08	22.75	23.45	25.05
46.0	19.08	19.27	19.73	20.23	20.75	21.32	21.93	22.57	23.26	23.99	25.65
47.0	19.44	19.63	20.11	20.63	21.18	21.77	22.40	23.07	23.79	24.55	26.26
48.0	19.81	20.01	20.51	21.05	21.62	22.23	22.89	23.59	24.33	25.12	26.90
49.0	20.18	20.39	20.92	21.48	22.07	22.71	23.40	24.12	24.89	25.71	27.55
50.0	20.57	20.79	21.34	21.92	22.54	23.21	23.92	24.67	25.47	26.32	28.23
52.0	21.39	21.62	22.22	22.85	23.52	24.25	25.02	25.83	26.70	27.61	29.66
54.0	22.26	22.51	23.16	23.84	24.58	25.36	26.19	27.08	28.01	29.00	31.19
56.0	23.19	23.47	24.17	24.91	25.71	26.56	27.46	28.42	29.43	30.49	32.84
58.0	24.18	24.49	25.25	26.07	26.93	27.86	28.84	29.87	30.96	32.11	34.63
60.0	25.26	25.59	26.43	27.32	28.26	29.27	30.33	31.45	32.63	33.87	36.57
62.0	26.43	26.79	27.71	28.68	29.71	30.81	31.97	33.18	34.46	35.79	38.70
64.0	27.71	28.11	29.11	30.17	31.30	32.50	33.76	35.08	36.47	37.91	41.03
66.0	29.11	29.55	30.65	31.82	33.06	34.37	35.75	37.19	38.70	40.26	43.62
68.0	30.66	31.14	32.36	33.65	35.01	36.46	37.97	39.55	41.18	42.87	46.50
70.0	32.39	32.93	34.28	35.71	37.22	38.81	40.47	42.19	43.98	45.82	49.74
▽Φ	PERCENTAGE OF LOAN AMOUNT LEFT UNPAID AT DUE DATE										
	100.0	96.02	86.48	76.94	67.40	57.86	48.32	38.78	29.24	19.70	.00

DISCOUNT %	MONTHLY PAYBACK RATE (%) (MONTHLY PAYMENT DIVIDED BY LOAN AMOUNT)										
	1.00	1.25	1.50	1.75	2.00	2.25	2.50	2.75	3.00	3.50	4.00
1.0	8.92	8.98	9.04	9.11	9.16	9.22	9.28	9.34	9.40	9.51	9.63
2.0	9.09	9.22	9.34	9.47	9.59	9.70	9.82	9.94	10.06	10.29	10.52
3.0	9.27	9.46	9.65	9.83	10.01	10.19	10.37	10.55	10.72	11.07	11.42
4.0	9.45	9.71	9.96	10.20	10.44	10.69	10.93	11.16	11.40	11.87	12.33
5.0	9.63	9.95	10.27	10.58	10.88	11.19	11.49	11.79	12.09	12.68	13.26
6.0	9.81	10.21	10.59	10.96	11.33	11.70	12.06	12.42	12.78	13.50	14.20
7.0	10.00	10.46	10.91	11.35	11.78	12.21	12.64	13.07	13.49	14.33	15.16
8.0	10.19	10.72	11.24	11.74	12.24	12.74	13.23	13.72	14.21	15.18	16.13
9.0	10.39	10.99	11.57	12.14	12.71	13.27	13.83	14.39	14.94	16.03	17.12
10.0	10.58	11.26	11.91	12.55	13.18	13.81	14.44	15.06	15.68	16.91	18.12
11.0	10.78	11.53	12.25	12.96	13.67	14.36	15.06	15.75	16.43	17.79	19.14
12.0	10.99	11.81	12.60	13.38	14.16	14.92	15.69	16.44	17.20	18.69	20.17
13.0	11.20	12.09	12.96	13.81	14.65	15.49	16.32	17.15	17.97	19.61	21.22
14.0	11.41	12.38	13.32	14.24	15.16	16.07	16.97	17.87	18.77	20.54	22.29
15.0	11.62	12.67	13.68	14.68	15.68	16.66	17.63	18.60	19.57	21.49	23.38
16.0	11.84	12.97	14.06	15.13	16.20	17.26	18.31	19.35	20.39	22.45	24.49
17.0	12.06	13.27	14.44	15.59	16.73	17.86	18.99	20.11	21.22	23.43	25.61
18.0	12.29	13.58	14.83	16.06	17.27	18.48	19.68	20.88	22.07	24.42	26.76
19.0	12.52	13.89	15.22	16.53	17.83	19.11	20.39	21.66	22.93	25.44	27.92
20.0	12.76	14.21	15.62	17.01	18.39	19.75	21.11	22.46	23.80	26.47	29.11
21.0	13.00	14.54	16.03	17.50	18.96	20.41	21.85	23.27	24.70	27.52	30.32
22.0	13.25	14.87	16.45	18.00	19.54	21.07	22.59	24.10	25.61	28.59	31.55
23.0	13.50	15.21	16.87	18.51	20.14	21.75	23.35	24.95	26.53	29.68	32.80
24.0	13.76	15.56	17.31	19.03	20.74	22.44	24.13	25.81	27.48	30.80	34.08
25.0	14.02	15.91	17.75	19.57	21.36	23.15	24.92	26.69	28.44	31.93	35.38
26.0	14.28	16.27	18.20	20.11	21.99	23.87	25.73	27.58	29.42	33.09	36.71
27.0	14.56	16.64	18.66	20.66	22.64	24.60	26.55	28.49	30.43	34.27	38.07
28.0	14.84	17.01	19.12	21.22	23.29	25.35	27.39	29.43	31.45	35.47	39.45
29.0	15.12	17.40	19.61	21.80	23.96	26.11	28.25	30.38	32.49	36.70	40.87
30.0	15.42	17.79	20.10	22.39	24.65	26.89	29.13	31.35	33.56	37.95	42.31
31.0	15.71	18.19	20.61	22.99	25.35	27.69	30.02	32.34	34.65	39.24	43.78
32.0	16.02	18.60	21.12	23.60	26.06	28.51	30.94	33.36	35.76	40.55	45.29
33.0	16.34	19.02	21.64	24.23	26.79	29.34	31.87	34.39	36.90	41.89	46.83
34.0	16.66	19.45	22.18	24.87	27.54	30.19	32.83	35.45	38.06	43.26	48.40
35.0	16.99	19.90	22.73	25.53	28.31	31.07	33.81	36.54	39.26	44.66	50.01
36.0	17.33	20.35	23.29	26.21	29.09	31.96	34.81	37.65	40.47	46.09	51.66
37.0	17.67	20.81	23.87	26.90	29.89	32.87	35.84	38.79	41.72	47.56	53.35
38.0	18.03	21.29	24.46	27.60	30.72	33.81	36.89	39.95	43.00	49.07	55.08
39.0	18.40	21.77	25.07	28.33	31.56	34.77	37.97	41.15	44.31	50.61	56.86
40.0	18.77	22.27	25.69	29.07	32.43	35.76	39.07	42.37	45.66	52.19	58.68
41.0	19.16	22.79	26.33	29.84	33.31	36.77	40.21	43.63	47.04	53.82	60.54
42.0	19.56	23.32	26.99	30.62	34.23	37.81	41.37	44.92	48.45	55.48	62.46
43.0	19.97	23.86	27.67	31.43	35.16	38.88	42.57	46.25	49.91	57.19	64.43
44.0	20.39	24.42	28.36	32.26	36.13	39.97	43.80	47.61	51.40	58.95	66.45
45.0	20.83	25.00	29.08	33.11	37.12	41.10	45.06	49.01	52.94	60.76	68.53
46.0	21.28	25.59	29.82	33.99	38.14	42.26	46.37	50.45	54.52	62.62	70.67
47.0	21.74	26.21	30.58	34.90	39.19	43.46	47.71	51.94	56.15	64.54	72.87
48.0	22.23	26.84	31.36	35.83	40.27	44.69	49.09	53.47	57.83	66.51	75.14
49.0	22.72	27.49	32.17	36.80	41.39	45.96	50.51	55.04	59.56	68.55	77.48
50.0	23.24	28.17	33.00	37.79	42.54	47.27	51.98	56.67	61.35	70.65	79.89
51.0	23.77	28.87	33.87	38.82	43.74	48.63	53.50	58.35	63.19	72.82	82.38
52.0	24.32	29.59	34.76	39.88	44.97	50.03	55.07	60.09	65.10	75.06	84.96
53.0	24.90	30.34	35.69	40.98	46.24	51.48	56.69	61.89	67.07	77.38	87.62
54.0	25.49	31.12	36.64	42.12	47.56	52.98	58.37	63.75	69.11	79.78	90.38
55.0	26.11	31.92	37.64	43.30	48.93	54.53	60.11	65.68	71.22	82.26	93.24
56.0	26.76	32.76	38.67	44.53	50.35	56.15	61.92	67.67	73.41	84.84	96.20
57.0	27.43	33.64	39.75	45.80	51.83	57.82	63.80	69.75	75.69	87.51	99.27
58.0	28.13	34.55	40.86	47.13	53.36	59.57	65.75	71.91	78.05	90.30	102.47
59.0	28.86	35.49	42.03	48.51	54.96	61.38	67.78	74.16	80.52	93.19	105.79
60.0	29.63	36.48	43.24	49.95	56.62	63.27	69.89	76.49	83.08	96.20	109.25
⊕	NUMBER OF MONTHLY PAYMENTS NEEDED TO PAY OFF LOAN										
	179.8	120.5	91.6	74.2	62.4	53.9	47.5	42.4	38.3	32.2	27.7

DISCOUNT %	MONTHLY PAYBACK RATE (%) (MONTHLY PAYMENT DIVIDED BY LOAN AMOUNT)										
	.75	1.00	1.50	2.00	3.00	4.00	5.00	6.00	7.00	8.00	8.75
.5	9.52	9.53	9.55	9.57	9.60	9.64	9.69	9.74	9.81	9.88	9.95
1.0	10.05	10.07	10.10	10.13	10.21	10.29	10.38	10.49	10.62	10.77	10.90
1.5	10.59	10.61	10.66	10.71	10.82	10.94	11.08	11.24	11.44	11.66	11.86
2.0	11.12	11.15	11.22	11.28	11.43	11.59	11.78	12.00	12.26	12.56	12.83
2.5	11.66	11.70	11.78	11.86	12.04	12.25	12.49	12.77	13.09	13.47	13.80
3.0	12.20	12.25	12.34	12.44	12.66	12.91	13.20	13.53	13.92	14.38	14.78
3.5	12.75	12.80	12.91	13.03	13.29	13.58	13.92	14.31	14.76	15.30	15.77
4.0	13.29	13.36	13.48	13.62	13.92	14.25	14.64	15.09	15.61	16.23	16.77
4.5	13.84	13.91	14.06	14.21	14.55	14.93	15.37	15.87	16.46	17.16	17.77
5.0	14.40	14.48	14.64	14.81	15.18	15.61	16.10	16.66	17.32	18.10	18.78
5.5	14.95	15.04	15.22	15.41	15.82	16.30	16.84	17.46	18.19	19.05	19.80
6.0	15.51	15.61	15.81	16.01	16.47	16.98	17.58	18.26	19.06	20.01	20.83
6.5	16.08	16.18	16.40	16.62	17.12	17.68	18.32	19.07	19.94	20.97	21.87
7.0	16.65	16.76	16.99	17.23	17.77	18.38	19.08	19.88	20.83	21.94	22.91
7.5	17.22	17.34	17.59	17.85	18.43	19.08	19.83	20.70	21.72	22.92	23.96
8.0	17.79	17.92	18.19	18.47	19.09	19.79	20.60	21.53	22.62	23.90	25.02
8.5	18.37	18.51	18.79	19.09	19.75	20.50	21.36	22.36	23.52	24.90	26.09
9.0	18.95	19.10	19.40	19.72	20.42	21.22	22.14	23.20	24.44	25.90	27.17
9.5	19.53	19.69	20.01	20.35	21.10	21.95	22.92	24.04	25.36	26.91	28.26
10.0	20.12	20.29	20.63	20.99	21.78	22.67	23.70	24.89	26.28	27.92	29.35
10.5	20.71	20.89	21.25	21.63	22.46	23.41	24.49	25.75	27.22	28.95	30.45
11.0	21.31	21.49	21.87	22.27	23.15	24.15	25.29	26.61	28.16	29.98	31.57
11.5	21.91	22.10	22.50	22.92	23.84	24.89	26.09	27.48	29.11	31.03	32.69
12.0	22.51	22.71	23.13	23.57	24.54	25.64	26.90	28.36	30.07	32.08	33.82
12.5	23.12	23.33	23.76	24.23	25.24	26.39	27.72	29.25	31.03	33.14	34.96
13.0	23.73	23.95	24.40	24.89	25.95	27.16	28.54	30.14	32.00	34.20	36.11
13.5	24.34	24.57	25.05	25.55	26.66	27.92	29.37	31.04	32.98	35.28	37.27
14.0	24.96	25.20	25.70	26.22	27.38	28.69	30.20	31.94	33.97	36.37	38.44
14.5	25.59	25.83	26.35	26.90	28.10	29.47	31.04	32.85	34.97	37.46	39.62
15.0	26.21	26.47	27.01	27.58	28.83	30.25	31.89	33.77	35.97	38.57	40.82
15.5	26.84	27.11	27.67	28.26	29.56	31.04	32.74	34.70	36.99	39.68	42.02
16.0	27.48	27.76	28.34	28.95	30.30	31.84	33.60	35.64	38.01	40.81	43.23
16.5	28.12	28.41	29.01	29.65	31.05	32.64	34.47	36.58	39.04	41.94	44.45
17.0	28.76	29.06	29.68	30.34	31.79	33.45	35.34	37.53	40.08	43.09	45.68
17.5	29.41	29.72	30.36	31.05	32.55	34.26	36.22	38.49	41.13	44.24	46.93
18.0	30.06	30.38	31.05	31.76	33.31	35.08	37.11	39.45	42.19	45.41	48.19
18.5	30.72	31.05	31.74	32.47	34.08	35.91	38.00	40.43	43.26	46.58	49.45
19.0	31.38	31.72	32.43	33.19	34.85	36.74	38.91	41.41	44.33	47.77	50.73
19.5	32.05	32.40	33.13	33.91	35.63	37.58	39.82	42.40	45.42	48.96	52.02
20.0	32.72	33.08	33.84	34.64	36.41	38.42	40.73	43.40	46.51	50.17	53.33
20.5	33.39	33.77	34.55	35.38	37.20	39.28	41.66	44.41	47.62	51.39	54.64
21.0	34.07	34.46	35.26	36.12	38.00	40.14	42.59	45.43	48.74	52.62	55.97
21.5	34.76	35.16	35.99	36.87	38.80	41.00	43.53	46.46	49.86	53.86	57.31
22.0	35.45	35.86	36.71	37.62	39.61	41.88	44.48	47.49	51.00	55.11	58.66
22.5	36.14	36.56	37.44	38.37	40.42	42.76	45.44	48.54	52.14	56.38	60.03
23.0	36.84	37.28	38.18	39.14	41.25	43.65	46.40	49.59	53.30	57.66	61.41
23.5	37.55	37.99	38.92	39.91	42.07	44.54	47.38	50.66	54.47	58.95	62.80
24.0	38.26	38.72	39.67	40.68	42.91	45.45	48.36	51.73	55.65	60.25	64.21
24.5	38.97	39.44	40.42	41.46	43.75	46.36	49.35	52.81	56.84	61.57	65.63
25.0	39.69	40.18	41.18	42.25	44.60	47.28	50.35	53.91	58.04	62.89	67.06
25.5	40.42	40.91	41.95	43.04	45.46	48.21	51.36	55.01	59.26	64.24	68.51
26.0	41.15	41.66	42.72	43.84	46.32	49.14	52.38	56.13	60.49	65.59	69.98
26.5	41.89	42.41	43.50	44.65	47.19	50.08	53.41	57.25	61.72	66.96	71.46
27.0	42.63	43.17	44.28	45.46	48.07	51.04	54.45	58.39	62.97	68.34	72.95
27.5	43.38	43.93	45.07	46.28	48.95	52.00	55.49	59.53	64.24	69.74	74.46
28.0	44.13	44.69	45.86	47.11	49.84	52.97	56.55	60.69	65.51	71.15	75.99
28.5	44.89	45.47	46.67	47.94	50.74	53.94	57.62	61.86	66.80	72.58	77.53
29.0	45.66	46.25	47.48	48.78	51.65	54.93	58.69	63.04	68.10	74.02	79.09
29.5	46.43	47.03	48.29	49.63	52.57	55.93	59.78	64.24	69.42	75.48	80.67
30.0	47.21	47.83	49.11	50.48	53.49	56.93	60.88	65.44	70.75	76.95	82.26
PERCENTAGE OF LOAN AMOUNT LEFT UNPAID AT DUE DATE											
	100.0	96.87	90.62	84.37	71.86	59.35	46.84	34.34	21.83	9.32	.00

DISCOUNT %	MONTHLY PAYBACK RATE (%) (MONTHLY PAYMENT DIVIDED BY LOAN AMOUNT)										
	.75	1.00	1.25	1.50	1.75	2.00	2.50	3.00	3.50	4.00	4.57
.5	9.27	9.28	9.29	9.30	9.31	9.32	9.35	9.37	9.41	9.45	9.50
1.0	9.55	9.57	9.59	9.60	9.63	9.65	9.69	9.75	9.82	9.89	10.00
1.5	9.83	9.85	9.88	9.91	9.94	9.97	10.05	10.13	10.23	10.35	10.51
2.0	10.11	10.14	10.18	10.22	10.26	10.30	10.40	10.51	10.64	10.80	11.02
2.5	10.39	10.43	10.48	10.53	10.58	10.63	10.75	10.90	11.06	11.26	11.53
3.0	10.67	10.72	10.78	10.84	10.90	10.96	11.11	11.28	11.48	11.72	12.05
3.5	10.96	11.02	11.08	11.15	11.22	11.30	11.47	11.67	11.91	12.18	12.57
4.0	11.24	11.31	11.38	11.46	11.55	11.64	11.83	12.06	12.33	12.65	13.10
4.5	11.53	11.61	11.69	11.78	11.87	11.97	12.20	12.46	12.76	13.12	13.63
5.0	11.82	11.91	12.00	12.10	12.20	12.32	12.57	12.85	13.20	13.60	14.16
5.5	12.11	12.21	12.31	12.42	12.53	12.66	12.93	13.26	13.63	14.08	14.70
6.0	12.40	12.51	12.62	12.74	12.87	13.00	13.31	13.66	14.07	14.56	15.24
6.5	12.70	12.81	12.93	13.06	13.20	13.35	13.68	14.06	14.51	15.05	15.78
7.0	12.99	13.12	13.25	13.39	13.54	13.70	14.06	14.47	14.96	15.53	16.33
7.5	13.29	13.42	13.57	13.72	13.88	14.05	14.44	14.88	15.41	16.03	16.89
8.0	13.59	13.73	13.89	14.05	14.22	14.41	14.82	15.30	15.86	16.52	17.45
8.5	13.89	14.05	14.21	14.38	14.57	14.76	15.20	15.72	16.31	17.02	18.01
9.0	14.19	14.36	14.53	14.72	14.91	15.12	15.59	16.14	16.77	17.53	18.57
9.5	14.50	14.67	14.86	15.05	15.26	15.49	15.98	16.56	17.24	18.04	19.15
10.0	14.81	14.99	15.18	15.39	15.61	15.85	16.38	16.99	17.70	18.55	19.72
10.5	15.12	15.31	15.51	15.73	15.97	16.22	16.77	17.42	18.17	19.07	20.30
11.0	15.43	15.63	15.85	16.08	16.32	16.59	17.17	17.85	18.64	19.59	20.89
11.5	15.74	15.95	16.18	16.42	16.68	16.96	17.57	18.28	19.12	20.11	21.48
12.0	16.05	16.28	16.52	16.77	17.04	17.33	17.98	18.72	19.60	20.64	22.07
12.5	16.37	16.61	16.85	17.12	17.40	17.71	18.38	19.17	20.08	21.17	22.67
13.0	16.69	16.93	17.20	17.47	17.77	18.09	18.79	19.61	20.57	21.71	23.28
13.5	17.01	17.27	17.54	17.83	18.14	18.47	19.21	20.06	21.06	22.25	23.89
14.0	17.33	17.60	17.88	18.19	18.51	18.85	19.62	20.52	21.56	22.80	24.50
14.5	17.66	17.94	18.23	18.55	18.88	19.24	20.04	20.97	22.06	23.35	25.12
15.0	17.98	18.27	18.58	18.91	19.26	19.63	20.47	21.43	22.56	23.90	25.74
15.5	18.31	18.61	18.93	19.27	19.64	20.03	20.89	21.90	23.07	24.46	26.38
16.0	18.64	18.96	19.29	19.64	20.02	20.42	21.32	22.36	23.58	25.03	27.01
16.5	18.98	19.30	19.65	20.01	20.40	20.82	21.75	22.83	24.10	25.59	27.65
17.0	19.31	19.65	20.01	20.38	20.79	21.22	22.19	23.31	24.62	26.17	28.30
17.5	19.65	20.00	20.37	20.76	21.18	21.63	22.63	23.79	25.14	26.75	28.95
18.0	19.99	20.35	20.73	21.14	21.57	22.04	23.07	24.27	25.67	27.33	29.61
18.5	20.33	20.71	21.10	21.52	21.97	22.45	23.52	24.76	26.21	27.92	30.27
19.0	20.68	21.06	21.47	21.90	22.37	22.86	23.97	25.25	26.75	28.52	30.94
19.5	21.03	21.42	21.84	22.29	22.77	23.28	24.42	25.74	27.29	29.12	31.62
20.0	21.38	21.78	22.22	22.68	23.17	23.70	24.88	26.24	27.84	29.72	32.30
21.0	22.08	22.52	22.98	23.47	23.99	24.55	25.80	27.25	28.95	30.95	33.69
22.0	22.80	23.26	23.75	24.27	24.82	25.42	26.74	28.28	30.08	32.20	35.10
23.0	23.53	24.01	24.53	25.08	25.67	26.30	27.70	29.33	31.23	33.47	36.53
24.0	24.26	24.78	25.32	25.90	26.52	27.19	28.67	30.39	32.40	34.77	38.00
25.0	25.01	25.55	26.13	26.74	27.40	28.10	29.66	31.47	33.59	36.09	39.49
26.0	25.77	26.34	26.95	27.59	28.28	29.02	30.67	32.58	34.81	37.44	41.01
27.0	26.54	27.14	27.78	28.46	29.18	29.96	31.69	33.70	36.05	38.81	42.56
28.0	27.33	27.95	28.62	29.34	30.10	30.92	32.74	34.85	37.31	40.21	44.15
29.0	28.12	28.78	29.48	30.23	31.03	31.89	33.80	36.02	38.60	41.64	45.77
30.0	28.93	29.62	30.35	31.14	31.98	32.88	34.88	37.21	39.92	43.10	47.42
31.0	29.75	30.47	31.24	32.06	32.94	33.89	35.99	38.42	41.26	44.60	49.11
32.0	30.59	31.34	32.15	33.01	33.93	34.91	37.11	39.66	42.63	46.12	50.83
33.0	31.43	32.22	33.07	33.96	34.93	35.96	38.26	40.92	44.03	47.68	52.60
34.0	32.30	33.12	34.00	34.94	35.95	37.02	39.43	42.21	45.46	49.27	54.40
35.0	33.17	34.04	34.95	35.93	36.98	38.11	40.62	43.53	46.93	50.90	56.25
36.0	34.07	34.97	35.92	36.95	38.04	39.22	41.84	44.88	48.42	52.57	58.14
37.0	34.98	35.91	36.91	37.98	39.12	40.35	43.08	46.26	49.95	54.27	60.07
38.0	35.90	36.88	37.92	39.03	40.22	41.50	44.36	47.67	51.52	56.02	62.00
39.0	36.84	37.86	38.94	40.10	41.35	42.68	45.66	49.11	53.12	57.81	64.09
40.0	37.80	38.86	39.99	41.20	42.49	43.88	46.98	50.58	54.77	59.65	66.17
▽ᗡ	PERCENTAGE OF LOAN AMOUNT LEFT UNPAID AT DUE DATE										
	100.0	93.45	86.91	80.36	73.81	67.26	54.17	41.08	27.98	14.89	.00

DISCOUNT %	MONTHLY PAYBACK RATE (%) (MONTHLY PAYMENT DIVIDED BY LOAN AMOUNT)										
	.75	1.00	1.25	1.50	1.75	2.00	2.25	2.50	2.75	3.00	3.18
.5	9.19	9.20	9.21	9.22	9.23	9.25	9.26	9.28	9.30	9.32	9.34
1.0	9.38	9.40	9.42	9.44	9.47	9.50	9.53	9.56	9.60	9.65	9.69
1.5	9.58	9.60	9.64	9.67	9.71	9.75	9.79	9.85	9.91	9.98	10.03
2.0	9.77	9.81	9.85	9.89	9.94	10.00	10.06	10.13	10.22	10.31	10.38
2.5	9.97	10.01	10.07	10.12	10.18	10.25	10.33	10.42	10.52	10.64	10.74
3.0	10.16	10.22	10.28	10.35	10.43	10.51	10.61	10.71	10.84	10.98	11.09
3.5	10.36	10.43	10.50	10.58	10.67	10.77	10.88	11.01	11.15	11.32	11.45
4.0	10.56	10.64	10.72	10.81	10.91	11.03	11.16	11.30	11.47	11.66	11.81
4.5	10.76	10.85	10.94	11.04	11.16	11.29	11.43	11.60	11.78	12.00	12.17
5.0	10.96	11.06	11.16	11.28	11.41	11.55	11.71	11.90	12.10	12.34	12.54
5.5	11.16	11.27	11.39	11.51	11.66	11.82	11.99	12.20	12.43	12.69	12.91
6.0	11.37	11.49	11.61	11.75	11.91	12.08	12.28	12.50	12.75	13.04	13.28
6.5	11.57	11.70	11.84	11.99	12.16	12.35	12.56	12.81	13.08	13.40	13.65
7.0	11.78	11.92	12.07	12.23	12.42	12.62	12.85	13.11	13.41	13.75	14.03
7.5	11.99	12.14	12.30	12.47	12.67	12.89	13.14	13.42	13.74	14.11	14.41
8.0	12.20	12.35	12.53	12.72	12.93	13.17	13.43	13.73	14.08	14.47	14.79
8.5	12.41	12.58	12.76	12.96	13.19	13.44	13.73	14.05	14.42	14.84	15.18
9.0	12.62	12.80	12.99	13.21	13.45	13.72	14.02	14.37	14.76	15.20	15.57
9.5	12.83	13.02	13.23	13.46	13.71	14.00	14.32	14.69	15.10	15.57	15.96
10.0	13.04	13.25	13.47	13.71	13.98	14.28	14.62	15.01	15.44	15.95	16.35
11.0	13.48	13.70	13.94	14.22	14.52	14.85	15.23	15.66	16.14	16.70	17.15
12.0	13.91	14.16	14.43	14.73	15.06	15.43	15.85	16.32	16.85	17.47	17.97
13.0	14.36	14.63	14.92	15.25	15.61	16.02	16.47	16.99	17.58	18.25	18.79
14.0	14.81	15.10	15.42	15.78	16.17	16.61	17.11	17.67	18.31	19.04	19.63
15.0	15.26	15.58	15.93	16.31	16.74	17.22	17.76	18.36	19.06	19.84	20.48
16.0	15.72	16.06	16.44	16.86	17.32	17.83	18.41	19.07	19.81	20.66	21.35
17.0	16.19	16.56	16.96	17.41	17.90	18.46	19.08	19.79	20.58	21.50	22.23
18.0	16.66	17.06	17.49	17.97	18.50	19.09	19.76	20.51	21.37	22.34	23.13
19.0	17.14	17.56	18.02	18.54	19.10	19.74	20.45	21.25	22.17	23.21	24.05
20.0	17.63	18.08	18.57	19.11	19.72	20.39	21.15	22.01	22.98	24.09	24.98
21.0	18.13	18.60	19.12	19.70	20.34	21.06	21.87	22.78	23.81	24.98	25.93
22.0	18.63	19.13	19.68	20.29	20.98	21.74	22.59	23.56	24.65	25.89	26.89
23.0	19.13	19.67	20.25	20.90	21.62	22.43	23.33	24.35	25.51	26.82	27.88
24.0	19.65	20.21	20.83	21.52	22.28	23.13	24.08	25.16	26.38	27.77	28.88
25.0	20.17	20.77	21.42	22.14	22.94	23.84	24.85	25.99	27.27	28.73	29.90
26.0	20.71	21.33	22.02	22.78	23.62	24.57	25.63	26.83	28.18	29.71	30.95
27.0	21.25	21.90	22.62	23.42	24.32	25.31	26.43	27.68	29.11	30.72	32.01
28.0	21.80	22.48	23.24	24.08	25.02	26.06	27.24	28.56	30.05	31.74	33.10
29.0	22.35	23.07	23.87	24.75	25.74	26.83	28.06	29.45	31.02	32.79	34.21
30.0	22.92	23.68	24.51	25.44	26.47	27.62	28.91	30.36	32.00	33.85	35.34
31.0	23.49	24.29	25.16	26.13	27.21	28.42	29.77	31.29	33.01	34.94	36.49
32.0	24.08	24.91	25.82	26.84	27.97	29.23	30.65	32.24	34.03	36.06	37.68
33.0	24.68	25.54	26.50	27.56	28.74	30.06	31.54	33.21	35.08	37.20	38.88
34.0	25.28	26.19	27.19	28.30	29.53	30.91	32.46	34.20	36.16	38.36	40.12
35.0	25.90	26.84	27.89	29.05	30.34	31.78	33.39	35.21	37.25	39.55	41.38
36.0	26.53	27.51	28.60	29.81	31.16	32.66	34.35	36.25	38.38	40.77	42.68
37.0	27.16	28.19	29.33	30.59	32.00	33.57	35.33	37.31	39.53	42.02	44.00
38.0	27.82	28.89	30.07	31.39	32.85	34.49	36.33	38.39	40.70	43.30	45.36
39.0	28.48	29.59	30.83	32.20	33.73	35.44	37.35	39.50	41.91	44.61	46.75
40.0	29.15	30.32	31.60	33.03	34.63	36.41	38.40	40.64	43.15	45.96	48.18
41.0	29.84	31.05	32.39	33.88	35.54	37.40	39.48	41.81	44.42	47.34	49.65
42.0	30.55	31.81	33.20	34.75	36.48	38.41	40.58	43.00	45.72	48.75	51.15
43.0	31.26	32.57	34.03	35.64	37.44	39.46	41.71	44.23	47.06	50.21	52.70
44.0	31.99	33.36	34.87	36.55	38.43	40.52	42.87	45.49	48.43	51.70	54.28
45.0	32.74	34.16	35.73	37.48	39.43	41.62	44.06	46.79	49.84	53.24	55.92
46.0	33.50	34.98	36.62	38.44	40.47	42.74	45.28	48.12	51.29	54.82	57.60
47.0	34.28	35.82	37.52	39.41	41.53	43.89	46.54	49.49	52.79	56.45	59.32
48.0	35.08	36.68	38.45	40.42	42.62	45.08	47.83	50.90	54.33	58.13	61.11
49.0	35.90	37.55	39.40	41.45	43.74	46.30	49.16	52.35	55.91	59.86	62.94
50.0	36.73	38.46	40.37	42.50	44.89	47.55	50.53	53.85	57.55	61.64	64.84
⌀	PERCENTAGE OF LOAN AMOUNT LEFT UNPAID AT DUE DATE										
	100.0	89.71	79.42	69.14	58.85	48.56	38.27	27.98	17.69	7.41	.00

DISCOUNT %	MONTHLY PAYBACK RATE (%) (MONTHLY PAYMENT DIVIDED BY LOAN AMOUNT)										
	.75	.80	.90	1.00	1.20	1.40	1.60	1.80	2.00	2.20	2.49
.5	9.15	9.15	9.15	9.16	9.17	9.18	9.19	9.20	9.22	9.23	9.26
1.0	9.30	9.30	9.31	9.32	9.34	9.36	9.38	9.40	9.44	9.47	9.53
1.5	9.45	9.46	9.47	9.48	9.51	9.54	9.57	9.61	9.66	9.70	9.79
2.0	9.60	9.61	9.63	9.64	9.68	9.72	9.77	9.82	9.88	9.94	10.06
2.5	9.76	9.77	9.79	9.81	9.85	9.90	9.96	10.02	10.10	10.18	10.33
3.0	9.91	9.92	9.95	9.97	10.03	10.09	10.16	10.23	10.32	10.43	10.61
3.5	10.07	10.08	10.11	10.14	10.20	10.27	10.35	10.44	10.55	10.67	10.88
4.0	10.22	10.24	10.27	10.30	10.38	10.46	10.55	10.66	10.78	10.91	11.16
4.5	10.38	10.40	10.43	10.47	10.56	10.65	10.75	10.87	11.01	11.16	11.44
5.0	10.54	10.56	10.60	10.64	10.73	10.84	10.95	11.09	11.24	11.41	11.72
5.5	10.69	10.72	10.76	10.81	10.91	11.03	11.16	11.30	11.47	11.66	12.00
6.0	10.85	10.88	10.93	10.98	11.09	11.22	11.36	11.52	11.71	11.91	12.28
6.5	11.02	11.04	11.09	11.15	11.28	11.41	11.57	11.74	11.94	12.17	12.57
7.0	11.18	11.21	11.26	11.33	11.46	11.61	11.77	11.96	12.18	12.43	12.86
7.5	11.34	11.37	11.43	11.50	11.64	11.80	11.98	12.18	12.42	12.68	13.15
8.0	11.50	11.54	11.60	11.67	11.83	12.00	12.19	12.41	12.66	12.95	13.45
8.5	11.67	11.70	11.77	11.85	12.01	12.20	12.40	12.64	12.90	13.21	13.74
9.0	11.83	11.87	11.95	12.03	12.20	12.40	12.62	12.86	13.15	13.47	14.04
9.5	12.00	12.04	12.12	12.21	12.39	12.60	12.83	13.09	13.40	13.74	14.34
10.0	12.17	12.21	12.30	12.39	12.58	12.80	13.05	13.32	13.64	14.01	14.64
11.0	12.51	12.55	12.65	12.75	12.97	13.21	13.48	13.79	14.15	14.55	15.26
12.0	12.85	12.90	13.01	13.12	13.36	13.63	13.93	14.27	14.66	15.10	15.88
13.0	13.20	13.26	13.37	13.49	13.75	14.05	14.38	14.75	15.18	15.67	16.51
14.0	13.55	13.61	13.74	13.87	14.16	14.48	14.84	15.24	15.71	16.24	17.16
15.0	13.91	13.98	14.11	14.25	14.56	14.91	15.30	15.74	16.24	16.82	17.81
16.0	14.27	14.34	14.49	14.64	14.98	15.35	15.77	16.24	16.79	17.41	18.48
17.0	14.64	14.72	14.87	15.04	15.40	15.80	16.25	16.76	17.34	18.01	19.15
18.0	15.01	15.09	15.26	15.44	15.82	16.25	16.74	17.28	17.91	18.62	19.84
19.0	15.39	15.48	15.65	15.85	16.26	16.71	17.23	17.81	18.48	19.24	20.55
20.0	15.77	15.87	16.06	16.26	16.70	17.18	17.73	18.35	19.06	19.87	21.26
21.0	16.16	16.26	16.46	16.68	17.14	17.66	18.25	18.90	19.66	20.52	21.99
22.0	16.56	16.66	16.87	17.10	17.59	18.15	18.77	19.46	20.26	21.17	22.73
23.0	16.96	17.07	17.29	17.53	18.06	18.64	19.30	20.03	20.88	21.84	23.49
24.0	17.36	17.48	17.72	17.97	18.52	19.14	19.83	20.62	21.51	22.52	24.26
25.0	17.78	17.90	18.15	18.42	19.00	19.65	20.38	21.21	22.15	23.22	25.04
26.0	18.20	18.33	18.59	18.87	19.49	20.17	20.94	21.81	22.80	23.92	25.84
27.0	18.62	18.76	19.04	19.34	19.98	20.70	21.51	22.42	23.46	24.65	26.66
28.0	19.05	19.20	19.49	19.80	20.48	21.24	22.09	23.05	24.14	25.38	27.49
29.0	19.50	19.65	19.95	20.28	20.99	21.79	22.68	23.69	24.83	26.13	28.34
30.0	19.94	20.10	20.42	20.77	21.51	22.34	23.28	24.34	25.54	26.90	29.21
31.0	20.40	20.56	20.90	21.26	22.04	22.91	23.90	25.00	26.26	27.69	30.10
32.0	20.86	21.03	21.39	21.76	22.58	23.49	24.52	25.66	27.00	28.49	31.01
33.0	21.33	21.51	21.88	22.28	23.13	24.09	25.16	26.37	27.75	29.31	31.94
34.0	21.81	22.00	22.39	22.80	23.69	24.69	25.81	27.08	28.52	30.14	32.89
35.0	22.30	22.50	22.90	23.33	24.26	25.31	26.48	27.80	29.31	31.00	33.86
36.0	22.80	23.00	23.42	23.87	24.85	25.94	27.16	28.54	30.11	31.88	34.85
37.0	23.30	23.52	23.96	24.43	25.44	26.58	27.86	29.30	30.93	32.78	35.87
38.0	23.82	24.04	24.50	24.99	26.05	27.24	28.57	30.07	31.78	33.70	36.92
39.0	24.35	24.58	25.06	25.57	26.67	27.91	29.30	30.87	32.64	34.64	37.99
40.0	24.88	25.12	25.62	26.15	27.30	28.59	30.04	31.68	33.53	35.61	39.08
41.0	25.43	25.68	26.20	26.75	27.95	29.30	30.81	32.51	34.43	36.60	40.21
42.0	25.99	26.25	26.79	27.37	28.62	30.02	31.59	33.36	35.37	37.62	41.37
43.0	26.56	26.83	27.40	27.99	29.29	30.75	32.39	34.24	36.32	38.66	42.55
44.0	27.14	27.43	28.01	28.64	29.99	31.51	33.21	35.14	37.30	39.74	43.77
45.0	27.74	28.03	28.64	29.29	30.70	32.28	34.06	36.06	38.31	40.84	45.03
46.0	28.35	28.65	29.29	29.96	31.43	33.07	34.92	37.01	39.35	41.98	46.32
47.0	28.97	29.29	29.95	30.65	32.18	33.89	35.81	37.98	40.42	43.15	47.65
48.0	29.61	29.94	30.62	31.35	32.94	34.72	36.73	38.98	41.52	44.35	49.02
49.0	30.26	30.60	31.32	32.08	33.73	35.58	37.67	40.01	42.65	45.60	50.44
50.0	30.93	31.29	32.03	32.82	34.54	36.47	38.64	41.08	43.82	46.88	51.90
PERCENTAGE OF LOAN AMOUNT LEFT UNPAID AT DUE DATE											
	100.0	97.12	91.37	85.62	74.12	62.61	51.11	39.60	28.10	16.59	.00

145

DISCOUNT %	MONTHLY PAYBACK RATE (%) (MONTHLY PAYMENT DIVIDED BY LOAN AMOUNT)										
	.75	.80	.90	1.00	1.10	1.20	1.30	1.40	1.60	1.80	2.08
.5	9.12	9.13	9.13	9.14	9.14	9.15	9.15	9.16	9.17	9.18	9.21
1.0	9.25	9.25	9.26	9.27	9.28	9.29	9.30	9.32	9.34	9.37	9.43
1.5	9.38	9.38	9.39	9.41	9.42	9.44	9.45	9.47	9.52	9.56	9.65
2.0	9.50	9.51	9.53	9.55	9.57	9.59	9.61	9.63	9.69	9.75	9.87
2.5	9.63	9.64	9.66	9.69	9.71	9.74	9.76	9.80	9.87	9.95	10.09
3.0	9.76	9.77	9.80	9.83	9.85	9.89	9.92	9.96	10.04	10.14	10.31
3.5	9.89	9.90	9.93	9.97	10.00	10.04	10.08	10.12	10.22	10.33	10.53
4.0	10.02	10.04	10.07	10.11	10.15	10.19	10.24	10.29	10.40	10.53	10.76
4.5	10.15	10.17	10.21	10.25	10.29	10.34	10.40	10.45	10.58	10.73	10.99
5.0	10.28	10.30	10.35	10.39	10.44	10.50	10.56	10.62	10.76	10.93	11.22
5.5	10.41	10.44	10.49	10.54	10.59	10.65	10.72	10.79	10.94	11.13	11.45
6.0	10.55	10.57	10.63	10.68	10.74	10.81	10.88	10.96	11.13	11.33	11.68
6.5	10.68	10.71	10.77	10.83	10.90	10.97	11.04	11.13	11.31	11.53	11.91
7.0	10.82	10.85	10.91	10.98	11.05	11.13	11.21	11.30	11.50	11.74	12.15
7.5	10.95	10.99	11.05	11.13	11.20	11.29	11.37	11.47	11.69	11.94	12.39
8.0	11.09	11.13	11.20	11.28	11.36	11.45	11.54	11.65	11.88	12.15	12.63
8.5	11.23	11.27	11.34	11.43	11.51	11.61	11.71	11.82	12.07	12.36	12.87
9.0	11.37	11.41	11.49	11.58	11.67	11.77	11.88	12.00	12.26	12.57	13.11
9.5	11.51	11.55	11.64	11.73	11.83	11.94	12.05	12.18	12.46	12.79	13.36
10.0	11.65	11.69	11.78	11.88	11.99	12.10	12.22	12.36	12.65	13.00	13.61
11.0	11.93	11.98	12.08	12.19	12.31	12.44	12.57	12.72	13.05	13.44	14.11
12.0	12.22	12.27	12.38	12.51	12.64	12.78	12.92	13.09	13.45	13.88	14.62
13.0	12.51	12.57	12.69	12.83	12.97	13.12	13.28	13.46	13.86	14.33	15.13
14.0	12.80	12.87	13.00	13.15	13.30	13.47	13.65	13.84	14.27	14.78	15.66
15.0	13.10	13.17	13.32	13.48	13.64	13.82	14.02	14.23	14.70	15.25	16.19
16.0	13.41	13.48	13.64	13.81	13.99	14.18	14.39	14.62	15.12	15.72	16.74
17.0	13.72	13.80	13.97	14.15	14.34	14.55	14.77	15.02	15.56	16.20	17.29
18.0	14.03	14.12	14.30	14.49	14.70	14.92	15.16	15.42	16.00	16.69	17.86
19.0	14.34	14.44	14.63	14.84	15.06	15.30	15.55	15.83	16.45	17.18	18.43
20.0	14.67	14.77	14.97	15.19	15.43	15.68	15.95	16.25	16.91	17.69	19.01
21.0	14.99	15.10	15.32	15.55	15.80	16.07	16.36	16.68	17.38	18.20	19.61
22.0	15.32	15.44	15.67	15.92	16.18	16.47	16.78	17.11	17.85	18.73	20.21
23.0	15.66	15.78	16.02	16.29	16.57	16.87	17.20	17.55	18.34	19.26	20.83
24.0	16.00	16.13	16.39	16.67	16.96	17.28	17.63	18.00	18.83	19.81	21.46
25.0	16.35	16.48	16.75	17.05	17.36	17.70	18.06	18.46	19.33	20.36	22.10
26.0	16.70	16.84	17.13	17.44	17.77	18.13	18.51	18.92	19.85	20.93	22.76
27.0	17.06	17.21	17.51	17.84	18.18	18.56	18.96	19.39	20.37	21.51	23.43
28.0	17.43	17.58	17.90	18.24	18.60	19.00	19.42	19.88	20.90	22.10	24.11
29.0	17.80	17.96	18.29	18.65	19.03	19.45	19.89	20.37	21.44	22.70	24.80
30.0	18.17	18.34	18.69	19.07	19.47	19.91	20.37	20.87	22.00	23.31	25.52
31.0	18.56	18.73	19.10	19.50	19.92	20.37	20.86	21.39	22.56	23.94	26.24
32.0	18.95	19.13	19.52	19.93	20.37	20.85	21.36	21.91	23.14	24.58	26.99
33.0	19.35	19.54	19.94	20.37	20.83	21.33	21.87	22.44	23.73	25.24	27.74
34.0	19.75	19.95	20.37	20.83	21.31	21.83	22.38	22.99	24.34	25.91	28.52
35.0	20.16	20.38	20.81	21.29	21.79	22.33	22.92	23.55	24.95	26.59	29.32
36.0	20.59	20.80	21.26	21.76	22.28	22.85	23.46	24.12	25.59	27.30	30.13
37.0	21.01	21.24	21.72	22.24	22.78	23.38	24.01	24.70	26.23	28.02	30.97
38.0	21.45	21.69	22.19	22.72	23.30	23.92	24.58	25.29	26.89	28.75	31.82
39.0	21.90	22.15	22.67	23.23	23.82	24.47	25.16	25.90	27.57	29.51	32.70
40.0	22.35	22.61	23.15	23.74	24.36	25.03	25.75	26.53	28.27	30.28	33.60
41.0	22.82	23.09	23.65	24.26	24.91	25.61	26.36	27.17	28.98	31.08	34.52
42.0	23.29	23.57	24.16	24.79	25.47	26.20	26.98	27.83	29.71	31.89	35.47
43.0	23.78	24.07	24.68	25.34	26.04	26.80	27.62	28.50	30.46	32.73	36.44
44.0	24.27	24.58	25.21	25.90	26.63	27.42	28.27	29.19	31.23	33.59	37.44
45.0	24.78	25.10	25.76	26.47	27.24	28.06	28.94	29.90	32.02	34.48	38.47
46.0	25.30	25.63	26.32	27.06	27.86	28.71	29.63	30.63	32.84	35.39	39.53
47.0	25.83	26.17	26.89	27.66	28.49	29.38	30.34	31.37	33.68	36.33	40.62
48.0	26.37	26.73	27.48	28.28	29.14	30.07	31.07	32.14	34.54	37.29	41.75
49.0	26.93	27.30	28.08	28.92	29.81	30.78	31.82	32.94	35.43	38.29	42.91
50.0	27.50	27.89	28.69	29.57	30.50	31.51	32.59	33.75	36.34	39.32	44.11
PERCENTAGE OF LOAN AMOUNT LEFT UNPAID AT DUE DATE											
	100.0	96.23	88.69	81.14	73.60	66.06	58.52	50.97	35.89	20.80	.00

DISCOUNT %	MONTHLY PAYBACK RATE (%) (MONTHLY PAYMENT DIVIDED BY LOAN AMOUNT)										
	.75	.80	.90	1.00	1.10	1.20	1.30	1.40	1.50	1.60	1.80
1.0	9.22	9.22	9.23	9.24	9.25	9.26	9.27	9.29	9.31	9.32	9.36
2.0	9.44	9.45	9.46	9.48	9.50	9.53	9.55	9.58	9.62	9.65	9.74
3.0	9.66	9.67	9.70	9.73	9.76	9.80	9.84	9.88	9.93	9.98	10.11
4.0	9.89	9.90	9.94	9.98	10.02	10.07	10.13	10.19	10.25	10.32	10.49
5.0	10.11	10.14	10.18	10.24	10.29	10.35	10.42	10.49	10.57	10.66	10.88
6.0	10.35	10.37	10.43	10.49	10.56	10.63	10.71	10.80	10.90	11.01	11.28
7.0	10.58	10.61	10.68	10.75	10.83	10.92	11.01	11.12	11.24	11.37	11.68
8.0	10.82	10.86	10.93	11.02	11.11	11.21	11.32	11.44	11.58	11.72	12.08
9.0	11.06	11.10	11.19	11.29	11.39	11.50	11.63	11.77	11.92	12.09	12.49
10.0	11.30	11.35	11.45	11.56	11.67	11.80	11.94	12.10	12.27	12.46	12.91
11.0	11.55	11.60	11.71	11.83	11.96	12.11	12.26	12.43	12.62	12.83	13.34
12.0	11.80	11.86	11.98	12.11	12.25	12.41	12.58	12.77	12.98	13.22	13.77
13.0	12.05	12.12	12.25	12.40	12.55	12.72	12.91	13.12	13.35	13.60	14.21
14.0	12.31	12.38	12.52	12.68	12.85	13.04	13.25	13.47	13.72	14.00	14.66
15.0	12.57	12.65	12.80	12.97	13.16	13.36	13.58	13.83	14.10	14.40	15.11
16.0	12.84	12.92	13.09	13.27	13.47	13.69	13.93	14.19	14.49	14.81	15.57
17.0	13.11	13.19	13.37	13.57	13.79	14.02	14.28	14.57	14.88	15.22	16.05
18.0	13.38	13.47	13.67	13.88	14.11	14.36	14.64	14.94	15.28	15.65	16.52
19.0	13.65	13.75	13.96	14.19	14.43	14.71	15.00	15.32	15.68	16.08	17.01
20.0	13.94	14.04	14.26	14.51	14.77	15.05	15.37	15.71	16.09	16.51	17.51
21.0	14.22	14.33	14.57	14.83	15.15	15.41	15.74	16.11	16.51	16.96	18.02
22.0	14.51	14.63	14.88	15.15	15.45	15.77	16.12	16.51	16.94	17.41	18.53
23.0	14.81	14.93	15.20	15.48	15.80	16.14	16.51	16.93	17.38	17.88	19.06
24.0	15.10	15.24	15.52	15.82	16.15	16.52	16.91	17.35	17.82	18.35	19.59
25.0	15.41	15.55	15.84	16.17	16.51	16.90	17.31	17.77	18.28	18.83	20.14
26.0	15.72	15.87	16.18	16.52	16.88	17.29	17.72	18.21	18.74	19.32	20.70
27.0	16.03	16.19	16.51	16.87	17.26	17.68	18.14	18.65	19.21	19.82	21.27
28.0	16.35	16.52	16.86	17.23	17.64	18.09	18.57	19.10	19.69	20.33	21.85
29.0	16.68	16.85	17.21	17.60	18.03	18.50	19.01	19.57	20.18	20.86	22.44
30.0	17.01	17.19	17.57	17.98	18.43	18.92	19.45	20.04	20.68	21.39	23.04
31.0	17.35	17.53	17.93	18.36	18.83	19.35	19.90	20.52	21.19	21.93	23.66
32.0	17.69	17.89	18.30	18.75	19.24	19.78	20.37	21.01	21.72	22.49	24.30
33.0	18.04	18.25	18.68	19.15	19.67	20.23	20.84	21.52	22.25	23.06	24.94
34.0	18.40	18.61	19.06	19.56	20.10	20.69	21.33	22.03	22.80	23.64	25.61
35.0	18.76	18.98	19.46	19.98	20.54	21.15	21.82	22.56	23.36	24.24	26.28
36.0	19.13	19.36	19.86	20.40	20.99	21.63	22.33	23.09	23.93	24.85	26.98
37.0	19.51	19.75	20.27	20.83	21.44	22.12	22.84	23.65	24.52	25.48	27.69
38.0	19.89	20.15	20.67	21.28	21.91	22.61	23.37	24.21	25.12	26.12	28.42
39.0	20.29	20.55	21.11	21.73	22.39	23.12	23.92	24.79	25.74	26.77	29.17
40.0	20.69	20.97	21.55	22.19	22.89	23.65	24.47	25.38	26.37	27.45	29.93
41.0	21.10	21.39	22.00	22.67	23.39	24.18	25.04	25.99	27.02	28.14	30.72
42.0	21.52	21.82	22.46	23.15	23.91	24.73	25.63	26.61	27.68	28.85	31.53
43.0	21.95	22.26	22.92	23.65	24.43	25.29	26.23	27.25	28.37	29.58	32.36
44.0	22.39	22.71	23.40	24.16	24.98	25.87	26.85	27.91	29.07	30.33	33.22
45.0	22.84	23.18	23.89	24.68	25.53	26.47	27.48	28.59	29.79	31.10	34.10
46.0	23.30	23.65	24.40	25.22	26.10	27.08	28.13	29.28	30.54	31.90	35.00
47.0	23.77	24.14	24.91	25.77	26.69	27.70	28.80	30.00	31.30	32.72	35.93
48.0	24.25	24.63	25.45	26.33	27.29	28.35	29.49	30.74	32.09	33.56	36.90
49.0	24.75	25.15	25.99	26.91	27.91	29.01	30.20	31.50	32.91	34.43	37.89
50.0	25.26	25.67	26.55	27.51	28.55	29.69	30.93	32.28	33.75	35.33	38.91
51.0	25.78	26.21	27.12	28.13	29.21	30.40	31.69	33.09	34.61	36.26	39.97
52.0	26.31	26.76	27.72	28.76	29.89	31.13	32.47	33.93	35.51	37.22	41.07
53.0	26.87	27.33	28.33	29.41	30.59	31.88	33.27	34.80	36.44	38.21	42.20
54.0	27.43	27.92	28.96	30.09	31.31	32.66	34.11	35.69	37.40	39.24	43.37
55.0	28.02	28.53	29.60	30.78	32.06	33.46	34.97	36.62	38.40	40.31	44.59
56.0	28.62	29.15	30.27	31.50	32.83	34.29	35.87	37.58	39.43	41.42	45.86
57.0	29.24	29.80	30.96	32.24	33.63	35.15	36.80	38.58	40.51	42.57	47.17
58.0	29.89	30.46	31.68	33.02	34.47	36.05	37.76	39.62	41.62	43.77	48.54
59.0	30.55	31.15	32.42	33.81	35.33	36.98	38.77	40.70	42.79	45.02	49.96
60.0	31.24	31.86	33.19	34.64	36.22	37.95	39.81	41.83	44.00	46.32	51.44
PERCENTAGE OF LOAN AMOUNT LEFT UNPAID AT DUE DATE											
	100.0	95.25	85.75	76.25	66.75	57.25	47.75	38.25	28.74	19.24	.00

DISCOUNT %	MONTHLY PAYBACK RATE (%) (MONTHLY PAYMENT DIVIDED BY LOAN AMOUNT)										
	.75	.80	.85	.90	1.00	1.10	1.20	1.30	1.40	1.50	1.61
1.0	9.19	9.20	9.20	9.21	9.22	9.23	9.24	9.26	9.28	9.30	9.32
2.0	9.39	9.40	9.41	9.42	9.44	9.46	9.49	9.52	9.56	9.59	9.64
3.0	9.59	9.60	9.62	9.63	9.67	9.70	9.74	9.79	9.84	9.90	9.97
4.0	9.79	9.81	9.83	9.85	9.89	9.94	10.00	10.06	10.13	10.21	10.31
5.0	9.99	10.02	10.04	10.07	10.13	10.19	10.26	10.33	10.42	10.52	10.64
6.0	10.20	10.23	10.26	10.29	10.36	10.43	10.52	10.61	10.72	10.84	10.99
7.0	10.41	10.45	10.48	10.52	10.60	10.69	10.79	10.89	11.02	11.16	11.34
8.0	10.62	10.66	10.70	10.75	10.84	10.94	11.06	11.18	11.33	11.49	11.69
9.0	10.84	10.88	10.93	10.98	11.08	11.20	11.33	11.47	11.64	11.82	12.05
10.0	11.06	11.11	11.16	11.21	11.33	11.46	11.61	11.77	11.95	12.16	12.42
11.0	11.28	11.33	11.39	11.45	11.58	11.73	11.89	12.07	12.27	12.50	12.79
12.0	11.50	11.56	11.63	11.69	11.84	12.00	12.18	12.37	12.60	12.85	13.17
13.0	11.73	11.80	11.87	11.94	12.10	12.27	12.47	12.69	12.93	13.21	13.55
14.0	11.96	12.03	12.11	12.19	12.36	12.55	12.77	13.00	13.27	13.57	13.94
15.0	12.20	12.28	12.36	12.44	12.63	12.84	13.07	13.32	13.61	13.94	14.34
16.0	12.43	12.52	12.61	12.70	12.90	13.12	13.37	13.65	13.96	14.31	14.74
17.0	12.67	12.77	12.86	12.96	13.18	13.42	13.68	13.98	14.31	14.69	15.16
18.0	12.92	13.02	13.12	13.23	13.46	13.71	14.00	14.32	14.68	15.08	15.57
19.0	13.17	13.27	13.38	13.50	13.74	14.02	14.32	14.66	15.04	15.47	16.00
20.0	13.42	13.53	13.65	13.77	14.04	14.33	14.65	15.01	15.42	15.87	16.44
21.0	13.68	13.80	13.92	14.05	14.33	14.64	14.98	15.37	15.80	16.28	16.88
22.0	13.94	14.06	14.20	14.33	14.63	14.96	15.32	15.73	16.19	16.70	17.33
23.0	14.20	14.34	14.48	14.62	14.94	15.28	15.67	16.10	16.58	17.12	17.79
24.0	14.47	14.61	14.76	14.91	15.25	15.61	16.02	16.48	16.99	17.56	18.26
25.0	14.74	14.89	15.05	15.21	15.56	15.95	16.38	16.86	17.40	18.00	18.74
26.0	15.02	15.18	15.34	15.51	15.89	16.29	16.75	17.25	17.82	18.45	19.22
27.0	15.31	15.47	15.64	15.82	16.21	16.64	17.12	17.65	18.25	18.91	19.72
28.0	15.60	15.77	15.95	16.14	16.55	17.00	17.50	18.06	18.68	19.38	20.23
29.0	15.89	16.07	16.26	16.46	16.89	17.36	17.89	18.48	19.13	19.86	20.75
30.0	16.19	16.38	16.58	16.79	17.24	17.73	18.29	18.90	19.59	20.35	21.28
31.0	16.49	16.69	16.90	17.12	17.59	18.11	18.69	19.34	20.05	20.85	21.82
32.0	16.80	17.01	17.23	17.46	17.95	18.50	19.11	19.78	20.53	21.36	22.38
33.0	17.12	17.34	17.57	17.81	18.32	18.89	19.53	20.23	21.02	21.89	22.95
34.0	17.44	17.67	17.91	18.16	18.70	19.30	19.96	20.70	21.52	22.42	23.53
35.0	17.77	18.01	18.26	18.52	19.09	19.71	20.41	21.17	22.03	22.97	24.12
36.0	18.11	18.36	18.62	18.89	19.48	20.13	20.86	21.66	22.55	23.53	24.73
37.0	18.45	18.71	18.98	19.27	19.88	20.56	21.32	22.15	23.08	24.11	25.35
38.0	18.80	19.07	19.35	19.65	20.30	21.01	21.79	22.66	23.63	24.70	25.99
39.0	19.15	19.44	19.74	20.05	20.72	21.46	22.28	23.19	24.20	25.31	26.65
40.0	19.52	19.82	20.13	20.45	21.15	21.92	22.78	23.72	24.77	25.93	27.32
41.0	19.89	20.20	20.52	20.86	21.59	22.40	23.29	24.27	25.37	26.57	28.01
42.0	20.27	20.60	20.93	21.28	22.05	22.88	23.81	24.84	25.97	27.22	28.72
43.0	20.66	21.00	21.35	21.72	22.51	23.38	24.35	25.42	26.60	27.90	29.45
44.0	21.06	21.41	21.78	22.16	22.99	23.90	24.91	26.02	27.24	28.59	30.20
45.0	21.47	21.84	22.22	22.61	23.48	24.42	25.47	26.63	27.91	29.31	30.98
46.0	21.89	22.27	22.67	23.08	23.98	24.97	26.06	27.26	28.59	30.04	31.77
47.0	22.32	22.72	23.13	23.56	24.50	25.52	26.66	27.91	29.29	30.80	32.59
48.0	22.77	23.18	23.61	24.05	25.03	26.10	27.28	28.58	30.01	31.58	33.44
49.0	23.22	23.65	24.09	24.56	25.57	26.69	27.92	29.27	30.76	32.38	34.31
50.0	23.69	24.13	24.60	25.08	26.14	27.30	28.58	29.99	31.53	33.22	35.21
51.0	24.16	24.63	25.11	25.62	26.72	27.93	29.26	30.72	32.33	34.08	36.14
52.0	24.66	25.14	25.64	26.17	27.32	28.57	29.96	31.49	33.16	34.97	37.11
53.0	25.16	25.67	26.19	26.74	27.93	29.24	30.69	32.28	34.01	35.89	38.11
54.0	25.69	26.21	26.76	27.33	28.57	29.94	31.45	33.09	34.90	36.85	39.14
55.0	26.22	26.77	27.34	27.94	29.23	30.66	32.23	33.94	35.81	37.84	40.21
56.0	26.78	27.35	27.94	28.57	29.92	31.40	33.04	34.82	36.77	38.87	41.33
57.0	27.35	27.95	28.57	29.22	30.63	32.17	33.88	35.73	37.76	39.94	42.48
58.0	27.95	28.57	29.21	29.89	31.36	32.97	34.75	36.68	38.79	41.05	43.69
59.0	28.56	29.21	29.88	30.59	32.12	33.81	35.66	37.67	39.86	42.21	44.94
60.0	29.20	29.87	30.58	31.32	32.92	34.68	36.61	38.71	40.98	43.42	46.25
△⊘	PERCENTAGE OF LOAN AMOUNT LEFT UNPAID AT DUE DATE										
	100.0	94.18	88.36	82.54	70.89	59.25	47.61	35.97	24.32	12.68	.00

DISCOUNT %	MONTHLY PAYBACK RATE (%) (MONTHLY PAYMENT DIVIDED BY LOAN AMOUNT)										
	.75	.80	.85	.90	.95	1.00	1.10	1.20	1.30	1.40	1.47
1.0	9.18	9.18	9.19	9.19	9.20	9.20	9.22	9.23	9.25	9.27	9.28
2.0	9.35	9.37	9.38	9.39	9.40	9.41	9.44	9.47	9.50	9.54	9.57
3.0	9.54	9.55	9.57	9.58	9.60	9.62	9.66	9.71	9.76	9.82	9.87
4.0	9.72	9.74	9.76	9.78	9.81	9.83	9.89	9.95	10.02	10.10	10.16
5.0	9.91	9.93	9.96	9.99	10.02	10.05	10.12	10.19	10.28	10.39	10.46
6.0	10.09	10.13	10.16	10.19	10.23	10.27	10.35	10.44	10.55	10.68	10.77
7.0	10.29	10.32	10.36	10.40	10.44	10.49	10.58	10.70	10.82	10.97	11.08
8.0	10.48	10.52	10.57	10.61	10.66	10.71	10.82	10.96	11.10	11.27	11.41
9.0	10.68	10.72	10.77	10.83	10.88	10.94	11.07	11.22	11.38	11.58	11.72
10.0	10.88	10.93	10.99	11.04	11.11	11.17	11.32	11.48	11.67	11.89	12.05
11.0	11.08	11.14	11.20	11.26	11.33	11.41	11.57	11.75	11.96	12.20	12.38
12.0	11.28	11.35	11.42	11.49	11.57	11.65	11.82	12.03	12.25	12.52	12.71
13.0	11.49	11.56	11.64	11.72	11.80	11.89	12.08	12.30	12.55	12.85	13.06
14.0	11.70	11.78	11.86	11.95	12.04	12.14	12.35	12.59	12.86	13.18	13.41
15.0	11.92	12.00	12.09	12.18	12.28	12.39	12.61	12.88	13.17	13.51	13.76
16.0	12.13	12.22	12.32	12.42	12.53	12.64	12.89	13.17	13.49	13.85	14.12
17.0	12.35	12.45	12.55	12.66	12.78	12.90	13.16	13.47	13.81	14.20	14.49
18.0	12.58	12.68	12.79	12.91	13.03	13.16	13.45	13.77	14.13	14.56	14.86
19.0	12.81	12.92	13.04	13.16	13.29	13.43	13.73	14.08	14.47	14.92	15.24
20.0	13.04	13.16	13.28	13.41	13.55	13.70	14.02	14.39	14.81	15.29	15.63
21.0	13.27	13.40	13.53	13.67	13.82	13.98	14.32	14.71	15.15	15.66	16.03
22.0	13.51	13.65	13.79	13.93	14.09	14.26	14.62	15.04	15.51	16.04	16.43
23.0	13.75	13.90	14.05	14.20	14.37	14.55	14.93	15.37	15.86	16.43	16.84
24.0	14.00	14.15	14.31	14.48	14.65	14.84	15.25	15.71	16.23	16.83	17.26
25.0	14.25	14.41	14.58	14.75	14.94	15.14	15.57	16.05	16.60	17.23	17.69
26.0	14.51	14.68	14.85	15.04	15.23	15.44	15.89	16.41	16.99	17.65	18.12
27.0	14.77	14.95	15.13	15.32	15.53	15.75	16.23	16.77	17.37	18.07	18.57
28.0	15.04	15.22	15.41	15.62	15.84	16.07	16.57	17.13	17.77	18.50	19.02
29.0	15.31	15.50	15.70	15.92	16.15	16.39	16.91	17.51	18.18	18.94	19.49
30.0	15.58	15.78	16.00	16.22	16.46	16.72	17.27	17.89	18.59	19.39	19.96
31.0	15.86	16.07	16.30	16.53	16.79	17.05	17.63	18.28	19.02	19.85	20.45
32.0	16.15	16.37	16.61	16.85	17.12	17.39	18.00	18.68	19.45	20.32	20.94
33.0	16.44	16.67	16.92	17.18	17.45	17.74	18.37	19.09	19.89	20.80	21.45
34.0	16.74	16.98	17.24	17.51	17.80	18.10	18.76	19.51	20.35	21.29	21.97
35.0	17.04	17.30	17.56	17.85	18.15	18.46	19.16	19.94	20.81	21.80	22.50
36.0	17.35	17.62	17.90	18.19	18.51	18.84	19.56	20.37	21.29	22.31	23.05
37.0	17.67	17.94	18.24	18.54	18.87	19.22	19.97	20.82	21.77	22.84	23.60
38.0	17.99	18.28	18.59	18.91	19.25	19.61	20.40	21.28	22.27	23.39	24.18
39.0	18.32	18.62	18.94	19.28	19.64	20.01	20.83	21.76	22.79	23.94	24.76
40.0	18.66	18.97	19.31	19.66	20.03	20.42	21.28	22.24	23.31	24.52	25.37
41.0	19.00	19.33	19.68	20.04	20.43	20.84	21.73	22.74	23.85	25.10	25.99
42.0	19.36	19.70	20.06	20.44	20.85	21.28	22.20	23.25	24.41	25.71	26.62
43.0	19.72	20.08	20.46	20.85	21.27	21.72	22.69	23.77	24.98	26.33	27.28
44.0	20.09	20.47	20.86	21.27	21.71	22.17	23.18	24.31	25.57	26.97	27.95
45.0	20.47	20.86	21.27	21.70	22.16	22.64	23.69	24.87	26.17	27.62	28.64
46.0	20.86	21.27	21.69	22.14	22.62	23.12	24.21	25.44	26.79	28.30	29.36
47.0	21.27	21.69	22.13	22.60	23.09	23.62	24.75	26.03	27.44	29.00	30.09
48.0	21.68	22.12	22.58	23.06	23.58	24.13	25.31	26.63	28.10	29.72	30.85
49.0	22.10	22.56	23.04	23.54	24.08	24.65	25.88	27.26	28.78	30.46	31.64
50.0	22.54	23.01	23.51	24.04	24.60	25.19	26.48	27.91	29.49	31.23	32.45
52.0	23.44	23.96	24.51	25.08	25.69	26.33	27.72	29.27	30.97	32.85	34.15
54.0	24.41	24.97	25.56	26.18	26.85	27.54	29.05	30.73	32.57	34.58	35.97
56.0	25.44	26.05	26.69	27.37	28.09	28.84	30.48	32.30	34.28	36.45	37.94
58.0	26.54	27.20	27.90	28.64	29.42	30.25	32.02	33.99	36.14	38.47	40.07
60.0	27.72	28.45	29.21	30.01	30.87	31.76	33.70	35.83	38.16	40.66	42.38
62.0	29.00	29.79	30.62	31.50	32.43	33.41	35.52	37.84	40.36	43.06	44.90
64.0	30.38	31.25	32.16	33.12	34.15	35.22	37.52	40.05	42.78	45.70	47.67
66.0	31.89	32.85	33.85	34.91	36.03	37.21	39.73	42.49	45.46	48.61	50.74
68.0	33.56	34.61	35.71	36.88	38.12	39.41	42.19	45.21	48.44	51.85	54.14
70.0	35.40	36.56	37.79	39.08	40.45	41.89	44.95	48.26	51.79	55.49	57.97
PERCENTAGE OF LOAN AMOUNT LEFT UNPAID AT DUE DATE											
	100.0	93.01	86.01	79.02	72.03	65.04	51.05	37.06	23.08	9.09	.00

DISCOUNT %	MONTHLY PAYBACK RATE (%) (MONTHLY PAYMENT DIVIDED BY LOAN AMOUNT)										
	.75	.80	.85	.90	.95	1.00	1.05	1.10	1.20	1.30	1.35
1.0	9.16	9.17	9.17	9.18	9.19	9.19	9.20	9.21	9.22	9.24	9.26
2.0	9.33	9.34	9.35	9.36	9.37	9.39	9.40	9.42	9.45	9.49	9.52
3.0	9.50	9.51	9.53	9.55	9.57	9.59	9.61	9.63	9.68	9.74	9.78
4.0	9.67	9.69	9.71	9.73	9.76	9.79	9.81	9.85	9.92	10.00	10.05
5.0	9.84	9.87	9.89	9.92	9.96	9.99	10.03	10.07	10.16	10.26	10.32
6.0	10.01	10.05	10.08	10.12	10.16	10.20	10.24	10.29	10.40	10.52	10.60
7.0	10.19	10.23	10.27	10.31	10.36	10.41	10.46	10.52	10.64	10.79	10.88
8.0	10.37	10.41	10.46	10.51	10.56	10.62	10.68	10.75	10.89	11.06	11.17
9.0	10.55	10.60	10.66	10.71	10.77	10.84	10.90	10.98	11.15	11.34	11.46
10.0	10.74	10.79	10.85	10.92	10.98	11.06	11.13	11.22	11.40	11.62	11.76
11.0	10.92	10.99	11.05	11.12	11.20	11.28	11.36	11.46	11.67	11.91	12.06
12.0	11.11	11.18	11.26	11.33	11.42	11.51	11.60	11.70	11.93	12.20	12.36
13.0	11.31	11.38	11.46	11.55	11.64	11.74	11.84	11.95	12.20	12.49	12.67
14.0	11.50	11.59	11.67	11.76	11.86	11.97	12.08	12.20	12.48	12.79	12.99
15.0	11.70	11.79	11.89	11.99	12.09	12.21	12.33	12.46	12.76	13.10	13.31
16.0	11.90	12.00	12.10	12.21	12.33	12.45	12.58	12.72	13.04	13.41	13.64
17.0	12.11	12.21	12.32	12.44	12.56	12.70	12.84	12.99	13.33	13.73	13.97
18.0	12.32	12.43	12.55	12.67	12.80	12.95	13.10	13.26	13.63	14.05	14.31
19.0	12.53	12.65	12.77	12.91	13.05	13.20	13.36	13.54	13.93	14.38	14.65
20.0	12.74	12.87	13.00	13.15	13.30	13.46	13.63	13.82	14.23	14.71	15.01
21.0	12.96	13.10	13.24	13.39	13.55	13.72	13.91	14.10	14.55	15.05	15.36
22.0	13.19	13.33	13.48	13.64	13.81	13.99	14.19	14.40	14.86	15.40	15.73
23.0	13.41	13.56	13.72	13.89	14.07	14.27	14.47	14.69	15.19	15.76	16.10
24.0	13.64	13.80	13.97	14.15	14.34	14.55	14.76	15.00	15.52	16.12	16.48
25.0	13.88	14.05	14.22	14.41	14.61	14.83	15.06	15.31	15.86	16.49	16.87
26.0	14.12	14.29	14.48	14.68	14.89	15.12	15.36	15.62	16.20	16.86	17.27
27.0	14.36	14.55	14.74	14.95	15.18	15.42	15.67	15.94	16.55	17.25	17.67
28.0	14.61	14.80	15.01	15.23	15.47	15.72	15.98	16.27	16.91	17.64	18.08
29.0	14.86	15.07	15.28	15.51	15.76	16.03	16.31	16.61	17.28	18.04	18.50
30.0	15.12	15.33	15.56	15.80	16.06	16.34	16.63	16.95	17.65	18.45	18.93
31.0	15.38	15.61	15.85	16.10	16.37	16.66	16.97	17.30	18.04	18.87	19.38
32.0	15.65	15.88	16.13	16.40	16.69	16.99	17.31	17.66	18.43	19.30	19.83
33.0	15.92	16.17	16.43	16.71	17.01	17.33	17.66	18.03	18.83	19.74	20.29
34.0	16.20	16.46	16.73	17.02	17.34	17.67	18.02	18.40	19.24	20.19	20.76
35.0	16.48	16.75	17.04	17.35	17.67	18.02	18.39	18.78	19.66	20.65	21.24
36.0	16.77	17.06	17.36	17.67	18.02	18.38	18.76	19.18	20.09	21.12	21.74
37.0	17.07	17.37	17.68	18.01	18.37	18.75	19.15	19.58	20.53	21.60	22.25
38.0	17.37	17.68	18.01	18.36	18.73	19.12	19.54	19.99	20.98	22.10	22.77
39.0	17.69	18.01	18.35	18.71	19.10	19.51	19.95	20.42	21.45	22.61	23.30
40.0	18.00	18.34	18.70	19.07	19.48	19.91	20.36	20.85	21.92	23.13	23.85
41.0	18.33	18.68	19.05	19.44	19.87	20.31	20.79	21.30	22.41	23.67	24.41
42.0	18.66	19.03	19.41	19.82	20.26	20.73	21.23	21.75	22.92	24.22	24.99
43.0	19.00	19.38	19.79	20.22	20.67	21.16	21.68	22.23	23.43	24.79	25.59
44.0	19.35	19.75	20.17	20.62	21.09	21.60	22.14	22.71	23.97	25.37	26.20
45.0	19.71	20.13	20.57	21.03	21.53	22.05	22.61	23.21	24.52	25.97	26.83
46.0	20.08	20.51	20.97	21.45	21.97	22.52	23.10	23.72	25.08	26.59	27.49
47.0	20.46	20.91	21.39	21.89	22.43	23.00	23.61	24.25	25.66	27.23	28.16
48.0	20.85	21.32	21.81	22.34	22.90	23.50	24.13	24.80	26.26	27.89	28.85
49.0	21.25	21.74	22.26	22.80	23.39	24.01	24.66	25.36	26.89	28.57	29.56
50.0	21.67	22.17	22.71	23.28	23.89	24.54	25.22	25.94	27.53	29.28	30.30
52.0	22.53	23.08	23.66	24.28	24.94	25.64	26.38	27.17	28.88	30.76	31.86
54.0	23.45	24.05	24.68	25.35	26.07	26.83	27.63	28.48	30.33	32.35	33.53
56.0	24.43	25.08	25.77	26.50	27.28	28.11	28.98	29.90	31.89	34.07	35.32
58.0	25.48	26.19	26.94	27.74	28.59	29.49	30.43	31.43	33.58	35.92	37.27
60.0	26.62	27.39	28.21	29.08	30.01	30.98	32.01	33.09	35.42	37.94	39.38
62.0	27.85	28.69	29.59	30.54	31.55	32.61	33.73	34.91	37.43	40.15	41.70
64.0	29.18	30.11	31.09	32.13	33.24	34.41	35.63	36.91	39.64	42.57	44.23
66.0	30.65	31.67	32.75	33.89	35.11	36.38	37.72	39.12	42.09	45.26	47.04
68.0	32.26	33.39	34.59	35.85	37.18	38.59	40.05	41.59	44.82	48.25	50.17
70.0	34.06	35.31	36.64	38.04	39.52	41.06	42.68	44.36	47.89	51.61	53.69
▽Ø	PERCENTAGE OF LOAN AMOUNT LEFT UNPAID AT DUE DATE										
	100.0	91.73	83.45	75.18	66.90	58.63	50.36	42.08	25.53	8.98	.00

DISCOUNT %	MONTHLY PAYBACK RATE (%) (MONTHLY PAYMENT DIVIDED BY LOAN AMOUNT)										
	.75	.80	.85	.90	.95	1.00	1.05	1.10	1.15	1.20	1.27
1.0	9.15	9.16	9.16	9.17	9.18	9.18	9.19	9.20	9.21	9.22	9.23
2.0	9.31	9.31	9.32	9.33	9.34	9.36	9.37	9.39	9.40	9.42	9.44	9.47
3.0	9.46	9.48	9.50	9.52	9.54	9.56	9.58	9.61	9.64	9.67	9.72
4.0	9.62	9.65	9.67	9.69	9.72	9.75	9.78	9.82	9.86	9.90	9.96
5.0	9.78	9.81	9.84	9.87	9.91	9.95	9.99	10.03	10.08	10.14	10.21
6.0	9.95	9.98	10.02	10.06	10.10	10.15	10.20	10.25	10.31	10.37	10.47
7.0	10.11	10.16	10.20	10.24	10.29	10.35	10.41	10.47	10.54	10.61	10.73
8.0	10.28	10.33	10.38	10.43	10.49	10.55	10.62	10.69	10.77	10.86	10.99
9.0	10.45	10.51	10.56	10.62	10.69	10.76	10.84	10.92	11.01	11.11	11.26
10.0	10.63	10.69	10.75	10.82	10.89	10.97	11.06	11.15	11.25	11.36	11.53
11.0	10.80	10.87	10.94	11.01	11.10	11.19	11.28	11.38	11.50	11.62	11.80
12.0	10.98	11.05	11.13	11.21	11.31	11.40	11.51	11.62	11.74	11.88	12.08
13.0	11.16	11.24	11.33	11.42	11.52	11.62	11.74	11.86	12.00	12.15	12.37
14.0	11.35	11.43	11.53	11.62	11.73	11.85	11.97	12.11	12.26	12.42	12.66
15.0	11.53	11.63	11.73	11.84	11.95	12.08	12.21	12.36	12.52	12.70	12.95
16.0	11.72	11.83	11.93	12.05	12.18	12.31	12.46	12.61	12.79	12.98	13.25
17.0	11.92	12.03	12.14	12.27	12.40	12.55	12.70	12.87	13.06	13.26	13.56
18.0	12.11	12.23	12.35	12.49	12.63	12.79	12.96	13.14	13.34	13.55	13.87
19.0	12.31	12.44	12.57	12.71	12.87	13.04	13.21	13.41	13.62	13.85	14.19
20.0	12.51	12.65	12.79	12.94	13.11	13.29	13.47	13.68	13.91	14.15	14.51
21.0	12.72	12.86	13.01	13.17	13.35	13.54	13.74	13.96	14.20	14.46	14.84
22.0	12.93	13.08	13.24	13.41	13.60	13.80	14.01	14.25	14.50	14.77	15.17
23.0	13.14	13.30	13.47	13.65	13.85	14.06	14.29	14.54	14.80	15.09	15.52
24.0	13.36	13.53	13.71	13.90	14.11	14.33	14.57	14.83	15.11	15.42	15.86
25.0	13.58	13.76	13.95	14.15	14.37	14.61	14.86	15.13	15.43	15.75	16.22
26.0	13.81	14.00	14.20	14.41	14.64	14.89	15.15	15.44	15.75	16.09	16.58
27.0	14.04	14.23	14.45	14.67	14.91	15.17	15.45	15.76	16.09	16.44	16.96
28.0	14.27	14.48	14.70	14.94	15.19	15.47	15.76	16.08	16.42	16.80	17.34
29.0	14.51	14.73	14.96	15.21	15.48	15.77	16.07	16.41	16.77	17.16	17.73
30.0	14.75	14.98	15.23	15.49	15.77	16.07	16.39	16.74	17.12	17.53	18.12
31.0	15.00	15.24	15.50	15.77	16.07	16.38	16.72	17.09	17.48	17.91	18.53
32.0	15.25	15.51	15.77	16.06	16.37	16.70	17.06	17.44	17.85	18.30	18.94
33.0	15.51	15.78	16.06	16.36	16.68	17.03	17.40	17.80	18.23	18.69	19.36
34.0	15.78	16.05	16.35	16.66	17.00	17.36	17.75	18.17	18.62	19.10	19.80
35.0	16.05	16.33	16.64	16.97	17.32	17.70	18.11	18.54	19.01	19.52	20.24
36.0	16.32	16.62	16.94	17.29	17.66	18.05	18.47	18.93	19.42	19.94	20.70
37.0	16.60	16.92	17.25	17.61	18.00	18.41	18.85	19.33	19.83	20.38	21.17
38.0	16.89	17.22	17.57	17.94	18.35	18.78	19.24	19.73	20.26	20.83	21.65
39.0	17.19	17.53	17.90	18.28	18.71	19.15	19.63	20.15	20.70	21.29	22.14
40.0	17.49	17.85	18.23	18.63	19.07	19.54	20.04	20.58	21.15	21.77	22.65
41.0	17.80	18.17	18.57	18.99	19.45	19.94	20.46	21.02	21.61	22.25	23.17
42.0	18.12	18.51	18.92	19.36	19.84	20.35	20.89	21.47	22.09	22.75	23.70
43.0	18.44	18.85	19.28	19.74	20.24	20.77	21.33	21.93	22.58	23.27	24.25
44.0	18.78	19.20	19.65	20.13	20.65	21.20	21.78	22.41	23.08	23.80	24.82
45.0	19.12	19.56	20.03	20.53	21.07	21.64	22.25	22.91	23.60	24.34	25.40
46.0	19.48	19.93	20.42	20.94	21.50	22.10	22.73	23.41	24.14	24.91	26.00
47.0	19.84	20.32	20.82	21.37	21.95	22.57	23.23	23.94	24.69	25.49	26.62
48.0	20.21	20.71	21.24	21.80	22.41	23.06	23.75	24.48	25.26	26.09	27.26
49.0	20.60	21.11	21.67	22.25	22.89	23.56	24.28	25.04	25.85	26.70	27.92
50.0	20.99	21.53	22.11	22.72	23.38	24.08	24.82	25.62	26.46	27.34	28.60
52.0	21.82	22.41	23.03	23.70	24.41	25.17	25.98	26.83	27.74	28.69	30.04
54.0	22.71	23.34	24.02	24.75	25.52	26.34	27.21	28.14	29.11	30.14	31.58
56.0	23.65	24.35	25.09	25.87	26.71	27.61	28.55	29.55	30.60	31.70	33.25
58.0	24.67	25.43	26.23	27.09	28.00	28.97	30.00	31.07	32.21	33.39	35.05
60.0	25.77	26.60	27.48	28.41	29.41	30.46	31.57	32.74	33.96	35.24	37.01
62.0	26.97	27.87	28.83	29.85	30.94	32.09	33.29	34.56	35.88	37.25	39.15
64.0	28.27	29.26	30.32	31.43	32.62	33.87	35.18	36.56	37.99	39.47	41.51
66.0	29.70	30.80	31.96	33.18	34.49	35.85	37.28	38.78	40.32	41.92	44.12
68.0	31.29	32.50	33.78	35.13	36.56	38.06	39.63	41.25	42.93	44.66	47.03
70.0	33.07	34.41	35.83	37.32	38.90	40.55	42.26	44.04	45.87	47.75	50.30
	PERCENTAGE OF LOAN AMOUNT LEFT UNPAID AT DUE DATE										
	100.0	90.32	80.65	70.97	61.30	51.62	41.95	32.27	22.59	12.92	.00

DISCOUNT %	MONTHLY PAYBACK RATE (%) (MONTHLY PAYMENT DIVIDED BY LOAN AMOUNT)										
	1.00	1.25	1.50	1.75	2.00	2.25	2.50	2.75	3.00	3.50	4.00
1.0	9.17	9.23	9.29	9.35	9.41	9.47	9.53	9.59	9.65	9.76	9.87
2.0	9.34	9.47	9.59	9.71	9.83	9.95	10.07	10.19	10.30	10.53	10.76
3.0	9.51	9.71	9.89	10.08	10.26	10.44	10.61	10.79	10.97	11.32	11.66
4.0	9.69	9.95	10.20	10.44	10.69	10.93	11.17	11.41	11.64	12.11	12.58
5.0	9.87	10.19	10.51	10.82	11.12	11.43	11.73	12.03	12.33	12.92	13.50
6.0	10.05	10.44	10.82	11.20	11.57	11.94	12.30	12.66	13.02	13.74	14.44
7.0	10.23	10.70	11.14	11.58	12.02	12.45	12.88	13.31	13.73	14.57	15.40
8.0	10.42	10.95	11.47	11.98	12.48	12.97	13.47	13.96	14.44	15.41	16.37
9.0	10.61	11.22	11.80	12.37	12.94	13.51	14.06	14.62	15.17	16.27	17.35
10.0	10.81	11.48	12.14	12.78	13.41	14.05	14.67	15.29	15.91	17.14	18.35
11.0	11.00	11.75	12.48	13.19	13.89	14.59	15.29	15.98	16.66	18.02	19.37
12.0	11.21	12.03	12.82	13.61	14.38	15.15	15.91	16.67	17.43	18.92	20.40
13.0	11.41	12.31	13.18	14.03	14.88	15.72	16.55	17.38	18.20	19.84	21.45
14.0	11.62	12.59	13.54	14.46	15.38	16.29	17.20	18.10	18.99	20.76	22.52
15.0	11.83	12.88	13.90	14.90	15.90	16.88	17.86	18.83	19.79	21.71	23.61
16.0	12.05	13.18	14.27	15.35	16.42	17.47	18.52	19.57	20.61	22.67	24.71
17.0	12.27	13.48	14.65	15.81	16.95	18.08	19.21	20.32	21.44	23.65	25.83
18.0	12.49	13.78	15.04	16.27	17.49	18.70	19.90	21.09	22.28	24.64	26.98
19.0	12.72	14.10	15.43	16.74	18.04	19.33	20.60	21.88	23.14	25.65	28.14
20.0	12.95	14.41	15.83	17.22	18.60	19.96	21.32	22.67	24.02	26.68	29.32
21.0	13.19	14.74	16.23	17.71	19.17	20.62	22.05	23.48	24.91	27.73	30.53
22.0	13.43	15.07	16.65	18.21	19.75	21.28	22.80	24.31	25.81	28.80	31.76
23.0	13.68	15.40	17.07	18.71	20.34	21.95	23.56	25.15	26.74	29.89	33.01
24.0	13.94	15.75	17.50	19.23	20.94	22.64	24.33	26.01	27.68	31.00	34.29
25.0	14.19	16.10	17.94	19.76	21.56	23.35	25.12	26.89	28.64	32.13	35.59
26.0	14.46	16.45	18.39	20.30	22.19	24.06	25.93	27.78	29.62	33.29	36.92
27.0	14.73	16.82	18.85	20.85	22.83	24.79	26.75	28.69	30.62	34.46	38.27
28.0	15.00	17.19	19.32	21.41	23.48	25.54	27.59	29.62	31.64	35.67	39.65
29.0	15.29	17.57	19.79	21.98	24.15	26.30	28.44	30.57	32.69	36.89	41.06
30.0	15.58	17.96	20.28	22.57	24.83	27.08	29.32	31.54	33.75	38.14	42.50
31.0	15.87	18.36	20.78	23.17	25.53	27.88	30.21	32.53	34.84	39.42	43.97
32.0	16.18	18.77	21.29	23.78	26.24	28.69	31.12	33.54	35.95	40.73	45.48
33.0	16.49	19.19	21.81	24.40	26.97	29.52	32.05	34.57	37.08	42.07	47.02
34.0	16.80	19.62	22.35	25.04	27.72	30.37	33.01	35.63	38.24	43.44	48.59
35.0	17.13	20.05	22.90	25.70	28.48	31.24	33.98	36.71	39.43	44.84	50.20
36.0	17.47	20.50	23.46	26.37	29.26	32.13	34.98	37.82	40.65	46.27	51.84
37.0	17.81	20.96	24.03	27.06	30.06	33.04	36.01	38.96	41.90	47.74	53.53
38.0	18.16	21.43	24.62	27.76	30.88	33.98	37.06	40.12	43.17	49.24	55.26
39.0	18.53	21.92	25.22	28.49	31.72	34.93	38.13	41.31	44.48	50.78	57.03
40.0	18.90	22.42	25.84	29.23	32.58	35.92	39.23	42.54	45.82	52.36	58.85
41.0	19.28	22.93	26.48	29.99	33.47	36.93	40.37	43.79	47.20	53.98	60.71
42.0	19.68	23.45	27.14	30.77	34.38	37.96	41.53	45.08	48.61	55.64	62.62
43.0	20.08	23.99	27.81	31.58	35.31	39.03	42.72	46.40	50.06	57.35	64.59
44.0	20.50	24.55	28.50	32.40	36.27	40.12	43.95	47.76	51.56	59.11	66.61
45.0	20.94	25.12	29.21	33.25	37.26	41.25	45.21	49.16	53.10	60.91	68.68
46.0	21.38	25.71	29.95	34.13	38.28	42.40	46.51	50.60	54.67	62.77	70.82
47.0	21.84	26.32	30.70	35.03	39.33	43.60	47.85	52.08	56.30	64.69	73.02
48.0	22.32	26.95	31.48	35.96	40.41	44.83	49.22	53.61	57.97	66.66	75.29
49.0	22.81	27.60	32.29	36.92	41.52	46.09	50.65	55.18	59.70	68.69	77.62
50.0	23.33	28.27	33.12	37.91	42.67	47.40	52.11	56.80	61.48	70.79	80.03
51.0	23.85	28.97	33.98	38.94	43.86	48.75	53.63	58.48	63.32	72.95	82.52
52.0	24.40	29.69	34.87	40.00	45.09	50.15	55.19	60.22	65.22	75.19	85.10
53.0	24.97	30.44	35.79	41.09	46.36	51.60	56.81	62.01	67.19	77.50	87.76
54.0	25.56	31.21	36.75	42.23	47.67	53.09	58.49	63.87	69.23	79.90	90.51
55.0	26.18	32.01	37.74	43.41	49.04	54.64	60.23	65.79	71.34	82.38	93.36
56.0	26.82	32.85	38.77	44.63	50.46	56.25	62.03	67.79	73.53	84.95	96.32
57.0	27.49	33.72	39.84	45.90	51.93	57.93	63.90	69.86	75.80	87.63	99.39
58.0	28.19	34.62	40.95	47.22	53.46	59.67	65.85	72.01	78.16	90.40	102.58
59.0	28.92	35.57	42.11	48.60	55.05	61.48	67.88	74.26	80.62	93.29	105.90
60.0	29.68	36.55	43.32	50.04	56.71	63.36	69.99	76.59	83.18	96.30	109.36
▽ɸ	NUMBER OF MONTHLY PAYMENTS NEEDED TO PAY OFF LOAN										
	185.5	122.6	92.8	74.9	62.9	54.3	47.7	42.6	38.5	32.3	27.8

DISCOUNT %	MONTHLY PAYBACK RATE (%) (MONTHLY PAYMENT DIVIDED BY LOAN AMOUNT)										
	.77	1.00	1.50	2.00	3.00	4.00	5.00	6.00	7.00	8.00	8.76
.5	9.78	9.78	9.80	9.82	9.85	9.89	9.94	9.99	10.06	10.13	10.20
1.0	10.31	10.32	10.35	10.38	10.46	10.54	10.63	10.74	10.87	11.02	11.15
1.5	10.84	10.86	10.91	10.96	11.07	11.19	11.33	11.49	11.68	11.91	12.11
2.0	11.37	11.40	11.47	11.53	11.68	11.84	12.03	12.25	12.51	12.81	13.08
2.5	11.91	11.95	12.03	12.11	12.29	12.50	12.74	13.01	13.34	13.72	14.05
3.0	12.46	12.50	12.59	12.69	12.91	13.16	13.45	13.78	14.17	14.63	15.04
3.5	13.00	13.05	13.16	13.28	13.54	13.83	14.17	14.56	15.01	15.55	16.03
4.0	13.55	13.61	13.73	13.87	14.17	14.50	14.89	15.34	15.86	16.48	17.02
4.5	14.10	14.16	14.31	14.46	14.80	15.18	15.62	16.12	16.71	17.41	18.03
5.0	14.66	14.73	14.89	15.06	15.43	15.86	16.35	16.91	17.57	18.35	19.04
5.5	15.21	15.29	15.47	15.66	16.07	16.54	17.08	17.71	18.44	19.30	20.06
6.0	15.77	15.86	16.06	16.26	16.72	17.23	17.83	18.51	19.31	20.25	21.09
6.5	16.34	16.43	16.65	16.87	17.37	17.93	18.57	19.32	20.19	21.22	22.12
7.0	16.91	17.01	17.24	17.48	18.02	18.63	19.32	20.13	21.07	22.19	23.17
7.5	17.48	17.59	17.84	18.10	18.68	19.33	20.08	20.95	21.96	23.16	24.22
8.0	18.05	18.17	18.44	18.72	19.34	20.04	20.84	21.78	22.86	24.15	25.28
8.5	18.63	18.76	19.04	19.34	20.00	20.75	21.61	22.61	23.77	25.14	26.35
9.0	19.21	19.35	19.65	19.97	20.67	21.47	22.39	23.45	24.68	26.14	27.43
9.5	19.80	19.94	20.26	20.60	21.35	22.19	23.17	24.29	25.60	27.15	28.52
10.0	20.39	20.54	20.88	21.24	22.03	22.92	23.95	25.14	26.53	28.17	29.61
10.5	20.98	21.14	21.50	21.88	22.71	23.66	24.74	26.00	27.46	29.19	30.72
11.0	21.58	21.74	22.12	22.52	23.40	24.40	25.54	26.86	28.40	30.22	31.83
11.5	22.18	22.35	22.75	23.17	24.09	25.14	26.34	27.73	29.35	31.27	32.95
12.0	22.78	22.96	23.38	23.82	24.79	25.89	27.15	28.61	30.31	32.32	34.09
12.5	23.39	23.58	24.02	24.48	25.49	26.64	27.96	29.49	31.27	33.38	35.23
13.0	24.00	24.20	24.66	25.14	26.20	27.40	28.79	30.38	32.25	34.44	36.38
13.5	24.62	24.83	25.30	25.81	26.91	28.17	29.61	31.28	33.23	35.52	37.54
14.0	25.24	25.45	25.95	26.48	27.63	28.94	30.45	32.19	34.21	36.61	38.71
14.5	25.86	26.09	26.60	27.15	28.35	29.72	31.29	33.10	35.21	37.70	39.89
15.0	26.49	26.72	27.26	27.83	29.08	30.50	32.13	34.02	36.22	38.81	41.08
15.5	27.12	27.37	27.92	28.51	29.81	31.29	32.99	34.94	37.23	39.92	42.29
16.0	27.76	28.01	28.59	29.20	30.55	32.09	33.85	35.88	38.25	41.04	43.50
16.5	28.40	28.66	29.26	29.90	31.30	32.89	34.71	36.82	39.28	42.18	44.72
17.0	29.04	29.31	29.94	30.60	32.05	33.69	35.59	37.77	40.32	43.32	45.96
17.5	29.69	29.97	30.62	31.30	32.80	34.51	36.47	38.73	41.37	44.47	47.20
18.0	30.34	30.64	31.30	32.01	33.56	35.33	37.35	39.70	42.43	45.64	48.46
18.5	31.00	31.30	31.99	32.72	34.33	36.15	38.25	40.67	43.49	46.81	49.73
19.0	31.66	31.98	32.69	33.44	35.10	36.99	39.15	41.65	44.57	48.00	51.01
19.5	32.33	32.65	33.39	34.17	35.88	37.83	40.06	42.65	45.66	49.19	52.30
20.0	33.00	33.34	34.09	34.90	36.66	38.67	40.98	43.64	46.75	50.40	53.60
20.5	33.68	34.02	34.80	35.63	37.45	39.53	41.90	44.65	47.86	51.62	54.92
21.0	34.36	34.71	35.52	36.37	38.25	40.39	42.84	45.67	48.97	52.85	56.25
21.5	35.05	35.41	36.24	37.12	39.05	41.25	43.78	46.70	50.10	54.09	57.59
22.0	35.74	36.11	36.96	37.87	39.86	42.13	44.73	47.73	51.23	55.34	58.94
22.5	36.43	36.82	37.70	38.63	40.67	43.01	45.68	48.78	52.38	56.61	60.31
23.0	37.13	37.53	38.43	39.39	41.50	43.90	46.65	49.83	53.54	57.89	61.69
23.5	37.84	38.25	39.17	40.16	42.32	44.79	47.62	50.90	54.71	59.18	63.08
24.0	38.55	38.97	39.92	40.93	43.16	45.70	48.61	51.97	55.89	60.48	64.49
24.5	39.27	39.70	40.68	41.72	44.00	46.61	49.60	53.05	57.08	61.79	65.91
25.0	39.99	40.43	41.44	42.50	44.85	47.53	50.60	54.15	58.28	63.12	67.35
25.5	40.72	41.17	42.20	43.30	45.71	48.45	51.61	55.25	59.49	64.46	68.80
26.0	41.45	41.91	42.97	44.10	46.57	49.39	52.62	56.37	60.72	65.82	70.27
26.5	42.19	42.66	43.75	44.90	47.44	50.33	53.65	57.49	61.96	67.18	71.75
27.0	42.93	43.42	44.53	45.72	48.32	51.28	54.69	58.63	63.21	68.57	73.24
27.5	43.68	44.18	45.32	46.54	49.20	52.24	55.74	59.77	64.47	69.96	74.75
28.0	44.44	44.95	46.12	47.36	50.09	53.21	56.79	60.93	65.74	71.37	76.28
28.5	45.20	45.72	46.92	48.19	51.00	54.19	57.86	62.10	67.03	72.80	77.82
29.0	45.97	46.50	47.73	49.03	51.90	55.18	58.94	63.28	68.33	74.24	79.38
29.5	46.74	47.29	48.55	49.88	52.82	56.17	60.02	64.47	69.65	75.70	80.96
30.0	47.52	48.08	49.37	50.74	53.74	57.18	61.12	65.68	70.98	77.17	82.56
	PERCENTAGE OF LOAN AMOUNT LEFT UNPAID AT DUE DATE										
	100.0	97.13	90.87	84.61	72.09	59.56	47.04	34.52	22.00	9.48	.00

9.25%   DUE IN 24 MONTHS   9.25%

DISCOUNT %	MONTHLY PAYBACK RATE (%) (MONTHLY PAYMENT DIVIDED BY LOAN AMOUNT)										
	.77	1.00	1.25	1.50	1.75	2.00	2.50	3.00	3.50	4.00	4.58
.5	9.53	9.53	9.54	9.55	9.56	9.57	9.60	9.62	9.66	9.69	9.75
1.0	9.80	9.82	9.84	9.85	9.87	9.90	9.94	10.00	10.07	10.14	10.25
1.5	10.08	10.10	10.13	10.16	10.19	10.22	10.30	10.38	10.48	10.59	10.76
2.0	10.36	10.39	10.43	10.47	10.51	10.55	10.65	10.76	10.89	11.05	11.27
2.5	10.64	10.68	10.73	10.78	10.83	10.88	11.00	11.14	11.31	11.51	11.79
3.0	10.93	10.97	11.03	11.09	11.15	11.21	11.36	11.53	11.73	11.97	12.30
3.5	11.21	11.27	11.33	11.40	11.47	11.55	11.72	11.92	12.15	12.43	12.83
4.0	11.50	11.56	11.63	11.71	11.80	11.88	12.08	12.31	12.58	12.90	13.35
4.5	11.79	11.86	11.94	12.03	12.12	12.22	12.45	12.71	13.01	13.37	13.88
5.0	12.08	12.16	12.25	12.35	12.45	12.56	12.81	13.10	13.44	13.84	14.42
5.5	12.37	12.46	12.56	12.67	12.78	12.91	13.18	13.50	13.88	14.32	14.95
6.0	12.66	12.76	12.87	12.99	13.12	13.25	13.55	13.91	14.32	14.80	15.50
6.5	12.96	13.06	13.18	13.31	13.45	13.60	13.93	14.31	14.76	15.29	16.04
7.0	13.25	13.37	13.50	13.64	13.79	13.95	14.31	14.72	15.20	15.78	16.59
7.5	13.55	13.67	13.82	13.97	14.13	14.30	14.69	15.13	15.65	16.27	17.15
8.0	13.85	13.98	14.14	14.30	14.47	14.66	15.07	15.54	16.10	16.77	17.70
8.5	14.15	14.30	14.46	14.63	14.82	15.01	15.45	15.96	16.56	17.27	18.27
9.0	14.46	14.61	14.78	14.97	15.16	15.37	15.84	16.38	17.02	17.77	18.84
9.5	14.76	14.92	15.11	15.30	15.51	15.73	16.23	16.80	17.48	18.28	19.41
10.0	15.07	15.24	15.43	15.64	15.86	16.10	16.62	17.23	17.94	18.79	19.98
10.5	15.38	15.56	15.76	15.98	16.22	16.46	17.02	17.66	18.41	19.30	20.56
11.0	15.69	15.88	16.10	16.33	16.57	16.83	17.42	18.09	18.89	19.82	21.15
11.5	16.01	16.20	16.43	16.67	16.93	17.20	17.82	18.53	19.36	20.35	21.74
12.0	16.32	16.53	16.77	17.02	17.29	17.58	18.22	18.97	19.84	20.88	22.34
12.5	16.64	16.86	17.10	17.37	17.65	17.96	18.63	19.41	20.32	21.41	22.94
13.0	16.96	17.18	17.45	17.72	18.02	18.34	19.04	19.86	20.81	21.94	23.54
13.5	17.28	17.52	17.79	18.08	18.39	18.72	19.45	20.31	21.30	22.49	24.15
14.0	17.60	17.85	18.13	18.44	18.76	19.10	19.87	20.76	21.80	23.03	24.77
14.5	17.93	18.19	18.48	18.80	19.13	19.49	20.29	21.21	22.30	23.58	25.39
15.0	18.26	18.52	18.83	19.16	19.51	19.88	20.71	21.67	22.80	24.14	26.01
15.5	18.59	18.86	19.18	19.52	19.89	20.27	21.14	22.14	23.31	24.69	26.64
16.0	18.92	19.21	19.54	19.89	20.27	20.67	21.57	22.60	23.82	25.26	27.28
16.5	19.26	19.55	19.89	20.26	20.65	21.07	22.00	23.08	24.34	25.83	27.92
17.0	19.59	19.90	20.25	20.63	21.04	21.47	22.43	23.55	24.86	26.40	28.57
17.5	19.93	20.25	20.62	21.01	21.43	21.88	22.87	24.03	25.38	26.98	29.22
18.0	20.27	20.60	20.98	21.39	21.82	22.28	23.32	24.51	25.91	27.56	29.88
18.5	20.62	20.96	21.35	21.77	22.22	22.69	23.76	25.00	26.44	28.15	30.55
19.0	20.96	21.31	21.72	22.15	22.61	23.11	24.21	25.49	26.98	28.75	31.22
19.5	21.31	21.67	22.09	22.54	23.02	23.53	24.66	25.98	27.52	29.34	31.90
20.0	21.66	22.03	22.47	22.93	23.42	23.95	25.12	26.48	28.07	29.95	32.58
21.0	22.37	22.77	23.23	23.71	24.24	24.80	26.05	27.49	29.18	31.17	33.96
22.0	23.09	23.51	24.00	24.51	25.07	25.66	26.99	28.52	30.31	32.42	35.38
23.0	23.82	24.26	24.78	25.33	25.91	26.54	27.94	29.56	31.46	33.69	36.81
24.0	24.56	25.03	25.57	26.15	26.77	27.44	28.91	30.63	32.63	34.99	38.28
25.0	25.31	25.80	26.38	26.99	27.64	28.34	29.90	31.71	33.82	36.31	39.77
26.0	26.07	26.59	27.19	27.84	28.53	29.27	30.91	32.81	35.04	37.65	41.30
27.0	26.84	27.39	28.03	28.70	29.43	30.20	31.93	33.94	36.28	39.03	42.85
28.0	27.63	28.20	28.87	29.58	30.34	31.16	32.98	35.08	37.54	40.43	44.44
29.0	28.43	29.03	29.73	30.48	31.28	32.13	34.04	36.25	38.83	41.86	46.06
30.0	29.24	29.87	30.60	31.39	32.22	33.12	35.12	37.44	40.14	43.32	47.71
31.0	30.06	30.72	31.49	32.31	33.19	34.13	36.22	38.65	41.48	44.81	49.40
32.0	30.90	31.59	32.39	33.25	34.17	35.16	37.35	39.89	42.85	46.33	51.13
33.0	31.75	32.47	33.31	34.21	35.17	36.20	38.49	41.15	44.25	47.89	52.90
34.0	32.61	33.37	34.25	35.19	36.19	37.27	39.66	42.44	45.68	49.48	54.71
35.0	33.50	34.28	35.20	36.18	37.23	38.35	40.86	43.76	47.14	51.10	56.55
36.0	34.39	35.21	36.17	37.19	38.29	39.46	42.07	45.11	48.64	52.77	58.45
37.0	35.30	36.16	37.16	38.22	39.37	40.59	43.32	46.48	50.17	54.47	60.38
38.0	36.23	37.13	38.17	39.28	40.47	41.74	44.59	47.89	51.73	56.22	62.37
39.0	37.18	38.11	39.19	40.35	41.59	42.92	45.89	49.33	53.34	58.01	64.40
40.0	38.14	39.11	40.24	41.44	42.74	44.12	47.22	50.80	54.98	59.84	66.49
PERCENTAGE OF LOAN AMOUNT LEFT UNPAID AT DUE DATE											
	100.0	93.98	87.42	80.86	74.29	67.73	54.60	41.48	28.35	15.23	.00

154

DISCOUNT %	MONTHLY PAYBACK RATE (%) (MONTHLY PAYMENT DIVIDED BY LOAN AMOUNT)										
	.77	1.00	1.25	1.50	1.75	2.00	2.25	2.50	2.75	3.00	3.19
.5	9.44	9.45	9.46	9.47	9.48	9.50	9.51	9.53	9.55	9.57	9.59
1.0	9.63	9.65	9.67	9.69	9.72	9.75	9.78	9.81	9.85	9.90	9.94
1.5	9.83	9.85	9.88	9.92	9.96	10.00	10.04	10.10	10.16	10.23	10.29
2.0	10.02	10.06	10.10	10.14	10.19	10.25	10.31	10.38	10.46	10.56	10.64
2.5	10.22	10.26	10.31	10.37	10.43	10.50	10.58	10.67	10.77	10.89	10.99
3.0	10.42	10.47	10.53	10.60	10.67	10.76	10.85	10.96	11.08	11.22	11.35
3.5	10.62	10.68	10.75	10.83	10.92	11.02	11.13	11.25	11.40	11.56	11.70
4.0	10.82	10.89	10.97	11.06	11.16	11.28	11.40	11.55	11.71	11.90	12.07
4.5	11.02	11.10	11.19	11.29	11.41	11.54	11.68	11.84	12.03	12.24	12.43
5.0	11.22	11.31	11.41	11.53	11.66	11.80	11.96	12.14	12.35	12.59	12.80
5.5	11.42	11.52	11.64	11.76	11.91	12.06	12.24	12.44	12.67	12.94	13.17
6.0	11.63	11.73	11.86	12.00	12.16	12.33	12.52	12.74	13.00	13.29	13.54
6.5	11.83	11.95	12.09	12.24	12.41	12.60	12.81	13.05	13.32	13.64	13.91
7.0	12.04	12.17	12.32	12.48	12.66	12.87	13.10	13.36	13.65	13.99	14.29
7.5	12.25	12.38	12.54	12.72	12.92	13.14	13.39	13.67	13.99	14.35	14.67
8.0	12.46	12.60	12.78	12.97	13.18	13.41	13.68	13.98	14.32	14.71	15.05
8.5	12.67	12.82	13.01	13.21	13.44	13.69	13.97	14.29	14.66	15.08	15.44
9.0	12.88	13.05	13.24	13.46	13.70	13.97	14.27	14.61	15.00	15.44	15.83
9.5	13.10	13.27	13.48	13.71	13.96	14.25	14.57	14.93	15.34	15.81	16.22
10.0	13.31	13.49	13.71	13.96	14.23	14.53	14.87	15.25	15.68	16.18	16.62
11.0	13.74	13.95	14.19	14.46	14.76	15.10	15.47	15.90	16.38	16.94	17.42
12.0	14.18	14.41	14.68	14.98	15.31	15.67	16.09	16.56	17.09	17.70	18.23
13.0	14.63	14.88	15.17	15.50	15.86	16.26	16.72	17.23	17.81	18.48	19.06
14.0	15.08	15.35	15.67	16.02	16.42	16.86	17.35	17.91	18.54	19.27	19.90
15.0	15.54	15.83	16.17	16.56	16.98	17.46	18.00	18.60	19.29	20.07	20.75
16.0	16.00	16.31	16.69	17.10	17.56	18.08	18.65	19.30	20.04	20.89	21.62
17.0	16.47	16.81	17.21	17.65	18.15	18.70	19.32	20.02	20.81	21.72	22.51
18.0	16.94	17.30	17.74	18.21	18.74	19.33	20.00	20.75	21.60	22.57	23.41
19.0	17.43	17.81	18.27	18.78	19.35	19.98	20.69	21.49	22.39	23.43	24.32
20.0	17.92	18.33	18.81	19.36	19.96	20.63	21.39	22.24	23.21	24.31	25.26
21.0	18.41	18.85	19.37	19.94	20.58	21.30	22.10	23.01	24.03	25.21	26.21
22.0	18.92	19.38	19.93	20.54	21.22	21.98	22.83	23.79	24.87	26.11	27.17
23.0	19.43	19.91	20.50	21.14	21.86	22.66	23.56	24.58	25.73	27.03	28.16
24.0	19.94	20.46	21.08	21.76	22.52	23.36	24.32	25.39	26.60	27.98	29.16
25.0	20.47	21.01	21.66	22.38	23.18	24.08	25.08	26.21	27.49	28.94	30.19
26.0	21.01	21.58	22.26	23.02	23.86	24.80	25.86	27.05	28.40	29.92	31.23
27.0	21.55	22.15	22.87	23.67	24.55	25.54	26.66	27.91	29.32	30.92	32.30
28.0	22.10	22.73	23.49	24.32	25.26	26.30	27.47	28.78	30.27	31.95	33.39
29.0	22.66	23.32	24.11	24.99	25.97	27.07	28.29	29.67	31.23	32.99	34.50
30.0	23.23	23.92	24.75	25.68	26.70	27.85	29.13	30.58	32.21	34.06	35.63
31.0	23.81	24.53	25.40	26.37	27.45	28.65	29.99	31.51	33.21	35.14	36.79
32.0	24.39	25.15	26.07	27.08	28.20	29.46	30.87	32.45	34.24	36.26	37.97
33.0	24.99	25.79	26.74	27.80	28.98	30.29	31.77	33.42	35.29	37.39	39.19
34.0	25.60	26.43	27.43	28.53	29.76	31.14	32.68	34.41	36.36	38.56	40.42
35.0	26.22	27.09	28.13	29.28	30.57	32.01	33.61	35.42	37.46	39.74	41.69
36.0	26.85	27.76	28.84	30.05	31.39	32.89	34.57	36.46	38.58	40.96	42.99
37.0	27.49	28.44	29.57	30.83	32.23	33.79	35.55	37.51	39.72	42.21	44.32
38.0	28.15	29.13	30.31	31.62	33.08	34.72	36.55	38.60	40.90	43.49	45.68
39.0	28.81	29.84	31.07	32.44	33.96	35.66	37.57	39.71	42.11	44.79	47.07
40.0	29.49	30.56	31.84	33.27	34.86	36.63	38.62	40.84	43.34	46.14	48.50
41.0	30.19	31.30	32.63	34.12	35.77	37.62	39.69	42.01	44.61	47.51	49.97
42.0	30.89	32.05	33.44	34.98	36.71	38.63	40.79	43.20	45.91	48.93	51.48
43.0	31.61	32.82	34.26	35.87	37.67	39.67	41.92	44.43	47.24	50.38	53.02
44.0	32.35	33.60	35.11	36.78	38.65	40.74	43.07	45.69	48.61	51.87	54.61
45.0	33.10	34.40	35.97	37.71	39.66	41.83	44.26	46.98	50.02	53.41	56.25
46.0	33.87	35.22	36.85	38.67	40.69	42.95	45.48	48.31	51.47	54.99	57.93
47.0	34.65	36.06	37.76	39.64	41.75	44.11	46.74	49.68	52.96	56.61	59.67
48.0	35.45	36.92	38.68	40.65	42.84	45.29	48.03	51.09	54.50	58.29	61.45
49.0	36.27	37.79	39.63	41.67	43.96	46.51	49.36	52.54	56.08	60.01	63.29
50.0	37.11	38.69	40.60	42.73	45.11	47.76	50.72	54.03	57.72	61.79	65.19
PERCENTAGE OF LOAN AMOUNT LEFT UNPAID AT DUE DATE											
	100.0	90.53	80.21	69.88	59.55	49.22	38.90	28.57	18.24	7.92	.00

DISCOUNT %	MONTHLY PAYBACK RATE (%) (MONTHLY PAYMENT DIVIDED BY LOAN AMOUNT)										
	.77	.80	.90	1.00	1.20	1.40	1.60	1.80	2.00	2.20	2.50
.5	9.40	9.40	9.40	9.41	9.42	9.43	9.44	9.45	9.47	9.48	9.51
1.0	9.55	9.55	9.56	9.57	9.59	9.61	9.63	9.65	9.68	9.72	9.78
1.5	9.70	9.71	9.72	9.73	9.76	9.79	9.82	9.86	9.90	9.95	10.04
2.0	9.86	9.86	9.88	9.89	9.93	9.97	10.02	10.06	10.12	10.19	10.31
2.5	10.01	10.02	10.04	10.06	10.10	10.15	10.21	10.27	10.35	10.43	10.58
3.0	10.17	10.17	10.20	10.22	10.28	10.34	10.41	10.48	10.57	10.67	10.86
3.5	10.32	10.33	10.36	10.39	10.45	10.52	10.60	10.69	10.80	10.91	11.13
4.0	10.48	10.49	10.52	10.55	10.63	10.71	10.80	10.90	11.02	11.16	11.41
4.5	10.64	10.65	10.68	10.72	10.80	10.90	11.00	11.12	11.25	11.41	11.69
5.0	10.79	10.81	10.85	10.89	10.98	11.09	11.20	11.33	11.48	11.65	11.97
5.5	10.95	10.97	11.01	11.06	11.16	11.28	11.40	11.55	11.72	11.91	12.25
6.0	11.11	11.13	11.18	11.23	11.34	11.47	11.61	11.77	11.95	12.16	12.54
6.5	11.28	11.29	11.34	11.40	11.52	11.66	11.81	11.99	12.19	12.41	12.83
7.0	11.44	11.46	11.51	11.57	11.71	11.85	12.02	12.21	12.42	12.67	13.12
7.5	11.60	11.62	11.68	11.75	11.89	12.05	12.23	12.43	12.66	12.93	13.41
8.0	11.77	11.79	11.85	11.92	12.08	12.25	12.44	12.65	12.90	13.19	13.70
8.5	11.93	11.95	12.02	12.10	12.26	12.44	12.65	12.88	13.15	13.45	14.00
9.0	12.10	12.12	12.20	12.28	12.45	12.64	12.86	13.11	13.39	13.71	14.30
9.5	12.27	12.29	12.37	12.46	12.64	12.84	13.08	13.34	13.64	13.98	14.60
10.0	12.44	12.46	12.54	12.63	12.83	13.05	13.29	13.57	13.88	14.25	14.90
11.0	12.78	12.80	12.90	13.00	13.21	13.46	13.73	14.03	14.39	14.79	15.52
12.0	13.12	13.15	13.25	13.37	13.60	13.87	14.17	14.51	14.90	15.34	16.14
13.0	13.47	13.50	13.62	13.74	14.00	14.29	14.62	14.99	15.42	15.90	16.78
14.0	13.83	13.86	13.98	14.12	14.40	14.72	15.08	15.48	15.94	16.47	17.42
15.0	14.19	14.22	14.36	14.50	14.81	15.15	15.54	15.98	16.48	17.05	18.08
16.0	14.55	14.59	14.73	14.89	15.22	15.59	16.01	16.48	17.02	17.64	18.74
17.0	14.92	14.96	15.12	15.28	15.64	16.04	16.49	17.00	17.57	18.23	19.42
18.0	15.29	15.34	15.51	15.68	16.07	16.49	16.98	17.52	18.14	18.84	20.11
19.0	15.67	15.72	15.90	16.09	16.50	16.96	17.47	18.05	18.71	19.46	20.82
20.0	16.06	16.11	16.30	16.50	16.94	17.42	17.97	18.59	19.29	20.09	21.53
21.0	16.45	16.51	16.71	16.92	17.38	17.90	18.48	19.14	19.89	20.74	22.26
22.0	16.85	16.91	17.12	17.35	17.84	18.39	19.00	19.70	20.49	21.39	23.01
23.0	17.25	17.31	17.54	17.78	18.30	18.88	19.53	20.27	21.10	22.06	23.76
24.0	17.66	17.73	17.96	18.22	18.77	19.38	20.07	20.84	21.73	22.74	24.54
25.0	18.07	18.15	18.40	18.66	19.24	19.89	20.62	21.44	22.37	23.43	25.32
26.0	18.50	18.57	18.84	19.12	19.73	20.41	21.17	22.04	23.02	24.14	26.13
27.0	18.92	19.00	19.28	19.58	20.22	20.94	21.74	22.65	23.68	24.86	26.94
28.0	19.36	19.44	19.74	20.05	20.72	21.47	22.32	23.27	24.36	25.59	27.78
29.0	19.80	19.89	20.20	20.52	21.23	22.02	22.91	23.91	25.05	26.34	28.63
30.0	20.25	20.34	20.67	21.01	21.75	22.58	23.51	24.56	25.75	27.11	29.50
31.0	20.71	20.81	21.14	21.50	22.28	23.15	24.12	25.22	26.47	27.89	30.40
32.0	21.18	21.28	21.63	22.01	22.82	23.73	24.75	25.90	27.21	28.69	31.31
33.0	21.65	21.76	22.12	22.52	23.37	24.32	25.39	26.59	27.96	29.51	32.24
34.0	22.13	22.24	22.63	23.04	23.93	24.92	26.04	27.30	28.73	30.34	33.19
35.0	22.63	22.74	23.14	23.57	24.50	25.54	26.70	28.02	29.51	31.20	34.16
36.0	23.13	23.24	23.67	24.11	25.08	26.17	27.38	28.76	30.32	32.07	35.16
37.0	23.64	23.76	24.20	24.66	25.67	26.81	28.08	29.51	31.14	32.97	36.18
38.0	24.16	24.28	24.74	25.23	26.28	27.46	28.79	30.29	31.98	33.89	37.23
39.0	24.69	24.82	25.30	25.80	26.90	28.13	29.52	31.08	32.84	34.83	38.30
40.0	25.23	25.37	25.86	26.39	27.54	28.82	30.26	31.89	33.72	35.79	39.40
41.0	25.78	25.92	26.44	26.99	28.18	29.52	31.02	32.72	34.63	36.78	40.53
42.0	26.34	26.49	27.03	27.60	28.85	30.24	31.81	33.57	35.56	37.80	41.69
43.0	26.91	27.07	27.63	28.23	29.52	30.97	32.61	34.44	36.51	38.84	42.88
44.0	27.50	27.67	28.25	28.87	30.22	31.73	33.43	35.34	37.49	39.91	44.10
45.0	28.10	28.27	28.88	29.53	30.93	32.50	34.27	36.26	38.50	41.01	45.36
46.0	28.71	28.89	29.52	30.20	31.66	33.29	35.13	37.20	39.54	42.15	46.66
47.0	29.34	29.53	30.18	30.88	32.40	34.11	36.02	38.18	40.60	43.32	47.99
48.0	29.98	30.18	30.86	31.59	33.17	34.94	36.94	39.18	41.70	44.52	49.37
49.0	30.64	30.84	31.55	32.31	33.95	35.80	37.88	40.21	42.83	45.76	50.79
50.0	31.31	31.52	32.26	33.05	34.76	36.68	38.84	41.27	44.00	47.04	52.25
▽Φ	PERCENTAGE OF LOAN AMOUNT LEFT UNPAID AT DUE DATE										
	100.0	98.31	92.53	86.75	75.19	63.62	52.06	40.50	28.93	17.37	.00

DISCOUNT %	MONTHLY PAYBACK RATE (%) (MONTHLY PAYMENT DIVIDED BY LOAN AMOUNT)										
	.77	.80	.90	1.00	1.10	1.20	1.30	1.40	1.60	1.80	2.09
.5	9.38	9.38	9.38	9.39	9.39	9.40	9.40	9.41	9.42	9.43	9.46
1.0	9.50	9.50	9.51	9.52	9.53	9.54	9.55	9.56	9.59	9.62	9.68
1.5	9.63	9.63	9.64	9.66	9.67	9.69	9.70	9.72	9.76	9.81	9.90
2.0	9.76	9.76	9.78	9.80	9.81	9.84	9.86	9.88	9.94	10.00	10.12
2.5	9.89	9.89	9.91	9.94	9.96	9.99	10.01	10.04	10.11	10.19	10.34
3.0	10.01	10.02	10.05	10.08	10.10	10.14	10.17	10.21	10.29	10.39	10.56
3.5	10.14	10.15	10.18	10.22	10.25	10.29	10.33	10.37	10.47	10.58	10.79
4.0	10.28	10.29	10.32	10.36	10.40	10.44	10.48	10.53	10.65	10.77	11.01
4.5	10.41	10.42	10.46	10.50	10.54	10.59	10.64	10.70	10.83	10.97	11.24
5.0	10.54	10.55	10.60	10.64	10.69	10.75	10.80	10.87	11.01	11.17	11.47
5.5	10.67	10.69	10.73	10.79	10.84	10.90	10.96	11.03	11.19	11.37	11.70
6.0	10.81	10.82	10.87	10.93	10.99	11.06	11.13	11.20	11.37	11.57	11.94
6.5	10.94	10.96	11.02	11.08	11.14	11.22	11.29	11.37	11.56	11.77	12.17
7.0	11.08	11.10	11.16	11.23	11.30	11.37	11.45	11.54	11.74	11.98	12.41
7.5	11.22	11.24	11.30	11.37	11.45	11.53	11.62	11.72	11.93	12.19	12.65
8.0	11.35	11.37	11.45	11.52	11.60	11.69	11.79	11.89	12.12	12.39	12.89
8.5	11.49	11.51	11.59	11.67	11.76	11.86	11.96	12.07	12.31	12.60	13.13
9.0	11.63	11.66	11.74	11.82	11.92	12.02	12.12	12.24	12.50	12.81	13.37
9.5	11.77	11.80	11.88	11.98	12.07	12.18	12.30	12.42	12.70	13.03	13.62
10.0	11.91	11.94	12.03	12.13	12.23	12.35	12.47	12.60	12.89	13.24	13.87
11.0	12.20	12.23	12.33	12.44	12.55	12.68	12.81	12.96	13.29	13.67	14.37
12.0	12.49	12.52	12.63	12.75	12.88	13.02	13.17	13.33	13.69	14.11	14.88
13.0	12.78	12.82	12.94	13.07	13.21	13.36	13.52	13.70	14.10	14.56	15.40
14.0	13.08	13.12	13.25	13.39	13.55	13.71	13.89	14.08	14.51	15.02	15.92
15.0	13.38	13.42	13.57	13.72	13.89	14.07	14.26	14.47	14.93	15.48	16.46
16.0	13.69	13.73	13.89	14.05	14.23	14.43	14.63	14.86	15.36	15.95	17.01
17.0	14.00	14.04	14.21	14.39	14.58	14.79	15.01	15.25	15.79	16.43	17.56
18.0	14.31	14.36	14.54	14.73	14.94	15.16	15.40	15.66	16.24	16.91	18.13
19.0	14.63	14.68	14.87	15.08	15.30	15.54	15.79	16.07	16.68	17.41	18.70
20.0	14.95	15.01	15.21	15.44	15.67	15.92	16.19	16.49	17.14	17.91	19.29
21.0	15.28	15.34	15.56	15.79	16.04	16.31	16.60	16.91	17.61	18.41	19.88
22.0	15.62	15.68	15.91	16.16	16.42	16.71	17.01	17.34	18.08	18.95	20.49
23.0	15.95	16.02	16.27	16.53	16.81	17.11	17.43	17.78	18.57	19.48	21.11
24.0	16.30	16.37	16.63	16.91	17.20	17.52	17.86	18.23	19.06	20.03	21.74
25.0	16.65	16.73	17.00	17.29	17.60	17.94	18.30	18.69	19.56	20.58	22.39
26.0	17.00	17.08	17.37	17.68	18.01	18.36	18.74	19.15	20.07	21.14	23.04
27.0	17.37	17.45	17.75	18.08	18.42	18.79	19.19	19.62	20.59	21.72	23.71
28.0	17.73	17.82	18.14	18.48	18.84	19.23	19.65	20.11	21.12	22.31	24.40
29.0	18.11	18.20	18.53	18.89	19.27	19.68	20.12	20.60	21.66	22.91	25.09
30.0	18.49	18.58	18.93	19.31	19.71	20.14	20.60	21.10	22.22	23.52	25.81
31.0	18.87	18.98	19.34	19.73	20.15	20.60	21.09	21.61	22.78	24.15	26.54
32.0	19.27	19.37	19.76	20.17	20.60	21.08	21.58	22.13	23.36	24.78	27.28
33.0	19.67	19.78	20.18	20.61	21.07	21.56	22.09	22.66	23.95	25.44	28.04
34.0	20.08	20.19	20.61	21.06	21.54	22.06	22.61	23.21	24.55	26.11	28.82
35.0	20.49	20.62	21.05	21.52	22.02	22.56	23.14	23.77	25.16	26.79	29.62
36.0	20.92	21.04	21.50	21.99	22.51	23.08	23.68	24.33	25.79	27.49	30.44
37.0	21.35	21.48	21.96	22.47	23.01	23.60	24.23	24.92	26.44	28.21	31.28
38.0	21.79	21.93	22.42	22.96	23.53	24.14	24.80	25.51	27.10	28.94	32.13
39.0	22.24	22.38	22.90	23.46	24.05	24.69	25.38	26.12	27.77	29.70	33.01
40.0	22.70	22.85	23.39	23.97	24.59	25.25	25.97	26.74	28.47	30.47	33.91
41.0	23.17	23.32	23.88	24.49	25.13	25.83	26.58	27.38	29.18	31.26	34.84
42.0	23.64	23.81	24.39	25.02	25.69	26.42	27.20	28.04	29.91	32.07	35.79
43.0	24.13	24.30	24.91	25.57	26.27	27.02	27.83	28.71	30.66	32.91	36.77
44.0	24.63	24.81	25.44	26.13	26.86	27.64	28.49	29.40	31.42	33.77	37.77
45.0	25.15	25.33	25.99	26.70	27.46	28.28	29.16	30.10	32.21	34.65	38.81
46.0	25.67	25.86	26.55	27.29	28.08	28.93	29.84	30.83	33.03	35.56	39.87
47.0	26.20	26.40	27.12	27.89	28.71	29.60	30.55	31.58	33.86	36.49	40.96
48.0	26.75	26.96	27.70	28.51	29.36	30.29	31.28	32.34	34.72	37.44	42.09
49.0	27.32	27.53	28.31	29.14	30.03	30.99	32.02	33.14	35.61	38.45	43.26
50.0	27.89	28.12	28.92	29.79	30.72	31.72	32.79	33.95	36.52	39.48	44.46
⌀	PERCENTAGE OF LOAN AMOUNT LEFT UNPAID AT DUE DATE										
	100.0	97.79	90.19	82.60	75.01	67.42	59.83	52.23	37.05	21.86	.00

DISCOUNT %	MONTHLY PAYBACK RATE (%) (MONTHLY PAYMENT DIVIDED BY LOAN AMOUNT)										
	.77	.80	.90	1.00	1.10	1.20	1.30	1.40	1.50	1.60	1.81
1.0	9.47	9.47	9.48	9.49	9.50	9.51	9.52	9.54	9.55	9.57	9.62
2.0	9.69	9.70	9.71	9.73	9.75	9.78	9.80	9.83	9.86	9.90	9.99
3.0	9.91	9.92	9.95	9.98	10.01	10.05	10.09	10.13	10.18	10.23	10.36
4.0	10.14	10.15	10.19	10.23	10.27	10.32	10.37	10.43	10.50	10.57	10.75
5.0	10.37	10.39	10.43	10.48	10.54	10.60	10.66	10.74	10.82	10.91	11.14
6.0	10.61	10.62	10.68	10.74	10.81	10.88	10.96	11.05	11.15	11.25	11.53
7.0	10.84	10.86	10.93	11.00	11.08	11.17	11.26	11.36	11.48	11.61	11.93
8.0	11.08	11.10	11.18	11.26	11.35	11.45	11.56	11.68	11.82	11.96	12.34
9.0	11.32	11.35	11.43	11.53	11.63	11.75	11.87	12.01	12.16	12.33	12.75
10.0	11.57	11.60	11.69	11.80	11.92	12.05	12.18	12.34	12.51	12.69	13.17
11.0	11.82	11.85	11.96	12.08	12.20	12.35	12.50	12.67	12.86	13.07	13.60
12.0	12.07	12.10	12.22	12.36	12.50	12.65	12.82	13.01	13.22	13.45	14.03
13.0	12.33	12.36	12.49	12.64	12.79	12.97	13.15	13.36	13.58	13.84	14.47
14.0	12.59	12.63	12.77	12.93	13.09	13.28	13.48	13.71	13.96	14.23	14.92
15.0	12.85	12.89	13.05	13.22	13.40	13.60	13.82	14.07	14.33	14.63	15.38
16.0	13.12	13.16	13.33	13.51	13.71	13.93	14.17	14.43	14.72	15.04	15.84
17.0	13.39	13.44	13.62	13.81	14.03	14.26	14.52	14.80	15.11	15.45	16.32
18.0	13.66	13.72	13.91	14.12	14.35	14.60	14.87	15.17	15.50	15.87	16.80
19.0	13.94	14.00	14.20	14.43	14.67	14.94	15.23	15.55	15.91	16.30	17.29
20.0	14.22	14.29	14.50	14.75	15.00	15.29	15.60	15.94	16.32	16.73	17.78
21.0	14.51	14.58	14.81	15.07	15.34	15.64	15.97	16.34	16.74	17.18	18.29
22.0	14.80	14.87	15.12	15.39	15.68	16.01	16.35	16.74	17.16	17.63	18.81
23.0	15.10	15.17	15.44	15.72	16.03	16.37	16.74	17.15	17.60	18.09	19.34
24.0	15.40	15.48	15.76	16.06	16.39	16.75	17.14	17.57	18.04	18.56	19.87
25.0	15.71	15.79	16.08	16.40	16.75	17.13	17.54	17.99	18.49	19.04	20.42
26.0	16.02	16.11	16.41	16.75	17.12	17.52	17.95	18.43	18.95	19.53	20.98
27.0	16.34	16.43	16.75	17.11	17.49	17.91	18.37	18.87	19.42	20.03	21.55
28.0	16.66	16.76	17.10	17.47	17.87	18.31	18.79	19.32	19.90	20.54	22.14
29.0	16.99	17.09	17.45	17.84	18.26	18.72	19.23	19.78	20.39	21.06	22.73
30.0	17.32	17.43	17.80	18.21	18.66	19.14	19.67	20.25	20.89	21.59	23.34
31.0	17.66	17.77	18.17	18.60	19.06	19.57	20.12	20.73	21.40	22.13	23.96
32.0	18.01	18.12	18.54	18.99	19.47	20.01	20.59	21.23	21.92	22.69	24.60
33.0	18.36	18.48	18.91	19.38	19.89	20.45	21.06	21.73	22.46	23.26	25.25
34.0	18.72	18.85	19.30	19.79	20.32	20.91	21.54	22.24	23.00	23.84	25.91
35.0	19.09	19.22	19.69	20.20	20.76	21.37	22.03	22.76	23.56	24.43	26.59
36.0	19.46	19.60	20.09	20.63	21.21	21.85	22.54	23.30	24.13	25.04	27.29
37.0	19.84	19.99	20.50	21.06	21.67	22.33	23.06	23.85	24.71	25.66	28.00
38.0	20.23	20.38	20.92	21.50	22.14	22.83	23.58	24.41	25.31	26.30	28.73
39.0	20.63	20.79	21.34	21.95	22.61	23.34	24.12	24.99	25.93	26.95	29.48
40.0	21.04	21.20	21.78	22.42	23.11	23.86	24.68	25.58	26.56	27.63	30.25
41.0	21.45	21.62	22.23	22.89	23.61	24.39	25.25	26.18	27.20	28.32	31.04
42.0	21.88	22.05	22.68	23.37	24.12	24.94	25.83	26.81	27.87	29.02	31.86
43.0	22.31	22.49	23.15	23.87	24.65	25.50	26.43	27.44	28.55	29.75	32.69
44.0	22.75	22.94	23.63	24.38	25.19	26.08	27.04	28.10	29.25	30.50	33.55
45.0	23.21	23.41	24.12	24.90	25.74	26.67	27.68	28.77	29.97	31.27	34.43
46.0	23.67	23.88	24.62	25.43	26.31	27.28	28.32	29.47	30.71	32.06	35.34
47.0	24.15	24.36	25.14	25.98	26.90	27.90	28.99	30.18	31.47	32.88	36.28
48.0	24.64	24.86	25.67	26.55	27.50	28.55	29.68	30.92	32.26	33.72	37.24
49.0	25.14	25.37	26.21	27.13	28.12	29.21	30.39	31.68	33.07	34.59	38.24
50.0	25.65	25.90	26.77	27.72	28.76	29.89	31.12	32.46	33.91	35.48	39.27
51.0	26.18	26.43	27.34	28.34	29.41	30.59	31.87	33.27	34.78	36.41	40.33
52.0	26.72	26.99	27.93	28.97	30.09	31.32	32.65	34.10	35.67	37.36	41.43
53.0	27.28	27.56	28.54	29.62	30.79	32.07	33.45	34.96	36.59	38.35	42.57
54.0	27.86	28.14	29.17	30.29	31.51	32.84	34.29	35.86	37.55	39.38	43.75
55.0	28.45	28.75	29.82	30.99	32.26	33.64	35.15	36.78	38.55	40.45	44.98
56.0	29.06	29.37	30.48	31.70	33.03	34.47	36.04	37.74	39.58	41.55	46.25
57.0	29.69	30.01	31.17	32.45	33.83	35.33	36.97	38.74	40.65	42.70	47.56
58.0	30.34	30.68	31.89	33.21	34.65	36.23	37.93	39.77	41.76	43.89	48.94
59.0	31.01	31.36	32.63	34.01	35.51	37.15	38.93	40.85	42.92	45.14	50.37
60.0	31.71	32.08	33.39	34.84	36.41	38.12	39.97	41.98	44.13	46.43	51.86
PERCENTAGE OF LOAN AMOUNT LEFT UNPAID AT DUE DATE											
	100.0	97.21	87.63	78.05	68.48	58.90	49.32	39.74	30.17	20.59	.00

MONTHLY PAYBACK RATE (%)
(MONTHLY PAYMENT DIVIDED BY LOAN AMOUNT)

DISCOUNT %	.77	.80	.85	.90	1.00	1.10	1.20	1.30	1.40	1.50	1.62
1.0	9.45	9.45	9.45	9.46	9.47	9.48	9.49	9.51	9.52	9.54	9.57
2.0	9.64	9.65	9.66	9.67	9.69	9.71	9.74	9.77	9.80	9.84	9.89
3.0	9.84	9.85	9.87	9.88	9.91	9.95	10.00	10.03	10.09	10.14	10.22
4.0	10.05	10.06	10.08	10.10	10.14	10.19	10.25	10.30	10.37	10.45	10.56
5.0	10.25	10.27	10.29	10.32	10.37	10.43	10.50	10.58	10.66	10.76	10.90
6.0	10.46	10.48	10.51	10.54	10.61	10.68	10.76	10.85	10.96	11.08	11.24
7.0	10.67	10.69	10.73	10.76	10.84	10.93	11.03	11.14	11.26	11.41	11.59
8.0	10.89	10.91	10.95	10.99	11.08	11.18	11.30	11.42	11.57	11.73	11.95
9.0	11.10	11.13	11.18	11.22	11.33	11.44	11.57	11.71	11.87	12.06	12.31
10.0	11.32	11.35	11.41	11.46	11.58	11.70	11.85	12.01	12.19	12.39	12.68
11.0	11.55	11.58	11.64	11.70	11.83	11.97	12.13	12.31	12.51	12.74	13.05
12.0	11.77	11.81	11.87	11.94	12.08	12.24	12.42	12.61	12.83	13.08	13.43
13.0	12.00	12.04	12.11	12.18	12.34	12.51	12.71	12.92	13.16	13.44	13.82
14.0	12.24	12.28	12.35	12.43	12.60	12.79	13.00	13.23	13.50	13.80	14.21
15.0	12.47	12.52	12.60	12.69	12.87	13.07	13.30	13.55	13.84	14.16	14.61
16.0	12.71	12.76	12.85	12.94	13.14	13.36	13.61	13.88	14.19	14.53	15.01
17.0	12.96	13.01	13.10	13.20	13.42	13.65	13.92	14.21	14.54	14.91	15.43
18.0	13.20	13.26	13.36	13.47	13.70	13.95	14.23	14.55	14.90	15.30	15.85
19.0	13.45	13.52	13.62	13.74	13.98	14.25	14.55	14.89	15.27	15.69	16.28
20.0	13.71	13.77	13.89	14.01	14.27	14.56	14.88	15.24	15.64	16.09	16.71
21.0	13.97	14.04	14.16	14.29	14.57	14.87	15.21	15.59	16.02	16.50	17.16
22.0	14.23	14.30	14.43	14.57	14.87	15.19	15.55	15.95	16.41	16.91	17.61
23.0	14.50	14.58	14.71	14.86	15.17	15.51	15.90	16.32	16.80	17.33	18.07
24.0	14.77	14.85	15.00	15.15	15.48	15.84	16.25	16.70	17.20	17.76	18.54
25.0	15.05	15.13	15.29	15.45	15.80	16.18	16.61	17.08	17.61	18.20	19.02
26.0	15.33	15.42	15.58	15.75	16.12	16.52	16.97	17.47	18.03	18.65	19.51
27.0	15.61	15.71	15.88	16.06	16.45	16.87	17.34	17.87	18.46	19.11	20.01
28.0	15.91	16.01	16.19	16.37	16.78	17.22	17.72	18.27	18.89	19.58	20.52
29.0	16.20	16.31	16.50	16.69	17.12	17.59	18.11	18.69	19.34	20.06	21.04
30.0	16.50	16.62	16.81	17.02	17.47	17.96	18.51	19.11	19.79	20.54	21.58
31.0	16.81	16.93	17.13	17.35	17.82	18.33	18.91	19.54	20.25	21.04	22.12
32.0	17.12	17.25	17.46	17.69	18.18	18.72	19.32	19.99	20.73	21.55	22.68
33.0	17.44	17.57	17.80	18.04	18.55	19.11	19.74	20.44	21.21	22.07	23.25
34.0	17.77	17.90	18.14	18.39	18.93	19.52	20.17	20.90	21.71	22.61	23.83
35.0	18.10	18.24	18.49	18.75	19.31	19.93	20.61	21.37	22.22	23.15	24.43
36.0	18.44	18.59	18.85	19.12	19.70	20.35	21.07	21.86	22.74	23.71	25.04
37.0	18.79	18.94	19.21	19.49	20.10	20.78	21.53	22.35	23.27	24.29	25.67
38.0	19.14	19.30	19.58	19.88	20.52	21.22	22.00	22.86	23.82	24.87	26.31
39.0	19.50	19.67	19.96	20.27	20.94	21.67	22.48	23.38	24.38	25.48	26.97
40.0	19.87	20.04	20.35	20.67	21.37	22.13	22.98	23.91	24.95	26.10	27.64
41.0	20.25	20.43	20.75	21.08	21.81	22.60	23.49	24.46	25.54	26.73	28.34
42.0	20.64	20.82	21.16	21.50	22.26	23.09	24.01	25.03	26.15	27.39	29.05
43.0	21.03	21.23	21.57	21.94	22.72	23.59	24.55	25.60	26.77	28.06	29.79
44.0	21.43	21.64	22.00	22.38	23.20	24.10	25.10	26.20	27.41	28.75	30.54
45.0	21.85	22.06	22.44	22.83	23.69	24.62	25.67	26.81	28.07	29.46	31.32
46.0	22.27	22.50	22.89	23.30	24.19	25.16	26.25	27.44	28.75	30.19	32.12
47.0	22.71	22.94	23.35	23.78	24.70	25.72	26.85	28.09	29.45	30.94	32.94
48.0	23.16	23.40	23.82	24.27	25.23	26.29	27.47	28.75	30.17	31.72	33.79
49.0	23.62	23.87	24.31	24.77	25.78	26.88	28.10	29.44	30.92	32.53	34.67
50.0	24.09	24.35	24.81	25.29	26.34	27.49	28.76	30.15	31.69	33.35	35.57
51.0	24.57	24.84	25.33	25.83	26.92	28.11	29.44	30.89	32.48	34.21	36.51
52.0	25.07	25.35	25.86	26.38	27.51	28.76	30.14	31.65	33.30	35.10	37.48
53.0	25.59	25.88	26.40	26.95	28.13	29.43	30.86	32.43	34.15	36.02	38.48
54.0	26.12	26.42	26.97	27.54	28.77	30.12	31.61	33.25	35.03	36.97	39.52
55.0	26.66	26.98	27.55	28.14	29.43	30.84	32.39	34.09	35.95	37.96	40.60
56.0	27.23	27.56	28.15	28.77	30.11	31.58	33.20	34.97	36.90	38.98	41.72
57.0	27.81	28.16	28.77	29.42	30.81	32.35	34.04	35.88	37.89	40.05	42.88
58.0	28.41	28.77	29.42	30.09	31.55	33.15	34.91	36.82	38.91	41.16	44.10
59.0	29.04	29.41	30.08	30.79	32.31	33.98	35.81	37.81	39.98	42.32	45.36
60.0	29.68	30.08	30.78	31.51	33.10	34.84	36.76	38.84	41.10	43.52	46.68
PERCENTAGE OF LOAN AMOUNT LEFT UNPAID AT DUE DATE											
100.0	96.57	90.69	84.82	73.06	61.31	49.56	37.80	26.05	14.30	.00	

DISCOUNT %	MONTHLY PAYBACK RATE (%) (MONTHLY PAYMENT DIVIDED BY LOAN AMOUNT)										
	.77	.80	.85	.90	.95	1.00	1.10	1.20	1.30	1.40	1.48
1.0	9.43	9.43	9.44	9.44	9.45	9.45	9.46	9.48	9.50	9.52	9.54
2.0	9.61	9.61	9.63	9.63	9.65	9.66	9.68	9.72	9.75	9.79	9.82
3.0	9.79	9.80	9.82	9.83	9.85	9.87	9.91	9.95	10.00	10.07	10.12
4.0	9.98	9.99	10.01	10.03	10.06	10.08	10.13	10.19	10.26	10.35	10.42
5.0	10.17	10.18	10.21	10.23	10.26	10.29	10.36	10.44	10.53	10.63	10.72
6.0	10.36	10.37	10.41	10.44	10.47	10.51	10.59	10.69	10.79	10.92	11.03
7.0	10.55	10.57	10.61	10.65	10.69	10.73	10.83	10.94	11.06	11.21	11.34
8.0	10.74	10.77	10.81	10.86	10.91	10.96	11.07	11.20	11.34	11.51	11.66
9.0	10.94	10.97	11.02	11.07	11.13	11.18	11.31	11.46	11.62	11.81	11.98
10.0	11.14	11.18	11.23	11.29	11.35	11.42	11.56	11.72	11.90	12.12	12.31
11.0	11.35	11.38	11.44	11.51	11.58	11.65	11.81	11.99	12.19	12.43	12.64
12.0	11.55	11.59	11.66	11.73	11.81	11.89	12.06	12.26	12.49	12.75	12.98
13.0	11.76	11.81	11.88	11.96	12.04	12.13	12.32	12.54	12.78	13.07	13.32
14.0	11.98	12.02	12.10	12.19	12.28	12.37	12.58	12.82	13.09	13.40	13.67
15.0	12.19	12.24	12.33	12.42	12.52	12.62	12.85	13.11	13.40	13.73	14.03
16.0	12.41	12.47	12.56	12.66	12.77	12.88	13.12	13.40	13.71	14.07	14.39
17.0	12.64	12.69	12.80	12.90	13.02	13.14	13.40	13.69	14.03	14.42	14.76
18.0	12.86	12.92	13.03	13.15	13.27	13.40	13.68	14.00	14.36	14.77	15.14
19.0	13.09	13.16	13.27	13.40	13.53	13.66	13.96	14.30	14.69	15.13	15.52
20.0	13.33	13.40	13.52	13.65	13.79	13.94	14.25	14.62	15.03	15.50	15.91
21.0	13.57	13.64	13.77	13.91	14.06	14.21	14.55	14.94	15.37	15.87	16.31
22.0	13.81	13.88	14.02	14.17	14.33	14.49	14.85	15.26	15.72	16.25	16.71
23.0	14.05	14.14	14.28	14.44	14.60	14.78	15.16	15.59	16.08	16.64	17.12
24.0	14.30	14.39	14.55	14.71	14.88	15.07	15.47	15.93	16.44	17.03	17.54
25.0	14.56	14.65	14.81	14.99	15.17	15.37	15.79	16.27	16.81	17.43	17.97
26.0	14.82	14.91	15.09	15.27	15.46	15.67	16.11	16.62	17.19	17.84	18.41
27.0	15.08	15.18	15.36	15.55	15.76	15.98	16.45	16.98	17.58	18.26	18.86
28.0	15.35	15.45	15.65	15.85	16.06	16.29	16.78	17.34	17.97	18.69	19.31
29.0	15.62	15.73	15.93	16.15	16.37	16.61	17.13	17.72	18.38	19.13	19.78
30.0	15.90	16.02	16.23	16.45	16.69	16.94	17.48	18.10	18.79	19.58	20.26
31.0	16.18	16.31	16.53	16.76	17.01	17.27	17.84	18.49	19.21	20.03	20.75
32.0	16.47	16.60	16.83	17.08	17.34	17.61	18.21	18.89	19.64	20.50	21.24
33.0	16.77	16.90	17.15	17.40	17.67	17.96	18.59	19.29	20.08	20.98	21.75
34.0	17.07	17.21	17.46	17.73	18.02	18.32	18.97	19.71	20.54	21.47	22.28
35.0	17.37	17.52	17.79	18.07	18.37	18.68	19.36	20.13	21.00	21.97	22.81
36.0	17.69	17.84	18.12	18.41	18.72	19.05	19.77	20.57	21.47	22.49	23.36
37.0	18.01	18.17	18.46	18.77	19.09	19.43	20.18	21.02	21.96	23.01	23.92
38.0	18.34	18.51	18.81	19.13	19.47	19.82	20.60	21.48	22.45	23.55	24.50
39.0	18.67	18.85	19.16	19.50	19.85	20.22	21.03	21.95	22.96	24.11	25.09
40.0	19.01	19.20	19.53	19.87	20.24	20.63	21.48	22.43	23.49	24.68	25.69
41.0	19.36	19.56	19.90	20.26	20.65	21.05	21.93	22.92	24.02	25.26	26.31
42.0	19.72	19.92	20.28	20.66	21.06	21.48	22.40	23.43	24.58	25.86	26.95
43.0	20.09	20.30	20.67	21.06	21.48	21.92	22.88	23.95	25.15	26.48	27.61
44.0	20.47	20.68	21.07	21.48	21.92	22.38	23.37	24.49	25.73	27.11	28.29
45.0	20.85	21.08	21.48	21.91	22.36	22.84	23.88	25.04	26.33	27.77	28.99
46.0	21.25	21.49	21.91	22.35	22.82	23.32	24.40	25.61	26.95	28.44	29.70
47.0	21.66	21.90	22.34	22.80	23.30	23.81	24.94	26.20	27.59	29.14	30.44
48.0	22.07	22.33	22.79	23.27	23.78	24.32	25.49	26.80	28.25	29.85	31.21
49.0	22.50	22.77	23.25	23.75	24.28	24.84	26.06	27.42	28.93	30.59	32.00
50.0	22.94	23.22	23.72	24.24	24.80	25.38	26.65	28.07	29.63	31.36	32.81
52.0	23.87	24.17	24.71	25.27	25.88	26.51	27.89	29.42	31.11	32.97	34.52
54.0	24.85	25.18	25.76	26.38	27.03	27.72	29.22	30.88	32.70	34.69	36.36
56.0	25.89	26.25	26.89	27.56	28.27	29.02	30.64	32.44	34.41	36.55	38.34
58.0	27.01	27.40	28.09	28.82	29.60	30.41	32.18	34.13	36.26	38.57	40.48
60.0	28.22	28.64	29.39	30.19	31.04	31.93	33.84	35.96	38.26	40.75	42.81
62.0	29.52	29.98	30.80	31.67	32.60	33.57	35.66	37.96	40.46	43.14	45.35
64.0	30.93	31.43	32.34	33.29	34.30	35.37	37.65	40.16	42.87	45.77	48.14
66.0	32.47	33.02	34.02	35.07	36.18	37.35	39.86	42.60	45.54	48.67	51.22
68.0	34.16	34.78	35.88	37.03	38.26	39.55	42.30	45.30	48.51	51.91	54.65
70.0	36.04	36.73	37.94	39.23	40.59	42.01	45.05	48.35	51.85	55.54	58.51
▽⏀	PERCENTAGE OF LOAN AMOUNT LEFT UNPAID AT DUE DATE										
	100.0	95.88	88.81	81.74	74.66	67.59	53.45	39.31	25.17	11.03	.00

DISCOUNT %	MONTHLY PAYBACK RATE (%) (MONTHLY PAYMENT DIVIDED BY LOAN AMOUNT)										
	.77	.80	.85	.90	.95	1.00	1.05	1.10	1.20	1.30	1.37
1.0	9.41	9.42	9.42	9.43	9.44	9.44	9.45	9.45	9.47	9.49	9.51
2.0	9.58	9.59	9.60	9.61	9.62	9.64	9.65	9.66	9.70	9.74	9.77
3.0	9.75	9.76	9.78	9.79	9.81	9.83	9.85	9.88	9.93	9.99	10.04
4.0	9.92	9.94	9.96	9.98	10.01	10.03	10.06	10.09	10.16	10.24	10.31
5.0	10.10	10.11	10.14	10.17	10.20	10.24	10.27	10.31	10.40	10.50	10.58
6.0	10.27	10.29	10.33	10.36	10.40	10.44	10.48	10.53	10.64	10.76	10.86
7.0	10.45	10.48	10.52	10.56	10.60	10.65	10.70	10.76	10.88	11.03	11.14
8.0	10.63	10.66	10.71	10.75	10.81	10.86	10.92	10.99	11.13	11.30	11.43
9.0	10.82	10.85	10.90	10.95	11.02	11.08	11.15	11.22	11.38	11.57	11.72
10.0	11.01	11.04	11.10	11.16	11.23	11.30	11.37	11.45	11.64	11.85	12.02
11.0	11.19	11.23	11.30	11.36	11.44	11.52	11.60	11.69	11.90	12.14	12.32
12.0	11.39	11.43	11.50	11.57	11.66	11.74	11.84	11.94	12.16	12.42	12.63
13.0	11.58	11.63	11.70	11.79	11.88	11.97	12.08	12.19	12.43	12.72	12.94
14.0	11.78	11.83	11.91	12.00	12.10	12.21	12.32	12.44	12.71	13.02	13.26
15.0	11.98	12.03	12.13	12.22	12.33	12.44	12.56	12.69	12.98	13.32	13.58
16.0	12.19	12.24	12.34	12.45	12.56	12.68	12.81	12.95	13.27	13.63	13.91
17.0	12.39	12.45	12.56	12.67	12.80	12.93	13.07	13.22	13.56	13.94	14.24
18.0	12.60	12.67	12.78	12.91	13.04	13.18	13.33	13.49	13.85	14.26	14.58
19.0	12.82	12.89	13.01	13.14	13.28	13.43	13.59	13.76	14.15	14.59	14.93
20.0	13.04	13.11	13.24	13.38	13.53	13.69	13.86	14.04	14.45	14.92	15.28
21.0	13.26	13.34	13.48	13.62	13.78	13.95	14.13	14.33	14.76	15.26	15.64
22.0	13.48	13.57	13.71	13.87	14.04	14.22	14.41	14.62	15.08	15.61	16.01
23.0	13.71	13.80	13.96	14.12	14.30	14.49	14.70	14.91	15.40	15.96	16.39
24.0	13.94	14.04	14.20	14.38	14.57	14.77	14.98	15.22	15.73	16.32	16.77
25.0	14.18	14.28	14.46	14.64	14.84	15.05	15.28	15.52	16.06	16.68	17.16
26.0	14.42	14.53	14.71	14.91	15.12	15.34	15.58	15.84	16.41	17.06	17.56
27.0	14.67	14.78	14.97	15.18	15.40	15.64	15.89	16.16	16.76	17.44	17.96
28.0	14.92	15.03	15.24	15.46	15.69	15.94	16.20	16.48	17.11	17.83	18.38
29.0	15.18	15.30	15.51	15.74	15.98	16.24	16.52	16.82	17.48	18.23	18.80
30.0	15.44	15.56	15.79	16.03	16.28	16.56	16.85	17.16	17.85	18.64	19.23
31.0	15.70	15.83	16.07	16.32	16.59	16.88	17.18	17.51	18.23	19.05	19.68
32.0	15.97	16.11	16.36	16.62	16.90	17.20	17.52	17.86	18.62	19.48	20.13
33.0	16.25	16.39	16.65	16.93	17.22	17.54	17.87	18.23	19.02	19.92	20.59
34.0	16.53	16.68	16.95	17.24	17.55	17.88	18.23	18.60	19.43	20.36	21.07
35.0	16.82	16.98	17.26	17.56	17.89	18.23	18.59	18.98	19.84	20.82	21.55
36.0	17.12	17.28	17.58	17.89	18.23	18.59	18.97	19.37	20.27	21.29	22.05
37.0	17.42	17.59	17.90	18.23	18.58	18.95	19.35	19.77	20.71	21.77	22.56
38.0	17.72	17.90	18.23	18.57	18.94	19.33	19.74	20.18	21.16	22.26	23.09
39.0	18.04	18.23	18.56	18.92	19.31	19.71	20.14	20.61	21.62	22.77	23.63
40.0	18.36	18.56	18.91	19.28	19.68	20.11	20.56	21.04	22.10	23.29	24.18
41.0	18.69	18.90	19.26	19.65	20.07	20.51	20.98	21.48	22.58	23.82	24.75
42.0	19.03	19.24	19.63	20.03	20.47	20.93	21.42	21.94	23.08	24.37	25.33
43.0	19.38	19.60	20.00	20.42	20.87	21.35	21.86	22.41	23.60	24.93	25.93
44.0	19.73	19.96	20.38	20.82	21.29	21.79	22.32	22.89	24.13	25.52	26.55
45.0	20.10	20.34	20.77	21.23	21.72	22.24	22.80	23.38	24.67	26.11	27.18
46.0	20.47	20.72	21.18	21.65	22.17	22.71	23.28	23.90	25.24	26.73	27.84
47.0	20.86	21.12	21.59	22.09	22.62	23.19	23.78	24.42	25.82	27.37	28.51
48.0	21.25	21.53	22.02	22.54	23.09	23.68	24.30	24.97	26.41	28.02	29.21
49.0	21.66	21.95	22.46	23.00	23.58	24.19	24.84	25.53	27.03	28.70	29.93
50.0	22.08	22.38	22.91	23.47	24.07	24.71	25.39	26.11	27.67	29.40	30.67
52.0	22.96	23.28	23.86	24.47	25.12	25.82	26.55	27.32	29.01	30.88	32.24
54.0	23.89	24.24	24.87	25.54	26.25	27.07	27.79	28.63	30.46	32.46	33.92
56.0	24.89	25.27	25.96	26.68	27.45	28.27	29.13	30.04	32.01	34.17	35.73
58.0	25.97	26.38	27.12	27.91	28.75	29.64	30.57	31.56	33.69	36.01	37.69
60.0	27.12	27.57	28.39	29.25	30.16	31.13	32.15	33.22	35.53	38.03	39.82
62.0	28.37	28.87	29.76	30.70	31.70	32.75	33.86	35.03	37.53	40.22	42.15
64.0	29.74	30.28	31.26	32.29	33.38	34.54	35.75	37.02	39.73	42.64	44.71
66.0	31.24	31.83	32.90	34.04	35.24	36.51	37.83	39.22	42.17	45.32	47.54
68.0	32.89	33.55	34.73	35.98	37.31	38.70	40.15	41.68	44.89	48.30	50.69
70.0	34.73	35.46	36.78	38.16	39.63	41.17	42.77	44.44	47.95	51.65	54.24
PERCENTAGE OF LOAN AMOUNT LEFT UNPAID AT DUE DATE											
	100.0	95.11	86.73	78.35	69.98	61.60	53.22	44.84	28.08	11.32	.00

DISCOUNT %	MONTHLY PAYBACK RATE (%) (MONTHLY PAYMENT DIVIDED BY LOAN AMOUNT)										
	.77	.80	.85	.90	.95	1.00	1.05	1.10	1.15	1.20	1.28
1.0	9.40	9.41	9.41	9.42	9.43	9.43	9.44	9.45	9.46	9.47	9.49
2.0	9.56	9.57	9.58	9.59	9.60	9.62	9.63	9.65	9.67	9.69	9.73
3.0	9.72	9.73	9.75	9.76	9.79	9.81	9.83	9-86	9.88	9.92	9.97
4.0	9.88	9.89	9.92	9.94	9.97	10.00	10.03	10.06	10.10	10.14	10.22
5.0	10.04	10.06	10.09	10.12	10.16	10.19	10.23	10.28	10.32	10.38	10.47
6.0	10.21	10.23	10.27	10.30	10.35	10.39	10.44	10.49	10.55	10.61	10.73
7.0	10.38	10.40	10.44	10.49	10.54	10.59	10.65	10.71	10.78	10.85	10.99
8.0	10.55	10.57	10.62	10.68	10.73	10.79	10.86	10.93	11.01	11.10	11.25
9.0	10.72	10.75	10.81	10.87	10.93	11.00	11.07	11.16	11.24	11.34	11.52
10.0	10.90	10.93	10.99	11.06	11.13	11.21	11.29	11.38	11.48	11.59	11.79
11.0	11.07	11.11	11.18	11.25	11.34	11.42	11.52	11.62	11.73	11.85	12.07
12.0	11.25	11.30	11.37	11.45	11.54	11.64	11.74	11.85	11.97	12.11	12.35
13.0	11.44	11.48	11.57	11.66	11.76	11.86	11.97	12.09	12.23	12.37	12.63
14.0	11.62	11.67	11.77	11.86	11.97	12.08	12.21	12.34	12.48	12.64	12.93
15.0	11.81	11.87	11.97	12.07	12.19	12.31	12.44	12.59	12.74	12.92	13.22
16.0	12.00	12.06	12.17	12.28	12.41	12.54	12.68	12.84	13.01	13.19	13.52
17.0	12.20	12.26	12.38	12.50	12.64	12.78	12.93	13.10	13.28	13.48	13.83
18.0	12.40	12.47	12.59	12.72	12.86	13.02	13.18	13.36	13.55	13.77	14.14
19.0	12.60	12.67	12.81	12.94	13.10	13.26	13.44	13.63	13.83	14.06	14.46
20.0	12.81	12.88	13.02	13.17	13.34	13.51	13.70	13.90	14.12	14.36	14.79
21.0	13.01	13.10	13.25	13.40	13.58	13.76	13.96	14.18	14.41	14.67	15.12
22.0	13.23	13.31	13.47	13.64	13.83	14.02	14.23	14.46	14.71	14.98	15.46
23.0	13.44	13.54	13.70	13.88	14.08	14.28	14.51	14.75	15.01	15.30	15.80
24.0	13.66	13.76	13.94	14.13	14.33	14.55	14.79	15.04	15.32	15.62	16.15
25.0	13.89	13.99	14.18	14.38	14.59	14.83	15.07	15.34	15.63	15.95	16.51
26.0	14.12	14.23	14.42	14.63	14.86	15.11	15.37	15.65	15.96	16.29	16.88
27.0	14.35	14.46	14.67	14.89	15.13	15.39	15.66	15.96	16.28	16.63	17.25
28.0	14.59	14.71	14.92	15.16	15.41	15.68	15.97	16.28	16.62	16.99	17.63
29.0	14.83	14.95	15.18	15.43	15.69	15.98	16.28	16.61	16.96	17.35	18.02
30.0	15.07	15.21	15.45	15.70	15.98	16.28	16.60	16.94	17.31	17.71	18.42
31.0	15.33	15.47	15.72	15.99	16.28	16.59	16.92	17.28	17.67	18.09	18.83
32.0	15.58	15.73	15.99	16.27	16.58	16.91	17.26	17.63	18.04	18.48	19.25
33.0	15.84	16.00	16.27	16.57	16.89	17.23	17.60	17.99	18.41	18.87	19.67
34.0	16.11	16.27	16.56	16.87	17.21	17.56	17.94	18.36	18.80	19.29	20.11
35.0	16.39	16.55	16.86	17.18	17.53	17.90	18.30	18.73	19.19	19.69	20.56
36.0	16.67	16.84	17.16	17.50	17.86	18.25	18.67	19.11	19.59	20.11	21.02
37.0	16.95	17.14	17.47	17.82	18.20	18.61	19.04	19.51	20.01	20.55	21.49
38.0	17.25	17.44	17.78	18.15	18.55	18.97	19.42	19.91	20.43	20.99	21.97
39.0	17.55	17.75	18.11	18.49	18.90	19.35	19.82	20.33	20.87	21.45	22.47
40.0	17.85	18.06	18.44	18.84	19.27	19.73	20.22	20.75	21.32	21.92	22.98
41.0	18.17	18.39	18.78	19.19	19.64	20.13	20.64	21.19	21.78	22.41	23.50
42.0	18.49	18.72	19.13	19.56	20.03	20.53	21.06	21.64	22.25	22.90	24.04
43.0	18.82	19.06	19.48	19.94	20.43	20.95	21.50	22.10	22.74	23.41	24.59
44.0	19.16	19.41	19.85	20.32	20.83	21.38	21.96	22.58	23.24	23.94	25.16
45.0	19.51	19.77	20.23	20.72	21.25	21.82	22.42	23.07	23.75	24.48	25.75
46.0	19.87	20.14	20.62	21.13	21.69	22.27	22.90	23.57	24.28	25.04	26.35
47.0	20.24	20.52	21.02	21.55	22.13	22.74	23.40	24.09	24.83	25.62	26.98
48.0	20.62	20.91	21.43	21.99	22.59	23.23	23.91	24.63	25.40	26.22	27.62
49.0	21.01	21.31	21.86	22.44	23.06	23.73	24.43	25.19	25.98	26.83	28.28
50.0	21.41	21.73	22.30	22.90	23.55	24.24	24.98	25.76	26.59	27.47	28.97
52.0	22.26	22.60	23.22	23.87	24.58	25.33	26.12	26.97	27.86	28.81	30.42
54.0	23.16	23.53	24.20	24.92	25.68	26.49	27.35	28.27	29.23	30.25	31.98
56.0	24.12	24.53	25.26	26.04	26.87	27.75	28.68	29.67	30.71	31.80	33.65
58.0	25.16	25.60	26.40	27.25	28.15	29.11	30.12	31.19	32.31	33.49	35.47
60.0	26.29	26.77	27.64	28.56	29.55	30.59	31.69	32.84	34.05	35.32	37.45
62.0	27.51	28.03	28.99	29.99	31.07	32.21	33.40	34.65	35.96	37.33	39.61
64.0	28.84	29.42	30.46	31.57	32.75	33.99	35.28	36.65	38.06	39.54	41.99
66.0	30.31	30.95	32.09	33.31	34.60	35.96	37.37	38.86	40.39	41.98	44.62
68.0	31.94	32.64	33.91	35.25	36.67	38.16	39.71	41.32	42.99	44.72	47.56
70.0	33.76	34.54	35.95	37.43	39.00	40.63	42.34	44.10	45.92	47.79	50.86
⌀	PERCENTAGE OF LOAN AMOUNT LEFT UNPAID AT DUE DATE										
	100.0	94.28	84.46	74.65	64.83	55.02	45.21	35.39	25.58	15.77	.00

DISCOUNT %	MONTHLY PAYBACK RATE (%) (MONTHLY PAYMENT DIVIDED BY LOAN AMOUNT)										
	1.00	1.25	1.50	1.75	2.00	2.25	2.50	2.75	3.00	3.50	4.00
1.0	9.42	9.48	9.54	9.60	9.66	9.72	9.78	9.84	9.89	10.01	10.12
2.0	9.58	9.71	9.84	9.96	10.08	10.20	10.31	10.43	10.55	10.78	11.01
3.0	9.75	9.95	10.14	10.32	10.50	10.68	10.86	11.04	11.21	11.56	11.91
4.0	9.93	10.19	10.44	10.69	10.93	11.17	11.41	11.65	11.89	12.35	12.82
5.0	10.10	10.43	10.75	11.06	11.37	11.67	11.97	12.27	12.57	13.16	13.74
6.0	10.28	10.68	11.06	11.44	11.81	12.17	12.54	12.90	13.26	13.98	14.68
7.0	10.46	10.93	11.38	11.82	12.26	12.69	13.12	13.54	13.97	14.81	15.64
8.0	10.65	11.19	11.70	12.21	12.71	13.21	13.70	14.19	14.68	15.65	16.61
9.0	10.84	11.45	12.03	12.61	13.17	13.74	14.30	14.85	15.41	16.50	17.59
10.0	11.03	11.71	12.36	13.01	13.65	14.28	14.90	15.53	16.14	17.37	18.59
11.0	11.22	11.98	12.70	13.42	14.12	14.82	15.52	16.21	16.89	18.25	19.60
12.0	11.42	12.25	13.05	13.83	14.61	15.38	16.14	16.90	17.65	19.15	20.63
13.0	11.62	12.53	13.40	14.26	15.10	15.94	16.78	17.60	18.43	20.06	21.68
14.0	11.83	12.81	13.76	14.69	15.60	16.52	17.42	18.32	19.21	20.99	22.75
15.0	12.04	13.10	14.12	15.12	16.12	17.10	18.08	19.05	20.01	21.93	23.83
16.0	12.25	13.39	14.49	15.57	16.63	17.69	18.74	19.79	20.83	22.89	24.93
17.0	12.47	13.69	14.86	16.02	17.16	18.30	19.42	20.54	21.66	23.87	26.06
18.0	12.69	13.99	15.25	16.48	17.70	18.91	20.11	21.31	22.50	24.86	27.20
19.0	12.92	14.30	15.64	16.95	18.25	19.54	20.82	22.09	23.36	25.87	28.36
20.0	13.15	14.61	16.03	17.43	18.81	20.17	21.53	22.88	24.23	26.90	29.54
21.0	13.38	14.94	16.44	17.91	19.37	20.82	22.26	23.69	25.12	27.94	30.74
22.0	13.62	15.26	16.85	18.41	19.95	21.48	23.01	24.52	26.02	29.01	31.97
23.0	13.86	15.60	17.27	18.91	20.54	22.16	23.76	25.36	26.95	30.10	33.22
24.0	14.11	15.94	17.70	19.43	21.14	22.84	24.54	26.22	27.89	31.20	34.50
25.0	14.37	16.28	18.13	19.95	21.76	23.54	25.32	27.09	28.84	32.33	35.80
26.0	14.63	16.64	18.58	20.49	22.38	24.26	26.12	27.98	29.82	33.49	37.12
27.0	14.90	17.00	19.04	21.04	23.02	24.99	26.94	28.89	30.82	34.66	38.47
28.0	15.17	17.37	19.50	21.60	23.67	25.73	27.78	29.81	31.84	35.86	39.85
29.0	15.45	17.75	19.98	22.17	24.34	26.49	28.63	30.76	32.88	37.09	41.26
30.0	15.73	18.14	20.46	22.75	25.02	27.27	29.50	31.73	33.94	38.34	42.70
31.0	16.03	18.53	20.96	23.35	25.71	28.06	30.39	32.71	35.02	39.61	44.17
32.0	16.33	18.94	21.46	23.95	26.42	28.87	31.30	33.72	36.13	40.92	45.67
33.0	16.63	19.35	21.98	24.58	27.15	29.70	32.23	34.76	37.27	42.25	47.20
34.0	16.95	19.77	22.52	25.21	27.89	30.54	33.19	35.81	38.42	43.62	48.77
35.0	17.27	20.21	23.06	25.87	28.65	31.41	34.16	36.89	39.61	45.02	50.38
36.0	17.60	20.66	23.62	26.54	29.43	32.30	35.16	38.00	40.82	46.45	52.03
37.0	17.94	21.11	24.19	27.22	30.22	33.21	36.18	39.13	42.07	47.91	53.71
38.0	18.29	21.58	24.77	27.92	31.04	34.14	37.22	40.29	43.34	49.41	55.43
39.0	18.65	22.06	25.38	28.64	31.88	35.10	38.30	41.48	44.65	50.95	57.20
40.0	19.02	22.56	25.99	29.38	32.74	36.08	39.40	42.70	45.99	52.52	59.02
41.0	19.40	23.06	26.63	30.14	33.62	37.08	40.53	43.95	47.36	54.14	60.88
42.0	19.79	23.59	27.28	30.92	34.53	38.11	41.68	45.24	48.77	55.80	62.79
43.0	20.20	24.12	27.95	31.72	35.46	39.18	42.88	46.56	50.22	57.51	64.75
44.0	20.61	24.68	28.64	32.54	36.42	40.27	44.10	47.91	51.71	59.26	66.77
45.0	21.04	25.25	29.34	33.39	37.40	41.39	45.36	49.31	53.24	61.07	68.84
46.0	21.48	25.83	30.07	34.26	38.41	42.54	46.65	50.74	54.82	62.92	70.97
47.0	21.94	26.44	30.83	35.16	39.46	43.73	47.99	52.22	56.44	64.83	73.17
48.0	22.41	27.07	31.60	36.09	40.54	44.96	49.36	53.75	58.11	66.80	75.44
49.0	22.90	27.71	32.41	37.04	41.65	46.22	50.78	55.32	59.84	68.83	77.77
50.0	23.41	28.38	33.23	38.03	42.79	47.53	52.24	56.94	61.62	70.92	80.18
51.0	23.94	29.07	34.09	39.05	43.98	48.88	53.76	58.61	63.45	73.08	82.66
52.0	24.48	29.79	34.98	40.11	45.20	50.27	55.32	60.34	65.35	75.32	85.23
53.0	25.05	30.53	35.89	41.20	46.47	51.71	56.93	62.13	67.32	77.63	87.89
54.0	25.63	31.30	36.85	42.33	47.78	53.21	58.61	63.99	69.35	80.02	90.64
55.0	26.25	32.10	37.83	43.51	49.15	54.76	60.34	65.91	71.46	82.50	93.49
56.0	26.88	32.93	38.86	44.73	50.56	56.36	62.14	67.90	73.64	85.07	96.44
57.0	27.55	33.80	39.93	46.00	52.03	58.03	64.01	69.97	75.91	87.74	99.51
58.0	28.24	34.70	41.04	47.31	53.55	59.77	65.95	72.12	78.27	90.51	102.70
59.0	28.97	35.64	42.19	48.69	55.14	61.57	67.98	74.36	80.72	93.40	106.02
60.0	29.73	36.62	43.40	50.12	56.80	63.45	70.08	76.69	83.28	96.40	109.47
ΦΦ	NUMBER OF MONTHLY PAYMENTS NEEDED TO PAY OFF LOAN										
	191.9	124.9	93.9	75.6	63.4	54.6	48.0	42.8	38.7	32.4	27.9

MONTHLY PAYBACK RATE (%)
(MONTHLY PAYMENT DIVIDED BY LOAN AMOUNT)

DISCOUNT %	.79	1.00	1.50	2.00	3.00	4.00	5.00	6.00	7.00	8.00	8.77
.5	10.03	10.03	10.05	10.07	10.10	10.14	10.19	10.24	10.31	10.38	10.45
1.0	10.56	10.57	10.60	10.63	10.71	10.79	10.88	10.99	11.12	11.27	11.40
1.5	11.09	11.11	11.16	11.21	11.32	11.44	11.58	11.74	11.93	12.16	12.36
2.0	11.63	11.65	11.72	11.78	11.93	12.09	12.28	12.50	12.76	13.06	13.33
2.5	12.17	12.20	12.28	12.36	12.54	12.75	12.99	13.26	13.58	13.96	14.31
3.0	12.71	12.75	12.84	12.94	13.16	13.41	13.70	14.03	14.42	14.88	15.29
3.5	13.26	13.30	13.41	13.53	13.79	14.08	14.42	14.81	15.26	15.80	16.28
4.0	13.80	13.86	13.98	14.12	14.42	14.75	15.14	15.58	16.11	16.72	17.28
4.5	14.36	14.42	14.56	14.71	15.05	15.43	15.87	16.37	16.96	17.66	18.28
5.0	14.91	14.98	15.14	15.31	15.68	16.11	16.60	17.16	17.82	18.60	19.30
5.5	15.47	15.54	15.72	15.91	16.32	16.79	17.33	17.96	18.68	19.54	20.32
6.0	16.03	16.11	16.31	16.51	16.97	17.48	18.07	18.76	19.55	20.50	21.35
6.5	16.60	16.68	16.90	17.12	17.62	18.18	18.82	19.56	20.43	21.46	22.38
7.0	17.17	17.26	17.49	17.73	18.27	18.88	19.57	20.38	21.32	22.43	23.43
7.5	17.74	17.84	18.09	18.35	18.93	19.58	20.33	21.20	22.21	23.41	24.48
8.0	18.31	18.42	18.69	18.97	19.59	20.29	21.09	22.02	23.11	24.39	25.54
8.5	18.89	19.01	19.29	19.59	20.25	21.00	21.86	22.85	24.01	25.38	26.61
9.0	19.48	19.60	19.90	20.22	20.92	21.72	22.64	23.69	24.93	26.38	27.69
9.5	20.06	20.19	20.51	20.85	21.60	22.44	23.41	24.54	25.85	27.39	28.78
10.0	20.65	20.79	21.13	21.49	22.28	23.17	24.20	25.39	26.77	28.41	29.87
10.5	21.25	21.39	21.75	22.13	22.96	23.91	24.99	26.24	27.71	29.43	30.98
11.0	21.84	22.00	22.37	22.77	23.65	24.65	25.79	27.11	28.65	30.46	32.09
11.5	22.44	22.60	23.00	23.42	24.34	25.39	26.59	27.98	29.60	31.51	33.22
12.0	23.05	23.22	23.63	24.07	25.04	26.14	27.40	28.85	30.55	32.56	34.35
12.5	23.66	23.83	24.27	24.73	25.74	26.89	28.21	29.74	31.52	33.61	35.49
13.0	24.27	24.45	24.91	25.39	26.45	27.65	29.03	30.63	32.49	34.68	36.65
13.5	24.89	25.08	25.55	26.06	27.16	28.42	29.86	31.53	33.47	35.76	37.81
14.0	25.51	25.71	26.20	26.73	27.88	29.19	30.69	32.43	34.46	36.84	38.98
14.5	26.13	26.34	26.86	27.40	28.60	29.97	31.53	33.34	35.45	37.94	40.16
15.0	26.76	26.98	27.51	28.08	29.33	30.75	32.38	34.26	36.46	39.04	41.35
15.5	27.39	27.62	28.18	28.77	30.06	31.54	33.23	35.19	37.47	40.16	42.56
16.0	28.03	28.26	28.84	29.46	30.80	32.34	34.09	36.12	38.49	41.28	43.77
16.5	28.67	28.91	29.51	30.15	31.55	33.14	34.96	37.07	39.52	42.41	44.99
17.0	29.32	29.57	30.19	30.85	32.30	33.94	35.83	38.02	40.56	43.56	46.23
17.5	29.97	30.23	30.87	31.55	33.05	34.76	36.71	38.97	41.61	44.71	47.48
18.0	30.62	30.89	31.55	32.26	33.81	35.58	37.60	39.94	42.67	45.87	48.73
18.5	31.28	31.56	32.25	32.98	34.58	36.40	38.50	40.91	43.73	47.05	50.00
19.0	31.94	32.23	32.94	33.69	35.35	37.24	39.40	41.90	44.81	48.23	51.28
19.5	32.61	32.91	33.64	34.42	36.13	38.08	40.31	42.89	45.89	49.43	52.58
20.0	33.29	33.59	34.35	35.15	36.91	38.92	41.22	43.89	46.99	50.63	53.88
20.5	33.96	34.28	35.06	35.88	37.70	39.77	42.15	44.90	48.09	51.85	55.20
21.0	34.65	34.97	35.77	36.62	38.50	40.63	43.08	45.91	49.21	53.08	56.53
21.5	35.33	35.66	36.49	37.37	39.30	41.50	44.02	46.94	50.33	54.32	57.87
22.0	36.02	36.37	37.22	38.12	40.11	42.37	44.97	47.97	51.47	55.57	59.22
22.5	36.72	37.07	37.95	38.88	40.93	43.26	45.93	49.02	52.62	56.84	60.59
23.0	37.42	37.78	38.69	39.64	41.75	44.14	46.89	50.07	53.77	58.11	61.97
23.5	38.13	38.50	39.43	40.41	42.58	45.04	47.87	51.14	54.94	59.40	63.37
24.0	38.84	39.22	40.18	41.19	43.41	45.94	48.85	52.21	56.12	60.70	64.78
24.5	39.56	39.95	40.93	41.97	44.25	46.86	49.84	53.29	57.31	62.02	66.20
25.0	40.28	40.69	41.69	42.76	45.10	47.77	50.84	54.39	58.51	63.35	67.64
25.5	41.01	41.42	42.45	43.55	45.96	48.70	51.85	55.49	59.72	64.69	69.09
26.0	41.75	42.17	43.23	44.35	46.82	49.64	52.87	56.60	60.95	66.04	70.55
26.5	42.49	42.92	44.00	45.16	47.69	50.58	53.90	57.73	62.19	67.41	72.04
27.0	43.23	43.68	44.79	45.97	48.57	51.53	54.93	58.86	63.44	68.79	73.53
27.5	43.98	44.44	45.58	46.79	49.45	52.49	55.98	60.01	64.70	70.19	75.05
28.0	44.74	45.21	46.37	47.61	50.35	53.46	57.04	61.17	65.97	71.60	76.57
28.5	45.50	45.98	47.18	48.45	51.25	54.44	58.10	62.34	67.26	73.02	78.12
29.0	46.27	46.76	47.99	49.29	52.15	55.43	59.18	63.52	68.56	74.46	79.68
29.5	47.04	47.55	48.80	50.13	53.07	56.42	60.27	64.71	69.88	75.92	81.26
30.0	47.83	48.34	49.62	50.99	54.00	57.43	61.36	65.92	71.21	77.39	82.85

▽Φ	PERCENTAGE OF LOAN AMOUNT LEFT UNPAID AT DUE DATE										
	100.0	97.39	91.12	84.85	72.32	59.78	47.24	34.71	22.17	9.63	.00

DISCOUNT %	MONTHLY PAYBACK RATE (%) (MONTHLY PAYMENT DIVIDED BY LOAN AMOUNT)										
	.79	1.00	1.25	1.50	1.75	2.00	2.50	3.00	3.50	4.00	4.59
.5	9.78	9.78	9.79	9.80	9.81	9.82	9.85	9.87	9.91	9.94	10.00
1.0	10.05	10.07	10.09	10.10	10.12	10.15	10.19	10.25	10.31	10.39	10.50
1.5	10.33	10.35	10.38	10.41	10.44	10.47	10.54	10.63	10.73	10.84	11.01
2.0	10.61	10.64	10.68	10.72	10.76	10.80	10.90	11.01	11.14	11.30	11.52
2.5	10.90	10.93	10.98	11.03	11.08	11.13	11.25	11.39	11.56	11.75	12.04
3.0	11.18	11.22	11.28	11.34	11.40	11.46	11.61	11.78	11.98	12.21	12.56
3.5	11.47	11.52	11.58	11.65	11.72	11.80	11.97	12.17	12.40	12.68	13.08
4.0	11.75	11.81	11.88	11.96	12.05	12.13	12.33	12.56	12.83	13.15	13.61
4.5	12.04	12.11	12.19	12.28	12.37	12.47	12.70	12.95	13.26	13.62	14.14
5.0	12.33	12.41	12.50	12.60	12.70	12.81	13.06	13.35	13.69	14.09	14.67
5.5	12.63	12.71	12.81	12.92	13.03	13.16	13.43	13.75	14.12	14.57	15.21
6.0	12.92	13.01	13.12	13.24	13.37	13.50	13.80	14.15	14.56	15.05	15.75
6.5	13.22	13.31	13.43	13.56	13.70	13.85	14.18	14.56	15.00	15.53	16.30
7.0	13.51	13.62	13.75	13.89	14.04	14.20	14.55	14.97	15.45	16.02	16.85
7.5	13.81	13.92	14.07	14.22	14.38	14.55	14.93	15.38	15.90	16.51	17.40
8.0	14.11	14.23	14.39	14.55	14.72	14.90	15.31	15.79	16.35	17.01	17.96
8.5	14.42	14.55	14.71	14.88	15.06	15.26	15.70	16.21	16.80	17.51	18.53
9.0	14.72	14.86	15.03	15.21	15.41	15.62	16.09	16.63	17.26	18.01	19.10
9.5	15.03	15.17	15.36	15.55	15.76	15.98	16.48	17.05	17.72	18.52	19.67
10.0	15.34	15.49	15.68	15.89	16.11	16.35	16.87	17.48	18.19	19.03	20.24
10.5	15.65	15.81	16.01	16.23	16.46	16.71	17.26	17.91	18.66	19.54	20.83
11.0	15.96	16.13	16.35	16.57	16.82	17.08	17.66	18.34	19.13	20.06	21.41
11.5	16.27	16.45	16.68	16.92	17.18	17.45	18.06	18.77	19.60	20.59	22.00
12.0	16.59	16.78	17.02	17.27	17.54	17.83	18.47	19.21	20.08	21.11	22.60
12.5	16.91	17.11	17.35	17.62	17.90	18.20	18.88	19.65	20.57	21.65	23.20
13.0	17.23	17.43	17.69	17.97	18.27	18.58	19.29	20.10	21.05	22.18	23.81
13.5	17.55	17.77	18.04	18.33	18.63	18.96	19.70	20.55	21.54	22.72	24.42
14.0	17.88	18.10	18.38	18.68	19.01	19.35	20.11	21.00	22.04	23.27	25.03
14.5	18.20	18.44	18.73	19.04	19.38	19.74	20.53	21.46	22.54	23.82	25.65
15.0	18.53	18.77	19.08	19.41	19.75	20.13	20.96	21.92	23.04	24.37	26.28
15.5	18.86	19.11	19.43	19.77	20.13	20.52	21.38	22.38	23.55	24.93	26.91
16.0	19.20	19.46	19.79	20.14	20.51	20.92	21.81	22.85	24.06	25.49	27.55
16.5	19.53	19.80	20.14	20.51	20.90	21.32	22.24	23.32	24.57	26.06	28.19
17.0	19.87	20.15	20.50	20.88	21.29	21.72	22.68	23.79	25.09	26.63	28.84
17.5	20.21	20.50	20.87	21.26	21.68	22.12	23.12	24.27	25.62	27.21	29.50
18.0	20.55	20.85	21.23	21.64	22.07	22.53	23.56	24.75	26.15	27.79	30.16
18.5	20.90	21.21	21.60	22.02	22.46	22.94	24.00	25.24	26.68	28.38	30.82
19.0	21.24	21.56	21.97	22.40	22.86	23.36	24.45	25.73	27.22	28.97	31.49
19.5	21.59	21.92	22.34	22.79	23.26	23.77	24.91	26.22	27.76	29.57	32.17
20.0	21.94	22.28	22.72	23.18	23.67	24.19	25.36	26.72	28.31	30.18	32.85
21.0	22.65	23.02	23.47	23.96	24.49	25.04	26.29	27.73	29.41	31.40	34.24
22.0	23.37	23.76	24.24	24.76	25.32	25.91	27.23	28.76	30.54	32.65	35.65
23.0	24.11	24.51	25.03	25.57	26.16	26.79	28.18	29.80	31.69	33.92	37.09
24.0	24.85	25.28	25.82	26.40	27.02	27.68	29.15	30.86	32.86	35.21	38.56
25.0	25.60	26.05	26.62	27.24	27.89	28.59	30.14	31.95	34.05	36.53	40.06
26.0	26.37	26.84	27.44	28.09	28.77	29.51	31.15	33.05	35.27	37.87	41.58
27.0	27.14	27.64	28.27	28.95	29.67	30.45	32.17	34.17	36.50	39.25	43.14
28.0	27.93	28.45	29.12	29.83	30.59	31.40	33.22	35.31	37.77	40.64	44.73
29.0	28.73	29.28	29.98	30.72	31.52	32.38	34.28	36.48	39.05	42.07	46.35
30.0	29.54	30.12	30.85	31.63	32.47	33.36	35.36	37.67	40.37	43.53	48.01
31.0	30.37	30.97	31.74	32.56	33.43	34.37	36.46	38.88	41.71	45.02	49.70
32.0	31.21	31.84	32.64	33.50	34.42	35.40	37.58	40.12	43.08	46.54	51.43
33.0	32.06	32.72	33.56	34.46	35.42	36.44	38.73	41.38	44.47	48.09	53.20
34.0	32.93	33.62	34.50	35.43	36.43	37.51	39.90	42.67	45.90	49.68	55.01
35.0	33.82	34.53	35.45	36.43	37.47	38.59	41.09	43.99	47.36	51.31	56.86
36.0	34.71	35.46	36.42	37.44	38.53	39.70	42.31	45.33	48.86	52.97	58.75
37.0	35.63	36.41	37.41	38.47	39.61	40.83	43.55	46.71	50.38	54.68	60.69
38.0	36.56	37.38	38.41	39.52	40.71	41.98	44.82	48.11	51.95	56.42	62.68
39.0	37.51	38.36	39.44	40.59	41.83	43.16	46.12	49.55	53.55	58.21	64.72
40.0	38.48	39.36	40.48	41.69	42.98	44.36	47.45	51.02	55.19	60.04	66.81
PERCENTAGE OF LOAN AMOUNT LEFT UNPAID AT DUE DATE											
	100.0	94.52	87.94	81.36	74.78	68.20	55.04	41.88	28.72	15.57	.00

DISCOUNT %	MONTHLY PAYBACK RATE (%) (MONTHLY PAYMENT DIVIDED BY LOAN AMOUNT)										
	.79	1.00	1.25	1.50	1.75	2.00	2.25	2.50	2.75	3.00	3.20
.5	9.69	9.70	9.71	9.72	9.73	9.75	9.76	9.78	9.80	9.82	9.84
1.0	9.89	9.90	9.92	9.94	9.97	10.00	10.03	10.06	10.10	10.15	10.19
1.5	10.08	10.10	10.13	10.17	10.21	10.25	10.29	10.35	10.41	10.47	10.54
2.0	10.28	10.31	10.35	10.39	10.44	10.50	10.56	10.63	10.71	10.80	10.89
2.5	10.47	10.51	10.56	10.62	10.68	10.75	10.83	10.92	11.02	11.14	11.24
3.0	10.67	10.72	10.78	10.85	10.92	11.01	11.10	11.21	11.33	11.47	11.60
3.5	10.87	10.93	11.00	11.08	11.17	11.26	11.38	11.50	11.64	11.81	11.96
4.0	11.07	11.14	11.22	11.31	11.41	11.52	11.65	11.79	11.96	12.15	12.32
4.5	11.27	11.35	11.44	11.54	11.66	11.78	11.93	12.09	12.27	12.49	12.68
5.0	11.48	11.56	11.66	11.78	11.90	12.05	12.21	12.39	12.59	12.83	13.05
5.5	11.68	11.77	11.88	12.01	12.15	12.31	12.49	12.69	12.92	13.18	13.42
6.0	11.89	11.98	12.11	12.25	12.40	12.58	12.77	12.99	13.24	13.53	13.79
6.5	12.09	12.20	12.34	12.49	12.66	12.84	13.06	13.29	13.57	13.88	14.17
7.0	12.30	12.42	12.56	12.73	12.91	13.11	13.34	13.60	13.90	14.23	14.55
7.5	12.51	12.63	12.79	12.97	13.17	13.39	13.63	13.91	14.23	14.59	14.93
8.0	12.72	12.85	13.02	13.21	13.42	13.66	13.92	14.22	14.56	14.95	15.31
8.5	12.93	13.07	13.26	13.46	13.68	13.93	14.22	14.53	14.89	15.31	15.70
9.0	13.15	13.30	13.49	13.71	13.94	14.21	14.51	14.85	15.24	15.68	16.09
9.5	13.36	13.52	13.73	13.95	14.21	14.49	14.81	15.17	15.58	16.05	16.48
10.0	13.58	13.74	13.96	14.20	14.47	14.77	15.11	15.49	15.92	16.42	16.88
11.0	14.01	14.20	14.44	14.71	15.01	15.34	15.72	16.14	16.62	17.17	17.68
12.0	14.45	14.66	14.93	15.22	15.55	15.92	16.33	16.80	17.33	17.93	18.49
13.0	14.90	15.12	15.42	15.74	16.10	16.50	16.96	17.47	18.05	18.71	19.32
14.0	15.35	15.60	15.92	16.27	16.66	17.10	17.59	18.15	18.78	19.50	20.16
15.0	15.81	16.08	16.42	16.80	17.23	17.70	18.24	18.84	19.52	20.30	21.02
16.0	16.28	16.56	16.93	17.35	17.80	18.32	18.89	19.54	20.28	21.12	21.89
17.0	16.75	17.05	17.45	17.90	18.39	18.94	19.56	20.25	21.04	21.95	22.78
18.0	17.22	17.55	17.98	18.46	18.98	19.57	20.23	20.98	21.83	22.79	23.68
19.0	17.71	18.06	18.52	19.02	19.59	20.22	20.92	21.72	22.62	23.65	24.59
20.0	18.20	18.57	19.06	19.60	20.20	20.87	21.62	22.47	23.43	24.53	25.53
21.0	18.70	19.09	19.61	20.19	20.82	21.54	22.34	23.24	24.26	25.42	26.48
22.0	19.20	19.62	20.17	20.78	21.46	22.21	23.06	24.01	25.10	26.32	27.45
23.0	19.72	20.16	20.74	21.39	22.10	22.90	23.80	24.81	25.95	27.25	28.44
24.0	20.24	20.71	21.32	22.00	22.76	23.60	24.55	25.61	26.82	28.19	29.44
25.0	20.77	21.26	21.91	22.62	23.42	24.31	25.31	26.44	27.71	29.15	30.47
26.0	21.30	21.82	22.50	23.26	24.10	25.04	26.09	27.28	28.61	30.13	31.52
27.0	21.85	22.39	23.11	23.91	24.79	25.78	26.88	28.13	29.54	31.13	32.58
28.0	22.40	22.98	23.73	24.56	25.49	26.53	27.69	29.00	30.48	32.15	33.67
29.0	22.96	23.57	24.36	25.23	26.21	27.30	28.52	29.89	31.44	33.19	34.79
30.0	23.54	24.17	25.00	25.92	26.94	28.08	29.36	30.80	32.42	34.26	35.92
31.0	24.12	24.78	25.65	26.61	27.68	28.88	30.22	31.72	33.42	35.34	37.08
32.0	24.71	25.40	26.31	27.32	28.44	29.69	31.09	32.67	34.45	36.45	38.27
33.0	25.31	26.03	26.98	28.04	29.21	30.52	31.99	33.64	35.49	37.59	39.48
34.0	25.92	26.68	27.67	28.77	30.00	31.37	32.90	34.62	36.56	38.75	40.72
35.0	26.54	27.33	28.37	29.52	30.80	32.23	33.83	35.63	37.66	39.94	41.99
36.0	27.18	28.00	29.08	30.28	31.62	33.12	34.79	36.67	38.78	41.15	43.29
37.0	27.82	28.68	29.81	31.06	32.46	34.02	35.76	37.72	39.92	42.39	44.62
38.0	28.48	29.37	30.55	31.86	33.32	34.94	36.76	38.80	41.10	43.67	45.99
39.0	29.15	30.08	31.31	32.67	34.19	35.89	37.78	39.91	42.30	44.98	47.38
40.0	29.83	30.80	32.08	33.50	35.08	36.85	38.83	41.05	43.53	46.32	48.82
41.0	30.53	31.54	32.87	34.35	36.00	37.84	39.90	42.21	44.80	47.69	50.29
42.0	31.24	32.29	33.68	35.22	36.94	38.85	41.00	43.40	46.09	49.10	51.80
43.0	31.96	33.06	34.50	36.11	37.89	39.89	42.13	44.63	47.43	50.55	53.35
44.0	32.70	33.84	35.34	37.01	38.88	40.96	43.28	45.88	48.80	52.04	54.94
45.0	33.46	34.64	36.21	37.94	39.88	42.05	44.47	47.18	50.20	53.57	56.58
46.0	34.23	35.46	37.09	38.90	40.91	43.17	45.69	48.50	51.65	55.15	58.27
47.0	35.02	36.30	37.99	39.87	41.97	44.32	46.94	49.87	53.14	56.77	60.01
48.0	35.82	37.16	38.92	40.87	43.06	45.50	48.23	51.28	54.67	58.44	61.79
49.0	36.65	38.04	39.86	41.90	44.18	46.72	49.56	52.73	56.25	60.17	63.64
50.0	37.49	38.93	40.84	42.96	45.32	47.97	50.92	54.22	57.89	61.95	65.54
▽∅	PERCENTAGE OF LOAN AMOUNT LEFT UNPAID AT DUE DATE										
	100.0	91.36	80.99	70.63	60.26	49.90	39.53	29.16	18.80	8.43	.00

DISCOUNT %	MONTHLY PAYBACK RATE (%) (MONTHLY PAYMENT DIVIDED BY LOAN AMOUNT)										
	.79	.80	.90	1.00	1.20	1.40	1.60	1.80	2.00	2.20	2.51
.5	9.65	9.65	9.65	9.66	9.67	9.68	9.69	9.70	9.72	9.73	9.76
1.0	9.80	9.80	9.81	9.82	9.84	9.86	9.88	9.90	9.93	9.96	10.03
1.5	9.96	9.96	9.97	9.98	10.01	10.04	10.07	10.11	10.15	10.20	10.30
2.0	10.11	10.11	10.13	10.14	10.18	10.22	10.26	10.31	10.37	10.44	10.57
2.5	10.26	10.27	10.28	10.31	10.35	10.40	10.46	10.52	10.60	10.68	10.84
3.0	10.42	10.42	10.44	10.47	10.53	10.59	10.65	10.73	10.82	10.92	11.11
3.5	10.58	10.58	10.61	10.64	10.70	10.77	10.85	10.94	11.04	11.16	11.39
4.0	10.73	10.74	10.77	10.80	10.88	10.96	10.96	11.15	11.15	11.40	11.67
4.5	10.89	10.90	10.93	10.97	11.05	11.14	11.25	11.36	11.50	11.65	11.94
5.0	11.05	11.06	11.09	11.14	11.23	11.33	11.45	11.58	11.73	11.90	12.23
5.5	11.21	11.22	11.26	11.31	11.41	11.52	11.65	11.79	11.96	12.15	12.51
6.0	11.37	11.38	11.43	11.48	11.59	11.71	11.85	12.01	12.19	12.40	12.80
6.5	11.54	11.54	11.59	11.65	11.77	11.91	12.06	12.23	12.43	12.65	13.08
7.0	11.70	11.70	11.76	11.82	11.95	12.10	12.27	12.45	12.67	12.91	13.37
7.5	11.86	11.87	11.93	12.00	12.14	12.30	12.47	12.67	12.90	13.17	13.67
8.0	12.03	12.03	12.10	12.17	12.32	12.49	12.68	12.90	13.15	13.43	13.96
8.5	12.20	12.20	12.27	12.35	12.51	12.69	12.89	13.12	13.39	13.69	14.26
9.0	12.36	12.37	12.44	12.52	12.70	12.89	13.11	13.35	13.63	13.95	14.56
9.5	12.53	12.54	12.62	12.70	12.89	13.09	13.32	13.58	13.88	14.22	14.86
10.0	12.70	12.71	12.79	12.88	13.08	13.29	13.54	13.81	14.12	14.48	15.16
11.0	13.04	13.05	13.14	13.25	13.46	13.70	13.97	14.28	14.63	15.02	15.78
12.0	13.39	13.40	13.50	13.61	13.85	14.12	14.41	14.75	15.14	15.57	16.41
13.0	13.74	13.75	13.86	13.99	14.25	14.54	14.86	15.23	15.65	16.13	17.04
14.0	14.10	14.11	14.23	14.36	14.65	14.96	15.32	15.72	16.18	16.70	17.69
15.0	14.46	14.47	14.60	14.75	15.05	15.40	15.78	16.22	16.71	17.28	18.35
16.0	14.83	14.84	14.98	15.14	15.47	15.84	16.25	16.72	17.26	17.87	19.02
17.0	15.20	15.21	15.36	15.53	15.89	16.28	16.73	17.23	17.81	18.46	19.70
18.0	15.57	15.59	15.75	15.93	16.31	16.74	17.21	17.75	18.37	19.07	20.39
19.0	15.96	15.97	16.15	16.34	16.74	17.20	17.71	18.28	18.94	19.69	21.09
20.0	16.34	16.36	16.55	16.75	17.18	17.67	18.21	18.82	19.52	20.32	21.81
21.0	16.74	16.75	16.95	17.17	17.63	18.14	18.72	19.37	20.11	20.96	22.54
22.0	17.14	17.15	17.37	17.59	18.08	18.62	19.24	19.93	20.72	21.61	23.29
23.0	17.54	17.56	17.78	18.02	18.54	19.12	19.77	20.50	21.33	22.28	24.05
24.0	17.95	17.97	18.21	18.46	19.01	19.62	20.30	21.07	21.95	22.95	24.82
25.0	18.37	18.39	18.64	18.91	19.48	20.13	20.85	21.66	22.59	23.65	25.61
26.0	18.79	18.82	19.08	19.36	19.97	20.64	21.41	22.26	23.24	24.35	26.41
27.0	19.23	19.25	19.53	19.82	20.46	21.17	21.97	22.88	23.90	25.07	27.23
28.0	19.66	19.69	19.98	20.29	20.96	21.71	22.55	23.50	24.58	25.80	28.07
29.0	20.11	20.14	20.44	20.77	21.47	22.26	23.14	24.13	25.27	26.55	28.93
30.0	20.56	20.59	20.91	21.25	21.99	22.81	23.74	24.78	25.97	27.31	29.80
31.0	21.02	21.05	21.39	21.74	22.52	23.38	24.35	25.45	26.69	28.09	30.69
32.0	21.49	21.52	21.87	22.25	23.05	23.96	24.98	26.12	27.42	28.89	31.61
33.0	21.97	22.00	22.37	22.76	23.60	24.55	25.61	26.81	28.17	29.71	32.53
34.0	22.45	22.49	22.87	23.28	24.16	25.15	26.26	27.52	28.94	30.54	33.49
35.0	22.95	22.98	23.38	23.81	24.73	25.77	26.93	28.24	29.72	31.39	34.47
36.0	23.45	23.49	23.91	24.35	25.32	26.39	27.61	28.97	30.52	32.27	35.47
37.0	23.97	24.00	24.44	24.90	25.91	27.04	28.30	29.73	31.34	33.16	36.49
38.0	24.49	24.53	24.98	25.47	26.52	27.69	29.01	30.50	32.18	34.08	37.54
39.0	25.02	25.06	25.54	26.04	27.13	28.36	29.74	31.29	33.04	35.02	38.62
40.0	25.57	25.61	26.10	26.63	27.77	29.05	30.48	32.10	33.92	35.98	39.72
41.0	26.12	26.16	26.68	27.23	28.41	29.75	31.24	32.92	34.83	36.96	40.85
42.0	26.69	26.73	27.27	27.84	29.08	30.46	32.02	33.77	35.75	37.98	42.01
43.0	27.27	27.31	27.87	28.47	29.75	31.20	32.82	34.65	36.71	39.02	43.21
44.0	27.86	27.91	28.49	29.11	30.45	31.95	33.64	35.54	37.68	40.09	44.44
45.0	28.46	28.51	29.12	29.76	31.16	32.72	34.48	36.46	38.69	41.19	45.70
46.0	29.08	29.13	29.76	30.43	31.88	33.51	35.34	37.40	39.72	42.32	47.00
47.0	29.71	29.77	30.42	31.12	32.63	34.32	36.23	38.37	40.79	43.49	48.34
48.0	30.36	30.42	31.10	31.82	33.39	35.16	37.14	39.37	41.88	44.69	49.72
49.0	31.02	31.08	31.79	32.54	34.18	36.02	38.08	40.40	43.01	45.92	51.14
50.0	31.70	31.76	32.50	33.28	34.98	36.90	39.05	41.46	44.17	47.20	52.61
▽∅	PERCENTAGE OF LOAN AMOUNT LEFT UNPAID AT DUE DATE										
	100.0	99.52	93.70	87.89	76.27	64.65	53.02	41.40	29.77	18.15	.00

DISCOUNT %	MONTHLY PAYBACK RATE (%) (MONTHLY PAYMENT DIVIDED BY LOAN AMOUNT)										
	.79	.80	.90	1.00	1.10	1.20	1.30	1.40	1.60	1.80	2.10
.5	9.63	9.63	9.63	9.64	9.64	9.65	9.65	9.66	9.67	9.68	9.71
1.0	9.75	9.75	9.76	9.77	9.78	9.79	9.80	9.81	9.84	9.87	9.93
1.5	9.88	9.88	9.89	9.91	9.92	9.94	9.95	9.97	10.01	10.06	10.15
2.0	10.01	10.01	10.03	10.05	10.06	10.09	10.11	10.13	10.19	10.25	10.37
2.5	10.14	10.14	10.16	10.18	10.21	10.24	10.26	10.29	10.36	10.44	10.59
3.0	10.27	10.27	10.30	10.32	10.35	10.38	10.42	10.45	10.54	10.63	10.82
3.5	10.40	10.40	10.43	10.46	10.50	10.54	10.57	10.62	10.71	10.83	11.04
4.0	10.53	10.54	10.57	10.61	10.64	10.69	10.73	10.78	10.89	11.02	11.27
4.5	10.66	10.67	10.71	10.75	10.79	10.84	10.89	10.95	11.07	11.22	11.50
5.0	10.80	10.80	10.84	10.89	10.94	10.99	11.05	11.11	11.25	11.41	11.73
5.5	10.93	10.94	10.98	11.04	11.09	11.15	11.21	11.28	11.43	11.61	11.96
6.0	11.07	11.07	11.12	11.18	11.24	11.31	11.37	11.45	11.62	11.81	12.19
6.5	11.20	11.21	11.26	11.33	11.39	11.46	11.54	11.62	11.80	12.02	12.43
7.0	11.34	11.35	11.41	11.47	11.54	11.62	11.70	11.79	11.99	12.22	12.66
7.5	11.48	11.48	11.55	11.62	11.70	11.78	11.87	11.96	12.18	12.43	12.90
8.0	11.62	11.62	11.69	11.77	11.85	11.94	12.03	12.14	12.36	12.63	13.14
8.5	11.76	11.76	11.84	11.92	12.01	12.10	12.20	12.31	12.56	12.84	13.39
9.0	11.90	11.90	11.98	12.07	12.16	12.26	12.37	12.49	12.75	13.05	13.63
9.5	12.04	12.05	12.13	12.22	12.32	12.43	12.54	12.66	12.94	13.26	13.88
10.0	12.18	12.19	12.28	12.38	12.48	12.59	12.71	12.84	13.13	13.48	14.13
11.0	12.47	12.48	12.58	12.69	12.80	12.93	13.06	13.20	13.53	13.91	14.63
12.0	12.76	12.77	12.88	13.00	13.13	13.26	13.41	13.57	13.93	14.35	15.14
13.0	13.05	13.06	13.18	13.32	13.46	13.61	13.77	13.94	14.33	14.79	15.66
14.0	13.35	13.36	13.50	13.64	13.79	13.96	14.13	14.32	14.75	15.25	16.19
15.0	13.66	13.67	13.81	13.97	14.13	14.31	14.50	14.70	15.17	15.71	16.73
16.0	13.96	13.98	14.13	14.30	14.48	14.67	14.87	15.10	15.59	16.18	17.28
17.0	14.28	14.29	14.46	14.64	14.83	15.03	15.25	15.49	16.03	16.65	17.83
18.0	14.59	14.61	14.78	14.98	15.18	15.40	15.64	15.89	16.47	17.14	18.40
19.0	14.91	14.93	15.12	15.33	15.54	15.78	16.03	16.30	16.92	17.63	18.98
20.0	15.24	15.26	15.46	15.68	15.91	16.16	16.43	16.72	17.37	18.14	19.56
21.0	15.57	15.59	15.80	16.04	16.28	16.55	16.84	17.14	17.84	18.65	20.16
22.0	15.91	15.93	16.15	16.40	16.66	16.95	17.25	17.58	18.31	19.17	20.77
23.0	16.25	16.27	16.51	16.77	17.05	17.35	17.67	18.01	18.79	19.70	21.39
24.0	16.59	16.62	16.87	17.15	17.44	17.76	18.09	18.46	19.28	20.24	22.02
25.0	16.95	16.97	17.24	17.53	17.84	18.17	18.53	18.92	19.78	20.79	22.67
26.0	17.30	17.33	17.61	17.92	18.24	18.60	18.97	19.38	20.29	21.36	23.33
27.0	17.67	17.69	17.99	18.31	18.66	19.03	19.42	19.85	20.81	21.93	24.00
28.0	18.04	18.06	18.38	18.72	19.08	19.47	19.88	20.33	21.34	22.52	24.69
29.0	18.41	18.44	18.77	19.13	19.51	19.91	20.35	20.82	21.88	23.12	25.39
30.0	18.80	18.83	19.17	19.55	19.94	20.37	20.83	21.32	22.43	23.73	26.10
31.0	19.19	19.22	19.58	19.97	20.39	20.84	21.31	21.83	23.00	24.35	26.83
32.0	19.58	19.62	19.99	20.40	20.84	21.31	21.81	22.36	23.57	24.99	27.58
33.0	19.99	20.02	20.42	20.85	21.30	21.79	22.32	22.89	24.16	25.64	28.35
34.0	20.40	20.43	20.85	21.30	21.77	22.29	22.84	23.43	24.76	26.31	29.13
35.0	20.82	20.85	21.29	21.76	22.26	22.79	23.36	23.99	25.37	26.99	29.93
36.0	21.25	21.28	21.74	22.22	22.74	23.30	23.90	24.55	26.00	27.69	30.75
37.0	21.68	21.72	22.19	22.70	23.24	23.83	24.46	25.13	26.64	28.40	31.59
38.0	22.13	22.17	22.66	23.19	23.76	24.37	25.02	25.73	27.30	29.13	32.45
39.0	22.58	22.62	23.14	23.69	24.28	24.92	25.60	26.33	27.98	29.88	33.33
40.0	23.04	23.09	23.62	24.20	24.81	25.48	26.19	26.96	28.67	30.65	34.23
41.0	23.51	23.56	24.12	24.72	25.36	26.05	26.79	27.59	29.38	31.44	35.16
42.0	24.00	24.05	24.63	25.25	25.92	26.64	27.41	28.25	30.10	32.25	36.12
43.0	24.49	24.54	25.15	25.80	26.49	27.24	28.05	28.92	30.85	33.09	37.10
44.0	25.00	25.05	25.68	26.36	27.08	27.86	28.70	29.60	31.62	33.94	38.11
45.0	25.51	25.57	26.22	26.93	27.68	28.50	29.37	30.31	32.41	34.82	39.14
46.0	26.04	26.10	26.78	27.51	28.30	29.15	30.05	31.03	33.22	35.73	40.21
47.0	26.58	26.64	27.35	28.11	28.93	29.81	30.76	31.78	34.05	36.66	41.31
48.0	27.13	27.19	27.93	28.73	29.58	30.50	31.48	32.55	34.91	37.62	42.44
49.0	27.70	27.76	28.53	29.36	30.25	31.21	32.23	33.33	35.79	38.62	43.61
50.0	28.28	28.35	29.15	30.01	30.93	31.93	33.00	34.15	36.70	39.64	44.82
▽Φ	PERCENTAGE OF LOAN AMOUNT LEFT UNPAID AT DUE DATE										
	100.0	99.36	91.72	84.08	76.44	68.79	61.15	53.51	38.23	22.94	.00

DISCOUNT %	MONTHLY PAYBACK RATE (%) (MONTHLY PAYMENT DIVIDED BY LOAN AMOUNT)										
	.79	.80	.90	1.00	1.10	1.20	1.30	1.40	1.50	1.60	1.83
1.0	9.72	9.72	9.73	9.74	9.75	9.76	9.77	9.79	9.80	9.82	9.87
2.0	9.94	9.95	9.96	9.98	10.00	10.03	10.05	10.08	10.11	10.15	10.24
3.0	10.17	10.17	10.20	10.23	10.26	10.30	10.33	10.38	10.42	10.48	10.62
4.0	10.40	10.40	10.44	10.48	10.52	10.57	10.62	10.68	10.74	10.81	11.00
5.0	10.63	10.63	10.68	10.73	10.78	10.85	10.91	10.98	11.06	11.16	11.39
6.0	10.86	10.87	10.93	10.99	11.05	11.13	11.20	11.29	11.39	11.50	11.79
7.0	11.10	11.11	11.17	11.25	11.32	11.41	11.50	11.61	11.72	11.85	12.19
8.0	11.34	11.35	11.43	11.51	11.60	11.70	11.81	11.93	12.06	12.20	12.60
9.0	11.59	11.60	11.68	11.78	11.88	11.99	12.11	12.25	12.40	12.56	13.01
10.0	11.83	11.84	11.94	12.05	12.16	12.29	12.43	12.58	12.75	12.93	13.44
11.0	12.09	12.10	12.20	12.32	12.45	12.59	12.74	12.91	13.10	13.30	13.86
12.0	12.34	12.35	12.47	12.60	12.74	12.90	13.06	13.25	13.46	13.68	14.30
13.0	12.60	12.61	12.74	12.88	13.04	13.21	13.39	13.60	13.82	14.07	14.74
14.0	12.86	12.87	13.01	13.17	13.34	13.52	13.72	13.95	14.19	14.46	15.19
15.0	13.12	13.14	13.29	13.46	13.64	13.84	14.06	14.30	14.57	14.86	15.65
16.0	13.39	13.41	13.57	13.76	13.95	14.17	14.40	14.66	14.95	15.26	16.11
17.0	13.67	13.68	13.86	14.06	14.27	14.50	14.75	15.03	15.34	15.67	16.59
18.0	13.94	13.96	14.15	14.36	14.59	14.84	15.11	15.40	15.73	16.09	17.07
19.0	14.22	14.24	14.45	14.67	14.91	15.18	15.47	15.79	16.13	16.52	17.56
20.0	14.51	14.53	14.75	14.99	15.24	15.53	15.83	16.17	16.54	16.96	18.06
21.0	14.80	14.82	15.05	15.31	15.58	15.88	16.21	16.57	16.96	17.40	18.57
22.0	15.10	15.12	15.36	15.63	15.92	16.24	16.59	16.97	17.39	17.85	19.09
23.0	15.39	15.42	15.68	15.96	16.27	16.61	16.97	17.38	17.82	18.31	19.62
24.0	15.70	15.72	16.00	16.30	16.62	16.98	17.37	17.79	18.26	18.78	20.16
25.0	16.01	16.03	16.32	16.64	16.98	17.36	17.77	18.22	18.71	19.25	20.71
26.0	16.32	16.35	16.65	16.99	17.35	17.75	18.18	18.65	19.17	19.74	21.27
27.0	16.64	16.67	16.99	17.34	17.72	18.14	18.59	19.09	19.64	20.24	21.84
28.0	16.97	17.00	17.33	17.70	18.10	18.54	19.02	19.54	20.12	20.75	22.43
29.0	17.30	17.33	17.68	18.07	18.49	18.95	19.45	20.00	20.60	21.26	23.02
30.0	17.64	17.67	18.04	18.45	18.89	19.37	19.89	20.47	21.10	21.79	23.64
31.0	17.98	18.01	18.40	18.83	19.29	19.79	20.34	20.95	21.61	22.33	24.26
32.0	18.33	18.36	18.77	19.22	19.70	20.23	20.80	21.44	22.13	22.89	24.90
33.0	18.69	18.72	19.15	19.61	20.12	20.67	21.28	21.94	22.66	23.45	25.55
34.0	19.05	19.08	19.53	20.02	20.55	21.13	21.76	22.45	23.20	24.03	26.22
35.0	19.42	19.46	19.92	20.43	20.99	21.59	22.25	22.97	23.76	24.62	26.90
36.0	19.80	19.84	20.32	20.86	21.43	22.07	22.75	23.51	24.33	25.23	27.60
37.0	20.18	20.22	20.73	21.29	21.89	22.55	23.27	24.05	24.91	25.85	28.31
38.0	20.57	20.62	21.15	21.73	22.36	23.05	23.79	24.61	25.51	26.48	29.05
39.0	20.98	21.02	21.57	22.18	22.84	23.55	24.33	25.19	26.12	27.14	29.80
40.0	21.39	21.43	22.01	22.64	23.32	24.07	24.89	25.78	26.75	27.81	30.58
41.0	21.80	21.85	22.46	23.11	23.83	24.61	25.45	26.38	27.39	28.49	31.37
42.0	22.23	22.28	22.91	23.60	24.34	25.15	26.03	27.00	28.05	29.20	32.19
43.0	22.67	22.72	23.38	24.09	24.86	25.71	26.63	27.64	28.73	29.92	33.02
44.0	23.12	23.17	23.85	24.60	25.40	26.29	27.24	28.29	29.43	30.67	33.89
45.0	23.58	23.64	24.34	25.12	25.96	26.88	27.87	28.96	30.15	31.43	34.77
46.0	24.05	24.11	24.85	25.65	26.53	27.48	28.52	29.65	30.89	32.22	35.68
47.0	24.53	24.59	25.36	26.20	27.11	28.11	29.19	30.37	31.65	33.04	36.63
48.0	25.02	25.09	25.89	26.76	27.71	28.75	29.87	31.10	32.43	33.88	37.60
49.0	25.53	25.60	26.43	27.34	28.33	29.41	30.58	31.85	33.24	34.74	38.60
50.0	26.05	26.12	26.99	27.94	28.96	30.09	31.30	32.63	34.07	35.63	39.63
51.0	26.58	26.66	27.56	28.55	29.62	30.79	32.06	33.44	34.94	36.56	40.70
52.0	27.13	27.21	28.15	29.18	30.29	31.51	32.83	34.27	35.83	37.51	41.80
53.0	27.70	27.78	28.76	29.83	30.99	32.26	33.63	35.13	36.75	38.50	42.95
54.0	28.28	28.36	29.38	30.50	31.71	33.03	34.46	36.02	37.71	39.52	44.13
55.0	28.88	28.97	30.03	31.19	32.45	33.83	35.32	36.94	38.70	40.58	45.36
56.0	29.50	29.59	30.70	31.91	33.22	34.66	36.21	37.90	39.72	41.68	46.64
57.0	30.14	30.23	31.38	32.65	34.02	35.51	37.13	38.89	40.79	42.83	47.96
58.0	30.80	30.89	32.10	33.41	34.84	36.40	38.09	39.93	41.90	44.02	49.34
59.0	31.48	31.58	32.83	34.21	35.70	37.33	39.09	41.00	43.06	45.26	50.78
60.0	32.18	32.29	33.60	35.03	36.59	38.29	40.13	42.12	44.26	46.55	52.28
	PERCENTAGE OF LOAN AMOUNT LEFT UNPAID AT DUE DATE										
	100.0	99.20	89.54	79.89	70.23	60.58	50.92	41.27	31.62	21.96	.00

DISCOUNT %	MONTHLY PAYBACK RATE (%) (MONTHLY PAYMENT DIVIDED BY LOAN AMOUNT)										
	.79	.80	.85	.90	1.00	1.10	1.20	1.30	1.40	1.50	1.63
1.0	9.70	9.70	9.70	9.71	9.72	9.73	9.74	9.76	9.77	9.79	9.82
2.0	9.90	9.90	9.91	9.92	9.94	9.96	9.99	10.02	10.05	10.09	10.15
3.0	10.10	10.10	10.12	10.13	10.16	10.20	10.24	10.28	10.33	10.39	10.48
4.0	10.30	10.31	10.33	10.35	10.39	10.44	10.49	10.55	10.62	10.69	10.81
5.0	10.51	10.52	10.54	10.56	10.62	10.68	10.75	10.82	10.91	11.00	11.15
6.0	10.72	10.73	10.76	10.79	10.85	10.93	11.01	11.10	11.20	11.32	11.50
7.0	10.93	10.94	10.98	11.01	11.09	11.18	11.27	11.38	11.50	11.64	11.85
8.0	11.15	11.16	11.20	11.24	11.33	11.43	11.54	11.66	11.81	11.96	12.21
9.0	11.37	11.38	11.42	11.47	11.57	11.69	11.81	11.95	12.11	12.29	12.57
10.0	11.59	11.60	11.65	11.70	11.82	11.95	12.09	12.25	12.43	12.63	12.94
11.0	11.82	11.83	11.88	11.94	12.07	12.21	12.37	12.55	12.74	12.97	13.31
12.0	12.04	12.06	12.12	12.18	12.33	12.48	12.66	12.85	13.07	13.31	13.69
13.0	12.28	12.29	12.36	12.43	12.58	12.75	12.95	13.16	13.40	13.66	14.08
14.0	12.51	12.52	12.60	12.68	12.85	13.03	13.24	13.47	13.73	14.02	14.48
15.0	12.75	12.76	12.84	12.93	13.11	13.31	13.54	13.79	14.07	14.39	14.88
16.0	12.99	13.01	13.09	13.18	13.38	13.60	13.84	14.11	14.42	14.76	15.28
17.0	13.24	13.25	13.35	13.45	13.66	13.89	14.15	14.44	14.77	15.13	15.70
18.0	13.49	13.50	13.60	13.71	13.94	14.19	14.47	14.78	15.13	15.52	16.12
19.0	13.74	13.76	13.87	13.98	14.22	14.49	14.79	15.12	15.49	15.91	16.55
20.0	14.00	14.02	14.13	14.25	14.51	14.79	15.11	15.46	15.86	16.30	16.99
21.0	14.26	14.28	14.40	14.53	14.80	15.10	15.44	15.82	16.24	16.71	17.43
22.0	14.52	14.55	14.67	14.81	15.10	15.42	15.78	16.18	16.62	17.12	17.89
23.0	14.79	14.82	14.95	15.09	15.41	15.74	16.12	16.54	17.02	17.54	18.35
24.0	15.07	15.09	15.24	15.39	15.71	16.07	16.47	16.92	17.42	17.97	18.82
25.0	15.35	15.37	15.52	15.68	16.03	16.41	16.83	17.30	17.82	18.41	19.31
26.0	15.63	15.66	15.82	15.99	16.35	16.75	17.19	17.69	18.24	18.86	19.80
27.0	15.92	15.95	16.12	16.29	16.68	17.10	17.57	18.08	18.66	19.31	20.30
28.0	16.21	16.24	16.42	16.61	17.01	17.45	17.94	18.49	19.10	19.78	20.81
29.0	16.51	16.54	16.73	16.93	17.35	17.81	18.33	18.90	19.54	20.25	21.34
30.0	16.82	16.85	17.05	17.25	17.69	18.18	18.72	19.32	19.99	20.74	21.87
31.0	17.13	17.16	17.37	17.58	18.05	18.56	19.13	19.75	20.45	21.23	22.42
32.0	17.45	17.48	17.70	17.92	18.41	18.94	19.54	20.19	20.93	21.74	22.98
33.0	17.77	17.81	18.03	18.27	18.77	19.33	19.96	20.64	21.41	22.26	23.55
34.0	18.10	18.14	18.37	18.62	19.15	19.73	20.39	21.10	21.90	22.79	24.14
35.0	18.43	18.47	18.72	18.98	19.53	20.14	20.82	21.57	22.41	23.34	24.74
36.0	18.78	18.82	19.08	19.34	19.93	20.56	21.27	22.06	22.93	23.89	25.35
37.0	19.13	19.17	19.44	19.72	20.33	20.99	21.73	22.55	23.46	24.46	25.98
38.0	19.48	19.53	19.81	20.10	20.74	21.43	22.20	23.06	24.00	25.05	26.62
39.0	19.85	19.90	20.19	20.49	21.15	21.88	22.69	23.57	24.56	25.65	27.29
40.0	20.22	20.27	20.58	20.89	21.58	22.34	23.18	24.11	25.13	26.27	27.97
41.0	20.60	20.66	20.97	21.31	22.02	22.81	23.69	24.65	25.72	26.90	28.66
42.0	21.00	21.05	21.38	21.73	22.47	23.30	24.21	25.21	26.33	27.55	29.38
43.0	21.39	21.45	21.80	22.16	22.94	23.79	24.74	25.79	26.95	28.22	30.12
44.0	21.80	21.86	22.22	22.60	23.41	24.30	25.29	26.38	27.58	28.90	30.88
45.0	22.22	22.29	22.66	23.05	23.90	24.83	25.86	26.99	28.24	29.61	31.66
46.0	22.65	22.72	23.11	23.51	24.40	25.36	26.44	27.62	28.92	30.34	32.46
47.0	23.10	23.16	23.57	23.99	24.91	25.92	27.03	28.26	29.61	31.09	33.29
48.0	23.55	23.62	24.04	24.48	25.44	26.49	27.65	28.93	30.33	31.87	34.14
49.0	24.01	24.09	24.53	24.99	25.98	27.07	28.29	29.61	31.07	32.67	35.02
50.0	24.49	24.57	25.02	25.50	26.54	27.68	28.94	30.32	31.84	33.49	35.93
51.0	24.98	25.06	25.54	26.04	27.12	28.30	29.62	31.05	32.63	34.35	36.87
52.0	25.49	25.57	26.07	26.59	27.71	28.95	30.31	31.81	33.45	35.23	37.85
53.0	26.01	26.10	26.61	27.15	28.33	29.61	31.04	32.59	34.30	36.15	38.86
54.0	26.55	26.64	27.18	27.74	28.96	30.30	31.78	33.40	35.17	37.09	39.90
55.0	27.10	27.19	27.76	28.34	29.62	31.02	32.56	34.24	36.09	38.08	40.99
56.0	27.67	27.77	28.36	28.97	30.30	31.76	33.36	35.12	37.03	39.10	42.11
57.0	28.27	28.37	28.98	29.62	31.00	32.52	34.20	36.02	38.02	40.16	43.28
58.0	28.88	28.98	29.62	30.29	31.73	33.32	35.06	36.97	39.04	41.27	44.50
59.0	29.51	29.62	30.29	30.98	32.49	34.15	35.97	37.95	40.11	42.42	45.77
60.0	30.17	30.28	30.98	31.70	33.28	35.01	36.91	38.97	41.22	43.62	47.10
⦙	PERCENTAGE OF LOAN AMOUNT LEFT UNPAID AT DUE DATE										
	100.0	99.01	93.08	87.14	75.28	63.41	51.55	39.68	27.81	15.95	.00

DISCOUNT %	MONTHLY PAYBACK RATE (%) (MONTHLY PAYMENT DIVIDED BY LOAN AMOUNT)										
	.79	.80	.85	.90	.95	1.00	1.10	1.20	1.30	1.40	1.49
1.0	9.68	9.68	9.69	9.69	9.70	9.70	9.71	9.73	9.75	9.77	9.78
2.0	9.86	9.86	9.87	9.88	9.90	9.91	9.93	9.96	10.00	10.04	10.08
3.0	10.05	10.05	10.06	10.08	10.10	10.12	10.15	10.20	10.25	10.31	10.37
4.0	10.23	10.24	10.26	10.28	10.30	10.33	10.38	10.44	10.51	10.59	10.67
5.0	10.42	10.43	10.45	10.48	10.51	10.54	10.61	10.68	10.77	10.87	10.97
6.0	10.62	10.62	10.65	10.68	10.72	10.76	10.84	10.93	11.03	11.16	11.28
7.0	10.81	10.82	10.85	10.89	10.93	10.98	11.07	11.18	11.30	11.45	11.60
8.0	11.01	11.02	11.06	11.10	11.15	11.20	11.31	11.44	11.58	11.74	11.92
9.0	11.21	11.22	11.27	11.31	11.37	11.43	11.55	11.70	11.86	12.05	12.24
10.0	11.41	11.42	11.48	11.53	11.59	11.66	11.80	11.96	12.14	12.35	12.57
11.0	11.62	11.63	11.69	11.75	11.82	11.89	12.05	12.23	12.43	12.66	12.90
12.0	11.83	11.84	11.90	11.97	12.05	12.13	12.30	12.50	12.72	12.98	13.24
13.0	12.04	12.05	12.12	12.20	12.28	12.37	12.56	12.77	13.02	13.30	13.59
14.0	12.25	12.27	12.35	12.43	12.52	12.61	12.82	13.05	13.32	13.62	13.94
15.0	12.47	12.49	12.57	12.66	12.76	12.86	13.08	13.34	13.62	13.96	14.30
16.0	12.69	12.71	12.80	12.90	13.01	13.12	13.35	13.63	13.94	14.29	14.66
17.0	12.92	12.94	13.04	13.14	13.25	13.37	13.63	13.92	14.26	14.64	15.03
18.0	13.15	13.17	13.27	13.38	13.51	13.63	13.91	14.22	14.58	14.99	15.41
19.0	13.38	13.40	13.51	13.63	13.76	13.90	14.19	14.53	14.91	15.34	15.79
20.0	13.62	13.64	13.76	13.89	14.02	14.17	14.48	14.84	15.24	15.71	16.18
21.0	13.86	13.88	14.01	14.14	14.29	14.44	14.78	15.16	15.59	16.08	16.58
22.0	14.10	14.12	14.26	14.41	14.56	14.72	15.08	15.48	15.94	16.46	16.99
23.0	14.35	14.37	14.52	14.67	14.84	15.01	15.38	15.81	16.29	16.84	17.40
24.0	14.60	14.63	14.78	14.94	15.12	15.30	15.70	16.15	16.65	17.23	17.83
25.0	14.86	14.89	15.05	15.22	15.40	15.59	16.01	16.49	17.02	17.63	18.26
26.0	15.12	15.15	15.32	15.50	15.69	15.90	16.34	16.84	17.40	18.04	18.70
27.0	15.39	15.42	15.60	15.79	15.99	16.20	16.67	17.19	17.78	18.46	19.15
28.0	15.66	15.69	15.88	16.08	16.29	16.52	17.00	17.56	18.18	18.88	19.61
29.0	15.93	15.97	16.17	16.38	16.60	16.84	17.35	17.93	18.58	19.32	20.08
30.0	16.22	16.25	16.46	16.68	16.91	17.16	17.70	18.31	18.99	19.76	20.55
31.0	16.50	16.54	16.76	16.99	17.23	17.49	18.06	18.69	19.41	20.22	21.04
32.0	16.79	16.83	17.06	17.30	17.56	17.83	18.42	19.09	19.84	20.68	21.54
33.0	17.09	17.13	17.37	17.63	17.90	18.18	18.80	19.50	20.28	21.16	22.06
34.0	17.40	17.44	17.69	17.95	18.24	18.53	19.18	19.91	20.73	21.65	22.58
35.0	17.71	17.75	18.02	18.29	18.59	18.90	19.57	20.33	21.19	22.15	23.12
36.0	18.03	18.07	18.35	18.63	18.94	19.27	19.97	20.77	21.66	22.66	23.67
37.0	18.35	18.40	18.69	18.99	19.31	19.65	20.38	21.21	22.14	23.18	24.23
38.0	18.68	18.73	19.03	19.35	19.68	20.04	20.80	21.67	22.63	23.72	24.81
39.0	19.02	19.07	19.39	19.71	20.06	20.43	21.23	22.14	23.14	24.27	25.41
40.0	19.37	19.42	19.75	20.09	20.46	20.84	21.68	22.62	23.66	24.84	26.02
41.0	19.72	19.78	20.12	20.48	20.86	21.26	22.13	23.11	24.20	25.42	26.64
42.0	20.09	20.15	20.50	20.87	21.27	21.69	22.59	23.61	24.75	26.02	27.28
43.0	20.46	20.52	20.89	21.28	21.69	22.13	23.07	24.13	25.31	26.63	27.95
44.0	20.84	20.90	21.29	21.69	22.12	22.58	23.56	24.67	25.89	27.26	28.63
45.0	21.23	21.30	21.70	22.12	22.57	23.04	24.07	25.22	26.49	27.91	29.33
46.0	21.63	21.70	22.12	22.56	23.03	23.52	24.59	25.78	27.11	28.58	30.05
47.0	22.05	22.12	22.55	23.01	23.50	24.01	25.12	26.37	27.75	29.28	30.79
48.0	22.47	22.54	23.00	23.47	23.98	24.52	25.67	26.97	28.40	29.99	31.56
49.0	22.91	22.98	23.45	23.95	24.48	25.04	26.24	27.59	29.08	30.73	32.35
50.0	23.35	23.43	23.93	24.44	24.99	25.57	26.83	28.23	29.78	31.49	33.17
52.0	24.29	24.38	24.91	25.47	26.07	26.70	28.06	29.58	31.25	33.09	34.90
54.0	25.29	25.38	25.96	26.57	27.22	27.90	29.38	31.03	32.83	34.81	36.75
56.0	26.35	26.45	27.08	27.75	28.45	29.19	30.80	32.58	34.53	36.66	38.74
58.0	27.49	27.60	28.29	29.01	29.78	30.59	32.33	34.26	36.37	38.67	40.89
60.0	28.71	28.83	29.58	30.37	31.21	32.09	33.99	36.09	38.37	40.85	43.23
62.0	30.03	30.17	30.99	31.85	32.76	33.73	35.80	38.08	40.56	43.23	45.79
64.0	31.47	31.62	32.52	33.46	34.46	35.52	37.79	40.28	42.96	45.84	48.60
66.0	33.04	33.20	34.19	35.23	36.33	37.49	39.98	42.70	45.62	48.74	51.71
68.0	34.77	34.95	36.04	37.19	38.41	39.68	42.42	45.40	48.59	51.96	55.16
70.0	36.69	36.89	38.10	39.37	40.72	42.13	45.15	48.43	51.92	55.59	59.05

	PERCENTAGE OF LOAN AMOUNT LEFT UNPAID AT DUE DATE										
	100.0	98.81	91.66	84.51	77.36	70.21	55.92	41.62	27.32	13.02	.00

DISCOUNT %	MONTHLY PAYBACK RATE (%) (MONTHLY PAYMENT DIVIDED BY LOAN AMOUNT)										
	.79	.80	.85	.90	.95	1.00	1.05	1.10	1.20	1.30	1.38
1.0	9.67	9.67	9.67	9.68	9.68	9.69	9.70	9.70	9.72	9.74	9.76
2.0	9.83	9.84	9.85	9.86	9.87	9.88	9.90	9.91	9.95	9.98	10.02
3.0	10.01	10.01	10.03	10.04	10.06	10.08	10.10	10.12	10.18	10.23	10.29
4.0	10.18	10.18	10.21	10.23	10.25	10.28	10.31	10.34	10.41	10.48	10.56
5.0	10.36	10.36	10.39	10.42	10.45	10.48	10.52	10.55	10.64	10.74	10.84
6.0	10.53	10.54	10.57	10.61	10.65	10.69	10.73	10.78	10.88	11.00	11.12
7.0	10.71	10.72	10.76	10.80	10.85	10.90	10.94	11.00	11.12	11.27	11.40
8.0	10.90	10.91	10.95	11.00	11.05	11.11	11.16	11.23	11.37	11.53	11.69
9.0	11.08	11.09	11.14	11.20	11.26	11.32	11.39	11.46	11.62	11.81	11.98
10.0	11.27	11.28	11.34	11.40	11.47	11.54	11.61	11.69	11.87	12.08	12.28
11.0	11.46	11.48	11.54	11.61	11.68	11.76	11.84	11.93	12.13	12.36	12.58
12.0	11.66	11.67	11.74	11.82	11.90	11.98	12.07	12.17	12.40	12.65	12.89
13.0	11.86	11.87	11.95	12.03	12.12	12.21	12.31	12.42	12.66	12.94	13.21
14.0	12.06	12.07	12.15	12.24	12.34	12.44	12.55	12.67	12.93	13.24	13.53
15.0	12.26	12.27	12.37	12.46	12.57	12.68	12.80	12.93	13.21	13.54	13.85
16.0	12.47	12.48	12.58	12.69	12.80	12.92	13.05	13.18	13.49	13.85	14.18
17.0	12.67	12.69	12.80	12.91	13.03	13.16	13.30	13.45	13.78	14.16	14.52
18.0	12.89	12.91	13.02	13.14	13.27	13.41	13.56	13.72	14.07	14.48	14.86
19.0	13.10	13.13	13.25	13.38	13.52	13.66	13.82	13.99	14.37	14.80	15.21
20.0	13.33	13.35	13.48	13.61	13.76	13.92	14.09	14.27	14.67	15.13	15.56
21.0	13.55	13.57	13.71	13.86	14.01	14.18	14.36	14.55	14.98	15.47	15.92
22.0	13.78	13.80	13.95	14.10	14.27	14.45	14.64	14.84	15.29	15.81	16.29
23.0	14.01	14.03	14.19	14.35	14.53	14.72	14.92	15.13	15.61	16.16	16.67
24.0	14.24	14.27	14.44	14.61	14.80	15.00	15.21	15.43	15.94	16.52	17.05
25.0	14.48	14.51	14.69	14.87	15.07	15.28	15.50	15.74	16.27	16.88	17.45
26.0	14.73	14.76	14.94	15.14	15.34	15.57	15.80	16.05	16.61	17.25	17.85
27.0	14.98	15.01	15.20	15.41	15.63	15.86	16.10	16.37	16.96	17.63	18.25
28.0	15.23	15.27	15.47	15.68	15.91	16.16	16.42	16.70	17.31	18.02	18.67
29.0	15.49	15.53	15.74	15.96	16.21	16.46	16.73	17.03	17.68	18.42	19.10
30.0	15.75	15.79	16.01	16.25	16.50	16.77	17.06	17.37	18.05	18.82	19.53
31.0	16.02	16.06	16.30	16.54	16.81	17.09	17.39	17.71	18.43	19.24	19.98
32.0	16.30	16.34	16.58	16.84	17.12	17.42	17.73	18.07	18.81	19.66	20.43
33.0	16.58	16.62	16.88	17.15	17.44	17.75	18.08	18.43	19.21	20.09	20.90
34.0	16.86	16.91	17.18	17.46	17.77	18.09	18.43	18.80	19.61	20.54	21.38
35.0	17.16	17.20	17.48	17.78	18.10	18.44	18.80	19.18	20.03	20.99	21.87
36.0	17.46	17.50	17.80	18.11	18.44	18.79	19.17	19.57	20.46	21.46	22.37
37.0	17.76	17.81	18.12	18.44	18.79	19.16	19.55	19.97	20.89	21.94	22.88
38.0	18.07	18.13	18.45	18.78	19.15	19.53	19.94	20.38	21.34	22.43	23.41
39.0	18.39	18.45	18.78	19.13	19.51	19.91	20.34	20.80	21.80	22.93	23.95
40.0	18.72	18.78	19.12	19.49	19.89	20.31	20.75	21.23	22.27	23.45	24.51
41.0	19.05	19.11	19.48	19.86	20.27	20.71	21.17	21.67	22.75	23.98	25.08
42.0	19.40	19.46	19.84	20.24	20.67	21.12	21.61	22.12	23.25	24.52	25.66
43.0	19.75	19.81	20.21	20.63	21.07	21.55	22.05	22.59	23.76	25.08	26.27
44.0	20.11	20.18	20.59	21.02	21.49	21.98	22.51	23.07	24.29	25.66	26.89
45.0	20.48	20.55	20.98	21.43	21.92	22.43	22.98	23.56	24.83	26.26	27.53
46.0	20.86	20.94	21.38	21.85	22.36	22.90	23.46	24.07	25.39	26.87	28.19
47.0	21.25	21.33	21.79	22.29	22.81	23.37	23.96	24.59	25.97	27.50	28.87
48.0	21.66	21.73	22.22	22.73	23.28	23.86	24.48	25.13	26.56	28.15	29.57
49.0	22.07	22.15	22.66	23.19	23.76	24.37	25.01	25.69	27.18	28.83	30.29
50.0	22.50	22.58	23.11	23.66	24.26	24.89	25.56	26.27	27.81	29.53	31.04
52.0	23.39	23.48	24.05	24.66	25.30	25.99	26.71	27.48	29.15	30.99	32.62
54.0	24.34	24.44	25.06	25.72	26.42	27.16	27.95	28.78	30.59	32.57	34.31
56.0	25.36	25.47	26.14	26.86	27.62	28.43	29.28	30.18	32.13	34.27	36.13
58.0	26.45	26.57	27.30	28.08	28.92	29.79	30.72	31.70	33.81	36.11	38.11
60.0	27.63	27.76	28.56	29.41	30.32	31.28	32.28	33.35	35.63	38.11	40.25
62.0	28.90	29.05	29.93	30.86	31.85	32.89	33.99	35.15	37.63	40.30	42.60
64.0	30.30	30.45	31.42	32.44	33.53	34.67	35.87	37.13	39.82	42.71	45.18
66.0	31.83	32.00	33.06	34.18	35.38	36.63	37.94	39.32	42.25	45.38	48.03
68.0	33.52	33.71	34.88	36.12	37.43	38.81	40.26	41.77	44.97	48.35	51.22
70.0	35.40	35.61	36.91	38.29	39.74	41.27	42.86	44.52	48.02	51.70	54.79
⌀	PERCENTAGE OF LOAN AMOUNT LEFT UNPAID AT DUE DATE										
	100.0	98.59	90.10	81.62	73.13	64.65	56.16	47.68	30.71	13.73	.00

DISCOUNT %	MONTHLY PAYBACK RATE (%) (MONTHLY PAYMENT DIVIDED BY LOAN AMOUNT)										
	.79	.80	.85	.90	.95	1.00	1.05	1.10	1.15	1.20	1.29
1.0	9.66	9.66	9.66	9.67	9.68	9.68	9.69	9.70	9.71	9.72	9.74
2.0	9.81	9.82	9.83	9.84	9.85	9.87	9.88	9.90	9.92	9.94	9.98
3.0	9.97	9.98	10.00	10.01	10.03	10.05	10.08	10.10	10.13	10.16	10.22
4.0	10.14	10.14	10.16	10.19	10.22	10.25	10.27	10.31	10.35	10.39	10.47
5.0	10.30	10.31	10.34	10.37	10.40	10.44	10.48	10.52	10.57	10.62	10.73
6.0	10.47	10.48	10.51	10.55	10.59	10.63	10.68	10.73	10.79	10.85	10.98
7.0	10.64	10.65	10.69	10.73	10.78	10.83	10.89	10.95	11.02	11.09	11.24
8.0	10.81	10.82	10.87	10.92	10.98	11.04	11.10	11.17	11.25	11.33	11.51
9.0	10.99	11.00	11.05	11.11	11.17	11.24	11.31	11.39	11.48	11.58	11.78
10.0	11.16	11.17	11.24	11.30	11.37	11.45	11.53	11.62	11.72	11.83	12.05
11.0	11.34	11.36	11.42	11.50	11.58	11.66	11.75	11.85	11.96	12.08	12.33
12.0	11.53	11.54	11.61	11.69	11.78	11.88	11.98	12.09	12.21	12.34	12.61
13.0	11.71	11.73	11.81	11.90	11.99	12.10	12.20	12.32	12.46	12.60	12.90
14.0	11.90	11.92	12.01	12.10	12.21	12.32	12.44	12.57	12.71	12.87	13.19
15.0	12.09	12.11	12.21	12.31	12.42	12.54	12.67	12.82	12.97	13.14	13.49
16.0	12.29	12.30	12.41	12.52	12.64	12.77	12.91	13.07	13.23	13.41	13.79
17.0	12.48	12.50	12.62	12.74	12.87	13.01	13.16	13.32	13.50	13.70	14.10
18.0	12.68	12.70	12.83	12.95	13.10	13.25	13.41	13.58	13.77	13.98	14.42
19.0	12.89	12.91	13.04	13.18	13.33	13.49	13.66	13.85	14.05	14.27	14.74
20.0	13.10	13.12	13.26	13.40	13.57	13.74	13.92	14.12	14.34	14.57	15.07
21.0	13.31	13.33	13.48	13.64	13.81	13.99	14.18	14.40	14.62	14.87	15.40
22.0	13.52	13.55	13.70	13.87	14.05	14.25	14.45	14.68	14.92	15.18	15.74
23.0	13.74	13.77	13.93	14.11	14.30	14.51	14.73	14.96	15.22	15.50	16.08
24.0	13.96	13.99	14.17	14.35	14.56	14.77	15.00	15.26	15.53	15.82	16.44
25.0	14.19	14.22	14.41	14.60	14.82	15.04	15.29	15.55	15.84	16.15	16.80
26.0	14.42	14.46	14.65	14.86	15.08	15.32	15.58	15.86	16.16	16.49	17.17
27.0	14.66	14.69	14.90	15.12	15.35	15.61	15.88	16.17	16.48	16.83	17.54
28.0	14.90	14.93	15.15	15.38	15.63	15.89	16.18	16.49	16.82	17.18	17.93
29.0	15.14	15.18	15.41	15.65	15.91	16.19	16.49	16.81	17.16	17.54	18.32
30.0	15.39	15.43	15.67	15.92	16.20	16.49	16.80	17.14	17.51	17.90	18.72
31.0	15.65	15.69	15.94	16.20	16.49	16.80	17.13	17.48	17.86	18.27	19.13
32.0	15.91	15.95	16.21	16.49	16.79	17.11	17.46	17.83	18.23	18.66	19.55
33.0	16.18	16.22	16.49	16.78	17.10	17.44	17.79	18.18	18.60	19.05	19.98
34.0	16.45	16.49	16.78	17.08	17.41	17.77	18.14	18.55	18.98	19.37	20.42
35.0	16.73	16.77	17.07	17.39	17.74	18.10	18.50	18.92	19.37	19.86	20.87
36.0	17.01	17.06	17.37	17.71	18.06	18.45	18.86	19.30	19.77	20.28	21.33
37.0	17.30	17.35	17.68	18.03	18.40	18.80	19.23	19.69	20.18	20.71	21.81
38.0	17.60	17.65	17.99	18.36	18.75	19.17	19.61	20.09	20.61	21.16	22.29
39.0	17.90	17.96	18.32	18.69	19.10	19.54	20.00	20.50	21.04	21.61	22.79
40.0	18.21	18.27	18.65	19.04	19.47	19.92	20.41	20.93	21.48	22.08	23.30
41.0	18.53	18.60	18.98	19.40	19.84	20.31	20.82	21.36	21.94	22.56	23.83
42.0	18.86	18.93	19.33	19.76	20.22	20.72	21.24	21.81	22.41	23.06	24.37
43.0	19.20	19.27	19.69	20.13	20.62	21.13	21.68	22.27	22.89	23.56	24.93
44.0	19.54	19.62	20.05	20.52	21.02	21.56	22.13	22.74	23.39	24.09	25.50
45.0	19.90	19.97	20.43	20.92	21.44	22.00	22.59	23.23	23.90	24.63	26.09
46.0	20.26	20.34	20.82	21.32	21.87	22.45	23.07	23.73	24.43	25.18	26.70
47.0	20.64	20.72	21.22	21.74	22.31	22.92	23.56	24.25	24.98	25.76	27.33
48.0	21.02	21.11	21.63	22.18	22.77	23.40	24.07	24.78	25.54	26.35	27.98
49.0	21.42	21.51	22.05	22.62	23.24	23.89	24.59	25.33	26.12	26.96	28.65
50.0	21.83	21.92	22.49	23.08	23.73	24.41	25.13	25.91	26.72	27.59	29.34
52.0	22.69	22.79	23.40	24.05	24.75	25.49	26.27	27.11	27.99	28.93	30.80
54.0	23.61	23.72	24.38	25.09	25.84	26.65	27.50	28.40	29.35	30.36	32.37
56.0	24.60	24.71	25.43	26.20	27.02	27.90	28.82	29.79	30.82	31.91	34.06
58.0	25.66	25.78	26.57	27.41	28.30	29.25	30.25	31.31	32.42	33.58	35.89
60.0	26.80	26.94	27.80	28.71	29.69	30.72	31.81	32.95	34.15	35.41	37.89
62.0	28.05	28.20	29.14	30.14	31.20	32.33	33.51	34.75	36.05	37.41	40.07
64.0	29.41	29.58	30.61	31.71	32.87	34.10	35.39	36.74	38.14	39.61	42.47
66.0	30.91	31.10	32.24	33.44	34.72	36.06	37.47	38.94	40.46	42.04	45.12
68.0	32.58	32.79	34.04	35.37	36.78	38.25	39.79	41.40	43.05	44.77	48.09
70.0	34.45	34.68	36.07	37.54	39.09	40.72	42.41	44.16	45.97	47.83	51.42
	PERCENTAGE OF LOAN AMOUNT LEFT UNPAID AT DUE DATE										
	100.0	98.34	88.39	78.43	68.48	58.52	48.57	38.62	28.66	18.71	.00

MONTHLY PAYBACK RATE (%)
(MONTHLY PAYMENT DIVIDED BY LOAN AMOUNT)

DISCOUNT %	1.00	1.25	1.50	1.75	2.00	2.25	2.50	2.75	3.00	3.50	4.00
1.0	9.66	9.73	9.79	9.85	9.91	9.97	10.03	10.09	10.14	10.26	10.37
2.0	9.83	9.96	10.08	10.20	10.32	10.44	10.56	10.68	10.80	11.03	11.26
3.0	10.00	10.19	10.38	10.56	10.74	10.92	11.10	11.28	11.46	11.81	12.15
4.0	10.17	10.43	10.68	10.93	11.17	11.41	11.65	11.89	12.13	12.60	13.06
5.0	10.34	10.67	10.99	11.30	11.61	11.91	12.21	12.51	12.81	13.40	13.99
6.0	10.52	10.92	11.30	11.67	12.05	12.41	12.78	13.14	13.50	14.22	14.92
7.0	10.69	11.16	11.61	12.06	12.49	12.93	13.35	13.78	14.20	15.04	15.88
8.0	10.88	11.42	11.94	12.44	12.95	13.44	13.94	14.43	14.92	15.88	16.84
9.0	11.06	11.67	12.26	12.84	13.41	13.97	14.53	15.09	15.64	16.74	17.82
10.0	11.25	11.94	12.59	13.24	13.88	14.51	15.13	15.76	16.38	17.60	18.82
11.0	11.44	12.20	12.93	13.64	14.35	15.05	15.75	16.44	17.12	18.49	19.84
12.0	11.64	12.47	13.27	14.06	14.83	15.60	16.37	17.13	17.88	19.38	20.86
13.0	11.84	12.75	13.62	14.48	15.33	16.17	17.00	17.83	18.66	20.29	21.91
14.0	12.04	13.03	13.97	14.91	15.83	16.74	17.64	18.55	19.44	21.21	22.98
15.0	12.24	13.31	14.34	15.34	16.33	17.32	18.30	19.27	20.24	22.15	24.06
16.0	12.45	13.60	14.70	15.78	16.85	17.91	18.96	20.01	21.05	23.11	25.16
17.0	12.67	13.90	15.08	16.23	17.38	18.51	19.64	20.76	21.88	24.08	26.28
18.0	12.89	14.20	15.46	16.69	17.91	19.13	20.33	21.53	22.72	25.07	27.42
19.0	13.11	14.50	15.84	17.16	18.46	19.75	21.03	22.30	23.57	26.08	28.58
20.0	13.34	14.81	16.24	17.63	19.01	20.38	21.74	23.10	24.44	27.11	29.76
21.0	13.57	15.13	16.64	18.12	19.58	21.03	22.47	23.90	25.33	28.15	30.96
22.0	13.80	15.46	17.05	18.61	20.16	21.69	23.21	24.73	26.23	29.22	32.18
23.0	14.04	15.79	17.47	19.11	20.74	22.36	23.97	25.56	27.15	30.30	33.43
24.0	14.29	16.13	17.89	19.63	21.34	23.05	24.74	26.42	28.09	31.41	34.70
25.0	14.54	16.47	18.33	20.15	21.95	23.74	25.52	27.29	29.05	32.54	36.00
26.0	14.80	16.82	18.77	20.68	22.58	24.46	26.32	28.18	30.02	33.69	37.32
27.0	15.06	17.18	19.22	21.23	23.21	25.18	27.14	29.08	31.02	34.86	38.67
28.0	15.33	17.55	19.68	21.78	23.86	25.92	27.97	30.01	32.03	36.06	40.05
29.0	15.61	17.92	20.16	22.35	24.52	26.68	28.82	30.95	33.07	37.28	41.46
30.0	15.89	18.31	20.64	22.93	25.20	27.45	29.69	31.92	34.13	38.53	42.89
31.0	16.18	18.70	21.13	23.52	25.89	28.24	30.58	32.90	35.21	39.80	44.36
32.0	16.48	19.10	21.64	24.13	26.60	29.05	31.48	33.91	36.32	41.11	45.86
33.0	16.78	19.51	22.15	24.75	27.32	29.88	32.41	34.94	37.45	42.44	47.39
34.0	17.09	19.93	22.68	25.38	28.06	30.72	33.36	35.99	38.61	43.80	48.96
35.0	17.41	20.36	23.22	26.03	28.82	31.59	34.33	37.07	39.79	45.19	50.56
36.0	17.74	20.81	23.78	26.70	29.60	32.47	35.33	38.17	41.00	46.62	52.21
37.0	18.07	21.26	24.34	27.38	30.39	33.38	36.35	39.30	42.24	48.08	53.89
38.0	18.42	21.73	24.93	28.08	31.20	34.31	37.39	40.46	43.51	49.58	55.61
39.0	18.78	22.20	25.53	28.80	32.04	35.26	38.46	41.64	44.82	51.12	57.38
40.0	19.14	22.70	26.14	29.53	32.90	36.24	39.56	42.86	46.15	52.69	59.19
41.0	19.52	23.20	26.77	30.29	33.77	37.24	40.68	44.11	47.52	54.31	61.05
42.0	19.91	23.72	27.42	31.06	34.68	38.27	41.84	45.39	48.93	55.96	62.95
43.0	20.30	24.25	28.08	31.86	35.61	39.33	43.03	46.71	50.38	57.67	64.91
44.0	20.72	24.80	28.77	32.68	36.56	40.41	44.25	48.06	51.86	59.42	66.93
45.0	21.14	25.37	29.48	33.53	37.54	41.53	45.50	49.46	53.39	61.22	69.00
46.0	21.58	25.95	30.20	34.39	38.55	42.69	46.79	50.89	54.96	63.07	71.13
47.0	22.03	26.55	30.95	35.29	39.59	43.87	48.13	52.36	56.58	64.98	73.32
48.0	22.50	27.18	31.72	36.21	40.67	45.09	49.50	53.89	58.25	66.94	75.58
49.0	22.99	27.82	32.52	37.17	41.77	46.36	50.91	55.45	59.97	68.97	77.92
50.0	23.49	28.48	33.35	38.15	42.92	47.66	52.37	57.07	61.75	71.06	80.32
51.0	24.01	29.17	34.20	39.17	44.10	49.00	53.88	58.74	63.58	73.22	82.80
52.0	24.56	29.88	35.08	40.22	45.32	50.39	55.44	60.47	65.48	75.45	85.37
53.0	25.12	30.62	36.00	41.31	46.59	51.83	57.05	62.26	67.44	77.76	88.02
54.0	25.70	31.39	36.95	42.44	47.89	53.32	58.72	64.11	69.47	80.15	90.77
55.0	26.31	32.18	37.93	43.61	49.25	54.87	60.45	66.02	71.57	82.62	93.62
56.0	26.94	33.01	38.95	44.83	50.66	56.47	62.25	68.01	73.76	85.19	96.57
57.0	27.60	33.87	40.01	46.09	52.13	58.13	64.12	70.08	76.02	87.85	99.63
58.0	28.29	34.77	41.12	47.41	53.65	59.87	66.06	72.23	78.38	90.62	102.82
59.0	29.02	35.71	42.27	48.78	55.24	61.67	68.07	74.46	80.83	93.51	106.13
60.0	29.77	36.69	43.48	50.20	56.89	63.55	70.18	76.79	83.38	96.51	109.58

NUMBER OF MONTHLY PAYMENTS NEEDED TO PAY OFF LOAN

	1.00	1.25	1.50	1.75	2.00	2.25	2.50	2.75	3.00	3.50	4.00
	198.9	127.2	95.2	76.4	63.9	55.0	48.3	43.1	38.9	32.5	28.0

DISCOUNT %	MONTHLY PAYBACK RATE (%) (MONTHLY PAYMENT DIVIDED BY LOAN AMOUNT)										
	.61	1.00	1.50	2.00	3.00	4.00	5.00	6.00	7.00	8.00	8.78
.5	10.28	10.28	10.30	10.32	10.35	10.39	10.44	10.49	10.56	10.63	10.70
1.0	10.81	10.82	10.85	10.88	10.96	11.04	11.13	11.24	11.37	11.52	11.65
1.5	11.34	11.36	11.41	11.46	11.57	11.69	11.83	11.99	12.18	12.41	12.61
2.0	11.88	11.90	11.97	12.03	12.18	12.34	12.53	12.75	13.01	13.31	13.58
2.5	12.42	12.45	12.53	12.61	12.79	13.00	13.24	13.51	13.83	14.21	14.56
3.0	12.96	13.00	13.09	13.19	13.41	13.66	13.95	14.28	14.67	15.12	15.54
3.5	13.51	13.55	13.66	13.78	14.04	14.33	14.67	15.05	15.51	16.04	16.53
4.0	14.06	14.11	14.23	14.37	14.67	15.00	15.39	15.83	16.35	16.97	17.53
4.5	14.61	14.67	14.81	14.96	15.30	15.68	16.11	16.62	17.21	17.90	18.54
5.0	15.17	15.23	15.39	15.56	15.93	16.36	16.85	17.41	18.07	18.84	19.55
5.5	15.73	15.79	15.97	16.16	16.57	17.04	17.58	18.20	18.93	19.79	20.57
6.0	16.29	16.36	16.56	16.77	17.22	17.73	18.32	19.01	19.80	20.74	21.60
6.5	16.86	16.94	17.15	17.37	17.87	18.43	19.07	19.81	20.68	21.70	22.64
7.0	17.43	17.51	17.74	17.99	18.52	19.13	19.82	20.63	21.56	22.67	23.69
7.5	18.00	18.09	18.34	18.60	19.18	19.83	20.58	21.45	22.46	23.65	24.74
8.0	18.58	18.67	18.94	19.22	19.84	20.54	21.34	22.27	23.35	24.63	25.80
8.5	19.16	19.26	19.54	19.84	20.50	21.25	22.11	23.10	24.26	25.63	26.87
9.0	19.74	19.85	20.15	20.47	21.17	21.97	22.88	23.94	25.17	26.63	27.95
9.5	20.33	20.44	20.76	21.10	21.85	22.69	23.66	24.78	26.09	27.63	29.04
10.0	20.92	21.04	21.38	21.74	22.53	23.42	24.45	25.63	27.02	28.65	30.14
10.5	21.51	21.64	22.00	22.38	23.21	24.16	25.24	26.49	27.95	29.67	31.24
11.0	22.11	22.25	22.62	23.02	23.90	24.89	26.04	27.35	28.89	30.71	32.36
11.5	22.71	22.86	23.25	23.67	24.59	25.64	26.84	28.22	29.84	31.75	33.48
12.0	23.32	23.47	23.88	24.32	25.29	26.39	27.65	29.10	30.80	32.80	34.62
12.5	23.93	24.09	24.52	24.98	25.99	27.14	28.46	29.98	31.76	33.85	35.76
13.0	24.54	24.71	25.16	25.64	26.70	27.90	29.28	30.87	32.73	34.92	36.91
13.5	25.16	25.33	25.81	26.31	27.41	28.67	30.11	31.77	33.71	36.00	38.07
14.0	25.78	25.96	26.45	26.98	28.13	29.44	30.94	32.68	34.70	37.08	39.25
14.5	26.41	26.59	27.11	27.65	28.85	30.22	31.78	33.59	35.69	38.18	40.43
15.0	27.04	27.23	27.77	28.33	29.58	31.00	32.63	34.51	36.70	39.28	41.62
15.5	27.67	27.87	28.43	29.02	30.31	31.79	33.48	35.43	37.71	40.39	42.83
16.0	28.31	28.52	29.09	29.71	31.05	32.58	34.34	36.37	38.73	41.51	44.04
16.5	28.95	29.17	29.77	30.40	31.80	33.39	35.21	37.31	39.76	42.65	45.27
17.0	29.60	29.82	30.44	31.10	32.55	34.19	36.08	38.26	40.80	43.79	46.50
17.5	30.25	30.48	31.12	31.80	33.30	35.01	36.96	39.22	41.85	44.94	47.75
18.0	30.90	31.14	31.81	32.51	34.06	35.83	37.85	40.18	42.90	46.11	49.01
18.5	31.56	31.81	32.50	33.23	34.83	36.65	38.74	41.16	43.97	47.28	50.28
19.0	32.23	32.48	33.19	33.95	35.60	37.48	39.64	42.14	45.05	48.46	51.56
19.5	32.90	33.16	33.89	34.67	36.38	38.32	40.55	43.13	46.13	49.66	52.85
20.0	33.57	33.84	34.60	35.40	37.16	39.17	41.47	44.13	47.23	50.86	54.16
20.5	34.25	34.53	35.31	36.14	37.95	40.02	42.40	45.14	48.33	52.08	55.48
21.0	34.93	35.22	36.02	36.88	38.75	40.88	43.33	46.15	49.45	53.31	56.81
21.5	35.62	35.92	36.75	37.62	39.55	41.75	44.27	47.18	50.57	54.55	58.15
22.0	36.31	36.62	37.48	38.38	40.36	42.62	45.22	48.22	51.71	55.80	59.50
22.5	37.01	37.33	38.20	39.13	41.18	43.50	46.17	49.26	52.85	57.07	60.87
23.0	37.71	38.04	38.94	39.90	42.00	44.39	47.14	50.31	54.01	58.34	62.26
23.5	38.42	38.76	39.68	40.67	42.83	45.29	48.11	51.38	55.18	59.63	63.65
24.0	39.13	39.48	40.43	41.44	43.66	46.19	49.10	52.45	56.35	60.93	65.06
24.5	39.85	40.21	41.18	42.22	44.50	47.10	50.09	53.53	57.54	62.24	66.48
25.0	40.58	40.94	41.94	43.01	45.35	48.02	51.09	54.63	58.75	63.57	67.92
25.5	41.31	41.68	42.71	43.80	46.21	48.95	52.10	55.73	59.96	64.91	69.38
26.0	42.04	42.42	43.48	44.60	47.07	49.88	53.11	56.84	61.18	66.26	70.84
26.5	42.78	43.17	44.26	45.41	47.94	50.83	54.14	57.97	62.42	67.63	72.33
27.0	43.53	43.93	45.04	46.22	48.82	51.78	55.18	59.10	63.67	69.01	73.82
27.5	44.28	44.69	45.83	47.04	49.70	52.74	56.22	60.25	64.93	70.41	75.34
28.0	45.04	45.46	46.63	47.87	50.60	53.71	57.28	61.41	66.21	71.82	76.87
28.5	45.80	46.24	47.43	48.70	51.50	54.69	58.35	62.58	67.49	73.24	78.41
29.0	46.57	47.02	48.24	49.54	52.41	55.67	59.42	63.76	68.79	74.68	79.97
29.5	47.35	47.80	49.06	50.39	53.32	56.67	60.51	64.95	70.11	76.14	81.55
30.0	48.13	48.60	49.88	51.24	54.25	57.67	61.61	66.15	71.44	77.61	83.15
PERCENTAGE OF LOAN AMOUNT LEFT UNPAID AT DUE DATE											
	100.0	97.65	91.37	85.10	72.54	59.99	47.44	34.89	22.34	9.79	.00

DISCOUNT %	MONTHLY PAYBACK RATE (%) (MONTHLY PAYMENT DIVIDED BY LOAN AMOUNT)										
	.81	1.00	1.25	1.50	1.75	2.00	2.50	3.00	3.50	4.00	4.60
.5	10.03	10.03	10.04	10.05	10.06	10.07	10.10	10.12	10.16	10.19	10.25
1.0	10.30	10.32	10.34	10.35	10.37	10.40	10.44	10.50	10.56	10.64	10.75
1.5	10.58	10.60	10.63	10.66	10.69	10.72	10.79	10.88	10.98	11.09	11.26
2.0	10.87	10.89	10.93	10.97	11.01	11.05	11.15	11.26	11.39	11.54	11.77
2.5	11.15	11.18	11.23	11.28	11.33	11.38	11.50	11.64	11.81	12.00	12.29
3.0	11.43	11.47	11.53	11.59	11.65	11.71	11.86	12.03	12.23	12.46	12.81
3.5	11.72	11.77	11.83	11.90	11.97	12.05	12.22	12.42	12.65	12.92	13.33
4.0	12.01	12.06	12.13	12.21	12.29	12.38	12.58	12.81	13.07	13.39	13.86
4.5	12.30	12.36	12.44	12.53	12.62	12.72	12.94	13.20	13.50	13.86	14.39
5.0	12.59	12.66	12.75	12.85	12.95	13.06	13.31	13.60	13.93	14.33	14.93
5.5	12.88	12.96	13.06	13.17	13.28	13.41	13.68	14.00	14.37	14.81	15.47
6.0	13.18	13.26	13.37	13.49	13.62	13.75	14.05	14.40	14.81	15.29	16.01
6.5	13.47	13.56	13.68	13.81	13.95	14.10	14.43	14.80	15.25	15.78	16.56
7.0	13.77	13.87	14.00	14.14	14.29	14.45	14.80	15.21	15.69	16.26	17.11
7.5	14.07	14.17	14.32	14.47	14.63	14.80	15.18	15.62	16.14	16.75	17.66
8.0	14.38	14.48	14.64	14.80	14.97	15.15	15.56	16.04	16.59	17.25	18.22
8.5	14.68	14.80	14.96	15.13	15.31	15.51	15.95	16.45	17.05	17.75	18.79
9.0	14.98	15.11	15.28	15.46	15.66	15.87	16.33	16.87	17.50	18.25	19.36
9.5	15.29	15.42	15.61	15.80	16.01	16.23	16.72	17.30	17.96	18.76	19.93
10.0	15.60	15.74	15.93	16.14	16.36	16.59	17.12	17.72	18.43	19.27	20.51
10.5	15.91	16.06	16.26	16.48	16.71	16.96	17.51	18.15	18.90	19.78	21.09
11.0	16.23	16.38	16.60	16.82	17.07	17.33	17.91	18.58	19.37	20.30	21.68
11.5	16.54	16.70	16.93	17.17	17.43	17.70	18.31	19.02	19.84	20.82	22.27
12.0	16.86	17.03	17.27	17.52	17.79	18.07	18.71	19.46	20.32	21.35	22.86
12.5	17.18	17.36	17.60	17.87	18.15	18.45	19.12	19.90	20.81	21.88	23.47
13.0	17.50	17.68	17.94	18.22	18.52	18.83	19.53	20.34	21.29	22.42	24.07
13.5	17.82	18.02	18.29	18.58	18.88	19.21	19.94	20.79	21.78	22.96	24.68
14.0	18.15	18.35	18.63	18.93	19.25	19.60	20.36	21.24	22.28	23.50	25.30
14.5	18.48	18.69	18.98	19.29	19.63	19.98	20.78	21.70	22.78	24.05	25.92
15.0	18.81	19.02	19.33	19.65	20.00	20.37	21.20	22.16	23.28	24.60	26.55
15.5	19.14	19.36	19.68	20.02	20.38	20.77	21.63	22.62	23.79	25.16	27.18
16.0	19.47	19.71	20.04	20.39	20.76	21.16	22.05	23.09	24.30	25.72	27.82
16.5	19.81	20.05	20.39	20.76	21.15	21.56	22.49	23.56	24.81	26.29	28.46
17.0	20.15	20.40	20.75	21.13	21.53	21.96	22.92	24.03	25.33	26.86	29.11
17.5	20.49	20.75	21.11	21.51	21.92	22.37	23.36	24.51	25.85	27.44	29.77
18.0	20.83	21.10	21.48	21.88	22.32	22.78	23.80	24.99	26.38	28.02	30.43
18.5	21.18	21.46	21.85	22.26	22.71	23.19	24.25	25.48	26.91	28.61	31.09
19.0	21.52	21.81	22.22	22.65	23.11	23.60	24.70	25.97	27.45	29.20	31.77
19.5	21.87	22.17	22.59	23.03	23.51	24.02	25.15	26.46	27.99	29.80	32.44
20.0	22.23	22.53	22.96	23.42	23.91	24.44	25.61	26.96	28.54	30.40	33.13
21.0	22.94	23.27	23.72	24.21	24.73	25.29	26.53	27.97	29.65	31.63	34.52
22.0	23.66	24.01	24.49	25.01	25.56	26.15	27.47	28.99	30.77	32.87	35.93
23.0	24.40	24.76	25.27	25.82	26.41	27.03	28.42	30.04	31.92	34.14	37.37
24.0	25.14	25.53	26.07	26.65	27.26	27.92	29.40	31.10	33.09	35.43	38.84
25.0	25.90	26.30	26.87	27.48	28.13	28.83	30.38	32.18	34.28	36.75	40.34
26.0	26.66	27.09	27.69	28.33	29.02	29.75	31.39	33.28	35.49	38.09	41.87
27.0	27.44	27.89	28.52	29.20	29.92	30.69	32.41	34.41	36.73	39.46	43.43
28.0	28.23	28.70	29.37	30.08	30.84	31.65	33.45	35.55	37.99	40.86	45.02
29.0	29.03	29.53	30.23	30.97	31.77	32.62	34.52	36.71	39.28	42.29	46.64
30.0	29.85	30.37	31.10	31.88	32.71	33.61	35.60	37.90	40.59	43.74	48.30
31.0	30.68	31.22	31.99	32.80	33.68	34.61	36.70	39.11	41.93	45.23	50.00
32.0	31.52	32.09	32.89	33.75	34.66	35.64	37.82	40.35	43.30	46.75	51.73
33.0	32.38	32.97	33.81	34.70	35.66	36.68	38.97	41.61	44.69	48.30	53.50
34.0	33.25	33.87	34.74	35.68	36.68	37.75	40.13	42.90	46.12	49.89	55.31
35.0	34.14	34.78	35.70	36.67	37.72	38.83	41.33	44.22	47.58	51.51	57.16
36.0	35.04	35.71	36.67	37.68	38.77	39.94	42.54	45.56	49.07	53.18	59.06
37.0	35.96	36.66	37.66	38.72	39.85	41.07	43.79	46.93	50.60	54.88	61.00
38.0	36.89	37.62	38.66	39.77	40.95	42.22	45.06	48.34	52.16	56.62	62.99
39.0	37.84	38.61	39.69	40.84	42.07	43.40	46.35	49.78	53.76	58.40	65.04
40.0	38.81	39.61	40.73	41.93	43.22	44.60	47.68	51.25	55.40	60.23	67.13

⌀	PERCENTAGE OF LOAN AMOUNT LEFT UNPAID AT DUE DATE										
	100.0	95.05	88.46	81.86	75.27	68.67	55.48	42.29	29.10	15.91	.00

DISCOUNT %	MONTHLY PAYBACK RATE (%) (MONTHLY PAYMENT DIVIDED BY LOAN AMOUNT)										
	.81	1.00	1.25	1.50	1.75	2.00	2.25	2.50	2.75	3.00	3.21
.5	9.94	9.95	9.96	9.97	9.98	10.00	10.01	10.03	10.05	10.07	10.09
1.0	10.14	10.15	10.17	10.19	10.22	10.25	10.28	10.31	10.35	10.40	10.44
1.5	10.33	10.35	10.38	10.42	10.45	10.50	10.54	10.59	10.65	10.72	10.79
2.0	10.53	10.56	10.60	10.64	10.69	10.75	10.81	10.88	10.96	11.05	11.14
2.5	10.73	10.76	10.81	10.87	10.93	11.00	11.08	11.17	11.27	11.38	11.49
3.0	10.93	10.97	11.03	11.10	11.17	11.26	11.35	11.46	11.58	11.72	11.85
3.5	11.13	11.18	11.25	11.33	11.42	11.51	11.62	11.75	11.89	12.05	12.21
4.0	11.33	11.39	11.47	11.56	11.66	11.77	11.90	12.04	12.20	12.39	12.57
4.5	11.53	11.60	11.69	11.79	11.90	12.03	12.17	12.34	12.52	12.73	12.94
5.0	11.73	11.81	11.91	12.03	12.15	12.29	12.45	12.63	12.84	13.07	13.31
5.5	11.94	12.02	12.13	12.26	12.40	12.56	12.73	12.93	13.16	13.42	13.68
6.0	12.15	12.23	12.36	12.50	12.65	12.82	13.02	13.24	13.48	13.77	14.05
6.5	12.35	12.45	12.59	12.74	12.90	13.09	13.30	13.54	13.81	14.12	14.42
7.0	12.56	12.66	12.81	12.98	13.16	13.36	13.59	13.85	14.14	14.47	14.80
7.5	12.77	12.88	13.04	13.22	13.41	13.63	13.88	14.15	14.47	14.83	15.18
8.0	12.98	13.10	13.27	13.46	13.67	13.91	14.17	14.46	14.80	15.19	15.57
8.5	13.20	13.32	13.50	13.71	13.93	14.18	14.46	14.78	15.14	15.55	15.96
9.0	13.41	13.54	13.74	13.95	14.19	14.46	14.76	15.09	15.48	15.92	16.35
9.5	13.62	13.77	13.97	14.20	14.45	14.74	15.05	15.41	15.82	16.28	16.74
10.0	13.84	13.99	14.21	14.45	14.72	15.02	15.35	15.73	16.16	16.65	17.14
11.0	14.28	14.45	14.69	14.96	15.25	15.59	15.96	16.38	16.86	17.41	17.94
12.0	14.72	14.91	15.17	15.47	15.80	16.16	16.57	17.04	17.56	18.17	18.76
13.0	15.17	15.37	15.66	15.99	16.35	16.75	17.20	17.71	18.28	18.94	19.59
14.0	15.62	15.84	16.16	16.51	16.91	17.34	17.83	18.38	19.01	19.73	20.43
15.0	16.08	16.32	16.67	17.05	17.47	17.95	18.48	19.07	19.75	20.53	21.29
16.0	16.55	16.81	17.18	17.59	18.05	18.56	19.13	19.78	20.51	21.34	22.16
17.0	17.02	17.30	17.70	18.14	18.63	19.18	19.80	20.49	21.28	22.17	23.05
18.0	17.50	17.80	18.23	18.70	19.23	19.81	20.47	21.21	22.06	23.02	23.95
19.0	17.99	18.31	18.76	19.27	19.83	20.46	21.16	21.95	22.85	23.87	24.87
20.0	18.48	18.82	19.31	19.84	20.44	21.11	21.86	22.70	23.66	24.75	25.80
21.0	18.98	19.34	19.86	20.43	21.07	21.77	22.57	23.47	24.48	25.64	26.76
22.0	19.49	19.87	20.42	21.02	21.70	22.45	23.29	24.24	25.32	26.54	27.73
23.0	20.01	20.41	20.99	21.63	22.34	23.14	24.03	25.04	26.17	27.46	28.72
24.0	20.53	20.95	21.56	22.24	23.00	23.84	24.78	25.84	27.04	28.41	29.73
25.0	21.06	21.51	22.15	22.87	23.66	24.55	25.54	26.66	27.93	29.36	30.75
26.0	21.60	22.07	22.75	23.50	24.34	25.27	26.32	27.50	28.83	30.34	31.80
27.0	22.15	22.64	23.36	24.15	25.03	26.01	27.11	28.35	29.75	31.34	32.87
28.0	22.70	23.22	23.97	24.81	25.73	26.76	27.92	29.22	30.69	32.36	33.96
29.0	23.27	23.81	24.60	25.47	26.45	27.53	28.75	30.11	31.65	33.40	35.08
30.0	23.84	24.41	25.24	26.16	27.17	28.31	29.59	31.02	32.63	34.46	36.22
31.0	24.43	25.02	25.89	26.85	27.92	29.11	30.44	31.94	33.63	35.54	37.38
32.0	25.02	25.64	26.55	27.56	28.67	29.92	31.32	32.89	34.66	36.65	38.57
33.0	25.62	26.28	27.22	28.28	29.44	30.75	32.21	33.85	35.70	37.78	39.78
34.0	26.24	26.92	27.91	29.01	30.23	31.59	33.12	34.84	36.77	38.94	41.03
35.0	26.86	27.58	28.61	29.76	31.03	32.46	34.05	35.85	37.86	40.13	42.30
36.0	27.50	28.24	29.32	30.52	31.85	33.34	35.01	36.88	38.98	41.34	43.60
37.0	28.15	28.92	30.05	31.30	32.69	34.24	35.98	37.93	40.12	42.58	44.93
38.0	28.81	29.62	30.79	32.09	33.55	35.17	36.98	39.01	41.29	43.85	46.30
39.0	29.48	30.33	31.55	32.91	34.42	36.11	38.00	40.12	42.49	45.16	47.70
40.0	30.17	31.05	32.32	33.74	35.31	37.07	39.04	41.25	43.72	46.50	49.14
41.0	30.87	31.78	33.11	34.58	36.23	38.06	40.11	42.41	44.99	47.87	50.61
42.0	31.58	32.53	33.92	35.45	37.16	39.07	41.21	43.60	46.28	49.28	52.12
43.0	32.31	33.30	34.74	36.34	38.12	40.11	42.34	44.83	47.61	50.72	53.68
44.0	33.06	34.08	35.58	37.25	39.10	41.17	43.49	46.08	48.98	52.21	55.27
45.0	33.82	34.88	36.44	38.17	40.11	42.26	44.67	47.37	50.38	53.74	56.92
46.0	34.59	35.70	37.32	39.13	41.14	43.38	45.89	48.70	51.83	55.31	58.61
47.0	35.38	36.54	38.23	40.10	42.19	44.53	47.14	50.06	53.32	56.93	60.35
48.0	36.20	37.40	39.15	41.10	43.28	45.71	48.43	51.47	54.85	58.60	62.14
49.0	37.03	38.28	40.10	42.13	44.40	46.93	49.75	52.91	56.43	60.32	63.99
50.0	37.88	39.17	41.07	43.18	45.54	48.18	51.12	54.40	58.05	62.10	65.90
PERCENTAGE OF LOAN AMOUNT LEFT UNPAID AT DUE DATE											
	100.0	92.20	81.79	71.38	60.98	50.57	40.17	29.76	19.35	8.95	.00

DISCOUNT %	MONTHLY PAYBACK RATE (%) (MONTHLY PAYMENT DIVIDED BY LOAN AMOUNT)										
	.81	.90	1.00	1.20	1.40	1.60	1.80	2.00	2.20	2.40	2.52
.5	9.90	9.90	9.91	9.92	9.93	9.94	9.95	9.97	9.98	10.00	10.01
1.0	10.05	10.06	10.07	10.09	10.11	10.13	10.15	10.18	10.21	10.25	10.28
1.5	10.21	10.22	10.23	10.26	10.29	10.32	10.36	10.40	10.45	10.51	10.55
2.0	10.36	10.38	10.39	10.43	10.47	10.51	10.56	10.62	10.69	10.76	10.82
2.5	10.52	10.53	10.56	10.60	10.65	10.71	10.77	10.84	10.92	11.02	11.09
3.0	10.67	10.69	10.72	10.77	10.83	10.90	10.98	11.07	11.16	11.28	11.36
3.5	10.83	10.86	10.89	10.95	11.02	11.10	11.19	11.29	11.55	11.55	11.64
4.0	10.99	11.02	11.05	11.12	11.21	11.30	11.40	11.52	11.65	11.81	11.92
4.5	11.15	11.18	11.22	11.30	11.39	11.50	11.61	11.75	11.90	12.07	12.20
5.0	11.31	11.34	11.39	11.48	11.58	11.70	11.82	11.97	12.14	12.34	12.48
5.5	11.47	11.51	11.56	11.66	11.77	11.90	12.04	12.21	12.39	12.61	12.77
6.0	11.63	11.67	11.73	11.84	11.96	12.10	12.26	12.44	12.64	12.88	13.05
6.5	11.79	11.84	11.90	12.02	12.15	12.31	12.48	12.67	12.90	13.16	13.34
7.0	11.96	12.01	12.07	12.20	12.35	12.51	12.70	12.91	13.15	13.43	13.63
7.5	12.12	12.18	12.24	12.39	12.54	12.72	12.92	13.15	13.41	13.71	13.92
8.0	12.29	12.35	12.42	12.57	12.74	12.93	13.14	13.39	13.67	13.99	14.22
8.5	12.46	12.52	12.60	12.76	12.94	13.14	13.37	13.63	13.93	14.28	14.52
9.0	12.63	12.69	12.77	12.94	13.14	13.35	13.59	13.87	14.19	14.56	14.82
9.5	12.80	12.87	12.95	13.13	13.34	13.57	13.82	14.12	14.45	14.85	15.12
10.0	12.97	13.04	13.13	13.32	13.54	13.78	14.05	14.37	14.72	15.14	15.43
11.0	13.31	13.39	13.49	13.71	13.95	14.22	14.52	14.87	15.26	15.72	16.04
12.0	13.66	13.75	13.86	14.10	14.36	14.66	14.99	15.37	15.81	16.32	16.67
13.0	14.01	14.11	14.23	14.49	14.78	15.11	15.47	15.89	16.37	16.92	17.31
14.0	14.37	14.48	14.61	14.89	15.21	15.56	15.96	16.41	16.93	17.54	17.95
15.0	14.73	14.85	14.99	15.30	15.64	16.02	16.45	16.95	17.51	18.16	18.61
16.0	15.10	15.23	15.38	15.71	16.08	16.49	16.96	17.49	18.09	18.80	19.28
17.0	15.48	15.61	15.78	16.13	16.52	16.97	17.47	18.04	18.69	19.44	19.97
18.0	15.85	16.00	16.18	16.55	16.98	17.45	17.99	18.60	19.30	20.10	20.66
19.0	16.24	16.39	16.58	16.99	17.44	17.95	18.52	19.17	19.91	20.77	21.37
20.0	16.63	16.79	16.99	17.42	17.91	18.45	19.06	19.75	20.54	21.45	22.09
21.0	17.02	17.20	17.41	17.87	18.38	18.96	19.60	20.34	21.18	22.15	22.82
22.0	17.42	17.61	17.84	18.32	18.86	19.47	20.16	20.94	21.83	22.86	23.56
23.0	17.83	18.03	18.27	18.78	19.36	20.00	20.73	21.56	22.50	23.58	24.33
24.0	18.25	18.45	18.71	19.25	19.86	20.54	21.30	22.18	23.17	24.31	25.10
25.0	18.67	18.89	19.15	19.72	20.36	21.08	21.89	22.81	23.86	25.06	25.89
26.0	19.09	19.32	19.60	20.21	20.88	21.64	22.49	23.46	24.56	25.83	26.70
27.0	19.53	19.77	20.06	20.70	21.41	22.20	23.10	24.12	25.28	26.61	27.52
28.0	19.97	20.22	20.53	21.20	21.94	22.78	23.72	24.80	26.01	27.40	28.36
29.0	20.42	20.68	21.01	21.71	22.49	23.37	24.36	25.48	26.76	28.21	29.22
30.0	20.87	21.15	21.49	22.23	23.05	23.97	25.01	26.19	27.52	29.04	30.09
31.0	21.34	21.63	21.99	22.75	23.61	24.58	25.67	26.90	28.30	29.89	30.99
32.0	21.81	22.12	22.49	23.29	24.19	25.20	26.34	27.63	29.09	30.76	31.90
33.0	22.29	22.61	23.00	23.84	24.78	25.84	27.03	28.38	29.91	31.65	32.84
34.0	22.78	23.11	23.52	24.40	25.38	26.49	27.73	29.15	30.74	32.55	33.79
35.0	23.27	23.63	24.05	24.97	26.00	27.15	28.45	29.93	31.59	33.48	34.77
36.0	23.78	24.15	24.59	25.55	26.62	27.83	29.19	30.73	32.46	34.43	35.77
37.0	24.30	24.68	25.14	26.14	27.26	28.52	29.94	31.55	33.35	35.40	36.80
38.0	24.82	25.22	25.71	26.75	27.92	29.23	30.71	32.38	34.27	36.41	37.85
39.0	25.36	25.78	26.28	27.37	28.59	29.96	31.50	33.24	35.20	37.42	38.93
40.0	25.91	26.34	26.87	28.00	29.27	30.70	32.31	34.12	36.16	38.47	40.04
41.0	26.47	26.92	27.46	28.65	29.97	31.46	33.13	35.02	37.15	39.54	41.17
42.0	27.04	27.51	28.08	29.31	30.69	32.24	33.98	35.95	38.16	40.65	42.34
43.0	27.62	28.11	28.70	29.98	31.42	33.03	34.85	36.90	39.20	41.78	43.53
44.0	28.22	28.73	29.34	30.68	32.17	33.85	35.74	37.87	40.27	42.95	44.77
45.0	28.82	29.35	29.99	31.38	32.94	34.69	36.66	38.88	41.36	44.15	46.03
46.0	29.45	30.00	30.66	32.11	33.73	35.55	37.60	39.91	42.49	45.38	47.33
47.0	30.08	30.66	31.35	32.85	34.54	36.44	38.57	40.97	43.65	46.65	48.68
48.0	30.74	31.33	32.05	33.62	35.38	37.35	39.57	42.06	44.85	47.96	50.06
49.0	31.40	32.02	32.77	34.40	36.23	38.29	40.59	43.19	46.09	49.32	51.49
50.0	32.09	32.73	33.51	35.21	37.11	39.25	41.65	44.35	47.36	50.71	52.96
⟡ PERCENTAGE OF LOAN AMOUNT LEFT UNPAID AT DUE DATE											
	100.0	94.89	89.05	77.36	65.68	53.99	42.31	30.63	18.94	7.26	.00

DISCOUNT %	MONTHLY PAYBACK RATE (%) (MONTHLY PAYMENT DIVIDED BY LOAN AMOUNT)										
	.81	.90	1.00	1.10	1.20	1.30	1.40	1.60	1.80	2.00	2.11
.5	9.88	9.88	9.89	9.89	9.89	9.90	9.91	9.92	9.93	9.95	9.97
1.0	10.00	10.01	10.02	10.03	10.04	10.05	10.06	10.09	10.12	10.16	10.18
1.5	10.13	10.14	10.16	10.17	10.19	10.20	10.22	10.26	10.31	10.37	10.40
2.0	10.26	10.28	10.30	10.31	10.34	10.36	10.38	10.43	10.50	10.57	10.62
2.5	10.39	10.41	10.43	10.46	10.48	10.51	10.54	10.61	10.69	10.77	10.85
3.0	10.52	10.55	10.57	10.60	10.63	10.67	10.70	10.78	10.88	11.00	11.07
3.5	10.65	10.68	10.71	10.75	10.78	10.82	10.87	10.96	11.07	11.21	11.30
4.0	10.79	10.82	10.86	10.89	10.94	10.98	11.03	11.14	11.27	11.42	11.52
4.5	10.92	10.95	11.00	11.04	11.09	11.14	11.19	11.32	11.46	11.64	11.75
5.0	11.05	11.09	11.14	11.19	11.24	11.30	11.36	11.50	11.66	11.86	11.98
5.5	11.19	11.23	11.28	11.34	11.40	11.46	11.53	11.68	11.86	12.08	12.22
6.0	11.33	11.37	11.43	11.49	11.55	11.62	11.70	11.86	12.06	12.30	12.45
6.5	11.46	11.51	11.57	11.64	11.71	11.78	11.87	12.05	12.26	12.52	12.69
7.0	11.60	11.65	11.72	11.79	11.87	11.95	12.04	12.23	12.46	12.74	12.92
7.5	11.74	11.80	11.87	11.94	12.03	12.11	12.21	12.42	12.67	12.97	13.16
8.0	11.88	11.94	12.02	12.10	12.19	12.28	12.38	12.61	12.87	13.20	13.40
8.5	12.02	12.09	12.17	12.25	12.35	12.45	12.56	12.80	13.08	13.43	13.65
9.0	12.16	12.23	12.32	12.41	12.51	12.61	12.73	12.99	13.29	13.66	13.89
9.5	12.30	12.38	12.47	12.57	12.67	12.78	12.91	13.18	13.50	13.89	14.14
10.0	12.45	12.52	12.62	12.73	12.84	12.96	13.09	13.38	13.72	14.13	14.39
11.0	12.73	12.82	12.93	13.05	13.17	13.30	13.45	13.77	14.15	14.60	14.89
12.0	13.03	13.12	13.24	13.37	13.51	13.65	13.81	14.17	14.58	15.08	15.41
13.0	13.32	13.43	13.56	13.70	13.85	14.01	14.18	14.57	15.03	15.58	15.93
14.0	13.63	13.74	13.88	14.03	14.20	14.37	14.56	14.98	15.48	16.08	16.46
15.0	13.93	14.06	14.21	14.37	14.55	14.74	14.94	15.40	15.94	16.58	17.00
16.0	14.24	14.38	14.54	14.72	14.91	15.11	15.33	15.83	16.41	17.10	17.55
17.0	14.55	14.70	14.88	15.07	15.27	15.49	15.73	16.26	16.88	17.63	18.11
18.0	14.87	15.03	15.22	15.42	15.64	15.88	16.13	16.70	17.37	18.16	18.67
19.0	15.20	15.36	15.57	15.78	16.02	16.27	16.54	17.15	17.86	18.71	19.25
20.0	15.52	15.70	15.92	16.15	16.40	16.67	16.96	17.60	18.36	19.26	19.84
21.0	15.86	16.05	16.28	16.52	16.79	17.07	17.38	18.07	18.87	19.83	20.44
22.0	16.20	16.40	16.64	16.90	17.18	17.48	17.81	18.54	19.39	20.40	21.05
23.0	16.54	16.75	17.01	17.29	17.59	17.90	18.25	19.02	19.92	20.99	21.67
24.0	16.89	17.11	17.39	17.68	17.99	18.33	18.69	19.51	20.46	21.59	22.31
25.0	17.24	17.48	17.77	18.08	18.41	18.76	19.15	20.01	21.01	22.20	22.96
26.0	17.60	17.85	18.16	18.48	18.83	19.21	19.61	20.51	21.57	22.82	23.62
27.0	17.97	18.23	18.55	18.89	19.26	19.66	20.08	21.03	22.14	23.45	24.29
28.0	18.34	18.62	18.96	19.31	19.70	20.11	20.56	21.56	22.73	24.10	24.98
29.0	18.72	19.01	19.37	19.74	20.15	20.58	21.05	22.10	23.32	24.76	25.68
30.0	19.11	19.41	19.78	20.18	20.60	21.06	21.55	22.65	23.93	25.44	26.40
31.0	19.50	19.82	20.21	20.62	21.07	21.54	22.06	23.21	24.55	26.13	27.13
32.0	19.90	20.23	20.64	21.07	21.54	22.04	22.58	23.79	25.19	26.84	27.88
33.0	20.31	20.66	21.08	21.53	22.02	22.54	23.11	24.37	25.84	27.56	28.65
34.0	20.72	21.09	21.53	22.00	22.52	23.06	23.65	24.97	26.50	28.30	29.43
35.0	21.15	21.53	21.99	22.48	23.02	23.59	24.21	25.58	27.18	29.06	30.24
36.0	21.58	21.97	22.46	22.97	23.53	24.13	24.77	26.21	27.88	29.83	31.06
37.0	22.02	22.43	22.94	23.47	24.06	24.68	25.35	26.85	28.59	30.62	31.90
38.0	22.46	22.90	23.42	23.99	24.59	25.24	25.94	27.51	29.32	31.44	32.76
39.0	22.92	23.37	23.92	24.51	25.14	25.82	26.55	28.18	30.07	32.27	33.65
40.0	23.39	23.86	24.43	25.04	25.70	26.41	27.17	28.87	30.84	33.12	34.56
41.0	23.86	24.35	24.95	25.59	26.27	27.01	27.81	29.58	31.63	34.00	35.49
42.0	24.35	24.86	25.48	26.15	26.86	27.63	28.46	30.30	32.44	34.90	36.45
43.0	24.85	25.38	26.03	26.72	27.46	28.26	29.12	31.05	33.27	35.83	37.43
44.0	25.36	25.91	26.58	27.30	28.08	28.91	29.81	31.81	34.12	36.78	38.44
45.0	25.88	26.45	27.15	27.90	28.71	29.58	30.51	32.60	35.00	37.76	39.48
46.0	26.41	27.01	27.74	28.52	29.36	30.26	31.24	33.40	35.90	38.77	40.55
47.0	26.96	27.58	28.34	29.15	30.03	30.97	31.98	34.24	36.83	39.81	41.65
48.0	27.51	28.16	28.95	29.80	30.71	31.69	32.75	35.09	37.79	40.88	42.79
49.0	28.09	28.76	29.59	30.47	31.42	32.44	33.53	35.97	38.78	41.99	43.97
50.0	28.68	29.38	30.23	31.15	32.14	33.20	34.34	36.88	39.80	43.13	45.18
▽Φ	PERCENTAGE OF LOAN AMOUNT LEFT UNPAID AT DUE DATE										
	100.0	93.27	85.58	77.88	70.19	62.50	54.81	39.42	24.03	8.65	.00

DISCOUNT %	MONTHLY PAYBACK RATE (%) (MONTHLY PAYMENT DIVIDED BY LOAN AMOUNT)										
	.81	.90	1.00	1.10	1.20	1.30	1.40	1.50	1.60	1.70	1.84
1.0	9.97	9.98	9.99	10.00	10.01	10.02	10.04	10.05	10.07	10.09	10.12
2.0	10.20	10.21	10.23	10.25	10.28	10.30	10.33	10.36	10.39	10.43	10.49
3.0	10.42	10.45	10.48	10.51	10.54	10.58	10.62	10.67	10.72	10.78	10.87
4.0	10.65	10.69	10.73	10.77	10.82	10.87	10.92	10.99	11.06	11.13	11.26
5.0	10.89	10.93	10.98	11.03	11.09	11.16	11.23	11.31	11.40	11.49	11.65
6.0	11.12	11.17	11.23	11.30	11.37	11.45	11.54	11.63	11.74	11.86	12.05
7.0	11.36	11.42	11.49	11.57	11.66	11.75	11.85	11.96	12.09	12.23	12.45
8.0	11.61	11.67	11.76	11.84	11.94	12.05	12.17	12.30	12.44	12.60	12.86
9.0	11.85	11.93	12.02	12.12	12.24	12.36	12.49	12.64	12.80	12.98	13.28
10.0	12.10	12.19	12.29	12.41	12.53	12.67	12.82	12.98	13.17	13.37	13.70
11.0	12.35	12.45	12.57	12.69	12.83	12.98	13.15	13.34	13.54	13.77	14.13
12.0	12.61	12.71	12.84	12.98	13.14	13.30	13.49	13.69	13.92	14.17	14.56
13.0	12.87	12.98	13.13	13.28	13.45	13.63	13.83	14.05	14.30	14.57	15.01
14.0	13.13	13.26	13.41	13.58	13.76	13.96	14.18	14.42	14.69	14.99	15.46
15.0	13.40	13.54	13.70	13.88	14.08	14.30	14.54	14.80	15.09	15.41	15.92
16.0	13.67	13.82	14.00	14.19	14.41	14.64	14.90	15.18	15.49	15.84	16.39
17.0	13.95	14.10	14.30	14.51	14.74	14.99	15.26	15.57	15.90	16.27	16.86
18.0	14.23	14.39	14.60	14.83	15.07	15.34	15.64	15.96	16.32	16.71	17.34
19.0	14.51	14.69	14.91	15.15	15.41	15.70	16.02	16.36	16.74	17.17	17.84
20.0	14.80	14.99	15.23	15.48	15.76	16.07	16.40	16.77	17.18	17.63	18.34
21.0	15.09	15.29	15.54	15.82	16.11	16.44	16.79	17.19	17.62	18.09	18.85
22.0	15.39	15.60	15.87	16.16	16.47	16.82	17.19	17.61	18.07	18.57	19.37
23.0	15.69	15.92	16.20	16.50	16.84	17.20	17.60	18.04	18.52	19.06	19.90
24.0	16.00	16.24	16.53	16.86	17.21	17.59	18.02	18.48	18.99	19.55	20.44
25.0	16.31	16.56	16.88	17.22	17.59	17.99	18.44	18.93	19.47	20.06	21.00
26.0	16.62	16.89	17.22	17.58	17.98	18.40	18.87	19.39	19.95	20.58	21.56
27.0	16.95	17.23	17.58	17.95	18.37	18.82	19.31	19.85	20.45	21.10	22.13
28.0	17.28	17.57	17.94	18.33	18.77	19.24	19.76	20.33	20.95	21.64	22.72
29.0	17.61	17.92	18.31	18.72	19.18	19.67	20.22	20.81	21.47	22.19	23.32
30.0	17.95	18.28	18.68	19.12	19.59	20.11	20.69	21.31	22.00	22.75	23.93
31.0	18.30	18.64	19.06	19.52	20.02	20.56	21.16	21.82	22.54	23.32	24.56
32.0	18.65	19.01	19.45	19.93	20.45	21.02	21.65	22.34	23.09	23.91	25.20
33.0	19.01	19.38	19.85	20.35	20.90	21.49	22.15	22.86	23.65	24.51	25.85
34.0	19.37	19.77	20.25	20.77	21.35	21.97	22.66	23.41	24.22	25.12	26.52
35.0	19.75	20.16	20.66	21.21	21.81	22.46	23.18	23.96	24.81	25.75	27.21
36.0	20.13	20.56	21.08	21.66	22.28	22.96	23.71	24.53	25.42	26.39	27.91
37.0	20.52	20.96	21.52	22.11	22.77	23.48	24.26	25.11	26.04	27.05	28.63
38.0	20.91	21.38	21.96	22.58	23.26	24.00	24.82	25.70	26.67	27.73	29.37
39.0	21.32	21.80	22.41	23.06	23.77	24.54	25.39	26.31	27.32	28.42	30.12
40.0	21.73	22.24	22.87	23.54	24.29	25.09	25.98	26.94	27.99	29.13	30.90
41.0	22.16	22.68	23.34	24.04	24.82	25.66	26.58	27.58	28.67	29.86	31.70
42.0	22.59	23.14	23.82	24.56	25.36	26.24	27.20	28.24	29.37	30.61	32.52
43.0	23.03	23.60	24.31	25.08	25.92	26.83	27.83	28.91	30.10	31.38	33.36
44.0	23.48	24.08	24.82	25.62	26.49	27.44	28.48	29.61	30.84	32.17	34.22
45.0	23.95	24.57	25.34	26.17	27.08	28.07	29.15	30.33	31.60	32.99	35.11
46.0	24.42	25.07	25.87	26.74	27.69	28.72	29.84	31.06	32.39	33.83	36.03
47.0	24.91	25.58	26.42	27.32	28.31	29.38	30.55	31.82	33.20	34.69	36.97
48.0	25.41	26.11	26.98	27.92	28.95	30.06	31.28	32.60	34.03	35.58	37.95
49.0	25.92	26.65	27.55	28.53	29.61	30.77	32.03	33.41	34.90	36.50	38.95
50.0	26.45	27.21	28.15	29.17	30.28	31.49	32.81	34.24	35.79	37.45	39.99
51.0	26.99	27.78	28.76	29.82	30.98	32.24	33.61	35.10	36.71	38.44	41.07
52.0	27.55	28.37	29.39	30.49	31.70	33.01	34.44	35.99	37.66	39.45	42.17
53.0	28.12	28.97	30.04	31.19	32.45	33.81	35.30	36.91	38.64	40.50	43.32
54.0	28.71	29.60	30.71	31.91	33.22	34.64	36.19	37.86	39.66	41.59	44.51
55.0	29.31	30.24	31.40	32.65	34.02	35.50	37.11	38.85	40.72	42.72	45.75
56.0	29.94	30.91	32.11	33.42	34.84	36.38	38.06	39.87	41.82	43.90	47.03
57.0	30.59	31.60	32.85	34.21	35.70	37.30	39.05	40.93	42.96	45.12	48.36
58.0	31.25	32.31	33.61	35.03	36.58	38.26	40.08	42.04	44.14	46.39	49.75
59.0	31.94	33.04	34.41	35.89	37.51	39.25	41.15	43.19	45.38	47.71	51.19
60.0	32.66	33.81	35.23	36.78	38.46	40.29	42.27	44.39	46.67	49.09	52.70
⌾	PERCENTAGE OF LOAN AMOUNT LEFT UNPAID AT DUE DATE										
	100.0	91.48	81.75	72.02	62.29	52.55	42.82	33.09	23.36	13.63	.00

DISCOUNT %	MONTHLY PAYBACK RATE (%) (MONTHLY PAYMENT DIVIDED BY LOAN AMOUNT)										
	.81	.85	.90	1.00	1.10	1.20	1.30	1.40	1.50	1.60	1.65
1.0	9.95	9.95	9.96	9.97	9.98	9.99	10.00	10.02	10.04	10.06	10.07
2.0	10.15	10.16	10.17	10.19	10.21	10.24	10.26	10.30	10.34	10.38	10.40
3.0	10.35	10.36	10.38	10.41	10.45	10.49	10.53	10.58	10.63	10.70	10.73
4.0	10.56	10.58	10.59	10.64	10.68	10.74	10.80	10.86	10.94	11.02	11.07
5.0	10.77	10.79	10.81	10.87	10.93	10.99	11.07	11.15	11.25	11.35	11.41
6.0	10.98	11.00	11.03	11.10	11.17	11.25	11.34	11.45	11.56	11.69	11.76
7.0	11.20	11.22	11.26	11.34	11.42	11.52	11.62	11.74	11.88	12.03	12.11
8.0	11.41	11.44	11.49	11.58	11.67	11.78	11.91	12.04	12.20	12.38	12.47
9.0	11.63	11.67	11.72	11.82	11.93	12.06	12.19	12.35	12.53	12.73	12.83
10.0	11.86	11.90	11.95	12.06	12.19	12.33	12.49	12.66	12.86	13.09	13.20
11.0	12.08	12.13	12.19	12.31	12.45	12.61	12.78	12.98	13.20	13.45	13.58
12.0	12.32	12.36	12.43	12.57	12.72	12.90	13.09	13.30	13.54	13.82	13.96
13.0	12.55	12.60	12.67	12.83	12.99	13.18	13.39	13.63	13.89	14.19	14.35
14.0	12.79	12.84	12.92	13.09	13.27	13.48	13.70	13.96	14.25	14.58	14.74
15.0	13.03	13.09	13.17	13.35	13.55	13.78	14.02	14.30	14.61	14.96	15.15
16.0	13.27	13.34	13.43	13.62	13.84	14.08	14.34	14.64	14.98	15.36	15.56
17.0	13.52	13.59	13.69	13.90	14.13	14.39	14.67	14.99	15.35	15.76	15.97
18.0	13.77	13.85	13.95	14.18	14.42	14.70	15.01	15.35	15.74	16.17	16.40
19.0	14.02	14.11	14.22	14.46	14.72	15.02	15.34	15.71	16.12	16.59	16.83
20.0	14.28	14.37	14.49	14.75	15.03	15.34	15.69	16.08	16.52	17.01	17.27
21.0	14.55	14.64	14.77	15.04	15.34	15.67	16.04	16.46	16.92	17.45	17.71
22.0	14.82	14.91	15.05	15.34	15.65	16.01	16.40	16.84	17.33	17.89	18.17
23.0	15.09	15.19	15.33	15.64	15.98	16.35	16.77	17.23	17.75	18.34	18.64
24.0	15.37	15.48	15.62	15.95	16.30	16.70	17.14	17.63	18.18	18.79	19.11
25.0	15.65	15.76	15.92	16.26	16.64	17.06	17.52	18.04	18.62	19.26	19.59
26.0	15.93	16.06	16.22	16.58	16.98	17.42	17.91	18.45	19.06	19.74	20.09
27.0	16.23	16.35	16.53	16.91	17.32	17.79	18.30	18.87	19.51	20.23	20.59
28.0	16.52	16.66	16.84	17.24	17.68	18.16	18.70	19.31	19.98	20.72	21.11
29.0	16.83	16.97	17.16	17.58	18.04	18.55	19.11	19.75	20.45	21.23	21.63
30.0	17.13	17.28	17.48	17.92	18.40	18.94	19.53	20.20	20.93	21.75	22.17
31.0	17.45	17.60	17.81	18.27	18.78	19.34	19.96	20.66	21.43	22.28	22.72
32.0	17.77	17.93	18.15	18.63	19.16	19.75	20.40	21.13	21.93	22.83	23.28
33.0	18.09	18.26	18.50	19.00	19.55	20.17	20.85	21.61	22.45	23.38	23.86
34.0	18.43	18.60	18.85	19.37	19.95	20.60	21.31	22.10	22.98	23.95	24.44
35.0	18.77	18.95	19.21	19.76	20.36	21.04	21.78	22.60	23.52	24.53	25.05
36.0	19.11	19.31	19.57	20.15	20.78	21.48	22.26	23.12	24.07	25.13	25.66
37.0	19.47	19.67	19.95	20.55	21.21	21.94	22.75	23.65	24.64	25.74	26.30
38.0	19.83	20.04	20.33	20.96	21.64	22.41	23.25	24.19	25.22	26.37	26.94
39.0	20.20	20.42	20.72	21.37	22.09	22.89	23.77	24.75	25.82	27.01	27.61
40.0	20.57	20.80	21.12	21.80	22.55	23.38	24.30	25.32	26.44	27.67	28.29
41.0	20.96	21.20	21.53	22.24	23.02	23.89	24.84	25.90	27.07	28.35	28.99
42.0	21.36	21.60	21.95	22.69	23.50	24.41	25.40	26.50	27.71	29.04	29.71
43.0	21.76	22.02	22.38	23.15	24.00	24.94	25.97	27.12	28.38	29.76	30.45
44.0	22.17	22.44	22.82	23.62	24.51	25.49	26.56	27.76	29.06	30.49	31.21
45.0	22.60	22.88	23.27	24.11	25.03	26.05	27.17	28.41	29.77	31.25	32.00
46.0	23.03	23.33	23.73	24.61	25.56	26.63	27.79	29.08	30.49	32.03	32.81
47.0	23.48	23.79	24.21	25.12	26.12	27.22	28.44	29.78	31.24	32.84	33.64
48.0	23.94	24.26	24.70	25.64	26.68	27.84	29.10	30.49	32.01	33.67	34.50
49.0	24.41	24.74	25.20	26.19	27.27	28.47	29.78	31.23	32.81	34.53	35.38
50.0	24.90	25.24	25.72	26.74	27.87	29.12	30.49	31.99	33.63	35.41	36.30
51.0	25.39	25.75	26.25	27.32	28.49	29.79	31.22	32.78	34.48	36.33	37.24
52.0	25.91	26.28	26.80	27.91	29.14	30.49	31.97	33.60	35.36	37.27	38.22
53.0	26.44	26.82	27.36	28.52	29.80	31.21	32.75	34.44	36.27	38.25	39.24
54.0	26.98	27.39	27.94	29.16	30.49	31.95	33.56	35.32	37.22	39.27	40.29
55.0	27.54	27.96	28.55	29.81	31.20	32.73	34.40	36.22	38.20	40.33	41.38
56.0	28.12	28.56	29.17	30.49	31.93	33.53	35.27	37.17	39.22	41.42	42.51
57.0	28.72	29.18	29.82	31.19	32.70	34.36	36.17	38.15	40.28	42.56	43.69
58.0	29.34	29.82	30.48	31.92	33.49	35.22	37.11	39.17	41.38	43.75	44.91
59.0	29.99	30.49	31.18	32.67	34.32	36.12	38.09	40.23	42.53	44.98	46.19
60.0	30.65	31.18	31.90	33.46	35.17	37.06	39.11	41.34	43.73	46.27	47.52
⟁Φ	PERCENTAGE OF LOAN AMOUNT LEFT UNPAID AT DUE DATE										
	100.0	95.51	89.52	77.54	65.56	53.58	41.60	29.62	17.64	5.66	.00

DISCOUNT %	MONTHLY PAYBACK RATE (%) (MONTHLY PAYMENT DIVIDED BY LOAN AMOUNT)										
	.81	.85	.90	.95	1.00	1.05	1.10	1.20	1.30	1.40	1.50
1.0	9.93	9.94	9.94	9.95	9.95	9.96	9.96	9.98	9.99	10.01	10.04
2.0	10.11	10.12	10.13	10.14	10.16	10.17	10.18	10.21	10.24	10.28	10.33
3.0	10.30	10.31	10.33	10.35	10.36	10.38	10.40	10.45	10.50	10.56	10.63
4.0	10.49	10.51	10.53	10.55	10.57	10.60	10.63	10.69	10.75	10.83	10.93
5.0	10.68	10.70	10.73	10.76	10.79	10.82	10.85	10.93	11.01	11.11	11.23
6.0	10.87	10.90	10.93	10.97	11.00	11.04	11.08	11.17	11.28	11.40	11.54
7.0	11.07	11.10	11.14	11.18	11.22	11.27	11.32	11.42	11.54	11.69	11.86
8.0	11.27	11.30	11.35	11.40	11.45	11.50	11.55	11.68	11.82	11.98	12.18
9.0	11.47	11.51	11.56	11.61	11.67	11.73	11.79	11.94	12.09	12.28	12.50
10.0	11.68	11.72	11.78	11.84	11.90	11.97	12.04	12.20	12.38	12.58	12.83
11.0	11.89	11.93	11.99	12.06	12.13	12.21	12.29	12.46	12.66	12.89	13.17
12.0	12.10	12.15	12.22	12.29	12.37	12.45	12.54	12.73	12.95	13.21	13.51
13.0	12.31	12.37	12.44	12.52	12.61	12.70	12.80	13.01	13.25	13.52	13.86
14.0	12.53	12.59	12.67	12.76	12.85	12.95	13.06	13.29	13.55	13.85	14.21
15.0	12.75	12.81	12.90	13.00	13.10	13.21	13.32	13.57	13.85	14.18	14.57
16.0	12.97	13.04	13.14	13.24	13.35	13.47	13.59	13.86	14.16	14.51	14.93
17.0	13.20	13.28	13.38	13.49	13.61	13.73	13.86	14.15	14.48	14.86	15.31
18.0	13.43	13.51	13.62	13.74	13.87	14.00	14.14	14.45	14.80	15.20	15.68
19.0	13.67	13.75	13.87	14.00	14.13	14.27	14.43	14.76	15.13	15.56	16.07
20.0	13.90	14.00	14.12	14.26	14.40	14.55	14.71	15.07	15.46	15.92	16.46
21.0	14.15	14.25	14.38	14.53	14.68	14.84	15.01	15.38	15.80	16.29	16.86
22.0	14.39	14.50	14.64	14.79	14.96	15.12	15.31	15.70	16.15	16.66	17.27
23.0	14.65	14.76	14.91	15.07	15.24	15.42	15.61	16.03	16.50	17.05	17.69
24.0	14.90	15.02	15.18	15.35	15.53	15.72	15.92	16.37	16.87	17.44	18.11
25.0	15.16	15.28	15.45	15.63	15.82	16.02	16.24	16.71	17.23	17.83	18.55
26.0	15.42	15.55	15.73	15.92	16.12	16.33	16.56	17.05	17.61	18.24	18.99
27.0	15.69	15.83	16.02	16.22	16.43	16.65	16.89	17.41	17.99	18.66	19.44
28.0	15.97	16.11	16.31	16.52	16.74	16.97	17.22	17.77	18.38	19.08	19.90
29.0	16.25	16.40	16.60	16.83	17.06	17.30	17.57	18.14	18.78	19.51	20.37
30.0	16.53	16.69	16.91	17.14	17.38	17.64	17.92	18.52	19.19	19.95	20.85
31.0	16.82	16.99	17.22	17.46	17.72	17.99	18.27	18.90	19.61	20.41	21.35
32.0	17.12	17.29	17.53	17.79	18.05	18.34	18.64	19.30	20.03	20.87	21.85
33.0	17.42	17.60	17.85	18.12	18.40	18.70	19.01	19.70	20.47	21.34	22.36
34.0	17.73	17.92	18.18	18.46	18.75	19.06	19.39	20.11	20.92	21.83	22.89
35.0	18.04	18.24	18.51	18.81	19.11	19.44	19.78	20.53	21.37	22.32	23.43
36.0	18.37	18.57	18.86	19.16	19.48	19.82	20.18	20.97	21.84	22.83	23.98
37.0	18.69	18.91	19.21	19.53	19.86	20.21	20.59	21.41	22.32	23.35	24.55
38.0	19.03	19.25	19.57	19.90	20.25	20.62	21.01	21.86	22.82	23.89	25.13
39.0	19.37	19.61	19.93	20.28	20.64	21.03	21.44	22.33	23.32	24.44	25.73
40.0	19.72	19.97	20.31	20.67	21.05	21.45	21.88	22.80	23.84	25.00	26.34
41.0	20.08	20.34	20.69	21.07	21.47	21.88	22.33	23.29	24.37	25.58	26.97
42.0	20.45	20.72	21.09	21.48	21.89	22.33	22.79	23.80	24.92	26.17	27.62
43.0	20.83	21.11	21.49	21.90	22.33	22.78	23.27	24.32	25.48	26.78	28.28
44.0	21.22	21.50	21.91	22.33	22.78	23.25	23.76	24.85	26.06	27.41	28.97
45.0	21.61	21.91	22.33	22.78	23.24	23.74	24.26	25.39	26.66	28.06	29.67
46.0	22.02	22.33	22.77	23.23	23.72	24.23	24.78	25.96	27.27	28.73	30.40
47.0	22.44	22.76	23.22	23.70	24.21	24.74	25.31	26.54	27.90	29.42	31.15
48.0	22.87	23.21	23.68	24.18	24.71	25.27	25.86	27.14	28.56	30.13	31.92
49.0	23.31	23.66	24.16	24.68	25.23	25.81	26.42	27.76	29.23	30.86	32.72
50.0	23.76	24.13	24.65	25.19	25.76	26.37	27.01	28.40	29.93	31.62	33.54
52.0	24.71	25.12	25.67	26.26	26.89	27.54	28.24	29.74	31.39	33.21	35.28
54.0	25.73	26.16	26.77	27.41	28.09	28.80	29.55	31.18	32.96	34.92	37.14
56.0	26.81	27.28	27.94	28.64	29.37	30.14	30.96	32.73	34.66	36.77	39.14
58.0	27.96	28.48	29.19	29.96	30.76	31.60	32.49	34.40	36.49	38.77	41.31
60.0	29.21	29.77	30.55	31.38	32.26	33.17	34.14	36.22	38.49	40.94	43.67
62.0	30.55	31.17	32.02	32.93	33.89	34.89	35.94	38.21	40.66	43.31	46.24
64.0	32.02	32.69	33.63	34.62	35.67	36.77	37.92	40.39	43.06	45.92	49.07
66.0	33.62	34.36	35.39	36.49	37.64	38.84	40.10	42.80	45.71	48.81	52.20
68.0	35.39	36.21	37.34	38.55	39.82	41.14	42.53	45.49	48.66	52.02	55.68
70.0	37.35	38.26	39.52	40.86	42.26	43.73	45.26	48.51	51.98	55.64	59.59
▽ϕ	PERCENTAGE OF LOAN AMOUNT LEFT UNPAID AT DUE DATE										
	100.0	94.58	87.35	80.12	72.89	65.67	58.44	43.98	29.52	15.07	.00

DISCOUNT %	MONTHLY PAYBACK RATE (%) (MONTHLY PAYMENT DIVIDED BY LOAN AMOUNT)										
	.81	.85	.90	.95	1.00	1.05	1.10	1.15	1.20	1.30	1.39
1.0	9.92	9.92	9.93	9.93	9.94	9.95	9.95	9.96	9.97	9.99	10.01
2.0	10.09	10.10	10.11	10.12	10.13	10.15	10.16	10.18	10.19	10.23	10.27
3.0	10.26	10.27	10.29	10.31	10.33	10.35	10.37	10.39	10.42	10.48	10.54
4.0	10.44	10.45	10.47	10.50	10.53	10.55	10.58	10.62	10.65	10.73	10.82
5.0	10.61	10.64	10.66	10.69	10.73	10.76	10.80	10.84	10.89	10.98	11.09
6.0	10.79	10.82	10.85	10.89	10.93	10.97	11.02	11.07	11.12	11.24	11.37
7.0	10.98	11.01	11.05	11.09	11.14	11.19	11.24	11.30	11.36	11.50	11.66
8.0	11.16	11.20	11.24	11.30	11.35	11.41	11.47	11.53	11.61	11.77	11.95
9.0	11.35	11.39	11.44	11.50	11.56	11.63	11.70	11.77	11.86	12.04	12.24
10.0	11.54	11.58	11.64	11.71	11.78	11.85	11.93	12.02	12.11	12.31	12.54
11.0	11.73	11.78	11.85	11.92	12.00	12.08	12.17	12.26	12.37	12.59	12.85
12.0	11.93	11.98	12.06	12.14	12.22	12.31	12.41	12.51	12.63	12.88	13.16
13.0	12.13	12.19	12.27	12.36	12.45	12.55	12.65	12.77	12.89	13.17	13.47
14.0	12.33	12.40	12.48	12.58	12.68	12.79	12.90	13.03	13.16	13.46	13.79
15.0	12.54	12.61	12.70	12.81	12.92	13.03	13.16	13.29	13.44	13.76	14.12
16.0	12.75	12.82	12.92	13.04	13.15	13.28	13.42	13.56	13.72	14.07	14.45
17.0	12.96	13.04	13.15	13.27	13.40	13.53	13.68	13.83	14.00	14.38	14.79
18.0	13.17	13.26	13.38	13.51	13.64	13.79	13.94	14.11	14.29	14.69	15.13
19.0	13.39	13.48	13.61	13.75	13.90	14.05	14.22	14.39	14.59	15.02	15.48
20.0	13.61	13.71	13.85	14.00	14.15	14.32	14.49	14.68	14.89	15.34	15.84
21.0	13.84	13.95	14.09	14.25	14.41	14.59	14.77	14.98	15.20	15.68	16.20
22.0	14.07	14.18	14.34	14.50	14.68	14.86	15.06	15.28	15.51	16.02	16.58
23.0	14.31	14.42	14.59	14.76	14.95	15.14	15.35	15.58	15.83	16.37	16.95
24.0	14.55	14.67	14.84	15.03	15.22	15.43	15.65	15.89	16.15	16.72	17.34
25.0	14.79	14.92	15.10	15.30	15.50	15.72	15.96	16.21	16.48	17.08	17.73
26.0	15.04	15.17	15.36	15.57	15.79	16.02	16.27	16.53	16.82	17.45	18.14
27.0	15.29	15.43	15.63	15.85	16.08	16.32	16.58	16.86	17.17	17.83	18.55
28.0	15.54	15.70	15.91	16.14	16.38	16.63	16.91	17.20	17.52	18.21	18.97
29.0	15.81	15.97	16.19	16.43	16.68	16.95	17.24	17.55	17.88	18.61	19.39
30.0	16.07	16.24	16.47	16.73	16.99	17.27	17.58	17.90	18.25	19.01	19.83
31.0	16.35	16.52	16.77	17.03	17.31	17.60	17.92	18.26	18.62	19.42	20.28
32.0	16.62	16.81	17.06	17.34	17.63	17.94	18.27	18.63	19.01	19.84	20.74
33.0	16.91	17.10	17.37	17.66	17.96	18.29	18.63	19.00	19.40	20.27	21.21
34.0	17.20	17.40	17.68	17.98	18.30	18.64	19.00	19.39	19.80	20.71	21.69
35.0	17.49	17.71	18.00	18.31	18.65	19.00	19.38	19.78	20.22	21.17	22.18
36.0	17.80	18.02	18.32	18.65	19.00	19.37	19.77	20.19	20.64	21.63	22.68
37.0	18.11	18.34	18.66	19.00	19.36	19.75	20.16	20.60	21.07	22.10	23.20
38.0	18.42	18.66	19.00	19.36	19.74	20.14	20.57	21.03	21.52	22.59	23.73
39.0	18.75	19.00	19.35	19.72	20.12	20.54	20.99	21.47	21.98	23.09	24.27
40.0	19.08	19.34	19.70	20.09	20.51	20.95	21.41	21.91	22.45	23.60	24.83
41.0	19.42	19.69	20.07	20.48	20.91	21.37	21.85	22.37	22.93	24.13	25.41
42.0	19.77	20.05	20.45	20.87	21.32	21.80	22.30	22.85	23.42	24.68	26.00
43.0	20.12	20.42	20.83	21.27	21.74	22.24	22.77	23.33	23.93	25.23	26.60
44.0	20.49	20.80	21.23	21.69	22.18	22.69	23.25	23.83	24.46	25.81	27.23
45.0	20.87	21.19	21.64	22.12	22.62	23.16	23.74	24.35	24.99	26.40	27.87
46.0	21.25	21.59	22.05	22.55	23.08	23.65	24.24	24.88	25.55	27.01	28.54
47.0	21.65	22.00	22.49	23.01	23.56	24.14	24.76	25.42	26.12	27.64	29.22
48.0	22.06	22.42	22.93	23.47	24.05	24.65	25.30	25.99	26.72	28.29	29.93
49.0	22.48	22.86	23.39	23.95	24.55	25.18	25.86	26.57	27.33	28.96	30.66
50.0	22.91	23.31	23.86	24.45	25.07	25.73	26.43	27.17	27.96	29.65	31.41
52.0	23.82	24.25	24.85	25.49	26.16	26.88	27.64	28.44	29.29	31.11	33.00
54.0	24.79	25.25	25.90	26.60	27.33	28.11	28.93	29.80	30.72	32.68	34.70
56.0	25.82	26.33	27.04	27.79	28.59	29.43	30.33	31.27	32.26	34.37	36.54
58.0	26.93	27.49	28.26	29.08	29.95	30.87	31.84	32.85	33.93	36.21	38.52
60.0	28.13	28.74	29.58	30.48	31.43	32.42	33.48	34.58	35.74	38.20	40.69
62.0	29.44	30.10	31.02	32.00	33.03	34.12	35.27	36.47	37.73	40.38	43.05
64.0	30.86	31.58	32.59	33.67	34.80	35.99	37.24	38.55	39.91	42.78	45.65
66.0	32.42	33.22	34.33	35.51	36.75	38.06	39.42	40.85	42.33	45.44	48.53
68.0	34.15	35.03	36.26	37.56	38.93	40.36	41.86	43.42	45.04	48.41	51.74
70.0	36.08	37.06	38.42	39.86	41.37	42.95	44.60	46.31	48.08	51.74	55.34
⌀	PERCENTAGE OF LOAN AMOUNT LEFT UNPAID AT DUE DATE										
	100.0	93.56	84.96	76.37	67.78	59.18	50.59	42.00	33.40	16.22	.00

DISCOUNT %	MONTHLY PAYBACK RATE (%) (MONTHLY PAYMENT DIVIDED BY LOAN AMOUNT)										
	.81	.85	.90	.95	1.00	1.05	1.10	1.15	1.20	1.25	1.31
1.0	9.91	9.91	9.92	9.92	9.93	9.94	9.95	9.95	9.97	9.98	9.99
2.0	10.07	10.08	10.09	10.10	10.12	10.13	10.15	10.16	10.18	10.20	10.23
3.0	10.23	10.24	10.26	10.28	10.30	10.32	10.35	10.37	10.41	10.44	10.48
4.0	10.39	10.41	10.44	10.46	10.49	10.52	10.55	10.59	10.63	10.67	10.73
5.0	10.56	10.58	10.61	10.65	10.68	10.72	10.76	10.81	10.86	10.91	10.98
6.0	10.73	10.76	10.79	10.83	10.88	10.92	10.97	11.03	11.09	11.16	11.24
7.0	10.90	10.93	10.98	11.03	11.08	11.13	11.19	11.25	11.33	11.40	11.50
8.0	11.08	11.11	11.16	11.22	11.28	11.34	11.41	11.48	11.57	11.66	11.77
9.0	11.25	11.29	11.35	11.41	11.48	11.55	11.63	11.72	11.81	11.91	12.04
10.0	11.43	11.48	11.54	11.61	11.69	11.77	11.86	11.95	12.06	12.17	12.32
11.0	11.61	11.67	11.74	11.82	11.90	11.99	12.09	12.19	12.31	12.44	12.60
12.0	11.80	11.86	11.93	12.02	12.11	12.21	12.32	12.44	12.56	12.70	12.88
13.0	11.99	12.05	12.13	12.23	12.33	12.44	12.56	12.68	12.83	12.98	13.17
14.0	12.18	12.24	12.34	12.44	12.55	12.67	12.80	12.94	13.09	13.25	13.46
15.0	12.37	12.44	12.55	12.66	12.78	12.90	13.04	13.19	13.36	13.54	13.76
16.0	12.57	12.65	12.76	12.88	13.01	13.14	13.29	13.46	13.63	13.83	14.07
17.0	12.77	12.85	12.97	13.10	13.24	13.39	13.55	13.72	13.91	14.12	14.38
18.0	12.97	13.06	13.19	13.33	13.48	13.63	13.81	13.99	14.20	14.42	14.70
19.0	13.18	13.28	13.41	13.56	13.72	13.89	14.07	14.27	14.49	14.72	15.02
20.0	13.39	13.49	13.64	13.79	13.96	14.14	14.34	14.55	14.78	15.03	15.35
21.0	13.60	13.71	13.87	14.03	14.21	14.41	14.61	14.84	15.08	15.35	15.68
22.0	13.82	13.94	14.10	14.28	14.47	14.67	14.89	15.13	15.39	15.67	16.02
23.0	14.04	14.17	14.34	14.53	14.73	14.94	15.18	15.43	15.70	16.00	16.37
24.0	14.27	14.40	14.58	14.78	14.99	15.22	15.47	15.73	16.02	16.34	16.73
25.0	14.50	14.64	14.83	15.04	15.26	15.50	15.76	16.04	16.35	16.68	17.09
26.0	14.73	14.88	15.08	15.30	15.54	15.79	16.07	16.36	16.68	17.03	17.46
27.0	14.97	15.12	15.34	15.57	15.82	16.09	16.38	16.69	17.02	17.38	17.84
28.0	15.21	15.38	15.60	15.85	16.11	16.39	16.69	17.02	17.37	17.75	18.22
29.0	15.46	15.63	15.87	16.13	16.40	16.70	17.01	17.36	17.73	18.12	18.62
30.0	15.72	15.89	16.14	16.41	16.70	17.01	17.34	17.70	18.09	18.50	19.02
31.0	15.97	16.16	16.42	16.71	17.01	17.33	17.68	18.05	18.46	18.89	19.43
32.0	16.24	16.43	16.71	17.00	17.32	17.66	18.02	18.42	18.84	19.29	19.86
33.0	16.51	16.71	17.00	17.31	17.64	18.00	18.38	18.79	19.23	19.70	20.29
34.0	16.78	17.00	17.30	17.62	17.97	18.34	18.74	19.17	19.63	20.12	20.73
35.0	17.07	17.29	17.60	17.94	18.31	18.69	19.11	19.55	20.04	20.55	21.19
36.0	17.35	17.59	17.92	18.27	18.65	19.05	19.49	19.95	20.45	20.99	21.65
37.0	17.65	17.89	18.24	18.61	19.00	19.42	19.88	20.36	20.88	21.44	22.13
38.0	17.95	18.21	18.56	18.95	19.36	19.80	20.27	20.78	21.32	21.90	22.62
39.0	18.26	18.53	18.90	19.30	19.73	20.19	20.68	21.21	21.78	22.38	23.12
40.0	18.58	18.85	19.24	19.66	20.11	20.59	21.10	21.65	22.24	22.87	23.64
41.0	18.90	19.19	19.60	20.04	20.50	21.00	21.54	22.11	22.72	23.37	24.17
42.0	19.23	19.54	19.96	20.42	20.90	21.42	21.98	22.57	23.21	23.88	24.71
43.0	19.58	19.89	20.33	20.81	21.32	21.86	22.44	23.05	23.71	24.41	25.27
44.0	19.93	20.26	20.72	21.21	21.74	22.30	22.91	23.55	24.23	24.96	25.85
45.0	20.29	20.63	21.11	21.63	22.18	22.76	23.39	24.06	24.77	25.52	26.45
46.0	20.66	21.02	21.52	22.05	22.63	23.24	23.89	24.58	25.32	26.10	27.06
47.0	21.04	21.41	21.93	22.49	23.09	23.73	24.40	25.13	25.89	26.70	27.69
48.0	21.43	21.82	22.36	22.95	23.57	24.23	24.94	25.69	26.48	27.32	28.35
49.0	21.84	22.24	22.81	23.42	24.06	24.75	25.48	26.26	27.09	27.96	29.02
50.0	22.25	22.68	23.27	23.90	24.57	25.29	26.05	26.86	27.72	28.62	29.72
52.0	23.13	23.59	24.23	24.92	25.65	26.42	27.25	28.12	29.05	30.01	31.19
54.0	24.07	24.56	25.26	26.01	26.80	27.64	28.53	29.48	30.47	31.51	32.77
56.0	25.07	25.61	26.37	27.18	28.04	28.95	29.92	30.94	32.01	33.13	34.47
58.0	26.15	26.74	27.57	28.45	29.39	30.38	31.42	32.52	33.68	34.88	36.32
60.0	27.32	27.96	28.87	29.83	30.85	31.93	33.06	34.25	35.49	36.78	38.33
62.0	28.59	29.30	30.29	31.34	32.45	33.62	34.85	36.14	37.48	38.87	40.53
64.0	29.99	30.76	31.85	33.00	34.21	35.49	36.83	38.23	39.68	41.17	42.95
66.0	31.52	32.38	33.57	34.84	36.17	37.56	39.02	40.54	42.11	43.72	45.63
68.0	33.23	34.17	35.49	36.88	38.35	39.88	41.47	43.12	44.82	46.56	48.62
70.0	35.15	36.19	37.65	39.19	40.81	42.48	44.23	46.03	47.88	49.77	51.99
▽Φ	PERCENTAGE OF LOAN AMOUNT LEFT UNPAID AT DUE DATE										
	100.0	92.43	82.33	72.23	62.14	52.04	41.94	31.85	21.75	11.65	.00

DISCOUNT %	MONTHLY PAYBACK RATE (%) (MONTHLY PAYMENT DIVIDED BY LOAN AMOUNT)										
	1.00	1.25	1.50	1.75	2.00	2.25	2.50	2.75	3.00	3.50	4.00
1.0	9.91	9.97	10.04	10.10	10.16	10.22	10.28	10.33	10.39	10.51	10.62
2.0	10.07	10.20	10.33	10.45	10.57	10.69	10.81	10.93	11.04	11.27	11.50
3.0	10.24	10.43	10.62	10.81	10.99	11.17	11.35	11.53	11.70	12.05	12.40
4.0	10.40	10.67	10.92	11.17	11.41	11.66	11.90	12.13	12.37	12.84	13.31
5.0	10.57	10.91	11.23	11.54	11.85	12.15	12.45	12.75	13.05	13.64	14.23
6.0	10.75	11.15	11.54	11.91	12.28	12.65	13.02	13.38	13.74	14.46	15.16
7.0	10.92	11.40	11.85	12.29	12.73	13.16	13.59	14.02	14.44	15.28	16.11
8.0	11.10	11.65	12.17	12.68	13.18	13.68	14.17	14.66	15.15	16.12	17.08
9.0	11.28	11.90	12.49	13.07	13.64	14.20	14.76	15.32	15.88	16.97	18.06
10.0	11.47	12.16	12.82	13.47	14.11	14.74	15.37	15.99	16.61	17.84	19.06
11.0	11.66	12.42	13.16	13.87	14.58	15.28	15.98	16.67	17.35	18.72	20.07
12.0	11.85	12.69	13.50	14.28	15.06	15.83	16.60	17.36	18.11	19.61	21.09
13.0	12.05	12.96	13.84	14.70	15.55	16.39	17.23	18.06	18.88	20.52	22.14
14.0	12.25	13.24	14.19	15.13	16.05	16.96	17.87	18.77	19.66	21.44	23.20
15.0	12.45	13.52	14.55	15.56	16.55	17.54	18.52	19.49	20.46	22.38	24.28
16.0	12.65	13.81	14.92	16.00	17.07	18.13	19.18	20.23	21.27	23.33	25.38
17.0	12.87	14.10	15.29	16.45	17.59	18.73	19.86	20.98	22.09	24.30	26.50
18.0	13.08	14.40	15.66	16.90	18.13	19.34	20.54	21.74	22.93	25.29	27.63
19.0	13.30	14.70	16.05	17.37	18.67	19.96	21.24	22.52	23.79	26.30	28.79
20.0	13.52	15.01	16.44	17.84	19.22	20.59	21.95	23.31	24.65	27.32	29.97
21.0	13.75	15.33	16.84	18.32	19.79	21.24	22.68	24.11	25.54	28.37	31.17
22.0	13.98	15.65	17.25	18.81	20.36	21.89	23.42	24.93	26.44	29.43	32.39
23.0	14.22	15.98	17.66	19.31	20.94	22.56	24.17	25.77	27.36	30.51	33.64
24.0	14.47	16.31	18.08	19.82	21.54	23.24	24.94	26.62	28.29	31.61	34.91
25.0	14.71	16.65	18.52	20.34	22.15	23.94	25.72	27.49	29.25	32.74	36.20
26.0	14.97	17.00	18.96	20.87	22.77	24.65	26.52	28.37	30.22	33.89	37.53
27.0	15.23	17.36	19.41	21.42	23.40	25.37	27.33	29.28	31.22	35.06	38.87
28.0	15.49	17.72	19.87	21.97	24.05	26.11	28.16	30.20	32.23	36.25	40.25
29.0	15.77	18.10	20.34	22.53	24.71	26.87	29.01	31.14	33.26	37.47	41.65
30.0	16.04	18.48	20.81	23.11	25.38	27.64	29.88	32.10	34.32	38.72	43.09
31.0	16.33	18.87	21.31	23.70	26.07	28.42	30.76	33.09	35.40	39.99	44.55
32.0	16.62	19.26	21.81	24.31	26.78	29.23	31.67	34.09	36.50	41.29	46.05
33.0	16.92	19.67	22.32	24.92	27.50	30.05	32.59	35.12	37.63	42.62	47.58
34.0	17.23	20.09	22.85	25.55	28.23	30.89	33.54	36.17	38.79	43.98	49.14
35.0	17.54	20.52	23.38	26.20	28.99	31.76	34.51	37.24	39.97	45.37	50.74
36.0	17.87	20.96	23.94	26.86	29.76	32.64	35.50	38.34	41.18	46.80	52.38
37.0	18.20	21.41	24.50	27.54	30.55	33.54	36.51	39.47	42.41	48.26	54.06
38.0	18.54	21.87	25.08	28.24	31.36	34.47	37.55	40.62	43.68	49.75	55.78
39.0	18.90	22.34	25.67	28.95	32.20	35.42	38.62	41.81	44.98	51.29	57.55
40.0	19.26	22.83	26.29	29.68	33.05	36.39	39.72	43.02	46.32	52.86	59.36
41.0	19.63	23.33	26.91	30.44	33.93	37.39	40.84	44.27	47.68	54.47	61.21
42.0	20.01	23.85	27.56	31.21	34.83	38.42	41.99	45.55	49.09	56.12	63.12
43.0	20.41	24.38	28.22	32.00	35.75	39.47	43.18	46.86	50.53	57.83	65.07
44.0	20.82	24.93	28.90	32.82	36.70	40.56	44.39	48.21	52.02	59.57	67.08
45.0	21.24	25.49	29.60	33.66	37.68	41.68	45.65	49.60	53.54	61.37	69.15
46.0	21.67	26.07	30.33	34.53	38.69	42.82	46.94	51.03	55.11	63.22	71.28
47.0	22.12	26.67	31.07	35.42	39.73	44.01	48.26	52.50	56.73	65.12	73.47
48.0	22.59	27.29	31.84	36.34	40.80	45.23	49.63	54.02	58.40	67.09	75.73
49.0	23.07	27.92	32.64	37.29	41.90	46.48	51.04	55.59	60.11	69.11	78.06
50.0	23.57	28.59	33.46	38.27	43.04	47.78	52.50	57.20	61.89	71.20	80.46
51.0	24.09	29.27	34.31	39.28	44.22	49.12	54.01	58.87	63.72	73.35	82.94
52.0	24.63	29.98	35.19	40.33	45.44	50.51	55.56	60.59	65.61	75.58	85.50
53.0	25.18	30.71	36.10	41.42	46.70	51.95	57.17	62.38	67.57	77.88	88.15
54.0	25.76	31.47	37.04	42.54	48.00	53.43	58.84	64.22	69.59	80.27	90.90
55.0	26.37	32.27	38.02	43.71	49.36	54.97	60.57	66.14	71.69	82.74	93.74
56.0	27.00	33.09	39.04	44.92	50.76	56.57	62.36	68.12	73.87	85.31	96.69
57.0	27.66	33.95	40.10	46.18	52.22	58.24	64.22	70.19	76.13	87.97	99.75
58.0	28.34	34.84	41.20	47.50	53.74	59.96	66.16	72.33	78.48	90.73	102.93
59.0	29.06	35.78	42.35	48.86	55.33	61.76	68.17	74.56	80.93	93.61	106.24
60.0	29.81	36.75	43.55	50.29	56.98	63.64	70.27	76.88	83.48	96.61	109.69
▽Φ	NUMBER OF MONTHLY PAYMENTS NEEDED TO PAY OFF LOAN										
	206.9	129.7	96.4	77.1	64.4	55.4	48.6	43.3	39.0	32.6	28.1

DISCOUNT %	MONTHLY PAYBACK RATE (%) (MONTHLY PAYMENT DIVIDED BY LOAN AMOUNT)										
	.83	1.00	1.50	2.00	3.00	4.00	5.00	6.00	7.00	8.00	8.79
.5	10.53	10.53	10.55	10.57	10.60	10.64	10.69	10.74	10.81	10.88	10.95
1.0	11.06	11.07	11.10	11.13	11.21	11.29	11.38	11.49	11.62	11.76	11.90
1.5	11.60	11.61	11.66	11.71	11.82	11.94	12.08	12.24	12.43	12.66	12.86
2.0	12.13	12.15	12.22	12.28	12.43	12.59	12.78	13.00	13.25	13.56	13.83
2.5	12.67	12.70	12.78	12.86	13.04	13.25	13.49	13.76	14.08	14.46	14.81
3.0	13.22	13.25	13.34	13.44	13.66	13.91	14.20	14.53	14.92	15.37	15.80
3.5	13.77	13.80	13.91	14.03	14.29	14.58	14.92	15.30	15.76	16.29	16.79
4.0	14.32	14.36	14.49	14.62	14.92	15.25	15.64	16.08	16.60	17.22	17.79
4.5	14.87	14.92	15.06	15.21	15.55	15.93	16.36	16.87	17.45	18.15	18.79
5.0	15.43	15.48	15.64	15.81	16.18	16.61	17.10	17.66	18.31	19.09	19.81
5.5	15.99	16.05	16.22	16.41	16.82	17.29	17.83	18.45	19.18	20.03	20.83
6.0	16.55	16.61	16.81	17.02	17.47	17.98	18.57	19.25	20.05	20.99	21.86
6.5	17.12	17.19	17.40	17.62	18.12	18.68	19.32	20.06	20.93	21.95	22.90
7.0	17.69	17.76	17.99	18.24	18.77	19.38	20.07	20.87	21.81	22.92	23.94
7.5	18.26	18.34	18.59	18.85	19.43	20.08	20.83	21.69	22.70	23.89	25.00
8.0	18.84	18.92	19.19	19.47	20.09	20.79	21.59	22.52	23.60	24.88	26.06
8.5	19.42	19.51	19.79	20.10	20.75	21.50	22.36	23.35	24.50	25.87	27.13
9.0	20.00	20.10	20.40	20.72	21.42	22.22	23.13	24.19	25.42	26.87	28.21
9.5	20.59	20.70	21.02	21.35	22.10	22.94	23.91	25.03	26.33	27.88	29.30
10.0	21.18	21.29	21.63	21.99	22.78	23.67	24.70	25.88	27.26	28.89	30.40
10.5	21.78	21.89	22.25	22.63	23.46	24.41	25.49	26.74	28.19	29.91	31.51
11.0	22.38	22.50	22.88	23.27	24.15	25.14	26.28	27.60	29.13	30.95	32.62
11.5	22.98	23.11	23.50	23.92	24.84	25.89	27.09	28.47	30.08	31.99	33.75
12.0	23.59	23.72	24.14	24.58	25.54	26.64	27.89	29.35	31.04	33.03	34.88
12.5	24.20	24.34	24.77	25.23	26.24	27.39	28.71	30.23	32.00	34.09	36.02
13.0	24.81	24.96	25.41	25.89	26.95	28.15	29.53	31.12	32.97	35.16	37.18
13.5	25.43	25.58	26.06	26.56	27.66	28.92	30.36	32.02	33.95	36.23	38.34
14.0	26.05	26.21	26.71	27.23	28.38	29.69	31.19	32.92	34.94	37.32	39.52
14.5	26.68	26.85	27.36	27.91	29.10	30.47	32.03	33.83	35.94	38.41	40.70
15.0	27.31	27.48	28.02	28.59	29.83	31.25	32.87	34.75	36.94	39.52	41.89
15.5	27.94	28.12	28.68	29.27	30.57	32.04	33.73	35.68	37.95	40.63	43.10
16.0	28.58	28.77	29.35	29.96	31.30	32.83	34.59	36.61	38.97	41.75	44.31
16.5	29.23	29.42	30.02	30.65	32.05	33.63	35.45	37.55	40.00	42.88	45.54
17.0	29.87	30.07	30.69	31.35	32.80	34.44	36.33	38.50	41.04	44.02	46.77
17.5	30.53	30.73	31.37	32.06	33.55	35.26	37.21	39.46	42.09	45.18	48.02
18.0	31.18	31.40	32.06	32.77	34.31	36.07	38.09	40.43	43.14	46.34	49.28
18.5	31.84	32.06	32.75	33.48	35.08	36.90	38.99	41.40	44.21	47.51	50.55
19.0	32.51	32.74	33.45	34.20	35.85	37.73	39.89	42.38	45.28	48.70	51.83
19.5	33.18	33.41	34.15	34.92	36.63	38.57	40.80	43.37	46.37	49.89	53.13
20.0	33.85	34.10	34.85	35.65	37.41	39.42	41.72	44.37	47.46	51.10	54.44
20.5	34.53	34.78	35.56	36.39	38.20	40.27	42.64	45.38	48.57	52.31	55.75
21.0	35.22	35.48	36.28	37.13	39.00	41.13	43.57	46.40	49.68	53.54	57.08
21.5	35.91	36.17	37.00	37.88	39.80	42.00	44.51	47.42	50.81	54.78	58.43
22.0	36.60	36.87	37.72	38.63	40.61	42.87	45.46	48.46	51.94	56.03	59.79
22.5	37.30	37.58	38.46	39.39	41.43	43.75	46.42	49.50	53.09	57.29	61.16
23.0	38.00	38.29	39.19	40.15	42.25	44.64	47.38	50.55	54.24	58.57	62.54
23.5	38.71	39.01	39.94	40.92	43.08	45.54	48.36	51.62	55.41	59.86	63.93
24.0	39.43	39.73	40.68	41.69	43.91	46.44	49.34	52.69	56.59	61.16	65.35
24.5	40.15	40.46	41.44	42.47	44.75	47.35	50.33	53.77	57.78	62.47	66.77
25.0	40.87	41.20	42.20	43.26	45.60	48.27	51.33	54.87	58.98	63.80	68.21
25.5	41.60	41.93	42.96	44.06	46.46	49.20	52.34	55.97	60.19	65.14	69.66
26.0	42.34	42.68	43.73	44.86	47.32	50.13	53.36	57.08	61.42	66.49	71.13
26.5	43.08	43.43	44.51	45.66	48.19	51.08	54.38	58.21	62.65	67.86	72.61
27.0	43.83	44.19	45.30	46.48	49.07	52.03	55.42	59.34	63.90	69.24	74.11
27.5	44.58	44.95	46.09	47.30	49.95	52.99	56.47	60.49	65.16	70.63	75.63
28.0	45.34	45.72	46.88	48.12	50.85	53.96	57.52	61.64	66.44	72.04	77.16
28.5	46.11	46.49	47.69	48.95	51.75	54.93	58.59	62.81	67.72	73.46	78.71
29.0	46.88	47.27	48.49	49.80	52.66	55.92	59.67	63.99	69.02	74.90	80.27
29.5	47.66	48.06	49.31	50.64	53.57	56.92	60.75	65.19	70.34	76.36	81.85
30.0	48.44	48.85	50.13	51.50	54.50	57.92	61.85	66.39	71.67	77.83	83.45
∇Φ	PERCENTAGE OF LOAN AMOUNT LEFT UNPAID AT DUE DATE										
	100.0	97.91	91.62	85.34	72.77	60.21	47.64	35.08	22.51	9.95	.00

DISCOUNT %	MONTHLY PAYBACK RATE (%) (MONTHLY PAYMENT DIVIDED BY LOAN AMOUNT)										
	.83	1.00	1.25	1.50	1.75	2.00	2.50	3.00	3.50	4.00	4.61
.5	10.28	10.28	10.29	10.30	10.31	10.32	10.35	10.37	10.41	10.44	10.50
1.0	10.56	10.57	10.59	10.60	10.62	10.65	10.69	10.75	10.81	10.89	11.00
1.5	10.84	10.85	10.88	10.91	10.94	10.97	11.04	11.13	11.22	11.34	11.51
2.0	11.12	11.14	11.18	11.22	11.26	11.30	11.40	11.51	11.64	11.79	12.03
2.5	11.40	11.43	11.48	11.52	11.58	11.63	11.75	11.89	12.05	12.25	12.54
3.0	11.69	11.72	11.78	11.84	11.90	11.96	12.11	12.28	12.47	12.71	13.06
3.5	11.98	12.02	12.08	12.15	12.22	12.30	12.47	12.66	12.90	13.17	13.59
4.0	12.27	12.31	12.38	12.46	12.54	12.63	12.83	13.06	13.32	13.64	14.11
4.5	12.56	12.61	12.69	12.78	12.87	12.97	13.19	13.45	13.75	14.11	14.65
5.0	12.85	12.91	13.00	13.10	13.20	13.31	13.56	13.85	14.18	14.58	15.18
5.5	13.14	13.21	13.31	13.42	13.53	13.65	13.93	14.24	14.62	15.06	15.72
6.0	13.44	13.51	13.62	13.74	13.86	14.00	14.30	14.65	15.05	15.54	16.26
6.5	13.73	13.81	13.93	14.06	14.20	14.35	14.67	15.05	15.49	16.02	16.81
7.0	14.03	14.12	14.25	14.39	14.54	14.70	15.05	15.46	15.94	16.51	17.36
7.5	14.34	14.42	14.57	14.72	14.88	15.05	15.43	15.87	16.39	17.00	17.92
8.0	14.64	14.73	14.89	15.05	15.22	15.40	15.81	16.28	16.84	17.49	18.48
8.5	14.94	15.05	15.21	15.38	15.56	15.76	16.19	16.70	17.29	17.99	19.05
9.0	15.25	15.36	15.53	15.71	15.91	16.12	16.58	17.12	17.75	18.49	19.61
9.5	15.56	15.67	15.86	16.05	16.26	16.48	16.97	17.54	18.21	19.00	20.19
10.0	15.87	15.99	16.18	16.39	16.61	16.84	17.36	17.97	18.67	19.51	20.77
10.5	16.18	16.31	16.51	16.73	16.96	17.21	17.76	18.39	19.14	20.02	21.35
11.0	16.49	16.63	16.84	17.07	17.32	17.58	18.16	18.83	19.61	20.54	21.94
11.5	16.81	16.95	17.18	17.42	17.67	17.95	18.56	19.26	20.09	21.06	22.53
12.0	17.13	17.28	17.51	17.77	18.04	18.32	18.96	19.70	20.57	21.59	23.13
12.5	17.45	17.61	17.85	18.12	18.40	18.70	19.37	20.14	21.05	22.12	23.73
13.0	17.77	17.93	18.19	18.47	18.76	19.08	19.78	20.59	21.53	22.65	24.34
13.5	18.09	18.27	18.54	18.82	19.13	19.46	20.19	21.04	22.02	23.19	24.95
14.0	18.42	18.60	18.88	19.18	19.50	19.84	20.61	21.49	22.52	23.74	25.57
14.5	18.75	18.94	19.23	19.54	19.87	20.23	21.02	21.94	23.02	24.29	26.19
15.0	19.08	19.27	19.58	19.90	20.25	20.62	21.45	22.40	23.52	24.84	26.82
15.5	19.41	19.61	19.93	20.27	20.63	21.01	21.87	22.86	24.02	25.40	27.45
16.0	19.75	19.96	20.29	20.64	21.01	21.41	22.30	23.33	24.53	25.96	28.09
16.5	20.09	20.30	20.64	21.01	21.39	21.81	22.73	23.80	25.05	26.52	28.73
17.0	20.42	20.65	21.00	21.38	21.78	22.21	23.17	24.27	25.57	27.10	29.38
17.5	20.77	21.00	21.36	21.75	22.17	22.62	23.60	24.75	26.09	27.67	30.04
18.0	21.11	21.35	21.73	22.13	22.56	23.02	24.05	25.23	26.62	28.25	30.70
18.5	21.46	21.71	22.10	22.51	22.96	23.43	24.49	25.72	27.15	28.84	31.37
19.0	21.81	22.06	22.47	22.90	23.36	23.85	24.94	26.21	27.69	29.43	32.04
19.5	22.16	22.42	22.84	23.28	23.76	24.26	25.39	26.70	28.23	30.03	32.72
20.0	22.51	22.78	23.21	23.67	24.16	24.69	25.85	27.20	28.77	30.63	33.40
21.0	23.23	23.52	23.97	24.46	24.98	25.54	26.77	28.21	29.88	31.85	34.79
22.0	23.95	24.26	24.74	25.26	25.81	26.40	27.71	29.23	31.01	33.10	36.21
23.0	24.69	25.01	25.52	26.07	26.65	27.28	28.67	30.27	32.15	34.36	37.65
24.0	25.43	25.78	26.32	26.89	27.51	28.17	29.64	31.34	33.32	35.66	39.12
25.0	26.19	26.55	27.12	27.73	28.38	29.08	30.62	32.42	34.51	36.97	40.62
26.0	26.96	27.34	27.94	28.58	29.27	30.00	31.63	33.52	35.72	38.31	42.15
27.0	27.74	28.14	28.77	29.45	30.17	30.94	32.65	34.64	36.96	39.68	43.71
28.0	28.53	28.95	29.62	30.32	31.08	31.89	33.69	35.78	38.22	41.08	45.31
29.0	29.34	29.78	30.48	31.22	32.01	32.86	34.75	36.95	39.50	42.50	46.93
30.0	30.16	30.62	31.35	32.13	32.96	33.85	35.83	38.13	40.81	43.96	48.59
31.0	30.99	31.47	32.24	33.05	33.92	34.86	36.94	39.34	42.15	45.44	50.29
32.0	31.83	32.34	33.14	33.99	34.90	35.88	38.06	40.58	43.52	46.96	52.03
33.0	32.69	33.22	34.06	34.95	35.90	36.93	39.20	41.84	44.91	48.51	53.80
34.0	33.57	34.12	34.99	35.92	36.92	37.99	40.37	43.13	46.34	50.10	55.61
35.0	34.46	35.03	35.94	36.92	37.96	39.08	41.56	44.44	47.80	51.72	57.47
36.0	35.36	35.96	36.91	37.93	39.02	40.18	42.78	45.79	49.29	53.38	59.37
37.0	36.28	36.91	37.90	38.96	40.09	41.31	44.02	47.16	50.81	55.08	61.31
38.0	37.22	37.87	38.91	40.01	41.19	42.46	45.28	48.56	52.37	56.82	63.31
39.0	38.18	38.86	39.93	41.08	42.32	43.64	46.59	50.00	53.97	58.60	65.35
40.0	39.15	39.86	40.98	42.18	43.46	44.84	47.91	51.47	55.61	60.43	67.45
PERCENTAGE OF LOAN AMOUNT LEFT UNPAID AT DUE DATE											
	100.0	95.59	88.98	82.37	75.76	69.15	55.92	42.70	29.47	16.25	.00

DISCOUNT %	MONTHLY PAYBACK RATE (%) (MONTHLY PAYMENT DIVIDED BY LOAN AMOUNT)										
	.83	1.00	1.25	1.50	1.75	2.00	2.25	2.50	2.75	3.00	3.23
.5	10.19	10.20	10.21	10.22	10.23	10.25	10.26	10.28	10.30	10.32	10.34
1.0	10.39	10.40	10.42	10.44	10.47	10.50	10.53	10.56	10.60	10.64	10.69
1.5	10.59	10.60	10.63	10.67	10.70	10.75	10.79	10.84	10.90	10.97	11.04
2.0	10.78	10.81	10.85	10.89	10.94	11.00	11.06	11.13	11.21	11.30	11.39
2.5	10.98	11.01	11.06	11.12	11.18	11.25	11.33	11.41	11.51	11.63	11.75
3.0	11.18	11.22	11.28	11.35	11.42	11.50	11.60	11.70	11.82	11.96	12.11
3.5	11.38	11.43	11.50	11.58	11.66	11.76	11.87	11.99	12.14	12.30	12.47
4.0	11.58	11.64	11.72	11.81	11.91	12.02	12.15	12.29	12.45	12.64	12.83
4.5	11.79	11.85	11.94	12.04	12.15	12.28	12.42	12.58	12.77	12.98	13.19
5.0	11.99	12.06	12.16	12.27	12.40	12.54	12.70	12.88	13.08	13.32	13.56
5.5	12.20	12.27	12.38	12.51	12.65	12.81	12.98	13.18	13.40	13.66	13.93
6.0	12.40	12.48	12.61	12.75	12.90	13.07	13.26	13.48	13.73	14.01	14.31
6.5	12.61	12.70	12.83	12.98	13.15	13.34	13.55	13.78	14.05	14.36	14.68
7.0	12.82	12.91	13.06	13.22	13.41	13.61	13.83	14.09	14.38	14.71	15.06
7.5	13.03	13.13	13.29	13.47	13.66	13.88	14.12	14.40	14.71	15.07	15.44
8.0	13.25	13.35	13.52	13.71	13.92	14.15	14.41	14.71	15.04	15.43	15.83
8.5	13.46	13.57	13.75	13.95	14.18	14.43	14.71	15.02	15.38	15.79	16.22
9.0	13.67	13.79	13.99	14.20	14.44	14.70	15.00	15.34	15.72	16.15	16.61
9.5	13.89	14.02	14.22	14.45	14.70	14.98	15.30	15.65	16.06	16.52	17.00
10.0	14.11	14.24	14.46	14.70	14.97	15.26	15.60	15.97	16.40	16.89	17.40
11.0	14.55	14.70	14.94	15.20	15.50	15.83	16.20	16.62	17.10	17.64	18.20
12.0	14.99	15.15	15.42	15.72	16.04	16.41	16.82	17.28	17.80	18.40	19.02
13.0	15.44	15.62	15.91	16.23	16.59	16.99	17.44	17.94	18.52	19.17	19.85
14.0	15.90	16.09	16.41	16.76	17.15	17.58	18.07	18.62	19.25	19.96	20.70
15.0	16.36	16.57	16.92	17.30	17.72	18.19	18.72	19.31	19.99	20.76	21.56
16.0	16.83	17.06	17.43	17.84	18.29	18.80	19.37	20.01	20.74	21.57	22.43
17.0	17.30	17.55	17.95	18.39	18.88	19.42	20.03	20.72	21.51	22.40	23.32
18.0	17.79	18.05	18.47	18.95	19.47	20.05	20.71	21.45	22.29	23.24	24.22
19.0	18.27	18.55	19.01	19.51	20.07	20.70	21.40	22.18	23.08	24.10	25.14
20.0	18.77	19.07	19.55	20.09	20.68	21.35	22.09	22.93	23.88	24.97	26.08
21.0	19.27	19.59	20.10	20.67	21.31	22.01	22.80	23.70	24.71	25.85	27.04
22.0	19.78	20.12	20.66	21.27	21.94	22.69	23.53	24.47	25.54	26.76	28.01
23.0	20.30	20.65	21.23	21.87	22.58	23.37	24.26	25.26	26.39	27.68	29.00
24.0	20.82	21.20	21.81	22.48	23.24	24.07	25.01	26.07	27.26	28.62	30.01
25.0	21.36	21.75	22.40	23.11	23.90	24.78	25.77	26.89	28.15	29.58	31.04
26.0	21.90	22.32	22.99	23.74	24.58	25.51	26.55	27.72	29.05	30.55	32.09
27.0	22.45	22.89	23.60	24.39	25.27	26.25	27.34	28.58	29.97	31.55	33.16
28.0	23.01	23.47	24.22	25.05	25.97	27.00	28.15	29.45	30.91	32.56	34.25
29.0	23.58	24.06	24.84	25.71	26.68	27.76	28.97	30.33	31.87	33.60	35.37
30.0	24.15	24.66	25.48	26.39	27.41	28.54	29.81	31.24	32.84	34.66	36.51
31.0	24.74	25.27	26.13	27.09	28.15	29.34	30.67	32.16	33.84	35.74	37.68
32.0	25.34	25.89	26.79	27.79	28.91	30.15	31.54	33.10	34.86	36.85	38.87
33.0	25.94	26.52	27.47	28.51	29.68	30.98	32.43	34.07	35.91	37.98	40.08
34.0	26.56	27.17	28.15	29.25	30.46	31.82	33.34	35.05	36.97	39.13	41.33
35.0	27.19	27.82	28.85	29.99	31.27	32.69	34.27	36.06	38.06	40.32	42.60
36.0	27.83	28.49	29.56	30.76	32.09	33.57	35.23	37.09	39.18	41.53	43.91
37.0	28.48	29.17	30.29	31.54	32.92	34.47	36.20	38.14	40.32	42.77	45.24
38.0	29.14	29.86	31.03	32.33	33.78	35.39	37.19	39.22	41.49	44.04	46.61
39.0	29.82	30.57	31.79	33.14	34.65	36.33	38.21	40.32	42.69	45.34	48.02
40.0	30.51	31.29	32.56	33.97	35.54	37.30	39.26	41.45	43.92	46.68	49.46
41.0	31.21	32.02	33.35	34.82	36.45	38.28	40.33	42.61	45.18	48.05	50.93
42.0	31.93	32.78	34.15	35.68	37.39	39.29	41.42	43.80	46.47	49.45	52.45
43.0	32.66	33.54	34.98	36.57	38.35	40.33	42.54	45.02	47.80	50.90	54.00
44.0	33.41	34.33	35.82	37.48	39.33	41.39	43.70	46.28	49.16	52.38	55.61
45.0	34.18	35.13	36.68	38.41	40.33	42.48	44.88	47.57	50.57	53.91	57.25
46.0	34.96	35.94	37.56	39.36	41.36	43.60	46.10	48.89	52.01	55.48	58.95
47.0	35.75	36.78	38.46	40.33	42.42	44.74	47.35	50.25	53.49	57.10	60.69
48.0	36.57	37.64	39.39	41.33	43.50	45.92	48.63	51.65	55.02	58.76	62.49
49.0	37.40	38.52	40.33	42.36	44.62	47.14	49.95	53.10	56.60	60.48	64.34
50.0	38.26	39.41	41.31	43.41	45.76	48.39	51.32	54.59	58.22	62.25	66.25
▽Φ	PERCENTAGE OF LOAN AMOUNT LEFT UNPAID AT DUE DATE										
	100.0	93.04	82.59	72.15	61.70	51.25	40.81	30.36	19.92	9.47	.00

DISCOUNT %	MONTHLY PAYBACK RATE (%) (MONTHLY PAYMENT DIVIDED BY LOAN AMOUNT)										
	.83	.90	1.00	1.20	1.40	1.60	1.80	2.00	2.20	2.40	2.54
.5	10.15	10.15	10.16	10.17	10.18	10.19	10.20	10.22	10.23	10.25	10.26
1.0	10.31	10.31	10.32	10.34	10.36	10.38	10.40	10.43	10.46	10.50	10.53
1.5	10.46	10.47	10.48	10.51	10.54	10.57	10.61	10.65	10.70	10.76	10.80
2.0	10.62	10.63	10.64	10.68	10.72	10.76	10.81	10.87	10.93	11.01	11.07
2.5	10.77	10.78	10.81	10.85	10.90	10.96	11.02	11.09	11.17	11.27	11.34
3.0	10.93	10.94	10.97	11.02	11.08	11.15	11.23	11.31	11.41	11.53	11.62
3.5	11.09	11.10	11.13	11.20	11.27	11.35	11.43	11.54	11.65	11.79	11.89
4.0	11.25	11.27	11.30	11.37	11.45	11.54	11.65	11.76	12.05	12.05	12.17
4.5	11.41	11.43	11.47	11.55	11.64	11.74	11.86	11.99	12.14	12.32	12.45
5.0	11.57	11.59	11.64	11.73	11.83	11.94	12.07	12.22	12.39	12.59	12.74
5.5	11.73	11.76	11.81	11.91	12.02	12.15	12.29	12.45	12.64	12.85	13.02
6.0	11.89	11.92	11.98	12.09	12.21	12.35	12.50	12.68	12.89	13.13	13.31
6.5	12.06	12.09	12.15	12.27	12.40	12.55	12.72	12.92	13.14	13.40	13.60
7.0	12.22	12.26	12.32	12.45	12.60	12.76	12.94	13.15	13.39	13.67	13.89
7.5	12.39	12.43	12.49	12.63	12.79	12.97	13.16	13.39	13.65	13.95	14.18
8.0	12.55	12.60	12.67	12.82	12.99	13.17	13.39	13.63	13.91	14.23	14.48
8.5	12.72	12.77	12.84	13.00	13.18	13.39	13.61	13.87	14.17	14.51	14.78
9.0	12.89	12.94	13.02	13.19	13.38	13.60	13.84	14.11	14.43	14.80	15.08
9.5	13.06	13.11	13.20	13.38	13.58	13.81	14.07	14.36	14.69	15.08	15.38
10.0	13.23	13.29	13.38	13.57	13.78	14.03	14.30	14.61	14.96	15.37	15.69
11.0	13.58	13.64	13.74	13.95	14.19	14.46	14.76	15.11	15.50	15.95	16.30
12.0	13.93	14.00	14.11	14.34	14.61	14.90	15.23	15.61	16.04	16.55	16.93
13.0	14.28	14.36	14.48	14.74	15.03	15.35	15.71	16.13	16.60	17.15	17.57
14.0	14.64	14.73	14.86	15.14	15.45	15.80	16.20	16.65	17.17	17.76	18.22
15.0	15.01	15.10	15.24	15.54	15.88	16.26	16.69	17.18	17.74	18.39	18.88
16.0	15.38	15.48	15.63	15.96	16.32	16.73	17.19	17.72	18.32	19.02	19.55
17.0	15.76	15.86	16.02	16.37	16.77	17.21	17.71	18.27	18.92	19.67	20.24
18.0	16.14	16.25	16.42	16.80	17.22	17.69	18.22	18.83	19.52	20.32	20.93
19.0	16.52	16.64	16.83	17.23	17.68	18.18	18.75	19.40	20.14	20.99	21.64
20.0	16.91	17.04	17.24	17.67	18.15	18.68	19.29	19.98	20.77	21.67	22.36
21.0	17.31	17.44	17.66	18.11	18.62	19.19	19.84	20.57	21.40	22.36	23.10
22.0	17.72	17.86	18.08	18.56	19.10	19.71	20.39	21.17	22.05	23.07	23.84
23.0	18.13	18.27	18.51	19.02	19.59	20.24	20.96	21.78	22.71	23.79	24.61
24.0	18.54	18.70	18.95	19.49	20.09	20.77	21.53	22.40	23.39	24.52	25.38
25.0	18.96	19.13	19.39	19.96	20.60	21.32	22.12	23.04	24.08	25.27	26.18
26.0	19.39	19.57	19.85	20.45	21.12	21.87	22.72	23.68	24.78	26.03	26.98
27.0	19.83	20.01	20.31	20.94	21.64	22.44	23.33	24.34	25.49	26.81	27.81
28.0	20.27	20.47	20.77	21.44	22.18	23.01	23.95	25.02	26.22	27.60	28.65
29.0	20.72	20.93	21.25	21.95	22.73	23.60	24.58	25.70	26.97	28.41	29.51
30.0	21.18	21.40	21.73	22.46	23.28	24.20	25.23	26.40	27.73	29.24	30.39
31.0	21.65	21.87	22.23	22.99	23.85	24.81	25.89	27.12	28.50	30.09	31.28
32.0	22.12	22.36	22.73	23.53	24.42	25.43	26.56	27.85	29.30	30.95	32.20
33.0	22.61	22.85	23.24	24.08	25.01	26.07	27.25	28.59	30.11	31.84	33.14
34.0	23.10	23.35	23.76	24.63	25.61	26.71	27.95	29.36	30.94	32.74	34.10
35.0	23.60	23.87	24.29	25.20	26.23	27.38	28.67	30.14	31.79	33.66	35.08
36.0	24.11	24.39	24.83	25.78	26.85	28.05	29.40	30.93	32.66	34.61	36.08
37.0	24.63	24.92	25.38	26.38	27.49	28.75	30.15	31.75	33.55	35.58	37.11
38.0	25.16	25.46	25.94	26.98	28.15	29.45	30.92	32.59	34.46	36.58	38.17
39.0	25.70	26.02	26.52	27.60	28.81	30.18	31.71	33.44	35.39	37.60	39.25
40.0	26.25	26.58	27.10	28.23	29.50	30.92	32.52	34.32	36.35	38.64	40.36
41.0	26.81	27.16	27.70	28.88	30.20	31.68	33.34	35.22	37.33	39.71	41.49
42.0	27.39	27.75	28.31	29.54	30.91	32.45	34.19	36.14	38.34	40.82	42.66
43.0	27.98	28.35	28.94	30.21	31.64	33.25	35.06	37.09	39.38	41.95	43.86
44.0	28.58	28.96	29.58	30.90	32.39	34.07	35.95	38.07	40.44	43.11	45.10
45.0	29.19	29.59	30.23	31.61	33.16	34.90	36.86	39.07	41.54	44.31	46.37
46.0	29.82	30.24	30.90	32.34	33.95	35.77	37.80	40.10	42.66	45.54	47.67
47.0	30.46	30.89	31.58	33.08	34.76	36.65	38.77	41.15	43.82	46.81	49.02
48.0	31.11	31.57	32.29	33.84	35.59	37.56	39.76	42.25	45.02	48.11	50.41
49.0	31.79	32.26	33.01	34.63	36.45	38.49	40.79	43.37	46.25	49.46	51.84
50.0	32.48	32.97	33.74	35.43	37.33	39.45	41.84	44.53	47.52	50.85	53.31
PERCENTAGE OF LOAN AMOUNT LEFT UNPAID AT DUE DATE											
	100.0	96.09	90.21	78.47	66.72	54.98	43.23	31.49	19.75	8.00	.00

DISCOUNT %	MONTHLY PAYBACK RATE (%) (MONTHLY PAYMENT DIVIDED BY LOAN AMOUNT)										
	.83	.90	1.00	1.10	1.20	1.30	1.40	1.60	1.80	2.00	2.12
.5	10.13	10.13	10.14	10.14	10.14	10.15	10.16	10.17	10.18	10.20	10.22
1.0	10.26	10.26	10.27	10.28	10.29	10.30	10.31	10.34	10.37	10.41	10.43
1.5	10.39	10.39	10.41	10.42	10.44	10.45	10.47	10.51	10.56	10.61	10.65
2.0	10.52	10.53	10.55	10.56	10.58	10.60	10.63	10.68	10.74	10.82	10.88
2.5	10.65	10.66	10.68	10.71	10.73	10.76	10.79	10.86	10.93	11.03	11.10
3.0	10.78	10.79	10.82	10.85	10.88	10.91	10.95	11.03	11.12	11.24	11.32
3.5	10.91	10.93	10.96	11.00	11.03	11.07	11.11	11.21	11.32	11.45	11.55
4.0	11.04	11.07	11.10	11.14	11.18	11.23	11.28	11.39	11.51	11.67	11.78
4.5	11.18	11.20	11.25	11.29	11.34	11.39	11.44	11.56	11.71	11.88	12.01
5.0	11.31	11.34	11.39	11.44	11.49	11.54	11.61	11.74	11.90	12.10	12.24
5.5	11.45	11.48	11.53	11.59	11.64	11.71	11.77	11.92	12.10	12.32	12.47
6.0	11.59	11.62	11.68	11.74	11.80	11.87	11.94	12.11	12.30	12.54	12.71
6.5	11.72	11.76	11.82	11.89	11.96	12.03	12.11	12.29	12.50	12.76	12.94
7.0	11.86	11.90	11.97	12.04	12.11	12.19	12.28	12.48	12.70	12.98	13.18
7.5	12.00	12.05	12.12	12.19	12.27	12.36	12.45	12.66	12.91	13.21	13.42
8.0	12.14	12.19	12.27	12.34	12.43	12.52	12.63	12.85	13.11	13.43	13.66
8.5	12.28	12.33	12.42	12.50	12.59	12.69	12.80	13.04	13.32	13.66	13.91
9.0	12.43	12.48	12.57	12.66	12.76	12.86	12.98	13.23	13.53	13.89	14.15
9.5	12.57	12.62	12.72	12.81	12.92	13.03	13.15	13.42	13.74	14.13	14.40
10.0	12.71	12.77	12.87	12.97	13.08	13.20	13.33	13.62	13.95	14.36	14.65
11.0	13.00	13.07	13.18	13.29	13.42	13.55	13.69	14.01	14.38	14.83	15.16
12.0	13.30	13.37	13.49	13.62	13.75	13.90	14.05	14.41	14.82	15.31	15.67
13.0	13.60	13.68	13.81	13.95	14.09	14.25	14.43	14.81	15.26	15.80	16.20
14.0	13.90	13.99	14.13	14.28	14.44	14.61	14.80	15.22	15.71	16.30	16.73
15.0	14.21	14.30	14.46	14.62	14.79	14.98	15.18	15.64	16.17	16.81	17.27
16.0	14.52	14.62	14.79	14.96	15.15	15.35	15.57	16.06	16.64	17.32	17.82
17.0	14.84	14.95	15.12	15.31	15.52	15.73	15.97	16.49	17.11	17.85	18.38
18.0	15.16	15.27	15.47	15.67	15.88	16.12	16.37	16.93	17.59	18.38	18.95
19.0	15.48	15.61	15.81	16.03	16.26	16.51	16.78	17.38	18.09	18.92	19.53
20.0	15.81	15.95	16.16	16.39	16.64	16.91	17.19	17.83	18.58	19.48	20.12
21.0	16.15	16.29	16.52	16.76	17.03	17.31	17.61	18.30	19.09	20.04	20.72
22.0	16.49	16.64	16.88	17.14	17.42	17.72	18.04	18.77	19.61	20.61	21.33
23.0	16.83	17.00	17.25	17.53	17.82	18.14	18.48	19.25	20.14	21.20	21.96
24.0	17.19	17.36	17.63	17.92	18.23	18.56	18.93	19.73	20.68	21.80	22.59
25.0	17.54	17.72	18.01	18.32	18.65	19.00	19.38	20.23	21.23	22.40	23.24
26.0	17.91	18.10	18.40	18.72	19.07	19.44	19.84	20.74	21.79	23.02	23.90
27.0	18.28	18.47	18.79	19.13	19.50	19.89	20.31	21.25	22.36	23.66	24.58
28.0	18.65	18.86	19.20	19.55	19.94	20.35	20.79	21.78	22.94	24.30	25.27
29.0	19.03	19.25	19.60	19.98	20.38	20.81	21.28	22.32	23.53	24.96	25.97
30.0	19.42	19.65	20.02	20.41	20.84	21.29	21.78	22.87	24.14	25.64	26.69
31.0	19.82	20.06	20.45	20.86	21.30	21.77	22.28	23.43	24.76	26.32	27.43
32.0	20.22	20.47	20.88	21.31	21.77	22.27	22.80	24.00	25.39	27.03	28.18
33.0	20.63	20.89	21.32	21.77	22.25	22.77	23.33	24.59	26.04	27.75	28.95
34.0	21.05	21.32	21.77	22.24	22.74	23.29	23.87	25.18	26.70	28.48	29.74
35.0	21.47	21.76	22.22	22.72	23.25	23.81	24.43	25.79	27.38	29.24	30.54
36.0	21.91	22.21	22.69	23.21	23.76	24.35	24.99	26.42	28.08	30.01	31.37
37.0	22.35	22.67	23.17	23.70	24.28	24.90	25.57	27.06	28.79	30.80	32.21
38.0	22.80	23.13	23.66	24.21	24.82	25.46	26.16	27.71	29.52	31.61	33.08
39.0	23.26	23.61	24.15	24.74	25.37	26.04	26.76	28.38	30.26	32.44	33.97
40.0	23.73	24.09	24.66	25.27	25.92	26.63	27.38	29.07	31.03	33.29	34.88
41.0	24.21	24.59	25.18	25.81	26.50	27.23	28.02	29.78	31.81	34.17	35.81
42.0	24.71	25.09	25.71	26.37	27.08	27.85	28.67	30.50	32.62	35.07	36.77
43.0	25.21	25.61	26.26	26.94	27.68	28.48	29.33	31.24	33.45	35.99	37.76
44.0	25.72	26.14	26.81	27.53	28.30	29.13	30.02	32.01	34.30	36.94	38.77
45.0	26.25	26.68	27.38	28.13	28.93	29.79	30.72	32.79	35.17	37.92	39.82
46.0	26.78	27.24	27.97	28.74	29.58	30.48	31.44	33.59	36.07	38.92	40.89
47.0	27.33	27.81	28.56	29.37	30.25	31.18	32.18	34.42	37.00	39.96	42.00
48.0	27.90	28.39	29.18	30.02	30.93	31.90	32.95	35.28	37.96	41.03	43.14
49.0	28.48	28.99	29.81	30.69	31.63	32.64	33.73	36.16	38.94	42.13	44.32
50.0	29.07	29.60	30.46	31.37	32.35	33.41	34.54	37.07	39.96	43.27	45.53
▽Φ	PERCENTAGE OF LOAN AMOUNT LEFT UNPAID AT DUE DATE										
	100.0	94.84	87.09	79.35	71.61	63.86	56.12	40.63	25.14	9.66	.00

DISCOUNT %	MONTHLY PAYBACK RATE (%) (MONTHLY PAYMENT DIVIDED BY LOAN AMOUNT)										
	.83	.90	1.00	1.10	1.20	1.30	1.40	1.50	1.60	1.70	1.85
1.0	10.22	10.23	10.24	10.25	10.26	10.27	10.29	10.30	10.32	10.34	10.37
2.0	10.45	10.46	10.48	10.50	10.53	10.55	10.58	10.61	10.64	10.68	10.74
3.0	10.68	10.70	10.73	10.76	10.79	10.83	10.87	10.92	10.97	11.03	11.12
4.0	10.91	10.93	10.98	11.02	11.06	11.11	11.17	11.23	11.30	11.38	11.51
5.0	11.15	11.18	11.23	11.28	11.34	11.40	11.47	11.55	11.64	11.74	11.90
6.0	11.38	11.42	11.48	11.55	11.62	11.70	11.78	11.88	11.98	12.10	12.30
7.0	11.63	11.67	11.74	11.82	11.90	11.99	12.09	12.21	12.33	12.47	12.71
8.0	11.87	11.92	12.00	12.09	12.19	12.29	12.41	12.54	12.68	12.84	13.12
9.0	12.12	12.17	12.27	12.37	12.48	12.60	12.73	12.88	13.04	13.22	13.53
10.0	12.37	12.43	12.54	12.65	12.78	12.91	13.06	13.22	13.40	13.61	13.96
11.0	12.62	12.69	12.81	12.94	13.08	13.22	13.39	13.57	13.77	14.00	14.39
12.0	12.88	12.96	13.09	13.23	13.38	13.54	13.73	13.93	14.15	14.40	14.83
13.0	13.14	13.23	13.37	13.52	13.69	13.87	14.07	14.29	14.53	14.80	15.27
14.0	13.41	13.50	13.66	13.82	14.00	14.20	14.42	14.66	14.92	15.21	15.72
15.0	13.68	13.78	13.95	14.13	14.32	14.54	14.77	15.03	15.32	15.63	16.19
16.0	13.95	14.06	14.24	14.43	14.65	14.88	15.13	15.41	15.72	16.06	16.65
17.0	14.23	14.35	14.54	14.75	14.98	15.22	15.50	15.80	16.13	16.49	17.13
18.0	14.51	14.64	14.84	15.07	15.31	15.58	15.87	16.19	16.54	16.94	17.62
19.0	14.80	14.93	15.15	15.39	15.65	15.93	16.25	16.59	16.97	17.38	18.11
20.0	15.09	15.23	15.47	15.72	16.00	16.30	16.63	17.00	17.40	17.84	18.61
21.0	15.38	15.53	15.78	16.05	16.35	16.67	17.02	17.41	17.84	18.31	19.13
22.0	15.68	15.84	16.11	16.39	16.71	17.05	17.42	17.83	18.29	18.78	19.65
23.0	15.98	16.16	16.44	16.74	17.07	17.43	17.83	18.26	18.74	19.27	20.18
24.0	16.29	16.48	16.77	17.09	17.44	17.82	18.24	18.70	19.21	19.76	20.73
25.0	16.61	16.80	17.11	17.45	17.82	18.22	18.66	19.15	19.68	20.27	21.28
26.0	16.93	17.13	17.46	17.82	18.21	18.63	19.09	19.60	20.16	20.78	21.84
27.0	17.25	17.47	17.81	18.19	18.60	19.04	19.53	20.07	20.66	21.30	22.42
28.0	17.58	17.81	18.17	18.57	19.00	19.46	19.98	20.54	21.16	21.84	23.01
29.0	17.92	18.16	18.54	18.95	19.40	19.90	20.44	21.03	21.67	22.39	23.61
30.0	18.26	18.51	18.91	19.35	19.82	20.34	20.90	21.52	22.20	22.95	24.23
31.0	18.61	18.87	19.29	19.75	20.24	20.78	21.38	22.03	22.74	23.52	24.85
32.0	18.97	19.24	19.68	20.16	20.68	21.24	21.86	22.54	23.29	24.10	25.50
33.0	19.33	19.62	20.08	20.57	21.12	21.71	22.36	23.07	23.85	24.70	26.15
34.0	19.70	20.00	20.48	21.00	21.57	22.19	22.87	23.61	24.42	25.31	26.83
35.0	20.08	20.39	20.89	21.44	22.03	22.68	23.39	24.16	25.01	25.93	27.51
36.0	20.46	20.79	21.31	21.88	22.50	23.18	23.92	24.73	25.61	26.57	28.22
37.0	20.86	21.20	21.74	22.34	22.99	23.69	24.46	25.30	26.23	27.23	28.94
38.0	21.26	21.61	22.18	22.80	23.48	24.21	25.02	25.90	26.86	27.90	29.68
39.0	21.67	22.04	22.63	23.28	23.98	24.75	25.59	26.51	27.50	28.59	30.44
40.0	22.08	22.47	23.09	23.76	24.50	25.30	26.18	27.13	28.17	29.30	31.22
41.0	22.51	22.91	23.56	24.26	25.03	25.86	26.78	27.77	28.85	30.03	32.02
42.0	22.95	23.37	24.04	24.77	25.57	26.44	27.39	28.42	29.55	30.77	32.84
43.0	23.40	23.83	24.53	25.30	26.13	27.03	28.02	29.10	30.27	31.54	33.69
44.0	23.85	24.31	25.04	25.83	26.70	27.64	28.67	29.79	31.01	32.33	34.56
45.0	24.32	24.79	25.56	26.38	27.29	28.27	29.34	30.51	31.77	33.14	35.45
46.0	24.80	25.29	26.09	26.95	27.89	28.91	30.03	31.24	32.56	33.98	36.37
47.0	25.29	25.81	26.63	27.53	28.51	29.57	30.74	32.00	33.36	34.84	37.32
48.0	25.80	26.33	27.19	28.13	29.15	30.26	31.46	32.77	34.20	35.73	38.30
49.0	26.32	26.87	27.77	28.74	29.80	30.96	32.21	33.58	35.05	36.65	39.31
50.0	26.85	27.43	28.36	29.37	30.48	31.68	32.99	34.41	35.94	37.59	40.35
51.0	27.40	28.00	28.97	30.03	31.18	32.43	33.79	35.26	36.86	38.57	41.43
52.0	27.96	28.59	29.60	30.70	31.90	33.20	34.62	36.15	37.80	39.59	42.54
53.0	28.54	29.19	30.25	31.39	32.64	34.00	35.47	37.07	38.79	40.63	43.70
54.0	29.13	29.81	30.91	32.11	33.41	34.82	36.36	38.01	39.80	41.72	44.89
55.0	29.75	30.46	31.60	32.85	34.20	35.67	37.27	39.00	40.86	42.85	46.13
56.0	30.38	31.12	32.31	33.61	35.03	36.56	38.22	40.02	41.95	44.02	47.42
57.0	31.04	31.81	33.05	34.40	35.88	37.48	39.21	41.08	43.09	45.23	48.76
58.0	31.71	32.52	33.81	35.22	36.76	38.43	40.24	42.18	44.27	46.50	50.15
59.0	32.41	33.25	34.61	36.08	37.68	39.42	41.30	43.33	45.50	47.82	51.60
60.0	33.14	34.01	35.43	36.96	38.64	40.45	42.42	44.53	46.79	49.19	53.12
▽∆	PERCENTAGE OF LOAN AMOUNT LEFT UNPAID AT DUE DATE										
	100.0	93.46	83.65	73.84	64.03	54.21	44.40	34.59	24.78	14.97	.00

DISCOUNT %	MONTHLY PAYBACK RATE (%) (MONTHLY PAYMENT DIVIDED BY LOAN AMOUNT)										
	.83	.85	.90	1.00	1.10	1.20	1.30	1.40	1.50	1.60	1.66
1.0	10.20	10.20	10.21	10.22	10.23	10.24	10.25	10.27	10.29	10.31	10.32
2.0	10.40	10.41	10.42	10.44	10.46	10.49	10.51	10.55	10.58	10.62	10.65
3.0	10.61	10.61	10.63	10.66	10.69	10.73	10.78	10.83	10.88	10.94	10.98
4.0	10.82	10.82	10.84	10.89	10.93	10.99	11.04	11.11	11.18	11.27	11.32
5.0	11.03	11.04	11.06	11.12	11.17	11.24	11.31	11.40	11.49	11.60	11.67
6.0	11.24	11.25	11.28	11.35	11.42	11.50	11.59	11.69	11.80	11.93	12.01
7.0	11.46	11.47	11.50	11.58	11.67	11.76	11.86	11.98	12.12	12.27	12.37
8.0	11.68	11.69	11.73	11.82	11.92	12.03	12.15	12.28	12.44	12.61	12.73
9.0	11.90	11.92	11.96	12.06	12.17	12.30	12.43	12.59	12.76	12.96	13.09
10.0	12.13	12.14	12.19	12.31	12.43	12.57	12.73	12.90	13.10	13.32	13.46
11.0	12.35	12.37	12.43	12.56	12.70	12.85	13.02	13.22	13.43	13.68	13.84
12.0	12.59	12.61	12.67	12.81	12.96	13.13	13.32	13.54	13.78	14.05	14.23
13.0	12.82	12.85	12.92	13.07	13.23	13.42	13.63	13.86	14.12	14.42	14.62
14.0	13.06	13.09	13.16	13.33	13.51	13.71	13.94	14.19	14.48	14.80	15.01
15.0	13.30	13.33	13.41	13.59	13.79	14.01	14.25	14.53	14.84	15.18	15.42
16.0	13.55	13.58	13.67	13.86	14.08	14.31	14.58	14.87	15.20	15.58	15.83
17.0	13.80	13.83	13.93	14.14	14.36	14.62	14.90	15.22	15.58	15.98	16.24
18.0	14.05	14.09	14.19	14.41	14.66	14.93	15.24	15.58	15.96	16.39	16.67
19.0	14.31	14.35	14.46	14.70	14.96	15.25	15.57	15.94	16.34	16.80	17.10
20.0	14.57	14.61	14.73	14.98	15.26	15.57	15.92	16.30	16.74	17.22	17.54
21.0	14.84	14.88	15.00	15.28	15.57	15.90	16.27	16.68	17.14	17.65	17.99
22.0	15.11	15.15	15.29	15.57	15.89	16.24	16.63	17.06	17.55	18.09	18.45
23.0	15.39	15.43	15.57	15.88	16.21	16.58	16.99	17.45	17.96	18.54	18.92
24.0	15.67	15.71	15.86	16.18	16.53	16.93	17.36	17.85	18.39	19.00	19.40
25.0	15.95	16.00	16.16	16.50	16.87	17.28	17.74	18.25	18.82	19.46	19.88
26.0	16.24	16.29	16.46	16.81	17.21	17.64	18.12	18.66	19.26	19.94	20.38
27.0	16.53	16.59	16.76	17.14	17.55	18.01	18.52	19.08	19.72	20.42	20.88
28.0	16.83	16.89	17.08	17.47	17.90	18.39	18.92	19.51	20.18	20.92	21.40
29.0	17.14	17.20	17.39	17.81	18.26	18.77	19.33	19.95	20.65	21.42	21.93
30.0	17.45	17.52	17.72	18.15	18.63	19.16	19.75	20.40	21.13	21.94	22.47
31.0	17.77	17.84	18.05	18.50	19.00	19.56	20.17	20.86	21.62	22.47	23.02
32.0	18.09	18.16	18.38	18.86	19.38	19.97	20.61	21.33	22.12	23.01	23.58
33.0	18.42	18.50	18.73	19.23	19.77	20.38	21.06	21.81	22.64	23.56	24.16
34.0	18.76	18.84	19.08	19.60	20.17	20.81	21.51	22.30	23.16	24.12	24.75
35.0	19.10	19.18	19.43	19.98	20.58	21.25	21.98	22.80	23.70	24.70	25.36
36.0	19.45	19.54	19.80	20.37	21.00	21.69	22.46	23.31	24.25	25.30	25.98
37.0	19.81	19.90	20.17	20.77	21.42	22.15	22.95	23.84	24.82	25.91	26.61
38.0	20.17	20.27	20.55	21.18	21.86	22.62	23.45	24.38	25.40	26.53	27.26
39.0	20.55	20.64	20.94	21.59	22.30	23.10	23.96	24.93	26.00	27.17	27.93
40.0	20.93	21.03	21.34	22.02	22.76	23.59	24.49	25.50	26.61	27.83	28.62
41.0	21.32	21.43	21.75	22.46	23.23	24.09	25.03	26.08	27.23	28.50	29.32
42.0	21.72	21.83	22.17	22.90	23.71	24.61	25.59	26.68	27.88	29.19	30.04
43.0	22.13	22.24	22.60	23.36	24.20	25.14	26.16	27.30	28.54	29.91	30.79
44.0	22.55	22.67	23.04	23.83	24.71	25.68	26.75	27.93	29.22	30.64	31.55
45.0	22.98	23.10	23.49	24.32	25.23	26.24	27.35	28.58	29.92	31.40	32.34
46.0	23.42	23.55	23.95	24.81	25.77	26.82	27.97	29.25	30.65	32.17	33.15
47.0	23.87	24.01	24.42	25.33	26.32	27.41	28.61	29.94	31.39	32.97	33.99
48.0	24.34	24.48	24.91	25.85	26.88	28.02	29.27	30.65	32.16	33.80	34.85
49.0	24.81	24.96	25.41	26.39	27.46	28.65	29.96	31.39	32.95	34.65	35.74
50.0	25.30	25.46	25.93	26.95	28.07	29.30	30.66	32.15	33.77	35.54	36.66
51.0	25.81	25.97	26.46	27.52	28.69	29.97	31.38	32.93	34.62	36.45	37.61
52.0	26.33	26.49	27.00	28.11	29.33	30.67	32.13	33.75	35.50	37.39	38.60
53.0	26.86	27.04	27.57	28.72	29.99	31.38	32.91	34.59	36.41	38.37	39.62
54.0	27.42	27.60	28.15	29.35	30.67	32.13	33.72	35.46	37.35	39.38	40.67
55.0	27.99	28.17	28.75	30.00	31.38	32.90	34.55	36.36	38.32	40.43	41.77
56.0	28.57	28.77	29.37	30.68	32.11	33.69	35.42	37.30	39.34	41.53	42.91
57.0	29.18	29.39	30.02	31.38	32.87	34.52	36.32	38.28	40.39	42.66	44.09
58.0	29.81	30.03	30.68	32.10	33.66	35.38	37.25	39.29	41.49	43.84	45.33
59.0	30.47	30.69	31.37	32.86	34.49	36.28	38.23	40.35	42.64	45.08	46.61
60.0	31.14	31.38	32.09	33.64	35.34	37.21	39.25	41.46	43.83	46.36	47.95
⌀	PERCENTAGE OF LOAN AMOUNT LEFT UNPAID AT DUE DATE										
	100.0	97.98	91.94	79.84	67.75	55.65	43.56	31.46	19.37	7.27	.00

DISCOUNT %	MONTHLY PAYBACK RATE (%) (MONTHLY PAYMENT DIVIDED BY LOAN AMOUNT)										
	.83	.85	.90	.95	1.00	1.05	1.10	1.20	1.30	1.40	1.52
1.0	10.18	10.18	10.19	10.20	10.20	10.21	10.21	10.23	10.24	10.26	10.29
2.0	10.37	10.37	10.38	10.39	10.41	10.42	10.43	10.46	10.49	10.53	10.58
3.0	10.56	10.56	10.58	10.59	10.61	10.63	10.65	10.69	10.74	10.80	10.88
4.0	10.75	10.75	10.77	10.80	10.82	10.85	10.87	10.93	11.00	11.08	11.18
5.0	10.94	10.95	10.97	11.00	11.03	11.06	11.10	11.17	11.26	11.35	11.49
6.0	11.14	11.15	11.18	11.21	11.25	11.29	11.33	11.42	11.52	11.64	11.80
7.0	11.33	11.35	11.38	11.43	11.47	11.51	11.56	11.67	11.79	11.93	12.12
8.0	11.54	11.55	11.59	11.64	11.69	11.74	11.80	11.92	12.06	12.22	12.44
9.0	11.74	11.76	11.80	11.86	11.92	11.97	12.04	12.18	12.33	12.51	12.76
10.0	11.95	11.96	12.02	12.08	12.14	12.21	12.28	12.44	12.61	12.82	13.09
11.0	12.16	12.18	12.24	12.31	12.38	12.45	12.53	12.70	12.90	13.12	13.43
12.0	12.37	12.39	12.46	12.53	12.61	12.69	12.78	12.97	13.18	13.43	13.77
13.0	12.59	12.61	12.68	12.77	12.85	12.94	13.03	13.24	13.48	13.75	14.12
14.0	12.80	12.83	12.91	13.00	13.09	13.19	13.29	13.52	13.78	14.07	14.48
15.0	13.03	13.06	13.14	13.24	13.34	13.44	13.56	13.80	14.08	14.40	14.84
16.0	13.25	13.29	13.38	13.48	13.59	13.70	13.82	14.09	14.39	14.74	15.21
17.0	13.48	13.52	13.62	13.73	13.85	13.97	14.10	14.38	14.71	15.08	15.58
18.0	13.72	13.75	13.86	13.98	14.11	14.24	14.37	14.68	15.03	15.42	15.96
19.0	13.95	13.99	14.11	14.24	14.37	14.51	14.66	14.98	15.35	15.77	16.35
20.0	14.20	14.24	14.36	14.50	14.64	14.79	14.94	15.29	15.68	16.13	16.74
21.0	14.44	14.48	14.62	14.76	14.91	15.07	15.24	15.61	16.02	16.50	17.14
22.0	14.69	14.74	14.88	15.03	15.19	15.36	15.53	15.93	16.37	16.87	17.55
23.0	14.94	14.99	15.14	15.30	15.47	15.65	15.84	16.25	16.72	17.25	17.97
24.0	15.20	15.25	15.41	15.58	15.76	15.95	16.15	16.59	17.08	17.64	18.40
25.0	15.46	15.52	15.69	15.86	16.05	16.25	16.46	16.92	17.44	18.04	18.83
26.0	15.73	15.79	15.96	16.15	16.35	16.56	16.78	17.27	17.82	18.44	19.28
27.0	16.00	16.06	16.25	16.45	16.66	16.88	17.11	17.62	18.20	18.85	19.73
28.0	16.28	16.34	16.54	16.75	16.97	17.20	17.44	17.98	18.59	19.27	20.20
29.0	16.56	16.63	16.83	17.05	17.28	17.53	17.78	18.35	18.98	19.71	20.67
30.0	16.85	16.92	17.14	17.37	17.61	17.86	18.13	18.73	19.39	20.14	21.15
31.0	17.15	17.22	17.44	17.68	17.94	18.20	18.49	19.11	19.81	20.59	21.65
32.0	17.44	17.52	17.76	18.01	18.28	18.55	18.85	19.50	20.23	21.05	22.15
33.0	17.75	17.83	18.08	18.34	18.62	18.91	19.22	19.90	20.66	21.53	22.67
34.0	18.06	18.15	18.40	18.68	18.97	19.28	19.60	20.31	21.11	22.01	23.20
35.0	18.38	18.47	18.74	19.03	19.33	19.65	19.99	20.73	21.56	22.52	23.74
36.0	18.71	18.80	19.08	19.38	19.70	20.03	20.39	21.16	22.03	23.01	24.30
37.0	19.04	19.13	19.43	19.74	20.08	20.42	20.79	21.60	22.51	23.53	24.87
38.0	19.38	19.48	19.79	20.12	20.46	20.82	21.21	22.06	23.00	24.06	25.45
39.0	19.73	19.83	20.15	20.49	20.86	21.24	21.64	22.52	23.50	24.60	26.05
40.0	20.08	20.19	20.53	20.88	21.26	21.66	22.08	22.99	24.02	25.16	26.67
41.0	20.45	20.56	20.91	21.28	21.67	22.09	22.53	23.48	24.55	25.74	27.30
42.0	20.82	20.94	21.30	21.69	22.10	22.53	22.99	23.98	25.09	26.33	27.95
43.0	21.20	21.32	21.70	22.11	22.54	22.98	23.46	24.50	25.65	26.94	28.62
44.0	21.59	21.72	22.12	22.54	22.98	23.45	23.95	25.03	26.23	27.56	29.31
45.0	22.00	22.13	22.54	22.98	23.44	23.93	24.45	25.57	26.82	28.21	30.02
46.0	22.41	22.55	22.98	23.44	23.92	24.41	24.96	26.13	27.43	28.87	30.75
47.0	22.83	22.98	23.43	23.90	24.41	24.93	25.49	26.71	28.06	29.56	31.50
48.0	23.27	23.42	23.89	24.38	24.91	25.46	26.04	27.31	28.71	30.27	32.28
49.0	23.72	23.87	24.36	24.88	25.42	26.00	26.61	27.92	29.38	31.00	33.08
50.0	24.18	24.34	24.85	25.39	25.96	26.55	27.19	28.56	30.08	31.75	33.91
52.0	25.14	25.32	25.87	26.46	27.07	27.72	28.41	29.90	31.53	33.34	35.65
54.0	26.17	26.36	26.96	27.60	28.27	28.97	29.72	31.33	33.10	35.04	37.52
56.0	27.27	27.48	28.13	28.82	29.55	30.31	31.12	32.87	34.79	36.88	39.54
58.0	28.44	28.67	29.38	30.14	30.93	31.76	32.64	34.54	36.61	38.87	41.73
60.0	29.71	29.96	30.73	31.56	32.42	33.33	34.29	36.35	38.60	41.03	44.10
62.0	31.08	31.35	32.20	33.10	34.05	35.04	36.08	38.33	40.77	43.40	46.69
64.0	32.57	32.87	33.80	34.79	35.82	36.91	38.05	40.50	43.15	46.00	49.54
66.0	34.20	34.53	35.56	36.64	37.78	38.97	40.23	42.91	45.79	48.88	52.69
68.0	36.01	36.37	37.50	38.70	39.95	41.27	42.65	45.59	48.74	52.08	56.20
70.0	38.01	38.42	39.67	41.00	42.39	43.84	45.37	48.60	52.05	55.69	60.14
PERCENTAGE OF LOAN AMOUNT LEFT UNPAID AT DUE DATE											
	100.0	97.56	90.25	82.95	75.64	68.33	61.02	46.40	31.78	17.16	.00

MONTHLY PAYBACK RATE (%)
(MONTHLY PAYMENT DIVIDED BY LOAN AMOUNT)

DISCOUNT %	.83	.85	.90	.95	1.00	1.05	1.10	1.15	1.20	1.30	1.41
1.0	10.17	10.17	10.18	10.18	10.19	10.19	10.20	10.21	10.22	10.24	10.26
2.0	10.34	10.35	10.36	10.37	10.38	10.39	10.41	10.42	10.44	10.48	10.53
3.0	10.52	10.52	10.54	10.56	10.58	10.59	10.62	10.64	10.67	10.72	10.80
4.0	10.69	10.70	10.72	10.75	10.77	10.80	10.83	10.86	10.90	10.97	11.07
5.0	10.87	10.88	10.91	10.94	10.97	11.01	11.04	11.08	11.13	11.22	11.35
6.0	11.05	11.07	11.10	11.14	11.18	11.22	11.26	11.31	11.36	11.48	11.63
7.0	11.24	11.25	11.29	11.34	11.38	11.43	11.48	11.54	11.60	11.74	11.92
8.0	11.43	11.44	11.49	11.54	11.59	11.65	11.71	11.78	11.85	12.00	12.21
9.0	11.62	11.63	11.69	11.74	11.81	11.87	11.94	12.01	12.09	12.27	12.50
10.0	11.81	11.83	11.89	11.95	12.02	12.09	12.17	12.25	12.35	12.55	12.81
11.0	12.00	12.03	12.09	12.16	12.24	12.32	12.41	12.50	12.60	12.82	13.11
12.0	12.20	12.23	12.30	12.38	12.46	12.55	12.65	12.75	12.86	13.11	13.42
13.0	12.40	12.43	12.51	12.60	12.69	12.79	12.89	13.00	13.13	13.39	13.74
14.0	12.61	12.64	12.72	12.82	12.92	13.02	13.14	13.26	13.39	13.69	14.06
15.0	12.82	12.85	12.94	13.04	13.15	13.27	13.39	13.52	13.67	13.98	14.39
16.0	13.03	13.06	13.16	13.27	13.39	13.51	13.65	13.79	13.95	14.29	14.72
17.0	13.24	13.28	13.39	13.51	13.63	13.76	13.91	14.06	14.23	14.60	15.06
18.0	13.46	13.50	13.62	13.74	13.88	14.02	14.17	14.34	14.52	14.91	15.41
19.0	13.68	13.72	13.85	13.98	14.13	14.28	14.44	14.62	14.81	15.23	15.76
20.0	13.91	13.95	14.08	14.23	14.38	14.54	14.72	14.91	15.11	15.55	16.12
21.0	14.14	14.18	14.32	14.48	14.64	14.81	15.00	15.20	15.41	15.89	16.48
22.0	14.37	14.42	14.57	14.73	14.91	15.09	15.29	15.50	15.72	16.23	16.86
23.0	14.61	14.66	14.82	14.99	15.17	15.37	15.58	15.80	16.04	16.57	17.24
24.0	14.85	14.90	15.07	15.25	15.45	15.65	15.87	16.11	16.36	16.92	17.63
25.0	15.09	15.15	15.33	15.52	15.73	15.94	16.18	16.42	16.69	17.28	18.02
26.0	15.34	15.41	15.59	15.80	16.01	16.24	16.48	16.75	17.03	17.65	18.43
27.0	15.60	15.66	15.86	16.08	16.30	16.54	16.80	17.08	17.37	18.02	18.84
28.0	15.86	15.93	16.14	16.36	16.60	16.85	17.12	17.41	17.72	18.41	19.26
29.0	16.12	16.20	16.41	16.65	16.90	17.17	17.45	17.75	18.08	18.80	19.69
30.0	16.40	16.47	16.70	16.95	17.21	17.49	17.79	18.10	18.45	19.20	20.13
31.0	16.67	16.75	16.99	17.25	17.52	17.82	18.13	18.46	18.82	19.61	20.58
32.0	16.95	17.03	17.29	17.56	17.85	18.15	18.48	18.83	19.20	20.02	21.04
33.0	17.24	17.33	17.59	17.87	18.18	18.50	18.84	19.20	19.60	20.45	21.51
34.0	17.53	17.62	17.90	18.20	18.51	18.85	19.21	19.59	20.00	20.89	22.00
35.0	17.83	17.93	18.22	18.53	18.86	19.21	19.58	19.98	20.41	21.34	22.49
36.0	18.14	18.24	18.54	18.87	19.21	19.58	19.97	20.38	20.83	21.80	23.00
37.0	18.45	18.56	18.87	19.21	19.57	19.95	20.36	20.79	21.26	22.27	23.52
38.0	18.78	18.88	19.21	19.57	19.94	20.34	20.76	21.22	21.70	22.76	24.05
39.0	19.10	19.21	19.56	19.93	20.32	20.74	21.18	21.65	22.16	23.25	24.60
40.0	19.44	19.56	19.92	20.30	20.71	21.14	21.60	22.10	22.62	23.77	25.16
41.0	19.78	19.91	20.28	20.68	21.11	21.56	22.04	22.55	23.10	24.29	25.74
42.0	20.14	20.26	20.65	21.07	21.52	21.99	22.49	23.02	23.59	24.83	26.33
43.0	20.50	20.63	21.04	21.48	21.94	22.43	22.95	23.51	24.10	25.38	26.94
44.0	20.87	21.01	21.43	21.89	22.37	22.88	23.43	24.00	24.62	25.96	27.57
45.0	21.25	21.40	21.84	22.31	22.82	23.35	23.91	24.52	25.16	26.54	28.22
46.0	21.65	21.79	22.26	22.75	23.27	23.83	24.42	25.04	25.71	27.15	28.89
47.0	22.05	22.20	22.69	23.20	23.75	24.32	24.94	25.59	26.28	27.78	29.58
48.0	22.46	22.63	23.13	23.66	24.23	24.83	25.47	26.15	26.87	28.42	30.29
49.0	22.89	23.06	23.58	24.14	24.73	25.36	26.02	26.73	27.48	29.09	31.02
50.0	23.33	23.51	24.05	24.63	25.25	25.90	26.59	27.33	28.11	29.78	31.78
52.0	24.25	24.44	25.04	25.67	26.34	27.04	27.80	28.59	29.43	31.23	33.38
54.0	25.24	25.44	26.09	26.78	27.50	28.27	29.08	29.94	30.85	32.79	35.09
56.0	26.29	26.52	27.22	27.96	28.75	29.59	30.47	31.40	32.38	34.48	36.94
58.0	27.42	27.67	28.43	29.25	30.11	31.01	31.97	32.98	34.04	36.30	38.95
60.0	28.65	28.92	29.75	30.64	31.58	32.56	33.61	34.70	35.85	38.29	41.12
62.0	29.97	30.27	31.18	32.15	33.18	34.25	35.39	36.58	37.83	40.46	43.51
64.0	31.31	31.75	32.75	33.81	34.94	36.11	37.35	38.65	40.01	42.86	46.13
66.0	33.02	33.38	34.48	35.65	36.88	38.17	39.53	40.94	42.42	45.51	49.03
68.0	34.79	35.18	36.40	37.69	39.05	40.47	41.96	43.50	45.11	48.46	52.26
70.0	36.76	37.20	38.55	39.98	41.48	43.05	44.69	46.39	48.14	51.79	55.90

PERCENTAGE OF LOAN AMOUNT LEFT UNPAID AT DUE DATE

	100.0	97.10	88.40	79.69	70.99	62.29	53.59	44.88	36.18	18.77	.00

DISCOUNT %	MONTHLY PAYBACK RATE (%) (MONTHLY PAYMENT DIVIDED BY LOAN AMOUNT)										
	.83	.85	.90	.95	1.00	1.05	1.10	1.15	1.20	1.25	1.32
1.0	10.16	10.16	10.17	10.17	10.18	10.19	10.19	10.20	10.21	10.22	10.24
2.0	10.32	10.33	10.34	10.35	10.36	10.38	10.39	10.41	10.43	10.45	10.48
3.0	10.49	10.49	10.51	10.53	10.55	10.57	10.59	10.62	10.65	10.68	10.73
4.0	10.65	10.66	10.68	10.71	10.74	10.77	10.80	10.83	10.87	10.92	10.98
5.0	10.82	10.83	10.86	10.89	10.93	10.96	11.01	11.05	11.10	11.15	11.24
6.0	10.99	11.00	11.04	11.08	11.12	11.17	11.22	11.27	11.33	11.40	11.50
7.0	11.16	11.18	11.22	11.27	11.32	11.37	11.43	11.49	11.56	11.64	11.76
8.0	11.34	11.36	11.41	11.46	11.52	11.58	11.65	11.72	11.80	11.89	12.03
9.0	11.52	11.54	11.59	11.66	11.72	11.79	11.87	11.95	12.04	12.14	12.30
10.0	11.70	11.72	11.78	11.85	11.93	12.01	12.09	12.19	12.29	12.40	12.58
11.0	11.88	11.91	11.98	12.06	12.14	12.23	12.32	12.42	12.54	12.66	12.86
12.0	12.07	12.10	12.17	12.26	12.35	12.45	12.55	12.67	12.79	12.93	13.15
13.0	12.26	12.29	12.37	12.47	12.57	12.67	12.79	12.91	13.05	13.20	13.44
14.0	12.45	12.48	12.58	12.68	12.79	12.90	13.03	13.17	13.31	13.48	13.73
15.0	12.65	12.68	12.78	12.89	13.01	13.14	13.27	13.42	13.58	13.76	14.03
16.0	12.85	12.88	12.99	13.11	13.24	13.37	13.52	13.68	13.85	14.04	14.34
17.0	13.05	13.09	13.21	13.33	13.47	13.62	13.77	13.94	14.13	14.33	14.65
18.0	13.26	13.30	13.42	13.56	13.71	13.86	14.03	14.21	14.41	14.63	14.97
19.0	13.47	13.51	13.64	13.79	13.95	14.11	14.29	14.49	14.70	14.93	15.30
20.0	13.68	13.73	13.87	14.02	14.19	14.37	14.56	14.77	15.00	15.24	15.63
21.0	13.90	13.95	14.10	14.26	14.44	14.63	14.83	15.05	15.29	15.55	15.96
22.0	14.12	14.17	14.33	14.51	14.69	14.89	15.11	15.34	15.60	15.87	16.31
23.0	14.34	14.40	14.57	14.75	14.95	15.16	15.39	15.64	15.91	16.20	16.66
24.0	14.57	14.63	14.81	15.01	15.22	15.44	15.68	15.94	16.23	16.53	17.01
25.0	14.80	14.87	15.06	15.26	15.48	15.72	15.98	16.25	16.55	16.87	17.38
26.0	15.04	15.11	15.31	15.53	15.76	16.01	16.28	16.57	16.88	17.22	17.75
27.0	15.28	15.35	15.56	15.79	16.04	16.30	16.58	16.89	17.22	17.57	18.13
28.0	15.53	15.60	15.82	16.07	16.32	16.60	16.90	17.22	17.56	17.94	18.52
29.0	15.78	15.86	16.09	16.34	16.62	16.90	17.22	17.55	17.92	18.31	18.92
30.0	16.04	16.12	16.36	16.63	16.91	17.22	17.54	17.90	18.28	18.69	19.32
31.0	16.30	16.38	16.64	16.92	17.22	17.54	17.88	18.25	18.65	19.07	19.74
32.0	16.57	16.66	16.93	17.22	17.53	17.86	18.22	18.61	19.02	19.47	20.16
33.0	16.84	16.93	17.22	17.52	17.85	18.20	18.57	18.98	19.41	19.87	20.60
34.0	17.12	17.22	17.51	17.83	18.17	18.54	18.93	19.35	19.81	20.29	21.04
35.0	17.41	17.51	17.82	18.15	18.51	18.89	19.30	19.74	20.21	20.72	21.50
36.0	17.70	17.80	18.13	18.48	18.85	19.25	19.68	20.13	20.63	21.15	21.97
37.0	18.00	18.11	18.45	18.81	19.20	19.61	20.06	20.54	21.05	21.60	22.45
38.0	18.31	18.42	18.77	19.15	19.56	19.99	20.46	20.96	21.49	22.06	22.94
39.0	18.62	18.74	19.11	19.50	19.93	20.38	20.86	21.38	21.94	22.53	23.45
40.0	18.94	19.07	19.45	19.86	20.31	20.78	21.28	21.82	22.40	23.02	23.97
41.0	19.27	19.40	19.80	20.23	20.69	21.18	21.71	22.27	22.88	23.52	24.50
42.0	19.61	19.74	20.16	20.61	21.09	21.60	22.15	22.74	23.36	24.03	25.05
43.0	19.96	20.10	20.53	21.00	21.50	22.04	22.61	23.22	23.87	24.56	25.61
44.0	20.31	20.46	20.91	21.40	21.92	22.48	23.07	23.71	24.38	25.10	26.20
45.0	20.68	20.83	21.31	21.82	22.36	22.94	23.55	24.21	24.92	25.66	26.80
46.0	21.06	21.22	21.71	22.24	22.81	23.41	24.05	24.74	25.47	26.24	27.41
47.0	21.44	21.61	22.12	22.68	23.27	23.89	24.56	25.27	26.03	26.83	28.05
48.0	21.84	22.02	22.55	23.13	23.74	24.39	25.09	25.83	26.62	27.45	28.71
49.0	22.26	22.44	22.99	23.60	24.23	24.91	25.64	26.41	27.22	28.08	29.39
50.0	22.68	22.87	23.45	24.08	24.74	25.45	26.20	27.00	27.85	28.74	30.09
52.0	23.57	23.78	24.41	25.09	25.81	26.58	27.39	28.25	29.17	30.12	31.57
54.0	24.52	24.75	25.43	26.17	26.96	27.79	28.67	29.60	30.58	31.61	33.17
56.0	25.55	25.79	26.54	27.34	28.19	29.09	30.05	31.05	32.12	33.22	34.88
58.0	26.65	26.91	27.73	28.60	29.53	30.51	31.54	32.63	33.78	34.97	36.75
60.0	27.84	28.13	29.02	29.98	30.99	32.05	33.17	34.35	35.58	36.86	38.77
62.0	29.14	29.46	30.43	31.48	32.58	33.74	34.96	36.23	37.57	38.94	40.99
64.0	30.57	30.91	31.99	33.13	34.33	35.60	36.92	38.31	39.75	41.23	43.43
66.0	32.14	32.52	33.70	34.96	36.28	37.66	39.10	40.61	42.17	43.77	46.14
68.0	33.89	34.31	35.61	36.99	38.45	39.96	41.54	43.18	44.88	46.61	49.16
70.0	35.85	36.32	37.76	39.29	40.89	42.56	44.29	46.08	47.93	49.80	52.55
PERCENTAGE OF LOAN AMOUNT LEFT UNPAID AT DUE DATE											
	100.0	96.59	86.34	76.10	65.86	55.62	45.37	35.13	24.89	14.65	.00

DISCOUNT %	MONTHLY PAYBACK RATE (%) (MONTHLY PAYMENT DIVIDED BY LOAN AMOUNT)										
	1.00	1.25	1.50	1.75	2.00	2.25	2.50	2.75	3.00	3.50	4.00
1.0	10.16	10.22	10.28	10.35	10.41	10.46	10.52	10.58	10.64	10.75	10.87
2.0	10.32	10.45	10.57	10.70	10.82	10.94	11.05	11.17	11.29	11.52	11.75
3.0	10.48	10.68	10.87	11.05	11.23	11.41	11.59	11.77	11.95	12.30	12.64
4.0	10.64	10.91	11.16	11.41	11.66	11.90	12.14	12.38	12.61	13.08	13.55
5.0	10.81	11.15	11.47	11.78	12.09	12.39	12.69	12.99	13.29	13.88	14.47
6.0	10.98	11.39	11.77	12.15	12.52	12.89	13.26	13.62	13.98	14.70	15.40
7.0	11.15	11.63	12.08	12.53	12.97	13.40	13.83	14.25	14.68	15.52	16.35
8.0	11.33	11.88	12.40	12.91	13.41	13.91	14.41	14.90	15.39	16.36	17.32
9.0	11.51	12.13	12.72	13.30	13.87	14.44	15.00	15.55	16.11	17.21	18.29
10.0	11.69	12.39	13.05	13.70	14.34	14.97	15.60	16.22	16.84	18.07	19.29
11.0	11.87	12.65	13.38	14.10	14.81	15.51	16.21	16.90	17.58	18.95	20.30
12.0	12.06	12.91	13.72	14.51	15.29	16.06	16.82	17.58	18.34	19.84	21.32
13.0	12.26	13.18	14.06	14.92	15.77	16.62	17.45	18.28	19.11	20.74	22.37
14.0	12.45	13.46	14.41	15.35	16.27	17.18	18.09	18.99	19.89	21.67	23.43
15.0	12.65	13.74	14.77	15.78	16.77	17.76	18.74	19.71	20.68	22.60	24.50
16.0	12.85	14.02	15.13	16.21	17.29	18.35	19.40	20.45	21.49	23.55	25.60
17.0	13.06	14.31	15.50	16.66	17.81	18.95	20.07	21.20	22.31	24.52	26.72
18.0	13.27	14.60	15.87	17.11	18.34	19.55	20.76	21.96	23.15	25.51	27.85
19.0	13.49	14.91	16.25	17.58	18.88	20.17	21.46	22.73	24.00	26.51	29.01
20.0	13.71	15.21	16.64	18.05	19.43	20.80	22.17	23.52	24.87	27.54	30.18
21.0	13.93	15.52	17.04	18.52	19.99	21.44	22.89	24.32	25.75	28.58	31.38
22.0	14.16	15.84	17.44	19.01	20.56	22.10	23.62	25.14	26.65	29.64	32.60
23.0	14.40	16.17	17.86	19.51	21.15	22.77	24.37	25.97	27.56	30.72	33.85
24.0	14.64	16.50	18.28	20.02	21.74	23.44	25.14	26.82	28.50	31.82	35.11
25.0	14.88	16.84	18.71	20.54	22.35	24.14	25.92	27.69	29.45	32.94	36.41
26.0	15.13	17.18	19.14	21.06	22.96	24.84	26.71	28.57	30.42	34.09	37.73
27.0	15.39	17.54	19.59	21.60	23.59	25.57	27.53	29.47	31.41	35.26	39.07
28.0	15.65	17.90	20.05	22.15	24.24	26.30	28.35	30.39	32.42	36.45	40.44
29.0	15.92	18.27	20.51	22.72	24.90	27.05	29.20	31.33	33.45	37.67	41.85
30.0	16.19	18.65	20.99	23.29	25.57	27.82	30.06	32.29	34.51	38.91	43.28
31.0	16.48	19.03	21.48	23.88	26.25	28.61	30.95	33.27	35.59	40.18	44.74
32.0	16.76	19.43	21.98	24.48	26.95	29.41	31.85	34.27	36.69	41.48	46.23
33.0	17.06	19.83	22.49	25.09	27.67	30.23	32.77	35.30	37.81	42.81	47.76
34.0	17.36	20.25	23.01	25.72	28.41	31.07	33.72	36.35	38.96	44.16	49.32
35.0	17.68	20.67	23.54	26.37	29.16	31.93	34.68	37.42	40.14	45.55	50.92
36.0	18.00	21.11	24.09	27.03	29.93	32.81	35.67	38.52	41.35	46.98	52.56
37.0	18.33	21.55	24.66	27.70	30.72	33.71	36.68	39.64	42.58	48.43	54.24
38.0	18.66	22.01	25.23	28.40	31.53	34.63	37.72	40.79	43.85	49.93	55.95
39.0	19.01	22.48	25.82	29.11	32.36	35.58	38.78	41.97	45.15	51.45	57.72
40.0	19.37	22.97	26.43	29.84	33.21	36.55	39.88	43.18	46.48	53.02	59.52
41.0	19.74	23.47	27.05	30.58	34.08	37.55	41.00	44.43	47.84	54.63	61.37
42.0	20.12	23.98	27.70	31.35	34.98	38.57	42.15	45.70	49.25	56.29	63.28
43.0	20.51	24.50	28.36	32.15	35.90	39.62	43.33	47.01	50.69	57.98	65.23
44.0	20.91	25.05	29.03	32.96	36.85	40.70	44.54	48.36	52.17	59.73	67.24
45.0	21.33	25.61	29.73	33.80	37.82	41.82	45.79	49.75	53.69	61.52	69.30
46.0	21.76	26.18	30.45	34.66	38.83	42.96	47.08	51.18	55.26	63.37	71.43
47.0	22.21	26.78	31.20	35.55	39.86	44.14	48.40	52.64	56.87	65.27	73.62
48.0	22.67	27.39	31.96	36.46	40.93	45.36	49.77	54.16	58.53	67.23	75.87
49.0	23.15	28.03	32.75	37.41	42.03	46.61	51.18	55.72	60.25	69.25	78.20
50.0	23.64	28.68	33.57	38.39	43.16	47.91	52.63	57.33	62.02	71.33	80.59
51.0	24.16	29.36	34.42	39.40	44.34	49.25	54.13	59.00	63.84	73.49	83.07
52.0	24.69	30.07	35.29	40.44	45.55	50.63	55.69	60.72	65.73	75.71	85.63
53.0	25.25	30.80	36.20	41.53	46.81	52.06	57.29	62.50	67.69	78.01	88.28
54.0	25.82	31.56	37.14	42.65	48.11	53.55	58.95	64.34	69.71	80.39	91.02
55.0	26.42	32.35	38.12	43.81	49.46	55.08	60.68	66.25	71.81	82.86	93.86
56.0	27.05	33.17	39.13	45.02	50.87	56.64	62.47	68.23	73.98	85.42	96.80
57.0	27.70	34.02	40.19	46.28	52.32	58.34	64.33	70.29	76.24	88.08	99.86
58.0	28.39	34.91	41.28	47.58	53.84	60.06	66.26	72.43	78.59	90.84	103.04
59.0	29.10	35.84	42.43	48.95	55.42	61.84	68.27	74.66	81.03	93.72	106.34
60.0	29.85	36.81	43.63	50.37	57.06	63.73	70.37	76.98	83.58	96.71	109.79
NUMBER OF MONTHLY PAYMENTS NEEDED TO PAY OFF LOAN											
	215.9	132.4	97.7	77.9	64.9	55.7	48.9	43.5	39.2	32.8	28.2

MONTHLY PAYBACK RATE (%)
(MONTHLY PAYMENT DIVIDED BY LOAN AMOUNT)

DISCOUNT %	.85	1.00	1.50	2.00	3.00	4.00	5.00	6.00	7.00	8.00	8.80
.5	10.78	10.78	10.80	10.82	10.85	10.89	10.94	10.99	11.05	11.13	11.20
1.0	11.31	11.32	11.35	11.38	11.46	11.54	11.63	11.74	11.87	12.01	12.15
1.5	11.85	11.86	11.91	11.96	12.07	12.19	12.33	12.49	12.68	12.91	13.12
2.0	12.39	12.40	12.47	12.53	12.68	12.84	13.03	13.25	13.50	13.80	14.09
2.5	12.93	12.95	13.03	13.11	13.29	13.50	13.74	14.01	14.33	14.71	15.07
3.0	13.47	13.50	13.59	13.70	13.91	14.16	14.45	14.78	15.16	15.62	16.05
3.5	14.02	14.05	14.16	14.28	14.54	14.83	15.17	15.55	16.00	16.54	17.04
4.0	14.57	14.61	14.74	14.87	15.17	15.50	15.89	16.33	16.85	17.46	18.04
4.5	15.13	15.17	15.31	15.46	15.80	16.18	16.61	17.12	17.70	18.40	19.05
5.0	15.68	15.73	15.89	16.06	16.43	16.86	17.34	17.91	18.56	19.33	20.06
5.5	16.25	16.30	16.47	16.66	17.08	17.54	18.08	18.70	19.42	20.28	21.09
6.0	16.81	16.87	17.06	17.27	17.72	18.23	18.82	19.50	20.30	21.23	22.12
6.5	17.38	17.44	17.65	17.87	18.37	18.93	19.57	20.31	21.17	22.19	23.16
7.0	17.95	18.01	18.24	18.49	19.02	19.63	20.32	21.12	22.06	23.16	24.20
7.5	18.52	18.59	18.84	19.10	19.68	20.33	21.08	21.94	22.95	24.14	25.26
8.0	19.10	19.18	19.44	19.72	20.34	21.04	21.84	22.76	23.85	25.12	26.32
8.5	19.68	19.76	20.05	20.35	21.00	21.75	22.61	23.60	24.75	26.11	27.39
9.0	20.27	20.35	20.65	20.97	21.67	22.47	23.38	24.43	25.66	27.11	28.47
9.5	20.86	20.95	21.27	21.61	22.35	23.19	24.16	25.28	26.58	28.12	29.56
10.0	21.45	21.54	21.88	22.24	23.03	23.92	24.94	26.13	27.51	29.13	30.66
10.5	22.04	22.15	22.50	22.88	23.71	24.65	25.73	26.98	28.44	30.16	31.77
11.0	22.64	22.75	23.13	23.53	24.40	25.39	26.53	27.85	29.38	31.19	32.89
11.5	23.25	23.36	23.76	24.17	25.09	26.14	27.33	28.71	30.33	32.23	34.01
12.0	23.86	23.97	24.39	24.83	25.79	26.89	28.14	29.59	31.28	33.27	35.15
12.5	24.47	24.59	25.02	25.48	26.49	27.64	28.96	30.47	32.25	34.33	36.29
13.0	25.08	25.21	25.66	26.15	27.20	28.40	29.78	31.36	33.22	35.40	37.45
13.5	25.70	25.84	26.31	26.81	27.91	29.17	30.60	32.26	34.19	36.47	38.61
14.0	26.32	26.46	26.96	27.48	28.63	29.94	31.44	33.17	35.18	37.56	39.78
14.5	26.95	27.10	27.61	28.16	29.35	30.72	32.28	34.08	36.18	38.65	40.97
15.0	27.58	27.73	28.27	28.84	30.08	31.50	33.12	35.00	37.18	39.75	42.16
15.5	28.22	28.38	28.93	29.52	30.82	32.29	33.97	35.92	38.19	40.86	43.37
16.0	28.86	29.02	29.60	30.21	31.55	33.08	34.83	36.86	39.21	41.99	44.58
16.5	29.50	29.67	30.27	30.91	32.30	33.88	35.70	37.80	40.24	43.12	45.81
17.0	30.15	30.33	30.95	31.60	33.05	34.69	36.57	38.75	41.28	44.26	47.05
17.5	30.80	30.99	31.63	32.31	33.80	35.50	37.45	39.70	42.33	45.41	48.30
18.0	31.46	31.65	32.31	33.02	34.56	36.32	38.34	40.67	43.38	46.57	49.56
18.5	32.12	32.32	33.00	33.73	35.33	37.15	39.23	41.64	44.45	47.75	50.83
19.0	32.79	32.99	33.70	34.45	36.10	37.98	40.14	42.62	45.52	48.93	52.11
19.5	33.46	33.67	34.40	35.18	36.88	38.82	41.05	43.62	46.61	50.12	53.41
20.0	34.14	34.35	35.10	35.91	37.67	39.67	41.96	44.61	47.70	51.33	54.71
20.5	34.82	35.04	35.82	36.64	38.46	40.52	42.89	45.62	48.81	52.54	56.03
21.0	35.50	35.73	36.53	37.38	39.25	41.38	43.82	46.64	49.92	53.77	57.37
21.5	36.19	36.43	37.25	38.13	40.05	42.25	44.76	47.66	51.04	55.01	58.71
22.0	36.89	37.13	37.98	38.88	40.86	43.12	45.71	48.70	52.18	56.26	60.07
22.5	37.59	37.84	38.71	39.64	41.68	44.00	46.66	49.74	53.32	57.52	61.44
23.0	38.29	38.55	39.45	40.40	42.50	44.89	47.63	50.79	54.48	58.80	62.82
23.5	39.00	39.26	40.19	41.17	43.33	45.79	48.60	51.86	55.65	60.08	64.22
24.0	39.72	39.99	40.94	41.95	44.16	46.69	49.58	52.93	56.82	61.38	65.63
24.5	40.44	40.72	41.69	42.73	45.01	47.60	50.58	54.01	58.01	62.70	67.06
25.0	41.17	41.45	42.45	43.52	45.85	48.52	51.58	55.11	59.21	64.02	68.50
25.5	41.90	42.19	43.22	44.31	46.71	49.45	52.58	56.21	60.42	65.36	69.95
26.0	42.64	42.93	43.99	45.11	47.57	50.38	53.60	57.32	61.65	66.71	71.42
26.5	43.38	43.68	44.77	45.92	48.44	51.32	54.63	58.45	62.88	68.08	72.91
27.0	44.13	44.44	45.55	46.73	49.32	52.28	55.66	59.58	64.13	69.46	74.41
27.5	44.88	45.20	46.34	47.55	50.21	53.24	56.71	60.73	65.39	70.85	75.92
28.0	45.64	45.97	47.14	48.38	51.10	54.20	57.77	61.88	66.67	72.26	77.45
28.5	46.41	46.75	47.94	49.21	52.00	55.18	58.83	63.05	67.95	73.69	79.00
29.0	47.18	47.53	48.75	50.05	52.91	56.17	59.91	64.23	69.25	75.12	80.57
29.5	47.96	48.31	49.57	50.90	53.82	57.16	61.00	65.42	70.57	76.58	82.15
30.0	48.75	49.11	50.39	51.75	54.75	58.17	62.09	66.63	71.89	78.05	83.75

PERCENTAGE OF LOAN AMOUNT LEFT UNPAID AT DUE DATE

	.85	1.00	1.50	2.00	3.00	4.00	5.00	6.00	7.00	8.00	8.80
	100.0	98.17	91.88	85.59	73.01	60.43	47.84	35.26	22.68	10.10	.00

DISCOUNT %	MONTHLY PAYBACK RATE (%) (MONTHLY PAYMENT DIVIDED BY LOAN AMOUNT)										
	.85	1.00	1.25	1.50	1.75	2.00	2.50	3.00	3.50	4.00	4.63
.5	10.53	10.53	10.54	10.55	10.56	10.57	10.60	10.62	10.66	10.69	10.75
1.0	10.81	10.82	10.84	10.85	10.87	10.90	10.94	11.00	11.06	11.14	11.26
1.5	11.09	11.10	11.13	11.16	11.19	11.22	11.29	11.38	11.47	11.59	11.77
2.0	11.37	11.39	11.43	11.47	11.51	11.55	11.65	11.76	11.89	12.04	12.28
2.5	11.66	11.68	11.73	11.77	11.83	11.88	12.00	12.14	12.30	12.50	12.80
3.0	11.94	11.97	12.03	12.09	12.15	12.21	12.36	12.53	12.72	12.96	13.32
3.5	12.23	12.27	12.33	12.40	12.47	12.55	12.72	12.91	13.14	13.42	13.84
4.0	12.52	12.56	12.63	12.71	12.79	12.88	13.08	13.30	13.57	13.88	14.37
4.5	12.81	12.86	12.94	13.03	13.12	13.22	13.44	13.70	14.00	14.35	14.90
5.0	13.10	13.16	13.25	13.35	13.45	13.56	13.81	14.09	14.43	14.82	15.44
5.5	13.40	13.46	13.56	13.67	13.78	13.90	14.18	14.49	14.86	15.30	15.98
6.0	13.70	13.76	13.87	13.99	14.11	14.25	14.55	14.89	15.30	15.78	16.52
6.5	13.99	14.06	14.18	14.31	14.45	14.60	14.92	15.30	15.74	16.26	17.07
7.0	14.29	14.37	14.50	14.64	14.79	14.94	15.30	15.71	16.18	16.75	17.62
7.5	14.60	14.67	14.82	14.97	15.13	15.30	15.68	16.12	16.63	17.24	18.18
8.0	14.90	14.98	15.14	15.30	15.47	15.65	16.06	16.53	17.08	17.73	18.74
8.5	15.20	15.30	15.46	15.63	15.81	16.01	16.44	16.95	17.53	18.23	19.31
9.0	15.51	15.61	15.78	15.96	16.16	16.37	16.83	17.36	17.99	18.73	19.88
9.5	15.82	15.92	16.11	16.30	16.51	16.73	17.22	17.79	18.45	19.24	20.45
10.0	16.13	16.24	16.43	16.64	16.86	17.09	17.61	18.21	18.92	19.75	21.03
10.5	16.45	16.56	16.76	16.98	17.21	17.46	18.00	18.64	19.38	20.26	21.61
11.0	16.76	16.88	17.09	17.32	17.57	17.83	18.40	19.07	19.85	20.78	22.20
11.5	17.08	17.20	17.43	17.67	17.92	18.20	18.80	19.51	20.33	21.30	22.79
12.0	17.40	17.53	17.76	18.02	18.28	18.57	19.21	19.94	20.81	21.83	23.39
12.5	17.72	17.86	18.10	18.37	18.65	18.95	19.61	20.39	21.29	22.36	23.99
13.0	18.04	18.18	18.44	18.72	19.01	19.33	20.02	20.83	21.77	22.89	24.60
13.5	18.37	18.52	18.79	19.07	19.38	19.71	20.44	21.28	22.26	23.43	25.22
14.0	18.69	18.85	19.13	19.43	19.75	20.09	20.85	21.73	22.76	23.97	25.83
14.5	19.02	19.19	19.48	19.79	20.12	20.48	21.27	22.19	23.26	24.52	26.46
15.0	19.35	19.52	19.83	20.15	20.50	20.87	21.69	22.64	23.76	25.07	27.09
15.5	19.69	19.86	20.18	20.52	20.88	21.26	22.12	23.11	24.26	25.63	27.72
16.0	20.02	20.21	20.53	20.88	21.26	21.66	22.54	23.57	24.77	26.19	28.36
16.5	20.36	20.55	20.89	21.25	21.64	22.06	22.98	24.04	25.29	26.76	29.00
17.0	20.70	20.90	21.25	21.63	22.03	22.46	23.41	24.51	25.81	27.33	29.65
17.5	21.04	21.25	21.61	22.00	22.42	22.86	23.85	24.99	26.33	27.90	30.31
18.0	21.39	21.60	21.98	22.38	22.81	23.27	24.29	25.47	26.85	28.48	30.97
18.5	21.74	21.95	22.35	22.76	23.21	23.68	24.74	25.96	27.39	29.07	31.64
19.0	22.09	22.31	22.72	23.14	23.60	24.09	25.18	26.45	27.92	29.66	32.31
19.5	22.44	22.67	23.09	23.53	24.00	24.51	25.64	26.94	28.46	30.26	32.99
20.0	22.79	23.03	23.46	23.92	24.41	24.93	26.09	27.44	29.01	30.86	33.68
21.0	23.51	23.77	24.22	24.71	25.23	25.78	27.02	28.45	30.11	32.08	35.07
22.0	24.24	24.51	24.99	25.51	26.06	26.65	27.95	29.47	31.24	33.32	36.49
23.0	24.98	25.26	25.77	26.32	26.90	27.52	28.91	30.51	32.39	34.59	37.94
24.0	25.73	26.03	26.57	27.14	27.76	28.41	29.88	31.57	33.55	35.88	39.41
25.0	26.49	26.80	27.37	27.98	28.63	29.32	30.87	32.65	34.74	37.19	40.91
26.0	27.26	27.59	28.19	28.83	29.51	30.24	31.87	33.75	35.95	38.53	42.44
27.0	28.04	28.39	29.02	29.69	30.41	31.18	32.89	34.87	37.19	39.90	44.00
28.0	28.84	29.20	29.87	30.57	31.33	32.13	33.93	36.02	38.44	41.30	45.60
29.0	29.64	30.03	30.72	31.46	32.26	33.11	34.99	37.18	39.73	42.72	47.23
30.0	30.46	30.87	31.60	32.37	33.20	34.09	36.07	38.37	41.04	44.17	48.89
31.0	31.30	31.72	32.48	33.30	34.17	35.10	37.17	39.58	42.38	45.66	50.59
32.0	32.15	32.59	33.39	34.24	35.15	36.12	38.30	40.81	43.74	47.17	52.33
33.0	33.01	33.47	34.31	35.20	36.15	37.17	39.44	42.07	45.14	48.72	54.10
34.0	33.89	34.37	35.24	36.17	37.17	38.23	40.61	43.36	46.56	50.31	55.92
35.0	34.78	35.28	36.19	37.16	38.20	39.32	41.80	44.67	48.02	51.93	57.77
36.0	35.69	36.21	37.16	38.18	39.26	40.42	43.01	46.01	49.51	53.58	59.68
37.0	36.61	37.16	38.15	39.21	40.34	41.55	44.25	47.39	51.03	55.28	61.63
38.0	37.55	38.12	39.15	40.26	41.44	42.70	45.52	48.79	52.59	57.02	63.62
39.0	38.51	39.11	40.18	41.33	42.56	43.88	46.82	50.22	54.18	58.80	65.67
40.0	39.49	40.11	41.23	42.42	43.70	45.08	48.14	51.69	55.82	60.63	67.77
⌀ PERCENTAGE OF LOAN AMOUNT LEFT UNPAID AT DUE DATE	100.0	96.13	89.51	82.88	76.25	69.62	56.37	43.11	29.85	16.60	.00

DISCOUNT %	MONTHLY PAYBACK RATE (%) (MONTHLY PAYMENT DIVIDED BY LOAN AMOUNT)										
	.85	1.00	1.25	1.50	1.75	2.00	2.25	2.50	2.75	3.00	3.24
.5	10.44	10.45	10.46	10.47	10.48	10.50	10.51	10.53	10.55	10.57	10.59
1.0	10.64	10.65	10.67	10.69	10.72	10.74	10.78	10.81	10.85	10.89	10.94
1.5	10.84	10.85	10.88	10.92	10.95	10.99	11.04	11.09	11.15	11.22	11.29
2.0	11.04	11.06	11.10	11.14	11.19	11.25	11.31	11.38	11.46	11.55	11.64
2.5	11.23	11.26	11.31	11.37	11.43	11.50	11.58	11.66	11.76	11.88	12.00
3.0	11.44	11.47	11.53	11.60	11.67	11.75	11.85	11.95	12.07	12.21	12.36
3.5	11.64	11.68	11.75	11.83	11.91	12.01	12.12	12.24	12.38	12.54	12.72
4.0	11.84	11.88	11.97	12.06	12.16	12.27	12.39	12.53	12.70	12.88	13.08
4.5	12.04	12.09	12.19	12.29	12.40	12.53	12.67	12.83	13.01	13.22	13.45
5.0	12.25	12.31	12.41	12.52	12.65	12.79	12.95	13.13	13.33	13.56	13.82
5.5	12.46	12.52	12.63	12.76	12.90	13.05	13.23	13.42	13.65	13.91	14.19
6.0	12.66	12.73	12.86	12.99	13.15	13.32	13.51	13.73	13.97	14.25	14.56
6.5	12.87	12.95	13.08	13.23	13.40	13.58	13.79	14.03	14.30	14.60	14.94
7.0	13.08	13.16	13.31	13.47	13.65	13.85	14.08	14.33	14.62	14.96	15.32
7.5	13.29	13.38	13.54	13.71	13.91	14.12	14.37	14.64	14.95	15.31	15.70
8.0	13.51	13.60	13.77	13.96	14.17	14.40	14.66	14.95	15.29	15.67	16.09
8.5	13.72	13.82	14.00	14.20	14.42	14.67	14.95	15.26	15.62	16.03	16.48
9.0	13.94	14.04	14.24	14.45	14.68	14.95	15.24	15.58	15.96	16.39	16.87
9.5	14.15	14.27	14.47	14.70	14.95	15.23	15.54	15.90	16.30	16.76	17.26
10.0	14.37	14.49	14.71	14.95	15.21	15.51	15.84	16.21	16.64	17.13	17.66
11.0	14.81	14.94	15.18	15.45	15.75	16.07	16.44	16.86	17.33	17.87	18.47
12.0	15.26	15.40	15.67	15.96	16.29	16.65	17.06	17.52	18.04	18.63	19.28
13.0	15.71	15.87	16.16	16.48	16.84	17.23	17.68	18.18	18.75	19.41	20.12
14.0	16.17	16.34	16.66	17.01	17.40	17.83	18.31	18.86	19.48	20.19	20.96
15.0	16.63	16.82	17.16	17.54	17.96	18.43	18.96	19.55	20.22	20.99	21.82
16.0	17.10	17.31	17.67	18.08	18.54	19.04	19.61	20.25	20.97	21.80	22.70
17.0	17.58	17.80	18.19	18.63	19.12	19.66	20.27	20.96	21.74	22.62	23.59
18.0	18.07	18.30	18.72	19.19	19.71	20.29	20.95	21.68	22.51	23.46	24.49
19.0	18.56	18.80	19.26	19.76	20.31	20.94	21.63	22.42	23.31	24.32	25.42
20.0	19.05	19.31	19.80	20.33	20.93	21.59	22.33	23.17	24.11	25.19	26.36
21.0	19.56	19.84	20.35	20.92	21.55	22.25	23.04	23.93	24.93	26.07	27.31
22.0	20.07	20.36	20.91	21.51	22.18	22.93	23.76	24.70	25.77	26.98	28.29
23.0	20.59	20.90	21.48	22.11	22.82	23.61	24.50	25.49	26.62	27.90	29.28
24.0	21.12	21.45	22.05	22.73	23.48	24.31	25.24	26.30	27.48	28.83	30.29
25.0	21.65	22.00	22.64	23.35	24.14	25.02	26.01	27.11	28.37	29.79	31.32
26.0	22.20	22.56	23.24	23.99	24.82	25.74	26.78	27.95	29.27	30.76	32.37
27.0	22.75	23.13	23.84	24.63	25.50	26.48	27.57	28.80	30.19	31.76	33.45
28.0	23.31	23.71	24.46	25.29	26.21	27.23	28.38	29.67	31.12	32.77	34.54
29.0	23.88	24.30	25.09	25.95	26.92	27.99	29.20	30.55	32.08	33.81	35.66
30.0	24.46	24.90	25.73	26.63	27.65	28.77	30.04	31.46	33.06	34.86	36.80
31.0	25.05	25.51	26.37	27.33	28.39	29.57	30.89	32.38	34.05	35.94	37.97
32.0	25.65	26.14	27.04	28.03	29.14	30.38	31.77	33.32	35.07	37.05	39.16
33.0	26.26	26.77	27.71	28.75	29.91	31.21	32.66	34.28	36.11	38.17	40.38
34.0	26.88	27.41	28.39	29.48	30.70	32.05	33.57	35.27	37.18	39.33	41.63
35.0	27.51	28.07	29.09	30.23	31.50	32.91	34.50	36.27	38.27	40.51	42.91
36.0	28.15	28.73	29.81	30.99	32.32	33.79	35.45	37.30	39.38	41.72	44.21
37.0	28.81	29.41	30.53	31.77	33.15	34.69	36.42	38.35	40.52	42.96	45.55
38.0	29.48	30.11	31.27	32.57	34.01	35.61	37.41	39.43	41.69	44.22	46.92
39.0	30.16	30.81	32.03	33.38	34.88	36.55	38.43	40.53	42.88	45.52	48.33
40.0	30.85	31.53	32.80	34.21	35.77	37.52	39.47	41.66	44.11	46.86	49.77
41.0	31.56	32.27	33.59	35.05	36.68	38.50	40.54	42.82	45.37	48.22	51.25
42.0	32.28	33.02	34.39	35.92	37.62	39.51	41.63	44.01	46.66	49.63	52.77
43.0	33.01	33.78	35.21	36.80	38.57	40.55	42.75	45.22	47.99	51.07	54.33
44.0	33.77	34.57	36.06	37.71	39.55	41.61	43.91	46.48	49.35	52.55	55.93
45.0	34.53	35.37	36.92	38.64	40.55	42.69	45.09	47.76	50.75	54.08	57.58
46.0	35.32	36.19	37.80	39.59	41.58	43.81	46.30	49.08	52.19	55.64	59.28
47.0	36.12	37.02	38.70	40.56	42.64	44.96	47.55	50.44	53.67	57.26	61.03
48.0	36.94	37.88	39.62	41.56	43.72	46.14	48.83	51.84	55.20	58.92	62.83
49.0	37.78	38.76	40.57	42.59	44.84	47.35	50.15	53.29	56.77	60.64	64.69
50.0	38.64	39.65	41.54	43.64	45.98	48.59	51.51	54.77	58.39	62.41	66.60
▽Φ	PERCENTAGE OF LOAN AMOUNT LEFT UNPAID AT DUE DATE										
	100.0	93.88	83.40	72.91	62.43	51.94	41.46	30.97	20.49	10.00	.00

DISCOUNT %	MONTHLY PAYBACK RATE (%) (MONTHLY PAYMENT DIVIDED BY LOAN AMOUNT)										
	.85	.90	1.00	1.20	1.40	1.60	1.80	2.00	2.20	2.40	2.55
.5	10.40	10.40	10.41	10.42	10.43	10.44	10.45	10.46	10.48	10.50	10.51
1.0	10.56	10.56	10.57	10.59	10.61	10.63	10.65	10.68	10.71	10.75	10.78
1.5	10.71	10.72	10.73	10.76	10.79	10.82	10.85	10.90	10.95	11.00	11.05
2.0	10.87	10.87	10.89	10.93	10.97	11.01	11.06	11.12	11.18	11.26	11.32
2.5	11.02	11.03	11.06	11.10	11.15	11.20	11.27	11.34	11.42	11.52	11.59
3.0	11.18	11.19	11.22	11.27	11.33	11.40	11.47	11.56	11.66	11.77	11.87
3.5	11.34	11.35	11.38	11.45	11.52	11.60	11.68	11.78	11.90	12.03	12.15
4.0	11.50	11.52	11.55	11.62	11.70	11.79	11.89	12.01	12.14	12.30	12.43
4.5	11.66	11.68	11.72	11.80	11.89	11.99	12.10	12.24	12.39	12.56	12.71
5.0	11.82	11.84	11.89	11.98	12.08	12.19	12.32	12.47	12.63	12.83	12.99
5.5	11.99	12.01	12.05	12.15	12.27	12.39	12.53	12.70	12.88	13.10	13.28
6.0	12.15	12.17	12.22	12.33	12.46	12.60	12.75	12.93	13.13	13.37	13.56
6.5	12.32	12.34	12.40	12.52	12.65	12.80	12.97	13.16	13.38	13.64	13.85
7.0	12.48	12.51	12.57	12.70	12.84	13.00	13.19	13.40	13.63	13.91	14.15
7.5	12.65	12.68	12.74	12.88	13.04	13.21	13.41	13.63	13.89	14.19	14.44
8.0	12.82	12.85	12.92	13.07	13.23	13.42	13.63	13.87	14.15	14.47	14.74
8.5	12.98	13.02	13.09	13.25	13.43	13.63	13.85	14.11	14.41	14.75	15.04
9.0	13.15	13.19	13.27	13.44	13.63	13.84	14.08	14.36	14.67	15.03	15.34
9.5	13.33	13.36	13.45	13.63	13.83	14.05	14.31	14.60	14.93	15.32	15.64
10.0	13.50	13.54	13.63	13.82	14.03	14.27	14.54	14.85	15.20	15.61	15.95
11.0	13.85	13.89	13.99	14.20	14.44	14.70	15.00	15.34	15.73	16.19	16.57
12.0	14.20	14.25	14.36	14.59	14.85	15.14	15.47	15.85	16.28	16.78	17.20
13.0	14.56	14.61	14.73	14.98	15.27	15.59	15.95	16.37	16.83	17.38	17.84
14.0	14.92	14.97	15.10	15.38	15.69	16.04	16.44	16.89	17.40	17.99	18.49
15.0	15.28	15.35	15.49	15.79	16.13	16.51	16.93	17.42	17.97	18.61	19.15
16.0	15.66	15.72	15.87	16.20	16.56	16.97	17.43	17.96	18.55	19.24	19.82
17.0	16.03	16.11	16.27	16.62	17.01	17.45	17.94	18.51	19.15	19.89	20.51
18.0	16.42	16.49	16.67	17.04	17.46	17.93	18.46	19.06	19.75	20.54	21.20
19.0	16.81	16.89	17.07	17.47	17.92	18.42	18.99	19.63	20.36	21.21	21.91
20.0	17.20	17.29	17.48	17.91	18.39	18.92	19.52	20.21	20.99	21.89	22.64
21.0	17.60	17.69	17.90	18.35	18.86	19.43	20.07	20.80	21.63	22.58	23.37
22.0	18.00	18.10	18.33	18.81	19.34	19.95	20.62	21.40	22.27	23.28	24.12
23.0	18.42	18.52	18.76	19.26	19.83	20.47	21.19	22.01	22.93	24.00	24.89
24.0	18.84	18.94	19.19	19.73	20.33	21.01	21.76	22.63	23.61	24.73	25.66
25.0	19.26	19.38	19.64	20.21	20.84	21.55	22.35	23.26	24.29	25.48	26.46
26.0	19.69	19.81	20.09	20.69	21.36	22.10	22.95	23.91	24.99	26.24	27.27
27.0	20.13	20.26	20.55	21.18	21.88	22.67	23.56	24.56	25.71	27.01	28.10
28.0	20.58	20.71	21.02	21.68	22.42	23.24	24.18	25.23	26.43	27.80	28.94
29.0	21.03	21.17	21.49	22.19	22.96	23.83	24.81	25.92	27.18	28.61	29.80
30.0	21.49	21.64	21.98	22.70	23.52	24.43	25.45	26.62	27.94	29.44	30.68
31.0	21.96	22.12	22.47	23.23	24.08	25.04	26.11	27.33	28.71	30.28	31.58
32.0	22.44	22.60	22.97	23.77	24.66	25.66	26.78	28.06	29.50	31.14	32.50
33.0	22.93	23.09	23.48	24.31	25.25	26.29	27.47	28.80	30.31	32.03	33.44
34.0	23.42	23.60	24.00	24.87	25.85	26.94	28.17	29.57	31.14	32.93	34.40
35.0	23.92	24.11	24.53	25.44	26.46	27.60	28.89	30.34	31.99	33.85	35.38
36.0	24.44	24.63	25.07	26.02	27.08	28.28	29.62	31.14	32.85	34.79	36.39
37.0	24.96	25.16	25.62	26.61	27.72	28.97	30.37	31.95	33.74	35.76	37.42
38.0	25.50	25.70	26.18	27.22	28.37	29.67	31.14	32.79	34.65	36.75	38.48
39.0	26.04	26.26	26.76	27.83	29.04	30.40	31.92	33.64	35.58	37.77	39.56
40.0	26.59	26.82	27.34	28.46	29.72	31.14	32.73	34.52	36.54	38.81	40.67
41.0	27.16	27.40	27.94	29.11	30.42	31.89	33.55	35.42	37.52	39.88	41.82
42.0	27.74	27.99	28.55	29.77	31.14	32.67	34.39	36.34	38.52	40.98	42.99
43.0	28.33	28.59	29.17	30.44	31.87	33.46	35.26	37.29	39.56	42.11	44.19
44.0	28.93	29.20	29.81	31.13	32.62	34.28	36.15	38.26	40.62	43.27	45.43
45.0	29.55	29.83	30.46	31.84	33.38	35.12	37.06	39.26	41.71	44.47	46.70
46.0	30.18	30.47	31.13	32.57	34.17	35.98	38.00	40.28	42.84	45.69	48.01
47.0	30.83	31.13	31.82	33.31	34.98	36.86	38.97	41.34	43.99	46.96	49.36
48.0	31.49	31.80	32.52	34.07	35.81	37.77	39.96	42.43	45.19	48.26	50.75
49.0	32.17	32.49	33.24	34.85	36.66	38.70	40.98	43.55	46.42	49.61	52.19
50.0	32.86	33.20	33.98	35.66	37.54	39.66	42.04	44.71	47.68	51.00	53.67
▽Φ	PERCENTAGE OF LOAN AMOUNT LEFT UNPAID AT DUE DATE										
	100.0	97.29	91.39	79.59	67.78	55.98	44.17	32.36	20.56	8.75	.00

DISCOUNT %	MONTHLY PAYBACK RATE (%) (MONTHLY PAYMENT DIVIDED BY LOAN AMOUNT)										
	.85	.90	1.00	1.10	1.20	1.30	1.40	1.60	1.80	2.00	2.14
.5	10.38	10.38	10.38	10.39	10.39	10.40	10.41	10.42	10.43	10.45	10.47
1.0	10.51	10.51	10.52	10.53	10.54	10.55	10.56	10.59	10.62	10.66	10.69
1.5	10.64	10.64	10.66	10.67	10.69	10.70	10.72	10.76	10.80	10.86	10.91
2.0	10.77	10.78	10.79	10.81	10.83	10.85	10.88	10.93	10.99	11.07	11.13
2.5	10.90	10.91	10.93	10.96	10.98	11.01	11.04	11.10	11.18	11.28	11.35
3.0	11.03	11.04	11.07	11.10	11.13	11.16	11.20	11.28	11.37	11.49	11.58
3.5	11.17	11.18	11.21	11.24	11.28	11.32	11.36	11.45	11.56	11.70	11.80
4.0	11.30	11.32	11.35	11.39	11.43	11.48	11.52	11.63	11.76	11.91	12.03
4.5	11.44	11.45	11.49	11.54	11.58	11.63	11.69	11.81	11.95	12.12	12.26
5.0	11.57	11.59	11.64	11.68	11.74	11.79	11.85	11.99	12.15	12.34	12.49
5.5	11.71	11.73	11.78	11.83	11.89	11.95	12.02	12.17	12.35	12.56	12.73
6.0	11.85	11.87	11.93	11.98	12.05	12.11	12.19	12.35	12.54	12.78	12.96
6.5	11.98	12.01	12.07	12.13	12.20	12.28	12.36	12.54	12.74	13.00	13.20
7.0	12.12	12.15	12.22	12.29	12.36	12.44	12.53	12.72	12.95	13.22	13.44
7.5	12.26	12.29	12.36	12.44	12.52	12.60	12.70	12.91	13.15	13.45	13.68
8.0	12.40	12.44	12.51	12.59	12.68	12.77	12.87	13.09	13.36	13.67	13.92
8.5	12.55	12.58	12.66	12.75	12.84	12.94	13.04	13.28	13.56	13.90	14.17
9.0	12.69	12.73	12.81	12.90	13.00	13.11	13.22	13.47	13.77	14.13	14.41
9.5	12.83	12.87	12.96	13.06	13.16	13.27	13.40	13.67	13.98	14.36	14.66
10.0	12.98	13.02	13.12	13.22	13.33	13.45	13.57	13.86	14.19	14.59	14.91
11.0	13.27	13.32	13.42	13.54	13.66	13.79	13.93	14.25	14.62	15.07	15.42
12.0	13.57	13.62	13.74	13.86	14.00	14.14	14.30	14.65	15.06	15.55	15.94
13.0	13.87	13.92	14.05	14.19	14.34	14.50	14.67	15.05	15.50	16.03	16.46
14.0	14.17	14.23	14.38	14.52	14.69	14.86	15.04	15.46	15.95	16.53	16.99
15.0	14.48	14.55	14.70	14.86	15.04	15.22	15.42	15.88	16.40	17.03	17.54
16.0	14.80	14.87	15.03	15.21	15.39	15.59	15.81	16.30	16.87	17.55	18.09
17.0	15.11	15.19	15.37	15.55	15.76	15.97	16.21	16.73	17.34	18.07	18.65
18.0	15.44	15.52	15.71	15.91	16.13	16.36	16.61	17.17	17.82	18.60	19.22
19.0	15.77	15.85	16.05	16.27	16.50	16.75	17.01	17.61	18.31	19.14	19.80
20.0	16.10	16.19	16.41	16.63	16.88	17.14	17.43	18.06	18.81	19.69	20.39
21.0	16.44	16.53	16.76	17.01	17.27	17.55	17.85	18.53	19.32	20.25	21.00
22.0	16.78	16.88	17.13	17.38	17.66	17.96	18.28	19.00	19.83	20.83	21.61
23.0	17.13	17.24	17.50	17.77	18.06	18.37	18.71	19.47	20.36	21.41	22.24
24.0	17.48	17.60	17.87	18.16	18.47	18.80	19.16	19.96	20.90	22.00	22.87
25.0	17.84	17.97	18.25	18.55	18.88	19.23	19.61	20.46	21.44	22.61	23.53
26.0	18.21	18.34	18.64	18.96	19.30	19.67	20.07	20.96	22.00	23.23	24.19
27.0	18.58	18.72	19.03	19.37	19.73	20.12	20.54	21.48	22.57	23.86	24.87
28.0	18.96	19.10	19.43	19.79	20.17	20.58	21.02	22.00	23.15	24.50	25.56
29.0	19.34	19.49	19.84	20.21	20.62	21.04	21.51	22.54	23.74	25.16	26.27
30.0	19.73	19.89	20.26	20.65	21.07	21.52	22.00	23.09	24.35	25.83	26.99
31.0	20.13	20.30	20.68	21.09	21.53	22.00	22.51	23.65	24.97	26.52	27.73
32.0	20.54	20.71	21.11	21.54	22.00	22.49	23.03	24.22	25.60	27.22	28.48
33.0	20.95	21.13	21.55	22.00	22.48	23.00	23.56	24.80	26.24	27.94	29.25
34.0	21.37	21.56	22.00	22.47	22.97	23.51	24.10	25.39	26.91	28.67	30.04
35.0	21.80	22.00	22.46	22.95	23.48	24.04	24.65	26.00	27.58	29.42	30.85
36.0	22.24	22.45	22.93	23.44	23.99	24.57	25.21	26.63	28.27	30.19	31.68
37.0	22.69	22.90	23.40	23.94	24.51	25.12	25.79	27.27	28.98	30.98	32.52
38.0	23.14	23.37	23.89	24.44	25.04	25.68	26.38	27.92	29.71	31.79	33.39
39.0	23.61	23.84	24.39	24.96	25.59	26.26	26.98	28.59	30.45	32.61	34.28
40.0	24.08	24.33	24.89	25.50	26.15	26.85	27.60	29.27	31.21	33.46	35.20
41.0	24.56	24.82	25.41	26.04	26.72	27.45	28.23	29.98	32.00	34.34	36.14
42.0	25.06	25.33	25.94	26.60	27.31	28.06	28.88	30.70	32.80	35.23	37.10
43.0	25.57	25.84	26.49	27.17	27.91	28.69	29.54	31.44	33.63	36.15	38.09
44.0	26.08	26.37	27.04	27.75	28.52	29.34	30.23	32.20	34.48	37.10	39.11
45.0	26.61	26.92	27.61	28.35	29.15	30.01	30.93	32.98	35.35	38.07	40.15
46.0	27.16	27.47	28.19	28.96	29.80	30.69	31.65	33.79	36.25	39.08	41.23
47.0	27.71	28.04	28.79	29.59	30.46	31.39	32.39	34.61	37.17	40.11	42.34
48.0	28.28	28.62	29.40	30.24	31.14	32.11	33.15	35.46	38.13	41.17	43.49
49.0	28.87	29.22	30.03	30.90	31.84	32.85	33.93	36.34	39.11	42.27	44.67
50.0	29.46	29.83	30.68	31.59	32.57	33.61	34.74	37.25	40.12	43.41	45.89

⌀	PERCENTAGE OF LOAN AMOUNT LEFT UNPAID AT DUE DATE										
	100.0	96.43	88.63	80.84	73.04	65.25	57.45	41.86	26.27	10.68	.00

DISCOUNT %	MONTHLY PAYBACK RATE (%) (MONTHLY PAYMENT DIVIDED BY LOAN AMOUNT)										
	.85	.90	1.00	1.10	1.20	1.30	1.40	1.50	1.60	1.70	1.87
1.0	10.47	10.48	10.49	10.50	10.51	10.52	10.54	10.55	10.57	10.59	10.62
2.0	10.70	10.71	10.73	10.75	10.77	10.80	10.83	10.86	10.89	10.93	11.00
3.0	10.93	10.95	10.98	11.01	11.04	11.08	11.12	11.17	11.22	11.27	11.38
4.0	11.17	11.18	11.22	11.26	11.31	11.36	11.42	11.48	11.55	11.62	11.77
5.0	11.40	11.42	11.48	11.53	11.59	11.65	11.72	11.80	11.88	11.98	12.16
6.0	11.64	11.67	11.73	11.79	11.87	11.94	12.03	12.12	12.22	12.34	12.56
7.0	11.89	11.92	11.99	12.06	12.15	12.24	12.34	12.45	12.57	12.71	12.97
8.0	12.13	12.17	12.25	12.34	12.43	12.54	12.65	12.78	12.92	13.08	13.38
9.0	12.38	12.42	12.52	12.61	12.72	12.84	12.98	13.12	13.28	13.46	13.80
10.0	12.64	12.68	12.78	12.90	13.02	13.15	13.30	13.46	13.64	13.84	14.22
11.0	12.89	12.94	13.06	13.18	13.32	13.47	13.63	13.81	14.01	14.23	14.65
12.0	13.15	13.21	13.33	13.47	13.62	13.79	13.97	14.17	14.38	14.63	15.09
13.0	13.42	13.47	13.62	13.77	13.93	14.11	14.31	14.53	14.77	15.03	15.54
14.0	13.68	13.75	13.90	14.06	14.24	14.44	14.66	14.89	15.15	15.44	15.99
15.0	13.95	14.02	14.19	14.37	14.56	14.77	15.01	15.26	15.55	15.86	16.46
16.0	14.23	14.31	14.48	14.67	14.89	15.11	15.37	15.64	15.95	16.28	16.93
17.0	14.51	14.59	14.78	14.99	15.21	15.46	15.73	16.03	16.35	16.72	17.40
18.0	14.79	14.88	15.09	15.31	15.55	15.81	16.10	16.42	16.77	17.16	17.89
19.0	15.08	15.17	15.39	15.63	15.89	16.17	16.48	16.82	17.19	17.60	18.39
20.0	15.37	15.47	15.71	15.96	16.23	16.53	16.86	17.22	17.62	18.06	18.89
21.0	15.67	15.78	16.02	16.29	16.58	16.90	17.25	17.64	18.06	18.52	19.41
22.0	15.97	16.08	16.35	16.63	16.94	17.28	17.65	18.06	18.50	19.00	19.93
23.0	16.28	16.40	16.68	16.98	17.30	17.66	18.05	18.48	18.96	19.48	20.47
24.0	16.59	16.72	17.01	17.33	17.68	18.05	18.47	18.92	19.42	19.97	21.01
25.0	16.91	17.04	17.35	17.68	18.05	18.45	18.89	19.37	19.89	20.47	21.57
26.0	17.23	17.37	17.70	18.05	18.44	18.85	19.32	19.82	20.38	20.99	22.13
27.0	17.56	17.71	18.05	18.42	18.83	19.27	19.75	20.28	20.87	21.51	22.71
28.0	17.89	18.05	18.41	18.80	19.23	19.69	20.20	20.76	21.37	22.04	23.30
29.0	18.23	18.39	18.77	19.18	19.63	20.12	20.65	21.24	21.88	22.59	23.91
30.0	18.58	18.75	19.15	19.58	20.05	20.56	21.12	21.73	22.40	23.14	24.52
31.0	18.93	19.11	19.53	19.98	20.47	21.00	21.59	22.24	22.94	23.71	25.15
32.0	19.29	19.48	19.91	20.39	20.90	21.46	22.08	22.75	23.49	24.29	25.80
33.0	19.66	19.85	20.31	20.80	21.34	21.93	22.57	23.28	24.04	24.89	26.46
34.0	20.03	20.23	20.71	21.23	21.79	22.41	23.08	23.81	24.62	25.50	27.13
35.0	20.41	20.62	21.12	21.66	22.25	22.89	23.60	24.36	25.20	26.12	27.82
36.0	20.80	21.02	21.54	22.11	22.72	23.39	24.13	24.93	25.80	26.76	28.53
37.0	21.19	21.43	21.97	22.56	23.20	23.90	24.67	25.50	26.41	27.41	29.26
38.0	21.60	21.84	22.41	23.02	23.70	24.42	25.22	26.09	27.04	28.08	30.00
39.0	22.01	22.27	22.86	23.50	24.20	24.96	25.79	26.70	27.69	28.77	30.76
40.0	22.43	22.70	23.32	23.98	24.71	25.51	26.38	27.32	28.35	29.47	31.54
41.0	22.87	23.14	23.79	24.48	25.24	26.07	26.97	27.96	29.03	30.20	32.35
42.0	23.31	23.59	24.27	24.99	25.78	26.65	27.59	28.61	29.73	30.94	33.17
43.0	23.76	24.06	24.76	25.51	26.34	27.24	28.22	29.28	30.44	31.71	34.02
44.0	24.22	24.53	25.26	26.05	26.91	27.84	28.87	29.98	31.18	32.49	34.89
45.0	24.69	25.02	25.78	26.60	27.49	28.47	29.53	30.69	31.94	33.30	35.79
46.0	25.18	25.52	26.31	27.16	28.10	29.11	30.22	31.42	32.72	34.13	36.72
47.0	25.68	26.03	26.85	27.74	28.71	29.77	30.92	32.17	33.53	34.99	37.67
48.0	26.19	26.55	27.41	28.34	29.35	30.45	31.65	32.95	34.36	35.88	38.65
49.0	26.71	27.09	27.98	28.95	30.00	31.15	32.40	33.75	35.21	36.79	39.67
50.0	27.25	27.65	28.58	29.58	30.68	31.87	33.17	34.57	36.10	37.74	40.71
51.0	27.80	28.22	29.18	30.23	31.37	32.61	33.97	35.43	37.01	38.71	41.80
52.0	28.37	28.80	29.81	30.90	32.09	33.38	34.79	36.31	37.95	39.72	42.92
53.0	28.96	29.41	30.46	31.59	32.83	34.18	35.64	37.22	38.93	40.77	44.07
54.0	29.56	30.03	31.12	32.31	33.60	35.00	36.52	38.17	39.94	41.85	45.28
55.0	30.18	30.67	31.81	33.04	34.39	35.85	37.44	39.15	41.00	42.97	46.52
56.0	30.82	31.33	32.52	33.81	35.21	36.73	38.38	40.17	42.09	44.14	47.82
57.0	31.49	32.02	33.25	34.60	36.06	37.65	39.37	41.23	43.22	45.35	49.16
58.0	32.17	32.73	34.02	35.42	36.94	38.60	40.39	42.33	44.40	46.61	50.56
59.0	32.88	33.46	34.80	36.27	37.86	39.59	41.46	43.47	45.63	47.93	52.02
60.0	33.61	34.22	35.62	37.15	38.81	40.61	42.57	44.66	46.91	49.30	53.54
PERCENTAGE OF LOAN AMOUNT LEFT UNPAID AT DUE DATE											
	100.0	95.47	85.58	75.69	65.79	55.90	46.01	36.12	26.23	16.34	.00

DISCOUNT %	MONTHLY PAYBACK RATE (%) (MONTHLY PAYMENT DIVIDED BY LOAN AMOUNT)										
	.85	.90	.95	1.00	1.10	1.20	1.30	1.40	1.50	1.60	1.67
1.0	10.45	10.46	10.46	10.47	10.48	10.49	10.50	10.52	10.54	10.56	10.57
2.0	10.66	10.66	10.68	10.69	10.71	10.73	10.76	10.79	10.83	10.87	10.90
3.0	10.86	10.88	10.89	10.91	10.94	10.98	11.02	11.07	11.13	11.19	11.24
4.0	11.07	11.09	11.11	11.13	11.18	11.23	11.29	11.35	11.43	11.51	11.58
5.0	11.29	11.31	11.34	11.36	11.42	11.49	11.56	11.64	11.73	11.84	11.92
6.0	11.50	11.53	11.56	11.59	11.66	11.74	11.83	11.93	12.04	12.17	12.27
7.0	11.72	11.75	11.79	11.83	11.91	12.01	12.11	12.23	12.36	12.51	12.63
8.0	11.94	11.98	12.02	12.07	12.16	12.27	12.39	12.53	12.68	12.85	12.99
9.0	12.17	12.21	12.26	12.31	12.42	12.54	12.68	12.83	13.00	13.20	13.35
10.0	12.39	12.44	12.50	12.55	12.68	12.81	12.97	13.14	13.33	13.55	13.73
11.0	12.62	12.68	12.74	12.80	12.94	13.09	13.26	13.45	13.67	13.91	14.10
12.0	12.86	12.92	12.98	13.05	13.20	13.37	13.56	13.77	14.01	14.27	14.49
13.0	13.10	13.16	13.23	13.31	13.48	13.66	13.86	14.10	14.35	14.64	14.88
14.0	13.34	13.41	13.49	13.57	13.75	13.95	14.17	14.43	14.71	15.02	15.28
15.0	13.58	13.66	13.74	13.84	14.03	14.25	14.49	14.76	15.06	15.41	15.68
16.0	13.83	13.91	14.01	14.10	14.31	14.55	14.81	15.10	15.43	15.80	16.10
17.0	14.08	14.17	14.27	14.38	14.60	14.86	15.13	15.45	15.80	16.20	16.52
18.0	14.34	14.43	14.54	14.65	14.90	15.17	15.47	15.80	16.18	16.60	16.94
19.0	14.60	14.70	14.81	14.94	15.19	15.48	15.80	16.16	16.56	17.01	17.38
20.0	14.86	14.97	15.09	15.22	15.50	15.81	16.15	16.53	16.95	17.43	17.82
21.0	15.13	15.24	15.38	15.51	15.81	16.13	16.49	16.90	17.35	17.88	18.27
22.0	15.40	15.52	15.66	15.81	16.12	16.47	16.85	17.28	17.76	18.30	18.73
23.0	15.68	15.81	15.96	16.11	16.44	16.81	17.21	17.67	18.17	18.74	19.20
24.0	15.96	16.10	16.25	16.42	16.77	17.15	17.58	18.06	18.60	19.20	19.68
25.0	16.25	16.39	16.56	16.73	17.10	17.51	17.96	18.47	19.03	19.66	20.17
26.0	16.54	16.69	16.87	17.05	17.43	17.87	18.34	18.88	19.47	20.13	20.66
27.0	16.84	17.00	17.18	17.37	17.78	18.23	18.73	19.30	19.92	20.61	21.17
28.0	17.14	17.31	17.50	17.70	18.13	18.61	19.13	19.72	20.38	21.11	21.69
29.0	17.45	17.63	17.83	18.04	18.49	18.99	19.54	20.16	20.85	21.61	22.22
30.0	17.77	17.95	18.16	18.38	18.85	19.38	19.96	20.61	21.32	22.12	22.76
31.0	18.09	18.28	18.50	18.73	19.23	19.78	20.38	21.06	21.81	22.65	23.32
32.0	18.41	18.61	18.85	19.09	19.61	20.18	20.82	21.53	22.31	23.19	23.88
33.0	18.75	18.96	19.20	19.45	20.00	20.60	21.26	22.01	22.83	23.74	24.46
34.0	19.09	19.31	19.56	19.82	20.39	21.02	21.72	22.49	23.35	24.30	25.06
35.0	19.43	19.66	19.93	20.20	20.80	21.46	22.18	22.99	23.89	24.88	25.67
36.0	19.79	20.03	20.30	20.59	21.21	21.90	22.66	23.50	24.44	25.47	26.29
37.0	20.15	20.40	20.69	20.99	21.64	22.36	23.15	24.03	25.00	26.07	26.93
38.0	20.52	20.78	21.08	21.40	22.07	22.82	23.65	24.57	25.58	26.69	27.58
39.0	20.90	21.17	21.48	21.81	22.52	23.30	24.16	25.12	26.17	27.33	28.25
40.0	21.28	21.57	21.89	22.24	22.97	23.79	24.69	25.68	26.78	27.99	28.94
41.0	21.68	21.97	22.32	22.67	23.44	24.29	25.23	26.26	27.40	28.66	29.65
42.0	22.08	22.39	22.75	23.12	23.92	24.81	25.78	26.86	28.04	29.35	30.37
43.0	22.50	22.82	23.19	23.58	24.41	25.33	26.35	27.47	28.70	30.06	31.12
44.0	22.92	23.26	23.64	24.05	24.92	25.88	26.93	28.10	29.38	30.79	31.89
45.0	23.35	23.71	24.11	24.53	25.43	26.44	27.54	28.75	30.08	31.54	32.68
46.0	23.80	24.17	24.59	25.02	25.97	27.01	28.15	29.42	30.80	32.31	33.50
47.0	24.26	24.64	25.08	25.53	26.52	27.60	28.79	30.11	31.54	33.11	34.34
48.0	24.73	25.13	25.58	26.06	27.08	28.21	29.45	30.82	32.31	33.93	35.21
49.0	25.21	25.63	26.10	26.60	27.66	28.84	30.13	31.55	33.10	34.78	36.10
50.0	25.71	26.14	26.63	27.15	28.26	29.49	30.83	32.31	33.92	35.66	37.02
51.0	26.22	26.67	27.18	27.72	28.88	30.15	31.55	33.09	34.76	36.57	37.98
52.0	26.75	27.21	27.75	28.31	29.52	30.84	32.30	33.90	35.63	37.51	38.97
53.0	27.29	27.78	28.34	28.92	30.17	31.56	33.07	34.73	36.54	38.48	40.00
54.0	27.85	28.36	28.94	29.55	30.86	32.30	33.88	35.60	37.48	39.49	41.06
55.0	28.43	28.96	29.56	30.20	31.56	33.07	34.71	36.50	38.45	40.54	42.16
56.0	29.03	29.58	30.21	30.87	32.29	33.86	35.57	37.44	39.46	41.63	43.30
57.0	29.64	30.22	30.88	31.57	33.05	34.69	36.47	38.41	40.51	42.76	44.50
58.0	30.28	30.88	31.57	32.29	33.84	35.54	37.40	39.42	41.61	43.94	45.74
59.0	30.94	31.57	32.29	33.04	34.66	36.44	38.37	40.48	42.75	45.17	47.03
60.0	31.63	32.29	33.04	33.82	35.51	37.37	39.39	41.58	43.94	46.45	48.38
▽Φ	PERCENTAGE OF LOAN AMOUNT LEFT UNPAID AT DUE DATE										
	100.0	94.40	88.30	82.19	69.98	57.77	45.56	33.35	21.13	8.92	.00

DISCOUNT %	MONTHLY PAYBACK RATE (%) (MONTHLY PAYMENT DIVIDED BY LOAN AMOUNT)										
	.85	.90	.95	1.00	1.05	1.10	1.20	1.30	1.40	1.50	1.53
1.0	10.43	10.44	10.44	10.45	10.46	10.46	10.48	10.49	10.51	10.53	10.54
2.0	10.62	10.63	10.64	10.65	10.66	10.68	10.71	10.74	10.78	10.82	10.83
3.0	10.81	10.82	10.84	10.86	10.88	10.90	10.94	10.99	11.05	11.11	11.13
4.0	11.00	11.02	11.05	11.07	11.09	11.12	11.18	11.24	11.32	11.41	11.43
5.0	11.20	11.22	11.25	11.28	11.31	11.34	11.42	11.50	11.60	11.71	11.74
6.0	11.40	11.42	11.46	11.50	11.53	11.57	11.66	11.76	11.88	12.01	12.05
7.0	11.60	11.63	11.67	11.71	11.76	11.80	11.91	12.03	12.16	12.32	12.37
8.0	11.80	11.84	11.89	11.93	11.98	12.04	12.16	12.30	12.45	12.64	12.69
9.0	12.00	12.05	12.10	12.16	12.22	12.28	12.42	12.57	12.75	12.95	13.02
10.0	12.21	12.26	12.32	12.39	12.45	12.52	12.68	12.85	13.05	13.28	13.36
11.0	12.43	12.48	12.55	12.62	12.69	12.77	12.94	13.13	13.35	13.61	13.69
12.0	12.64	12.70	12.78	12.85	12.93	13.02	13.21	13.42	13.66	13.94	14.04
13.0	12.86	12.93	13.01	13.09	13.18	13.27	13.48	13.71	13.98	14.29	14.39
14.0	13.08	13.15	13.24	13.33	13.43	13.53	13.76	14.01	14.30	14.63	14.74
15.0	13.31	13.39	13.48	13.58	13.68	13.79	14.04	14.31	14.63	14.99	15.11
16.0	13.53	13.62	13.72	13.83	13.94	14.06	14.32	14.62	14.96	15.35	15.48
17.0	13.77	13.86	13.97	14.08	14.20	14.33	14.61	14.93	15.30	15.71	15.85
18.0	14.00	14.10	14.22	14.34	14.47	14.61	14.91	15.25	15.64	16.09	16.23
19.0	14.24	14.35	14.47	14.60	14.74	14.89	15.21	15.57	15.99	16.46	16.62
20.0	14.48	14.60	14.73	14.87	15.02	15.17	15.52	15.91	16.35	16.85	17.02
21.0	14.73	14.85	15.00	15.14	15.30	15.47	15.83	16.24	16.71	17.25	17.42
22.0	14.98	15.11	15.26	15.42	15.59	15.76	16.15	16.59	17.08	17.65	17.83
23.0	15.24	15.38	15.54	15.70	15.88	16.06	16.48	16.94	17.46	18.06	18.25
24.0	15.50	15.65	15.81	15.99	16.17	16.37	16.81	17.29	17.85	18.48	18.68
25.0	15.77	15.92	16.10	16.28	16.48	16.69	17.14	17.66	18.24	18.90	19.12
26.0	16.04	16.20	16.38	16.58	16.79	17.01	17.49	18.03	18.64	19.34	19.57
27.0	16.31	16.48	16.68	16.88	17.10	17.33	17.84	18.41	19.05	19.78	20.02
28.0	16.59	16.77	16.98	17.19	17.42	17.66	18.20	18.79	19.47	20.24	20.49
29.0	16.88	17.07	17.28	17.51	17.75	18.00	18.56	19.19	19.90	20.70	20.96
30.0	17.17	17.37	17.59	17.83	18.08	18.35	18.94	19.59	20.34	21.17	21.45
31.0	17.47	17.67	17.91	18.16	18.42	18.70	19.32	20.01	20.78	21.66	21.95
32.0	17.77	17.98	18.23	18.50	18.77	19.07	19.71	20.43	21.24	22.15	22.45
33.0	18.08	18.30	18.57	18.84	19.13	19.44	20.11	20.86	21.71	22.66	22.97
34.0	18.39	18.63	18.90	19.19	19.49	19.81	20.52	21.30	22.19	23.18	23.51
35.0	18.72	18.96	19.25	19.55	19.86	20.20	20.94	21.76	22.68	23.71	24.05
36.0	19.05	19.30	19.60	19.92	20.25	20.60	21.36	22.22	23.18	24.26	24.61
37.0	19.38	19.65	19.96	20.29	20.64	21.00	21.80	22.69	23.70	24.82	25.18
38.0	19.73	20.01	20.33	20.67	21.03	21.42	22.25	23.18	24.23	25.39	25.77
39.0	20.08	20.37	20.71	21.07	21.44	21.84	22.71	23.68	24.77	25.98	26.38
40.0	20.44	20.74	21.10	21.47	21.86	22.28	23.19	24.20	25.33	26.58	26.99
41.0	20.81	21.13	21.50	21.88	22.29	22.73	23.67	24.72	25.90	27.21	27.63
42.0	21.19	21.52	21.90	22.31	22.73	23.19	24.17	25.27	26.49	27.84	28.28
43.0	21.57	21.92	22.32	22.74	23.19	23.66	24.68	25.82	27.09	28.50	28.96
44.0	21.97	22.33	22.75	23.19	23.65	24.14	25.21	26.40	27.72	29.18	29.65
45.0	22.38	22.75	23.19	23.65	24.13	24.64	25.75	26.99	28.36	29.87	30.36
46.0	22.80	23.19	23.64	24.12	24.62	25.15	26.31	27.59	29.02	30.59	31.10
47.0	23.23	23.63	24.11	24.60	25.13	25.68	26.89	28.22	29.70	31.33	31.85
48.0	23.67	24.09	24.59	25.10	25.65	26.23	27.48	28.87	30.41	32.09	32.63
49.0	24.12	24.57	25.08	25.62	26.19	26.79	28.09	29.54	31.13	32.88	33.44
50.0	24.59	25.05	25.59	26.15	26.74	27.37	28.73	30.23	31.88	33.69	34.27
52.0	25.57	26.07	26.65	27.26	27.90	28.58	30.06	31.68	33.46	35.41	36.03
54.0	26.61	27.16	27.79	28.45	29.15	29.89	31.48	33.24	35.16	37.25	37.91
56.0	27.73	28.32	29.01	29.73	30.49	31.29	33.02	34.92	36.99	39.23	39.94
58.0	28.92	29.57	30.32	31.10	31.93	32.80	34.68	36.74	38.97	41.37	42.14
60.0	30.21	30.92	31.73	32.59	33.49	34.44	36.48	38.71	41.13	43.71	44.53
62.0	31.60	32.38	33.27	34.21	35.19	36.23	38.45	40.87	43.49	46.26	47.14
64.0	33.12	33.97	34.95	35.98	37.05	38.19	40.62	43.25	46.08	49.06	50.01
66.0	34.79	35.72	36.80	37.93	39.11	40.36	43.02	45.88	48.95	52.17	53.18
68.0	36.63	37.66	38.85	40.09	41.40	42.77	45.69	48.82	52.15	55.63	56.72
70.0	38.67	39.82	41.13	42.52	43.96	45.47	48.69	52.12	55.74	59.51	60.69
	PERCENTAGE OF LOAN AMOUNT LEFT UNPAID AT DUE DATE										
	100.0	93.23	85.83	78.44	71.05	63.66	48.88	34.10	19.32	4.53	.00

DISCOUNT %	MONTHLY PAYBACK RATE (%) (MONTHLY PAYMENT DIVIDED BY LOAN AMOUNT)										
	.85	.90	.95	1.00	1.05	1.10	1.15	1.20	1.25	1.30	1.42
1.0	10.42	10.43	10.43	10.44	10.44	10.45	10.46	10.47	10.48	10.48	10.51
2.0	10.59	10.60	10.62	10.63	10.64	10.66	10.67	10.69	10.71	10.72	10.78
3.0	10.77	10.79	10.80	10.82	10.84	10.86	10.89	10.91	10.94	10.97	11.05
4.0	10.95	10.97	10.99	11.02	11.05	11.07	11.11	11.14	11.18	11.21	11.33
5.0	11.13	11.16	11.19	11.22	11.25	11.29	11.33	11.37	11.42	11.47	11.60
6.0	11.31	11.35	11.38	11.42	11.46	11.51	11.55	11.61	11.66	11.72	11.89
7.0	11.50	11.54	11.58	11.63	11.67	11.73	11.78	11.84	11.91	11.98	12.18
8.0	11.69	11.73	11.78	11.84	11.89	11.95	12.02	12.09	12.16	12.24	12.47
9.0	11.88	11.93	11.99	12.05	12.11	12.18	12.25	12.33	12.42	12.51	12.77
10.0	12.08	12.13	12.19	12.26	12.33	12.41	12.49	12.58	12.68	12.78	13.07
11.0	12.27	12.33	12.41	12.48	12.56	12.64	12.74	12.84	12.94	13.06	13.38
12.0	12.47	12.54	12.62	12.70	12.79	12.88	12.98	13.09	13.21	13.34	13.69
13.0	12.68	12.75	12.84	12.93	13.02	13.13	13.24	13.36	13.49	13.62	14.01
14.0	12.88	12.96	13.06	13.16	13.26	13.37	13.49	13.62	13.76	13.91	14.33
15.0	13.09	13.18	13.28	13.39	13.50	13.62	13.75	13.90	14.05	14.21	14.66
16.0	13.31	13.40	13.51	13.63	13.75	13.88	14.02	14.17	14.34	14.51	15.00
17.0	13.52	13.62	13.74	13.87	14.00	14.14	14.29	14.45	14.63	14.81	15.34
18.0	13.75	13.85	13.98	14.11	14.25	14.40	14.56	14.74	14.93	15.13	15.68
19.0	13.97	14.08	14.22	14.36	14.51	14.67	14.84	15.03	15.23	15.44	16.04
20.0	14.20	14.32	14.46	14.61	14.77	14.95	15.13	15.33	15.54	15.77	16.40
21.0	14.43	14.56	14.71	14.87	15.04	15.22	15.42	15.63	15.86	16.10	16.77
22.0	14.66	14.80	14.96	15.13	15.31	15.51	15.72	15.94	16.18	16.43	17.14
23.0	14.90	15.05	15.22	15.40	15.59	15.80	16.02	16.26	16.51	16.78	17.52
24.0	15.15	15.30	15.48	15.67	15.88	16.09	16.33	16.58	16.84	17.13	17.91
25.0	15.40	15.56	15.75	15.95	16.17	16.39	16.64	16.90	17.18	17.48	18.31
26.0	15.65	15.82	16.02	16.24	16.46	16.70	16.96	17.24	17.53	17.85	18.72
27.0	15.91	16.09	16.30	16.52	16.76	17.02	17.29	17.58	17.89	18.22	19.13
28.0	16.17	16.36	16.58	16.82	17.07	17.34	17.62	17.93	18.25	18.60	19.56
29.0	16.44	16.64	16.87	17.12	17.38	17.66	17.96	18.28	18.63	18.99	19.99
30.0	16.72	16.92	17.17	17.43	17.70	18.00	18.31	18.65	19.01	19.39	20.43
31.0	16.99	17.21	17.47	17.74	18.03	18.34	18.67	19.02	19.39	19.79	20.89
32.0	17.28	17.51	17.78	18.06	18.36	18.69	19.03	19.40	19.79	20.21	21.35
33.0	17.57	17.81	18.09	18.39	18.71	19.04	19.40	19.79	20.20	20.63	21.82
34.0	17.87	18.12	18.41	18.73	19.06	19.41	19.79	20.19	20.62	21.07	22.31
35.0	18.17	18.44	18.74	19.07	19.41	19.78	20.18	20.60	21.04	21.52	22.81
36.0	18.48	18.76	19.08	19.42	19.78	20.17	20.58	21.02	21.48	21.98	23.32
37.0	18.80	19.09	19.42	19.78	20.16	20.56	20.99	21.44	21.93	22.44	23.84
38.0	19.13	19.43	19.78	20.15	20.54	20.96	21.41	21.88	22.39	22.93	24.38
39.0	19.46	19.77	20.14	20.53	20.93	21.37	21.84	22.34	22.86	23.42	24.93
40.0	19.80	20.13	20.51	20.91	21.34	21.80	22.28	22.80	23.35	23.93	25.49
41.0	20.15	20.49	20.89	21.31	21.75	22.23	22.74	23.28	23.85	24.45	26.07
42.0	20.51	20.86	21.28	21.72	22.18	22.68	23.20	23.77	24.36	24.99	26.67
43.0	20.88	21.25	21.68	22.14	22.62	23.14	23.68	24.27	24.89	25.54	27.28
44.0	21.25	21.64	22.09	22.57	23.07	23.61	24.18	24.79	25.43	26.11	27.92
45.0	21.64	22.04	22.51	23.01	23.53	24.09	24.69	25.32	25.99	26.69	28.57
46.0	22.04	22.46	22.95	23.46	24.01	24.59	25.21	25.87	26.56	27.29	29.24
47.0	22.45	22.89	23.40	23.93	24.50	25.11	25.75	26.44	27.16	27.92	29.93
48.0	22.87	23.33	23.86	24.42	25.01	25.64	26.31	27.02	27.77	28.56	30.65
49.0	23.30	23.78	24.33	24.92	25.53	26.19	26.89	27.63	28.41	29.22	31.39
50.0	23.75	24.25	24.82	25.43	26.08	26.76	27.49	28.25	29.06	29.91	32.15
52.0	24.69	25.23	25.85	26.51	27.21	27.96	28.74	29.57	30.44	31.36	33.76
54.0	25.69	26.27	26.95	27.67	28.43	29.24	30.09	30.99	31.93	32.91	35.49
56.0	26.76	27.40	28.14	28.92	29.74	30.62	31.54	32.51	33.53	34.59	37.35
58.0	27.91	28.61	29.41	30.27	31.16	32.11	33.11	34.16	35.26	36.40	39.37
60.0	29.16	29.92	30.80	31.73	32.70	33.74	34.82	35.96	37.15	38.38	41.56
62.0	30.51	31.34	32.31	33.32	34.39	35.51	36.70	37.93	39.22	40.55	43.97
64.0	31.99	32.91	33.96	35.07	36.24	37.47	38.76	40.10	41.49	42.93	46.61
66.0	33.62	34.63	35.79	37.01	38.29	39.63	41.04	42.50	44.02	45.57	49.53
68.0	35.43	36.54	37.82	39.16	40.57	42.05	43.59	45.19	46.83	48.52	52.79
70.0	37.45	38.68	40.10	41.59	43.15	44.77	46.46	48.21	50.00	51.84	56.46
◁Þ	PERCENTAGE OF LOAN AMOUNT LEFT UNPAID AT DUE DATE										
	100.0	91.92	83.11	74.29	65.48	56.66	47.85	39.04	30.22	21.41	.00

DISCOUNT %	MONTHLY PAYBACK RATE (%) (MONTHLY PAYMENT DIVIDED BY LOAN AMOUNT)										
	.85	.90	.95	1.00	1.05	1.10	1.15	1.20	1.25	1.30	1.34
1.0	10.41	10.42	10.42	10.43	10.44	10.44	10.45	10.46	10.47	10.48	10.49
2.0	10.57	10.58	10.60	10.61	10.62	10.64	10.66	10.68	10.70	10.72	10.74
3.0	10.74	10.76	10.78	10.80	10.82	10.84	10.87	10.90	10.93	10.96	10.98
4.0	10.91	10.93	10.96	10.98	11.01	11.04	11.08	11.12	11.16	11.20	11.24
5.0	11.08	11.11	11.14	11.17	11.21	11.25	11.29	11.34	11.39	11.45	11.49
6.0	11.25	11.28	11.32	11.37	11.41	11.46	11.51	11.57	11.63	11.70	11.75
7.0	11.43	11.47	11.51	11.56	11.61	11.67	11.73	11.80	11.88	11.96	12.02
8.0	11.60	11.65	11.70	11.76	11.82	11.89	11.96	12.04	12.12	12.22	12.29
9.0	11.79	11.84	11.90	11.96	12.03	12.11	12.19	12.28	12.38	12.48	12.56
10.0	11.97	12.03	12.10	12.17	12.25	12.33	12.42	12.52	12.63	12.75	12.84
11.0	12.15	12.22	12.30	12.38	12.46	12.56	12.66	12.77	12.89	13.02	13.12
12.0	12.34	12.41	12.50	12.59	12.68	12.79	12.90	13.02	13.16	13.30	13.41
13.0	12.54	12.61	12.71	12.80	12.91	13.02	13.14	13.28	13.42	13.58	13.70
14.0	12.73	12.82	12.92	13.02	13.14	13.26	13.39	13.54	13.70	13.87	14.00
15.0	12.93	13.02	13.13	13.25	13.37	13.50	13.65	13.81	13.98	14.16	14.30
16.0	13.13	13.23	13.35	13.47	13.60	13.75	13.91	14.08	14.26	14.46	14.61
17.0	13.34	13.44	13.57	13.70	13.84	14.00	14.17	14.35	14.55	14.76	14.93
18.0	13.54	13.66	13.79	13.94	14.09	14.26	14.44	14.63	14.84	15.07	15.25
19.0	13.76	13.88	14.02	14.18	14.34	14.52	14.71	14.92	15.14	15.39	15.57
20.0	13.97	14.10	14.25	14.42	14.59	14.78	14.99	15.21	15.45	15.71	15.90
21.0	14.19	14.33	14.49	14.67	14.85	15.05	15.27	15.51	15.76	16.03	16.24
22.0	14.41	14.56	14.73	14.92	15.11	15.33	15.56	15.81	16.08	16.37	16.59
23.0	14.64	14.80	14.98	15.18	15.38	15.61	15.85	16.12	16.40	16.71	16.94
24.0	14.87	15.04	15.23	15.44	15.66	15.90	16.15	16.43	16.73	17.05	17.30
25.0	15.11	15.28	15.49	15.70	15.94	16.19	16.46	16.75	17.07	17.41	17.67
26.0	15.35	15.53	15.75	15.98	16.22	16.49	16.77	17.08	17.41	17.77	18.04
27.0	15.60	15.79	16.01	16.26	16.51	16.79	17.09	17.42	17.77	18.14	18.42
28.0	15.85	16.05	16.29	16.54	16.81	17.10	17.42	17.76	18.13	18.52	18.81
29.0	16.10	16.31	16.56	16.83	17.11	17.42	17.75	18.11	18.49	18.90	19.21
30.0	16.36	16.58	16.85	17.13	17.42	17.75	18.09	18.47	18.87	19.30	19.62
31.0	16.63	16.86	17.14	17.43	17.74	18.08	18.44	18.83	19.25	19.70	20.04
32.0	16.90	17.14	17.43	17.74	18.07	18.42	18.80	19.21	19.65	20.11	20.47
33.0	17.18	17.43	17.73	18.06	18.40	18.77	19.16	19.59	20.05	20.54	20.91
34.0	17.46	17.73	18.04	18.38	18.74	19.12	19.54	19.99	20.46	20.97	21.35
35.0	17.75	18.03	18.36	18.71	19.09	19.49	19.92	20.39	20.89	21.42	21.81
36.0	18.05	18.34	18.68	19.05	19.44	19.86	20.32	20.80	21.32	21.87	22.28
37.0	18.35	18.66	19.02	19.40	19.81	20.25	20.72	21.23	21.76	22.34	22.77
38.0	18.66	18.98	19.36	19.76	20.18	20.64	21.13	21.66	22.22	22.82	23.26
39.0	18.98	19.31	19.71	20.12	20.57	21.05	21.56	22.11	22.69	23.31	23.77
40.0	19.31	19.65	20.06	20.50	20.96	21.46	21.99	22.57	23.17	23.81	24.30
41.0	19.64	20.00	20.43	20.89	21.37	21.89	22.44	23.04	23.67	24.33	24.83
42.0	19.98	20.36	20.81	21.28	21.79	22.33	22.90	23.52	24.18	24.87	25.39
43.0	20.34	20.73	21.20	21.69	22.21	22.78	23.38	24.02	24.70	25.42	25.96
44.0	20.70	21.11	21.60	22.11	22.66	23.24	23.87	24.53	25.24	25.99	26.54
45.0	21.07	21.50	22.01	22.54	23.11	23.72	24.37	25.06	25.80	26.57	27.14
46.0	21.45	21.90	22.43	22.99	23.58	24.21	24.89	25.61	26.37	27.17	27.77
47.0	21.85	22.32	22.86	23.44	24.06	24.72	25.43	26.17	26.96	27.79	28.41
48.0	22.26	22.74	23.31	23.92	24.56	25.25	25.98	26.75	27.57	28.43	29.07
49.0	22.67	23.18	23.78	24.41	25.08	25.79	26.55	27.36	28.21	29.10	29.76
50.0	23.11	23.64	24.25	24.91	25.61	26.35	27.14	27.98	28.86	29.78	30.47
52.0	24.01	24.59	25.26	25.97	26.73	27.53	28.39	29.29	30.24	31.23	31.96
54.0	24.98	25.61	26.34	27.11	27.93	28.81	29.73	30.70	31.72	32.78	33.56
56.0	26.02	26.71	27.50	28.34	29.23	30.18	31.17	32.22	33.32	34.46	35.29
58.0	27.15	27.89	28.76	29.67	30.64	31.67	32.74	33.88	35.05	36.28	37.17
60.0	28.37	29.18	30.12	31.12	32.17	33.29	34.45	35.68	36.95	38.26	39.21
62.0	29.69	30.58	31.62	32.71	33.85	35.06	36.33	37.65	39.02	40.43	41.45
64.0	31.15	32.13	33.26	34.45	35.70	37.02	38.39	39.82	41.30	42.81	43.91
66.0	32.76	33.83	35.08	36.38	37.76	39.19	40.69	42.24	43.83	45.46	46.64
68.0	34.55	35.74	37.11	38.55	40.05	41.62	43.25	44.93	46.66	48.42	49.69
70.0	36.56	37.87	39.39	40.98	42.64	44.36	46.14	47.97	49.84	51.75	53.12
▽⋔	PERCENTAGE OF LOAN AMOUNT LEFT UNPAID AT DUE DATE										
	100.0	90.48	80.09	69.70	59.31	48.91	38.52	28.13	17.74	7.35	.00

DISCOUNT %	MONTHLY PAYBACK RATE (%) (MONTHLY PAYMENT DIVIDED BY LOAN AMOUNT)										
	1.00	1.25	1.50	1.75	2.00	2.25	2.50	2.75	3.00	3.50	4.00
1.0	10.40	10.47	10.53	10.59	10.65	10.71	10.77	10.83	10.89	11.00	11.12
2.0	10.56	10.69	10.82	10.94	11.06	11.18	11.30	11.42	11.54	11.77	12.00
3.0	10.72	10.92	11.11	11.30	11.48	11.66	11.84	12.02	12.19	12.54	12.89
4.0	10.88	11.15	11.41	11.65	11.90	12.14	12.38	12.62	12.86	13.33	13.79
5.0	11.04	11.38	11.71	12.02	12.33	12.63	12.93	13.24	13.53	14.13	14.71
6.0	11.21	11.62	12.01	12.39	12.76	13.13	13.50	13.86	14.22	14.94	15.64
7.0	11.38	11.86	12.32	12.76	13.20	13.64	14.07	14.49	14.92	15.76	16.59
8.0	11.55	12.11	12.63	13.14	13.65	14.15	14.64	15.14	15.62	16.59	17.55
9.0	11.73	12.36	12.95	13.53	14.10	14.67	15.23	15.79	16.34	17.44	18.53
10.0	11.91	12.61	13.28	13.93	14.57	15.20	15.83	16.45	17.07	18.30	19.52
11.0	12.09	12.87	13.61	14.33	15.04	15.74	16.43	17.13	17.81	19.18	20.53
12.0	12.27	13.13	13.94	14.73	15.51	16.28	17.05	17.81	18.57	20.07	21.55
13.0	12.46	13.40	14.28	15.15	16.00	16.84	17.68	18.51	19.33	20.97	22.59
14.0	12.66	13.67	14.63	15.57	16.49	17.41	18.31	19.22	20.11	21.89	23.65
15.0	12.85	13.95	14.98	15.99	16.99	17.98	18.96	19.94	20.90	22.83	24.73
16.0	13.05	14.23	15.34	16.43	17.50	18.57	19.62	20.67	21.71	23.78	25.82
17.0	13.26	14.52	15.71	16.87	18.02	19.16	20.29	21.41	22.53	24.74	26.94
18.0	13.46	14.81	16.08	17.32	18.55	19.77	20.97	22.17	23.36	25.73	28.07
19.0	13.68	15.11	16.46	17.78	19.09	20.38	21.67	22.94	24.21	26.73	29.22
20.0	13.89	15.41	16.85	18.25	19.64	21.01	22.38	23.73	25.08	27.75	30.40
21.0	14.11	15.72	17.24	18.73	20.20	21.65	23.10	24.53	25.96	28.79	31.59
22.0	14.34	16.03	17.64	19.21	20.77	22.30	23.83	25.35	26.85	29.85	32.81
23.0	14.57	16.36	18.05	19.71	21.35	22.97	24.58	26.18	27.77	30.93	34.05
24.0	14.81	16.69	18.47	20.21	21.94	23.64	25.34	27.02	28.70	32.03	35.32
25.0	15.05	17.02	18.90	20.73	22.54	24.34	26.12	27.89	29.65	33.15	36.61
26.0	15.29	17.36	19.33	21.26	23.16	25.04	26.91	28.77	30.62	34.29	37.93
27.0	15.55	17.71	19.77	21.79	23.78	25.76	27.72	29.67	31.61	35.46	39.27
28.0	15.80	18.07	20.23	22.34	24.43	26.49	28.55	30.59	32.62	36.65	40.64
29.0	16.07	18.44	20.69	22.90	25.08	27.24	29.39	31.52	33.65	37.86	42.04
30.0	16.34	18.81	21.17	23.47	25.75	28.01	30.25	32.48	34.70	39.10	43.47
31.0	16.62	19.20	21.65	24.06	26.43	28.79	31.13	33.46	35.77	40.37	44.93
32.0	16.90	19.59	22.15	24.65	27.13	29.59	32.03	34.46	36.87	41.67	46.42
33.0	17.20	19.99	22.65	25.27	27.85	30.41	32.95	35.48	37.99	42.99	47.95
34.0	17.50	20.40	23.17	25.89	28.58	31.24	33.89	36.52	39.14	44.35	49.51
35.0	17.80	20.82	23.71	26.53	29.33	32.10	34.85	37.59	40.32	45.73	51.10
36.0	18.12	21.25	24.25	27.19	30.09	32.98	35.84	38.69	41.52	47.15	52.74
37.0	18.44	21.70	24.81	27.86	30.88	33.87	36.85	39.81	42.75	48.61	54.41
38.0	18.78	22.15	25.38	28.55	31.69	34.80	37.89	40.96	44.02	50.10	56.13
39.0	19.12	22.62	25.97	29.26	32.51	35.74	38.95	42.14	45.31	51.63	57.88
40.0	19.48	23.10	26.58	29.99	33.36	36.71	40.04	43.35	46.64	53.19	59.69
41.0	19.84	23.60	27.20	30.73	34.23	37.70	41.15	44.59	48.00	54.80	61.54
42.0	20.22	24.10	27.83	31.50	35.12	38.72	42.30	45.86	49.40	56.45	63.44
43.0	20.61	24.63	28.49	32.29	36.04	39.77	43.48	47.17	50.84	58.14	65.39
44.0	21.01	25.17	29.17	33.10	36.99	40.85	44.69	48.51	52.32	59.89	67.39
45.0	21.42	25.72	29.86	33.93	37.96	41.96	45.94	49.90	53.84	61.68	69.46
46.0	21.85	26.30	30.58	34.79	38.96	43.10	47.22	51.32	55.40	63.52	71.58
47.0	22.29	26.89	31.32	35.68	39.99	44.28	48.54	52.79	57.01	65.42	73.76
48.0	22.75	27.50	32.08	36.59	41.06	45.49	49.90	54.30	58.67	67.37	76.01
49.0	23.22	28.13	32.87	37.53	42.15	46.74	51.31	55.86	60.38	69.39	78.34
50.0	23.71	28.78	33.68	38.51	43.29	48.04	52.76	57.46	62.15	71.47	80.73
51.0	24.22	29.46	34.52	39.51	44.46	49.37	54.26	59.12	63.97	73.62	83.20
52.0	24.75	30.16	35.40	40.55	45.67	50.75	55.81	60.84	65.86	75.84	85.76
53.0	25.31	30.89	36.30	41.63	46.92	52.18	57.41	62.62	67.81	78.14	88.41
54.0	25.88	31.64	37.24	42.75	48.22	53.66	59.07	64.46	69.83	80.52	91.14
55.0	26.48	32.43	38.21	43.91	49.57	55.19	60.79	66.37	71.92	82.99	93.98
56.0	27.10	33.24	39.22	45.12	50.97	56.78	62.58	68.34	74.09	85.54	96.92
57.0	27.75	34.09	40.27	46.37	52.42	58.44	64.43	70.40	76.35	88.20	99.97
58.0	28.43	34.98	41.36	47.67	53.93	60.16	66.36	72.54	78.69	90.96	103.15
59.0	29.14	35.91	42.51	49.03	55.51	61.95	68.37	74.76	81.13	93.83	106.45
60.0	29.89	36.87	43.70	50.45	57.15	63.82	70.46	77.08	83.67	96.82	109.89
NUMBER OF MONTHLY PAYMENTS NEEDED TO PAY OFF LOAN											
	226.4	135.2	99.1	78.7	65.5	56.1	49.2	43.7	39.4	32.9	28.2

MONTHLY PAYBACK RATE (%)
(MONTHLY PAYMENT DIVIDED BY LOAN AMOUNT)

DISCOUNT %	.87	1.00	1.50	2.00	3.00	4.00	5.00	6.00	7.00	8.00	8.81
.5	11.03	11.03	11.05	11.07	11.10	11.14	11.19	11.24	11.30	11.38	11.45
1.0	11.56	11.57	11.60	11.63	11.71	11.79	11.88	11.99	12.11	12.26	12.41
1.5	12.10	12.11	12.16	12.21	12.32	12.44	12.58	12.74	12.93	13.15	13.37
2.0	12.64	12.65	12.72	12.78	12.93	13.09	13.28	13.50	13.75	14.05	14.34
2.5	13.18	13.20	13.28	13.36	13.54	13.75	13.99	14.26	14.58	14.96	15.32
3.0	13.73	13.75	13.85	13.95	14.16	14.41	14.70	15.03	15.41	15.87	16.30
3.5	14.28	14.30	14.41	14.53	14.79	15.08	15.42	15.80	16.25	16.79	17.30
4.0	14.83	14.86	14.99	15.12	15.42	15.75	16.14	16.58	17.10	17.71	18.30
4.5	15.38	15.42	15.56	15.71	16.05	16.43	16.86	17.36	17.95	18.64	19.30
5.0	15.94	15.98	16.14	16.31	16.69	17.11	17.59	18.15	18.81	19.58	20.32
5.5	16.50	16.55	16.72	16.91	17.33	17.79	18.33	18.95	19.67	20.53	21.34
6.0	17.07	17.12	17.31	17.52	17.97	18.48	19.07	19.75	20.54	21.48	22.37
6.5	17.64	17.69	17.90	18.13	18.62	19.18	19.82	20.56	21.42	22.44	23.41
7.0	18.21	18.26	18.49	18.74	19.27	19.88	20.57	21.37	22.30	23.41	24.46
7.5	18.78	18.84	19.09	19.35	19.93	20.58	21.33	22.19	23.19	24.38	25.52
8.0	19.36	19.43	19.69	19.97	20.59	21.29	22.09	23.01	24.09	25.36	26.58
8.5	19.94	20.01	20.30	20.60	21.25	22.00	22.86	23.84	24.99	26.35	27.65
9.0	20.53	20.60	20.91	21.23	21.92	22.72	23.63	24.68	25.91	27.35	28.73
9.5	21.12	21.20	21.52	21.86	22.60	23.44	24.41	25.52	26.82	28.36	29.83
10.0	21.71	21.80	22.13	22.49	23.28	24.17	25.19	26.37	27.75	29.37	30.92
10.5	22.31	22.40	22.75	23.13	23.96	24.90	25.98	27.23	28.68	30.40	32.03
11.0	22.91	23.00	23.38	23.78	24.65	25.64	26.78	28.09	29.62	31.43	33.15
11.5	23.52	23.61	24.01	24.43	25.34	26.39	27.58	28.96	30.57	32.47	34.28
12.0	24.12	24.23	24.64	25.08	26.04	27.14	28.39	29.84	31.53	33.51	35.41
12.5	24.74	24.84	25.28	25.74	26.74	27.89	29.20	30.72	32.49	34.57	36.56
13.0	25.35	25.46	25.92	26.40	27.45	28.65	30.02	31.61	33.46	35.64	37.71
13.5	25.97	26.09	26.56	27.06	28.16	29.42	30.85	32.51	34.44	36.71	38.88
14.0	26.60	26.72	27.21	27.73	28.88	30.19	31.68	33.41	35.42	37.79	40.05
14.5	27.22	27.35	27.86	28.41	29.61	30.97	32.52	34.32	36.42	38.89	41.24
15.0	27.86	27.99	28.52	29.09	30.33	31.75	33.37	35.24	37.42	39.99	42.43
15.5	28.49	28.63	29.18	29.77	31.07	32.54	34.22	36.17	38.43	41.10	43.64
16.0	29.13	29.28	29.85	30.46	31.81	33.33	35.08	37.10	39.45	42.22	44.85
16.5	29.78	29.93	30.52	31.16	32.55	34.13	35.95	38.04	40.48	43.35	46.08
17.0	30.43	30.58	31.20	31.86	33.30	34.94	36.82	38.99	41.52	44.49	47.32
17.5	31.08	31.24	31.88	32.56	34.05	35.75	37.70	39.95	42.57	45.65	48.57
18.0	31.74	31.90	32.57	33.27	34.82	36.57	38.59	40.91	43.62	46.81	49.83
18.5	32.40	32.57	33.26	33.98	35.58	37.40	39.48	41.89	44.69	47.98	51.10
19.0	33.07	33.24	33.95	34.70	36.35	38.23	40.38	42.87	45.76	49.16	52.39
19.5	33.74	33.92	34.65	35.43	37.13	39.07	41.29	43.86	46.85	50.35	53.68
20.0	34.42	34.60	35.36	36.16	37.92	39.92	42.21	44.86	47.94	51.56	54.99
20.5	35.10	35.29	36.07	36.89	38.71	40.77	43.13	45.86	49.04	52.77	56.31
21.0	35.79	35.98	36.79	37.63	39.50	41.63	44.07	46.88	50.16	54.00	57.64
21.5	36.48	36.68	37.51	38.38	40.30	42.49	45.01	47.90	51.28	55.24	58.99
22.0	37.18	37.38	38.23	39.13	41.11	43.37	45.95	48.94	52.41	56.49	60.35
22.5	37.88	38.09	38.96	39.89	41.93	44.25	46.91	49.98	53.56	57.75	61.72
23.0	38.58	38.80	39.70	40.65	42.75	45.14	47.87	51.04	54.71	59.03	63.11
23.5	39.30	39.52	40.44	41.42	43.58	46.03	48.85	52.10	55.88	60.31	64.50
24.0	40.01	40.24	41.19	42.20	44.41	46.94	49.83	53.17	57.06	61.61	65.92
24.5	40.73	40.97	41.95	42.98	45.26	47.85	50.82	54.25	58.25	62.92	67.34
25.0	41.46	41.70	42.71	43.77	46.10	48.77	51.82	55.35	59.45	64.25	68.78
25.5	42.20	42.44	43.47	44.56	46.96	49.69	52.83	56.45	60.66	65.59	70.24
26.0	42.93	43.19	44.24	45.36	47.82	50.63	53.85	57.56	61.88	66.94	71.71
26.5	43.68	43.94	45.02	46.17	48.69	51.57	54.87	58.68	63.12	68.30	73.20
27.0	44.43	44.70	45.80	46.98	49.57	52.52	55.91	59.82	64.36	69.68	74.70
27.5	45.18	45.46	46.59	47.80	50.46	53.48	56.95	60.96	65.63	71.08	76.21
28.0	45.95	46.23	47.39	48.63	51.35	54.45	58.01	62.12	66.90	72.48	77.75
28.5	46.71	47.00	48.19	49.46	52.25	55.43	59.08	63.29	68.18	73.91	79.29
29.0	47.49	47.78	49.00	50.30	53.16	56.42	60.15	64.47	69.48	75.34	80.86
29.5	48.27	48.57	49.82	51.15	54.07	57.41	61.24	65.66	70.80	76.80	82.44
30.0	49.05	49.36	50.64	52.00	55.00	58.42	62.34	66.86	72.12	78.27	84.04

PERCENTAGE OF LOAN AMOUNT LEFT UNPAID AT DUE DATE											
	100.0	98.43	92.13	85.83	73.24	60.64	48.05	35.45	22.86	10.26	.00

DISCOUNT %	MONTHLY PAYBACK RATE (%) (MONTHLY PAYMENT DIVIDED BY LOAN AMOUNT)										
	.87	1.00	1.25	1.50	1.75	2.00	2.50	3.00	3.50	4.00	4.64
.5	10.78	10.78	10.79	10.80	10.81	10.82	10.85	10.87	10.90	10.94	11.00
1.0	11.06	11.07	11.09	11.10	11.12	11.15	11.19	11.25	11.31	11.39	11.51
1.5	11.34	11.35	11.38	11.41	11.44	11.47	11.54	11.63	11.72	11.84	12.02
2.0	11.62	11.64	11.68	11.72	11.76	11.80	11.90	12.01	12.14	12.29	12.53
2.5	11.91	11.93	11.98	12.02	12.08	12.13	12.25	12.39	12.55	12.74	13.05
3.0	12.20	12.22	12.28	12.33	12.40	12.46	12.61	12.77	12.97	13.20	13.57
3.5	12.49	12.52	12.58	12.65	12.72	12.80	12.97	13.16	13.39	13.66	14.10
4.0	12.78	12.81	12.88	12.96	13.04	13.13	13.33	13.55	13.82	14.13	14.62
4.5	13.07	13.11	13.19	13.28	13.37	13.47	13.69	13.95	14.24	14.60	15.16
5.0	13.36	13.41	13.50	13.60	13.70	13.81	14.06	14.34	14.67	15.07	15.69
5.5	13.66	13.71	13.81	13.92	14.03	14.15	14.42	14.74	15.11	15.55	16.23
6.0	13.95	14.01	14.12	14.24	14.36	14.50	14.80	15.14	15.55	16.02	16.78
6.5	14.25	14.31	14.43	14.56	14.70	14.84	15.17	15.55	15.99	16.51	17.33
7.0	14.55	14.62	14.75	14.89	15.04	15.19	15.55	15.95	16.43	16.99	17.88
7.5	14.86	14.92	15.07	15.22	15.37	15.55	15.92	16.36	16.88	17.48	18.44
8.0	15.16	15.23	15.38	15.55	15.72	15.90	16.31	16.78	17.33	17.98	19.00
8.5	15.47	15.55	15.71	15.88	16.06	16.26	16.69	17.19	17.78	18.47	19.57
9.0	15.78	15.86	16.03	16.21	16.41	16.61	17.08	17.61	18.23	18.97	20.14
9.5	16.09	16.17	16.35	16.55	16.75	16.98	17.46	18.03	18.69	19.48	20.71
10.0	16.40	16.49	16.68	16.89	17.11	17.34	17.86	18.46	19.16	19.99	21.29
10.5	16.71	16.81	17.01	17.23	17.46	17.70	18.25	18.88	19.63	20.50	21.88
11.0	17.03	17.13	17.34	17.57	17.81	18.07	18.65	19.32	20.10	21.02	22.46
11.5	17.34	17.45	17.68	17.92	18.17	18.44	19.05	19.75	20.57	21.54	23.06
12.0	17.66	17.78	18.01	18.26	18.53	18.82	19.45	20.19	21.05	22.06	23.66
12.5	17.99	18.11	18.35	18.61	18.89	19.19	19.86	20.63	21.53	22.59	24.26
13.0	18.31	18.43	18.69	18.97	19.26	19.57	20.27	21.07	22.02	23.13	24.87
13.5	18.64	18.77	19.04	19.32	19.63	19.95	20.68	21.52	22.50	23.67	25.48
14.0	18.96	19.10	19.38	19.68	20.00	20.34	21.10	21.97	23.00	24.21	26.10
14.5	19.29	19.44	19.73	20.04	20.37	20.73	21.51	22.43	23.49	24.76	26.73
15.0	19.63	19.77	20.08	20.40	20.75	21.12	21.94	22.89	24.00	25.31	27.35
15.5	19.96	20.11	20.43	20.77	21.12	21.51	22.36	23.35	24.50	25.86	27.99
16.0	20.30	20.46	20.78	21.13	21.51	21.90	22.79	23.81	25.01	26.42	28.63
16.5	20.64	20.80	21.14	21.50	21.89	22.30	23.22	24.28	25.52	26.99	29.27
17.0	20.98	21.15	21.50	21.88	22.28	22.70	23.66	24.76	26.04	27.56	29.93
17.5	21.32	21.50	21.86	22.25	22.67	23.11	24.09	25.23	26.56	28.14	30.58
18.0	21.67	21.85	22.23	22.63	23.06	23.52	24.53	25.71	27.09	28.72	31.25
18.5	22.02	22.20	22.59	23.01	23.45	23.93	24.98	26.20	27.62	29.30	31.91
19.0	22.37	22.56	22.96	23.39	23.85	24.34	25.43	26.69	28.16	29.89	32.59
19.5	22.72	22.92	23.34	23.78	24.25	24.76	25.88	27.18	28.70	30.49	33.27
20.0	23.08	23.28	23.71	24.17	24.66	25.18	26.34	27.68	29.24	31.09	33.96
21.0	23.80	24.02	24.47	24.96	25.47	26.03	27.26	28.68	30.35	32.31	35.35
22.0	24.53	24.76	25.24	25.75	26.30	26.89	28.20	29.71	31.47	33.55	36.77
23.0	25.27	25.51	26.02	26.57	27.15	27.77	29.15	30.75	32.62	34.81	38.22
24.0	26.02	26.28	26.81	27.39	28.00	28.66	30.12	31.81	33.78	36.10	39.69
25.0	26.78	27.05	27.62	28.23	28.87	29.57	31.11	32.89	34.97	37.42	41.19
26.0	27.55	27.84	28.44	29.08	29.76	30.49	32.11	33.99	36.18	38.75	42.73
27.0	28.34	28.64	29.27	29.94	30.66	31.42	33.13	35.11	37.41	40.12	44.29
28.0	29.14	29.45	30.11	30.82	31.57	32.38	34.17	36.25	38.67	41.51	45.89
29.0	29.95	30.28	30.97	31.71	32.50	33.35	35.23	37.41	39.95	42.93	47.52
30.0	30.77	31.12	31.84	32.62	33.45	34.34	36.31	38.60	41.26	44.39	49.18
31.0	31.61	31.97	32.73	33.54	34.41	35.34	37.41	39.81	42.60	45.87	50.89
32.0	32.46	32.84	33.63	34.48	35.39	36.37	38.53	41.04	43.96	47.38	52.62
33.0	33.32	33.72	34.55	35.44	36.39	37.41	39.68	42.30	45.36	48.93	54.40
34.0	34.20	34.62	35.49	36.42	37.41	38.47	40.84	43.59	46.78	50.51	56.22
35.0	35.10	35.53	36.44	37.41	38.45	39.56	42.03	44.90	48.23	52.13	58.08
36.0	36.01	36.46	37.41	38.42	39.50	40.66	43.25	46.24	49.72	53.79	59.99
37.0	36.94	37.41	38.40	39.45	40.58	41.79	44.49	47.61	51.24	55.48	61.94
38.0	37.88	38.37	39.40	40.50	41.68	42.94	45.76	49.01	52.80	57.22	63.94
39.0	38.84	39.36	40.43	41.57	42.80	44.12	47.05	50.45	54.40	59.00	65.98
40.0	39.82	40.36	41.47	42.67	43.95	45.32	48.38	51.92	56.03	60.82	68.09

⌀	PERCENTAGE OF LOAN AMOUNT LEFT UNPAID AT DUE DATE										
	100.0	96.68	90.03	83.39	76.74	70.10	56.81	43.52	30.23	16.95	.00

DISCOUNT %	MONTHLY PAYBACK RATE (%) (MONTHLY PAYMENT DIVIDED BY LOAN AMOUNT)										
	.87	1.00	1.25	1.50	1.75	2.00	2.25	2.50	2.75	3.00	3.25
.5	10.69	10.70	10.71	10.72	10.73	10.75	10.76	10.78	10.80	10.82	10.84
1.0	10.89	10.90	10.92	10.94	10.97	10.99	11.02	11.06	11.10	11.14	11.19
1.5	11.09	11.10	11.13	11.17	11.20	11.24	11.29	11.34	11.40	11.47	11.54
2.0	11.29	11.31	11.35	11.39	11.44	11.49	11.56	11.62	11.70	11.79	11.90
2.5	11.49	11.51	11.56	11.62	11.68	11.75	11.82	11.91	12.01	12.12	12.25
3.0	11.69	11.72	11.78	11.85	11.92	12.00	12.09	12.20	12.32	12.45	12.61
3.5	11.89	11.93	12.00	12.07	12.16	12.26	12.37	12.49	12.63	12.79	12.97
4.0	12.10	12.13	12.22	12.31	12.41	12.52	12.64	12.78	12.94	13.12	13.34
4.5	12.30	12.34	12.44	12.54	12.65	12.78	12.92	13.08	13.26	13.46	13.70
5.0	12.51	12.56	12.66	12.77	12.90	13.04	13.19	13.37	13.57	13.80	14.07
5.5	12.71	12.77	12.88	13.01	13.15	13.30	13.47	13.67	13.89	14.15	14.44
6.0	12.92	12.98	13.11	13.24	13.40	13.57	13.76	13.97	14.22	14.50	14.82
6.5	13.13	13.20	13.33	13.48	13.65	13.83	14.04	14.27	14.54	14.84	15.20
7.0	13.34	13.41	13.56	13.72	13.90	14.10	14.32	14.58	14.87	15.20	15.58
7.5	13.56	13.63	13.79	13.96	14.16	14.37	14.61	14.89	15.20	15.55	15.96
8.0	13.77	13.85	14.02	14.21	14.41	14.64	14.90	15.19	15.53	15.91	16.35
8.5	13.98	14.07	14.25	14.45	14.67	14.92	15.19	15.51	15.86	16.27	16.74
9.0	14.20	14.29	14.48	14.70	14.93	15.19	15.49	15.82	16.20	16.63	17.13
9.5	14.42	14.51	14.72	14.94	15.19	15.47	15.78	16.14	16.54	17.00	17.52
10.0	14.64	14.74	14.95	15.19	15.46	15.75	16.08	16.46	16.88	17.36	17.92
11.0	15.08	15.19	15.43	15.70	15.99	16.32	16.69	17.10	17.57	18.11	18.73
12.0	15.53	15.65	15.92	16.21	16.53	16.89	17.30	17.76	18.28	18.87	19.55
13.0	15.98	16.12	16.41	16.73	17.08	17.48	17.92	18.42	18.99	19.64	20.38
14.0	16.44	16.59	16.91	17.25	17.64	18.07	18.55	19.10	19.72	20.42	21.23
15.0	16.91	17.07	17.41	17.79	18.21	18.67	19.20	19.79	20.45	21.22	22.09
16.0	17.38	17.55	17.92	18.33	18.78	19.28	19.85	20.48	21.20	22.03	22.97
17.0	17.86	18.04	18.44	18.88	19.36	19.90	20.51	21.19	21.97	22.85	23.86
18.0	18.35	18.54	18.97	19.44	19.96	20.53	21.18	21.92	22.74	23.69	24.77
19.0	18.84	19.05	19.50	20.00	20.56	21.18	21.87	22.65	23.53	24.54	25.69
20.0	19.34	19.56	20.04	20.58	21.17	21.83	22.57	23.40	24.34	25.41	26.63
21.0	19.84	20.08	20.59	21.16	21.79	22.49	23.27	24.16	25.16	26.29	27.59
22.0	20.36	20.61	21.15	21.75	22.42	23.16	24.00	24.93	25.99	27.19	28.56
23.0	20.88	21.15	21.72	22.36	23.06	23.85	24.73	25.72	26.84	28.11	29.56
24.0	21.41	21.69	22.30	22.97	23.72	24.55	25.48	26.52	27.71	29.05	30.57
25.0	21.95	22.25	22.89	23.59	24.38	25.26	26.24	27.34	28.59	30.00	31.61
26.0	22.49	22.81	23.48	24.23	25.05	25.98	27.01	28.17	29.49	30.97	32.66
27.0	23.05	23.38	24.09	24.87	25.74	26.71	27.80	29.02	30.40	31.96	33.74
28.0	23.61	23.96	24.70	25.53	26.44	27.46	28.61	29.89	31.34	32.98	34.83
29.0	24.19	24.55	25.33	26.20	27.16	28.23	29.43	30.77	32.29	34.01	35.95
30.0	24.77	25.15	25.97	26.87	27.88	29.01	30.26	31.68	33.27	35.07	37.10
31.0	25.36	25.76	26.62	27.57	28.62	29.80	31.12	32.60	34.26	36.14	38.27
32.0	25.96	26.38	27.28	28.27	29.38	30.61	31.99	33.54	35.28	37.25	39.46
33.0	26.58	27.01	27.95	28.99	30.15	31.44	32.88	34.50	36.32	38.37	40.68
34.0	27.20	27.66	28.64	29.72	30.93	32.28	33.79	35.48	37.38	39.52	41.93
35.0	27.83	28.31	29.33	30.47	31.73	33.14	34.72	36.48	38.47	40.70	43.21
36.0	28.48	28.98	30.05	31.23	32.55	34.02	35.67	37.51	39.58	41.91	44.52
37.0	29.14	29.66	30.77	32.01	33.38	34.92	36.64	38.56	40.72	43.14	45.86
38.0	29.81	30.35	31.51	32.80	34.24	35.84	37.63	39.63	41.89	44.41	47.24
39.0	30.49	31.06	32.27	33.61	35.11	36.78	38.64	40.74	43.08	45.71	48.65
40.0	31.19	31.78	33.04	34.44	36.00	37.74	39.69	41.86	44.30	47.04	50.09
41.0	31.90	32.51	33.83	35.29	36.91	38.72	40.75	43.02	45.56	48.40	51.57
42.0	32.63	33.26	34.63	36.15	37.84	39.73	41.84	44.21	46.85	49.80	53.10
43.0	33.37	34.03	35.45	37.04	38.80	40.77	42.96	45.42	48.17	51.24	54.66
44.0	34.12	34.81	36.29	37.94	39.78	41.82	44.11	46.67	49.53	52.72	56.27
45.0	34.89	35.61	37.15	38.87	40.78	42.91	45.29	47.96	50.93	54.24	57.92
46.0	35.68	36.43	38.03	39.82	41.81	44.03	46.51	49.28	52.37	55.81	59.62
47.0	36.49	37.26	38.93	40.79	42.86	45.17	47.75	50.64	53.85	57.42	61.37
48.0	37.31	38.12	39.86	41.79	43.94	46.35	49.03	52.03	55.37	59.08	63.18
49.0	38.16	39.00	40.80	42.81	45.06	47.56	50.35	53.47	56.94	60.79	65.04
50.0	39.02	39.89	41.77	43.87	46.20	48.80	51.71	54.96	58.56	62.56	66.96
▽Φ	PERCENTAGE OF LOAN AMOUNT LEFT UNPAID AT DUE DATE										
	100.0	94.74	84.21	73.69	63.16	52.64	42.11	31.59	21.06	10.54	.00

DISCOUNT %	MONTHLY PAYBACK RATE (%) (MONTHLY PAYMENT DIVIDED BY LOAN AMOUNT)										
	.87	.90	1.00	1.20	1.40	1.60	1.80	2.00	2.20	2.40	2.56
.5	10.65	10.65	10.66	10.67	10.68	10.69	10.70	10.71	10.73	10.75	10.77
1.0	10.81	10.81	10.82	10.84	10.86	10.88	10.90	10.93	10.96	11.00	11.03
1.5	10.96	10.97	10.98	11.01	11.04	11.07	11.10	11.15	11.19	11.25	11.30
2.0	11.12	11.12	11.14	11.18	11.22	11.26	11.31	11.37	11.43	11.51	11.57
2.5	11.28	11.28	11.30	11.35	11.40	11.45	11.51	11.59	11.67	11.76	11.85
3.0	11.44	11.44	11.47	11.52	11.58	11.65	11.72	11.81	11.90	12.02	12.12
3.5	11.60	11.60	11.63	11.70	11.77	11.84	11.93	12.03	12.14	12.28	12.40
4.0	11.76	11.77	11.80	11.87	11.95	12.04	12.14	12.26	12.39	12.54	12.68
4.5	11.92	11.93	11.97	12.05	12.14	12.24	12.35	12.48	12.63	12.80	12.96
5.0	12.08	12.09	12.13	12.22	12.33	12.44	12.56	12.71	12.88	13.07	13.25
5.5	12.24	12.26	12.30	12.40	12.51	12.64	12.78	12.94	13.12	13.34	13.53
6.0	12.41	12.42	12.47	12.58	12.70	12.84	12.99	13.17	13.37	13.61	13.82
6.5	12.57	12.59	12.64	12.76	12.90	13.05	13.21	13.41	13.62	13.88	14.11
7.0	12.74	12.76	12.82	12.95	13.09	13.25	13.43	13.64	13.88	14.15	14.41
7.5	12.91	12.92	12.99	13.13	13.28	13.46	13.65	13.88	14.13	14.43	14.70
8.0	13.08	13.09	13.16	13.31	13.48	13.67	13.87	14.12	14.39	14.71	15.00
8.5	13.25	13.27	13.34	13.50	13.68	13.88	14.10	14.36	14.65	14.99	15.30
9.0	13.42	13.44	13.52	13.69	13.88	14.09	14.32	14.60	14.91	15.27	15.60
9.5	13.59	13.61	13.70	13.87	14.07	14.30	14.55	14.84	15.17	15.55	15.90
10.0	13.76	13.79	13.87	14.06	14.28	14.51	14.78	15.09	15.44	15.84	16.21
11.0	14.11	14.14	14.24	14.45	14.68	14.95	15.24	15.58	15.97	16.42	16.83
12.0	14.47	14.49	14.60	14.84	15.10	15.39	15.71	16.09	16.52	17.01	17.46
13.0	14.83	14.86	14.97	15.23	15.51	15.83	16.19	16.60	17.07	17.61	18.10
14.0	15.19	15.22	15.35	15.63	15.94	16.29	16.68	17.12	17.63	18.22	18.75
15.0	15.56	15.59	15.73	16.03	16.37	16.75	17.17	17.65	18.20	18.84	19.42
16.0	15.93	15.97	16.12	16.45	16.81	17.21	17.67	18.19	18.78	19.47	20.09
17.0	16.31	16.35	16.51	16.86	17.25	17.69	18.18	18.74	19.38	20.11	20.78
18.0	16.70	16.74	16.91	17.29	17.70	18.17	18.70	19.30	19.98	20.76	21.48
19.0	17.09	17.13	17.32	17.72	18.16	18.66	19.22	19.86	20.59	21.43	22.19
20.0	17.48	17.53	17.73	18.15	18.63	19.16	19.76	20.44	21.21	22.10	22.91
21.0	17.89	17.94	18.15	18.60	19.10	19.67	20.30	21.03	21.85	22.79	23.65
22.0	18.29	18.35	18.57	19.05	19.58	20.18	20.86	21.62	22.49	23.50	24.40
23.0	18.71	18.77	19.00	19.51	20.07	20.71	21.42	22.23	23.15	24.21	25.17
24.0	19.13	19.19	19.44	19.97	20.57	21.24	21.99	22.85	23.82	24.95	25.95
25.0	19.56	19.62	19.88	20.45	21.08	21.78	22.58	23.48	24.51	25.68	26.74
26.0	19.99	20.06	20.33	20.93	21.59	22.34	23.18	24.13	25.21	26.44	27.56
27.0	20.43	20.50	20.79	21.42	22.12	22.90	23.78	24.78	25.92	27.22	28.38
28.0	20.88	20.96	21.26	21.92	22.65	23.48	24.40	25.45	26.64	28.01	29.23
29.0	21.34	21.42	21.73	22.42	23.20	24.06	25.03	26.14	27.39	28.81	30.09
30.0	21.80	21.88	22.22	22.94	23.75	24.66	25.68	26.83	28.14	29.64	30.98
31.0	22.27	22.36	22.71	23.47	24.31	25.27	26.33	27.55	28.92	30.48	31.88
32.0	22.76	22.84	23.21	24.00	24.89	25.89	27.01	28.27	29.71	31.34	32.80
33.0	23.24	23.34	23.72	24.55	25.48	26.52	27.69	29.02	30.51	32.22	33.74
34.0	23.74	23.84	24.24	25.11	26.08	27.17	28.39	29.78	31.34	33.12	34.70
35.0	24.25	24.35	24.77	25.68	26.69	27.83	29.11	30.55	32.18	34.04	35.69
36.0	24.77	24.87	25.31	26.26	27.31	28.50	29.84	31.35	33.05	34.98	36.70
37.0	25.29	25.40	25.86	26.85	27.95	29.19	30.58	32.16	33.93	35.94	37.73
38.0	25.83	25.95	26.42	27.45	28.60	29.90	31.35	32.99	34.84	36.93	38.79
39.0	26.38	26.50	26.99	28.07	29.27	30.62	32.13	33.85	35.77	37.95	39.88
40.0	26.94	27.06	27.58	28.70	29.95	31.36	32.94	34.72	36.73	38.99	41.00
41.0	27.51	27.64	28.18	29.34	30.65	32.11	33.76	35.62	37.70	40.05	42.14
42.0	28.09	28.23	28.79	30.00	31.36	32.89	34.60	36.54	38.71	41.15	43.31
43.0	28.69	28.83	29.41	30.67	32.09	33.68	35.47	37.48	39.74	42.28	44.52
44.0	29.29	29.44	30.05	31.36	32.84	34.49	36.35	38.45	40.80	43.44	45.76
45.0	29.92	30.07	30.70	32.07	33.61	35.33	37.27	39.45	41.89	44.63	47.04
46.0	30.55	30.71	31.37	32.79	34.39	36.19	38.20	40.47	43.01	45.85	48.35
47.0	31.20	31.37	32.05	33.54	35.20	37.07	39.17	41.53	44.16	47.11	49.71
48.0	31.87	32.04	32.75	34.30	36.03	37.97	40.16	42.61	45.35	48.42	51.10
49.0	32.55	32.73	33.47	35.08	36.88	38.91	41.18	43.73	46.58	49.76	52.54
50.0	33.25	33.44	34.21	35.88	37.76	39.86	42.23	44.89	47.85	51.14	54.03
◁▽▷	PERCENTAGE OF LOAN AMOUNT LEFT UNPAID AT DUE DATE										
	100.0	98.52	92.58	80.72	68.85	56.98	45.11	33.25	21.38	9.51	.00

211

DISCOUNT %	MONTHLY PAYBACK RATE (%) (MONTHLY PAYMENT DIVIDED BY LOAN AMOUNT)										
	.87	.90	1.00	1.10	1.20	1.30	1.40	1.60	1.80	2.00	2.15
.5	10.63	10.63	10.63	10.64	10.64	10.65	10.66	10.67	10.68	10.70	10.72
1.0	10.76	10.76	10.77	10.78	10.79	10.80	10.81	10.84	10.87	10.90	10.94
1.5	10.89	10.89	10.91	10.92	10.94	10.95	10.97	11.01	11.05	11.11	11.16
2.0	11.02	11.03	11.04	11.06	11.08	11.10	11.13	11.18	11.24	11.32	11.38
2.5	11.15	11.16	11.18	11.20	11.23	11.26	11.29	11.35	11.43	11.52	11.60
3.0	11.29	11.29	11.32	11.35	11.38	11.41	11.45	11.53	11.62	11.73	11.83
3.5	11.42	11.43	11.46	11.49	11.53	11.57	11.61	11.70	11.81	11.94	12.06
4.0	11.56	11.56	11.60	11.64	11.68	11.72	11.77	11.88	12.00	12.15	12.28
4.5	11.69	11.70	11.74	11.78	11.83	11.88	11.94	12.06	12.20	12.37	12.52
5.0	11.83	11.84	11.89	11.93	11.99	12.04	12.10	12.24	12.39	12.58	12.75
5.5	11.97	11.98	12.03	12.08	12.14	12.20	12.27	12.42	12.59	12.80	12.98
6.0	12.10	12.12	12.17	12.23	12.29	12.36	12.43	12.60	12.79	13.02	13.22
6.5	12.24	12.26	12.32	12.38	12.45	12.52	12.60	12.78	12.99	13.24	13.46
7.0	12.38	12.40	12.46	12.53	12.61	12.69	12.77	12.96	13.19	13.46	13.70
7.5	12.52	12.54	12.61	12.69	12.77	12.85	12.94	13.15	13.39	13.68	13.94
8.0	12.67	12.68	12.76	12.84	12.93	13.02	13.12	13.34	13.60	13.91	14.18
8.5	12.81	12.83	12.91	12.99	13.09	13.18	13.29	13.53	13.80	14.14	14.43
9.0	12.95	12.97	13.06	13.15	13.25	13.35	13.46	13.72	14.01	14.36	14.67
9.5	13.10	13.12	13.21	13.31	13.41	13.52	13.64	13.91	14.22	14.60	14.92
10.0	13.24	13.27	13.36	13.46	13.57	13.69	13.82	14.10	14.43	14.83	15.17
11.0	13.54	13.56	13.67	13.78	13.91	14.03	14.18	14.49	14.86	15.30	15.68
12.0	13.84	13.87	13.98	14.11	14.24	14.38	14.54	14.89	15.29	15.78	16.20
13.0	14.14	14.17	14.30	14.43	14.58	14.74	14.91	15.29	15.73	16.26	16.72
14.0	14.45	14.48	14.62	14.77	14.93	15.10	15.28	15.70	16.18	16.76	17.26
15.0	14.76	14.79	14.95	15.11	15.28	15.46	15.66	16.11	16.64	17.26	17.80
16.0	15.07	15.11	15.28	15.45	15.64	15.84	16.05	16.53	17.10	17.77	18.35
17.0	15.39	15.44	15.61	15.80	16.00	16.21	16.45	16.96	17.57	18.29	18.92
18.0	15.72	15.76	15.95	16.15	16.37	16.60	16.84	17.40	18.05	18.82	19.49
19.0	16.05	16.10	16.30	16.51	16.74	16.99	17.25	17.84	18.54	19.36	20.07
20.0	16.38	16.44	16.65	16.88	17.12	17.38	17.66	18.30	19.03	19.91	20.67
21.0	16.72	16.78	17.01	17.25	17.51	17.78	18.08	18.76	19.54	20.47	21.27
22.0	17.07	17.13	17.37	17.62	17.90	18.19	18.51	19.23	20.05	21.04	21.89
23.0	17.42	17.48	17.74	18.01	18.30	18.61	18.95	19.70	20.58	21.62	22.52
24.0	17.78	17.84	18.11	18.40	18.71	19.03	19.39	20.19	21.11	22.21	23.16
25.0	18.14	18.21	18.49	18.79	19.12	19.47	19.84	20.68	21.66	22.82	23.81
26.0	18.51	18.58	18.88	19.20	19.54	19.91	20.30	21.19	22.22	23.43	24.48
27.0	18.88	18.96	19.27	19.61	19.97	20.35	20.77	21.70	22.78	24.06	25.16
28.0	19.26	19.34	19.67	20.02	20.40	20.81	21.25	22.22	23.36	24.70	25.85
29.0	19.65	19.73	20.08	20.45	20.85	21.27	21.73	22.76	23.95	25.36	26.56
30.0	20.05	20.13	20.50	20.88	21.30	21.75	22.23	23.31	24.56	26.03	27.28
31.0	20.45	20.54	20.92	21.33	21.76	22.23	22.74	23.86	25.17	26.71	28.02
32.0	20.86	20.95	21.35	21.78	22.23	22.72	23.25	24.43	25.80	27.41	28.78
33.0	21.27	21.37	21.79	22.23	22.71	23.23	23.78	25.01	26.45	28.12	29.55
34.0	21.70	21.80	22.24	22.70	23.20	23.74	24.32	25.61	27.11	28.86	30.34
35.0	22.13	22.24	22.70	23.18	23.70	24.26	24.87	26.22	27.78	29.60	31.15
36.0	22.57	22.68	23.16	23.67	24.22	24.80	25.43	26.84	28.47	30.37	31.98
37.0	23.02	23.14	23.64	24.17	24.74	25.35	26.01	27.47	29.18	31.16	32.83
38.0	23.48	23.60	24.12	24.67	25.27	25.91	26.59	28.13	29.90	31.96	33.71
39.0	23.95	24.08	24.62	25.19	25.82	26.48	27.20	28.79	30.64	32.79	34.60
40.0	24.43	24.56	25.12	25.73	26.37	27.06	27.81	29.48	31.40	33.64	35.52
41.0	24.92	25.06	25.64	26.27	26.94	27.66	28.44	30.18	32.18	34.50	36.46
42.0	25.41	25.56	26.17	26.82	27.53	28.28	29.09	30.90	32.99	35.40	37.42
43.0	25.93	26.08	26.71	27.39	28.13	28.91	29.75	31.64	33.81	36.32	38.42
44.0	26.45	26.61	27.27	27.98	28.74	29.56	30.44	32.40	34.66	37.26	39.44
45.0	26.98	27.15	27.84	28.57	29.37	30.22	31.14	33.18	35.53	38.23	40.49
46.0	27.53	27.70	28.42	29.19	30.01	30.90	31.85	33.98	36.42	39.23	41.57
47.0	28.09	28.27	29.02	29.82	30.68	31.60	32.59	34.80	37.34	40.26	42.69
48.0	28.66	28.85	29.63	30.46	31.36	32.32	33.35	35.65	38.29	41.32	43.84
49.0	29.25	29.45	30.26	31.12	32.06	33.06	34.13	36.53	39.28	42.42	45.02
50.0	29.86	30.06	30.90	31.81	32.78	33.82	34.94	37.43	40.29	43.55	46.25
▽𝜙	PERCENTAGE OF LOAN AMOUNT LEFT UNPAID AT DUE DATE										
	100.0	98.04	90.19	82.34	74.50	66.65	58.80	43.11	27.42	11.72	.00

DISCOUNT %	MONTHLY PAYBACK RATE (%) (MONTHLY PAYMENT DIVIDED BY LOAN AMOUNT)										
	.87	.90	1.00	1.10	1.20	1.30	1.40	1.50	1.60	1.70	1.88
1.0	10.73	10.73	10.74	10.75	10.76	10.77	10.79	10.80	10.82	10.83	10.87
2.0	10.96	10.96	10.98	11.00	11.02	11.05	11.07	11.10	11.14	11.17	11.25
3.0	11.19	11.19	11.20	11.25	11.29	11.33	11.37	11.41	11.46	11.52	11.63
4.0	11.42	11.43	11.47	11.51	11.56	11.61	11.66	11.72	11.79	11.87	12.02
5.0	11.66	11.67	11.72	11.77	11.83	11.90	11.97	12.04	12.13	12.22	12.41
6.0	11.90	11.92	11.98	12.04	12.11	12.19	12.27	12.36	12.47	12.58	12.81
7.0	12.15	12.16	12.24	12.31	12.39	12.48	12.58	12.69	12.81	12.95	13.22
8.0	12.40	12.41	12.50	12.58	12.68	12.78	12.90	13.02	13.16	13.32	13.64
9.0	12.65	12.67	12.76	12.86	12.97	13.09	13.22	13.36	13.52	13.69	14.05
10.0	12.90	12.93	13.03	13.14	13.26	13.39	13.54	13.70	13.88	14.08	14.48
11.0	13.16	13.19	13.30	13.43	13.56	13.71	13.87	14.05	14.25	14.46	14.91
12.0	13.42	13.45	13.58	13.71	13.86	14.03	14.21	14.40	14.62	14.86	15.36
13.0	13.69	13.72	13.86	14.01	14.17	14.35	14.55	14.76	15.00	15.26	15.80
14.0	13.96	13.99	14.14	14.31	14.49	14.68	14.89	15.13	15.38	15.67	16.26
15.0	14.23	14.27	14.43	14.61	14.80	15.01	15.24	15.50	15.78	16.09	16.72
16.0	14.51	14.55	14.73	14.92	15.13	15.35	15.60	15.87	16.18	16.51	17.19
17.0	14.79	14.83	15.02	15.23	15.45	15.70	15.96	16.26	16.58	16.94	17.67
18.0	15.07	15.12	15.33	15.55	15.79	16.05	16.33	16.65	16.99	17.38	18.16
19.0	15.37	15.42	15.63	15.87	16.12	16.40	16.71	17.05	17.41	17.82	18.66
20.0	15.66	15.71	15.95	16.20	16.47	16.76	17.09	17.45	17.84	18.28	19.17
21.0	15.96	16.02	16.26	16.53	16.82	17.13	17.48	17.86	18.28	18.74	19.68
22.0	16.26	16.33	16.59	16.87	17.18	17.51	17.88	18.28	18.72	19.21	20.21
23.0	16.57	16.64	16.91	17.21	17.54	17.89	18.28	18.71	19.18	19.69	20.75
24.0	16.89	16.96	17.25	17.56	17.91	18.28	18.69	19.14	19.64	20.18	21.29
25.0	17.21	17.28	17.59	17.92	18.28	18.68	19.11	19.59	20.11	20.68	21.85
26.0	17.53	17.61	17.93	18.28	18.67	19.08	19.54	20.04	20.59	21.19	22.42
27.0	17.86	17.94	18.29	18.65	19.06	19.49	19.98	20.50	21.08	21.71	23.00
28.0	18.20	18.29	18.64	19.03	19.45	19.91	20.42	20.97	21.58	22.24	23.59
29.0	18.54	18.63	19.01	19.41	19.86	20.34	20.87	21.45	22.09	22.79	24.20
30.0	18.89	18.99	19.38	19.81	20.27	20.78	21.34	21.94	22.61	23.34	24.82
31.0	19.25	19.35	19.76	20.21	20.70	21.23	21.81	22.44	23.14	23.91	25.45
32.0	19.61	19.71	20.15	20.61	21.13	21.68	22.29	22.96	23.69	24.48	26.10
33.0	19.98	20.09	20.54	21.03	21.57	22.15	22.79	23.48	24.24	25.08	26.76
34.0	20.36	20.47	20.94	21.45	22.01	22.62	23.29	24.02	24.81	25.68	27.44
35.0	20.74	20.86	21.35	21.89	22.47	23.11	23.81	24.57	25.40	26.30	28.13
36.0	21.13	21.25	21.77	22.33	22.94	23.61	24.33	25.13	25.99	26.94	28.84
37.0	21.53	21.66	22.20	22.78	23.42	24.11	24.87	25.70	26.60	27.59	29.57
38.0	21.94	22.07	22.64	23.25	23.91	24.64	25.43	26.29	27.23	28.26	30.31
39.0	22.36	22.50	23.08	23.72	24.42	25.17	25.99	26.89	27.87	28.94	31.08
40.0	22.78	22.93	23.54	24.20	24.93	25.72	26.58	27.51	28.53	29.65	31.87
41.0	23.22	23.37	24.01	24.70	25.46	26.28	27.17	28.15	29.21	30.37	32.67
42.0	23.67	23.82	24.49	25.21	26.00	26.85	27.78	28.80	29.91	31.11	33.50
43.0	24.12	24.29	24.98	25.73	26.55	27.44	28.41	29.47	30.62	31.87	34.35
44.0	24.59	24.76	25.48	26.26	27.12	28.05	29.06	30.16	31.36	32.65	35.23
45.0	25.07	25.25	26.00	26.81	27.70	28.67	29.72	30.87	32.11	33.46	36.13
46.0	25.56	25.74	26.53	27.37	28.30	29.31	30.40	31.60	32.89	34.29	37.06
47.0	26.06	26.25	27.07	27.95	28.92	29.96	31.11	32.35	33.69	35.15	38.01
48.0	26.58	26.78	27.63	28.55	29.55	30.64	31.83	33.12	34.52	36.03	39.00
49.0	27.11	27.32	28.20	29.16	30.21	31.34	32.58	33.92	35.37	36.94	40.02
50.0	27.65	27.87	28.79	29.79	30.88	32.06	33.35	34.74	36.25	37.88	41.07
51.0	28.21	28.44	29.40	30.44	31.57	32.80	34.14	35.59	37.16	38.85	42.16
52.0	28.79	29.02	30.02	31.10	32.29	33.57	34.96	36.47	38.10	39.86	43.28
53.0	29.38	29.62	30.67	31.79	33.03	34.36	35.81	37.38	39.08	40.90	44.45
54.0	29.99	30.25	31.33	32.51	33.79	35.18	36.69	38.33	40.09	41.98	45.66
55.0	30.62	30.89	32.02	33.24	34.58	36.03	37.60	39.30	41.14	43.10	46.91
56.0	31.27	31.55	32.72	34.00	35.40	36.91	38.55	40.32	42.22	44.26	48.21
57.0	31.94	32.23	33.46	34.79	36.24	37.82	39.53	41.37	43.35	45.47	49.56
58.0	32.63	32.94	34.22	35.61	37.12	38.77	40.55	42.47	44.53	46.73	50.97
59.0	33.35	33.67	35.00	36.46	38.04	39.75	41.61	43.61	45.75	48.04	52.43
60.0	34.09	34.42	35.82	37.34	38.99	40.78	42.72	44.80	47.03	49.41	53.96
⟨φ⟩	PERCENTAGE OF LOAN AMOUNT LEFT UNPAID AT DUE DATE										
	100.0	97.51	87.54	77.56	67.59	57.62	47.65	37.68	27.71	17.74	.00

DISCOUNT %	MONTHLY PAYBACK RATE (%) (MONTHLY PAYMENT DIVIDED BY LOAN AMOUNT)										
	.87	.90	.95	1.00	1.10	1.20	1.30	1.40	1.50	1.60	1.69
1.0	10.70	10.70	10.71	10.72	10.73	10.74	10.75	10.77	10.79	10.81	10.82
2.0	10.91	10.91	10.92	10.94	10.96	10.98	11.01	11.04	11.08	11.12	11.16
3.0	11.12	11.12	11.14	11.16	11.19	11.23	11.27	11.32	11.37	11.43	11.49
4.0	11.33	11.34	11.36	11.38	11.43	11.48	11.53	11.60	11.67	11.75	11.83
5.0	11.54	11.56	11.58	11.61	11.67	11.73	11.80	11.88	11.97	12.08	12.18
6.0	11.76	11.78	11.81	11.84	11.91	11.99	12.07	12.17	12.28	12.41	12.53
7.0	11.98	12.00	12.04	12.08	12.16	12.25	12.35	12.47	12.60	12.74	12.88
8.0	12.20	12.22	12.27	12.31	12.41	12.51	12.63	12.77	12.91	13.08	13.25
9.0	12.43	12.45	12.50	12.55	12.66	12.78	12.92	13.07	13.24	13.43	13.61
10.0	12.66	12.69	12.74	12.80	12.92	13.06	13.21	13.38	13.57	13.78	13.99
11.0	12.89	12.92	12.98	13.05	13.18	13.33	13.50	13.69	13.90	14.14	14.37
12.0	13.13	13.16	13.23	13.30	13.45	13.61	13.80	14.01	14.24	14.50	14.75
13.0	13.37	13.40	13.48	13.55	13.72	13.90	14.10	14.33	14.58	14.87	15.15
14.0	13.61	13.65	13.73	13.81	13.99	14.19	14.41	14.66	14.93	15.25	15.55
15.0	13.86	13.90	13.99	14.08	14.27	14.49	14.72	14.99	15.29	15.63	15.95
16.0	14.11	14.15	14.25	14.34	14.55	14.79	15.04	15.33	15.65	16.02	16.37
17.0	14.36	14.41	14.51	14.62	14.84	15.09	15.37	15.68	16.02	16.41	16.79
18.0	14.62	14.67	14.78	14.89	15.13	15.40	15.70	16.03	16.40	16.82	17.22
19.0	14.88	14.94	15.05	15.17	15.43	15.72	16.03	16.39	16.78	17.23	17.65
20.0	15.15	15.21	15.33	15.46	15.73	16.04	16.37	16.75	17.17	17.64	18.10
21.0	15.42	15.48	15.61	15.75	16.04	16.36	16.72	17.12	17.57	18.07	18.55
22.0	15.70	15.76	15.90	16.05	16.35	16.70	17.08	17.50	17.97	18.50	19.01
23.0	15.98	16.05	16.19	16.35	16.67	17.04	17.44	17.89	18.39	18.95	19.48
24.0	16.26	16.34	16.49	16.65	17.00	17.38	17.80	18.28	18.81	19.40	19.96
25.0	16.55	16.63	16.79	16.96	17.33	17.73	18.18	18.68	19.24	19.86	20.45
26.0	16.85	16.93	17.10	17.28	17.66	18.09	18.56	19.09	19.68	20.33	20.95
27.0	17.15	17.23	17.42	17.60	18.01	18.46	18.95	19.51	20.12	20.81	21.46
28.0	17.45	17.54	17.73	17.93	18.36	18.83	19.35	19.93	20.58	21.30	21.98
29.0	17.77	17.86	18.06	18.27	18.71	19.21	19.76	20.37	21.05	21.80	22.52
30.0	18.08	18.18	18.39	18.61	19.08	19.60	20.17	20.81	21.52	22.31	23.06
31.0	18.41	18.51	18.73	18.96	19.45	20.00	20.60	21.27	22.01	22.84	23.62
32.0	18.74	18.85	19.08	19.32	19.83	20.40	21.03	21.73	22.51	23.37	24.19
33.0	19.07	19.19	19.43	19.68	20.22	20.81	21.47	22.21	23.02	23.92	24.77
34.0	19.42	19.54	19.79	20.05	20.61	21.24	21.93	22.69	23.54	24.48	25.36
35.0	19.77	19.89	20.16	20.43	21.02	21.67	22.39	23.19	24.07	25.05	25.98
36.0	20.12	20.26	20.53	20.82	21.43	22.11	22.86	23.70	24.62	25.64	26.60
37.0	20.49	20.63	20.91	21.21	21.85	22.57	23.35	24.22	25.18	26.24	27.24
38.0	20.86	21.01	21.31	21.62	22.29	23.03	23.85	24.76	25.76	26.86	27.90
39.0	21.24	21.39	21.71	22.03	22.73	23.51	24.36	25.30	26.35	27.49	28.57
40.0	21.64	21.79	22.12	22.46	23.19	23.99	24.88	25.87	26.95	28.15	29.26
41.0	22.04	22.20	22.54	22.89	23.65	24.49	25.42	26.44	27.57	28.81	29.98
42.0	22.44	22.61	22.97	23.34	24.13	25.01	25.97	27.04	28.21	29.50	30.71
43.0	22.86	23.04	23.41	23.79	24.62	25.53	26.54	27.65	28.87	30.21	31.46
44.0	23.29	23.48	23.86	24.26	25.12	26.07	27.12	28.28	29.55	30.93	32.23
45.0	23.73	23.92	24.32	24.74	25.64	26.63	27.72	28.92	30.24	31.68	33.02
46.0	24.18	24.38	24.80	25.24	26.17	27.20	28.34	29.59	30.96	32.45	33.84
47.0	24.65	24.86	25.29	25.74	26.72	27.79	28.97	30.27	31.70	33.25	34.69
48.0	25.12	25.34	25.79	26.26	27.28	28.40	29.63	30.98	32.46	34.07	35.56
49.0	25.61	25.84	26.31	26.80	27.86	29.02	30.30	31.71	33.25	34.92	36.46
50.0	26.12	26.35	26.84	27.35	28.45	29.67	31.00	32.46	34.06	35.79	37.39
51.0	26.63	26.88	27.39	27.92	29.07	30.34	31.72	33.24	34.90	36.70	38.35
52.0	27.17	27.42	27.96	28.51	29.71	31.02	32.47	34.05	35.77	37.63	39.35
53.0	27.72	27.98	28.54	29.12	30.36	31.74	33.24	34.88	36.67	38.60	40.38
54.0	28.29	28.56	29.14	29.75	31.04	32.47	34.04	35.75	37.60	39.61	41.44
55.0	28.87	29.16	29.76	30.39	31.75	33.24	34.86	36.65	38.57	40.65	42.55
56.0	29.48	29.78	30.41	31.06	32.47	34.03	35.72	37.58	39.58	41.74	43.70
57.0	30.10	30.42	31.07	31.76	33.23	34.85	36.62	38.55	40.63	42.86	44.90
58.0	30.75	31.08	31.77	32.48	34.02	35.71	37.55	39.56	41.72	44.04	46.15
59.0	31.43	31.77	32.48	33.23	34.83	36.59	38.52	40.61	42.86	45.26	47.45
60.0	32.12	32.48	33.23	34.01	35.68	37.52	39.53	41.70	44.04	46.54	48.80
▽φ	PERCENTAGE OF LOAN AMOUNT LEFT UNPAID AT DUE DATE										
	100.0	96.92	90.75	84.59	72.26	59.93	47.60	35.27	22.94	10.61	.00

DISCOUNT %	MONTHLY PAYBACK RATE (%) (MONTHLY PAYMENT DIVIDED BY LOAN AMOUNT)										
	.87	.90	.95	1.00	1.05	1.10	1.20	1.30	1.40	1.50	1.54
1.0	10.69	10.69	10.69	10.70	10.70	10.71	10.73	10.74	10.76	10.78	10.79
2.0	10.87	10.88	10.89	10.90	10.91	10.93	10.96	10.99	11.02	11.07	11.09
3.0	11.07	11.07	11.09	11.11	11.12	11.14	11.19	11.23	11.29	11.35	11.39
4.0	11.26	11.27	11.29	11.32	11.34	11.37	11.42	11.49	11.56	11.65	11.69
5.0	11.46	11.47	11.50	11.53	11.56	11.59	11.66	11.74	11.84	11.95	12.00
6.0	11.66	11.67	11.71	11.74	11.78	11.82	11.91	12.00	12.12	12.25	12.31
7.0	11.86	11.88	11.92	11.96	12.00	12.05	12.15	12.27	12.40	12.56	12.63
8.0	12.06	12.08	12.13	12.18	12.23	12.28	12.40	12.54	12.69	12.87	12.96
9.0	12.27	12.29	12.35	12.40	12.46	12.52	12.66	12.81	12.98	13.19	13.28
10.0	12.48	12.51	12.57	12.63	12.69	12.76	12.92	13.09	13.28	13.51	13.62
11.0	12.69	12.73	12.79	12.86	12.93	13.01	13.18	13.37	13.59	13.84	13.96
12.0	12.91	12.95	13.02	13.09	13.17	13.26	13.44	13.65	13.89	14.17	14.30
13.0	13.13	13.17	13.25	13.33	13.42	13.51	13.71	13.94	14.21	14.51	14.66
14.0	13.36	13.40	13.48	13.57	13.67	13.77	13.99	14.24	14.53	14.85	15.01
15.0	13.58	13.63	13.72	13.82	13.92	14.03	14.27	14.54	14.85	15.21	15.38
16.0	13.81	13.86	13.96	14.07	14.18	14.30	14.56	14.85	15.18	15.56	15.75
17.0	14.05	14.10	14.21	14.32	14.44	14.57	14.85	15.16	15.52	15.93	16.13
18.0	14.29	14.34	14.46	14.58	14.71	14.84	15.14	15.47	15.86	16.30	16.51
19.0	14.53	14.59	14.71	14.84	14.98	15.12	15.44	15.80	16.21	16.67	16.90
20.0	14.77	14.84	14.97	15.11	15.25	15.41	15.75	16.13	16.56	17.06	17.30
21.0	15.02	15.09	15.23	15.38	15.53	15.70	16.06	16.46	16.92	17.45	17.70
22.0	15.28	15.35	15.50	15.65	15.82	15.99	16.37	16.80	17.29	17.85	18.12
23.0	15.54	15.61	15.77	15.93	16.11	16.29	16.70	17.15	17.67	18.26	18.54
24.0	15.80	15.88	16.05	16.22	16.40	16.60	17.03	17.51	18.05	18.67	18.97
25.0	16.07	16.15	16.33	16.51	16.71	16.91	17.36	17.87	18.44	19.10	19.41
26.0	16.34	16.43	16.62	16.81	17.01	17.23	17.71	18.24	18.84	19.53	19.86
27.0	16.62	16.71	16.91	17.11	17.33	17.55	18.05	18.62	19.25	19.97	20.32
28.0	16.90	17.00	17.21	17.42	17.65	17.89	18.41	19.00	19.67	20.42	20.78
29.0	17.19	17.30	17.51	17.74	17.97	18.22	18.78	19.39	20.09	20.88	21.26
30.0	17.49	17.60	17.82	18.06	18.30	18.57	19.15	19.80	20.53	21.35	21.75
31.0	17.79	17.90	18.14	18.38	18.64	18.92	19.53	20.21	20.97	21.84	22.25
32.0	18.09	18.21	18.46	18.72	18.99	19.28	19.92	20.63	21.43	22.33	22.76
33.0	18.41	18.53	18.79	19.06	19.35	19.65	20.31	21.06	21.89	22.83	23.28
34.0	18.73	18.86	19.13	19.41	19.71	20.03	20.72	21.50	22.37	23.35	23.82
35.0	19.05	19.19	19.47	19.77	20.08	20.41	21.14	21.95	22.86	23.88	24.37
36.0	19.39	19.53	19.82	20.13	20.46	20.81	21.56	22.41	23.36	24.42	24.93
37.0	19.73	19.87	20.18	20.51	20.85	21.21	22.00	22.88	23.87	24.98	25.50
38.0	20.07	20.23	20.55	20.89	21.24	21.62	22.45	23.37	24.40	25.55	26.09
39.0	20.43	20.59	20.93	21.28	21.65	22.05	22.91	23.87	24.94	26.13	26.70
40.0	20.80	20.96	21.31	21.68	22.07	22.48	23.38	24.38	25.49	26.74	27.32
41.0	21.17	21.34	21.71	22.09	22.50	22.93	23.86	24.90	26.06	27.35	27.96
42.0	21.55	21.73	22.12	22.52	22.94	23.38	24.36	25.44	26.65	27.99	28.62
43.0	21.94	22.13	22.53	22.95	23.39	23.85	24.87	25.99	27.25	28.64	29.30
44.0	22.35	22.54	22.96	23.39	23.85	24.34	25.39	26.57	27.87	29.31	29.99
45.0	22.76	22.97	23.40	23.85	24.33	24.83	25.93	27.15	28.51	30.01	30.71
46.0	23.18	23.40	23.85	24.32	24.82	25.34	26.49	27.76	29.17	30.72	31.45
47.0	23.62	23.84	24.31	24.80	25.32	25.87	27.06	28.38	29.85	31.46	32.21
48.0	24.07	24.30	24.79	25.30	25.84	26.41	27.65	29.03	30.55	32.21	32.99
49.0	24.53	24.77	25.28	25.81	26.38	26.97	28.26	29.69	31.27	33.00	33.81
50.0	25.00	25.26	25.79	26.34	26.93	27.55	28.89	30.38	32.02	33.81	34.64
52.0	26.00	26.22	26.85	27.45	28.09	28.76	30.22	31.82	33.59	35.52	36.41
54.0	27.06	27.36	27.98	28.64	29.33	30.06	31.64	33.38	35.28	37.35	38.31
56.0	28.19	28.51	29.19	29.91	30.66	31.45	33.17	35.05	37.11	39.32	40.35
58.0	29.40	29.76	30.50	31.28	32.09	32.96	34.82	36.86	39.08	41.46	42.56
60.0	30.71	31.10	31.91	32.76	33.65	34.59	36.62	38.83	41.23	43.79	44.96
62.0	32.13	32.56	33.44	34.37	35.34	36.37	38.58	40.98	43.57	46.33	47.59
64.0	33.68	34.14	35.11	36.13	37.20	38.33	40.74	43.35	46.16	49.13	50.48
66.0	35.38	35.89	36.95	38.07	39.25	40.48	43.12	45.97	49.02	52.22	53.68
68.0	37.25	37.82	38.99	40.23	41.53	42.89	45.78	48.90	52.21	55.67	57.24
70.0	39.34	39.97	41.27	42.65	44.08	45.58	48.78	52.19	55.80	59.55	61.24

▽∅	PERCENTAGE OF LOAN AMOUNT LEFT UNPAID AT DUE DATE										
	100.0	96.26	88.79	81.32	73.84	66.37	51.42	36.47	21.52	6.58	.00

DISCOUNT %	MONTHLY PAYBACK RATE (%) (MONTHLY PAYMENT DIVIDED BY LOAN AMOUNT)										
	.87	.90	.95	1.00	1.05	1.10	1.15	1.20	1.25	1.30	1.44
1.0	10.67	10.67	10.68	10.69	10.69	10.70	10.71	10.72	10.73	10.73	10.76
2.0	10.85	10.85	10.87	10.88	10.89	10.90	10.92	10.94	10.95	10.97	11.03
3.0	11.03	11.03	11.05	11.07	11.09	11.11	11.13	11.16	11.19	11.21	11.30
4.0	11.21	11.22	11.24	11.27	11.29	11.32	11.35	11.39	11.42	11.46	11.58
5.0	11.39	11.40	11.43	11.47	11.50	11.53	11.57	11.62	11.66	11.71	11.86
6.0	11.57	11.59	11.63	11.67	11.71	11.75	11.80	11.85	11.90	11.96	12.14
7.0	11.76	11.78	11.83	11.87	11.92	11.97	12.02	12.09	12.15	12.22	12.43
8.0	11.95	11.98	12.03	12.08	12.13	12.19	12.26	12.33	12.40	12.48	12.73
9.0	12.15	12.17	12.23	12.29	12.35	12.42	12.49	12.57	12.65	12.74	13.03
10.0	12.34	12.37	12.44	12.50	12.57	12.65	12.73	12.82	12.91	13.01	13.33
11.0	12.54	12.58	12.65	12.72	12.80	12.88	12.97	13.07	13.18	13.29	13.64
12.0	12.75	12.78	12.86	12.94	13.03	13.12	13.22	13.33	13.44	13.57	13.95
13.0	12.95	12.99	13.08	13.17	13.26	13.36	13.47	13.59	13.72	13.85	14.27
14.0	13.16	13.20	13.30	13.39	13.50	13.61	13.73	13.85	13.99	14.14	14.60
15.0	13.37	13.42	13.52	13.63	13.74	13.86	13.99	14.13	14.27	14.43	14.93
16.0	13.59	13.64	13.75	13.86	13.98	14.11	14.25	14.40	14.56	14.73	15.27
17.0	13.81	13.86	13.98	14.10	14.23	14.37	14.52	14.68	14.85	15.03	15.61
18.0	14.03	14.09	14.21	14.34	14.48	14.63	14.79	14.96	15.15	15.34	15.96
19.0	14.26	14.32	14.45	14.59	14.74	14.90	15.07	15.25	15.45	15.66	16.31
20.0	14.49	14.55	14.70	14.84	15.00	15.17	15.35	15.55	15.76	15.98	16.68
21.0	14.72	14.79	14.94	15.10	15.27	15.45	15.64	15.85	16.07	16.31	17.05
22.0	14.96	15.04	15.20	15.36	15.54	15.73	15.94	16.16	16.39	16.64	17.42
23.0	15.20	15.28	15.45	15.63	15.82	16.02	16.24	16.47	16.72	16.98	17.81
24.0	15.45	15.53	15.71	15.90	16.10	16.31	16.54	16.79	17.05	17.33	18.20
25.0	15.70	15.79	15.98	16.18	16.39	16.61	16.86	17.12	17.39	17.69	18.60
26.0	15.96	16.05	16.25	16.46	16.68	16.92	17.17	17.45	17.74	18.05	19.01
27.0	16.22	16.32	16.53	16.75	16.98	17.23	17.50	17.79	18.09	18.42	19.42
28.0	16.49	16.59	16.81	17.04	17.29	17.55	17.83	18.13	18.46	18.80	19.85
29.0	16.76	16.87	17.10	17.34	17.60	17.88	18.17	18.49	18.82	19.18	20.29
30.0	17.04	17.15	17.39	17.65	17.92	18.21	18.52	18.85	19.20	19.58	20.73
31.0	17.32	17.44	17.69	17.96	18.24	18.55	18.87	19.22	19.59	19.98	21.19
32.0	17.61	17.73	18.00	18.28	18.58	18.89	19.23	19.60	19.98	20.40	21.65
33.0	17.90	18.03	18.31	18.61	18.92	19.25	19.61	19.99	20.39	20.82	22.13
34.0	18.20	18.34	18.63	18.94	19.26	19.61	19.98	20.38	20.80	21.25	22.62
35.0	18.51	18.66	18.96	19.28	19.62	19.98	20.37	20.79	21.23	21.70	23.12
36.0	18.83	18.98	19.29	19.63	19.99	20.37	20.77	21.20	21.66	22.15	23.63
37.0	19.15	19.31	19.64	19.99	20.36	20.76	21.18	21.63	22.11	22.62	24.16
38.0	19.48	19.64	19.99	20.35	20.74	21.16	21.60	22.07	22.57	23.10	24.70
39.0	19.82	19.99	20.35	20.73	21.13	21.57	22.03	22.52	23.04	23.59	25.25
40.0	20.16	20.34	20.72	21.12	21.54	21.99	22.47	22.98	23.52	24.09	25.82
41.0	20.52	20.70	21.10	21.51	21.95	22.42	22.92	23.45	24.02	24.61	26.40
42.0	20.88	21.07	21.48	21.92	22.38	22.86	23.38	23.94	24.52	25.14	27.01
43.0	21.25	21.46	21.88	22.33	22.81	23.32	23.86	24.44	25.05	25.69	27.62
44.0	21.63	21.85	22.29	22.76	23.26	23.79	24.35	24.96	25.59	26.26	28.26
45.0	22.03	22.25	22.71	23.20	23.72	24.27	24.86	25.49	26.15	26.84	28.92
46.0	22.43	22.66	23.15	23.66	24.20	24.77	25.38	26.03	26.72	27.44	29.59
47.0	22.85	23.09	23.59	24.12	24.69	25.29	25.92	26.60	27.31	28.06	30.29
48.0	23.28	23.53	24.05	24.60	25.19	25.82	26.48	27.18	27.92	28.70	31.01
49.0	23.72	23.98	24.52	25.10	25.71	26.36	27.05	27.78	28.55	29.36	31.75
50.0	24.17	24.44	25.01	25.61	26.25	26.93	27.64	28.40	29.20	30.04	32.52
52.0	25.12	25.42	26.04	26.69	27.38	28.12	28.89	29.71	30.58	31.48	34.14
54.0	26.14	26.46	27.13	27.84	28.60	29.39	30.23	31.12	32.05	33.03	35.88
56.0	27.23	27.58	28.31	29.09	29.90	30.77	31.68	32.64	33.65	34.70	37.76
58.0	28.40	28.79	29.58	30.43	31.31	32.25	33.24	34.28	35.37	36.50	39.79
60.0	29.67	30.09	30.96	31.88	32.85	33.87	34.95	36.08	37.25	38.47	42.00
62.0	31.05	31.51	32.46	33.47	34.52	35.64	36.81	38.04	39.31	40.63	44.42
64.0	32.56	33.06	34.11	35.21	36.37	37.59	38.86	40.20	41.58	43.01	47.08
66.0	34.23	34.78	35.93	37.14	38.41	39.74	41.14	42.59	44.09	45.64	50.03
68.0	36.07	36.68	37.95	39.28	40.68	42.15	43.68	45.26	46.90	48.58	53.32
70.0	38.14	38.81	40.22	41.70	43.24	44.86	46.54	48.28	50.06	51.89	57.02
▽Φ	PERCENTAGE OF LOAN AMOUNT LEFT UNPAID AT DUE DATE										
	100.0	95.54	86.61	77.68	68.75	59.83	50.90	41.97	33.05	24.12	.00

DISCOUNT %	MONTHLY PAYBACK RATE (%) (MONTHLY PAYMENT DIVIDED BY LOAN AMOUNT)										
	.87	.90	.95	1.00	1.05	1.10	1.15	1.20	1.25	1.30	1.35
1.0	10.66	10.66	10.67	10.68	10.68	10.69	10.70	10.71	10.72	10.73	10.74
2.0	10.83	10.83	10.85	10.86	10.87	10.89	10.90	10.92	10.94	10.96	10.99
3.0	10.99	11.00	11.02	11.04	11.06	11.09	11.11	11.14	11.17	11.20	11.24
4.0	11.16	11.18	11.20	11.23	11.26	11.29	11.32	11.36	11.40	11.44	11.49
5.0	11.34	11.35	11.38	11.42	11.45	11.49	11.54	11.58	11.64	11.69	11.75
6.0	11.51	11.53	11.57	11.61	11.65	11.70	11.75	11.81	11.87	11.94	12.01
7.0	11.69	11.71	11.76	11.81	11.86	11.91	11.97	12.04	12.11	12.19	12.28
8.0	11.87	11.89	11.95	12.00	12.06	12.13	12.20	12.28	12.36	12.45	12.55
9.0	12.05	12.08	12.14	12.20	12.27	12.35	12.43	12.51	12.61	12.71	12.82
10.0	12.24	12.27	12.34	12.41	12.48	12.57	12.66	12.76	12.86	12.98	13.10
11.0	12.43	12.46	12.54	12.62	12.70	12.79	12.89	13.00	13.12	13.25	13.39
12.0	12.62	12.66	12.74	12.83	12.92	13.02	13.13	13.25	13.38	13.52	13.68
13.0	12.81	12.85	12.94	13.04	13.14	13.25	13.37	13.51	13.65	13.80	13.97
14.0	13.01	13.05	13.15	13.26	13.37	13.49	13.62	13.77	13.92	14.09	14.27
15.0	13.21	13.26	13.37	13.48	13.60	13.73	13.87	14.03	14.20	14.38	14.57
16.0	13.41	13.47	13.58	13.70	13.84	13.98	14.13	14.30	14.48	14.67	14.88
17.0	13.62	13.68	13.80	13.93	14.07	14.23	14.39	14.57	14.77	14.97	15.20
18.0	13.83	13.89	14.03	14.17	14.32	14.48	14.66	14.85	15.06	15.28	15.52
19.0	14.05	14.11	14.25	14.40	14.57	14.74	14.93	15.13	15.35	15.59	15.85
20.0	14.26	14.33	14.49	14.65	14.82	15.00	15.20	15.42	15.66	15.91	16.18
21.0	14.49	14.56	14.72	14.89	15.07	15.27	15.49	15.72	15.97	16.24	16.52
22.0	14.71	14.79	14.96	15.14	15.34	15.55	15.77	16.02	16.28	16.57	16.87
23.0	14.94	15.03	15.21	15.40	15.60	15.83	16.06	16.32	16.60	16.90	17.23
24.0	15.18	15.27	15.46	15.66	15.88	16.11	16.36	16.64	16.93	17.25	17.59
25.0	15.42	15.51	15.71	15.93	16.15	16.40	16.67	16.96	17.27	17.60	17.96
26.0	15.66	15.76	15.97	16.20	16.44	16.70	16.98	17.28	17.61	17.96	18.33
27.0	15.91	16.01	16.24	16.47	16.73	17.00	17.30	17.62	17.96	18.33	18.72
28.0	16.16	16.27	16.51	16.76	17.02	17.31	17.62	17.96	18.32	18.70	19.11
29.0	16.42	16.54	16.78	17.04	17.32	17.63	17.95	18.30	18.68	19.08	19.51
30.0	16.68	16.81	17.06	17.34	17.63	17.95	18.29	18.66	19.05	19.47	19.92
31.0	16.95	17.08	17.35	17.64	17.95	18.28	18.64	19.02	19.44	19.88	20.35
32.0	17.23	17.36	17.65	17.95	18.27	18.62	18.99	19.40	19.83	20.29	20.78
33.0	17.51	17.65	17.95	18.26	18.60	18.97	19.36	19.78	20.23	20.71	21.22
34.0	17.80	17.94	18.26	18.59	18.94	19.32	19.73	20.17	20.64	21.14	21.67
35.0	18.09	18.24	18.57	18.92	19.29	19.68	20.11	20.57	21.06	21.58	22.13
36.0	18.39	18.55	18.89	19.25	19.64	20.06	20.50	20.98	21.49	22.03	22.60
37.0	18.70	18.87	19.22	19.60	20.00	20.44	20.90	21.40	21.93	22.49	23.09
38.0	19.02	19.19	19.56	19.96	20.38	20.83	21.31	21.83	22.38	22.97	23.59
39.0	19.34	19.52	19.91	20.32	20.76	21.23	21.73	22.27	22.85	23.46	24.10
40.0	19.67	19.86	20.26	20.69	21.15	21.64	22.17	22.73	23.33	23.96	24.63
41.0	20.01	20.21	20.63	21.08	21.55	22.07	22.61	23.20	23.82	24.48	25.17
42.0	20.36	20.57	21.01	21.47	21.97	22.50	23.07	23.68	24.33	25.01	25.73
43.0	20.72	20.93	21.39	21.88	22.40	22.95	23.54	24.18	24.85	25.56	26.30
44.0	21.09	21.31	21.79	22.30	22.83	23.41	24.03	24.69	25.38	26.12	26.89
45.0	21.46	21.70	22.20	22.72	23.29	23.89	24.53	25.21	25.94	26.70	27.50
46.0	21.85	22.10	22.62	23.17	23.75	24.38	25.05	25.76	26.51	27.30	28.12
47.0	22.25	22.51	23.05	23.62	24.23	24.88	25.58	26.32	27.09	27.92	28.77
48.0	22.67	22.93	23.50	24.09	24.73	25.41	26.13	26.89	27.70	28.55	29.44
49.0	23.09	23.37	23.96	24.58	25.24	25.95	26.70	27.49	28.33	29.21	30.13
50.0	23.53	23.82	24.43	25.08	25.77	26.50	27.28	28.11	28.98	29.89	30.84
52.0	24.46	24.77	25.43	26.14	26.88	27.68	28.52	29.41	30.35	31.33	32.35
54.0	25.44	25.79	26.51	27.27	28.08	28.94	29.85	30.82	31.83	32.88	33.96
56.0	26.50	26.88	27.66	28.49	29.37	30.31	31.29	32.33	33.42	34.55	35.71
58.0	27.65	28.06	28.91	29.82	30.78	31.79	32.86	33.98	35.14	36.36	37.60
60.0	28.89	29.34	30.27	31.26	32.30	33.40	34.56	35.77	37.03	38.33	39.66
62.0	30.25	30.74	31.76	32.84	33.97	35.17	36.42	37.73	39.09	40.49	41.92
64.0	31.74	32.27	33.39	34.57	35.81	37.12	38.48	39.90	41.37	42.87	44.40
66.0	33.38	33.97	35.20	36.50	37.85	39.28	40.76	42.30	43.89	45.51	47.16
68.0	35.21	35.86	37.22	38.65	40.14	41.70	43.32	44.99	46.71	48.46	50.23
70.0	37.27	37.99	39.50	41.07	42.72	44.43	46.20	48.02	49.89	51.78	53.69
	PERCENTAGE OF LOAN AMOUNT LEFT UNPAID AT DUE DATE										
	100.0	94.73	84.19	73.65	63.11	52.57	42.03	31.49	20.94	10.40	.00

MONTHLY PAYBACK RATE (%)
(MONTHLY PAYMENT DIVIDED BY LOAN AMOUNT)

DISCOUNT %	1.00	1.25	1.50	1.75	2.00	2.25	2.50	2.75	3.00	3.50	4.00
1.0	10.65	10.72	10.78	10.84	10.90	10.96	11.02	11.08	11.14	11.25	11.37
2.0	10.80	10.94	11.06	11.19	11.31	11.43	11.55	11.66	11.78	12.01	12.24
3.0	10.96	11.16	11.35	11.54	11.72	11.90	12.08	12.26	12.44	12.79	13.13
4.0	11.12	11.39	11.65	11.90	12.14	12.38	12.62	12.86	13.10	13.57	14.04
5.0	11.28	11.62	11.90	12.26	12.57	12.87	13.18	13.48	13.78	14.37	14.95
6.0	11.44	11.86	12.25	12.63	13.00	13.37	13.73	14.10	14.46	15.18	15.88
7.0	11.61	12.10	12.55	13.00	13.44	13.87	14.30	14.73	15.15	16.00	16.83
8.0	11.78	12.34	12.86	13.38	13.88	14.38	14.88	15.37	15.86	16.83	17.79
9.0	11.95	12.59	13.18	13.76	14.34	14.90	15.46	16.02	16.58	17.68	18.76
10.0	12.12	12.84	13.50	14.15	14.80	15.43	16.06	16.68	17.30	18.54	19.75
11.0	12.30	13.09	13.83	14.55	15.26	15.97	16.66	17.36	18.04	19.41	20.76
12.0	12.48	13.35	14.16	14.96	15.74	16.51	17.28	18.04	18.80	20.30	21.78
13.0	12.67	13.62	14.50	15.37	16.22	17.06	17.90	18.73	19.56	21.20	22.82
14.0	12.86	13.88	14.85	15.79	16.71	17.63	18.54	19.44	20.34	22.12	23.88
15.0	13.05	14.16	15.20	16.21	17.21	18.20	19.18	20.16	21.13	23.05	24.95
16.0	13.25	14.44	15.55	16.64	17.72	18.78	19.84	20.89	21.93	24.00	26.04
17.0	13.45	14.72	15.92	17.09	18.24	19.38	20.51	21.63	22.75	24.96	27.15
18.0	13.65	15.01	16.29	17.53	18.76	19.98	21.19	22.39	23.58	25.95	28.29
19.0	13.86	15.31	16.66	17.99	19.30	20.59	21.88	23.16	24.43	26.95	29.44
20.0	14.07	15.61	17.05	18.46	19.85	21.22	22.58	23.94	25.29	27.96	30.61
21.0	14.29	15.91	17.44	18.93	20.40	21.86	23.30	24.74	26.17	29.00	31.80
22.0	14.51	16.23	17.84	19.41	20.97	22.51	24.03	25.55	27.06	30.06	33.02
23.0	14.74	16.54	18.25	19.91	21.55	23.17	24.78	26.38	27.97	31.13	34.26
24.0	14.97	16.87	18.66	20.41	22.14	23.84	25.54	27.23	28.90	32.23	35.52
25.0	15.21	17.20	19.08	20.92	22.74	24.53	26.32	28.09	29.85	33.35	36.81
26.0	15.45	17.54	19.52	21.44	23.35	25.23	27.11	28.97	30.82	34.49	38.13
27.0	15.70	17.89	19.96	21.98	23.97	25.95	27.91	29.86	31.80	35.66	39.47
28.0	15.95	18.24	20.41	22.52	24.61	26.68	28.74	30.78	32.81	36.84	40.84
29.0	16.21	18.61	20.87	23.08	25.27	27.43	29.58	31.71	33.84	38.06	42.23
30.0	16.48	18.98	21.34	23.65	25.93	28.19	30.44	32.67	34.89	39.30	43.66
31.0	16.76	19.36	21.82	24.23	26.61	28.97	31.31	33.64	35.96	40.56	45.12
32.0	17.04	19.75	22.31	24.83	27.31	29.77	32.21	34.64	37.05	41.86	46.61
33.0	17.33	20.15	22.82	25.44	28.02	30.58	33.13	35.66	38.17	43.18	48.13
34.0	17.62	20.55	23.34	26.06	28.75	31.42	34.07	36.70	39.32	44.53	49.69
35.0	17.93	20.97	23.86	26.70	29.50	32.27	35.03	37.77	40.49	45.91	51.28
36.0	18.24	21.40	24.41	27.35	30.26	33.14	36.01	38.86	41.69	47.33	52.91
37.0	18.56	21.84	24.96	28.02	31.04	34.04	37.02	39.98	42.92	48.78	54.59
38.0	18.89	22.29	25.53	28.71	31.85	34.96	38.05	41.13	44.19	50.27	56.30
39.0	19.23	22.76	26.12	29.41	32.67	35.90	39.11	42.30	45.48	51.79	58.05
40.0	19.58	23.23	26.72	30.14	33.51	36.86	40.19	43.51	46.80	53.36	59.85
41.0	19.94	23.72	27.34	30.88	34.38	37.85	41.31	44.75	48.16	54.96	61.70
42.0	20.31	24.23	27.97	31.64	35.27	38.87	42.45	46.02	49.56	56.61	63.60
43.0	20.70	24.75	28.62	32.43	36.19	39.92	43.63	47.32	50.99	58.30	65.55
44.0	21.09	25.28	29.30	33.23	37.13	40.99	44.84	48.66	52.47	60.04	67.55
45.0	21.50	25.83	29.99	34.06	38.10	42.10	46.08	50.04	53.98	61.83	69.61
46.0	21.93	26.41	30.70	34.92	39.10	43.24	47.36	51.46	55.55	63.67	71.73
47.0	22.37	26.99	31.44	35.80	40.12	44.41	48.68	52.93	57.15	65.57	73.91
48.0	22.82	27.60	32.20	36.71	41.18	45.62	50.04	54.44	58.81	67.52	76.16
49.0	23.29	28.23	32.98	37.65	42.28	46.87	51.44	55.99	60.52	69.53	78.48
50.0	23.78	28.88	33.79	38.62	43.41	48.16	52.89	57.60	62.28	71.61	80.87
51.0	24.28	29.55	34.63	39.62	44.57	49.49	54.38	59.25	64.10	73.76	83.34
52.0	24.81	30.25	35.50	40.66	45.78	50.87	55.93	60.97	65.98	75.98	85.89
53.0	25.36	30.97	36.40	41.74	47.03	52.29	57.53	62.74	67.93	78.27	88.53
54.0	25.93	31.72	37.33	42.85	48.33	53.77	59.18	64.58	69.95	80.65	91.27
55.0	26.52	32.50	38.30	44.01	49.67	55.30	60.90	66.48	72.04	83.11	94.10
56.0	27.14	33.32	39.30	45.21	51.07	56.89	62.68	68.46	74.20	85.66	97.04
57.0	27.79	34.16	40.35	46.46	52.52	58.54	64.53	70.51	76.46	88.31	100.09
58.0	28.47	35.05	41.44	47.76	54.02	60.25	66.46	72.64	78.80	91.07	103.26
59.0	29.17	35.97	42.58	49.11	55.60	62.04	68.46	74.86	81.23	93.93	106.56
60.0	29.92	36.93	43.77	50.53	57.23	63.91	70.55	77.17	83.77	96.92	109.99

NUMBER OF MONTHLY PAYMENTS NEEDED TO PAY OFF LOAN

	1.00	1.25	1.50	1.75	2.00	2.25	2.50	2.75	3.00	3.50	4.00
	238.7	138.2	100.5	79.6	66.0	56.5	49.4	44.0	39.6	33.0	28.3

DISCOUNT %	MONTHLY PAYBACK RATE (%) (MONTHLY PAYMENT DIVIDED BY LOAN AMOUNT)										
	.90	1.00	1.50	2.00	3.00	4.00	5.00	6.00	7.00	8.00	8.83
.5	11.28	11.28	11.30	11.32	11.35	11.39	11.44	11.49	11.55	11.63	11.70
1.0	11.81	11.82	11.85	11.89	11.96	12.04	12.13	12.24	12.36	12.51	12.66
1.5	12.35	12.36	12.41	12.46	12.57	12.69	12.83	12.99	13.18	13.40	13.62
2.0	12.89	12.91	12.97	13.03	13.18	13.34	13.53	13.75	14.00	14.30	14.59
2.5	13.44	13.45	13.53	13.61	13.79	14.00	14.24	14.51	14.83	15.20	15.57
3.0	13.98	14.00	14.10	14.20	14.42	14.66	14.95	15.28	15.66	16.12	16.56
3.5	14.53	14.55	14.66	14.78	15.04	15.33	15.66	16.05	16.50	17.03	17.55
4.0	15.08	15.11	15.24	15.37	15.67	16.00	16.39	16.83	17.35	17.96	18.55
4.5	15.64	15.67	15.81	15.97	16.30	16.68	17.11	17.61	18.20	18.89	19.56
5.0	16.20	16.23	16.39	16.56	16.94	17.36	17.84	18.40	19.05	19.83	20.58
5.5	16.76	16.80	16.98	17.16	17.58	18.04	18.58	19.20	19.92	20.77	21.60
6.0	17.33	17.37	17.56	17.77	18.22	18.73	19.32	20.00	20.79	21.72	22.63
6.5	17.90	17.94	18.15	18.38	18.87	19.43	20.07	20.80	21.67	22.68	23.67
7.0	18.47	18.52	18.75	18.99	19.52	20.13	20.82	21.62	22.55	23.65	24.72
7.5	19.05	19.10	19.34	19.60	20.18	20.83	21.57	22.44	23.44	24.63	25.78
8.0	19.63	19.68	19.94	20.22	20.84	21.54	22.34	23.26	24.34	25.61	26.84
8.5	20.21	20.27	20.55	20.85	21.50	22.25	23.10	24.09	25.24	26.60	27.92
9.0	20.80	20.86	21.16	21.48	22.18	22.97	23.88	24.93	26.15	27.60	29.00
9.5	21.39	21.45	21.77	22.11	22.85	23.69	24.66	25.77	27.07	28.60	30.09
10.0	21.98	22.05	22.39	22.74	23.53	24.42	25.44	26.62	27.99	29.62	31.19
10.5	22.58	22.65	23.01	23.38	24.21	25.15	26.23	27.48	28.93	30.64	32.30
11.0	23.18	23.26	23.63	24.03	24.90	25.89	27.03	28.34	29.87	31.67	33.41
11.5	23.78	23.86	24.26	24.68	25.59	26.64	27.83	29.21	30.81	32.71	34.54
12.0	24.39	24.48	24.89	25.33	26.29	27.39	28.64	30.08	31.77	33.75	35.68
12.5	25.01	25.09	25.53	25.99	27.00	28.14	29.45	30.97	32.73	34.81	36.82
13.0	25.62	25.72	26.17	26.65	27.70	28.90	30.27	31.86	33.70	35.88	37.98
13.5	26.24	26.34	26.81	27.32	28.42	29.67	31.10	32.75	34.68	36.95	39.15
14.0	26.87	26.97	27.46	27.99	29.13	30.44	31.93	33.66	35.67	38.03	40.32
14.5	27.50	27.60	28.12	28.66	29.86	31.21	32.77	34.57	36.66	39.12	41.51
15.0	28.13	28.24	28.77	29.34	30.58	32.00	33.62	35.49	37.66	40.23	42.70
15.5	28.77	28.88	29.44	30.03	31.32	32.79	34.47	36.41	38.67	41.34	43.91
16.0	29.41	29.53	30.12	30.72	32.06	33.58	35.33	37.34	39.69	42.46	45.13
16.5	30.06	30.18	30.78	31.41	32.80	34.38	36.19	38.29	40.72	43.59	46.36
17.0	30.71	30.83	31.45	32.11	33.55	35.19	37.07	39.23	41.76	44.73	47.59
17.5	31.36	31.49	32.13	32.81	34.31	36.00	37.95	40.19	42.81	45.88	48.84
18.0	32.02	32.16	32.82	33.52	35.07	36.82	38.83	41.16	43.86	47.04	50.11
18.5	32.69	32.82	33.51	34.24	35.83	37.65	39.73	42.13	44.93	48.21	51.38
19.0	33.35	33.50	34.21	34.96	36.60	38.48	40.63	43.11	46.00	49.39	52.66
19.5	34.03	34.18	34.91	35.68	37.38	39.32	41.54	44.10	47.08	50.59	53.96
20.0	34.71	34.86	35.61	36.41	38.17	40.16	42.45	45.10	48.18	51.79	55.27
20.5	35.39	35.54	36.32	37.15	38.96	41.02	43.38	46.11	49.28	53.01	56.59
21.0	36.08	36.24	37.04	37.89	39.75	41.88	44.31	47.12	50.39	54.23	57.93
21.5	36.77	36.93	37.76	38.63	40.56	42.74	45.25	48.15	51.52	55.47	59.27
22.0	37.47	37.64	38.48	39.39	41.36	43.62	46.20	49.18	52.65	56.72	60.63
22.5	38.17	38.34	39.22	40.14	42.18	44.50	47.16	50.22	53.79	57.98	62.00
23.0	38.88	39.06	39.95	40.91	43.00	45.39	48.12	51.28	54.95	59.25	63.39
23.5	39.59	39.77	40.70	41.68	43.83	46.28	49.09	52.34	56.12	60.54	64.79
24.0	40.31	40.50	41.45	42.45	44.67	47.19	50.07	53.41	57.29	61.84	66.20
24.5	41.03	41.23	42.20	43.23	45.51	48.10	51.06	54.49	58.48	63.15	67.63
25.0	41.76	41.96	42.96	44.02	46.36	49.01	52.06	55.59	59.68	64.47	69.07
25.5	42.49	42.70	43.73	44.82	47.21	49.94	53.07	56.69	60.89	65.81	70.53
26.0	43.23	43.44	44.50	45.62	48.07	50.88	54.09	57.80	62.11	67.16	72.00
26.5	43.98	44.19	45.28	46.42	48.95	51.82	55.12	58.92	63.35	68.53	73.49
27.0	44.73	44.95	46.06	47.24	49.82	52.77	56.15	60.06	64.60	69.91	74.99
27.5	45.49	45.71	46.85	48.06	50.71	53.73	57.20	61.20	65.86	71.30	76.51
28.0	46.25	46.48	47.65	48.88	51.60	54.70	58.25	62.36	67.13	72.71	78.04
28.5	47.02	47.26	48.45	49.72	52.50	55.68	59.32	63.53	68.42	74.13	79.59
29.0	47.79	48.04	49.26	50.56	53.41	56.66	60.40	64.71	69.71	75.56	81.16
29.5	48.57	48.83	50.08	51.40	54.33	57.66	61.48	65.90	71.03	77.02	82.74
30.0	49.36	49.62	50.90	52.26	55.25	58.66	62.58	67.10	72.35	78.49	84.34
⟁	PERCENTAGE OF LOAN AMOUNT LEFT UNPAID AT DUE DATE										
	100.0	98.69	92.38	86.08	73.47	60.86	48.25	35.64	23.03	10.42	.00

DISCOUNT %	MONTHLY PAYBACK RATE (%) (MONTHLY PAYMENT DIVIDED BY LOAN AMOUNT)										
	.90	1.00	1.25	1.50	1.75	2.00	2.50	3.00	3.50	4.00	4.65
.5	11.03	11.03	11.04	11.05	11.06	11.07	11.10	11.12	11.15	11.19	11.25
1.0	11.31	11.32	11.34	11.35	11.37	11.40	11.44	11.50	11.56	11.64	11.76
1.5	11.59	11.60	11.63	11.66	11.69	11.72	11.79	11.87	11.97	12.09	12.27
2.0	11.88	11.89	11.93	11.97	12.01	12.05	12.14	12.25	12.38	12.54	12.78
2.5	12.16	12.18	12.23	12.27	12.32	12.38	12.50	12.64	12.80	12.99	13.30
3.0	12.45	12.47	12.53	12.58	12.65	12.71	12.86	13.02	13.22	13.45	13.82
3.5	12.74	12.77	12.83	12.90	12.97	13.04	13.21	13.41	13.63	13.91	14.35
4.0	13.03	13.06	13.13	13.21	13.29	13.38	13.58	13.80	14.06	14.38	14.88
4.5	13.33	13.36	13.44	13.53	13.62	13.72	13.94	14.19	14.49	14.84	15.41
5.0	13.62	13.66	13.75	13.84	13.95	14.06	14.30	14.59	14.92	15.32	15.95
5.5	13.92	13.96	14.06	14.16	14.28	14.40	14.67	14.99	15.35	15.79	16.49
6.0	14.21	14.26	14.37	14.49	14.61	14.75	15.04	15.39	15.79	16.27	17.03
6.5	14.51	14.56	14.68	14.81	14.95	15.09	15.42	15.79	16.23	16.75	17.58
7.0	14.82	14.87	15.00	15.14	15.28	15.44	15.79	16.20	16.67	17.24	18.14
7.5	15.12	15.17	15.32	15.46	15.62	15.79	16.17	16.61	17.12	17.73	18.69
8.0	15.42	15.48	15.63	15.79	15.97	16.15	16.55	17.02	17.57	18.22	19.26
8.5	15.73	15.80	15.96	16.13	16.31	16.50	16.94	17.44	18.02	18.72	19.82
9.0	16.04	16.11	16.28	16.46	16.66	16.86	17.32	17.86	18.48	19.22	20.40
9.5	16.35	16.42	16.60	16.80	17.00	17.22	17.71	18.28	18.94	19.72	20.97
10.0	16.66	16.74	16.93	17.14	17.35	17.59	18.10	18.70	19.40	20.23	21.55
10.5	16.98	17.06	17.26	17.48	17.71	17.95	18.50	19.13	19.87	20.74	22.14
11.0	17.29	17.38	17.59	17.82	18.06	18.32	18.90	19.56	20.34	21.26	22.73
11.5	17.61	17.70	17.93	18.17	18.42	18.69	19.30	20.00	20.81	21.78	23.32
12.0	17.93	18.03	18.26	18.51	18.78	19.07	19.70	20.43	21.29	22.30	23.92
12.5	18.26	18.36	18.60	18.86	19.14	19.44	20.11	20.87	21.77	22.83	24.52
13.0	18.58	18.68	18.94	19.22	19.51	19.82	20.51	21.32	22.26	23.36	25.13
13.5	18.91	19.02	19.28	19.57	19.88	20.20	20.93	21.77	22.74	23.90	25.75
14.0	19.24	19.35	19.63	19.93	20.25	20.59	21.34	22.22	23.24	24.44	26.37
14.5	19.57	19.69	19.98	20.29	20.62	20.97	21.76	22.67	23.73	24.99	26.99
15.0	19.90	20.02	20.33	20.65	20.99	21.36	22.18	23.13	24.24	25.54	27.62
15.5	20.24	20.36	20.68	21.01	21.37	21.76	22.61	23.59	24.74	26.10	28.26
16.0	20.58	20.71	21.03	21.38	21.75	22.15	23.03	24.06	25.25	26.66	28.90
16.5	20.92	21.05	21.39	21.75	22.14	22.55	23.47	24.52	25.76	27.22	29.54
17.0	21.26	21.40	21.75	22.12	22.52	22.95	23.90	25.00	26.28	27.79	30.20
17.5	21.60	21.75	22.11	22.50	22.91	23.36	24.34	25.47	26.80	28.37	30.85
18.0	21.95	22.10	22.48	22.88	23.31	23.76	24.78	25.95	27.33	28.95	31.52
18.5	22.30	22.45	22.84	23.26	23.70	24.17	25.22	26.44	27.86	29.53	32.19
19.0	22.65	22.81	23.21	23.64	24.10	24.59	25.67	26.93	28.39	30.12	32.86
19.5	23.01	23.17	23.59	24.03	24.50	25.00	26.12	27.42	28.93	30.72	33.54
20.0	23.36	23.53	23.96	24.42	24.90	25.42	26.58	27.92	29.48	31.32	34.23
21.0	24.08	24.27	24.72	25.20	25.72	26.27	27.50	28.92	30.58	32.53	35.63
22.0	24.82	25.01	25.49	26.00	26.55	27.14	28.44	29.95	31.71	33.77	37.05
23.0	25.56	25.76	26.27	26.81	27.39	28.01	29.39	30.99	32.85	35.04	38.50
24.0	26.31	26.53	27.06	27.64	28.25	28.90	30.36	32.05	34.01	36.33	39.97
25.0	27.08	27.30	27.87	28.47	29.12	29.81	31.35	33.13	35.20	37.64	41.48
26.0	27.85	28.09	28.69	29.32	30.00	30.73	32.35	34.22	36.41	38.97	43.01
27.0	28.64	28.89	29.52	30.19	30.90	31.67	33.37	35.34	37.64	40.34	44.58
28.0	29.44	29.70	30.36	31.07	31.82	32.62	34.41	36.48	38.90	41.73	46.18
29.0	30.25	30.53	31.22	31.96	32.75	33.59	35.47	37.65	40.18	43.15	47.81
30.0	31.08	31.37	32.09	32.87	33.69	34.58	36.55	38.83	41.49	44.60	49.48
31.0	31.92	32.22	32.98	33.79	34.66	35.59	37.65	40.04	42.82	46.08	51.18
32.0	32.77	33.09	33.88	34.73	35.64	36.61	38.77	41.27	44.18	47.59	52.92
33.0	33.64	33.97	34.80	35.69	36.64	37.65	39.91	42.53	45.58	49.14	54.70
34.0	34.52	34.87	35.74	36.66	37.65	38.72	41.08	43.81	47.00	50.72	56.52
35.0	35.42	35.78	36.69	37.66	38.69	39.80	42.27	45.13	48.45	52.34	58.38
36.0	36.33	36.71	37.66	38.67	39.75	40.90	43.48	46.47	49.94	53.99	60.29
37.0	37.27	37.66	38.64	39.70	40.82	42.03	44.72	47.84	51.46	55.69	62.24
38.0	38.21	38.62	39.65	40.75	41.92	43.18	45.99	49.24	53.02	57.42	64.25
39.0	39.18	39.60	40.68	41.82	43.04	44.36	47.28	50.67	54.61	59.20	66.30
40.0	40.16	40.61	41.72	42.91	44.19	45.56	48.61	52.14	56.24	61.02	68.40
▽Φ	PERCENTAGE OF LOAN AMOUNT LEFT UNPAID AT DUE DATE										
	100.0	97.22	90.56	83.90	77.24	70.58	57.26	43.94	30.62	17.30	.00

DISCOUNT %	MONTHLY PAYBACK RATE (%) (MONTHLY PAYMENT DIVIDED BY LOAN AMOUNT)										
	.90	1.00	1.25	1.50	1.75	2.00	2.25	2.50	2.75	3.00	3.26
.5	10.95	10.95	10.96	10.97	10.98	11.00	11.01	11.03	11.05	11.07	11.10
1.0	11.14	11.15	11.17	11.19	11.22	11.24	11.27	11.31	11.35	11.39	11.44
1.5	11.34	11.35	11.38	11.42	11.45	11.49	11.54	11.59	11.65	11.71	11.80
2.0	11.54	11.56	11.60	11.64	11.69	11.74	11.80	11.87	11.95	12.04	12.15
2.5	11.74	11.76	11.81	11.87	11.93	12.00	12.07	12.16	12.26	12.37	12.51
3.0	11.94	11.97	12.03	12.09	12.17	12.25	12.34	12.45	12.56	12.70	12.86
3.5	12.15	12.18	12.25	12.32	12.41	12.51	12.61	12.74	12.87	13.03	13.23
4.0	12.35	12.38	12.47	12.55	12.65	12.76	12.89	13.03	13.19	13.37	13.59
4.5	12.56	12.59	12.69	12.79	12.90	13.02	13.16	13.32	13.50	13.71	13.96
5.0	12.76	12.80	12.91	13.02	13.15	13.28	13.44	13.62	13.82	14.05	14.33
5.5	12.97	13.02	13.13	13.25	13.39	13.55	13.72	13.92	14.14	14.39	14.70
6.0	13.18	13.23	13.35	13.49	13.64	13.81	14.00	14.22	14.46	14.74	15.08
6.5	13.39	13.45	13.58	13.73	13.89	14.08	14.29	14.52	14.78	15.09	15.45
7.0	13.60	13.66	13.81	13.97	14.15	14.35	14.57	14.82	15.11	15.44	15.83
7.5	13.82	13.88	14.04	14.21	14.40	14.62	14.86	15.13	15.44	15.79	16.22
8.0	14.03	14.10	14.27	14.45	14.66	14.89	15.15	15.44	15.77	16.15	16.61
8.5	14.25	14.32	14.50	14.70	14.92	15.16	15.44	15.75	16.10	16.51	17.00
9.0	14.47	14.54	14.73	14.94	15.18	15.44	15.73	16.06	16.44	16.87	17.39
9.5	14.68	14.76	14.97	15.19	15.44	15.72	16.03	16.38	16.78	17.23	17.78
10.0	14.90	14.99	15.20	15.44	15.70	16.00	16.33	16.70	17.12	17.60	18.18
11.0	15.35	15.44	15.68	15.94	16.24	16.56	16.93	17.34	17.81	18.35	18.99
12.0	15.80	15.90	16.16	16.46	16.78	17.14	17.54	18.00	18.51	19.10	19.81
13.0	16.25	16.37	16.66	16.97	17.33	17.72	18.16	18.66	19.23	19.87	20.65
14.0	16.72	16.84	17.15	17.50	17.88	18.31	18.79	19.34	19.95	20.65	21.50
15.0	17.18	17.32	17.66	18.03	18.45	18.91	19.44	20.02	20.69	21.45	22.36
16.0	17.66	17.80	18.17	18.57	19.02	19.53	20.09	20.72	21.44	22.25	23.24
17.0	18.14	18.29	18.69	19.12	19.61	20.15	20.75	21.43	22.20	23.08	24.13
18.0	18.63	18.79	19.21	19.68	20.20	20.78	21.42	22.15	22.97	23.91	25.04
19.0	19.12	19.30	19.75	20.25	20.80	21.42	22.11	22.88	23.76	24.76	25.96
20.0	19.62	19.81	20.29	20.82	21.41	22.07	22.80	23.63	24.57	25.63	26.91
21.0	20.13	20.33	20.84	21.40	22.03	22.73	23.51	24.39	25.38	26.51	27.87
22.0	20.65	20.86	21.40	22.00	22.66	23.40	24.23	25.16	26.22	27.41	28.84
23.0	21.17	21.40	21.97	22.60	23.30	24.09	24.96	25.95	27.06	28.33	29.84
24.0	21.70	21.94	22.54	23.21	23.95	24.78	25.71	26.75	27.93	29.26	30.85
25.0	22.24	22.49	23.13	23.84	24.62	25.49	26.47	27.57	28.81	30.21	31.89
26.0	22.79	23.05	23.73	24.47	25.29	26.21	27.24	28.40	29.71	31.18	32.95
27.0	23.35	23.63	24.33	25.11	25.98	26.95	28.03	29.25	30.62	32.17	34.02
28.0	23.92	24.21	24.95	25.77	26.68	27.70	28.84	30.11	31.55	33.18	35.12
29.0	24.49	24.80	25.57	26.44	27.39	28.46	29.65	31.00	32.51	34.22	36.25
30.0	25.08	25.40	26.21	27.11	28.12	29.24	30.49	31.90	33.48	35.27	37.39
31.0	25.67	26.01	26.86	27.81	28.86	30.03	31.34	32.82	34.47	36.34	38.56
32.0	26.28	26.63	27.52	28.51	29.61	30.84	32.21	33.76	35.49	37.44	39.76
33.0	26.89	27.26	28.19	29.23	30.38	31.67	33.10	34.71	36.53	38.57	40.98
34.0	27.52	27.90	28.88	29.96	31.16	32.51	34.01	35.69	37.59	39.72	42.24
35.0	28.16	28.55	29.58	30.71	31.97	33.37	34.94	36.70	38.67	40.89	43.52
36.0	28.81	29.22	30.29	31.47	32.78	34.25	35.88	37.72	39.78	42.10	44.83
37.0	29.47	29.90	31.01	32.25	33.62	35.14	36.85	38.77	40.92	43.33	46.17
38.0	30.14	30.59	31.75	33.04	34.47	36.06	37.85	39.84	42.08	44.60	47.55
39.0	30.83	31.30	32.51	33.85	35.34	37.00	38.86	40.94	43.28	45.89	48.96
40.0	31.53	32.02	33.28	34.67	36.23	37.96	39.90	42.07	44.50	47.22	50.41
41.0	32.25	32.75	34.07	35.52	37.14	38.95	40.96	43.22	45.75	48.58	51.89
42.0	32.97	33.50	34.87	36.38	38.07	39.95	42.06	44.41	47.04	49.98	53.42
43.0	33.72	34.27	35.69	37.27	39.02	40.98	43.17	45.62	48.36	51.42	54.99
44.0	34.48	35.05	36.53	38.17	40.00	42.04	44.32	46.87	49.72	52.89	56.60
45.0	35.26	35.85	37.39	39.10	41.00	43.13	45.50	48.15	51.11	54.41	58.25
46.0	36.05	36.67	38.27	40.05	42.03	44.24	46.71	49.47	52.55	55.97	59.96
47.0	36.86	37.50	39.17	41.02	43.08	45.39	47.96	50.83	54.03	57.58	61.71
48.0	37.69	38.36	40.09	42.02	44.17	46.56	49.24	52.22	55.55	59.24	63.52
49.0	38.54	39.24	41.04	43.04	45.28	47.77	50.55	53.66	57.12	60.95	65.39
50.0	39.41	40.13	42.01	44.09	46.42	49.01	51.91	55.14	58.74	62.72	67.31
PERCENTAGE OF LOAN AMOUNT LEFT UNPAID AT DUE DATE											
	100.0	95.60	85.03	74.47	63.90	53.34	42.77	32.21	21.64	11.07	.00

DISCOUNT %	MONTHLY PAYBACK RATE (%) (MONTHLY PAYMENT DIVIDED BY LOAN AMOUNT)										
	.90	1.00	1.10	1.20	1.40	1.60	1.80	2.00	2.20	2.40	2.57
.5	10.90	10.91	10.91	10.92	10.93	10.94	10.95	10.96	10.98	11.00	11.02
1.0	11.06	11.07	11.08	11.09	11.11	11.13	11.15	11.18	11.21	11.25	11.28
1.5	11.22	11.23	11.24	11.26	11.28	11.32	11.35	11.40	11.44	11.50	11.55
2.0	11.37	11.39	11.41	11.43	11.47	11.51	11.56	11.61	11.68	11.75	11.83
2.5	11.53	11.55	11.57	11.60	11.65	11.70	11.76	11.83	11.91	12.01	12.10
3.0	11.69	11.72	11.74	11.77	11.83	11.90	11.97	12.06	12.15	12.27	12.38
3.5	11.85	11.88	11.91	11.94	12.01	12.09	12.18	12.28	12.39	12.52	12.66
4.0	12.01	12.05	12.08	12.12	12.20	12.29	12.39	12.50	12.63	12.79	12.94
4.5	12.18	12.22	12.25	12.30	12.39	12.49	12.60	12.73	12.88	13.05	13.22
5.0	12.34	12.38	12.43	12.47	12.57	12.69	12.81	12.96	13.12	13.31	13.50
5.5	12.50	12.55	12.60	12.65	12.76	12.89	13.03	13.19	13.37	13.58	13.79
6.0	12.67	12.72	12.77	12.83	12.95	13.09	13.24	13.42	13.62	13.85	14.08
6.5	12.84	12.89	12.95	13.01	13.14	13.29	13.46	13.65	13.87	14.12	14.37
7.0	13.00	13.07	13.13	13.19	13.34	13.50	13.68	13.88	14.12	14.39	14.66
7.5	13.17	13.24	13.30	13.38	13.53	13.70	13.90	14.12	14.37	14.67	14.96
8.0	13.34	13.41	13.48	13.56	13.73	13.91	14.12	14.36	14.63	14.94	15.26
8.5	13.51	13.59	13.66	13.75	13.92	14.12	14.34	14.60	14.89	15.22	15.56
9.0	13.68	13.77	13.85	13.93	14.12	14.33	14.57	14.84	15.15	15.51	15.86
9.5	13.86	13.94	14.03	14.12	14.32	14.54	14.80	15.08	15.41	15.79	16.16
10.0	14.03	14.12	14.21	14.31	14.52	14.76	15.02	15.33	15.67	16.08	16.47
11.0	14.38	14.48	14.58	14.69	14.93	15.19	15.49	15.82	16.21	16.65	17.09
12.0	14.74	14.85	14.96	15.08	15.34	15.63	15.96	16.33	16.75	17.24	17.73
13.0	15.10	15.22	15.34	15.48	15.76	16.08	16.43	16.84	17.30	17.84	18.37
14.0	15.46	15.60	15.73	15.87	16.18	16.53	16.92	17.36	17.86	18.45	19.02
15.0	15.84	15.98	16.12	16.28	16.61	16.99	17.41	17.89	18.43	19.07	19.69
16.0	16.21	16.37	16.52	16.69	17.05	17.45	17.91	18.43	19.01	19.69	20.36
17.0	16.59	16.76	16.93	17.11	17.49	17.93	18.42	18.97	19.60	20.33	21.05
18.0	16.98	17.16	17.34	17.53	17.95	18.41	18.93	19.53	20.21	20.99	21.75
19.0	17.37	17.56	17.76	17.96	18.40	18.90	19.46	20.09	20.82	21.65	22.46
20.0	17.77	17.97	18.18	18.40	18.87	19.40	19.99	20.67	21.44	22.32	23.19
21.0	18.18	18.39	18.61	18.84	19.34	19.90	20.54	21.26	22.07	23.01	23.93
22.0	18.59	18.81	19.05	19.29	19.82	20.42	21.09	21.85	22.72	23.71	24.68
23.0	19.00	19.24	19.49	19.75	20.31	20.94	21.65	22.46	23.37	24.42	25.45
24.0	19.43	19.68	19.94	20.21	20.81	21.48	22.23	23.08	24.04	25.15	26.23
25.0	19.86	20.13	20.40	20.69	21.32	22.02	22.81	23.71	24.73	25.89	27.03
26.0	20.29	20.58	20.86	21.17	21.83	22.57	23.40	24.35	25.42	26.65	27.84
27.0	20.74	21.04	21.34	21.66	22.35	23.13	24.01	25.01	26.13	27.42	28.67
28.0	21.19	21.50	21.82	22.16	22.89	23.71	24.63	25.67	26.86	28.21	29.52
29.0	21.65	21.98	22.31	22.66	23.43	24.29	25.26	26.36	27.60	29.01	30.39
30.0	22.11	22.46	22.81	23.18	23.98	24.89	25.90	27.05	28.35	29.83	31.27
31.0	22.59	22.95	23.32	23.71	24.55	25.49	26.56	27.76	29.12	30.67	32.17
32.0	23.07	23.45	23.83	24.24	25.12	26.11	27.23	28.49	29.91	31.53	33.10
33.0	23.56	23.96	24.36	24.79	25.71	26.75	27.91	29.23	30.72	32.41	34.04
34.0	24.07	24.48	24.90	25.34	26.31	27.39	28.61	29.99	31.54	33.30	35.01
35.0	24.58	25.01	25.45	25.91	26.92	28.05	29.32	30.76	32.38	34.22	36.00
36.0	25.10	25.55	26.01	26.49	27.54	28.73	30.05	31.55	33.25	35.16	37.01
37.0	25.63	26.10	26.57	27.08	28.18	29.41	30.80	32.37	34.13	36.13	38.05
38.0	26.17	26.66	27.16	27.68	28.83	30.12	31.56	33.20	35.03	37.11	39.11
39.0	26.72	27.23	27.75	28.30	29.50	30.84	32.35	34.05	35.96	38.12	40.20
40.0	27.28	27.82	28.36	28.93	30.18	31.58	33.15	34.92	36.91	39.16	41.32
41.0	27.86	28.41	28.98	29.57	30.87	32.33	33.97	35.81	37.89	40.23	42.46
42.0	28.44	29.02	29.61	30.23	31.58	33.10	34.81	36.73	38.89	41.32	43.64
43.0	29.04	29.65	30.26	30.90	32.31	33.90	35.67	37.67	39.92	42.44	44.85
44.0	29.65	30.28	30.92	31.59	33.06	34.71	36.56	38.64	40.98	43.60	46.10
45.0	30.28	30.93	31.60	32.30	33.83	35.54	37.47	39.64	42.07	44.79	47.38
46.0	30.92	31.60	32.29	33.02	34.61	36.40	38.40	40.66	43.18	46.01	48.69
47.0	31.58	32.29	33.00	33.76	35.42	37.28	39.36	41.71	44.34	47.27	50.05
48.0	32.25	32.99	33.73	34.52	36.25	38.18	40.35	42.80	45.52	48.57	51.45
49.0	32.94	33.70	34.48	35.30	37.10	39.11	41.37	43.91	46.75	49.91	52.89
50.0	33.64	34.44	35.25	36.11	37.97	40.07	42.42	45.06	48.01	51.29	54.38
⟨φ⟩	PERCENTAGE OF LOAN AMOUNT LEFT UNPAID AT DUE DATE										
	100.0	93.79	87.82	81.86	69.93	58.00	46.07	34.14	22.21	10.28	.00

DISCOUNT %	MONTHLY PAYBACK RATE (%) (MONTHLY PAYMENT DIVIDED BY LOAN AMOUNT)										
	.90	1.00	1.10	1.20	1.30	1.40	1.50	1.60	1.80	2.00	2.16
.5	10.88	10.88	10.89	10.89	10.90	10.91	10.91	10.92	10.93	10.95	10.97
1.0	11.01	11.02	11.03	11.04	11.05	11.06	11.07	11.09	11.12	11.15	11.19
1.5	11.14	11.16	11.17	11.19	11.20	11.22	11.24	11.26	11.30	11.36	11.41
2.0	11.27	11.29	11.31	11.33	11.35	11.38	11.40	11.43	11.49	11.56	11.63
2.5	11.41	11.43	11.45	11.48	11.51	11.54	11.57	11.60	11.68	11.77	11.86
3.0	11.54	11.57	11.60	11.63	11.66	11.70	11.73	11.77	11.86	11.98	12.08
3.5	11.68	11.71	11.74	11.78	11.81	11.86	11.90	11.95	12.06	12.19	12.31
4.0	11.81	11.85	11.89	11.93	11.97	12.02	12.07	12.13	12.25	12.40	12.54
4.5	11.95	11.99	12.03	12.08	12.13	12.18	12.24	12.30	12.44	12.61	12.77
5.0	12.09	12.13	12.18	12.23	12.29	12.35	12.41	12.48	12.64	12.83	13.00
5.5	12.23	12.28	12.33	12.39	12.45	12.51	12.58	12.66	12.83	13.04	13.24
6.0	12.36	12.42	12.48	12.54	12.61	12.68	12.76	12.84	13.03	13.26	13.47
6.5	12.50	12.57	12.63	12.70	12.77	12.85	12.93	13.02	13.23	13.48	13.71
7.0	12.65	12.71	12.78	12.85	12.93	13.02	13.11	13.21	13.43	13.70	13.95
7.5	12.79	12.86	12.93	13.01	13.10	13.19	13.29	13.39	13.63	13.92	14.20
8.0	12.93	13.01	13.09	13.17	13.26	13.36	13.47	13.58	13.84	14.15	14.44
8.5	13.07	13.16	13.24	13.33	13.43	13.53	13.65	13.77	14.04	14.37	14.69
9.0	13.22	13.31	13.40	13.49	13.60	13.71	13.83	13.96	14.25	14.60	14.93
9.5	13.36	13.46	13.55	13.66	13.76	13.88	14.01	14.15	14.46	14.83	15.18
10.0	13.51	13.61	13.71	13.82	13.93	14.06	14.20	14.34	14.67	15.06	15.44
11.0	13.81	13.92	14.03	14.15	14.28	14.42	14.57	14.73	15.09	15.53	15.94
12.0	14.11	14.23	14.35	14.49	14.63	14.78	14.95	15.13	15.53	16.01	16.46
13.0	14.41	14.55	14.68	14.83	14.98	15.15	15.33	15.53	15.97	16.49	16.99
14.0	14.72	14.87	15.01	15.17	15.34	15.52	15.72	15.93	16.41	16.98	17.53
15.0	15.04	15.19	15.35	15.52	15.71	15.90	16.12	16.35	16.87	17.49	18.07
16.0	15.35	15.52	15.69	15.88	16.08	16.29	16.52	16.77	17.33	18.00	18.62
17.0	15.68	15.86	16.04	16.24	16.45	16.68	16.93	17.20	17.80	18.51	19.19
18.0	16.00	16.20	16.39	16.61	16.84	17.08	17.35	17.63	18.28	19.04	19.76
19.0	16.33	16.54	16.75	16.98	17.22	17.49	17.77	18.08	18.76	19.58	20.35
20.0	16.67	16.89	17.12	17.36	17.62	17.90	18.20	18.53	19.26	20.13	20.94
21.0	17.01	17.25	17.49	17.75	18.02	18.32	18.64	18.99	19.76	20.68	21.55
22.0	17.36	17.61	17.86	18.14	18.43	18.75	19.09	19.45	20.28	21.25	22.17
23.0	17.72	17.98	18.25	18.54	18.85	19.18	19.54	19.93	20.80	21.83	22.80
24.0	18.07	18.35	18.64	18.94	19.27	19.62	20.00	20.41	21.33	22.42	23.44
25.0	18.44	18.73	19.03	19.36	19.70	20.07	20.47	20.91	21.88	23.02	24.09
26.0	18.81	19.12	19.43	19.78	20.14	20.53	20.95	21.41	22.43	23.64	24.76
27.0	19.19	19.51	19.84	20.20	20.59	21.00	21.44	21.92	23.00	24.26	25.44
28.0	19.57	19.91	20.26	20.64	21.04	21.48	21.94	22.45	23.57	24.90	26.14
29.0	19.96	20.32	20.69	21.08	21.50	21.96	22.45	22.98	24.16	25.56	26.85
30.0	20.36	20.74	21.12	21.53	21.98	22.46	22.97	23.52	24.77	26.22	27.58
31.0	20.76	21.16	21.56	22.00	22.46	22.96	23.50	24.08	25.38	26.90	28.32
32.0	21.18	21.59	22.01	22.47	22.95	23.48	24.04	24.65	26.01	27.60	29.08
33.0	21.60	22.03	22.47	22.95	23.45	24.00	24.59	25.23	26.65	28.31	29.85
34.0	22.02	22.47	22.94	23.43	23.97	24.54	25.16	25.82	27.31	29.04	30.65
35.0	22.46	22.93	23.41	23.93	24.49	25.09	25.73	26.43	27.98	29.79	31.46
36.0	22.90	23.40	23.90	24.44	25.02	25.65	26.32	27.05	28.67	30.55	32.29
37.0	23.36	23.87	24.40	24.96	25.57	26.22	26.93	27.68	29.37	31.34	33.15
38.0	23.82	24.36	24.90	25.50	26.13	26.81	27.54	28.33	30.09	32.14	34.02
39.0	24.29	24.85	25.42	26.04	26.70	27.41	28.18	29.00	30.83	32.96	34.92
40.0	24.77	25.36	25.95	26.60	27.28	28.03	28.82	29.68	31.59	33.81	35.84
41.0	25.27	25.87	26.50	27.17	27.88	28.66	29.49	30.38	32.37	34.67	36.78
42.0	25.77	26.40	27.05	27.75	28.50	29.30	30.17	31.10	33.17	35.56	37.75
43.0	26.29	26.94	27.62	28.35	29.13	29.97	30.87	31.83	33.99	36.48	38.75
44.0	26.81	27.50	28.20	28.96	29.77	30.65	31.58	32.59	34.83	37.42	39.77
45.0	27.35	28.07	28.80	29.59	30.43	31.34	32.32	33.37	35.70	38.39	40.83
46.0	27.90	28.65	29.41	30.23	31.11	32.06	33.08	34.17	36.60	39.39	41.92
47.0	28.47	29.24	30.04	30.89	31.81	32.80	33.85	34.99	37.52	40.41	43.03
48.0	29.05	29.86	30.68	31.57	32.53	33.55	34.66	35.84	38.46	41.47	44.19
49.0	29.65	30.48	31.34	32.27	33.26	34.33	35.48	36.71	39.44	42.56	45.38
50.0	30.26	31.13	32.02	32.99	34.02	35.14	36.33	37.61	40.45	43.69	46.61
▽Ⴔ	PERCENTAGE OF LOAN AMOUNT LEFT UNPAID AT DUE DATE										
	100.0	91.77	83.87	75.97	68.07	60.18	52.28	44.38	28.58	12.78	.00

DISCOUNT %	MONTHLY PAYBACK RATE (%) (MONTHLY PAYMENT DIVIDED BY LOAN AMOUNT)										
	.90	1.00	1.10	1.20	1.30	1.40	1.50	1.60	1.70	1.80	1.89
1.0	10.98	10.99	11.00	11.01	11.02	11.03	11.05	11.06	11.08	11.10	11.12
2.0	11.21	11.23	11.25	11.27	11.29	11.32	11.35	11.38	11.42	11.46	11.50
3.0	11.44	11.47	11.50	11.54	11.57	11.61	11.66	11.71	11.76	11.82	11.89
4.0	11.68	11.72	11.76	11.81	11.86	11.91	11.97	12.04	12.11	12.19	12.28
5.0	11.92	11.97	12.02	12.08	12.14	12.21	12.29	12.37	12.46	12.57	12.67
6.0	12.16	12.22	12.29	12.36	12.43	12.52	12.61	12.71	12.82	12.95	13.07
7.0	12.41	12.48	12.56	12.64	12.73	12.83	12.93	13.05	13.19	13.33	13.48
8.0	12.66	12.74	12.83	12.92	13.03	13.14	13.26	13.40	13.55	13.72	13.90
9.0	12.91	13.01	13.10	13.21	13.33	13.46	13.60	13.76	13.93	14.12	14.32
10.0	13.17	13.28	13.39	13.51	13.64	13.78	13.94	14.12	14.31	14.53	14.74
11.0	13.43	13.55	13.67	13.80	13.95	14.11	14.29	14.48	14.70	14.94	15.18
12.0	13.69	13.82	13.96	14.11	14.27	14.45	14.64	14.85	15.09	15.35	15.62
13.0	13.96	14.10	14.25	14.41	14.59	14.78	15.00	15.23	15.49	15.78	16.07
14.0	14.23	14.39	14.55	14.73	14.92	15.13	15.36	15.62	15.90	16.21	16.53
15.0	14.51	14.68	14.85	15.04	15.25	15.48	15.73	16.01	16.31	16.65	16.99
16.0	14.79	14.97	15.16	15.36	15.59	15.84	16.11	16.40	16.73	17.10	17.47
17.0	15.07	15.27	15.47	15.69	15.93	16.20	16.49	16.81	17.16	17.55	17.95
18.0	15.36	15.57	15.79	16.02	16.28	16.57	16.88	17.22	17.60	18.02	18.44
19.0	15.65	15.88	16.11	16.36	16.64	16.94	17.27	17.64	18.04	18.49	18.94
20.0	15.95	16.19	16.43	16.71	17.00	17.32	17.68	18.07	18.50	18.97	19.45
21.0	16.25	16.50	16.77	17.05	17.37	17.71	18.09	18.50	18.96	19.46	19.96
22.0	16.56	16.83	17.10	17.41	17.74	18.11	18.50	18.94	19.43	19.96	20.49
23.0	16.87	17.15	17.45	17.77	18.12	18.51	18.93	19.39	19.90	20.47	21.03
24.0	17.19	17.49	17.80	18.14	18.51	18.92	19.36	19.85	20.39	20.98	21.58
25.0	17.51	17.83	18.15	18.52	18.91	19.34	19.81	20.32	20.89	21.51	22.14
26.0	17.84	18.17	18.52	18.90	19.31	19.76	20.26	20.80	21.40	22.05	22.71
27.0	18.17	18.52	18.89	19.29	19.72	20.20	20.72	21.29	21.92	22.60	23.29
28.0	18.51	18.88	19.26	19.68	20.14	20.64	21.19	21.79	22.44	23.17	23.89
29.0	18.86	19.24	19.65	20.09	20.57	21.09	21.67	22.29	22.99	23.74	24.50
30.0	19.21	19.61	20.04	20.50	21.00	21.55	22.16	22.81	23.54	24.33	25.12
31.0	19.57	19.99	20.44	20.92	21.45	22.02	22.65	23.34	24.10	24.93	25.75
32.0	19.93	20.38	20.84	21.35	21.90	22.51	23.17	23.89	24.68	25.54	26.40
33.0	20.31	20.77	21.26	21.79	22.37	23.00	23.69	24.44	25.27	26.17	27.06
34.0	20.69	21.17	21.68	22.24	22.84	23.50	24.22	25.01	25.87	26.81	27.74
35.0	21.07	21.58	22.11	22.70	23.32	24.02	24.77	25.59	26.49	27.47	28.44
36.0	21.47	22.00	22.56	23.16	23.82	24.54	25.33	26.19	27.12	28.14	29.15
37.0	21.87	22.43	23.01	23.64	24.33	25.08	25.90	26.80	27.77	28.84	29.88
38.0	22.28	22.87	23.47	24.13	24.85	25.63	26.49	27.42	28.44	29.54	30.63
39.0	22.71	23.31	23.94	24.63	25.38	26.20	27.09	28.06	29.12	30.27	31.40
40.0	23.14	23.77	24.43	25.14	25.92	26.78	27.71	28.72	29.82	31.02	32.19
41.0	23.58	24.23	24.92	25.67	26.48	27.37	28.34	29.39	30.54	31.78	33.00
42.0	24.03	24.71	25.43	26.21	27.06	27.98	28.99	30.09	31.28	32.57	33.83
43.0	24.49	25.20	25.95	26.76	27.64	28.61	29.66	30.80	32.04	33.38	34.69
44.0	24.96	25.70	26.48	27.33	28.25	29.25	30.34	31.53	32.82	34.21	35.57
45.0	25.44	26.22	27.03	27.91	28.87	29.91	31.05	32.28	33.62	35.06	36.47
46.0	25.94	26.75	27.59	28.51	29.50	30.59	31.78	33.06	34.45	35.95	37.40
47.0	26.45	27.29	28.16	29.12	30.16	31.29	32.52	33.86	35.30	36.85	38.37
48.0	26.97	27.84	28.76	29.76	30.84	32.02	33.29	34.68	36.18	37.79	39.36
49.0	27.50	28.42	29.37	30.41	31.53	32.76	34.09	35.53	37.09	38.76	40.38
50.0	28.05	29.00	29.99	31.08	32.25	33.53	34.91	36.41	38.02	39.76	41.44
51.0	28.62	29.61	30.64	31.77	32.99	34.32	35.76	37.32	38.99	40.79	42.53
52.0	29.20	30.23	31.31	32.48	33.75	35.14	36.64	38.25	40.00	41.86	43.66
53.0	29.80	30.88	32.00	33.22	34.54	35.98	37.54	39.23	41.03	42.97	44.83
54.0	30.42	31.54	32.71	33.98	35.36	36.86	38.48	40.23	42.11	44.11	46.04
55.0	31.06	32.22	33.44	34.77	36.21	37.77	39.46	41.28	43.23	45.30	47.30
56.0	31.71	32.93	34.20	35.58	37.08	38.71	40.47	42.36	44.39	46.54	48.61
57.0	32.39	33.66	34.99	36.43	37.99	39.69	41.52	43.49	45.59	47.82	49.96
58.0	33.10	34.42	35.80	37.31	38.94	40.71	42.61	44.66	46.85	49.16	51.38
59.0	33.82	35.20	36.65	38.22	39.92	41.76	43.75	45.88	48.15	50.56	52.85
60.0	34.58	36.02	37.52	39.17	40.94	42.87	44.94	47.15	49.52	52.01	54.39
🎼	PERCENTAGE OF LOAN AMOUNT LEFT UNPAID AT DUE DATE										
	100.0	89.53	79.48	69.42	59.37	49.32	39.27	29.21	19.16	9.11	.00

DISCOUNT %	MONTHLY PAYBACK RATE (%) (MONTHLY PAYMENT DIVIDED BY LOAN AMOUNT)										
	.90	.95	1.00	1.05	1.10	1.20	1.30	1.40	1.50	1.60	1.70
1.0	10.95	10.96	10.97	10.97	10.98	10.99	11.00	11.02	11.04	11.05	11.08
2.0	11.16	11.17	11.18	11.19	11.21	11.23	11.26	11.29	11.32	11.36	11.41
3.0	11.37	11.39	11.41	11.41	11.44	11.48	11.52	11.57	11.62	11.68	11.74
4.0	11.59	11.61	11.63	11.65	11.67	11.73	11.78	11.84	11.92	12.00	12.09
5.0	11.80	11.83	11.86	11.88	11.91	11.98	12.05	12.13	12.22	12.32	12.43
6.0	12.02	12.06	12.09	12.12	12.16	12.23	12.32	12.42	12.52	12.65	12.79
7.0	12.24	12.28	12.32	12.36	12.40	12.49	12.59	12.71	12.84	12.98	13.14
8.0	12.47	12.51	12.56	12.60	12.65	12.76	12.87	13.01	13.15	13.32	13.51
9.0	12.70	12.75	12.80	12.85	12.91	13.03	13.16	13.31	13.47	13.66	13.88
10.0	12.93	12.99	13.04	13.10	13.16	13.30	13.45	13.61	13.80	14.01	14.25
11.0	13.16	13.23	13.29	13.35	13.42	13.57	13.74	13.93	14.13	14.37	14.63
12.0	13.40	13.47	13.54	13.61	13.69	13.85	14.04	14.24	14.47	14.73	15.02
13.0	13.64	13.72	13.80	13.87	13.96	14.14	14.34	14.56	14.81	15.10	15.41
14.0	13.89	13.97	14.06	14.14	14.23	14.43	14.64	14.89	15.16	15.47	15.82
15.0	14.14	14.23	14.32	14.41	14.51	14.72	14.96	15.22	15.52	15.85	16.22
16.0	14.39	14.49	14.59	14.68	14.79	15.02	15.27	15.56	15.88	16.24	16.64
17.0	14.65	14.75	14.86	14.96	15.08	15.33	15.60	15.90	16.25	16.63	17.06
18.0	14.91	15.02	15.13	15.25	15.37	15.63	15.93	16.25	16.62	17.03	17.49
19.0	15.17	15.29	15.41	15.54	15.67	15.95	16.26	16.61	17.00	17.44	17.93
20.0	15.44	15.57	15.70	15.83	15.97	16.27	16.60	16.97	17.39	17.86	18.38
21.0	15.71	15.85	15.99	16.13	16.27	16.60	16.95	17.34	17.79	18.28	18.83
22.0	15.99	16.14	16.28	16.43	16.59	16.93	17.30	17.72	18.19	18.71	19.29
23.0	16.27	16.43	16.58	16.74	16.90	17.26	17.66	18.11	18.60	19.15	19.77
24.0	16.56	16.73	16.89	17.05	17.23	17.61	18.03	18.50	19.02	19.60	20.25
25.0	16.86	17.03	17.20	17.37	17.56	17.96	18.40	18.90	19.45	20.06	20.74
26.0	17.15	17.34	17.51	17.70	17.89	18.32	18.78	19.30	19.88	20.53	21.24
27.0	17.46	17.65	17.84	18.03	18.24	18.68	19.17	19.72	20.33	21.01	21.76
28.0	17.77	17.97	18.16	18.37	18.58	19.05	19.57	20.14	20.78	21.49	22.28
29.0	18.08	18.29	18.50	18.71	18.94	19.43	19.97	20.58	21.25	21.99	22.81
30.0	18.40	18.62	18.84	19.07	19.30	19.82	20.39	21.02	21.72	22.50	23.36
31.0	18.73	18.96	19.19	19.42	19.67	20.21	20.81	21.47	22.21	23.02	23.92
32.0	19.06	19.31	19.54	19.79	20.05	20.62	21.24	21.93	22.70	23.55	24.49
33.0	19.40	19.66	19.91	20.16	20.44	21.03	21.68	22.41	23.21	24.10	25.08
34.0	19.75	20.02	20.28	20.55	20.83	21.45	22.13	22.89	23.73	24.66	25.67
35.0	20.10	20.38	20.65	20.94	21.24	21.88	22.59	23.39	24.26	25.23	26.29
36.0	20.46	20.76	21.04	21.34	21.65	22.32	23.07	23.89	24.80	25.81	26.91
37.0	20.83	21.14	21.44	21.74	22.07	22.78	23.55	24.41	25.36	26.41	27.56
38.0	21.21	21.53	21.84	22.16	22.50	23.24	24.05	24.95	25.94	27.03	28.22
39.0	21.60	21.93	22.25	22.59	22.94	23.71	24.56	25.49	26.52	27.66	28.90
40.0	21.99	22.34	22.68	23.03	23.40	24.20	25.08	26.05	27.13	28.31	29.59
41.0	22.40	22.76	23.11	23.48	23.86	24.70	25.61	26.63	27.74	28.97	30.30
42.0	22.81	23.19	23.55	23.93	24.34	25.21	26.16	27.22	28.38	29.66	31.04
43.0	23.23	23.63	24.01	24.41	24.83	25.73	26.73	27.83	29.04	30.36	31.79
44.0	23.67	24.08	24.47	24.89	25.33	26.27	27.31	28.45	29.71	31.08	32.57
45.0	24.11	24.54	24.95	25.39	25.84	26.83	27.90	29.10	30.40	31.83	33.37
46.0	24.57	25.02	25.45	25.90	26.37	27.40	28.52	29.76	31.11	32.60	34.19
47.0	25.04	25.50	25.95	26.42	26.92	27.98	29.15	30.44	31.85	33.39	35.04
48.0	25.52	26.00	26.47	26.96	27.48	28.59	29.80	31.15	32.61	34.21	35.92
49.0	26.02	26.52	27.01	27.52	28.05	29.21	30.48	31.87	33.39	35.05	36.82
50.0	26.53	27.05	27.56	28.09	28.65	29.85	31.17	32.62	34.20	35.92	37.76
51.0	27.05	27.60	28.13	28.68	29.26	30.52	31.89	33.40	35.04	36.82	38.72
52.0	27.59	28.16	28.71	29.29	29.90	31.20	32.63	34.20	35.91	37.75	39.72
53.0	28.15	28.74	29.32	29.92	30.55	31.91	33.40	35.03	36.80	38.72	40.76
54.0	28.73	29.34	29.94	30.57	31.23	32.65	34.20	35.89	37.74	39.72	41.83
55.0	29.32	29.96	30.59	31.24	31.93	33.41	35.02	36.79	38.70	40.76	42.95
56.0	29.93	30.61	31.26	31.94	32.66	34.20	35.88	37.72	39.71	41.84	44.10
57.0	30.57	31.27	31.95	32.66	33.41	35.02	36.77	38.68	40.75	42.97	45.31
58.0	31.23	31.96	32.67	33.41	34.19	35.87	37.69	39.69	41.84	44.14	46.56
59.0	31.91	32.68	33.42	34.19	35.01	36.75	38.66	40.73	42.97	45.36	47.87
60.0	32.62	33.42	34.19	35.00	35.85	37.68	39.67	41.83	44.15	46.63	49.23
PERCENTAGE OF LOAN AMOUNT LEFT UNPAID AT DUE DATE											
	100.0	93.26	87.03	80.81	74.58	62.14	49.69	37.24	24.79	12.34	.00

MONTHLY PAYBACK RATE (%)
(MONTHLY PAYMENT DIVIDED BY LOAN AMOUNT)

DISCOUNT %	.90	.95	1.00	1.05	1.10	1.15	1.20	1.30	1.40	1.50	1.56
1.0	10.94	10.94	10.95	10.95	10.96	10.97	10.98	10.99	11.01	11.03	11.04
2.0	11.13	11.14	11.15	11.16	11.17	11.19	11.20	11.23	11.27	11.31	11.34
3.0	11.32	11.34	11.36	11.37	11.39	11.41	11.43	11.48	11.54	11.60	11.64
4.0	11.52	11.54	11.56	11.59	11.61	11.64	11.67	11.73	11.81	11.89	11.94
5.0	11.72	11.75	11.77	11.80	11.84	11.87	11.91	11.99	12.08	12.19	12.25
6.0	11.92	11.95	11.99	12.02	12.06	12.10	12.15	12.25	12.36	12.49	12.57
7.0	12.12	12.16	12.20	12.25	12.29	12.34	12.40	12.51	12.64	12.79	12.89
8.0	12.33	12.38	12.42	12.47	12.53	12.58	12.64	12.78	12.93	13.10	13.21
9.0	12.54	12.59	12.65	12.70	12.76	12.83	12.90	13.05	13.22	13.42	13.54
10.0	12.75	12.81	12.87	12.94	13.00	13.08	13.15	13.32	13.52	13.74	13.88
11.0	12.97	13.04	13.10	13.17	13.25	13.33	13.42	13.60	13.82	14.06	14.22
12.0	13.18	13.26	13.34	13.41	13.50	13.59	13.68	13.89	14.12	14.40	14.57
13.0	13.41	13.49	13.57	13.66	13.75	13.85	13.95	14.18	14.44	14.73	14.92
14.0	13.63	13.72	13.81	13.91	14.01	14.11	14.23	14.47	14.75	15.08	15.28
15.0	13.86	13.96	14.06	14.16	14.27	14.38	14.50	14.77	15.08	15.42	15.65
16.0	14.10	14.20	14.31	14.41	14.53	14.65	14.79	15.07	15.40	15.78	16.02
17.0	14.33	14.45	14.56	14.68	14.80	14.93	15.08	15.38	15.74	16.14	16.40
18.0	14.57	14.70	14.82	14.94	15.07	15.22	15.37	15.70	16.08	16.51	16.78
19.0	14.82	14.95	15.08	15.21	15.35	15.51	15.67	16.02	16.43	16.88	17.17
20.0	15.07	15.21	15.34	15.48	15.64	15.80	15.97	16.35	16.78	17.27	17.57
21.0	15.32	15.47	15.61	15.76	15.93	16.10	16.28	16.68	17.14	17.66	17.98
22.0	15.58	15.73	15.89	16.05	16.22	16.40	16.60	17.02	17.50	18.05	18.40
23.0	15.84	16.00	16.17	16.34	16.52	16.71	16.92	17.37	17.88	18.46	18.82
24.0	16.10	16.28	16.45	16.63	16.83	17.03	17.25	17.72	18.26	18.87	19.25
25.0	16.37	16.56	16.74	16.93	17.14	17.35	17.58	18.08	18.65	19.29	19.70
26.0	16.65	16.85	17.04	17.24	17.45	17.68	17.92	18.45	19.05	19.72	20.15
27.0	16.93	17.14	17.34	17.55	17.78	18.02	18.27	18.82	19.45	20.16	20.61
28.0	17.22	17.44	17.65	17.87	18.11	18.36	18.63	19.21	19.87	20.61	21.08
29.0	17.51	17.74	17.96	18.20	18.44	18.71	18.99	19.60	20.29	21.07	21.56
30.0	17.81	18.05	18.28	18.53	18.79	19.07	19.36	20.00	20.72	21.54	22.05
31.0	18.11	18.36	18.61	18.87	19.14	19.43	19.74	20.41	21.17	22.02	22.55
32.0	18.42	18.68	18.94	19.21	19.50	19.80	20.13	20.83	21.62	22.51	23.06
33.0	18.74	19.01	19.28	19.56	19.86	20.18	20.52	21.25	22.08	23.01	23.59
34.0	19.06	19.35	19.63	19.93	20.24	20.57	20.93	21.69	22.56	23.52	24.13
35.0	19.39	19.69	19.99	20.30	20.62	20.97	21.34	22.14	23.04	24.05	24.68
36.0	19.73	20.04	20.35	20.67	21.02	21.38	21.76	22.60	23.54	24.59	25.24
37.0	20.07	20.40	20.72	21.06	21.42	21.80	22.20	23.07	24.05	25.14	25.82
38.0	20.43	20.77	21.10	21.46	21.83	22.22	22.65	23.55	24.57	25.71	26.41
39.0	20.79	21.14	21.49	21.86	22.25	22.66	23.10	24.05	25.11	26.29	27.02
40.0	21.16	21.53	21.89	22.28	22.68	23.11	23.57	24.56	25.66	26.89	27.65
41.0	21.53	21.92	22.30	22.70	23.13	23.58	24.05	25.08	26.23	27.50	28.29
42.0	21.92	22.33	22.72	23.14	23.58	24.05	24.55	25.62	26.81	28.13	28.95
43.0	22.32	22.74	23.16	23.59	24.05	24.54	25.05	26.17	27.41	28.78	29.63
44.0	22.73	23.17	23.60	24.05	24.53	25.04	25.58	26.74	28.03	29.45	30.33
45.0	23.15	23.61	24.05	24.53	25.03	25.55	26.11	27.32	28.66	30.14	31.05
46.0	23.58	24.05	24.52	25.01	25.54	26.09	26.67	27.92	29.32	30.85	31.80
47.0	24.02	24.52	25.00	25.52	26.06	26.63	27.24	28.54	29.99	31.58	32.56
48.0	24.47	24.99	25.50	26.03	26.60	27.20	27.83	29.19	30.69	32.34	33.35
49.0	24.94	25.48	26.01	26.57	27.16	27.78	28.43	29.85	31.41	33.12	34.17
50.0	25.42	25.99	26.54	27.12	27.73	28.38	29.06	30.53	32.15	33.93	35.01
52.0	26.43	27.04	27.64	28.27	28.94	29.64	30.38	31.97	33.72	35.63	36.79
54.0	27.50	28.17	28.82	29.51	30.23	30.99	31.79	33.52	35.40	37.45	38.69
56.0	28.65	29.38	30.09	30.83	31.62	32.45	33.32	35.18	37.22	39.42	40.75
58.0	29.89	30.68	31.45	32.26	33.12	34.02	34.96	36.98	39.19	41.55	42.98
60.0	31.22	32.09	32.93	33.81	34.74	35.72	36.75	38.94	41.32	43.87	45.40
62.0	32.67	33.61	34.53	35.50	36.52	37.59	38.71	41.09	43.66	46.41	48.04
64.0	34.24	35.28	36.29	37.35	38.46	39.63	40.86	43.45	46.24	49.19	50.95
66.0	35.97	37.11	38.22	39.39	40.61	41.89	43.23	46.06	49.09	52.28	54.17
68.0	37.88	39.14	40.37	41.66	43.01	44.41	45.88	48.98	52.27	55.72	57.76
70.0	40.02	41.42	42.78	44.20	45.69	47.25	48.87	52.26	55.85	59.59	61.79

PERCENTAGE OF LOAN AMOUNT LEFT UNPAID AT DUE DATE

| | 100.0 | 91.81 | 84.25 | 76.70 | 69.14 | 61.58 | 54.02 | 38.91 | 23.79 | 8.68 | .00 |

DISCOUNT %	MONTHLY PAYBACK RATE (%) (MONTHLY PAYMENT DIVIDED BY LOAN AMOUNT)										
	.90	.95	1.00	1.05	1.10	1.15	1.20	1.25	1.30	1.40	1.45
1.0	10.92	10.93	10.94	10.94	10.95	10.96	10.97	10.97	10.98	11.00	11.02
2.0	11.10	11.11	11.13	11.14	11.15	11.17	11.18	11.20	11.22	11.26	11.28
3.0	11.28	11.30	11.32	11.34	11.36	11.38	11.41	11.43	11.46	11.52	11.56
4.0	11.46	11.49	11.51	11.54	11.57	11.60	11.63	11.67	11.70	11.79	11.84
5.0	11.65	11.68	11.71	11.74	11.78	11.82	11.86	11.90	11.95	12.06	12.12
6.0	11.84	11.87	11.91	11.95	11.99	12.04	12.09	12.14	12.20	12.33	12.40
7.0	12.03	12.07	12.12	12.16	12.21	12.27	12.33	12.39	12.46	12.61	12.69
8.0	12.22	12.27	12.32	12.38	12.43	12.50	12.57	12.64	12.71	12.89	12.99
9.0	12.41	12.47	12.53	12.59	12.66	12.73	12.81	12.89	12.98	13.18	13.29
10.0	12.61	12.68	12.75	12.81	12.89	12.97	13.06	13.15	13.25	13.47	13.60
11.0	12.82	12.89	12.96	13.04	13.12	13.21	13.31	13.41	13.52	13.77	13.91
12.0	13.02	13.10	13.18	13.27	13.36	13.46	13.56	13.68	13.80	14.07	14.22
13.0	13.23	13.32	13.41	13.50	13.60	13.71	13.82	13.95	14.08	14.38	14.54
14.0	13.44	13.54	13.63	13.73	13.84	13.96	14.09	14.22	14.36	14.69	14.87
15.0	13.65	13.76	13.86	13.97	14.09	14.22	14.35	14.50	14.66	15.01	15.20
16.0	13.87	13.99	14.10	14.22	14.34	14.48	14.63	14.79	14.95	15.33	15.54
17.0	14.09	14.22	14.34	14.46	14.60	14.75	14.91	15.07	15.25	15.66	15.88
18.0	14.32	14.45	14.58	14.71	14.86	15.02	15.19	15.37	15.56	16.00	16.24
19.0	14.55	14.69	14.83	14.97	15.13	15.30	15.48	15.67	15.88	16.34	16.59
20.0	14.78	14.93	15.08	15.23	15.40	15.58	15.77	15.98	16.20	16.69	16.96
21.0	15.02	15.18	15.33	15.50	15.68	15.87	16.07	16.29	16.52	17.04	17.33
22.0	15.26	15.43	15.59	15.77	15.96	16.16	16.38	16.61	16.85	17.41	17.71
23.0	15.50	15.68	15.86	16.04	16.24	16.46	16.69	16.93	17.19	17.78	18.09
24.0	15.75	15.94	16.13	16.33	16.54	16.76	17.00	17.26	17.54	18.15	18.49
25.0	16.01	16.21	16.40	16.61	16.83	17.07	17.33	17.60	17.89	18.54	18.89
26.0	16.27	16.48	16.69	16.90	17.14	17.39	17.66	17.95	18.25	18.93	19.30
27.0	16.53	16.75	16.97	17.20	17.45	17.71	18.00	18.30	18.62	19.33	19.72
28.0	16.80	17.04	17.26	17.51	17.77	18.04	18.34	18.66	18.99	19.74	20.15
29.0	17.08	17.32	17.56	17.82	18.09	18.38	18.69	19.02	19.38	20.16	20.59
30.0	17.36	17.61	17.87	18.13	18.42	18.72	19.05	19.40	19.77	20.59	21.03
31.0	17.64	17.91	18.18	18.46	18.76	19.08	19.42	19.78	20.17	21.03	21.49
32.0	17.94	18.22	18.50	18.79	19.10	19.44	19.80	20.18	20.58	21.48	21.96
33.0	18.24	18.53	18.82	19.13	19.46	19.81	20.18	20.58	21.00	21.94	22.44
34.0	18.54	18.85	19.15	19.47	19.82	20.18	20.58	20.99	21.43	22.41	22.93
35.0	18.85	19.18	19.49	19.83	20.19	20.57	20.98	21.41	21.87	22.89	23.43
36.0	19.17	19.51	19.84	20.19	20.57	20.97	21.39	21.85	22.33	23.39	23.95
37.0	19.50	19.85	20.20	20.56	20.96	21.37	21.82	22.29	22.79	23.89	24.48
38.0	19.83	20.20	20.56	20.94	21.35	21.79	22.25	22.75	23.27	24.41	25.02
39.0	20.17	20.56	20.94	21.34	21.76	22.22	22.70	23.21	23.75	24.95	25.58
40.0	20.53	20.93	21.32	21.74	22.18	22.65	23.16	23.69	24.26	25.50	26.15
41.0	20.88	21.30	21.71	22.15	22.61	23.10	23.63	24.19	24.77	26.06	26.74
42.0	21.25	21.69	22.12	22.57	23.05	23.57	24.11	24.69	25.30	26.64	27.35
43.0	21.63	22.09	22.53	23.00	23.51	24.04	24.61	25.21	25.85	27.24	27.97
44.0	22.02	22.49	22.96	23.45	23.97	24.53	25.12	25.75	26.41	27.85	28.61
45.0	22.42	22.91	23.40	23.91	24.46	25.04	25.65	26.30	26.99	28.48	29.27
46.0	22.83	23.34	23.85	24.38	24.95	25.56	26.20	26.87	27.59	29.14	29.95
47.0	23.25	23.79	24.31	24.87	25.46	26.09	26.76	27.46	28.20	29.81	30.65
48.0	23.69	24.24	24.79	25.37	25.99	26.64	27.34	28.07	28.84	30.50	31.38
49.0	24.13	24.72	25.29	25.89	26.53	27.21	27.94	28.70	29.49	31.22	32.12
50.0	24.59	25.20	25.80	26.43	27.10	27.80	28.56	29.35	30.17	31.97	32.90
52.0	25.56	26.22	26.87	27.55	28.28	29.05	29.86	30.71	31.61	33.53	34.53
54.0	26.60	27.31	28.02	28.76	29.55	30.38	31.26	32.18	33.14	35.21	36.28
56.0	27.71	28.49	29.25	30.06	30.92	31.82	32.77	33.77	34.81	37.03	38.17
58.0	28.90	29.75	30.59	31.47	32.40	33.38	34.41	35.48	36.61	38.99	40.22
60.0	30.19	31.12	32.03	32.99	34.01	35.07	36.19	37.36	38.57	41.14	42.45
62.0	31.60	32.62	33.61	34.66	35.77	36.93	38.14	39.41	40.72	43.48	44.88
64.0	33.14	34.26	35.35	36.50	37.70	38.97	40.29	41.67	43.08	46.06	47.57
66.0	34.84	36.07	37.27	38.53	39.85	41.23	42.68	44.17	45.71	48.92	50.54
68.0	36.72	38.08	39.41	40.79	42.25	43.76	45.34	46.97	48.64	52.11	53.86
70.0	38.83	40.34	41.81	43.34	44.95	46.62	48.34	50.12	51.94	55.71	57.59
PERCENTAGE OF LOAN AMOUNT LEFT UNPAID AT DUE DATE											
	100.0	90.20	81.16	72.12	63.08	54.04	44.99	35.95	26.91	8.83	.00

DISCOUNT %	MONTHLY PAYBACK RATE (%) (MONTHLY PAYMENT DIVIDED BY LOAN AMOUNT)										
	.90	.95	1.00	1.05	1.10	1.15	1.20	1.25	1.30	1.35	1.36
1.0	10.91	10.92	10.93	10.93	10.94	10.95	10.96	10.97	10.98	10.99	10.99
2.0	11.08	11.09	11.11	11.12	11.14	11.15	11.17	11.19	11.21	11.23	11.24
3.0	11.25	11.27	11.29	11.31	11.33	11.36	11.39	11.42	11.45	11.48	11.49
4.0	11.42	11.45	11.48	11.50	11.53	11.57	11.60	11.64	11.69	11.73	11.75
5.0	11.60	11.63	11.66	11.70	11.74	11.78	11.83	11.88	11.93	11.99	12.01
6.0	11.77	11.81	11.85	11.90	11.94	12.00	12.05	12.11	12.18	12.25	12.27
7.0	11.95	12.00	12.05	12.10	12.15	12.21	12.28	12.35	12.43	12.51	12.54
8.0	12.13	12.19	12.25	12.30	12.37	12.44	12.51	12.60	12.68	12.78	12.81
9.0	12.32	12.38	12.45	12.51	12.58	12.66	12.75	12.84	12.94	13.06	13.09
10.0	12.51	12.58	12.65	12.72	12.80	12.89	12.99	13.09	13.21	13.33	13.37
11.0	12.70	12.78	12.85	12.94	13.03	13.13	13.23	13.35	13.47	13.61	13.65
12.0	12.89	12.98	13.06	13.16	13.26	13.36	13.48	13.61	13.75	13.90	13.94
13.0	13.09	13.18	13.28	13.38	13.49	13.61	13.74	13.88	14.03	14.19	14.24
14.0	13.29	13.39	13.49	13.60	13.72	13.85	13.99	14.14	14.31	14.49	14.54
15.0	13.49	13.60	13.71	13.83	13.96	14.10	14.26	14.42	14.60	14.79	14.85
16.0	13.70	13.82	13.94	14.07	14.21	14.36	14.52	14.70	14.89	15.10	15.16
17.0	13.91	14.04	14.17	14.30	14.45	14.62	14.79	14.98	15.19	15.41	15.47
18.0	14.12	14.26	14.40	14.55	14.71	14.88	15.07	15.27	15.49	15.73	15.80
19.0	14.34	14.49	14.63	14.79	14.96	15.15	15.35	15.57	15.80	16.06	16.13
20.0	14.56	14.72	14.87	15.04	15.23	15.42	15.64	15.87	16.12	16.39	16.46
21.0	14.78	14.95	15.12	15.30	15.49	15.70	15.93	16.18	16.44	16.73	16.81
22.0	15.01	15.19	15.37	15.56	15.77	15.99	16.23	16.49	16.77	17.07	17.16
23.0	15.24	15.43	15.62	15.83	16.04	16.28	16.53	16.81	17.10	17.42	17.51
24.0	15.48	15.68	15.88	16.10	16.33	16.57	16.84	17.13	17.44	17.78	17.88
25.0	15.72	15.94	16.15	16.37	16.62	16.88	17.16	17.47	17.79	18.15	18.25
26.0	15.97	16.19	16.42	16.65	16.91	17.19	17.49	17.81	18.15	18.52	18.63
27.0	16.22	16.46	16.69	16.94	17.21	17.50	17.82	18.15	18.51	18.90	19.01
28.0	16.48	16.73	16.97	17.24	17.52	17.82	18.15	18.51	18.88	19.30	19.41
29.0	16.74	17.00	17.26	17.54	17.83	18.15	18.50	18.87	19.26	19.69	19.81
30.0	17.01	17.28	17.55	17.84	18.16	18.49	18.85	19.24	19.65	20.10	20.23
31.0	17.28	17.57	17.85	18.16	18.48	18.83	19.21	19.62	20.05	20.52	20.65
32.0	17.56	17.86	18.16	18.48	18.82	19.19	19.58	20.01	20.46	20.95	21.08
33.0	17.85	18.16	18.47	18.81	19.16	19.55	19.96	20.40	20.88	21.39	21.53
34.0	18.14	18.47	18.79	19.14	19.52	19.92	20.35	20.81	21.30	21.83	21.98
35.0	18.44	18.78	19.12	19.49	19.88	20.30	20.75	21.23	21.74	22.29	22.45
36.0	18.74	19.10	19.46	19.84	20.25	20.68	21.16	21.66	22.19	22.77	22.92
37.0	19.05	19.43	19.80	20.20	20.63	21.08	21.57	22.10	22.65	23.25	23.41
38.0	19.37	19.77	20.16	20.57	21.02	21.49	22.00	22.55	23.12	23.74	23.91
39.0	19.70	20.11	20.52	20.95	21.41	21.91	22.44	23.01	23.61	24.25	24.43
40.0	20.04	20.47	20.89	21.34	21.82	22.34	22.90	23.48	24.11	24.78	24.96
41.0	20.38	20.83	21.27	21.74	22.25	22.78	23.36	23.97	24.62	25.32	25.51
42.0	20.74	21.20	21.66	22.15	22.68	23.24	23.84	24.48	25.15	25.87	26.07
43.0	21.10	21.59	22.07	22.58	23.13	23.71	24.33	24.99	25.69	26.44	26.64
44.0	21.48	21.98	22.48	23.01	23.58	24.19	24.84	25.53	26.25	27.03	27.24
45.0	21.86	22.39	22.91	23.46	24.06	24.69	25.36	26.08	26.83	27.63	27.85
46.0	22.26	22.81	23.35	23.93	24.54	25.20	25.90	26.64	27.43	28.25	28.48
47.0	22.66	23.24	23.80	24.40	25.05	25.73	26.46	27.23	28.04	28.90	29.13
48.0	23.08	23.68	24.27	24.90	25.57	26.28	27.04	27.83	28.67	29.56	29.80
49.0	23.52	24.14	24.75	25.41	26.10	26.84	27.63	28.46	29.33	30.25	30.50
50.0	23.96	24.61	25.25	25.93	26.66	27.43	28.24	29.10	30.01	30.96	31.22
52.0	24.90	25.61	26.30	27.04	27.83	28.66	29.54	30.47	31.44	32.46	32.73
54.0	25.91	26.68	27.43	28.23	29.08	29.98	30.94	31.93	32.98	34.07	34.36
56.0	26.99	27.83	28.65	29.52	30.44	31.42	32.44	33.52	34.64	35.81	36.12
58.0	28.16	29.07	29.96	30.91	31.91	32.97	34.08	35.24	36.44	37.69	38.03
60.0	29.43	30.42	31.40	32.43	33.52	34.66	35.86	37.11	38.40	39.75	40.11
62.0	30.81	31.90	32.97	34.09	35.28	36.52	37.82	39.17	40.56	42.00	42.38
64.0	32.33	33.52	34.69	35.92	37.22	38.57	39.98	41.43	42.93	44.47	44.89
66.0	34.01	35.32	36.61	37.96	39.37	40.84	42.37	43.95	45.56	47.22	47.67
68.0	35.88	37.33	38.75	40.23	41.78	43.39	45.05	46.76	48.50	50.29	50.77
70.0	37.99	39.60	41.16	42.80	44.50	46.26	48.07	49.93	51.82	53.75	54.26

	PERCENTAGE OF LOAN AMOUNT LEFT UNPAID AT DUE DATE										
▽Φ	100.0	88.41	77.72	67.03	56.33	45.64	34.95	24.25	13.56	2.86	.00

DISCOUNT %	MONTHLY PAYBACK RATE (%) (MONTHLY PAYMENT DIVIDED BY LOAN AMOUNT)										
	1.00	1.25	1.50	1.75	2.00	2.25	2.50	2.75	3.00	3.50	4.00
1.0	10.90	10.97	11.03	11.09	11.15	11.21	11.27	11.33	11.38	11.50	11.61
2.0	11.05	11.18	11.31	11.43	11.55	11.67	11.79	11.91	12.03	12.26	12.49
3.0	11.20	11.41	11.60	11.78	11.97	12.15	12.33	12.50	12.68	13.03	13.38
4.0	11.35	11.63	11.89	12.14	12.38	12.63	12.87	13.11	13.34	13.81	14.28
5.0	11.51	11.86	12.18	12.50	12.81	13.11	13.42	13.72	14.02	14.61	15.20
6.0	11.67	12.09	12.48	12.86	13.24	13.61	13.97	14.34	14.70	15.42	16.12
7.0	11.83	12.33	12.79	13.23	13.67	14.11	14.54	14.97	15.39	16.23	17.07
8.0	12.00	12.57	13.10	13.61	14.12	14.62	15.11	15.61	16.10	17.07	18.02
9.0	12.17	12.81	13.41	13.99	14.57	15.13	15.70	16.26	16.81	17.91	19.00
10.0	12.34	13.06	13.73	14.38	15.03	15.66	16.29	16.92	17.54	18.77	19.99
11.0	12.51	13.31	14.06	14.78	15.49	16.19	16.89	17.59	18.27	19.64	20.99
12.0	12.69	13.57	14.39	15.18	15.96	16.74	17.50	18.27	19.02	20.53	22.01
13.0	12.87	13.83	14.72	15.59	16.44	17.29	18.13	18.96	19.79	21.43	23.05
14.0	13.06	14.10	15.06	16.01	16.93	17.85	18.76	19.66	20.56	22.34	24.10
15.0	13.25	14.37	15.41	16.43	17.43	18.42	19.40	20.38	21.35	23.27	25.17
16.0	13.44	14.64	15.77	16.86	17.94	19.00	20.06	21.11	22.15	24.22	26.26
17.0	13.63	14.93	16.13	17.30	18.45	19.59	20.72	21.85	22.97	25.18	27.37
18.0	13.83	15.21	16.49	17.74	18.98	20.19	21.40	22.60	23.80	26.16	28.50
19.0	14.04	15.50	16.87	18.20	19.51	20.81	22.09	23.37	24.64	27.16	29.65
20.0	14.25	15.80	17.25	18.66	20.05	21.43	22.79	24.15	25.50	28.18	30.82
21.0	14.46	16.11	17.64	19.13	20.61	22.06	23.51	24.95	26.38	29.21	32.02
22.0	14.68	16.41	18.04	19.61	21.17	22.71	24.24	25.76	27.27	30.27	33.23
23.0	14.90	16.73	18.44	20.10	21.75	23.37	24.98	26.59	28.18	31.34	34.47
24.0	15.13	17.05	18.85	20.60	22.33	24.04	25.74	27.43	29.11	32.43	35.73
25.0	15.36	17.38	19.27	21.11	22.93	24.73	26.51	28.29	30.05	33.55	37.02
26.0	15.60	17.72	19.70	21.63	23.54	25.43	27.30	29.16	31.01	34.69	38.33
27.0	15.85	18.06	20.14	22.17	24.16	26.14	28.11	30.06	32.00	35.85	39.67
28.0	16.10	18.42	20.59	22.71	24.80	26.87	28.93	30.97	33.00	37.04	41.03
29.0	16.36	18.77	21.05	23.26	25.45	27.62	29.77	31.90	34.03	38.25	42.43
30.0	16.62	19.14	21.51	23.83	26.11	28.38	30.62	32.85	35.08	39.48	43.85
31.0	16.89	19.52	21.99	24.41	26.79	29.15	31.50	33.83	36.14	40.75	45.31
32.0	17.17	19.90	22.48	25.00	27.48	29.95	32.39	34.82	37.24	42.04	46.79
33.0	17.45	20.30	22.98	25.61	28.19	30.76	33.31	35.84	38.36	43.36	48.31
34.0	17.74	20.70	23.50	26.23	28.92	31.59	34.24	36.88	39.50	44.71	49.87
35.0	18.04	21.12	24.02	26.86	29.66	32.44	35.20	37.94	40.67	46.09	51.46
36.0	18.35	21.54	24.56	27.51	30.42	33.31	36.18	39.03	41.87	47.51	53.09
37.0	18.67	21.98	25.11	28.18	31.20	34.21	37.18	40.15	43.10	48.95	54.76
38.0	18.99	22.43	25.68	28.86	32.00	35.12	38.21	41.29	44.35	50.44	56.47
39.0	19.33	22.89	26.26	29.56	32.82	36.06	39.27	42.46	45.64	51.96	58.22
40.0	19.68	23.36	26.86	30.28	33.67	37.02	40.35	43.67	46.97	53.52	60.02
41.0	20.03	23.85	27.47	31.02	34.53	38.01	41.46	44.90	48.32	55.12	61.87
42.0	20.40	24.35	28.11	31.78	35.42	39.02	42.61	46.17	49.72	56.77	63.76
43.0	20.78	24.87	28.76	32.56	36.33	40.07	43.78	47.47	51.15	58.46	65.70
44.0	21.17	25.40	29.42	33.37	37.27	41.14	44.98	48.81	52.62	60.19	67.70
45.0	21.58	25.95	30.11	34.20	38.23	42.24	46.22	50.19	54.13	61.98	69.76
46.0	22.00	26.51	30.82	35.05	39.23	43.38	47.50	51.61	55.69	63.82	71.88
47.0	22.44	27.10	31.55	35.93	40.25	44.55	48.82	53.07	57.30	65.71	74.06
48.0	22.89	27.70	32.31	36.83	41.31	45.75	50.17	54.57	58.95	67.66	76.30
49.0	23.35	28.33	33.09	37.77	42.40	47.00	51.57	56.12	60.65	69.67	78.62
50.0	23.84	28.97	33.90	38.74	43.53	48.28	53.01	57.72	62.41	71.74	81.01
51.0	24.34	29.64	34.73	39.74	44.69	49.61	54.51	59.38	64.23	73.89	83.47
52.0	24.86	30.33	35.60	40.77	45.90	50.99	56.05	61.09	66.11	76.10	86.02
53.0	25.41	31.05	36.49	41.84	47.14	52.41	57.64	62.86	68.05	78.39	88.66
54.0	25.97	31.80	37.42	42.95	48.43	53.88	59.30	64.69	70.07	80.76	91.39
55.0	26.56	32.58	38.39	44.11	49.77	55.41	61.01	66.59	72.15	83.22	94.22
56.0	27.18	33.39	39.39	45.30	51.17	56.99	62.79	68.56	74.32	85.77	97.16
57.0	27.82	34.23	40.43	46.55	52.61	58.64	64.64	70.61	76.57	88.42	100.20
58.0	28.50	35.11	41.52	47.84	54.12	60.35	66.56	72.74	78.90	91.17	103.37
59.0	29.20	36.03	42.66	49.20	55.68	62.13	68.56	74.96	81.33	94.04	106.66
60.0	29.94	36.99	43.84	50.61	57.32	63.99	70.64	77.27	83.87	97.02	110.10
NUMBER OF MONTHLY PAYMENTS NEEDED TO PAY OFF LOAN											
	253.6	141.4	102.0	80.4	66.6	56.9	49.8	44.2	39.8	33.2	28.4

DISCOUNT %	MONTHLY PAYBACK RATE (%) (MONTHLY PAYMENT DIVIDED BY LOAN AMOUNT)										
	.92	1.00	1.50	2.00	3.00	4.00	5.00	6.00	7.00	8.00	8.84
.5	11.53	11.53	11.55	11.57	11.60	11.64	11.69	11.74	11.80	11.88	11.95
1.0	12.07	12.07	12.10	12.14	12.21	12.29	12.38	12.49	12.61	12.76	12.91
1.5	12.60	12.61	12.66	12.71	12.82	12.94	13.08	13.24	13.43	13.65	13.87
2.0	13.14	13.16	13.22	13.28	13.43	13.59	13.78	14.00	14.25	14.55	14.84
2.5	13.69	13.70	13.78	13.86	14.04	14.25	14.49	14.76	15.08	15.45	15.82
3.0	14.24	14.25	14.35	14.45	14.67	14.91	15.20	15.53	15.91	16.36	16.81
3.5	14.79	14.80	14.92	15.03	15.29	15.58	15.91	16.30	16.75	17.28	17.80
4.0	15.34	15.36	15.49	15.62	15.92	16.25	16.64	17.08	17.59	18.20	18.81
4.5	15.90	15.92	16.06	16.22	16.55	16.93	17.36	17.86	18.44	19.13	19.81
5.0	16.46	16.48	16.64	16.81	17.19	17.61	18.09	18.65	19.30	20.07	20.83
5.5	17.02	17.05	17.23	17.41	17.83	18.29	18.83	19.45	20.17	21.02	21.86
6.0	17.59	17.62	17.81	18.02	18.47	18.98	19.57	20.25	21.04	21.97	22.89
6.5	18.16	18.19	18.40	18.63	19.12	19.68	20.31	21.05	21.91	22.93	23.93
7.0	18.73	18.77	19.00	19.24	19.77	20.38	21.07	21.86	22.80	23.89	24.98
7.5	19.31	19.35	19.59	19.86	20.43	21.08	21.82	22.68	23.69	24.87	26.03
8.0	19.89	19.93	20.19	20.48	21.09	21.79	22.59	23.51	24.58	25.85	27.10
8.5	20.47	20.52	20.80	21.10	21.76	22.50	23.35	24.34	25.49	26.84	28.17
9.0	21.06	21.11	21.41	21.73	22.43	23.22	24.13	25.17	26.40	27.84	29.26
9.5	21.65	21.70	22.02	22.36	23.10	23.94	24.90	26.02	27.31	28.84	30.35
10.0	22.24	22.30	22.64	23.00	23.78	24.67	25.69	26.87	28.24	29.86	31.45
10.5	22.84	22.90	23.26	23.64	24.46	25.40	26.48	27.72	29.17	30.88	32.56
11.0	23.45	23.51	23.88	24.28	25.15	26.14	27.28	28.58	30.11	31.91	33.68
11.5	24.05	24.12	24.51	24.93	25.84	26.89	28.08	29.45	31.06	32.95	34.80
12.0	24.66	24.73	25.14	25.58	26.54	27.63	28.89	30.33	32.01	33.99	35.94
12.5	25.28	25.35	25.78	26.24	27.25	28.39	29.70	31.21	32.97	35.05	37.09
13.0	25.89	25.97	26.42	26.90	27.95	29.15	30.52	32.10	33.94	36.11	38.25
13.5	26.52	26.59	27.07	27.57	28.67	29.92	31.35	33.00	34.92	37.19	39.41
14.0	27.14	27.22	27.71	28.24	29.38	30.69	32.18	33.90	35.91	38.27	40.59
14.5	27.77	27.86	28.37	28.91	30.11	31.46	33.02	34.81	36.90	39.36	41.77
15.0	28.41	28.49	29.03	29.59	30.83	32.25	33.86	35.73	37.90	40.46	42.97
15.5	29.04	29.13	29.69	30.28	31.57	33.04	34.72	36.66	38.92	41.57	44.18
16.0	29.69	29.78	30.36	30.97	32.31	33.83	35.57	37.59	39.93	42.69	45.40
16.5	30.33	30.43	31.03	31.66	33.05	34.63	36.44	38.53	40.96	43.82	46.63
17.0	30.99	31.09	31.70	32.36	33.80	35.44	37.31	39.48	42.00	44.96	47.87
17.5	31.64	31.75	32.39	33.07	34.56	36.25	38.19	40.43	43.05	46.11	49.12
18.0	32.30	32.41	33.07	33.77	35.32	37.07	39.08	41.40	44.10	47.27	50.38
18.5	32.97	33.08	33.76	34.49	36.08	37.90	39.97	42.37	45.18	48.44	51.65
19.0	33.64	33.75	34.46	35.21	36.86	38.73	40.88	43.35	46.24	49.63	52.94
19.5	34.31	34.43	35.16	35.93	37.63	39.57	41.78	44.34	47.32	50.82	54.24
20.0	34.99	35.11	35.86	36.66	38.42	40.41	42.70	45.34	48.41	52.02	55.55
20.5	35.67	35.80	36.57	37.40	39.21	41.27	43.62	46.35	49.52	53.24	56.87
21.0	36.36	36.49	37.29	38.14	40.00	42.13	44.56	47.36	50.63	54.46	58.20
21.5	37.05	37.19	38.01	38.89	40.81	42.99	45.50	48.39	51.75	55.70	59.55
22.0	37.75	37.89	38.74	39.64	41.62	43.87	46.44	49.42	52.89	56.95	60.91
22.5	38.46	38.60	39.47	40.40	42.43	44.75	47.40	50.47	54.03	58.21	62.28
23.0	39.17	39.31	40.21	41.16	43.25	45.63	48.37	51.52	55.18	59.48	63.67
23.5	39.88	40.03	40.95	41.93	44.08	46.53	49.34	52.58	56.35	60.77	65.07
24.0	40.60	40.75	41.70	42.71	44.92	47.43	50.32	53.65	57.53	62.07	66.49
24.5	41.32	41.48	42.45	43.49	45.76	48.34	51.31	54.73	58.71	63.38	67.91
25.0	42.05	42.21	43.21	44.27	46.61	49.26	52.31	55.82	59.91	64.70	69.36
25.5	42.79	42.95	43.98	45.07	47.46	50.19	53.32	56.93	61.12	66.04	70.82
26.0	43.53	43.70	44.75	45.87	48.33	51.12	54.33	58.04	62.35	67.39	72.29
26.5	44.28	44.45	45.53	46.68	49.20	52.07	55.36	59.16	63.58	68.75	73.78
27.0	45.03	45.21	46.31	47.49	50.07	53.02	56.40	60.30	64.83	70.13	75.28
27.5	45.79	45.97	47.10	48.31	50.96	53.98	57.44	61.44	66.09	71.52	76.80
28.0	46.55	46.74	47.90	49.14	51.85	54.95	58.50	62.60	67.36	72.93	78.33
28.5	47.32	47.51	48.70	49.97	52.75	55.92	59.56	63.76	68.65	74.35	79.88
29.0	48.10	48.29	49.51	50.81	53.66	56.91	60.64	64.94	69.95	75.79	81.45
29.5	48.88	49.08	50.33	51.66	54.58	57.91	61.73	66.13	71.26	77.24	83.04
30.0	49.67	49.87	51.15	52.51	55.50	58.91	62.82	67.34	72.58	78.70	84.64
⦶	PERCENTAGE OF LOAN AMOUNT LEFT UNPAID AT DUE DATE										
	100.0	98.95	92.64	86.32	73.70	61.08	48.45	35.83	23.20	10.58	.00

DISCOUNT %	MONTHLY PAYBACK RATE (%) (MONTHLY PAYMENT DIVIDED BY LOAN AMOUNT)										
	.92	1.00	1.25	1.50	1.75	2.00	2.50	3.00	3.50	4.00	4.66
.5	11.28	11.28	11.29	11.30	11.31	11.32	11.35	11.37	11.40	11.44	11.50
1.0	11.56	11.57	11.59	11.60	11.62	11.65	11.69	11.75	11.81	11.89	12.01
1.5	11.85	11.85	11.88	11.91	11.94	11.97	12.04	12.12	12.22	12.33	12.52
2.0	12.13	12.14	12.18	12.22	12.26	12.30	12.39	12.50	12.63	12.79	13.03
2.5	12.42	12.43	12.48	12.52	12.57	12.63	12.75	12.89	13.05	13.24	13.55
3.0	12.71	12.72	12.78	12.83	12.90	12.96	13.10	13.27	13.47	13.70	14.08
3.5	13.00	13.02	13.08	13.15	13.22	13.29	13.46	13.66	13.89	14.16	14.60
4.0	13.29	13.31	13.38	13.46	13.54	13.63	13.82	14.05	14.31	14.62	15.13
4.5	13.58	13.61	13.69	13.78	13.87	13.97	14.19	14.44	14.74	15.09	15.66
5.0	13.88	13.91	14.00	14.09	14.20	14.31	14.55	14.84	15.17	15.56	16.20
5.5	14.17	14.21	14.31	14.41	14.53	14.65	14.92	15.23	15.60	16.04	16.74
6.0	14.47	14.51	14.62	14.74	14.86	15.00	15.29	15.64	16.04	16.51	17.29
6.5	14.77	14.81	14.93	15.06	15.20	15.34	15.67	16.04	16.48	16.99	17.84
7.0	15.08	15.12	15.25	15.39	15.53	15.69	16.04	16.45	16.92	17.48	18.39
7.5	15.38	15.42	15.56	15.71	15.87	16.04	16.42	16.86	17.37	17.97	18.95
8.0	15.69	15.73	15.88	16.04	16.21	16.40	16.80	17.27	17.81	18.46	19.52
8.5	15.99	16.05	16.21	16.38	16.56	16.75	17.18	17.68	18.27	18.96	20.08
9.0	16.30	16.36	16.53	16.71	16.90	17.11	17.57	18.10	18.72	19.46	20.66
9.5	16.61	16.67	16.85	17.05	17.25	17.47	17.96	18.52	19.18	19.96	21.23
10.0	16.93	16.99	17.18	17.39	17.60	17.84	18.35	18.95	19.64	20.47	21.81
10.5	17.24	17.31	17.51	17.73	17.96	18.20	18.75	19.37	20.11	20.98	22.40
11.0	17.56	17.63	17.84	18.07	18.31	18.57	19.14	19.81	20.58	21.50	22.99
11.5	17.88	17.95	18.18	18.41	18.67	18.94	19.54	20.24	21.05	22.02	23.58
12.0	18.20	18.28	18.51	18.76	19.03	19.31	19.95	20.68	21.53	22.54	24.18
12.5	18.53	18.61	18.85	19.11	19.39	19.69	20.35	21.12	22.01	23.07	24.79
13.0	18.85	18.93	19.19	19.47	19.76	20.07	20.76	21.56	22.50	23.60	25.40
13.5	19.18	19.27	19.53	19.82	20.12	20.45	21.17	22.01	22.99	24.14	26.01
14.0	19.51	19.60	19.88	20.18	20.49	20.83	21.59	22.46	23.48	24.68	26.63
14.5	19.84	19.94	20.23	20.54	20.87	21.22	22.01	22.91	23.97	25.23	27.26
15.0	20.18	20.27	20.58	20.90	21.24	21.61	22.43	23.37	24.47	25.78	27.89
15.5	20.51	20.61	20.93	21.26	21.62	22.00	22.85	23.83	24.98	26.33	28.52
16.0	20.85	20.96	21.28	21.63	22.00	22.40	23.28	24.30	25.49	26.89	29.17
16.5	21.19	21.30	21.64	22.00	22.39	22.80	23.71	24.77	26.00	27.45	29.81
17.0	21.54	21.65	22.00	22.37	22.77	23.20	24.14	25.24	26.52	28.02	30.47
17.5	21.88	22.00	22.36	22.75	23.16	23.60	24.58	25.72	27.04	28.60	31.12
18.0	22.23	22.35	22.73	23.13	23.55	24.01	25.02	26.20	27.56	29.18	31.79
18.5	22.58	22.70	23.09	23.51	23.95	24.42	25.47	26.68	28.09	29.76	32.46
19.0	22.93	23.06	23.46	23.89	24.35	24.83	25.92	27.17	28.63	30.35	33.14
19.5	23.29	23.42	23.83	24.28	24.75	25.25	26.37	27.66	29.17	30.95	33.82
20.0	23.65	23.78	24.21	24.66	25.15	25.67	26.82	28.16	29.71	31.55	34.51
21.0	24.37	24.52	24.97	25.45	25.97	26.52	27.74	29.16	30.82	32.76	35.90
22.0	25.10	25.26	25.74	26.25	26.80	27.38	28.68	30.18	31.94	34.00	37.33
23.0	25.85	26.01	26.52	27.06	27.64	28.26	29.63	31.22	33.08	35.26	38.78
24.0	26.60	26.78	27.31	27.88	28.50	29.15	30.60	32.28	34.24	36.55	40.25
25.0	27.37	27.55	28.12	28.72	29.37	30.06	31.59	33.36	35.43	37.86	41.76
26.0	28.15	28.34	28.94	29.57	30.25	30.98	32.59	34.46	36.64	39.19	43.30
27.0	28.94	29.14	29.77	30.43	31.15	31.91	33.61	35.58	37.87	40.56	44.87
28.0	29.74	29.95	30.61	31.31	32.06	32.87	34.65	36.72	39.12	41.95	46.47
29.0	30.56	30.78	31.47	32.21	32.99	33.84	35.71	37.88	40.41	43.37	48.10
30.0	31.39	31.62	32.34	33.11	33.94	34.82	36.79	39.06	41.71	44.82	49.77
31.0	32.23	32.47	33.23	34.04	34.90	35.83	37.89	40.27	43.05	46.29	51.48
32.0	33.08	33.34	34.13	34.98	35.88	36.85	39.01	41.50	44.41	47.81	53.22
33.0	33.95	34.22	35.05	35.93	36.88	37.89	40.15	42.76	45.80	49.35	55.00
34.0	34.84	35.12	35.98	36.91	37.90	38.96	41.31	44.04	47.22	50.93	56.82
35.0	35.74	36.03	36.94	37.90	38.93	40.04	42.50	45.35	48.67	52.54	58.69
36.0	36.66	36.96	37.90	38.91	39.99	41.15	43.72	46.69	50.16	54.20	60.60
37.0	37.59	37.91	38.89	39.94	41.07	42.27	44.96	48.06	51.68	55.89	62.56
38.0	38.54	38.87	39.90	40.99	42.17	43.42	46.22	49.46	53.23	57.62	64.56
39.0	39.51	39.85	40.92	42.06	43.29	44.60	47.52	50.90	54.82	59.40	66.61
40.0	40.50	40.85	41.97	43.16	44.43	45.80	48.84	52.36	56.45	61.22	68.72
⬙	PERCENTAGE OF LOAN AMOUNT LEFT UNPAID AT DUE DATE										
	100.0	97.77	91.10	84.42	77.74	71.07	57.71	44.36	31.00	17.65	.00

DISCOUNT %	MONTHLY PAYBACK RATE (%) (MONTHLY PAYMENT DIVIDED BY LOAN AMOUNT)										
	.92	1.00	1.25	1.50	1.75	2.00	2.25	2.50	2.75	3.00	3.27
.5	11.20	11.20	11.21	11.22	11.23	11.25	11.26	11.28	11.30	11.32	11.35
1.0	11.39	11.40	11.42	11.44	11.47	11.49	11.52	11.56	11.60	11.64	11.69
1.5	11.59	11.60	11.63	11.67	11.70	11.74	11.79	11.84	11.90	11.96	12.05
2.0	11.79	11.81	11.85	11.89	11.94	11.99	12.05	12.12	12.20	12.29	12.40
2.5	12.00	12.01	12.06	12.12	12.18	12.25	12.32	12.41	12.50	12.62	12.76
3.0	12.20	12.22	12.28	12.34	12.42	12.50	12.59	12.69	12.81	12.95	13.12
3.5	12.40	12.43	12.50	12.57	12.66	12.75	12.86	12.98	13.12	13.28	13.48
4.0	12.61	12.63	12.71	12.80	12.90	13.01	13.14	13.27	13.43	13.61	13.84
4.5	12.81	12.84	12.93	13.04	13.15	13.27	13.41	13.57	13.75	13.95	14.21
5.0	13.02	13.05	13.16	13.27	13.39	13.53	13.69	13.86	14.06	14.29	14.58
5.5	13.23	13.27	13.38	13.50	13.64	13.80	13.97	14.16	14.38	14.63	14.96
6.0	13.44	13.48	13.60	13.74	13.89	14.06	14.25	14.46	14.70	14.98	15.33
6.5	13.65	13.69	13.83	13.98	14.14	14.33	14.53	14.76	15.03	15.33	15.71
7.0	13.86	13.91	14.06	14.22	14.40	14.59	14.82	15.07	15.35	15.68	16.09
7.5	14.08	14.13	14.29	14.46	14.65	14.86	15.10	15.37	15.68	16.03	16.48
8.0	14.29	14.35	14.52	14.70	14.91	15.14	15.39	15.68	16.01	16.39	16.86
8.5	14.51	14.57	14.75	14.95	15.16	15.41	15.68	15.99	16.34	16.75	17.25
9.0	14.73	14.79	14.98	15.19	15.42	15.69	15.98	16.31	16.68	17.11	17.65
9.5	14.95	15.01	15.22	15.44	15.69	15.96	16.27	16.62	17.02	17.47	18.04
10.0	15.17	15.24	15.45	15.69	15.95	16.24	16.57	16.94	17.36	17.84	18.44
11.0	15.61	15.69	15.93	16.19	16.48	16.81	17.17	17.58	18.05	18.58	19.25
12.0	16.07	16.15	16.41	16.70	17.02	17.38	17.78	18.24	18.75	19.34	20.08
13.0	16.52	16.61	16.90	17.22	17.57	17.97	18.40	18.90	19.46	20.10	20.91
14.0	16.99	17.09	17.40	17.75	18.13	18.56	19.04	19.57	20.19	20.88	21.76
15.0	17.46	17.56	17.90	18.28	18.69	19.16	19.68	20.26	20.92	21.67	22.63
16.0	17.93	18.05	18.42	18.82	19.27	19.77	20.33	20.96	21.67	22.48	23.51
17.0	18.42	18.54	18.93	19.37	19.85	20.39	20.99	21.66	22.43	23.30	24.40
18.0	18.91	19.04	19.46	19.93	20.44	21.02	21.66	22.38	23.20	24.14	25.31
19.0	19.40	19.54	19.99	20.49	21.04	21.66	22.34	23.12	23.99	24.99	26.24
20.0	19.91	20.06	20.54	21.06	21.65	22.31	23.04	23.86	24.79	25.85	27.18
21.0	20.42	20.58	21.09	21.65	22.27	22.97	23.74	24.62	25.61	26.73	28.14
22.0	20.94	21.11	21.65	22.24	22.90	23.64	24.46	25.39	26.44	27.63	29.12
23.0	21.46	21.64	22.21	22.84	23.54	24.32	25.20	26.18	27.29	28.54	30.12
24.0	22.00	22.19	22.79	23.46	24.19	25.02	25.94	26.98	28.15	29.48	31.14
25.0	22.54	22.74	23.38	24.08	24.86	25.73	26.70	27.79	29.03	30.43	32.17
26.0	23.09	23.30	23.97	24.71	25.53	26.45	27.47	28.62	29.92	31.39	33.23
27.0	23.65	23.87	24.58	25.35	26.22	27.18	28.26	29.47	30.84	32.38	34.31
28.0	24.22	24.45	25.19	26.01	26.92	27.93	29.06	30.34	31.77	33.39	35.41
29.0	24.80	25.04	25.82	26.68	27.63	28.69	29.88	31.22	32.72	34.42	36.54
30.0	25.39	25.64	26.45	27.36	28.36	29.47	30.72	32.12	33.69	35.47	37.69
31.0	25.98	26.25	27.10	28.05	29.09	30.26	31.57	33.04	34.69	36.55	38.86
32.0	26.59	26.87	27.76	28.75	29.85	31.07	32.44	33.97	35.70	37.64	40.06
33.0	27.21	27.50	28.44	29.47	30.62	31.89	33.33	34.93	36.73	38.77	41.28
34.0	27.84	28.15	29.12	30.20	31.40	32.74	34.23	35.91	37.79	39.91	42.54
35.0	28.48	28.80	29.82	30.94	32.20	33.60	35.16	36.91	38.88	41.09	43.82
36.0	29.13	29.47	30.53	31.71	33.01	34.47	36.10	37.93	39.98	42.29	45.14
37.0	29.80	30.15	31.25	32.48	33.85	35.37	37.07	38.98	41.12	43.52	46.48
38.0	30.48	30.84	31.99	33.27	34.70	36.29	38.06	40.05	42.28	44.78	47.86
39.0	31.17	31.54	32.75	34.08	35.57	37.22	39.08	41.15	43.47	46.07	49.28
40.0	31.87	32.26	33.52	34.91	36.46	38.18	40.11	42.27	44.69	47.40	50.73
41.0	32.59	33.00	34.30	35.75	37.37	39.17	41.18	43.43	45.95	48.76	52.22
42.0	33.32	33.75	35.11	36.62	38.30	40.17	42.27	44.61	47.23	50.16	53.74
43.0	34.07	34.51	35.93	37.50	39.25	41.20	43.38	45.82	48.55	51.59	55.31
44.0	34.83	35.29	36.77	38.41	40.23	42.26	44.53	47.07	49.90	53.07	56.93
45.0	35.61	36.09	37.63	39.33	41.23	43.34	45.71	48.35	51.30	54.58	58.59
46.0	36.41	36.91	38.51	40.28	42.25	44.46	46.92	49.67	52.73	56.14	60.30
47.0	37.23	37.75	39.41	41.25	43.31	45.60	48.16	51.02	54.21	57.75	62.05
48.0	38.06	38.60	40.33	42.25	44.39	46.77	49.44	52.41	55.73	59.40	63.87
49.0	38.92	39.48	41.27	43.27	45.50	47.98	50.75	53.85	57.29	61.11	65.74
50.0	39.79	40.37	42.24	44.32	46.64	49.22	52.11	55.33	58.91	62.87	67.67
PERCENTAGE OF LOAN AMOUNT LEFT UNPAID AT DUE DATE											
	100.0	96.46	85.86	75.25	64.65	54.04	43.44	32.83	22.22	11.62	.00

DISCOUNT %	MONTHLY PAYBACK RATE (%) (MONTHLY PAYMENT DIVIDED BY LOAN AMOUNT)										
	.92	1.00	1.10	1.20	1.40	1.60	1.80	2.00	2.20	2.40	2.58
.5	11.15	11.16	11.16	11.17	11.18	11.19	11.20	11.21	11.23	11.25	11.27
1.0	11.31	11.32	11.33	11.34	11.36	11.38	11.40	11.43	11.46	11.50	11.53
1.5	11.47	11.48	11.49	11.51	11.53	11.57	11.60	11.64	11.69	11.75	11.81
2.0	11.63	11.64	11.66	11.68	11.71	11.76	11.81	11.86	11.92	12.00	12.08
2.5	11.79	11.80	11.82	11.85	11.90	11.95	12.01	12.08	12.16	12.25	12.35
3.0	11.95	11.97	11.99	12.02	12.08	12.14	12.22	12.30	12.40	12.51	12.63
3.5	12.11	12.13	12.16	12.19	12.26	12.34	12.43	12.53	12.64	12.77	12.91
4.0	12.27	12.30	12.33	12.37	12.45	12.54	12.63	12.75	12.88	13.03	13.19
4.5	12.43	12.46	12.50	12.54	12.63	12.73	12.85	12.98	13.12	13.29	13.47
5.0	12.60	12.63	12.67	12.72	12.82	12.93	13.06	13.20	13.36	13.56	13.76
5.5	12.76	12.80	12.85	12.90	13.01	13.13	13.27	13.43	13.61	13.82	14.05
6.0	12.93	12.97	13.02	13.08	13.20	13.34	13.49	13.66	13.86	14.09	14.33
6.5	13.10	13.14	13.20	13.26	13.39	13.54	13.70	13.89	14.11	14.36	14.63
7.0	13.26	13.31	13.37	13.44	13.58	13.74	13.92	14.13	14.36	14.63	14.92
7.5	13.43	13.49	13.55	13.62	13.78	13.95	14.14	14.36	14.61	14.91	15.22
8.0	13.60	13.66	13.73	13.81	13.97	14.16	14.36	14.60	14.87	15.18	15.51
8.5	13.78	13.84	13.91	13.99	14.17	14.37	14.59	14.84	15.13	15.46	15.82
9.0	13.95	14.01	14.09	14.18	14.37	14.58	14.81	15.08	15.39	15.74	16.12
9.5	14.12	14.19	14.28	14.37	14.57	14.79	15.04	15.32	15.65	16.03	16.42
10.0	14.30	14.37	14.46	14.56	14.77	15.00	15.27	15.57	15.91	16.31	16.73
11.0	14.65	14.73	14.83	14.94	15.17	15.44	15.73	16.06	16.45	16.89	17.36
12.0	15.01	15.10	15.21	15.33	15.59	15.87	16.20	16.57	16.99	17.47	17.99
13.0	15.37	15.47	15.59	15.72	16.00	16.32	16.67	17.08	17.54	18.07	18.63
14.0	15.74	15.85	15.98	16.12	16.43	16.77	17.16	17.60	18.10	18.68	19.29
15.0	16.11	16.23	16.37	16.52	16.86	17.23	17.65	18.13	18.67	19.29	19.95
16.0	16.49	16.61	16.77	16.94	17.29	17.70	18.15	18.66	19.25	19.92	20.63
17.0	16.87	17.01	17.17	17.35	17.74	18.17	18.65	19.21	19.83	20.56	21.32
18.0	17.26	17.41	17.58	17.78	18.19	18.65	19.17	19.76	20.43	21.21	22.02
19.0	17.66	17.81	18.00	18.20	18.65	19.14	19.69	20.33	21.04	21.87	22.74
20.0	18.06	18.22	18.42	18.64	19.11	19.64	20.23	20.90	21.66	22.54	23.46
21.0	18.46	18.64	18.85	19.08	19.58	20.14	20.77	21.48	22.29	23.23	24.20
22.0	18.88	19.06	19.29	19.53	20.06	20.66	21.32	22.08	22.94	23.92	24.96
23.0	19.29	19.49	19.73	19.99	20.55	21.18	21.88	22.69	23.59	24.64	25.73
24.0	19.72	19.93	20.18	20.46	21.05	21.71	22.46	23.30	24.26	25.36	26.51
25.0	20.15	20.37	20.64	20.93	21.55	22.25	23.04	23.93	24.94	26.10	27.31
26.0	20.59	20.82	21.11	21.41	22.07	22.80	23.63	24.57	25.64	26.85	28.13
27.0	21.04	21.28	21.58	21.90	22.59	23.37	24.24	25.23	26.35	27.62	28.96
28.0	21.49	21.75	22.06	22.40	23.12	23.94	24.85	25.89	27.07	28.41	29.81
29.0	21.95	22.22	22.55	22.90	23.67	24.52	25.48	26.57	27.81	29.21	30.68
30.0	22.42	22.70	23.05	23.42	24.22	25.12	26.13	27.27	28.56	30.03	31.56
31.0	22.90	23.19	23.56	23.94	24.78	25.72	26.78	27.98	29.33	30.87	32.47
32.0	23.39	23.69	24.07	24.48	25.36	26.34	27.45	28.70	30.12	31.72	33.40
33.0	23.88	24.20	24.60	25.02	25.94	26.97	28.13	29.44	30.92	32.60	34.34
34.0	24.39	24.72	25.14	25.58	26.54	27.62	28.83	30.20	31.74	33.49	35.31
35.0	24.90	25.25	25.68	26.15	27.15	28.28	29.54	30.97	32.58	34.41	36.30
36.0	25.43	25.79	26.24	26.73	27.77	28.95	30.27	31.76	33.44	35.35	37.32
37.0	25.96	26.34	26.81	27.32	28.41	29.64	31.01	32.57	34.32	36.31	38.36
38.0	26.50	26.90	27.39	27.92	29.06	30.34	31.78	33.40	35.23	37.29	39.42
39.0	27.06	27.47	27.99	28.53	29.72	31.06	32.56	34.25	36.15	38.30	40.51
40.0	27.63	28.05	28.59	29.16	30.40	31.80	33.36	35.12	37.10	39.34	41.63
41.0	28.20	28.65	29.21	29.81	31.10	32.55	34.18	36.01	38.08	40.40	42.78
42.0	28.79	29.26	29.84	30.46	31.81	33.32	35.02	36.93	39.08	41.49	43.97
43.0	29.40	29.88	30.49	31.14	32.54	34.11	35.88	37.87	40.10	42.61	45.18
44.0	30.01	30.52	31.15	31.82	33.28	34.92	36.76	38.84	41.16	43.76	46.43
45.0	30.65	31.17	31.83	32.53	34.05	35.76	37.67	39.83	42.24	44.95	47.71
46.0	31.29	31.84	32.52	33.25	34.83	36.61	38.60	40.85	43.36	46.17	49.03
47.0	31.95	32.52	33.23	33.99	35.64	37.49	39.56	41.90	44.51	47.43	50.39
48.0	32.63	33.22	33.96	34.75	36.47	38.39	40.55	42.98	45.69	48.72	51.80
49.0	33.32	33.94	34.71	35.53	37.32	39.32	41.57	44.09	46.91	50.06	53.24
50.0	34.03	34.67	35.48	36.33	38.19	40.28	42.62	45.24	48.17	51.44	54.74
PERCENTAGE OF LOAN AMOUNT LEFT UNPAID AT DUE DATE											
	100.0	95.00	89.01	83.01	71.02	59.03	47.04	35.05	23.06	11.07	.00

DISCOUNT %	MONTHLY PAYBACK RATE (%) (MONTHLY PAYMENT DIVIDED BY LOAN AMOUNT)										
	.92	1.00	1.10	1.20	1.30	1.40	1.50	1.60	1.80	2.00	2.17
.5	11.13	11.13	11.14	11.14	11.15	11.15	11.16	11.17	11.18	11.20	11.22
1.0	11.26	11.27	11.28	11.29	11.30	11.31	11.32	11.34	11.36	11.40	11.44
1.5	11.39	11.41	11.42	11.43	11.45	11.47	11.49	11.51	11.55	11.60	11.66
2.0	11.53	11.54	11.56	11.58	11.60	11.63	11.65	11.68	11.74	11.81	11.88
2.5	11.66	11.68	11.70	11.73	11.75	11.78	11.82	11.85	11.92	12.02	12.11
3.0	11.80	11.82	11.85	11.88	11.91	11.94	11.98	12.02	12.11	12.22	12.34
3.5	11.93	11.96	11.99	12.03	12.06	12.11	12.15	12.20	12.30	12.43	12.56
4.0	12.07	12.10	12.14	12.18	12.22	12.27	12.32	12.37	12.49	12.64	12.79
4.5	12.21	12.24	12.28	12.33	12.38	12.43	12.49	12.55	12.69	12.85	13.03
5.0	12.34	12.38	12.43	12.48	12.53	12.60	12.66	12.73	12.88	13.07	13.26
5.5	12.48	12.53	12.58	12.63	12.69	12.76	12.83	12.91	13.08	13.28	13.50
6.0	12.62	12.67	12.73	12.79	12.85	12.93	13.00	13.09	13.27	13.50	13.73
6.5	12.76	12.81	12.88	12.95	13.02	13.10	13.18	13.27	13.47	13.72	13.97
7.0	12.91	12.96	13.03	13.10	13.18	13.26	13.36	13.45	13.67	13.94	14.21
7.5	13.05	13.11	13.18	13.26	13.34	13.43	13.53	13.64	13.88	14.16	14.46
8.0	13.19	13.26	13.33	13.42	13.51	13.61	13.71	13.82	14.08	14.38	14.70
8.5	13.34	13.40	13.49	13.58	13.67	13.78	13.89	14.01	14.28	14.61	14.95
9.0	13.48	13.55	13.64	13.74	13.84	13.95	14.07	14.20	14.49	14.84	15.19
9.5	13.63	13.71	13.80	13.90	14.01	14.13	14.25	14.39	14.70	15.07	15.45
10.0	13.78	13.86	13.96	14.07	14.18	14.30	14.44	14.58	14.91	15.30	15.70
11.0	14.08	14.16	14.27	14.40	14.52	14.66	14.81	14.97	15.33	15.76	16.21
12.0	14.38	14.48	14.60	14.73	14.87	15.02	15.19	15.36	15.76	16.24	16.73
13.0	14.68	14.79	14.92	15.07	15.22	15.39	15.57	15.77	16.20	16.72	17.26
14.0	15.00	15.11	15.26	15.42	15.58	15.77	15.96	16.17	16.65	17.21	17.79
15.0	15.31	15.44	15.59	15.77	15.95	16.15	16.36	16.59	17.10	17.71	18.34
16.0	15.63	15.77	15.94	16.12	16.32	16.53	16.76	17.01	17.56	18.22	18.90
17.0	15.96	16.10	16.28	16.48	16.69	16.92	17.17	17.43	18.03	18.74	19.46
18.0	16.28	16.44	16.64	16.85	17.08	17.32	17.58	17.87	18.51	19.26	20.04
19.0	16.62	16.79	16.99	17.22	17.46	17.73	18.01	18.31	18.99	19.80	20.62
20.0	16.96	17.14	17.36	17.60	17.86	18.14	18.44	18.76	19.48	20.34	21.22
21.0	17.30	17.49	17.73	17.99	18.26	18.56	18.87	19.22	19.99	20.90	21.83
22.0	17.65	17.85	18.10	18.38	18.67	18.98	19.32	19.68	20.50	21.47	22.45
23.0	18.01	18.22	18.49	18.78	19.08	19.42	19.77	20.16	21.02	22.04	23.08
24.0	18.37	18.59	18.88	19.18	19.50	19.86	20.23	20.64	21.55	22.63	23.72
25.0	18.74	18.97	19.27	19.59	19.93	20.31	20.70	21.13	22.10	23.23	24.38
26.0	19.11	19.36	19.67	20.01	20.37	20.76	21.18	21.63	22.65	23.84	25.05
27.0	19.49	19.75	20.08	20.44	20.82	21.23	21.67	22.15	23.23	24.47	25.73
28.0	19.88	20.15	20.50	20.87	21.27	21.70	22.17	22.67	23.79	25.10	26.43
29.0	20.27	20.56	20.92	21.32	21.74	22.19	22.68	23.20	24.38	25.75	27.15
30.0	20.67	20.97	21.36	21.77	22.21	22.68	23.19	23.74	24.98	26.42	27.87
31.0	21.08	21.40	21.80	22.23	22.69	23.19	23.72	24.30	25.59	27.10	28.62
32.0	21.49	21.83	22.24	22.70	23.18	23.70	24.26	24.86	26.21	27.79	29.38
33.0	21.92	22.26	22.70	23.18	23.68	24.23	24.81	25.44	26.85	28.50	30.16
34.0	22.35	22.71	23.17	23.66	24.19	24.76	25.38	26.03	27.51	29.23	30.95
35.0	22.79	23.17	23.65	24.16	24.71	25.31	25.95	26.64	28.18	29.97	31.77
36.0	23.24	23.63	24.13	24.67	25.25	25.87	26.54	27.26	28.87	30.74	32.61
37.0	23.69	24.10	24.63	25.19	25.79	26.44	27.14	27.89	29.57	31.52	33.46
38.0	24.16	24.59	25.13	25.72	26.35	27.03	27.76	28.54	30.29	32.32	34.34
39.0	24.64	25.08	25.65	26.27	26.92	27.63	28.39	29.20	31.02	33.14	35.24
40.0	25.12	25.59	26.18	26.82	27.51	28.24	29.03	29.88	31.78	33.98	36.16
41.0	25.62	26.11	26.72	27.39	28.10	28.87	29.70	30.58	32.56	34.84	37.11
42.0	26.13	26.63	27.28	27.97	28.71	29.52	30.37	31.30	33.35	35.73	38.08
43.0	26.65	27.17	27.85	28.57	29.34	30.18	31.07	32.03	34.17	36.64	39.08
44.0	27.18	27.73	28.43	29.19	29.99	30.85	31.79	32.79	35.02	37.58	40.11
45.0	27.72	28.29	29.02	29.81	30.65	31.55	32.52	33.56	35.88	38.55	41.17
46.0	28.28	28.87	29.63	30.45	31.32	32.27	33.28	34.36	36.77	39.54	42.26
47.0	28.85	29.47	30.26	31.11	32.02	33.00	34.05	35.18	37.69	40.56	43.38
48.0	29.44	30.08	30.90	31.79	32.74	33.76	34.85	36.03	38.63	41.62	44.54
49.0	30.04	30.71	31.56	32.49	33.47	34.54	35.68	36.90	39.61	42.71	45.73
50.0	30.65	31.35	32.24	33.20	34.23	35.34	36.52	37.80	40.62	43.83	46.97
▽φ	PERCENTAGE OF LOAN AMOUNT LEFT UNPAID AT DUE DATE										
	100.0	93.37	85.42	77.47	69.52	61.57	53.61	45.66	29.76	13.86	.00

DISCOUNT %	MONTHLY PAYBACK RATE (%) (MONTHLY PAYMENT DIVIDED BY LOAN AMOUNT)										
	.92	1.00	1.10	1.20	1.30	1.40	1.50	1.60	1.70	1.80	1.90
1.0	11.23	11.24	11.25	11.26	11.27	11.28	11.30	11.31	11.33	11.35	11.37
2.0	11.46	11.48	11.50	11.52	11.54	11.57	11.60	11.63	11.67	11.71	11.75
3.0	11.70	11.72	11.75	11.79	11.82	11.86	11.91	11.95	12.01	12.07	12.14
4.0	11.94	11.97	12.01	12.06	12.10	12.16	12.22	12.28	12.35	12.43	12.53
5.0	12.18	12.22	12.27	12.33	12.39	12.46	12.53	12.61	12.71	12.81	12.93
6.0	12.42	12.47	12.53	12.60	12.68	12.76	12.85	12.95	13.06	13.18	13.33
7.0	12.67	12.73	12.80	12.88	12.97	13.07	13.18	13.29	13.43	13.57	13.74
8.0	12.92	12.99	13.07	13.17	13.27	13.38	13.51	13.64	13.79	13.96	14.16
9.0	13.18	13.25	13.35	13.46	13.57	13.70	13.84	14.00	14.17	14.36	14.58
10.0	13.44	13.52	13.63	13.75	13.88	14.02	14.18	14.35	14.55	14.76	15.01
11.0	13.70	13.79	13.91	14.05	14.19	14.35	14.53	14.72	14.93	15.17	15.44
12.0	13.96	14.07	14.20	14.35	14.51	14.68	14.88	15.09	15.32	15.58	15.89
13.0	14.23	14.35	14.49	14.66	14.83	15.02	15.23	15.47	15.72	16.01	16.34
14.0	14.51	14.63	14.79	14.97	15.16	15.37	15.60	15.85	16.13	16.44	16.80
15.0	14.78	14.92	15.09	15.28	15.49	15.72	15.96	16.24	16.54	16.87	17.26
16.0	15.07	15.21	15.40	15.60	15.83	16.07	16.34	16.63	16.96	17.32	17.74
17.0	15.35	15.51	15.71	15.93	16.17	16.43	16.72	17.04	17.39	17.77	18.22
18.0	15.64	15.81	16.03	16.26	16.52	16.80	17.11	17.45	17.82	18.23	18.71
19.0	15.94	16.12	16.35	16.60	16.87	17.17	17.50	17.86	18.26	18.70	19.21
20.0	16.24	16.43	16.67	16.94	17.23	17.55	17.90	18.29	18.71	19.18	19.72
21.0	16.54	16.74	17.00	17.29	17.60	17.94	18.31	18.72	19.17	19.67	20.24
22.0	16.85	17.07	17.34	17.65	17.97	18.33	18.73	19.16	19.64	20.17	20.77
23.0	17.16	17.39	17.69	18.01	18.35	18.74	19.15	19.61	20.12	20.67	21.31
24.0	17.48	17.73	18.03	18.37	18.74	19.14	19.59	20.07	20.60	21.19	21.86
25.0	17.81	18.06	18.39	18.75	19.13	19.56	20.03	20.54	21.10	21.72	22.42
26.0	18.14	18.41	18.75	19.13	19.54	19.99	20.48	21.01	21.60	22.25	23.00
27.0	18.48	18.76	19.12	19.52	19.95	20.42	20.93	21.50	22.12	22.80	23.58
28.0	18.82	19.12	19.50	19.91	20.36	20.86	21.40	22.00	22.65	23.36	24.18
29.0	19.17	19.48	19.88	20.32	20.79	21.31	21.88	22.50	23.19	23.93	24.79
30.0	19.52	19.85	20.27	20.73	21.23	21.77	22.37	23.02	23.74	24.52	25.41
31.0	19.88	20.23	20.67	21.15	21.67	22.24	22.87	23.55	24.30	25.12	26.05
32.0	20.25	20.61	21.07	21.58	22.12	22.72	23.37	24.09	24.87	25.73	26.70
33.0	20.63	21.00	21.49	22.01	22.58	23.21	23.90	24.64	25.46	26.35	27.37
34.0	21.01	21.40	21.91	22.46	23.06	23.71	24.43	25.21	26.06	26.99	28.05
35.0	21.40	21.81	22.34	22.92	23.54	24.23	24.97	25.79	26.68	27.65	28.75
36.0	21.80	22.23	22.78	23.38	24.04	24.75	25.53	26.38	27.31	28.32	29.47
37.0	22.21	22.66	23.23	23.86	24.54	25.29	26.10	26.99	27.95	29.01	30.20
38.0	22.63	23.09	23.69	24.35	25.06	25.84	26.69	27.61	28.62	29.71	30.95
39.0	23.05	23.54	24.16	24.85	25.59	26.40	27.28	28.25	29.30	30.44	31.72
40.0	23.49	23.99	24.65	25.36	26.13	26.98	27.90	28.90	29.99	31.18	32.51
41.0	23.93	24.46	25.14	25.88	26.69	27.57	28.53	29.57	30.71	31.94	33.33
42.0	24.39	24.94	25.65	26.42	27.26	28.18	29.18	30.26	31.45	32.72	34.16
43.0	24.85	25.43	26.16	26.97	27.85	28.80	29.84	30.97	32.20	33.53	35.02
44.0	25.33	25.93	26.70	27.54	28.45	29.45	30.53	31.70	32.98	34.36	35.90
45.0	25.82	26.44	27.24	28.12	29.07	30.11	31.23	32.45	33.78	35.21	36.81
46.0	26.32	26.97	27.80	28.71	29.70	30.78	31.96	33.23	34.61	36.09	37.75
47.0	26.83	27.51	28.38	29.33	30.36	31.48	32.70	34.02	35.46	37.00	38.72
48.0	27.36	28.06	28.97	29.96	31.03	32.20	33.47	34.85	36.33	37.93	39.71
49.0	27.90	28.63	29.58	30.61	31.72	32.94	34.26	35.69	37.24	38.89	40.74
50.0	28.46	29.22	30.20	31.28	32.44	33.71	35.08	36.57	38.17	39.89	41.80
51.0	29.03	29.82	30.85	31.97	33.18	34.50	35.93	37.47	39.14	40.92	42.90
52.0	29.62	30.45	31.51	32.68	33.94	35.31	36.80	38.41	40.14	41.98	44.03
53.0	30.23	31.09	32.20	33.41	34.73	36.16	37.70	39.37	41.17	43.09	45.21
54.0	30.85	31.75	32.91	34.17	35.54	37.03	38.64	40.38	42.24	44.23	46.43
55.0	31.50	32.43	33.64	34.96	36.38	37.94	39.61	41.42	43.36	45.42	47.69
56.0	32.16	33.14	34.40	35.77	37.26	38.88	40.62	42.50	44.51	46.65	49.00
57.0	32.85	33.87	35.18	36.61	38.17	39.85	41.67	43.62	45.71	47.93	50.37
58.0	33.56	34.62	35.99	37.49	39.11	40.86	42.76	44.79	46.96	49.27	51.79
59.0	34.30	35.41	36.84	38.40	40.09	41.92	43.89	46.01	48.27	50.66	53.27
60.0	35.06	36.22	37.71	39.34	41.11	43.02	45.08	47.28	49.63	52.11	54.81
PERCENTAGE OF LOAN AMOUNT LEFT UNPAID AT DUE DATE											
	100.0	91.55	81.42	71.29	61.15	51.02	40.88	30.75	20.61	10.48	.00

DISCOUNT %	MONTHLY PAYBACK RATE (%) (MONTHLY PAYMENT DIVIDED BY LOAN AMOUNT)										
	.92	.95	1.00	1.05	1.10	1.20	1.30	1.40	1.50	1.60	1.71
1.0	11.21	11.21	11.22	11.22	11.22	11.24	11.25	11.27	11.28	11.30	11.33
2.0	11.42	11.42	11.43	11.44	11.45	11.48	11.51	11.54	11.57	11.61	11.66
3.0	11.63	11.64	11.65	11.67	11.69	11.72	11.76	11.81	11.86	11.92	12.00
4.0	11.84	11.86	11.88	11.90	11.92	11.97	12.03	12.09	12.16	12.24	12.34
5.0	12.06	12.08	12.10	12.13	12.16	12.22	12.29	12.37	12.46	12.56	12.69
6.0	12.28	12.30	12.33	12.37	12.40	12.48	12.56	12.66	12.77	12.89	13.04
7.0	12.50	12.53	12.57	12.61	12.65	12.74	12.84	12.95	13.08	13.22	13.40
8.0	12.73	12.76	12.80	12.85	12.90	13.00	13.12	13.25	13.39	13.56	13.77
9.0	12.96	12.99	13.04	13.09	13.15	13.27	13.40	13.55	13.71	13.90	14.14
10.0	13.19	13.23	13.29	13.34	13.41	13.54	13.69	13.85	14.04	14.25	14.51
11.0	13.43	13.47	13.53	13.60	13.67	13.82	13.98	14.16	14.37	14.60	14.90
12.0	13.67	13.72	13.78	13.86	13.93	14.09	14.27	14.48	14.70	14.96	15.28
13.0	13.92	13.96	14.04	14.12	14.20	14.38	14.57	14.80	15.04	15.32	15.68
14.0	14.16	14.22	14.30	14.38	14.47	14.67	14.88	15.12	15.39	15.70	16.08
15.0	14.41	14.47	14.56	14.65	14.75	14.96	15.19	15.45	15.75	16.07	16.49
16.0	14.67	14.73	14.83	14.92	15.03	15.26	15.51	15.79	16.10	16.46	16.91
17.0	14.93	14.99	15.10	15.20	15.32	15.56	15.83	16.13	16.47	16.85	17.33
18.0	15.19	15.26	15.37	15.49	15.61	15.87	16.16	16.48	16.84	17.25	17.77
19.0	15.46	15.53	15.65	15.77	15.90	16.18	16.49	16.84	17.22	17.66	18.21
20.0	15.73	15.81	15.94	16.07	16.20	16.50	16.83	17.20	17.61	18.07	18.65
21.0	16.01	16.09	16.22	16.36	16.51	16.83	17.18	17.57	18.00	18.49	19.11
22.0	16.29	16.38	16.52	16.66	16.82	17.16	17.53	17.94	18.40	18.92	19.58
23.0	16.57	16.67	16.82	16.97	17.14	17.49	17.89	18.32	18.81	19.36	20.05
24.0	16.86	16.96	17.12	17.29	17.46	17.84	18.25	18.71	19.23	19.81	20.53
25.0	17.16	17.26	17.43	17.60	17.79	18.19	18.62	19.11	19.66	20.26	21.03
26.0	17.46	17.57	17.75	17.93	18.12	18.54	19.00	19.52	20.09	20.73	21.53
27.0	17.76	17.88	18.07	18.26	18.46	18.91	19.39	19.93	20.53	21.20	22.05
28.0	18.08	18.20	18.40	18.60	18.81	19.28	19.78	20.35	20.98	21.69	22.57
29.0	18.39	18.53	18.73	18.94	19.17	19.65	20.19	20.79	21.45	22.18	23.11
30.0	18.72	18.86	19.07	19.29	19.53	20.04	20.60	21.23	21.92	22.69	23.66
31.0	19.05	19.19	19.42	19.65	19.90	20.43	21.02	21.68	22.40	23.21	24.22
32.0	19.38	19.54	19.77	20.02	20.28	20.84	21.45	22.14	22.90	23.74	24.79
33.0	19.73	19.89	20.13	20.39	20.66	21.25	21.89	22.61	23.40	24.28	25.38
34.0	20.08	20.24	20.50	20.77	21.05	21.67	22.34	23.09	23.92	24.84	25.98
35.0	20.44	20.61	20.88	21.16	21.46	22.10	22.80	23.58	24.45	25.40	26.60
36.0	20.80	20.98	21.26	21.56	21.87	22.54	23.27	24.09	24.99	25.99	27.23
37.0	21.18	21.36	21.66	21.96	22.29	22.99	23.75	24.61	25.55	26.58	27.87
38.0	21.56	21.75	22.06	22.38	22.72	23.45	24.25	25.14	26.12	27.20	28.54
39.0	21.95	22.15	22.47	22.81	23.16	23.92	24.75	25.68	26.70	27.82	29.22
40.0	22.35	22.56	22.89	23.24	23.61	24.40	25.27	26.24	27.30	28.47	29.92
41.0	22.76	22.98	23.33	23.69	24.07	24.90	25.81	26.81	27.92	29.13	30.63
42.0	23.17	23.41	23.77	24.15	24.55	25.41	26.35	27.40	28.55	29.81	31.37
43.0	23.60	23.85	24.22	24.62	25.03	25.93	26.92	28.01	29.20	30.51	32.13
44.0	24.04	24.30	24.69	25.10	25.53	26.47	27.50	28.63	29.87	31.23	32.91
45.0	24.49	24.76	25.17	25.60	26.05	27.02	28.09	29.27	30.56	31.98	33.71
46.0	24.96	25.23	25.66	26.10	26.58	27.59	28.70	29.93	31.27	32.74	34.54
47.0	25.43	25.72	26.16	26.63	27.12	28.17	29.33	30.61	32.01	33.53	35.39
48.0	25.92	26.22	26.68	27.17	27.68	28.78	29.98	31.31	32.76	34.34	36.27
49.0	26.42	26.73	27.21	27.72	28.25	29.40	30.65	32.03	33.54	35.18	37.18
50.0	26.94	27.26	27.76	28.29	28.84	30.04	31.35	32.78	34.35	36.05	38.12
51.0	27.47	27.81	28.33	28.88	29.46	30.70	32.06	33.56	35.18	36.95	39.09
52.0	28.02	28.37	28.92	29.49	30.09	31.38	32.80	34.35	36.05	37.88	40.10
53.0	28.58	28.95	29.52	30.11	30.74	32.09	33.56	35.18	36.94	38.84	41.14
54.0	29.17	29.55	30.14	30.76	31.42	32.82	34.36	36.03	37.87	39.84	42.22
55.0	29.77	30.17	30.79	31.43	32.11	33.58	35.18	36.93	38.83	40.88	43.34
56.0	30.39	30.81	31.45	32.13	32.84	34.37	36.03	37.86	39.83	41.95	44.50
57.0	31.04	31.47	32.14	32.85	33.59	35.18	36.92	38.82	40.87	43.07	45.72
58.0	31.70	32.16	32.86	33.59	34.37	36.03	37.84	39.82	41.95	44.24	46.98
59.0	32.40	32.87	33.60	34.37	35.18	36.91	38.80	40.86	43.08	45.46	48.29
60.0	33.12	33.61	34.38	35.18	36.02	37.84	39.81	41.95	44.26	46.73	49.66
⌀	PERCENTAGE OF LOAN AMOUNT LEFT UNPAID AT DUE DATE										
	100.0	95.81	89.53	83.24	76.96	64.39	51.82	39.25	26.68	14.11	.00

DISCOUNT %	MONTHLY PAYBACK RATE (%) (MONTHLY PAYMENT DIVIDED BY LOAN AMOUNT)										
	.92	.95	1.00	1.05	1.10	1.15	1.20	1.30	1.40	1.50	1.57
1.0	11.19	11.19	11.20	11.20	11.21	11.22	11.22	11.24	11.26	11.28	11.29
2.0	11.38	11.39	11.40	11.41	11.42	11.44	11.45	11.48	11.52	11.56	11.59
3.0	11.58	11.59	11.60	11.62	11.64	11.66	11.68	11.73	11.78	11.84	11.89
4.0	11.77	11.79	11.81	11.83	11.86	11.89	11.92	11.98	12.05	12.13	12.20
5.0	11.97	11.99	12.02	12.05	12.08	12.12	12.15	12.23	12.32	12.43	12.51
6.0	12.18	12.20	12.23	12.27	12.31	12.35	12.39	12.49	12.60	12.73	12.83
7.0	12.38	12.41	12.45	12.49	12.54	12.59	12.64	12.75	12.88	13.03	13.15
8.0	12.59	12.62	12.67	12.72	12.77	12.83	12.89	13.02	13.17	13.34	13.47
9.0	12.80	12.84	12.89	12.95	13.01	13.07	13.14	13.29	13.46	13.65	13.81
10.0	13.02	13.06	13.12	13.18	13.25	13.32	13.39	13.56	13.75	13.97	14.14
11.0	13.24	13.28	13.35	13.41	13.49	13.57	13.65	13.84	14.05	14.29	14.49
12.0	13.46	13.50	13.58	13.65	13.74	13.82	13.92	14.12	14.36	14.62	14.83
13.0	13.68	13.73	13.81	13.90	13.99	14.08	14.19	14.41	14.67	14.96	15.19
14.0	13.91	13.97	14.05	14.15	14.24	14.35	14.46	14.70	14.98	15.30	15.55
15.0	14.14	14.20	14.30	14.40	14.50	14.62	14.74	15.00	15.30	15.64	15.92
16.0	14.38	14.44	14.54	14.65	14.77	14.89	15.02	15.30	15.63	16.00	16.29
17.0	14.61	14.69	14.80	14.91	15.04	15.17	15.31	15.61	15.96	16.36	16.67
18.0	14.86	14.93	15.05	15.18	15.31	15.45	15.60	15.93	16.30	16.72	17.06
19.0	15.10	15.19	15.31	15.44	15.59	15.74	15.90	16.25	16.64	17.09	17.45
20.0	15.36	15.44	15.58	15.72	15.87	16.03	16.20	16.57	16.99	17.47	17.85
21.0	15.61	15.70	15.85	16.00	16.16	16.33	16.51	16.90	17.35	17.86	18.26
22.0	15.87	15.97	16.12	16.28	16.45	16.63	16.82	17.24	17.72	18.26	18.68
23.0	16.14	16.24	16.40	16.57	16.75	16.94	17.14	17.59	18.09	18.66	19.11
24.0	16.40	16.51	16.68	16.86	17.05	17.25	17.47	17.94	18.47	19.07	19.54
25.0	16.68	16.79	16.97	17.16	17.36	17.58	17.80	18.30	18.86	19.49	19.99
26.0	16.96	17.08	17.27	17.47	17.68	17.90	18.14	18.66	19.25	19.91	20.44
27.0	17.24	17.37	17.57	17.78	18.00	18.24	18.49	19.03	19.65	20.35	20.90
28.0	17.53	17.67	17.88	18.10	18.33	18.58	18.84	19.42	20.07	20.80	21.37
29.0	17.83	17.97	18.19	18.42	18.67	18.93	19.20	19.81	20.49	21.25	21.85
30.0	18.13	18.28	18.51	18.75	19.01	19.28	19.57	20.20	20.92	21.72	22.35
31.0	18.43	18.59	18.83	19.09	19.36	19.64	19.95	20.61	21.36	22.20	22.85
32.0	18.75	18.91	19.16	19.43	19.71	20.02	20.33	21.03	21.81	22.68	23.37
33.0	19.07	19.24	19.50	19.78	20.08	20.39	20.73	21.45	22.27	23.18	23.90
34.0	19.39	19.57	19.85	20.14	20.45	20.78	21.13	21.89	22.74	23.69	24.44
35.0	19.73	19.91	20.21	20.51	20.84	21.18	21.54	22.33	23.22	24.22	24.99
36.0	20.07	20.26	20.57	20.89	21.23	21.59	21.97	22.79	23.72	24.75	25.56
37.0	20.42	20.62	20.94	21.27	21.63	22.00	22.40	23.26	24.23	25.30	26.14
38.0	20.78	20.99	21.32	21.67	22.04	22.43	22.84	23.74	24.75	25.87	26.74
39.0	21.14	21.36	21.71	22.07	22.46	22.86	23.30	24.23	25.28	26.45	27.35
40.0	21.51	21.75	22.11	22.49	22.89	23.31	23.76	24.74	25.83	27.04	27.98
41.0	21.90	22.14	22.51	22.91	23.33	23.77	24.24	25.26	26.40	27.65	28.62
42.0	22.29	22.54	22.93	23.35	23.78	24.25	24.74	25.79	26.97	28.28	29.29
43.0	22.69	22.95	23.36	23.79	24.25	24.73	25.24	26.34	27.57	28.93	29.97
44.0	23.11	23.38	23.81	24.25	24.73	25.23	25.76	26.91	28.19	29.60	30.68
45.0	23.53	23.81	24.26	24.73	25.22	25.74	26.30	27.49	28.82	30.28	31.40
46.0	23.97	24.26	24.73	25.21	25.73	26.27	26.85	28.09	29.47	30.99	32.15
47.0	24.41	24.72	25.21	25.71	26.25	26.82	27.42	28.71	30.14	31.72	32.92
48.0	24.87	25.20	25.70	26.23	26.79	27.38	28.00	29.35	30.84	32.47	33.71
49.0	25.35	25.68	26.21	26.76	27.34	27.96	28.61	30.00	31.55	33.25	34.53
50.0	25.84	26.19	26.73	27.31	27.91	28.55	29.23	30.68	32.29	34.05	35.38
52.0	26.86	27.24	27.83	28.46	29.12	29.81	30.54	32.12	33.85	35.74	37.17
54.0	27.95	28.36	29.01	29.69	30.40	31.16	31.95	33.66	35.53	37.57	39.09
56.0	29.12	29.57	30.27	31.01	31.79	32.60	33.47	35.31	37.34	39.52	41.16
58.0	30.37	30.86	31.63	32.43	33.28	34.17	35.11	37.11	39.29	41.64	43.40
60.0	31.73	32.26	33.10	33.97	34.90	35.87	36.89	39.06	41.42	43.95	45.83
62.0	33.20	33.78	34.70	35.65	36.66	37.72	38.84	41.20	43.76	46.48	48.50
64.0	34.80	35.44	36.45	37.50	38.60	39.76	40.98	43.55	46.32	49.26	51.43
66.0	36.57	37.27	38.37	39.53	40.74	42.01	43.34	46.15	49.17	52.34	54.67
68.0	38.52	39.29	40.51	41.79	43.13	44.53	45.99	49.06	52.34	55.77	58.28
70.0	40.69	41.56	42.91	44.32	45.80	47.35	48.96	52.33	55.91	59.63	62.35
▽Φ	PERCENTAGE OF LOAN AMOUNT LEFT UNPAID AT DUE DATE										
	100.0	94.90	87.26	79.62	71.97	64.33	56.69	41.40	26.12	10.83	.00

DISCOUNT %	MONTHLY PAYBACK RATE (%) (MONTHLY PAYMENT DIVIDED BY LOAN AMOUNT)										
	.92	.95	1.00	1.05	1.10	1.15	1.20	1.25	1.30	1.40	1.46
1.0	11.18	11.18	11.19	11.19	11.20	11.21	11.21	11.22	11.23	11.25	11.26
2.0	11.35	11.36	11.38	11.39	11.40	11.41	11.43	11.45	11.46	11.51	11.54
3.0	11.54	11.55	11.57	11.58	11.61	11.63	11.65	11.68	11.70	11.77	11.81
4.0	11.72	11.74	11.76	11.79	11.81	11.84	11.88	11.91	11.95	12.03	12.09
5.0	11.91	11.93	11.96	11.99	12.02	12.06	12.10	12.15	12.19	12.30	12.37
6.0	12.10	12.12	12.16	12.20	12.24	12.28	12.33	12.39	12.44	12.57	12.66
7.0	12.29	12.32	12.36	12.41	12.46	12.51	12.57	12.63	12.69	12.85	12.95
8.0	12.48	12.52	12.57	12.62	12.68	12.74	12.81	12.88	12.95	13.13	13.25
9.0	12.68	12.72	12.78	12.84	12.90	12.97	13.05	13.13	13.21	13.41	13.55
10.0	12.88	12.92	12.99	13.06	13.13	13.21	13.29	13.38	13.48	13.70	13.86
11.0	13.09	13.13	13.20	13.28	13.36	13.45	13.54	13.64	13.75	14.00	14.17
12.0	13.29	13.34	13.42	13.51	13.60	13.69	13.80	13.91	14.03	14.30	14.49
13.0	13.50	13.56	13.64	13.74	13.83	13.94	14.05	14.18	14.31	14.60	14.81
14.0	13.72	13.78	13.87	13.97	14.08	14.19	14.32	14.45	14.59	14.91	15.14
15.0	13.93	14.00	14.10	14.21	14.32	14.45	14.58	14.73	14.88	15.23	15.47
16.0	14.15	14.22	14.33	14.45	14.58	14.71	14.86	15.01	15.18	15.55	15.81
17.0	14.38	14.45	14.57	14.70	14.83	14.98	15.13	15.30	15.48	15.88	16.16
18.0	14.60	14.69	14.81	14.95	15.09	15.25	15.41	15.59	15.78	16.21	16.51
19.0	14.84	14.92	15.06	15.20	15.36	15.52	15.70	15.89	16.09	16.55	16.87
20.0	15.07	15.16	15.31	15.46	15.63	15.80	15.99	16.20	16.41	16.90	17.24
21.0	15.31	15.41	15.56	15.73	15.90	16.09	16.29	16.51	16.73	17.25	17.61
22.0	15.55	15.66	15.82	16.00	16.18	16.38	16.59	16.82	17.06	17.61	17.99
23.0	15.80	15.91	16.09	16.27	16.47	16.68	16.90	17.14	17.40	17.98	18.38
24.0	16.06	16.17	16.36	16.55	16.76	16.98	17.22	17.47	17.74	18.35	18.77
25.0	16.31	16.44	16.63	16.84	17.05	17.29	17.54	17.81	18.09	18.73	19.18
26.0	16.58	16.71	16.91	17.13	17.36	17.60	17.87	18.15	18.45	19.12	19.59
27.0	16.84	16.98	17.20	17.42	17.67	17.93	18.21	18.50	18.82	19.52	20.01
28.0	17.12	17.26	17.49	17.73	17.98	18.25	18.55	18.86	19.19	19.93	20.44
29.0	17.40	17.55	17.78	18.03	18.30	18.59	18.90	19.23	19.57	20.35	20.88
30.0	17.68	17.84	18.09	18.35	18.63	18.93	19.26	19.60	19.96	20.77	21.33
31.0	17.97	18.14	18.40	18.67	18.97	19.28	19.62	19.98	20.36	21.21	21.79
32.0	18.27	18.44	18.71	19.00	19.31	19.64	20.00	20.37	20.77	21.65	22.26
33.0	18.57	18.75	19.04	19.34	19.66	20.01	20.38	20.77	21.19	22.11	22.75
34.0	18.88	19.07	19.37	19.68	20.02	20.38	20.77	21.18	21.62	22.58	23.24
35.0	19.19	19.39	19.71	20.04	20.39	20.77	21.17	21.60	22.05	23.06	23.75
36.0	19.52	19.73	20.05	20.40	20.77	21.16	21.58	22.03	22.50	23.55	24.27
37.0	19.85	20.07	20.41	20.77	21.16	21.57	22.01	22.47	22.97	24.05	24.80
38.0	20.19	20.41	20.77	21.15	21.55	21.98	22.44	22.92	23.44	24.57	25.34
39.0	20.53	20.77	21.14	21.54	21.96	22.41	22.88	23.39	23.92	25.10	25.91
40.0	20.89	21.14	21.52	21.94	22.37	22.84	23.34	23.87	24.42	25.65	26.48
41.0	21.25	21.51	21.92	22.35	22.80	23.29	23.81	24.36	24.94	26.21	27.07
42.0	21.63	21.90	22.32	22.77	23.24	23.75	24.29	24.86	25.46	26.78	27.68
43.0	22.01	22.29	22.73	23.20	23.69	24.22	24.79	25.38	26.01	27.38	28.31
44.0	22.40	22.70	23.16	23.64	24.16	24.71	25.30	25.91	26.57	27.99	28.95
45.0	22.81	23.11	23.59	24.10	24.64	25.21	25.82	26.46	27.14	28.62	29.62
46.0	23.22	23.54	24.04	24.57	25.13	25.73	26.36	27.03	27.73	29.27	30.30
47.0	23.65	23.98	24.50	25.05	25.64	26.26	26.92	27.62	28.35	29.94	31.01
48.0	24.09	24.44	24.98	25.55	26.16	26.81	27.50	28.22	28.98	30.63	31.74
49.0	24.55	24.91	25.47	26.07	26.71	27.38	28.09	28.84	29.63	31.34	32.49
50.0	25.02	25.39	25.98	26.60	27.27	27.97	28.71	29.49	30.31	32.08	33.27
52.0	26.00	26.41	27.05	27.72	28.44	29.20	30.00	30.85	31.73	33.64	34.91
54.0	27.05	27.50	28.19	28.93	29.71	30.53	31.40	32.31	33.26	35.31	36.67
56.0	28.18	28.66	29.42	30.22	31.07	31.96	32.90	33.89	34.92	37.12	38.58
58.0	29.40	29.92	30.75	31.62	32.54	33.51	34.53	35.60	36.71	39.08	40.64
60.0	30.71	31.29	32.19	33.14	34.14	35.20	36.31	37.46	38.66	41.21	42.89
62.0	32.15	32.78	33.76	34.80	35.89	37.04	38.25	39.50	40.80	43.55	45.34
64.0	33.72	34.41	35.49	36.63	37.82	39.08	40.39	41.75	43.16	46.12	48.05
66.0	35.45	36.21	37.40	38.65	39.96	41.33	42.77	44.25	45.79	48.97	51.04
68.0	37.38	38.21	39.53	40.90	42.35	43.85	45.42	47.04	48.70	52.16	54.39
70.0	39.53	40.47	41.92	43.44	45.04	46.69	48.41	50.18	51.99	55.74	58.15
▽	PERCENTAGE OF LOAN AMOUNT LEFT UNPAID AT DUE DATE										
	100.0	93.89	84.74	75.58	66.42	57.26	48.10	38.94	29.78	11.46	.00

DISCOUNT %	MONTHLY PAYBACK RATE (%) (MONTHLY PAYMENT DIVIDED BY LOAN AMOUNT)										
	.92	.95	1.00	1.05	1.10	1.15	1.20	1.25	1.30	1.35	1.38
1.0	11.17	11.17	11.18	11.18	11.19	11.20	11.21	11.22	11.23	11.24	11.25
2.0	11.33	11.34	11.36	11.37	11.38	11.40	11.42	11.44	11.46	11.48	11.49
3.0	11.51	11.52	11.54	11.56	11.58	11.60	11.63	11.66	11.69	11.73	11.75
4.0	11.68	11.70	11.72	11.75	11.78	11.81	11.85	11.89	11.93	11.98	12.00
5.0	11.86	11.88	11.91	11.94	11.98	12.02	12.07	12.12	12.17	12.23	12.26
6.0	12.03	12.06	12.10	12.14	12.19	12.24	12.29	12.35	12.41	12.49	12.53
7.0	12.21	12.25	12.29	12.34	12.40	12.45	12.52	12.59	12.66	12.75	12.80
8.0	12.40	12.43	12.49	12.54	12.61	12.68	12.75	12.83	12.92	13.01	13.07
9.0	12.59	12.63	12.69	12.75	12.82	12.90	12.99	13.08	13.17	13.28	13.35
10.0	12.78	12.82	12.89	12.96	13.04	13.13	13.22	13.33	13.44	13.56	13.63
11.0	12.97	13.02	13.09	13.18	13.26	13.36	13.47	13.58	13.70	13.84	13.92
12.0	13.16	13.22	13.30	13.39	13.49	13.60	13.71	13.84	13.97	14.12	14.21
13.0	13.36	13.42	13.51	13.61	13.72	13.84	13.97	14.10	14.25	14.41	14.51
14.0	13.56	13.63	13.73	13.84	13.96	14.08	14.22	14.37	14.53	14.71	14.81
15.0	13.77	13.84	13.95	14.07	14.19	14.33	14.48	14.64	14.81	15.01	15.12
16.0	13.98	14.05	14.17	14.30	14.44	14.58	14.75	14.92	15.10	15.31	15.43
17.0	14.19	14.27	14.40	14.53	14.68	14.84	15.01	15.20	15.40	15.62	15.75
18.0	14.41	14.49	14.63	14.78	14.93	15.10	15.29	15.49	15.70	15.94	16.08
19.0	14.63	14.72	14.86	15.02	15.19	15.37	15.57	15.78	16.01	16.26	16.41
20.0	14.85	14.95	15.10	15.27	15.45	15.64	15.85	16.08	16.32	16.59	16.75
21.0	15.08	15.18	15.35	15.52	15.71	15.92	16.14	16.38	16.64	16.93	17.09
22.0	15.31	15.42	15.60	15.78	15.99	16.20	16.44	16.70	16.97	17.27	17.44
23.0	15.54	15.66	15.85	16.05	16.26	16.49	16.74	17.01	17.30	17.62	17.80
24.0	15.79	15.91	16.11	16.32	16.54	16.79	17.05	17.34	17.64	17.97	18.17
25.0	16.03	16.16	16.37	16.59	16.83	17.09	17.37	17.67	17.99	18.34	18.54
26.0	16.28	16.42	16.64	16.87	17.12	17.39	17.69	18.00	18.34	18.71	18.92
27.0	16.54	16.68	16.91	17.16	17.42	17.71	18.02	18.35	18.70	19.09	19.31
28.0	16.80	16.95	17.19	17.45	17.73	18.03	18.35	18.70	19.07	19.47	19.71
29.0	17.06	17.22	17.48	17.75	18.04	18.36	18.70	19.06	19.45	19.87	20.11
30.0	17.33	17.50	17.77	18.05	18.36	18.69	19.05	19.43	19.83	20.28	20.53
31.0	17.61	17.79	18.07	18.37	18.69	19.03	19.41	19.80	20.23	20.69	20.96
32.0	17.89	18.08	18.37	18.68	19.02	19.38	19.77	20.19	20.63	21.11	21.39
33.0	18.18	18.38	18.68	19.01	19.36	19.74	20.15	20.58	21.05	21.55	21.84
34.0	18.48	18.68	19.00	19.34	19.71	20.11	20.53	20.99	21.47	21.99	22.30
35.0	18.78	18.99	19.33	19.69	20.07	20.49	20.93	21.40	21.91	22.45	22.76
36.0	19.09	19.31	19.66	20.04	20.44	20.87	21.33	21.83	22.35	22.92	23.24
37.0	19.41	19.64	20.01	20.40	20.82	21.27	21.75	22.26	22.81	23.40	23.74
38.0	19.73	19.97	20.36	20.76	21.20	21.67	22.18	22.71	23.28	23.89	24.24
39.0	20.06	20.32	20.72	21.14	21.60	22.09	22.61	23.17	23.76	24.40	24.76
40.0	20.40	20.67	21.09	21.53	22.01	22.52	23.06	23.64	24.26	24.92	25.30
41.0	20.75	21.03	21.47	21.93	22.43	22.96	23.53	24.13	24.77	25.45	25.84
42.0	21.11	21.40	21.86	22.34	22.86	23.41	24.00	24.63	25.29	26.00	26.41
43.0	21.48	21.78	22.26	22.76	23.30	23.88	24.49	25.14	25.83	26.57	26.99
44.0	21.86	22.18	22.67	23.20	23.76	24.36	25.00	25.67	26.39	27.15	27.59
45.0	22.25	22.58	23.10	23.64	24.23	24.85	25.52	26.22	26.96	27.75	28.20
46.0	22.66	23.00	23.53	24.10	24.71	25.36	26.05	26.78	27.55	28.37	28.84
47.0	23.07	23.43	23.98	24.58	25.21	25.89	26.61	27.37	28.17	29.01	29.50
48.0	23.50	23.87	24.45	25.07	25.73	26.43	27.18	27.97	28.80	29.67	30.17
49.0	23.94	24.32	24.93	25.57	26.26	26.99	27.77	28.59	29.45	30.36	30.87
50.0	24.39	24.79	25.42	26.10	26.81	27.57	28.38	29.23	30.12	31.06	31.60
52.0	25.35	25.78	26.47	27.20	27.98	28.80	29.67	30.59	31.54	32.55	33.13
54.0	26.37	26.85	27.59	28.38	29.23	30.12	31.06	32.04	33.08	34.16	34.77
56.0	27.47	27.99	28.80	29.66	30.58	31.54	32.56	33.62	34.73	35.89	36.54
58.0	28.66	29.23	30.11	31.05	32.04	33.09	34.18	35.33	36.52	37.77	38.46
60.0	29.96	30.57	31.54	32.56	33.64	34.77	35.96	37.20	38.48	39.81	40.56
62.0	31.37	32.04	33.10	34.21	35.39	36.62	37.91	39.24	40.62	42.05	42.85
64.0	32.92	33.66	34.82	36.03	37.32	38.66	40.06	41.50	42.99	44.52	45.38
66.0	34.64	35.45	36.72	38.06	39.46	40.92	42.44	44.01	45.61	47.27	48.19
68.0	36.55	37.45	38.85	40.32	41.86	43.46	45.11	46.81	48.55	50.33	51.32
70.0	38.71	39.71	41.26	42.88	44.57	46.32	48.12	49.97	51.85	53.78	54.84
▽∅	PERCENTAGE OF LOAN AMOUNT LEFT UNPAID AT DUE DATE										
	100.0	92.77	81.92	71.07	60.22	49.37	38.52	27.67	16.82	5.97	.00

239

MONTHLY PAYBACK RATE (%)
(MONTHLY PAYMENT DIVIDED BY LOAN AMOUNT)

DISCOUNT %	1.00	1.25	1.50	1.75	2.00	2.25	2.50	2.75	3.00	3.50	4.00
1.0	11.14	11.21	11.28	11.34	11.40	11.46	11.52	11.57	11.63	11.75	11.86
2.0	11.29	11.43	11.56	11.68	11.80	11.92	12.04	12.16	12.27	12.51	12.74
3.0	11.44	11.65	11.84	12.03	12.21	12.39	12.57	12.75	12.93	13.28	13.62
4.0	11.59	11.87	12.12	12.38	12.63	12.87	13.11	13.35	13.59	14.06	14.52
5.0	11.74	12.10	12.42	12.74	13.05	13.35	13.66	13.96	14.26	14.85	15.44
6.0	11.90	12.33	12.72	13.10	13.47	13.85	14.21	14.58	14.94	15.66	16.36
7.0	12.05	12.56	13.02	13.47	13.91	14.34	14.78	15.20	15.63	16.47	17.31
8.0	12.22	12.80	13.33	13.84	14.35	14.85	15.35	15.84	16.33	17.30	18.26
9.0	12.38	13.04	13.64	14.22	14.80	15.37	15.93	16.49	17.04	18.14	19.23
10.0	12.55	13.28	13.96	14.61	15.25	15.89	16.52	17.15	17.77	19.00	20.22
11.0	12.72	13.53	14.28	15.00	15.72	16.42	17.12	17.81	18.50	19.87	21.22
12.0	12.89	13.79	14.61	15.40	16.19	16.96	17.73	18.49	19.25	20.75	22.24
13.0	13.07	14.05	14.94	15.81	16.67	17.51	18.35	19.18	20.01	21.65	23.27
14.0	13.25	14.31	15.28	16.23	17.15	18.07	18.98	19.89	20.79	22.57	24.33
15.0	13.44	14.58	15.63	16.65	17.65	18.64	19.62	20.60	21.57	23.49	25.40
16.0	13.63	14.85	15.98	17.07	18.15	19.22	20.28	21.33	22.37	24.44	26.49
17.0	13.82	15.13	16.34	17.51	18.66	19.81	20.94	22.06	23.18	25.40	27.59
18.0	14.01	15.41	16.70	17.95	19.19	20.41	21.62	22.82	24.01	26.38	28.72
19.0	14.22	15.70	17.07	18.41	19.72	21.02	22.30	23.58	24.85	27.37	29.87
20.0	14.42	16.00	17.45	18.87	20.26	21.64	23.00	24.36	25.71	28.39	31.04
21.0	14.63	16.30	17.84	19.34	20.81	22.27	23.72	25.16	26.59	29.42	32.23
22.0	14.84	16.60	18.23	19.81	21.37	22.91	24.45	25.96	27.48	30.47	33.44
23.0	15.06	16.92	18.63	20.30	21.94	23.57	25.19	26.79	28.38	31.54	34.68
24.0	15.29	17.24	19.04	20.80	22.53	24.24	25.94	27.63	29.31	32.64	35.93
25.0	15.52	17.56	19.46	21.31	23.12	24.93	26.71	28.49	30.25	33.75	37.22
26.0	15.75	17.90	19.89	21.82	23.73	25.62	27.50	29.36	31.21	34.89	38.53
27.0	15.99	18.24	20.32	22.35	24.35	26.33	28.30	30.25	32.20	36.05	39.86
28.0	16.24	18.58	20.77	22.89	24.99	27.06	29.12	31.16	33.20	37.23	41.23
29.0	16.49	18.94	21.23	23.44	25.63	27.80	29.95	32.09	34.22	38.44	42.62
30.0	16.75	19.31	21.69	24.01	26.29	28.56	30.81	33.04	35.26	39.67	44.04
31.0	17.02	19.68	22.16	24.58	26.97	29.33	31.68	34.01	36.33	40.93	45.50
32.0	17.29	20.06	22.65	25.17	27.66	30.12	32.57	35.00	37.42	42.22	46.98
33.0	17.57	20.45	23.15	25.78	28.37	30.93	33.48	36.02	38.54	43.54	48.50
34.0	17.86	20.85	23.66	26.39	29.09	31.76	34.42	37.05	39.68	44.89	50.05
35.0	18.15	21.26	24.18	27.02	29.83	32.61	35.37	38.12	40.85	46.27	51.64
36.0	18.46	21.69	24.72	27.67	30.59	33.48	36.35	39.20	42.04	47.68	53.27
37.0	18.77	22.12	25.26	28.34	31.37	34.37	37.35	40.32	43.27	49.13	54.93
38.0	19.09	22.57	25.83	29.02	32.16	35.28	38.38	41.46	44.52	50.61	56.64
39.0	19.42	23.02	26.41	29.71	32.98	36.22	39.43	42.63	45.81	52.13	58.39
40.0	19.77	23.49	27.00	30.43	33.82	37.18	40.51	43.83	47.13	53.68	60.19
41.0	20.12	23.98	27.61	31.17	34.68	38.16	41.62	45.06	48.48	55.28	62.03
42.0	20.48	24.47	28.24	31.92	35.56	39.17	42.76	46.32	49.87	56.92	63.92
43.0	20.86	24.99	28.89	32.70	36.47	40.21	43.93	47.62	51.30	58.61	65.86
44.0	21.25	25.51	29.55	33.50	37.41	41.28	45.13	48.96	52.77	60.34	67.86
45.0	21.65	26.06	30.24	34.33	38.37	42.38	46.37	50.33	54.28	62.13	69.91
46.0	22.07	26.62	30.94	35.18	39.36	43.51	47.64	51.75	55.84	63.96	72.03
47.0	22.50	27.20	31.67	36.05	40.38	44.68	48.95	53.20	57.44	65.85	74.20
48.0	22.94	27.80	32.42	36.96	41.44	45.88	50.31	54.71	59.09	67.80	76.45
49.0	23.41	28.42	33.20	37.89	42.52	47.13	51.70	56.25	60.79	69.81	78.76
50.0	23.89	29.06	34.00	38.85	43.65	48.41	53.11	57.85	62.55	71.88	81.14
51.0	24.39	29.73	34.83	39.85	44.81	49.73	54.63	59.50	64.36	74.02	83.61
52.0	24.91	30.42	35.70	40.88	46.01	51.10	56.17	61.21	66.24	76.23	86.15
53.0	25.45	31.13	36.59	41.95	47.25	52.52	57.76	62.98	68.18	78.52	88.79
54.0	26.01	31.88	37.51	43.05	48.54	53.99	59.41	64.81	70.19	80.88	91.52
55.0	26.60	32.65	38.47	44.20	49.88	55.51	61.12	66.70	72.27	83.34	94.34
56.0	27.21	33.46	39.47	45.40	51.26	57.09	62.90	68.67	74.43	85.89	97.27
57.0	27.85	34.29	40.51	46.64	52.71	58.74	64.74	70.72	76.68	88.53	100.32
58.0	28.52	35.17	41.60	47.93	54.21	60.45	66.66	72.84	79.01	91.28	103.48
59.0	29.23	36.08	42.73	49.28	55.77	62.23	68.65	75.05	81.44	94.14	106.77
60.0	29.96	37.04	43.91	50.68	57.40	64.08	70.73	77.36	83.97	97.12	110.20

NUMBER OF MONTHLY PAYMENTS NEEDED TO PAY OFF LOAN

	1.00	1.25	1.50	1.75	2.00	2.25	2.50	2.75	3.00	3.50	4.00
	272.3	144.9	103.5	81.3	67.2	57.3	50.1	44.4	40.0	33.3	28.5

DISCOUNT %	MONTHLY PAYBACK RATE (%) (MONTHLY PAYMENT DIVIDED BY LOAN AMOUNT)										
	.94	1.00	1.50	2.00	3.00	4.00	5.00	6.00	7.00	8.00	8.85
.5	11.78	11.78	11.80	11.82	11.85	11.89	11.94	11.99	12.05	12.13	12.20
1.0	12.32	12.32	12.35	12.39	12.46	12.54	12.63	12.74	12.86	13.01	13.16
1.5	12.86	12.86	12.91	12.96	13.07	13.19	13.33	13.49	13.68	13.90	14.12
2.0	13.40	13.41	13.47	13.53	13.68	13.84	14.03	14.25	14.50	14.80	15.10
2.5	13.94	13.95	14.03	14.11	14.29	14.50	14.74	15.01	15.33	15.70	16.08
3.0	14.49	14.50	14.60	14.70	14.92	15.16	15.45	15.78	16.16	16.61	17.06
3.5	15.04	15.06	15.17	15.28	15.54	15.83	16.16	16.55	17.00	17.53	18.06
4.0	15.59	15.61	15.74	15.87	16.17	16.50	16.88	17.33	17.84	18.45	19.06
4.5	16.15	16.17	16.31	16.47	16.80	17.18	17.61	18.11	18.69	19.38	20.07
5.0	16.71	16.73	16.89	17.06	17.44	17.86	18.34	18.90	19.55	20.32	21.09
5.5	17.28	17.30	17.48	17.66	18.08	18.54	19.08	19.69	20.41	21.26	22.11
6.0	17.84	17.87	18.06	18.27	18.72	19.23	19.82	20.49	21.28	22.21	23.15
6.5	18.42	18.44	18.65	18.88	19.37	19.93	20.56	21.30	22.16	23.17	24.19
7.0	18.99	19.02	19.25	19.49	20.02	20.62	21.32	22.11	23.04	24.14	25.24
7.5	19.57	19.60	19.84	20.11	20.68	21.33	22.07	22.93	23.93	25.11	26.29
8.0	20.15	20.18	20.45	20.73	21.34	22.04	22.83	23.75	24.83	26.09	27.36
8.5	20.73	20.77	21.05	21.35	22.01	22.75	23.60	24.58	25.73	27.08	28.44
9.0	21.32	21.36	21.66	21.98	22.68	23.47	24.37	25.42	26.64	28.08	29.52
9.5	21.91	21.95	22.27	22.61	23.35	24.19	25.15	26.26	27.56	29.09	30.61
10.0	22.51	22.55	22.89	23.25	24.03	24.92	25.94	27.11	28.48	30.10	31.71
10.5	23.11	23.15	23.51	23.89	24.71	25.65	26.73	27.97	29.41	31.12	32.82
11.0	23.71	23.76	24.13	24.53	25.40	26.39	27.52	28.83	30.35	32.15	33.94
11.5	24.32	24.37	24.76	25.18	26.10	27.13	28.33	29.70	31.30	33.19	35.07
12.0	24.93	24.98	25.39	25.83	26.79	27.88	29.13	30.57	32.25	34.23	36.21
12.5	25.55	25.60	26.03	26.49	27.50	28.64	29.95	31.46	33.22	35.29	37.36
13.0	26.16	26.22	26.67	27.15	28.20	29.40	30.77	32.35	34.19	36.35	38.51
13.5	26.79	26.85	27.32	27.82	28.92	30.16	31.59	33.24	35.16	37.43	39.68
14.0	27.41	27.47	27.97	28.49	29.63	30.94	32.43	34.15	36.15	38.51	40.86
14.5	28.04	28.11	28.62	29.16	30.36	31.71	33.26	35.06	37.14	39.60	42.04
15.0	28.68	28.75	29.28	29.84	31.09	32.50	34.11	35.97	38.15	40.70	43.24
15.5	29.32	29.39	29.94	30.53	31.83	33.28	34.96	36.90	39.16	41.81	44.45
16.0	29.96	30.03	30.61	31.22	32.56	34.08	35.82	37.83	40.18	42.93	45.67
16.5	30.61	30.68	31.28	31.91	33.30	34.88	36.69	38.77	41.20	44.06	46.90
17.0	31.26	31.34	31.96	32.61	34.05	35.69	37.56	39.72	42.24	45.20	48.14
17.5	31.92	32.00	32.64	33.32	34.81	36.50	38.44	40.68	43.29	46.35	49.39
18.0	32.58	32.66	33.32	34.03	35.57	37.32	39.33	41.64	44.34	47.51	50.65
18.5	33.25	33.33	34.02	34.74	36.33	38.15	40.22	42.62	45.40	48.68	51.93
19.0	33.92	34.00	34.71	35.46	37.11	38.98	41.12	43.60	46.48	49.86	53.22
19.5	34.59	34.68	35.41	36.19	37.88	39.82	42.03	44.59	47.56	51.05	54.51
20.0	35.27	35.36	36.12	36.92	38.67	40.66	42.95	45.58	48.65	52.25	55.83
20.5	35.96	36.05	36.83	37.65	39.46	41.51	43.87	46.59	49.75	53.47	57.15
21.0	36.65	36.74	37.54	38.39	40.25	42.37	44.80	47.61	50.87	54.69	58.48
21.5	37.34	37.44	38.27	39.14	41.06	43.24	45.74	48.63	51.99	55.93	59.83
22.0	38.04	38.14	38.99	39.89	41.87	44.11	46.69	49.66	53.12	57.18	61.19
22.5	38.75	38.85	39.72	40.65	42.68	44.99	47.65	50.71	54.27	58.44	62.57
23.0	39.46	39.56	40.46	41.41	43.50	45.88	48.61	51.76	55.42	59.71	63.96
23.5	40.17	40.28	41.20	42.18	44.33	46.78	49.58	52.82	56.59	60.99	65.36
24.0	40.89	41.01	41.95	42.96	45.17	47.68	50.56	53.89	57.76	62.29	66.77
24.5	41.62	41.73	42.71	43.74	46.01	48.59	51.55	54.97	58.95	63.60	68.20
25.0	42.35	42.47	43.47	44.53	46.86	49.51	52.55	56.06	60.15	64.93	69.65
25.5	43.08	43.21	44.23	45.32	47.71	50.44	53.56	57.17	61.36	66.26	71.10
26.0	43.83	43.95	45.01	46.12	48.58	51.37	54.58	58.28	62.58	67.61	72.58
26.5	44.57	44.71	45.78	46.93	49.45	52.32	55.60	59.40	63.81	68.97	74.07
27.0	45.33	45.46	46.57	47.74	50.32	53.27	56.64	60.54	65.06	70.35	75.57
27.5	46.09	46.22	47.36	48.56	51.21	54.23	57.69	61.68	66.32	71.74	77.09
28.0	46.85	46.99	48.16	49.39	52.10	55.19	58.74	62.84	67.59	73.15	78.63
28.5	47.62	47.77	48.96	50.22	53.00	56.17	59.81	64.00	68.88	74.57	80.18
29.0	48.40	48.55	49.77	51.06	53.91	57.16	60.88	65.18	70.17	76.01	81.75
29.5	49.18	49.34	50.58	51.91	54.83	58.15	61.97	66.37	71.49	77.46	83.33
30.0	49.97	50.13	51.41	52.77	55.75	59.16	63.06	67.57	72.81	78.92	84.94
PERCENTAGE OF LOAN AMOUNT LEFT UNPAID AT DUE DATE											
	100.0	99.21	92.89	86.57	73.93	61.29	48.66	36.02	23.38	10.74	.00

DISCOUNT %	MONTHLY PAYBACK RATE (%) (MONTHLY PAYMENT DIVIDED BY LOAN AMOUNT)										
	.94	1.00	1.25	1.50	1.75	2.00	2.50	3.00	3.50	4.00	4.67
.5	11.53	11.53	11.54	11.55	11.56	11.57	11.60	11.62	11.65	11.69	11.75
1.0	11.81	11.82	11.84	11.85	11.87	11.90	11.94	12.00	12.06	12.14	12.26
1.5	12.10	12.10	12.13	12.16	12.19	12.22	12.29	12.37	12.47	12.58	12.77
2.0	12.38	12.39	12.43	12.47	12.51	12.55	12.64	12.75	12.88	13.03	13.29
2.5	12.67	12.68	12.73	12.77	12.82	12.88	13.00	13.14	13.30	13.49	13.81
3.0	12.96	12.97	13.03	13.08	13.14	13.21	13.35	13.52	13.71	13.94	14.33
3.5	13.25	13.27	13.33	13.40	13.47	13.54	13.71	13.91	14.13	14.40	14.85
4.0	13.54	13.56	13.63	13.71	13.79	13.88	14.07	14.30	14.56	14.87	15.39
4.5	13.84	13.86	13.94	14.03	14.12	14.22	14.44	14.69	14.99	15.34	15.92
5.0	14.13	14.16	14.25	14.34	14.45	14.56	14.80	15.08	15.41	15.81	16.46
5.5	14.43	14.46	14.56	14.66	14.78	14.90	15.17	15.48	15.85	16.28	17.00
6.0	14.73	14.76	14.87	14.99	15.11	15.24	15.54	15.88	16.28	16.76	17.55
6.5	15.03	15.06	15.18	15.31	15.45	15.59	15.91	16.29	16.72	17.24	18.10
7.0	15.34	15.37	15.50	15.64	15.78	15.94	16.29	16.69	17.16	17.72	18.65
7.5	15.64	15.67	15.81	15.96	16.12	16.29	16.67	17.10	17.61	18.21	19.21
8.0	15.95	15.98	16.13	16.29	16.46	16.65	17.05	17.51	18.06	18.70	19.77
8.5	16.26	16.30	16.46	16.63	16.81	17.00	17.43	17.93	18.51	19.20	20.34
9.0	16.57	16.61	16.78	16.96	17.15	17.36	17.82	18.35	18.97	19.70	20.92
9.5	16.88	16.92	17.10	17.30	17.50	17.72	18.21	18.77	19.43	20.20	21.49
10.0	17.19	17.24	17.43	17.63	17.85	18.08	18.60	19.19	19.89	20.71	22.07
10.5	17.51	17.56	17.76	17.98	18.20	18.45	18.99	19.62	20.35	21.22	22.66
11.0	17.83	17.88	18.09	18.32	18.56	18.82	19.39	20.05	20.82	21.74	23.25
11.5	18.15	18.20	18.43	18.66	18.92	19.19	19.79	20.48	21.30	22.25	23.85
12.0	18.47	18.53	18.76	19.01	19.28	19.56	20.19	20.92	21.77	22.78	24.45
12.5	18.80	18.86	19.10	19.36	19.64	19.94	20.60	21.36	22.25	23.31	25.05
13.0	19.12	19.18	19.44	19.71	20.01	20.32	21.01	21.81	22.74	23.84	25.66
13.5	19.45	19.52	19.78	20.07	20.37	20.70	21.42	22.25	23.23	24.37	26.28
14.0	19.78	19.85	20.13	20.43	20.74	21.08	21.83	22.70	23.72	24.92	26.90
14.5	20.11	20.19	20.48	20.79	21.12	21.47	22.25	23.16	24.21	25.46	27.53
15.0	20.45	20.52	20.83	21.15	21.49	21.86	22.67	23.61	24.71	26.01	28.16
15.5	20.79	20.86	21.18	21.51	21.87	22.25	23.10	24.07	25.22	26.56	28.79
16.0	21.13	21.21	21.53	21.88	22.25	22.65	23.52	24.54	25.73	27.12	29.44
16.5	21.47	21.55	21.89	22.25	22.63	23.04	23.95	25.01	26.24	27.69	30.08
17.0	21.81	21.90	22.25	22.62	23.02	23.44	24.39	25.48	26.75	28.26	30.74
17.5	22.16	22.25	22.61	23.00	23.41	23.85	24.83	25.96	27.28	28.83	31.40
18.0	22.51	22.60	22.98	23.37	23.80	24.26	25.27	26.44	27.80	29.41	32.06
18.5	22.86	22.95	23.34	23.75	24.19	24.67	25.71	26.92	28.33	29.99	32.73
19.0	23.21	23.31	23.71	24.14	24.59	25.08	26.16	27.41	28.87	30.58	33.41
19.5	23.57	23.67	24.08	24.52	24.99	25.50	26.61	27.90	29.40	31.18	34.09
20.0	23.93	24.03	24.46	24.91	25.40	25.92	27.07	28.40	29.95	31.77	34.78
21.0	24.65	24.76	25.22	25.70	26.21	26.76	27.99	29.40	31.05	32.99	36.18
22.0	25.39	25.51	25.99	26.50	27.04	27.63	28.92	30.42	32.17	34.23	37.60
23.0	26.14	26.26	26.77	27.31	27.89	28.50	29.88	31.46	33.31	35.49	39.06
24.0	26.89	27.03	27.56	28.13	28.74	29.39	30.84	32.52	34.48	36.77	40.54
25.0	27.66	27.80	28.37	28.97	29.61	30.30	31.83	33.60	35.66	38.08	42.04
26.0	28.44	28.59	29.18	29.82	30.50	31.22	32.83	34.70	36.87	39.42	43.58
27.0	29.24	29.39	30.01	30.68	31.39	32.16	33.85	35.81	38.10	40.78	45.15
28.0	30.04	30.20	30.86	31.56	32.31	33.11	34.89	36.95	39.35	42.17	46.76
29.0	30.86	31.03	31.72	32.45	33.24	34.08	35.95	38.11	40.63	43.58	48.39
30.0	31.69	31.87	32.59	33.36	34.18	35.07	37.03	39.30	41.94	45.03	50.06
31.0	32.54	32.72	33.48	34.28	35.15	36.07	38.13	40.50	43.27	46.51	51.77
32.0	33.40	33.59	34.38	35.22	36.13	37.09	39.24	41.73	44.63	48.02	53.52
33.0	34.27	34.47	35.30	36.18	37.13	38.14	40.39	42.99	46.02	49.56	55.30
34.0	35.16	35.37	36.23	37.16	38.14	39.20	41.55	44.27	47.44	51.14	57.13
35.0	36.06	36.28	37.18	38.15	39.18	40.28	42.74	45.58	48.89	52.75	58.99
36.0	36.98	37.21	38.15	39.16	40.23	41.39	43.95	46.92	50.37	54.40	60.91
37.0	37.92	38.16	39.14	40.19	41.31	42.51	45.19	48.29	51.89	56.09	62.87
38.0	38.87	39.12	40.14	41.24	42.41	43.66	46.46	49.69	53.45	57.82	64.87
39.0	39.85	40.10	41.17	42.31	43.53	44.84	47.75	51.12	55.04	59.60	66.93
40.0	40.84	41.10	42.22	43.40	44.67	46.04	49.07	52.58	56.67	61.42	69.04
▽⏀	PERCENTAGE OF LOAN AMOUNT LEFT UNPAID AT DUE DATE										
	100.0	98.33	91.63	84.94	78.25	71.55	58.16	44.78	31.39	18.00	.00

DISCOUNT %	MONTHLY PAYBACK RATE (%) (MONTHLY PAYMENT DIVIDED BY LOAN AMOUNT)										
	.94	1.00	1.25	1.50	1.75	2.00	2.25	2.50	2.75	3.00	3.29
.5	11.45	11.45	11.46	11.47	11.48	11.50	11.51	11.53	11.55	11.57	11.60
1.0	11.65	11.65	11.67	11.69	11.72	11.74	11.77	11.81	11.84	11.89	11.95
1.5	11.85	11.85	11.88	11.92	11.95	11.99	12.04	12.09	12.15	12.21	12.30
2.0	12.05	12.06	12.10	12.14	12.19	12.24	12.30	12.37	12.45	12.54	12.65
2.5	12.25	12.26	12.31	12.37	12.43	12.49	12.57	12.66	12.75	12.86	13.01
3.0	12.45	12.47	12.53	12.59	12.67	12.75	12.84	12.94	13.06	13.19	13.37
3.5	12.66	12.67	12.74	12.82	12.91	13.00	13.11	13.23	13.37	13.52	13.73
4.0	12.86	12.88	12.96	13.05	13.15	13.26	13.38	13.52	13.68	13.86	14.10
4.5	13.07	13.09	13.18	13.28	13.40	13.52	13.66	13.81	13.99	14.20	14.47
5.0	13.28	13.30	13.41	13.52	13.64	13.78	13.94	14.11	14.31	14.54	14.84
5.5	13.49	13.52	13.63	13.75	13.89	14.04	14.21	14.41	14.63	14.88	15.21
6.0	13.70	13.73	13.85	13.99	14.14	14.31	14.49	14.71	14.95	15.22	15.59
6.5	13.91	13.94	14.08	14.23	14.39	14.57	14.78	15.01	15.27	15.57	15.97
7.0	14.12	14.16	14.31	14.47	14.64	14.84	15.06	15.31	15.59	15.92	16.35
7.5	14.34	14.38	14.53	14.71	14.90	15.11	15.35	15.62	15.92	16.27	16.74
8.0	14.56	14.60	14.76	14.95	15.15	15.38	15.64	15.93	16.25	16.63	17.12
8.5	14.77	14.82	15.00	15.19	15.41	15.66	15.93	16.24	16.59	16.98	17.51
9.0	14.99	15.04	15.23	15.44	15.67	15.93	16.22	16.55	16.92	17.34	17.91
9.5	15.21	15.26	15.46	15.69	15.93	16.21	16.52	16.86	17.26	17.71	18.31
10.0	15.43	15.49	15.70	15.94	16.20	16.49	16.81	17.18	17.60	18.07	18.71
11.0	15.88	15.94	16.18	16.44	16.73	17.05	17.42	17.82	18.29	18.82	19.52
12.0	16.34	16.40	16.66	16.95	17.27	17.63	18.03	18.48	18.99	19.57	20.34
13.0	16.79	16.86	17.15	17.47	17.82	18.21	18.65	19.14	19.70	20.33	21.18
14.0	17.26	17.34	17.65	17.99	18.37	18.80	19.28	19.81	20.42	21.11	22.03
15.0	17.73	17.81	18.15	18.52	18.94	19.40	19.92	20.50	21.15	21.90	22.90
16.0	18.21	18.30	18.66	19.06	19.51	20.01	20.57	21.19	21.90	22.71	23.78
17.0	18.70	18.79	19.18	19.61	20.09	20.63	21.23	21.90	22.66	23.53	24.67
18.0	19.19	19.29	19.71	20.17	20.68	21.26	21.90	22.62	23.43	24.36	25.58
19.0	19.69	19.79	20.24	20.74	21.28	21.90	22.58	23.35	24.22	25.21	26.51
20.0	20.19	20.31	20.78	21.31	21.89	22.55	23.27	24.09	25.02	26.07	27.46
21.0	20.70	20.83	21.33	21.89	22.51	23.21	23.98	24.85	25.84	26.95	28.42
22.0	21.23	21.35	21.89	22.48	23.14	23.88	24.70	25.62	26.66	27.85	29.40
23.0	21.75	21.89	22.46	23.09	23.78	24.56	25.43	26.41	27.51	28.76	30.40
24.0	22.29	22.43	23.03	23.70	24.43	25.26	26.17	27.21	28.37	29.69	31.42
25.0	22.84	22.99	23.62	24.32	25.10	25.96	26.93	28.02	29.25	30.64	32.46
26.0	23.39	23.55	24.22	24.95	25.77	26.68	27.70	28.85	30.14	31.61	33.52
27.0	23.95	24.12	24.82	25.60	26.46	27.42	28.49	29.70	31.06	32.59	34.60
28.0	24.52	24.70	25.44	26.25	27.16	28.16	29.29	30.56	31.99	33.60	35.70
29.0	25.10	25.29	26.06	26.92	27.87	28.93	30.11	31.44	32.94	34.63	36.83
30.0	25.69	25.89	26.70	27.60	28.59	29.70	30.94	32.34	33.91	35.68	37.98
31.0	26.30	26.50	27.35	28.29	29.33	30.49	31.79	33.25	34.90	36.75	39.16
32.0	26.91	27.12	28.01	28.99	30.08	31.30	32.66	34.19	35.91	37.84	40.36
33.0	27.53	27.75	28.68	29.71	30.85	32.12	33.55	35.15	36.94	38.96	41.59
34.0	28.16	28.39	29.36	30.44	31.63	32.96	34.45	36.12	38.00	40.11	42.84
35.0	28.80	29.04	30.06	31.18	32.43	33.82	35.38	37.12	39.08	41.28	44.13
36.0	29.46	29.71	30.77	31.94	33.25	34.70	36.32	38.14	40.19	42.48	45.45
37.0	30.13	30.39	31.49	32.72	34.08	35.60	37.29	39.19	41.32	43.71	46.80
38.0	30.81	31.08	32.23	33.51	34.93	36.51	38.28	40.26	42.48	44.97	48.18
39.0	31.50	31.79	32.99	34.32	35.80	37.45	39.29	41.36	43.67	46.26	49.59
40.0	32.21	32.51	33.76	35.14	36.69	38.41	40.33	42.48	44.89	47.58	51.05
41.0	32.93	33.24	34.54	35.99	37.60	39.39	41.39	43.63	46.14	48.94	52.54
42.0	33.67	33.99	35.35	36.85	38.53	40.39	42.48	44.81	47.42	50.33	54.07
43.0	34.42	34.75	36.17	37.73	39.48	41.42	43.60	46.02	48.74	51.77	55.64
44.0	35.19	35.54	37.01	38.64	40.45	42.48	44.74	47.27	50.09	53.24	57.26
45.0	35.98	36.34	37.86	39.56	41.45	43.56	45.92	48.55	51.48	54.75	58.92
46.0	36.78	37.15	38.74	40.51	42.48	44.67	47.12	49.86	52.91	56.31	60.64
47.0	37.60	37.99	39.64	41.48	43.53	45.81	48.36	51.21	54.39	57.91	62.40
48.0	38.44	38.84	40.56	42.48	44.61	46.99	49.64	52.60	55.90	59.56	64.22
49.0	39.30	39.72	41.51	43.50	45.72	48.19	50.96	54.04	57.47	61.27	66.09
50.0	40.18	40.61	42.48	44.55	46.86	49.43	52.31	55.51	59.08	63.03	68.02
∇ΦΔ	PERCENTAGE OF LOAN AMOUNT LEFT UNPAID AT DUE DATE										
	100.0	97.34	86.69	76.05	65.40	54.75	44.11	33.46	22.81	12.17	.00

MONTHLY PAYBACK RATE (%)
(MONTHLY PAYMENT DIVIDED BY LOAN AMOUNT)

DISCOUNT %	.94	1.00	1.10	1.20	1.40	1.60	1.80	2.00	2.20	2.40	2.60
.5	11.41	11.41	11.41	11.42	11.43	11.44	11.45	11.46	11.48	11.50	11.52
1.0	11.56	11.57	11.58	11.59	11.60	11.63	11.65	11.68	11.71	11.75	11.79
1.5	11.72	11.73	11.74	11.75	11.78	11.82	11.85	11.89	11.94	12.00	12.06
2.0	11.88	11.89	11.91	11.93	11.96	12.01	12.05	12.11	12.17	12.25	12.33
2.5	12.04	12.05	12.07	12.10	12.15	12.20	12.26	12.33	12.41	12.50	12.61
3.0	12.20	12.22	12.24	12.27	12.33	12.39	12.47	12.55	12.64	12.76	12.88
3.5	12.36	12.38	12.41	12.44	12.51	12.59	12.67	12.77	12.88	13.01	13.16
4.0	12.53	12.55	12.58	12.62	12.70	12.78	12.88	13.00	13.12	13.27	13.45
4.5	12.69	12.71	12.75	12.79	12.88	12.98	13.09	13.22	13.37	13.54	13.73
5.0	12.85	12.88	12.92	12.97	13.07	13.18	13.30	13.45	13.61	13.80	14.01
5.5	13.02	13.05	13.10	13.15	13.26	13.38	13.52	13.68	13.85	14.06	14.30
6.0	13.19	13.22	13.27	13.33	13.45	13.58	13.73	13.91	14.10	14.33	14.59
6.5	13.36	13.39	13.45	13.51	13.64	13.79	13.95	14.14	14.35	14.60	14.88
7.0	13.52	13.56	13.62	13.69	13.83	13.99	14.17	14.37	14.60	14.87	15.18
7.5	13.69	13.74	13.80	13.87	14.03	14.20	14.39	14.61	14.86	15.15	15.48
8.0	13.87	13.91	13.98	14.06	14.22	14.40	14.61	14.84	15.11	15.42	15.77
8.5	14.04	14.09	14.16	14.24	14.42	14.61	14.83	15.08	15.37	15.70	16.08
9.0	14.21	14.26	14.34	14.43	14.61	14.82	15.06	15.32	15.63	15.98	16.38
9.5	14.39	14.44	14.52	14.62	14.81	15.03	15.28	15.57	15.89	16.26	16.69
10.0	14.56	14.62	14.71	14.81	15.01	15.25	15.51	15.81	16.15	16.55	16.99
11.0	14.92	14.98	15.08	15.19	15.42	15.68	15.97	16.30	16.68	17.12	17.62
12.0	15.28	15.34	15.46	15.57	15.83	16.12	16.44	16.81	17.22	17.71	18.25
13.0	15.64	15.72	15.84	15.97	16.25	16.56	16.91	17.32	17.77	18.30	18.90
14.0	16.01	16.09	16.22	16.37	16.67	17.01	17.40	17.83	18.33	18.91	19.56
15.0	16.39	16.47	16.62	16.77	17.10	17.47	17.89	18.36	18.90	19.52	20.22
16.0	16.77	16.86	17.01	17.18	17.54	17.94	18.38	18.90	19.48	20.15	20.90
17.0	17.15	17.25	17.42	17.60	17.98	18.41	18.89	19.44	20.06	20.78	21.59
18.0	17.54	17.65	17.83	18.02	18.43	18.89	19.41	19.99	20.66	21.43	22.30
19.0	17.94	18.06	18.25	18.45	18.89	19.38	19.93	20.56	21.27	22.09	23.01
20.0	18.34	18.47	18.67	18.88	19.35	19.87	20.46	21.13	21.89	22.76	23.74
21.0	18.75	18.88	19.10	19.33	19.82	20.38	21.00	21.71	22.52	23.44	24.48
22.0	19.17	19.30	19.53	19.78	20.30	20.89	21.55	22.31	23.16	24.14	25.24
23.0	19.59	19.73	19.98	20.23	20.79	21.41	22.12	22.91	23.81	24.85	26.01
24.0	20.02	20.17	20.43	20.70	21.29	21.95	22.69	23.53	24.48	25.57	26.80
25.0	20.45	20.61	20.88	21.17	21.79	22.49	23.27	24.16	25.16	26.31	27.60
26.0	20.89	21.06	21.35	21.65	22.30	23.04	23.86	24.80	25.85	27.06	28.42
27.0	21.34	21.52	21.82	22.14	22.83	23.60	24.47	25.45	26.56	27.83	29.25
28.0	21.80	21.99	22.31	22.64	23.36	24.17	25.08	26.11	27.28	28.61	30.10
29.0	22.26	22.46	22.79	23.14	23.90	24.75	25.71	26.79	28.02	29.41	30.97
30.0	22.74	22.94	23.29	23.66	24.45	25.35	26.35	27.49	28.77	30.23	31.86
31.0	23.22	23.44	23.80	24.18	25.02	25.95	27.00	28.19	29.54	31.07	32.77
32.0	23.71	23.93	24.31	24.72	25.59	26.57	27.67	28.92	30.32	31.92	33.70
33.0	24.20	24.44	24.84	25.26	26.18	27.20	28.35	29.65	31.12	32.79	34.64
34.0	24.71	24.96	25.38	25.82	26.77	27.84	29.05	30.41	31.94	33.68	35.62
35.0	25.23	25.49	25.92	26.38	27.38	28.50	29.76	31.18	32.78	34.60	36.61
36.0	25.76	26.03	26.48	26.96	28.00	29.17	30.49	31.97	33.64	35.53	37.63
37.0	26.29	26.58	27.05	27.55	28.64	29.86	31.23	32.78	34.52	36.49	38.67
38.0	26.84	27.14	27.63	28.15	29.29	30.56	31.99	33.61	35.42	37.47	39.74
39.0	27.40	27.71	28.22	28.77	29.95	31.28	32.77	34.45	36.34	38.48	40.83
40.0	27.97	28.29	28.83	29.40	30.63	32.02	33.57	35.32	37.29	39.51	41.96
41.0	28.55	28.89	29.45	30.04	31.32	32.77	34.39	36.21	38.26	40.57	43.11
42.0	29.15	29.50	30.08	30.69	32.04	33.54	35.22	37.13	39.26	41.66	44.29
43.0	29.75	30.12	30.72	31.37	32.76	34.33	36.09	38.06	40.28	42.78	45.51
44.0	30.38	30.75	31.38	32.05	33.51	35.14	36.97	39.03	41.34	43.93	46.76
45.0	31.01	31.41	32.06	32.76	34.27	35.97	37.87	40.02	42.42	45.11	48.05
46.0	31.66	32.07	32.75	33.48	35.06	36.82	38.81	41.04	43.53	46.33	49.37
47.0	32.33	32.75	33.46	34.22	35.86	37.70	39.76	42.09	44.68	47.58	50.74
48.0	33.01	33.45	34.19	34.98	36.68	38.60	40.75	43.16	45.86	48.87	52.15
49.0	33.71	34.17	34.94	35.76	37.53	39.53	41.76	44.28	47.08	50.21	53.60
50.0	34.42	34.90	35.70	36.55	38.41	40.48	42.81	45.42	48.34	51.58	55.10

PERCENTAGE OF LOAN AMOUNT LEFT UNPAID AT DUE DATE

| | 100.0 | 96.23 | 90.21 | 84.18 | 72.13 | 60.07 | 48.02 | 35.96 | 23.91 | 11.86 | .00 |

DISCOUNT %	MONTHLY PAYBACK RATE (%) (MONTHLY PAYMENT DIVIDED BY LOAN AMOUNT)										
	.94	1.00	1.10	1.20	1.30	1.40	1.50	1.60	1.80	2.00	2.19
.5	11.38	11.38	11.39	11.39	11.40	11.40	11.41	11.42	11.43	11.45	11.47
1.0	11.51	11.52	11.53	11.54	11.55	11.56	11.57	11.59	11.61	11.65	11.69
1.5	11.65	11.66	11.67	11.68	11.70	11.72	11.75	11.75	11.80	11.85	11.91
2.0	11.78	11.79	11.81	11.83	11.85	11.87	11.90	11.93	11.98	12.06	12.14
2.5	11.91	11.93	11.95	11.98	12.00	12.03	12.06	12.10	12.17	12.26	12.36
3.0	12.05	12.07	12.09	12.13	12.16	12.19	12.23	12.27	12.36	12.47	12.59
3.5	12.19	12.21	12.24	12.28	12.31	12.35	12.40	12.44	12.55	12.68	12.82
4.0	12.32	12.35	12.38	12.43	12.47	12.52	12.56	12.62	12.74	12.89	13.05
4.5	12.46	12.49	12.53	12.58	12.62	12.68	12.73	12.80	12.93	13.10	13.28
5.0	12.60	12.63	12.68	12.73	12.78	12.84	12.91	12.97	13.13	13.31	13.52
5.5	12.74	12.77	12.83	12.88	12.94	13.01	13.08	13.15	13.32	13.53	13.75
6.0	12.88	12.92	12.97	13.04	13.10	13.17	13.25	13.33	13.52	13.74	13.99
6.5	13.02	13.06	13.12	13.19	13.26	13.34	13.42	13.51	13.72	13.96	14.23
7.0	13.17	13.21	13.28	13.35	13.43	13.51	13.60	13.70	13.92	14.18	14.47
7.5	13.31	13.36	13.43	13.51	13.59	13.68	13.78	13.88	14.12	14.40	14.71
8.0	13.46	13.50	13.58	13.67	13.75	13.85	13.96	14.07	14.32	14.62	14.96
8.5	13.60	13.65	13.73	13.82	13.92	14.02	14.13	14.25	14.52	14.85	15.21
9.0	13.75	13.80	13.89	13.99	14.09	14.20	14.32	14.44	14.73	15.07	15.46
9.5	13.90	13.95	14.05	14.15	14.25	14.37	14.50	14.63	14.94	15.30	15.71
10.0	14.04	14.10	14.20	14.31	14.42	14.55	14.68	14.82	15.15	15.53	15.96
11.0	14.34	14.41	14.52	14.64	14.77	14.90	15.05	15.21	15.57	16.00	16.47
12.0	14.65	14.72	14.84	14.98	15.11	15.27	15.43	15.60	16.00	16.47	16.99
13.0	14.96	15.04	15.17	15.31	15.47	15.63	15.81	16.00	16.44	16.95	17.52
14.0	15.27	15.36	15.50	15.66	15.83	16.01	16.20	16.41	16.88	17.44	18.06
15.0	15.59	15.68	15.84	16.01	16.19	16.39	16.60	16.82	17.33	17.94	18.61
16.0	15.91	16.01	16.18	16.36	16.56	16.77	17.00	17.24	17.79	18.45	19.17
17.0	16.24	16.35	16.53	16.72	16.93	17.16	17.40	17.67	18.26	18.96	19.73
18.0	16.57	16.68	16.88	17.09	17.31	17.56	17.82	18.10	18.73	19.48	20.31
19.0	16.90	17.03	17.24	17.46	17.70	17.96	18.24	18.54	19.22	20.02	20.90
20.0	17.25	17.38	17.60	17.84	18.10	18.37	18.67	18.99	19.71	20.56	21.50
21.0	17.59	17.73	17.97	18.23	18.50	18.79	19.11	19.45	20.21	21.12	22.11
22.0	17.94	18.10	18.35	18.62	18.90	19.22	19.55	19.91	20.72	21.68	22.73
23.0	18.30	18.46	18.73	19.01	19.32	19.65	20.00	20.39	21.24	22.25	23.36
24.0	18.67	18.84	19.12	19.42	19.74	20.09	20.46	20.87	21.77	22.84	24.01
25.0	19.04	19.21	19.51	19.83	20.17	20.54	20.93	21.36	22.31	23.44	24.67
26.0	19.41	19.60	19.91	20.25	20.61	20.99	21.41	21.86	22.86	24.05	25.34
27.0	19.80	19.99	20.32	20.67	21.05	21.46	21.90	22.37	23.43	24.67	26.02
28.0	20.19	20.39	20.74	21.11	21.51	21.93	22.39	22.89	24.00	25.31	26.72
29.0	20.58	20.80	21.16	21.55	21.97	22.42	22.90	23.42	24.59	25.95	27.44
30.0	20.98	21.21	21.59	22.00	22.44	22.91	23.42	23.96	25.18	26.62	28.17
31.0	21.40	21.63	22.03	22.46	22.92	23.41	23.94	24.52	25.80	27.29	28.92
32.0	21.81	22.06	22.48	22.93	23.41	23.93	24.48	25.08	26.42	27.99	29.68
33.0	22.24	22.50	22.94	23.41	23.91	24.45	25.03	25.66	27.06	28.69	30.46
34.0	22.67	22.95	23.40	23.89	24.42	24.99	25.59	26.25	27.71	29.42	31.26
35.0	23.12	23.40	23.88	24.39	24.94	25.53	26.17	26.85	28.38	30.16	32.08
36.0	23.57	23.87	24.36	24.90	25.47	26.09	26.76	27.47	29.06	30.92	32.92
37.0	24.03	24.34	24.86	25.42	26.02	26.66	27.36	28.10	29.76	31.70	33.77
38.0	24.50	24.82	25.37	25.95	26.57	27.25	27.97	28.75	30.48	32.50	34.65
39.0	24.98	25.32	25.88	26.49	27.14	27.85	28.60	29.41	31.22	33.31	35.56
40.0	25.47	25.82	26.41	27.05	27.73	28.46	29.24	30.09	31.97	34.15	36.48
41.0	25.97	26.34	26.95	27.61	28.32	29.09	29.90	30.78	32.75	35.01	37.43
42.0	26.48	26.86	27.51	28.20	28.93	29.73	30.58	31.50	33.54	35.90	38.41
43.0	27.01	27.40	28.07	28.79	29.56	30.39	31.28	32.23	34.36	36.81	39.41
44.0	27.54	27.96	28.65	29.40	30.20	31.07	31.99	32.98	35.20	37.74	40.45
45.0	28.09	28.52	29.25	30.03	30.86	31.76	32.72	33.76	36.06	38.71	41.51
46.0	28.65	29.10	29.86	30.67	31.54	32.47	33.48	34.55	36.95	39.70	42.60
47.0	29.23	29.70	30.48	31.33	32.23	33.21	34.25	35.37	37.86	40.72	43.73
48.0	29.82	30.31	31.12	32.00	32.95	33.96	35.05	36.22	38.81	41.77	44.89
49.0	30.43	30.93	31.78	32.70	33.68	34.74	35.87	37.08	39.78	42.86	46.09
50.0	31.05	31.58	32.46	33.42	34.44	35.54	36.72	37.98	40.78	43.98	47.33
	PERCENTAGE OF LOAN AMOUNT LEFT UNPAID AT DUE DATE										
	100.0	95.00	86.99	78.99	70.98	62.98	54.97	46.97	30.96	14.95	.00

DISCOUNT %	MONTHLY PAYBACK RATE (%) (MONTHLY PAYMENT DIVIDED BY LOAN AMOUNT)										
	.94	1.00	1.10	1.20	1.30	1.40	1.50	1.60	1.70	1.80	1.92
1.0	11.48	11.49	11.50	11.51	11.52	11.53	11.55	11.56	11.58	11.60	11.62
2.0	11.71	11.73	11.75	11.77	11.79	11.82	11.85	11.88	11.91	11.95	12.01
3.0	11.95	11.97	12.00	12.03	12.07	12.11	12.15	12.20	12.25	12.31	12.39
4.0	12.19	12.22	12.26	12.30	12.35	12.40	12.46	12.53	12.60	12.68	12.78
5.0	12.44	12.47	12.52	12.57	12.63	12.70	12.78	12.86	12.95	13.05	13.18
6.0	12.68	12.72	12.78	12.85	12.92	13.01	13.10	13.20	13.30	13.42	13.59
7.0	12.93	12.98	13.05	13.13	13.22	13.31	13.42	13.54	13.67	13.81	14.00
8.0	13.19	13.24	13.32	13.41	13.51	13.63	13.75	13.88	14.03	14.20	14.41
9.0	13.44	13.50	13.60	13.70	13.82	13.94	14.08	14.23	14.40	14.59	14.84
10.0	13.70	13.77	13.88	13.99	14.12	14.27	14.42	14.59	14.78	14.99	15.27
11.0	13.97	14.04	14.16	14.29	14.43	14.59	14.76	14.96	15.17	15.40	15.71
12.0	14.23	14.31	14.45	14.59	14.75	14.92	15.11	15.32	15.56	15.81	16.15
13.0	14.51	14.59	14.74	14.90	15.07	15.26	15.47	15.70	15.95	16.23	16.60
14.0	14.78	14.88	15.03	15.21	15.40	15.60	15.83	16.08	16.36	16.66	17.06
15.0	15.06	15.16	15.33	15.52	15.73	15.95	16.20	16.47	16.77	17.10	17.53
16.0	15.34	15.46	15.64	15.84	16.06	16.31	16.57	16.86	17.19	17.54	18.01
17.0	15.63	15.75	15.95	16.17	16.41	16.67	16.95	17.26	17.61	17.99	18.49
18.0	15.93	16.05	16.27	16.50	16.75	17.03	17.34	17.67	18.04	18.45	18.99
19.0	16.22	16.36	16.59	16.84	17.11	17.41	17.73	18.09	18.48	18.92	19.49
20.0	16.52	16.67	16.91	17.17	17.47	17.78	18.13	18.51	18.93	19.39	20.00
21.0	16.83	16.98	17.24	17.53	17.83	18.17	18.54	18.94	19.39	19.88	20.52
22.0	17.14	17.31	17.58	17.88	18.20	18.56	18.95	19.38	19.86	20.37	21.05
23.0	17.46	17.63	17.92	18.24	18.58	18.96	19.38	19.83	20.33	20.88	21.59
24.0	17.78	17.96	18.27	18.61	18.97	19.37	19.81	20.29	20.81	21.39	22.15
25.0	18.11	18.30	18.63	18.98	19.36	19.79	20.25	20.75	21.31	21.92	22.71
26.0	18.44	18.65	18.99	19.36	19.76	20.21	20.69	21.23	21.81	22.45	23.29
27.0	18.78	18.99	19.35	19.75	20.17	20.64	21.15	21.71	22.33	23.00	23.87
28.0	19.13	19.35	19.73	20.14	20.59	21.08	21.62	22.21	22.85	23.56	24.47
29.0	19.48	19.71	20.11	20.55	21.01	21.53	22.09	22.71	23.39	24.13	25.08
30.0	19.84	20.08	20.50	20.96	21.45	21.99	22.58	23.23	23.93	24.71	25.71
31.0	20.20	20.46	20.90	21.37	21.89	22.46	23.08	23.75	24.49	25.30	26.35
32.0	20.58	20.84	21.30	21.80	22.34	22.94	23.58	24.29	25.07	25.91	27.00
33.0	20.95	21.24	21.71	22.24	22.80	23.43	24.10	24.84	25.65	26.54	27.67
34.0	21.34	21.64	22.14	22.68	23.28	23.93	24.63	25.41	26.25	27.17	28.36
35.0	21.74	22.04	22.57	23.14	23.76	24.44	25.18	25.98	26.87	27.83	29.06
36.0	22.14	22.46	23.01	23.60	24.25	24.96	25.73	26.57	27.49	28.50	29.78
37.0	22.55	22.89	23.46	24.08	24.76	25.50	26.30	27.18	28.14	29.18	30.51
38.0	22.97	23.32	23.92	24.57	25.27	26.04	26.88	27.80	28.80	29.88	31.27
39.0	23.40	23.77	24.39	25.07	25.80	26.61	27.48	28.44	29.47	30.60	32.04
40.0	23.84	24.22	24.87	25.58	26.34	27.18	28.09	29.09	30.17	31.34	32.84
41.0	24.29	24.69	25.36	26.10	26.90	27.77	28.72	29.76	30.88	32.10	33.65
42.0	24.75	25.16	25.87	26.63	27.47	28.38	29.37	30.45	31.62	32.88	34.49
43.0	25.22	25.65	26.38	27.18	28.05	29.00	30.03	31.15	32.37	33.69	35.35
44.0	25.70	26.15	26.91	27.75	28.65	29.64	30.71	31.88	33.14	34.51	36.24
45.0	26.19	26.66	27.46	28.33	29.27	30.30	31.41	32.63	33.94	35.36	37.15
46.0	26.70	27.19	28.02	28.92	29.90	30.97	32.14	33.40	34.76	36.24	38.09
47.0	27.22	27.73	28.59	29.53	30.56	31.67	32.88	34.19	35.61	37.14	39.06
48.0	27.75	28.28	29.18	30.16	31.23	32.39	33.65	35.01	36.48	38.07	40.06
49.0	28.30	28.85	29.79	30.81	31.92	33.13	34.44	35.85	37.39	39.03	41.10
50.0	28.86	29.43	30.41	31.48	32.63	33.89	35.25	36.73	38.32	40.02	42.16
51.0	29.44	30.04	31.05	32.16	33.37	34.68	36.09	37.63	39.28	41.05	43.26
52.0	30.04	30.66	31.72	32.87	34.13	35.49	36.97	38.56	40.28	42.11	44.40
53.0	30.65	31.30	32.40	33.61	34.91	36.33	37.87	39.52	41.31	43.21	45.58
54.0	31.28	31.96	33.11	34.36	35.72	37.20	38.80	40.52	42.38	44.35	46.81
55.0	31.93	32.64	33.84	35.15	36.56	38.11	39.77	41.56	43.48	45.53	48.08
56.0	32.61	33.34	34.59	35.96	37.44	39.04	40.77	42.64	44.64	46.76	49.40
57.0	33.31	34.07	35.38	36.80	38.34	40.01	41.82	43.76	45.83	48.04	50.77
58.0	34.03	34.82	36.19	37.67	39.28	41.02	42.90	44.92	47.08	49.37	52.24
59.0	34.77	35.61	37.03	38.58	40.26	42.08	44.03	46.14	48.38	50.76	53.68
60.0	35.55	36.42	37.90	39.52	41.27	43.17	45.21	47.40	49.74	52.20	55.23
▽Φ	PERCENTAGE OF LOAN AMOUNT LEFT UNPAID AT DUE DATE										
	100.0	93.61	83.40	73.18	62.96	52.75	42.53	32.31	22.09	11.88	.00

DISCOUNT %	MONTHLY PAYBACK RATE (%) (MONTHLY PAYMENT DIVIDED BY LOAN AMOUNT)										
	.94	.95	1.00	1.05	1.10	1.20	1.30	1.40	1.50	1.60	1.73
1.0	11.46	11.46	11.46	11.47	11.47	11.49	11.50	11.52	11.53	11.55	11.58
2.0	11.67	11.67	11.68	11.69	11.70	11.73	11.75	11.79	11.82	11.86	11.91
3.0	11.88	11.89	11.90	11.92	11.93	11.97	12.01	12.06	12.11	12.17	12.25
4.0	12.10	12.10	12.13	12.15	12.17	12.22	12.27	12.34	12.40	12.48	12.60
5.0	12.32	12.33	12.35	12.38	12.41	12.47	12.54	12.62	12.70	12.80	12.95
6.0	12.54	12.55	12.58	12.61	12.65	12.73	12.81	12.90	13.01	13.13	13.30
7.0	12.77	12.78	12.81	12.85	12.89	12.98	13.08	13.19	13.32	13.46	13.66
8.0	12.99	13.01	13.05	13.09	13.14	13.25	13.36	13.49	13.63	13.79	14.03
9.0	13.23	13.24	13.29	13.34	13.39	13.51	13.51	13.79	13.95	14.13	14.40
10.0	13.46	13.48	13.53	13.59	13.65	13.78	13.93	14.09	14.27	14.48	14.78
11.0	13.70	13.72	13.78	13.84	13.91	14.06	14.22	14.40	14.60	14.83	15.16
12.0	13.94	13.96	14.03	14.10	14.17	14.33	14.51	14.71	14.94	15.19	15.55
13.0	14.19	14.21	14.28	14.36	14.44	14.62	14.62	15.03	15.28	15.55	15.95
14.0	14.44	14.46	14.54	14.62	14.71	14.91	15.12	15.36	15.62	15.92	16.35
15.0	14.69	14.71	14.80	14.89	14.99	15.20	15.43	15.69	15.97	16.30	16.76
16.0	14.95	14.97	15.07	15.16	15.27	15.49	15.74	16.02	16.33	16.68	17.18
17.0	15.21	15.24	15.34	15.44	15.55	15.80	16.06	16.36	16.70	17.07	17.61
18.0	15.47	15.50	15.61	15.72	15.84	16.10	16.39	16.71	17.07	17.47	18.04
19.0	15.74	15.77	15.89	16.01	16.14	16.42	16.72	17.06	17.44	17.87	18.48
20.0	16.02	16.05	16.17	16.30	16.44	16.73	17.06	17.42	17.83	18.28	18.93
21.0	16.30	16.33	16.46	16.60	16.74	17.06	17.40	17.79	18.22	18.70	19.39
22.0	16.58	16.62	16.76	16.90	17.05	17.39	17.75	18.16	18.62	19.13	19.86
23.0	16.87	16.91	17.05	17.21	17.37	17.72	18.11	18.54	19.03	19.57	20.33
24.0	17.16	17.20	17.36	17.52	17.69	18.06	18.47	18.93	19.44	20.01	20.82
25.0	17.46	17.50	17.67	17.84	18.02	18.41	18.84	19.33	19.87	20.46	21.32
26.0	17.76	17.81	17.98	18.16	18.35	18.77	19.22	19.73	20.30	20.93	21.82
27.0	18.07	18.12	18.30	18.49	18.69	19.13	19.61	20.14	20.74	21.40	22.34
28.0	18.39	18.44	18.63	18.83	19.04	19.50	20.00	20.57	21.19	21.88	22.87
29.0	18.71	18.76	18.96	19.17	19.39	19.88	20.40	20.99	21.65	22.38	23.41
30.0	19.04	19.09	19.30	19.52	19.75	20.26	20.81	21.43	22.12	22.88	23.96
31.0	19.37	19.42	19.65	19.88	20.12	20.65	21.23	21.88	22.60	23.40	24.52
32.0	19.71	19.77	20.00	20.24	20.50	21.05	21.66	22.34	23.09	23.92	25.10
33.0	20.06	20.12	20.36	20.61	20.88	21.46	22.10	22.81	23.59	24.46	25.69
34.0	20.41	20.47	20.73	20.99	21.28	21.88	22.55	23.29	24.11	25.02	26.29
35.0	20.77	20.84	21.10	21.38	21.68	22.31	23.01	23.78	24.64	25.58	26.91
36.0	21.14	21.21	21.49	21.78	22.09	22.75	23.48	24.28	25.18	26.16	27.54
37.0	21.52	21.59	21.88	22.18	22.51	23.20	23.96	24.80	25.73	26.76	28.19
38.0	21.90	21.98	22.28	22.60	22.93	23.66	24.45	25.33	26.30	27.37	28.86
39.0	22.30	22.38	22.69	23.02	23.37	24.13	24.95	25.87	26.88	27.99	29.54
40.0	22.70	22.78	23.11	23.46	23.82	24.61	25.47	26.43	27.48	28.63	30.24
41.0	23.12	23.20	23.55	23.91	24.29	25.10	26.00	27.00	28.09	29.29	30.96
42.0	23.54	23.63	23.99	24.36	24.76	25.61	26.55	27.58	28.72	29.97	31.70
43.0	23.97	24.07	24.44	24.83	25.24	26.13	27.11	28.19	29.37	30.67	32.47
44.0	24.42	24.51	24.90	25.31	25.74	26.67	27.68	28.81	30.04	31.39	33.25
45.0	24.87	24.97	25.38	25.81	26.25	27.22	28.28	29.44	30.72	32.13	34.06
46.0	25.34	25.45	25.87	26.31	26.78	27.78	28.89	30.10	31.43	32.89	34.89
47.0	25.82	25.93	26.37	26.83	27.32	28.37	29.51	30.78	32.16	33.67	35.75
48.0	26.32	26.43	26.89	27.37	27.88	28.97	30.16	31.48	32.92	34.48	36.63
49.0	26.82	26.94	27.42	27.92	28.45	29.59	30.83	32.20	33.69	35.32	37.55
50.0	27.35	27.47	27.97	28.49	29.04	30.22	31.52	32.94	34.50	36.18	38.49
51.0	27.89	28.01	28.54	29.08	29.65	30.88	32.23	33.71	35.33	37.08	39.47
52.0	28.44	28.58	29.12	29.68	30.28	31.56	32.97	34.51	36.19	38.00	40.48
53.0	29.01	29.15	29.72	30.31	30.93	32.27	33.73	35.33	37.08	38.96	41.52
54.0	29.61	29.75	30.34	30.96	31.60	33.00	34.52	36.19	38.00	39.96	42.61
55.0	30.22	30.37	30.98	31.62	32.30	33.75	35.34	37.08	38.96	40.99	43.74
56.0	30.85	31.01	31.65	32.32	33.02	34.54	36.19	38.00	39.96	42.06	44.91
57.0	31.50	31.67	32.34	33.03	33.77	35.35	37.07	38.96	40.99	43.18	46.12
58.0	32.18	32.35	33.05	33.78	34.55	36.20	37.99	39.95	42.07	44.34	47.39
59.0	32.88	33.06	33.79	34.55	35.36	37.08	38.95	40.99	43.20	45.55	48.71
60.0	33.61	33.80	34.56	35.36	36.20	37.99	39.95	42.08	44.37	46.82	50.09
⟗	PERCENTAGE OF LOAN AMOUNT LEFT UNPAID AT DUE DATE										
	100.0	98.41	92.07	85.72	79.38	66.68	53.99	41.30	28.61	15.92	.00

DISCOUNT %	MONTHLY PAYBACK RATE (%) (MONTHLY PAYMENT DIVIDED BY LOAN AMOUNT)										
	.94	.95	1.00	1.05	1.10	1.15	1.20	1.30	1.40	1.50	1.58
1.0	11.44	11.44	11.45	11.45	11.46	11.46	11.47	11.49	11.51	11.53	11.54
2.0	11.63	11.64	11.65	11.66	11.67	11.68	11.70	11.73	11.76	11.80	11.84
3.0	11.83	11.84	11.85	11.87	11.89	11.91	11.93	11.97	12.03	12.09	12.15
4.0	12.03	12.04	12.06	12.08	12.11	12.13	12.16	12.22	12.29	12.38	12.45
5.0	12.23	12.24	12.27	12.30	12.33	12.36	12.40	12.47	12.57	12.67	12.77
6.0	12.44	12.45	12.48	12.51	12.55	12.59	12.64	12.73	12.84	12.96	13.08
7.0	12.64	12.65	12.70	12.74	12.78	12.83	12.88	12.99	13.12	13.27	13.41
8.0	12.85	12.87	12.91	12.96	13.01	13.07	13.13	13.26	13.40	13.57	13.73
9.0	13.07	13.08	13.13	13.19	13.25	13.31	13.38	13.52	13.69	13.88	14.07
10.0	13.28	13.30	13.36	13.42	13.49	13.56	13.63	13.80	13.99	14.20	14.41
11.0	13.50	13.52	13.59	13.66	13.73	13.81	13.89	14.07	14.28	14.52	14.75
12.0	13.73	13.75	13.82	13.90	13.98	14.06	14.16	14.36	14.59	14.85	15.10
13.0	13.95	13.98	14.06	14.14	14.23	14.32	14.42	14.64	14.89	15.18	15.46
14.0	14.18	14.21	14.29	14.38	14.48	14.58	14.70	14.93	15.21	15.52	15.82
15.0	14.42	14.44	14.54	14.64	14.74	14.85	14.97	15.23	15.53	15.86	16.19
16.0	14.66	14.68	14.78	14.89	15.00	15.12	15.25	15.53	15.85	16.22	16.56
17.0	14.90	14.93	15.03	15.15	15.27	15.40	15.54	15.84	16.18	16.57	16.94
18.0	15.14	15.17	15.29	15.41	15.54	15.68	15.83	16.15	16.52	16.94	17.33
19.0	15.39	15.42	15.55	15.68	15.82	15.97	16.13	16.47	16.86	17.31	17.73
20.0	15.65	15.68	15.81	15.95	16.10	16.26	16.43	16.79	17.21	17.68	18.13
21.0	15.90	15.94	16.08	16.23	16.39	16.56	16.74	17.12	17.57	18.07	18.54
22.0	16.17	16.20	16.35	16.51	16.68	16.86	17.05	17.46	17.93	18.46	18.96
23.0	16.43	16.47	16.63	16.80	16.98	17.17	17.37	17.80	18.30	18.86	19.39
24.0	16.71	16.75	16.92	17.09	17.28	17.48	17.69	18.15	18.68	19.27	19.83
25.0	16.98	17.03	17.20	17.39	17.59	17.80	18.02	18.51	19.06	19.68	20.27
26.0	17.26	17.31	17.50	17.69	17.90	18.13	18.36	18.87	19.45	20.11	20.73
27.0	17.55	17.60	17.80	18.00	18.22	18.46	18.71	19.25	19.86	20.54	21.19
28.0	17.84	17.90	18.10	18.32	18.55	18.80	19.06	19.62	20.27	20.99	21.67
29.0	18.14	18.20	18.41	18.64	18.89	19.14	19.42	20.01	20.68	21.44	22.15
30.0	18.45	18.50	18.73	18.97	19.23	19.50	19.79	20.41	21.11	21.90	22.65
31.0	18.76	18.82	19.06	19.31	19.58	19.86	20.16	20.81	21.55	22.38	23.15
32.0	19.07	19.14	19.39	19.65	19.93	20.23	20.54	21.23	22.00	22.86	23.67
33.0	19.40	19.46	19.73	20.00	20.30	20.61	20.94	21.65	22.46	23.36	24.20
34.0	19.73	19.80	20.07	20.36	20.67	20.99	21.34	22.08	22.93	23.87	24.75
35.0	20.07	20.14	20.43	20.73	21.05	21.39	21.75	22.53	23.41	24.39	25.30
36.0	20.41	20.49	20.79	21.10	21.44	21.79	22.17	22.98	23.90	24.92	25.87
37.0	20.76	20.84	21.16	21.49	21.84	22.21	22.60	23.45	24.40	25.47	26.46
38.0	21.13	21.21	21.53	21.88	22.24	22.63	23.04	23.93	24.92	26.03	27.06
39.0	21.50	21.58	21.92	22.28	22.66	23.07	23.49	24.42	25.46	26.61	27.67
40.0	21.87	21.96	22.32	22.69	23.09	23.51	23.96	24.92	26.00	27.20	28.31
41.0	22.26	22.35	22.73	23.12	23.53	23.97	24.44	25.44	26.56	27.81	28.96
42.0	22.66	22.76	23.14	23.55	23.98	24.44	24.93	25.97	27.14	28.43	29.62
43.0	23.07	23.17	23.57	24.00	24.45	24.92	25.43	26.52	27.73	29.08	30.31
44.0	23.49	23.59	24.01	24.46	24.93	25.42	25.95	27.08	28.34	29.74	31.02
45.0	23.92	24.02	24.46	24.93	25.42	25.93	26.48	27.66	28.97	30.42	31.75
46.0	24.36	24.47	24.93	25.41	25.92	26.46	27.03	28.26	29.62	31.12	32.50
47.0	24.81	24.93	25.41	25.91	26.44	27.00	27.59	28.87	30.29	31.85	33.27
48.0	25.28	25.40	25.90	26.42	26.98	27.56	28.18	29.51	30.98	32.60	34.07
49.0	25.76	25.89	26.41	26.95	27.53	28.14	28.78	30.16	31.69	33.37	34.90
50.0	26.26	26.39	26.93	27.50	28.10	28.73	29.40	30.84	32.43	34.17	35.75
52.0	27.29	27.44	28.02	28.64	29.29	29.98	30.71	32.27	33.98	35.86	37.55
54.0	28.40	28.56	29.20	29.87	30.58	31.32	32.11	33.80	35.65	37.67	39.48
56.0	29.59	29.76	30.45	31.18	31.95	32.76	33.62	35.45	37.45	39.62	41.56
58.0	30.86	31.05	31.80	32.60	33.44	34.32	35.25	37.24	39.40	41.73	43.82
60.0	32.24	32.44	33.27	34.14	35.05	36.02	37.03	39.18	41.53	44.04	46.27
62.0	33.73	33.96	34.86	35.81	36.81	37.86	38.97	41.31	43.85	46.56	48.95
64.0	35.37	35.61	36.60	37.65	38.74	39.89	41.10	43.65	46.41	49.33	51.90
66.0	37.16	37.43	38.52	39.67	40.87	42.14	43.46	46.25	49.24	52.40	55.17
68.0	39.15	39.45	40.65	41.92	43.25	44.64	46.09	49.14	52.40	55.82	58.81
70.0	41.37	41.70	43.04	44.44	45.92	47.45	49.05	52.41	55.96	59.68	62.90

	PERCENTAGE OF LOAN AMOUNT LEFT UNPAID AT DUE DATE										
	100.0	98.07	90.34	82.61	74.88	67.15	59.42	43.96	28.50	13.04	.00

DISCOUNT %	MONTHLY PAYBACK RATE (%) (MONTHLY PAYMENT DIVIDED BY LOAN AMOUNT)										
	.94	.95	1.00	1.05	1.10	1.15	1.20	1.25	1.30	1.40	1.48
1.0	11.43	11.43	11.44	11.44	11.45	11.45	11.46	11.47	11.48	11.50	11.52
2.0	11.61	11.61	11.62	11.63	11.65	11.66	11.68	11.70	11.71	11.75	11.79
3.0	11.79	11.80	11.81	11.83	11.85	11.87	11.90	11.92	11.95	12.01	12.06
4.0	11.98	11.98	12.01	12.03	12.06	12.09	12.12	12.15	12.19	12.27	12.34
5.0	12.17	12.17	12.20	12.23	12.27	12.31	12.35	12.39	12.43	12.54	12.63
6.0	12.36	12.37	12.40	12.44	12.48	12.53	12.58	12.63	12.68	12.81	12.92
7.0	12.55	12.56	12.61	12.65	12.70	12.75	12.81	12.87	12.93	13.08	13.21
8.0	12.75	12.76	12.81	12.86	12.92	12.98	13.05	13.12	13.19	13.36	13.51
9.0	12.95	12.96	13.02	13.08	13.14	13.21	13.29	13.37	13.45	13.64	13.81
10.0	13.15	13.17	13.23	13.30	13.37	13.45	13.53	13.62	13.71	13.93	14.12
11.0	13.36	13.37	13.44	13.52	13.60	13.69	13.78	13.88	13.98	14.22	14.43
12.0	13.56	13.58	13.66	13.74	13.83	13.93	14.03	14.14	14.26	14.52	14.75
13.0	13.78	13.80	13.88	13.97	14.07	14.18	14.29	14.41	14.53	14.82	15.08
14.0	13.99	14.02	14.11	14.21	14.31	14.43	14.55	14.68	14.82	15.13	15.41
15.0	14.21	14.24	14.34	14.44	14.56	14.68	14.81	14.96	15.11	15.45	15.74
16.0	14.43	14.46	14.57	14.69	14.81	14.94	15.09	15.24	15.40	15.77	16.08
17.0	14.66	14.69	14.81	14.93	15.06	15.21	15.36	15.52	15.70	16.11	16.43
18.0	14.89	14.92	15.05	15.18	15.32	15.48	15.64	15.82	16.00	16.42	16.79
19.0	15.12	15.16	15.29	15.43	15.59	15.75	15.93	16.11	16.31	16.75	17.15
20.0	15.36	15.40	15.54	15.69	15.86	16.03	16.22	16.41	16.63	17.10	17.52
21.0	15.61	15.64	15.80	15.96	16.13	16.31	16.51	16.72	16.95	17.45	17.89
22.0	15.85	15.89	16.05	16.22	16.41	16.60	16.81	17.04	17.28	17.81	18.27
23.0	16.10	16.15	16.32	16.50	16.69	16.90	17.12	17.36	17.61	18.18	18.66
24.0	16.36	16.40	16.58	16.78	16.98	17.20	17.44	17.69	17.95	18.55	19.06
25.0	16.62	16.67	16.86	17.06	17.28	17.51	17.76	18.02	18.30	18.93	19.47
26.0	16.89	16.94	17.14	17.35	17.58	17.82	18.08	18.36	18.66	19.32	19.88
27.0	17.16	17.21	17.42	17.64	17.88	18.14	18.42	18.71	19.02	19.71	20.31
28.0	17.43	17.49	17.71	17.95	18.20	18.47	18.76	19.06	19.39	20.12	20.74
29.0	17.71	17.77	18.01	18.25	18.52	18.80	19.10	19.43	19.77	20.53	21.18
30.0	18.00	18.06	18.31	18.57	18.85	19.14	19.46	19.80	20.16	20.95	21.64
31.0	18.30	18.36	18.62	18.89	19.18	19.49	19.82	20.18	20.55	21.39	22.10
32.0	18.59	18.66	18.93	19.22	19.52	19.85	20.20	20.57	20.96	21.83	22.57
33.0	18.90	18.97	19.25	19.55	19.87	20.21	20.58	20.96	21.37	22.28	23.06
34.0	19.21	19.29	19.58	19.90	20.23	20.59	20.97	21.37	21.80	22.75	23.55
35.0	19.53	19.61	19.92	20.25	20.60	20.97	21.37	21.79	22.24	23.22	24.06
36.0	19.86	19.94	20.26	20.61	20.97	21.36	21.78	22.22	22.68	23.71	24.59
37.0	20.20	20.28	20.62	20.97	21.36	21.76	22.20	22.66	23.14	24.21	25.12
38.0	20.54	20.63	20.98	21.35	21.75	22.17	22.63	23.11	23.61	24.73	25.67
39.0	20.89	20.98	21.35	21.74	22.15	22.60	23.07	23.57	24.10	25.26	26.23
40.0	21.25	21.35	21.73	22.14	22.57	23.03	23.52	24.04	24.59	25.80	26.81
41.0	21.62	21.72	22.12	22.54	23.00	23.48	23.99	24.53	25.10	26.36	27.41
42.0	22.00	22.10	22.52	22.96	23.43	23.93	24.47	25.03	25.63	26.93	28.02
43.0	22.39	22.50	22.93	23.39	23.88	24.40	24.96	25.55	26.17	27.52	28.65
44.0	22.79	22.90	23.35	23.83	24.35	24.89	25.47	26.08	26.72	28.13	29.30
45.0	23.20	23.32	23.79	24.29	24.82	25.39	25.99	26.62	27.29	28.75	29.97
46.0	23.62	23.74	24.24	24.76	25.31	25.90	26.53	27.19	27.88	29.40	30.66
47.0	24.06	24.18	24.70	25.24	25.82	26.43	27.08	27.77	28.49	30.06	31.37
48.0	24.50	24.64	25.17	25.74	26.34	26.98	27.66	28.37	29.12	30.75	32.10
49.0	24.97	25.10	25.66	26.25	26.88	27.54	28.25	28.99	29.77	31.46	32.86
50.0	25.44	25.58	26.17	26.78	27.44	28.13	28.86	29.63	30.45	32.20	33.65
52.0	26.44	26.60	27.23	27.90	28.61	29.36	30.15	30.99	31.86	33.75	35.30
54.0	27.51	27.68	28.37	29.09	29.86	30.68	31.54	32.44	33.39	35.41	37.07
56.0	28.66	28.84	29.59	30.38	31.22	32.10	33.04	34.01	35.03	37.21	38.99
58.0	29.90	30.10	30.91	31.77	32.68	33.65	34.66	35.71	36.82	39.17	41.07
60.0	31.24	31.45	32.35	33.29	34.28	35.32	36.42	37.57	38.76	41.29	43.33
62.0	32.70	32.94	33.91	34.94	36.02	37.16	38.36	39.60	40.89	43.62	45.81
64.0	34.30	34.56	35.63	36.76	37.94	39.19	40.49	41.84	43.24	46.18	48.53
66.0	36.07	36.35	37.53	38.77	40.07	41.43	42.86	44.33	45.85	49.03	51.55
68.0	38.03	38.35	39.65	41.02	42.45	43.94	45.50	47.11	48.76	52.20	54.92
70.0	40.24	40.59	42.04	43.55	45.13	46.78	48.48	50.24	52.04	55.78	58.72

	PERCENTAGE OF LOAN AMOUNT LEFT UNPAID AT DUE DATE										
◁Φ▷	100.0	97.68	88.40	79.13	69.85	60.57	51.29	42.02	32.74	14.18	.00

DISCOUNT %	MONTHLY PAYBACK RATE (%) (MONTHLY PAYMENT DIVIDED BY LOAN AMOUNT)										
	.94	.95	1.00	1.05	1.10	1.15	1.20	1.25	1.30	1.35	1.39
1.0	11.42	11.42	11.43	11.43	11.44	11.45	11.46	11.47	11.47	11.49	11.49
2.0	11.59	11.59	11.60	11.62	11.63	11.65	11.67	11.68	11.70	11.73	11.74
3.0	11.76	11.77	11.79	11.80	11.83	11.85	11.88	11.91	11.93	11.97	12.00
4.0	11.94	11.94	11.97	11.99	12.02	12.06	12.09	12.13	12.17	12.22	12.26
5.0	12.11	12.12	12.15	12.19	12.23	12.27	12.31	12.36	12.41	12.47	12.52
6.0	12.29	12.30	12.34	12.38	12.43	12.48	12.53	12.59	12.65	12.72	12.78
7.0	12.48	12.49	12.54	12.58	12.64	12.70	12.76	12.83	12.90	12.98	13.05
8.0	12.66	12.68	12.73	12.79	12.85	12.92	12.99	13.07	13.15	13.25	13.33
9.0	12.85	12.87	12.93	12.99	13.06	13.14	13.22	13.31	13.41	13.51	13.61
10.0	13.04	13.06	13.13	13.20	13.28	13.37	13.46	13.56	13.67	13.79	13.89
11.0	13.24	13.26	13.33	13.41	13.50	13.60	13.70	13.81	13.93	14.06	14.18
12.0	13.44	13.46	13.54	13.63	13.73	13.83	13.95	14.07	14.20	14.35	14.48
13.0	13.64	13.66	13.75	13.85	13.96	14.07	14.19	14.33	14.47	14.63	14.77
14.0	13.84	13.87	13.97	14.07	14.19	14.31	14.45	14.59	14.75	14.92	15.08
15.0	14.05	14.08	14.18	14.30	14.42	14.56	14.71	14.86	15.03	15.22	15.39
16.0	14.26	14.29	14.41	14.53	14.67	14.81	14.97	15.14	15.32	15.52	15.70
17.0	14.47	14.51	14.63	14.77	14.91	15.07	15.24	15.42	15.62	15.83	16.02
18.0	14.69	14.73	14.86	15.00	15.16	15.33	15.51	15.71	15.91	16.15	16.35
19.0	14.92	14.95	15.10	15.25	15.41	15.59	15.79	16.00	16.22	16.47	16.68
20.0	15.14	15.18	15.33	15.50	15.67	15.86	16.07	16.29	16.53	16.79	17.02
21.0	15.37	15.41	15.58	15.75	15.94	16.14	16.36	16.59	16.85	17.12	17.37
22.0	15.61	15.65	15.82	16.01	16.21	16.42	16.65	16.90	17.17	17.46	17.72
23.0	15.85	15.89	16.07	16.27	16.48	16.71	16.95	17.22	17.50	17.81	18.08
24.0	16.09	16.14	16.33	16.54	16.76	17.00	17.26	17.54	17.84	18.16	18.45
25.0	16.34	16.39	16.59	16.81	17.05	17.30	17.57	17.87	18.18	18.52	18.83
26.0	16.59	16.64	16.86	17.09	17.34	17.60	17.89	18.20	18.53	18.89	19.21
27.0	16.85	16.90	17.13	17.37	17.63	17.92	18.22	18.54	18.89	19.27	19.60
28.0	17.11	17.17	17.41	17.66	17.94	18.23	18.55	18.89	19.26	19.65	20.00
29.0	17.38	17.44	17.69	17.96	18.25	18.56	18.89	19.25	19.63	20.05	20.41
30.0	17.66	17.72	17.98	18.26	18.57	18.89	19.24	19.62	20.02	20.45	20.83
31.0	17.94	18.00	18.28	18.57	18.89	19.23	19.60	19.99	20.41	20.86	21.26
32.0	18.22	18.29	18.58	18.89	19.22	19.58	19.96	20.37	20.81	21.28	21.70
33.0	18.52	18.59	18.89	19.22	19.56	19.94	20.34	20.76	21.22	21.71	22.15
34.0	18.82	18.89	19.21	19.55	19.91	20.30	20.72	21.17	21.64	22.16	22.61
35.0	19.12	19.20	19.54	19.89	20.27	20.67	21.11	21.58	22.07	22.61	23.08
36.0	19.44	19.52	19.87	20.24	20.63	21.06	21.51	22.00	22.52	23.07	23.56
37.0	19.76	19.85	20.21	20.59	21.01	21.45	21.93	22.43	22.97	23.55	24.06
38.0	20.09	20.18	20.56	20.96	21.39	21.86	22.35	22.88	23.44	24.04	24.57
39.0	20.43	20.52	20.92	21.34	21.79	22.27	22.79	23.34	23.92	24.54	25.09
40.0	20.77	20.87	21.28	21.72	22.19	22.69	23.23	23.80	24.41	25.06	25.63
41.0	21.13	21.23	21.66	22.12	22.61	23.13	23.69	24.29	24.92	25.59	26.18
42.0	21.49	21.60	22.05	22.53	23.04	23.58	24.17	24.78	25.44	26.14	26.75
43.0	21.87	21.98	22.45	22.95	23.48	24.05	24.65	25.30	25.98	26.70	27.33
44.0	22.25	22.37	22.86	23.38	23.93	24.52	25.15	25.82	26.53	27.28	27.94
45.0	22.65	22.77	23.28	23.82	24.40	25.01	25.67	26.37	27.10	27.88	28.56
46.0	23.06	23.19	23.72	24.28	24.88	25.52	26.20	26.93	27.69	28.49	29.20
47.0	23.48	23.61	24.17	24.75	25.38	26.04	26.75	27.50	28.29	29.13	29.86
48.0	23.91	24.05	24.63	25.24	25.89	26.58	27.32	28.10	28.92	29.79	30.54
49.0	24.36	24.51	25.11	25.74	26.42	27.14	27.91	28.72	29.57	30.47	31.25
50.0	24.82	24.98	25.60	26.26	26.97	27.72	28.52	29.36	30.24	31.17	31.98
52.0	25.80	25.96	26.64	27.36	28.13	28.94	29.80	30.71	31.65	32.65	33.51
54.0	26.84	27.02	27.76	28.54	29.37	30.25	31.18	32.16	33.18	34.25	35.17
56.0	27.96	28.16	28.96	29.81	30.71	31.67	32.67	33.73	34.82	35.97	36.96
58.0	29.17	29.39	30.26	31.19	32.17	33.20	34.29	35.43	36.61	37.84	38.89
60.0	30.49	30.72	31.68	32.69	33.76	34.88	36.06	37.29	38.56	39.88	41.01
62.0	31.93	32.19	33.23	34.33	35.50	36.72	38.00	39.32	40.69	42.11	43.32
64.0	33.52	33.79	34.94	36.15	37.42	38.75	40.14	41.57	43.05	44.58	45.87
66.0	35.27	35.58	36.84	38.16	39.55	41.00	42.51	44.07	45.67	47.31	48.70
68.0	37.23	37.57	38.96	40.42	41.94	43.53	45.17	46.86	48.59	50.36	51.86
70.0	39.44	39.81	41.35	42.96	44.64	46.38	48.18	50.01	51.89	53.81	55.42
	PERCENTAGE OF LOAN AMOUNT LEFT UNPAID AT DUE DATE										
	100.0	97.25	86.24	75.23	64.22	53.21	42.20	31.20	20.19	9.18	.00

DISCOUNT %	MONTHLY PAYBACK RATE (%) (MONTHLY PAYMENT DIVIDED BY LOAN AMOUNT)										
	1.25	1.50	1.75	2.00	2.25	2.50	2.75	3.00	3.25	3.50	4.00
1.0	11.46	11.52	11.59	11.65	11.71	11.76	11.82	11.88	11.94	12.00	12.11
2.0	11.67	11.80	11.93	12.05	12.17	12.29	12.40	12.52	12.64	12.75	12.98
3.0	11.89	12.08	12.27	12.45	12.64	12.82	12.99	13.17	13.35	13.52	13.87
4.0	12.11	12.37	12.62	12.87	13.11	13.35	13.59	13.83	14.07	14.30	14.77
5.0	12.33	12.66	12.98	13.29	13.59	13.90	14.20	14.50	14.80	15.09	15.68
6.0	12.56	12.96	13.34	13.71	14.08	14.45	14.82	15.18	15.54	15.89	16.60
7.0	12.79	13.25	13.70	14.15	14.58	15.01	15.44	15.87	16.29	16.71	17.54
8.0	13.03	13.56	14.08	14.58	15.09	15.58	16.08	16.57	17.05	17.54	18.50
9.0	13.26	13.87	14.46	15.03	15.60	16.16	16.72	17.28	17.83	18.38	19.47
10.0	13.51	14.18	14.84	15.48	16.12	16.75	17.38	18.00	18.62	19.23	20.45
11.0	13.75	14.50	15.23	15.94	16.65	17.35	18.04	18.73	19.42	20.10	21.45
12.0	14.00	14.83	15.63	16.41	17.19	17.96	18.72	19.48	20.23	20.98	22.47
13.0	14.26	15.16	16.03	16.89	17.74	18.58	19.41	20.24	21.06	21.88	23.50
14.0	14.52	15.50	16.44	17.37	18.29	19.20	20.11	21.01	21.90	22.79	24.55
15.0	14.79	15.84	16.86	17.87	18.86	19.84	20.82	21.79	22.76	23.72	25.62
16.0	15.06	16.19	17.29	18.37	19.44	20.49	21.55	22.59	23.63	24.66	26.71
17.0	15.33	16.55	17.72	18.88	20.02	21.16	22.28	23.40	24.51	25.62	27.81
18.0	15.61	16.91	18.16	19.40	20.62	21.83	23.03	24.23	25.41	26.59	28.94
19.0	15.90	17.28	18.61	19.93	21.23	22.52	23.80	25.07	26.33	27.59	30.09
20.0	16.19	17.65	19.07	20.47	21.85	23.21	24.57	25.92	27.26	28.60	31.25
21.0	16.49	18.03	19.54	21.01	22.48	23.92	25.36	26.79	28.22	29.63	32.44
22.0	16.79	18.43	20.01	21.57	23.12	24.65	26.17	27.68	29.19	30.68	33.65
23.0	17.10	18.82	20.50	22.14	23.77	25.39	26.99	28.59	30.17	31.75	34.88
24.0	17.42	19.23	20.99	22.73	24.44	26.14	27.83	29.51	31.18	32.84	36.14
25.0	17.74	19.65	21.50	23.32	25.12	26.91	28.69	30.45	32.21	33.95	37.42
26.0	18.07	20.07	22.01	23.92	25.82	27.69	29.56	31.41	33.25	35.09	38.73
27.0	18.41	20.50	22.54	24.54	26.52	28.49	30.45	32.39	34.32	36.24	40.06
28.0	18.75	20.94	23.07	25.17	27.25	29.31	31.35	33.39	35.41	37.43	41.43
29.0	19.11	21.40	23.62	25.82	27.99	30.14	32.28	34.41	36.53	38.63	42.82
30.0	19.47	21.86	24.18	26.47	28.74	30.99	33.23	35.45	37.66	39.86	44.24
31.0	19.84	22.33	24.76	27.15	29.51	31.86	34.20	36.52	38.82	41.12	45.69
32.0	20.21	22.81	25.34	27.84	30.30	32.75	35.18	37.61	40.01	42.41	47.17
33.0	20.60	23.31	25.94	28.54	31.11	33.66	36.20	38.72	41.23	43.72	48.68
34.0	21.00	23.82	26.56	29.26	31.94	34.59	37.23	39.86	42.47	45.07	50.24
35.0	21.41	24.34	27.19	30.00	32.78	35.54	38.29	41.02	43.74	46.44	51.82
36.0	21.83	24.87	27.83	30.75	33.65	36.52	39.37	42.22	45.04	47.85	53.45
37.0	22.26	25.41	28.49	31.53	34.53	37.52	40.48	43.44	46.37	49.30	55.11
38.0	22.70	25.98	29.17	32.32	35.44	38.54	41.62	44.69	47.74	50.78	56.82
39.0	23.15	26.55	29.87	33.13	36.37	39.59	42.79	45.97	49.14	52.29	58.56
40.0	23.62	27.14	30.58	33.97	37.33	40.67	43.99	47.29	50.58	53.85	60.36
41.0	24.10	27.75	31.31	34.83	38.31	41.77	45.22	48.64	52.05	55.44	62.19
42.0	24.59	28.37	32.07	35.71	39.32	42.91	46.48	50.03	53.56	57.08	64.08
43.0	25.10	29.02	32.84	36.62	40.36	44.08	47.77	51.46	55.12	58.77	66.02
44.0	25.63	29.68	33.64	37.55	41.42	45.28	49.11	52.92	56.72	60.50	68.02
45.0	26.17	30.36	34.46	38.51	42.52	46.51	50.48	54.43	58.36	62.28	70.07
46.0	26.72	31.06	35.30	39.50	43.65	47.78	51.89	55.98	60.05	64.11	72.18
47.0	27.30	31.79	36.18	40.51	44.81	49.09	53.34	57.58	61.79	65.99	74.35
48.0	27.90	32.54	37.08	41.56	46.01	50.44	54.84	59.23	63.59	67.94	76.59
49.0	28.51	33.31	38.00	42.65	47.25	51.83	56.39	60.92	65.44	69.94	78.90
50.0	29.15	34.11	38.96	43.77	48.53	53.27	57.98	62.68	67.35	72.01	81.28
51.0	29.81	34.94	39.96	44.92	49.85	54.75	59.63	64.49	69.33	74.15	83.74
52.0	30.50	35.79	40.98	46.12	51.22	56.29	61.33	66.36	71.37	76.36	86.29
53.0	31.21	36.68	42.05	47.36	52.63	57.88	63.10	68.30	73.48	78.64	88.92
54.0	31.95	37.60	43.15	48.64	54.10	59.52	64.92	70.30	75.66	81.01	91.64
55.0	32.72	38.56	44.30	49.98	55.62	61.23	66.82	72.38	77.93	83.46	94.46
56.0	33.52	39.56	45.49	51.36	57.20	63.00	68.78	74.54	80.28	86.00	97.39
57.0	34.36	40.59	46.72	52.80	58.83	64.84	70.82	76.78	82.72	88.64	100.43
58.0	35.23	41.67	48.01	54.30	60.54	66.75	72.94	79.11	85.26	91.39	103.59
59.0	36.14	42.80	49.36	55.86	62.32	68.75	75.15	81.54	87.90	94.24	106.88
60.0	37.09	43.98	50.76	57.48	64.17	70.82	77.45	84.06	90.65	97.22	110.31
⊅⊅ NUMBER OF MONTHLY PAYMENTS NEEDED TO PAY OFF LOAN											
	148.6	105.1	82.2	67.8	57.8	50.4	44.7	40.2	36.5	33.4	28.6

DISCOUNT %	MONTHLY PAYBACK RATE (%) (MONTHLY PAYMENT DIVIDED BY LOAN AMOUNT)										
	.96	1.00	1.50	2.00	3.00	4.00	5.00	6.00	7.00	8.00	8.86
.5	12.03	12.03	12.05	12.07	12.10	12.14	12.19	12.24	12.30	12.38	12.45
1.0	12.57	12.57	12.60	12.64	12.71	12.79	12.88	12.99	13.11	13.26	13.41
1.5	13.11	13.11	13.16	13.21	13.32	13.44	13.58	13.74	13.93	14.15	14.38
2.0	13.65	13.66	13.72	13.78	13.93	14.09	14.28	14.50	14.75	15.05	15.35
2.5	14.20	14.20	14.28	14.36	14.55	14.75	14.99	15.26	15.57	15.95	16.33
3.0	14.74	14.75	14.85	14.95	15.17	15.41	15.70	16.02	16.41	16.86	17.32
3.5	15.30	15.31	15.42	15.53	15.79	16.08	16.41	16.80	17.25	17.77	18.31
4.0	15.85	15.86	15.99	16.12	16.42	16.75	17.13	17.57	18.09	18.70	19.32
4.5	16.41	16.42	16.57	16.72	17.05	17.43	17.86	18.36	18.94	19.63	20.33
5.0	16.97	16.98	17.14	17.31	17.69	18.11	18.59	19.15	19.80	20.56	21.34
5.5	17.54	17.55	17.73	17.92	18.33	18.79	19.33	19.94	20.66	21.51	22.37
6.0	18.10	18.12	18.31	18.52	18.97	19.48	20.07	20.74	21.53	22.46	23.40
6.5	18.68	18.69	18.90	19.13	19.62	20.18	20.81	21.55	22.41	23.42	24.45
7.0	19.25	19.27	19.50	19.74	20.27	20.87	21.56	22.36	23.29	24.38	25.50
7.5	19.83	19.85	20.10	20.36	20.93	21.58	22.32	23.18	24.18	25.36	26.55
8.0	20.41	20.43	20.70	20.98	21.59	22.29	23.08	24.00	25.07	26.34	27.62
8.5	21.00	21.02	21.30	21.60	22.26	23.00	23.85	24.83	25.98	27.33	28.70
9.0	21.59	21.61	21.91	22.23	22.93	23.72	24.62	25.67	26.89	28.32	29.78
9.5	22.18	22.21	22.52	22.86	23.60	24.44	25.40	26.51	27.80	29.33	30.87
10.0	22.78	22.80	23.14	23.50	24.28	25.17	26.19	27.36	28.73	30.34	31.97
10.5	23.38	23.41	23.76	24.14	24.96	25.90	26.98	28.21	29.66	31.36	33.09
11.0	23.98	24.01	24.39	24.78	25.65	26.64	27.77	29.08	30.60	32.39	34.21
11.5	24.59	24.62	25.01	25.43	26.35	27.38	28.57	29.95	31.54	33.43	35.33
12.0	25.20	25.23	25.65	26.08	27.04	28.13	29.38	30.82	32.50	34.47	36.47
12.5	25.82	25.85	26.28	26.74	27.75	28.89	30.19	31.70	33.46	35.53	37.62
13.0	26.44	26.47	26.92	27.40	28.45	29.65	31.01	32.59	34.43	36.59	38.78
13.5	27.06	27.10	27.57	28.07	29.17	30.41	31.84	33.49	35.41	37.66	39.95
14.0	27.69	27.73	28.22	28.74	29.89	31.18	32.67	34.39	36.39	38.75	41.13
14.5	28.32	28.36	28.87	29.42	30.61	31.96	33.51	35.30	37.39	39.84	42.31
15.0	28.95	29.00	29.53	30.10	31.34	32.74	34.36	36.22	38.39	40.94	43.51
15.5	29.60	29.64	30.19	30.78	32.07	33.53	35.21	37.14	39.40	42.05	44.72
16.0	30.24	30.29	30.86	31.47	32.81	34.33	36.07	38.08	40.42	43.17	45.94
16.5	30.89	30.94	31.53	32.17	33.55	35.13	36.93	39.02	41.44	44.29	47.17
17.0	31.54	31.59	32.21	32.87	34.30	35.94	37.81	39.97	42.48	45.43	48.41
17.5	32.20	32.25	32.89	33.57	35.06	36.75	38.69	40.92	43.53	46.58	49.67
18.0	32.86	32.92	33.58	34.28	35.82	37.57	39.57	41.89	44.58	47.74	50.93
18.5	33.53	33.58	34.27	34.99	36.58	38.39	40.47	42.86	45.64	48.91	52.21
19.0	34.20	34.26	34.96	35.71	37.36	39.23	41.37	43.84	46.72	50.09	53.49
19.5	34.88	34.94	35.66	36.44	38.13	40.07	42.28	44.83	47.80	51.28	54.79
20.0	35.56	35.62	36.37	37.17	38.92	40.91	43.19	45.83	48.89	52.49	56.10
20.5	36.24	36.31	37.08	37.90	39.71	41.76	44.12	46.83	49.99	53.70	57.43
21.0	36.93	37.00	37.80	38.64	40.51	42.62	45.05	47.85	51.10	54.92	58.76
21.5	37.63	37.70	38.52	39.39	41.31	43.49	45.99	48.87	52.23	56.16	60.11
22.0	38.33	38.40	39.25	40.14	42.12	44.36	46.94	49.90	53.36	57.41	61.48
22.5	39.04	39.11	39.98	40.90	42.93	45.24	47.89	50.95	54.50	58.67	62.85
23.0	39.75	39.82	40.71	41.67	43.75	46.13	48.86	52.00	55.66	59.94	64.24
23.5	40.46	40.54	41.46	42.44	44.58	47.03	49.83	53.06	56.82	61.22	65.64
24.0	41.18	41.26	42.21	43.21	45.42	47.93	50.81	54.13	58.00	62.52	67.06
24.5	41.91	41.99	42.96	43.99	46.26	48.84	51.80	55.21	59.18	63.83	68.49
25.0	42.64	42.72	43.72	44.78	47.11	49.76	52.80	56.30	60.38	65.15	69.93
25.5	43.38	43.46	44.49	45.58	47.96	50.69	53.81	57.41	61.59	66.49	71.39
26.0	44.12	44.21	45.26	46.38	48.83	51.62	54.82	58.52	62.81	67.84	72.87
26.5	44.87	44.96	46.04	47.18	49.70	52.56	55.85	59.64	64.05	69.20	74.36
27.0	45.63	45.72	46.82	48.00	50.58	53.51	56.88	60.77	65.29	70.58	75.86
27.5	46.39	46.48	47.61	48.82	51.46	54.47	57.93	61.92	66.55	71.97	77.38
28.0	47.16	47.25	48.41	49.64	52.35	55.44	58.98	63.07	67.82	73.37	78.92
28.5	47.93	48.02	49.21	50.48	53.25	56.42	60.05	64.24	69.11	74.79	80.47
29.0	48.71	48.81	50.02	51.32	54.16	57.41	61.13	65.42	70.41	76.23	82.04
29.5	49.49	49.59	50.84	52.16	55.08	58.40	62.21	66.61	71.72	77.68	83.63
30.0	50.28	50.39	51.66	53.02	56.00	59.41	63.31	67.81	73.04	79.14	85.23
▽φ	PERCENTAGE OF LOAN AMOUNT LEFT UNPAID AT DUE DATE										
	100.0	99.47	93.15	86.82	74.17	61.51	48.86	36.21	23.55	10.90	.00

252

DISCOUNT %	MONTHLY PAYBACK RATE (%) (MONTHLY PAYMENT DIVIDED BY LOAN AMOUNT)										
	.96	1.00	1.25	1.50	1.75	2.00	2.50	3.00	3.50	4.00	4.68
.5	11.78	11.78	11.79	11.80	11.81	11.82	11.84	11.87	11.90	11.94	12.00
1.0	12.06	12.07	12.09	12.10	12.12	12.15	12.19	12.25	12.31	12.38	12.51
1.5	12.35	12.35	12.38	12.41	12.44	12.47	12.54	12.62	12.72	12.83	13.02
2.0	12.64	12.64	12.68	12.72	12.76	12.80	12.89	13.00	13.13	13.28	13.54
2.5	12.92	12.93	12.98	13.02	13.07	13.13	13.25	13.38	13.54	13.74	14.06
3.0	13.21	13.22	13.28	13.33	13.39	13.46	13.60	13.77	13.96	14.19	14.58
3.5	13.51	13.52	13.58	13.65	13.72	13.79	13.96	14.16	14.38	14.65	15.11
4.0	13.80	13.81	13.88	13.96	14.04	14.13	14.32	14.55	14.81	15.11	15.64
4.5	14.09	14.11	14.19	14.28	14.37	14.47	14.68	14.94	15.23	15.58	16.18
5.0	14.39	14.41	14.50	14.59	14.70	14.81	15.05	15.33	15.66	16.05	16.71
5.5	14.69	14.71	14.81	14.91	15.03	15.15	15.42	15.73	16.09	16.52	17.26
6.0	14.99	15.01	15.12	15.24	15.36	15.49	15.79	16.13	16.53	17.00	17.80
6.5	15.29	15.31	15.43	15.56	15.70	15.84	16.16	16.53	16.97	17.48	18.36
7.0	15.60	15.62	15.75	15.89	16.03	16.19	16.54	16.94	17.41	17.97	18.91
7.5	15.90	15.92	16.06	16.21	16.37	16.54	16.92	17.35	17.86	18.45	19.47
8.0	16.21	16.23	16.38	16.54	16.71	16.89	17.30	17.76	18.30	18.95	20.04
8.5	16.52	16.55	16.71	16.87	17.06	17.25	17.68	18.18	18.76	19.44	20.60
9.0	16.83	16.86	17.03	17.21	17.40	17.61	18.06	18.59	19.21	19.94	21.18
9.5	17.14	17.17	17.35	17.55	17.75	17.97	18.45	19.01	19.67	20.44	21.75
10.0	17.46	17.49	17.68	17.88	18.10	18.33	18.84	19.44	20.13	20.95	22.34
10.5	17.78	17.81	18.01	18.22	18.45	18.70	19.24	19.87	20.60	21.46	22.92
11.0	18.10	18.13	18.34	18.57	18.81	19.07	19.64	20.30	21.07	21.97	23.51
11.5	18.42	18.45	18.68	18.91	19.17	19.44	20.04	20.73	21.54	22.49	24.11
12.0	18.74	18.78	19.01	19.26	19.53	19.81	20.44	21.17	22.01	23.02	24.71
12.5	19.07	19.11	19.35	19.61	19.89	20.19	20.84	21.61	22.49	23.54	25.32
13.0	19.39	19.43	19.69	19.96	20.25	20.56	21.25	22.05	22.98	24.08	25.93
13.5	19.72	19.77	20.03	20.32	20.62	20.94	21.66	22.50	23.47	24.61	26.55
14.0	20.05	20.10	20.38	20.67	20.99	21.33	22.08	22.95	23.96	25.15	27.17
14.5	20.39	20.44	20.73	21.03	21.36	21.72	22.50	23.40	24.45	25.70	27.79
15.0	20.72	20.77	21.08	21.40	21.74	22.10	22.92	23.86	24.95	26.25	28.43
15.5	21.06	21.11	21.43	21.76	22.12	22.50	23.34	24.32	25.46	26.80	29.06
16.0	21.40	21.46	21.78	22.13	22.50	22.89	23.77	24.78	25.96	27.36	29.71
16.5	21.75	21.80	22.14	22.50	22.88	23.29	24.20	25.25	26.48	27.92	30.36
17.0	22.09	22.15	22.50	22.87	23.27	23.69	24.63	25.72	26.99	28.49	31.01
17.5	22.44	22.50	22.86	23.25	23.66	24.10	25.07	26.20	27.51	29.06	31.67
18.0	22.79	22.85	23.22	23.62	24.05	24.50	25.51	26.68	28.04	29.64	32.34
18.5	23.14	23.20	23.59	24.00	24.44	24.91	25.95	27.16	28.57	30.22	33.01
19.0	23.50	23.56	23.96	24.39	24.84	25.33	26.40	27.65	29.10	30.81	33.69
19.5	23.85	23.92	24.33	24.77	25.24	25.74	26.85	28.14	29.64	31.40	34.37
20.0	24.21	24.28	24.71	25.16	25.64	26.16	27.31	28.64	30.18	32.00	35.06
21.0	24.94	25.01	25.47	25.95	26.46	27.01	28.23	29.64	31.28	33.22	36.46
22.0	25.68	25.76	26.24	26.75	27.29	27.87	29.17	30.66	32.40	34.45	37.89
23.0	26.43	26.51	27.02	27.56	28.13	28.75	30.12	31.70	33.54	35.71	39.34
24.0	27.19	27.28	27.81	28.38	28.99	29.64	31.09	32.76	34.71	37.00	40.82
25.0	27.96	28.05	28.62	29.22	29.86	30.54	32.07	33.83	35.89	38.30	42.33
26.0	28.74	28.84	29.43	30.07	30.74	31.47	33.07	34.93	37.10	39.64	43.87
27.0	29.54	29.64	30.26	30.93	31.64	32.40	34.09	36.05	38.33	41.00	45.44
28.0	30.35	30.45	31.11	31.81	32.55	33.35	35.13	37.19	39.58	42.38	47.05
29.0	31.17	31.28	31.97	32.70	33.48	34.32	36.19	38.35	40.86	43.80	48.69
30.0	32.00	32.12	32.84	33.61	34.43	35.31	37.27	39.53	42.16	45.24	50.36
31.0	32.85	32.97	33.73	34.53	35.39	36.31	38.36	40.73	43.49	46.72	52.07
32.0	33.71	33.84	34.63	35.47	36.37	37.34	39.48	41.96	44.85	48.23	53.82
33.0	34.59	34.72	35.55	36.43	37.37	38.38	40.62	43.22	46.24	49.77	55.60
34.0	35.48	35.62	36.48	37.40	38.39	39.44	41.79	44.50	47.66	51.35	57.43
35.0	36.39	36.53	37.43	38.39	39.42	40.52	42.97	45.81	49.11	52.96	59.30
36.0	37.31	37.46	38.40	39.40	40.48	41.63	44.19	47.15	50.59	54.61	61.22
37.0	38.25	38.41	39.39	40.43	41.55	42.75	45.43	48.52	52.11	56.30	63.18
38.0	39.21	39.37	40.39	41.48	42.65	43.90	46.69	49.91	53.66	58.03	65.19
39.0	40.18	40.35	41.42	42.56	43.77	45.08	47.98	51.34	55.25	59.80	67.25
40.0	41.18	41.35	42.46	43.65	44.92	46.28	49.30	52.81	56.88	61.61	69.36
PERCENTAGE OF LOAN AMOUNT LEFT UNPAID AT DUE DATE											
	100.0	98.88	92.17	85.46	78.75	72.04	58.62	45.20	31.78	18.36	.00

DISCOUNT %	MONTHLY PAYBACK RATE (%) (MONTHLY PAYMENT DIVIDED BY LOAN AMOUNT)										
	.96	1.00	1.25	1.50	1.75	2.00	2.25	2.50	2.75	3.00	3.30
.5	11.70	11.70	11.71	11.72	11.73	11.75	11.76	11.78	11.80	11.82	11.85
1.0	11.90	11.90	11.92	11.94	11.97	11.99	12.02	12.06	12.09	12.14	12.20
1.5	12.10	12.10	12.13	12.17	12.20	12.24	12.29	12.34	12.39	12.46	12.55
2.0	12.30	12.31	12.35	12.39	12.44	12.49	12.55	12.62	12.70	12.78	12.91
2.5	12.50	12.51	12.56	12.62	12.68	12.74	12.82	12.90	13.00	13.11	13.26
3.0	12.71	12.72	12.78	12.84	12.92	13.00	13.09	13.19	13.31	13.44	13.63
3.5	12.91	12.92	12.99	13.07	13.16	13.25	13.36	13.48	13.61	13.77	13.99
4.0	13.12	13.13	13.21	13.30	13.40	13.51	13.63	13.77	13.93	14.10	14.35
4.5	13.33	13.34	13.43	13.53	13.64	13.77	13.91	14.06	14.24	14.44	14.72
5.0	13.54	13.55	13.65	13.77	13.89	14.03	14.18	14.36	14.55	14.78	15.09
5.5	13.75	13.77	13.88	14.00	14.14	14.29	14.46	14.65	14.87	15.12	15.47
6.0	13.96	13.98	14.10	14.24	14.39	14.55	14.74	14.95	15.19	15.46	15.85
6.5	14.17	14.19	14.33	14.47	14.64	14.82	15.02	15.25	15.51	15.81	16.23
7.0	14.39	14.41	14.55	14.71	14.89	15.09	15.31	15.56	15.84	16.16	16.61
7.5	14.60	14.63	14.78	14.95	15.14	15.36	15.59	15.86	16.16	16.51	16.99
8.0	14.82	14.85	15.01	15.20	15.40	15.63	15.88	16.17	16.49	16.87	17.38
8.5	15.04	15.07	15.24	15.44	15.66	15.90	16.17	16.48	16.83	17.22	17.77
9.0	15.26	15.29	15.48	15.69	15.92	16.18	16.47	16.79	17.16	17.58	18.17
9.5	15.48	15.51	15.71	15.93	16.18	16.45	16.76	17.11	17.50	17.95	18.57
10.0	15.70	15.73	15.95	16.18	16.44	16.73	17.06	17.42	17.84	18.31	18.97
11.0	16.15	16.19	16.42	16.69	16.98	17.30	17.66	18.07	18.53	19.05	19.78
12.0	16.61	16.65	16.91	17.20	17.52	17.87	18.27	18.72	19.22	19.80	20.61
13.0	17.07	17.11	17.40	17.71	18.06	18.45	18.89	19.38	19.93	20.57	21.44
14.0	17.53	17.58	17.89	18.24	18.62	19.04	19.52	20.05	20.66	21.34	22.30
15.0	18.01	18.06	18.40	18.77	19.18	19.64	20.16	20.73	21.39	22.13	23.16
16.0	18.49	18.55	18.91	19.31	19.76	20.25	20.81	21.43	22.13	22.94	24.05
17.0	18.97	19.04	19.43	19.86	20.34	20.87	21.46	22.13	22.89	23.75	24.94
18.0	19.47	19.53	19.95	20.41	20.93	21.50	22.14	22.85	23.66	24.59	25.86
19.0	19.97	20.04	20.49	20.98	21.53	22.14	22.82	23.58	24.45	25.43	26.79
20.0	20.48	20.55	21.03	21.55	22.14	22.78	23.51	24.33	25.25	26.29	27.73
21.0	20.99	21.07	21.58	22.14	22.75	23.44	24.22	25.08	26.06	27.17	28.70
22.0	21.52	21.60	22.14	22.73	23.38	24.12	24.93	25.85	26.89	28.07	29.68
23.0	22.05	22.14	22.70	23.33	24.02	24.80	25.66	26.64	27.73	28.98	30.68
24.0	22.59	22.68	23.28	23.94	24.67	25.49	26.41	27.43	28.59	29.90	31.70
25.0	23.13	23.23	23.86	24.56	25.34	26.20	27.16	28.25	29.47	30.85	32.74
26.0	23.69	23.79	24.46	25.19	26.01	26.92	27.94	29.08	30.36	31.82	33.80
27.0	24.25	24.36	25.06	25.84	26.70	27.65	28.72	29.92	31.27	32.80	34.89
28.0	24.83	24.94	25.68	26.49	27.39	28.40	29.52	30.78	32.20	33.81	35.99
29.0	25.41	25.53	26.30	27.16	28.10	29.16	30.34	31.66	33.15	34.83	37.12
30.0	26.01	26.13	26.94	27.84	28.83	29.93	31.17	32.56	34.12	35.88	38.27
31.0	26.61	26.74	27.59	28.53	29.57	30.72	32.02	33.47	35.11	36.95	39.45
32.0	27.22	27.36	28.25	29.23	30.32	31.53	32.89	34.41	36.12	38.04	40.66
33.0	27.85	27.99	28.92	29.95	31.08	32.35	33.77	35.36	37.15	39.16	41.89
34.0	28.48	28.64	29.60	30.68	31.87	33.19	34.68	36.34	38.21	40.30	43.15
35.0	29.13	29.29	30.30	31.42	32.66	34.05	35.60	37.34	39.29	41.47	44.44
36.0	29.79	29.96	31.01	32.18	33.48	34.93	36.54	38.36	40.39	42.67	45.76
37.0	30.46	30.63	31.74	32.96	34.31	35.82	37.51	39.40	41.52	43.90	47.11
38.0	31.14	31.33	32.47	33.75	35.16	36.74	38.50	40.47	42.68	45.16	48.49
39.0	31.84	32.03	33.23	34.55	36.03	37.67	39.51	41.56	43.87	46.44	49.91
40.0	32.55	32.75	34.00	35.38	36.92	38.63	40.54	42.69	45.08	47.77	51.37
41.0	33.28	33.48	34.78	36.22	37.82	39.61	41.60	43.84	46.33	49.12	52.86
42.0	34.02	34.23	35.59	37.09	38.75	40.61	42.69	45.01	47.61	50.51	54.40
43.0	34.78	35.00	36.41	37.97	39.71	41.64	43.81	46.22	48.93	51.94	55.97
44.0	35.55	35.78	37.24	38.87	40.68	42.70	44.95	47.47	50.28	53.41	57.59
45.0	36.34	36.58	38.10	39.79	41.68	43.78	46.12	48.74	51.67	54.92	59.26
46.0	37.14	37.39	38.98	40.74	42.70	44.89	47.33	50.06	53.10	56.48	60.98
47.0	37.97	38.23	39.88	41.71	43.75	46.03	48.57	51.41	54.57	58.08	62.74
48.0	38.81	39.08	40.80	42.71	44.83	47.20	49.84	52.79	56.08	59.73	64.56
49.0	39.68	39.96	41.74	43.73	45.94	48.40	51.16	54.23	57.64	61.43	66.44
50.0	40.56	40.85	42.71	44.78	47.08	49.64	52.51	55.70	59.25	63.18	68.38
▽φ	PERCENTAGE OF LOAN AMOUNT LEFT UNPAID AT DUE DATE										
	100.0	98.22	87.53	76.84	66.16	55.47	44.78	34.10	23.41	12.72	.00

DISCOUNT %	MONTHLY PAYBACK RATE (%) (MONTHLY PAYMENT DIVIDED BY LOAN AMOUNT)										
	.96	1.00	1.10	1.20	1.40	1.60	1.80	2.00	2.20	2.40	2.61
.5	11.66	11.66	11.66	11.67	11.68	11.69	11.70	11.71	11.73	11.75	11.77
1.0	11.81	11.82	11.83	11.84	11.85	11.88	11.90	11.93	11.96	11.99	12.04
1.5	11.97	11.98	11.99	12.00	12.03	12.07	12.10	12.14	12.19	12.24	12.31
2.0	12.13	12.14	12.16	12.17	12.21	12.26	12.30	12.36	12.42	12.49	12.58
2.5	12.29	12.30	12.32	12.35	12.39	12.45	12.51	12.58	12.66	12.75	12.86
3.0	12.46	12.47	12.49	12.52	12.58	12.64	12.71	12.80	12.89	13.00	13.14
3.5	12.62	12.63	12.66	12.69	12.76	12.84	12.92	13.02	13.13	13.26	13.42
4.0	12.78	12.80	12.83	12.87	12.94	13.03	13.13	13.24	13.37	13.52	13.70
4.5	12.95	12.96	13.00	13.04	13.13	13.23	13.34	13.47	13.61	13.78	13.98
5.0	13.11	13.13	13.17	13.22	13.32	13.43	13.55	13.69	13.85	14.04	14.27
5.5	13.28	13.30	13.35	13.40	13.51	13.63	13.76	13.92	14.10	14.31	14.56
6.0	13.45	13.47	13.52	13.58	13.70	13.83	13.98	14.15	14.35	14.57	14.85
6.5	13.62	13.64	13.70	13.76	13.89	14.03	14.20	14.38	14.59	14.84	15.14
7.0	13.79	13.81	13.87	13.94	14.08	14.24	14.41	14.62	14.84	15.11	15.44
7.5	13.96	13.98	14.05	14.12	14.27	14.44	14.63	14.85	15.10	15.39	15.73
8.0	14.13	14.16	14.23	14.30	14.47	14.65	14.85	15.09	15.35	15.66	16.03
8.5	14.30	14.33	14.41	14.49	14.66	14.86	15.08	15.33	15.61	15.94	16.34
9.0	14.48	14.51	14.59	14.68	14.86	15.07	15.30	15.57	15.87	16.22	16.64
9.5	14.65	14.69	14.77	14.86	15.06	15.28	15.53	15.81	16.13	16.50	16.95
10.0	14.83	14.87	14.96	15.05	15.26	15.49	15.75	16.05	16.39	16.78	17.26
11.0	15.19	15.23	15.33	15.43	15.66	15.92	16.21	16.54	16.92	17.36	17.88
12.0	15.55	15.59	15.70	15.82	16.08	16.36	16.68	17.05	17.46	17.94	18.52
13.0	15.91	15.96	16.08	16.21	16.49	16.80	17.15	17.55	18.01	18.53	19.17
14.0	16.29	16.34	16.47	16.61	16.92	17.26	17.64	18.07	18.56	19.13	19.82
15.0	16.66	16.72	16.86	17.02	17.34	17.71	18.13	18.60	19.13	19.75	20.49
16.0	17.04	17.11	17.26	17.43	17.78	18.18	18.62	19.13	19.71	20.37	21.17
17.0	17.43	17.50	17.67	17.84	18.22	18.65	19.13	19.67	20.29	21.01	21.86
18.0	17.82	17.90	18.07	18.26	18.67	19.13	19.64	20.23	20.89	21.65	22.57
19.0	18.22	18.30	18.49	18.69	19.13	19.62	20.17	20.79	21.50	22.31	23.29
20.0	18.63	18.71	18.91	19.13	19.59	20.11	20.70	21.36	22.11	22.98	24.02
21.0	19.04	19.13	19.34	19.57	20.06	20.62	21.24	21.94	22.74	23.65	24.76
22.0	19.46	19.55	19.78	20.02	20.54	21.13	21.79	22.54	23.38	24.35	25.52
23.0	19.88	19.98	20.22	20.48	21.03	21.65	22.35	23.14	24.04	25.06	26.29
24.0	20.31	20.41	20.67	20.94	21.53	22.18	22.92	23.75	24.70	25.78	27.08
25.0	20.75	20.86	21.13	21.41	22.03	22.72	23.50	24.38	25.38	26.52	27.88
26.0	21.19	21.31	21.59	21.89	22.54	23.27	24.09	25.02	26.07	27.27	28.70
27.0	21.65	21.77	22.06	22.38	23.06	23.83	24.69	25.67	26.77	28.04	29.54
28.0	22.10	22.23	22.54	22.88	23.59	24.40	25.31	26.33	27.49	28.82	30.39
29.0	22.57	22.70	23.03	23.38	24.14	24.98	25.94	27.01	28.23	29.61	31.26
30.0	23.05	23.19	23.53	23.90	24.69	25.58	26.57	27.70	28.98	30.43	32.15
31.0	23.53	23.68	24.04	24.42	25.25	26.18	27.23	28.41	29.74	31.26	33.06
32.0	24.02	24.18	24.55	24.96	25.82	26.80	27.89	29.13	30.53	32.11	33.99
33.0	24.53	24.68	25.08	25.50	26.41	27.43	28.57	29.87	31.33	32.98	34.95
34.0	25.04	25.20	25.62	26.05	27.01	28.07	29.27	30.62	32.15	33.87	35.92
35.0	25.56	25.73	26.16	26.62	27.61	28.73	29.98	31.39	32.98	34.79	36.92
36.0	26.09	26.27	26.72	27.20	28.24	29.40	30.70	32.18	33.84	35.72	37.94
37.0	26.63	26.82	27.29	27.79	28.87	30.08	31.45	32.99	34.72	36.67	38.98
38.0	27.18	27.38	27.87	28.39	29.52	30.78	32.21	33.81	35.62	37.65	40.05
39.0	27.74	27.95	28.46	29.00	30.18	31.50	32.98	34.66	36.54	38.66	41.15
40.0	28.32	28.53	29.06	29.63	30.86	32.24	33.78	35.52	37.48	39.69	42.28
41.0	28.90	29.13	29.68	30.27	31.55	32.99	34.60	36.41	38.45	40.75	43.43
42.0	29.50	29.73	30.31	30.93	32.26	33.76	35.43	37.32	39.45	41.83	44.62
43.0	30.11	30.36	30.96	31.60	32.99	34.54	36.29	38.26	40.47	42.95	45.84
44.0	30.74	30.99	31.62	32.28	33.73	35.35	37.17	39.22	41.52	44.09	47.10
45.0	31.38	31.64	32.29	32.99	34.49	36.18	38.08	40.21	42.60	45.27	48.39
46.0	32.03	32.31	32.99	33.71	35.28	37.04	39.01	41.23	43.71	46.49	49.71
47.0	32.70	32.99	33.69	34.45	36.08	37.91	39.96	42.27	44.85	47.74	51.08
48.0	33.39	33.69	34.42	35.20	36.90	38.81	40.95	43.35	46.03	49.03	52.49
49.0	34.09	34.40	35.17	35.98	37.75	39.74	41.96	44.46	47.25	50.36	53.95
50.0	34.82	35.14	35.93	36.78	38.62	40.69	43.00	45.60	48.50	51.73	55.45
⃝	PERCENTAGE OF LOAN AMOUNT LEFT UNPAID AT DUE DATE										
	100.0	97.48	91.42	85.36	73.24	61.12	49.01	36.89	24.77	12.66	.00

DISCOUNT %	MONTHLY PAYBACK RATE (%) (MONTHLY PAYMENT DIVIDED BY LOAN AMOUNT)										
	.96	1.00	1.10	1.20	1.30	1.40	1.50	1.60	1.80	2.00	2.20
.5	11.63	11.63	11.64	11.64	11.65	11.65	11.66	11.67	11.68	11.70	11.72
1.0	11.77	11.77	11.78	11.79	11.80	11.81	11.82	11.83	11.86	11.90	11.94
1.5	11.90	11.90	11.92	11.93	11.95	11.97	11.98	12.00	12.05	12.10	12.16
2.0	12.03	12.04	12.06	12.08	12.10	12.12	12.15	12.17	12.23	12.30	12.39
2.5	12.17	12.18	12.20	12.23	12.25	12.28	12.31	12.34	12.42	12.51	12.61
3.0	12.31	12.32	12.34	12.37	12.41	12.44	12.48	12.52	12.61	12.71	12.84
3.5	12.44	12.46	12.49	12.52	12.56	12.60	12.64	12.69	12.79	12.92	13.07
4.0	12.58	12.60	12.63	12.67	12.72	12.76	12.81	12.87	12.99	13.13	13.30
4.5	12.72	12.74	12.78	12.83	12.87	12.93	12.98	13.04	13.18	13.34	13.54
5.0	12.86	12.88	12.93	12.98	13.03	13.09	13.15	13.22	13.37	13.55	13.77
5.5	13.00	13.02	13.07	13.13	13.19	13.25	13.32	13.40	13.57	13.77	14.01
6.0	13.14	13.17	13.22	13.28	13.35	13.42	13.50	13.58	13.76	13.98	14.25
6.5	13.29	13.31	13.37	13.44	13.51	13.59	13.67	13.76	13.96	14.20	14.49
7.0	13.43	13.46	13.52	13.60	13.67	13.76	13.85	13.94	14.16	14.42	14.73
7.5	13.57	13.60	13.67	13.75	13.83	13.93	14.02	14.13	14.36	14.64	14.97
8.0	13.72	13.75	13.83	13.91	14.00	14.10	14.20	14.31	14.56	14.86	15.22
8.5	13.87	13.90	13.98	14.07	14.16	14.27	14.38	14.50	14.76	15.09	15.47
9.0	14.01	14.05	14.14	14.23	14.33	14.44	14.56	14.69	14.97	15.31	15.72
9.5	14.16	14.20	14.29	14.39	14.50	14.62	14.74	14.88	15.18	15.54	15.97
10.0	14.31	14.35	14.45	14.56	14.67	14.79	14.92	15.07	15.39	15.77	16.22
11.0	14.61	14.66	14.77	14.89	15.01	15.15	15.29	15.45	15.81	16.23	16.73
12.0	14.92	14.97	15.09	15.22	15.36	15.51	15.67	15.84	16.24	16.70	17.26
13.0	15.23	15.28	15.41	15.56	15.71	15.88	16.05	16.24	16.67	17.18	17.79
14.0	15.54	15.60	15.75	15.90	16.07	16.25	16.44	16.65	17.11	17.67	18.33
15.0	15.86	15.93	16.08	16.25	16.43	16.63	16.83	17.06	17.56	18.17	18.88
16.0	16.19	16.26	16.42	16.61	16.80	17.01	17.23	17.48	18.02	18.67	19.44
17.0	16.52	16.59	16.77	16.97	17.17	17.40	17.64	17.90	18.49	19.18	20.00
18.0	16.85	16.93	17.12	17.33	17.55	17.80	18.06	18.34	18.96	19.71	20.58
19.0	17.19	17.27	17.48	17.70	17.94	18.20	18.48	18.78	19.44	20.24	21.17
20.0	17.53	17.62	17.84	18.08	18.33	18.61	18.90	19.22	19.94	20.78	21.77
21.0	17.88	17.98	18.21	18.47	18.73	19.03	19.34	19.68	20.44	21.33	22.38
22.0	18.24	18.34	18.59	18.86	19.14	19.45	19.78	20.14	20.95	21.89	23.01
23.0	18.60	18.70	18.97	19.25	19.56	19.88	20.23	20.61	21.46	22.47	23.64
24.0	18.96	19.08	19.36	19.66	19.98	20.32	20.69	21.09	21.99	23.05	24.29
25.0	19.34	19.46	19.75	20.07	20.40	20.77	21.16	21.58	22.53	23.65	24.95
26.0	19.72	19.84	20.15	20.49	20.84	21.23	21.64	22.08	23.08	24.25	25.63
27.0	20.10	20.23	20.56	20.91	21.29	21.69	22.13	22.59	23.64	24.87	26.31
28.0	20.49	20.63	20.97	21.34	21.74	22.16	22.62	23.11	24.21	25.51	27.02
29.0	20.89	21.04	21.40	21.79	22.20	22.65	23.13	23.64	24.80	26.15	27.73
30.0	21.30	21.45	21.83	22.24	22.67	23.14	23.64	24.18	25.40	26.81	28.47
31.0	21.71	21.87	22.27	22.69	23.15	23.64	24.17	24.73	26.00	27.49	29.21
32.0	22.13	22.30	22.71	23.16	23.64	24.15	24.70	25.30	26.63	28.18	29.98
33.0	22.56	22.74	23.17	23.64	24.14	24.68	25.25	25.87	27.26	28.89	30.76
34.0	23.00	23.18	23.64	24.13	24.65	25.21	25.81	26.46	27.91	29.61	31.56
35.0	23.45	23.64	24.11	24.62	25.17	25.76	26.39	27.06	28.58	30.35	32.39
36.0	23.90	24.10	24.60	25.13	25.70	26.31	26.97	27.68	29.26	31.10	33.23
37.0	24.37	24.57	25.09	25.65	26.24	26.88	27.57	28.31	29.96	31.88	34.09
38.0	24.84	25.06	25.60	26.18	26.80	27.47	28.18	28.96	30.68	32.68	34.97
39.0	25.33	25.55	26.11	26.72	27.37	28.06	28.81	29.62	31.41	33.49	35.88
40.0	25.82	26.05	26.64	27.27	27.95	28.67	29.45	30.29	32.16	34.33	36.80
41.0	26.33	26.57	27.18	27.84	28.54	29.30	30.11	30.99	32.93	35.19	37.76
42.0	26.84	27.10	27.73	28.42	29.15	29.94	30.79	31.70	33.73	36.07	38.74
43.0	27.37	27.63	28.30	29.01	29.78	30.60	31.48	32.43	34.54	36.98	39.74
44.0	27.91	28.19	28.88	29.62	30.42	31.28	32.19	33.18	35.38	37.91	40.78
45.0	28.46	28.75	29.47	30.25	31.08	31.97	32.93	33.95	36.24	38.87	41.85
46.0	29.03	29.33	30.08	30.89	31.75	32.68	33.68	34.75	37.12	39.86	42.94
47.0	29.61	29.92	30.70	31.55	32.44	33.41	34.45	35.56	38.04	40.87	44.08
48.0	30.21	30.53	31.35	32.22	33.16	34.17	35.25	36.40	38.98	41.92	45.24
49.0	30.82	31.16	32.00	32.92	33.89	34.94	36.06	37.27	39.95	43.01	46.44
50.0	31.45	31.80	32.68	33.63	34.64	35.74	36.91	38.16	40.95	44.12	47.69
∇⏀	PERCENTAGE OF LOAN AMOUNT LEFT UNPAID AT DUE DATE										
	100.0	96.64	88.58	80.53	72.47	64.41	56.35	48.29	32.17	16.06	.00

DISCOUNT %	MONTHLY PAYBACK RATE (%) (MONTHLY PAYMENT DIVIDED BY LOAN AMOUNT)										
	.96	1.00	1.10	1.20	1.30	1.40	1.50	1.60	1.70	1.80	1.93
1.0	11.73	11.74	11.75	11.76	11.77	11.78	11.80	11.81	11.83	11.85	11.88
2.0	11.97	11.98	12.00	12.02	12.04	12.07	12.10	12.13	12.16	12.20	12.26
3.0	12.21	12.22	12.25	12.28	12.32	12.36	12.40	12.45	12.50	12.56	12.65
4.0	12.45	12.47	12.51	12.55	12.60	12.65	12.71	12.77	12.84	12.92	13.04
5.0	12.69	12.72	12.76	12.82	12.88	12.95	13.02	13.10	13.19	13.29	13.44
6.0	12.94	12.97	13.03	13.10	13.17	13.25	13.34	13.44	13.55	13.67	13.84
7.0	13.19	13.22	13.30	13.38	13.46	13.56	13.66	13.78	13.91	14.05	14.26
8.0	13.45	13.48	13.57	13.66	13.76	13.87	13.99	14.12	14.27	14.43	14.67
9.0	13.71	13.75	13.84	13.95	14.06	14.19	14.32	14.47	14.64	14.82	15.10
10.0	13.97	14.01	14.12	14.24	14.37	14.51	14.66	14.83	15.02	15.22	15.53
11.0	14.24	14.28	14.40	14.53	14.68	14.83	15.00	15.19	15.40	15.63	15.97
12.0	14.51	14.56	14.69	14.84	14.99	15.16	15.35	15.56	15.79	16.04	16.42
13.0	14.78	14.84	14.98	15.14	15.31	15.50	15.71	15.93	16.18	16.46	16.87
14.0	15.06	15.12	15.28	15.45	15.64	15.84	16.07	16.31	16.59	16.89	17.33
15.0	15.34	15.41	15.58	15.76	15.97	16.19	16.43	16.70	17.00	17.32	17.80
16.0	15.62	15.70	15.88	16.08	16.30	16.54	16.80	17.09	17.41	17.76	18.28
17.0	15.92	15.99	16.19	16.41	16.64	16.90	17.18	17.49	17.84	18.21	18.76
18.0	16.21	16.29	16.51	16.74	16.99	17.27	17.57	17.90	18.27	18.67	19.26
19.0	16.51	16.60	16.83	17.07	17.34	17.64	17.96	18.31	18.70	19.13	19.76
20.0	16.81	16.91	17.15	17.42	17.70	18.02	18.36	18.74	19.15	19.61	20.28
21.0	17.12	17.22	17.48	17.76	18.07	18.40	18.77	19.17	19.61	20.09	20.80
22.0	17.44	17.55	17.82	18.12	18.44	18.79	19.18	19.60	20.07	20.58	21.33
23.0	17.76	17.87	18.16	18.47	18.82	19.19	19.60	20.05	20.54	21.09	21.88
24.0	18.08	18.20	18.51	18.84	19.20	19.60	20.03	20.50	21.03	21.60	22.43
25.0	18.41	18.54	18.86	19.21	19.59	20.01	20.47	20.97	21.52	22.12	23.00
26.0	18.75	18.88	19.22	19.59	19.99	20.43	20.91	21.44	22.02	22.65	23.57
27.0	19.09	19.23	19.59	19.98	20.40	20.86	21.37	21.92	22.53	23.20	24.16
28.0	19.44	19.59	19.96	20.37	20.82	21.30	21.83	22.42	23.05	23.75	24.76
29.0	19.79	19.95	20.34	20.77	21.24	21.75	22.31	22.92	23.59	24.32	25.38
30.0	20.15	20.32	20.73	21.18	21.67	22.21	22.79	23.43	24.13	24.90	26.01
31.0	20.52	20.69	21.13	21.60	22.11	22.68	23.29	23.96	24.69	25.49	26.65
32.0	20.90	21.08	21.53	22.03	22.56	23.15	23.79	24.50	25.26	26.10	27.31
33.0	21.28	21.47	21.94	22.46	23.02	23.64	24.31	25.04	25.85	26.72	27.98
34.0	21.67	21.87	22.36	22.91	23.49	24.14	24.84	25.61	26.44	27.36	28.66
35.0	22.07	22.28	22.79	23.36	23.98	24.65	25.38	26.18	27.05	28.01	29.37
36.0	22.48	22.69	23.23	23.83	24.47	25.17	25.93	26.77	27.68	28.67	30.09
37.0	22.89	23.12	23.68	24.30	24.97	25.70	26.50	27.37	28.32	29.35	30.83
38.0	23.32	23.55	24.14	24.79	25.49	26.25	27.08	27.99	28.98	30.05	31.59
39.0	23.75	23.99	24.61	25.28	26.01	26.81	27.68	28.62	29.65	30.77	32.36
40.0	24.19	24.45	25.09	25.79	26.55	27.38	28.29	29.27	30.35	31.51	33.16
41.0	24.65	24.91	25.58	26.31	27.11	27.97	28.92	29.94	31.06	32.27	33.98
42.0	25.11	25.39	26.08	26.85	27.67	28.58	29.56	30.63	31.79	33.04	34.82
43.0	25.58	25.87	26.60	27.40	28.26	29.20	30.22	31.33	32.54	33.84	35.69
44.0	26.07	26.37	27.13	27.96	28.86	29.84	30.90	32.06	33.31	34.67	36.58
45.0	26.57	26.88	27.67	28.54	29.47	30.49	31.60	32.80	34.11	35.51	37.50
46.0	27.08	27.41	28.23	29.13	30.10	31.17	32.32	33.57	34.92	36.38	38.44
47.0	27.61	27.94	28.80	29.74	30.75	31.86	33.06	34.36	35.77	37.28	39.41
48.0	28.15	28.50	29.39	30.37	31.42	32.57	33.82	35.18	36.64	38.21	40.42
49.0	28.70	29.07	30.00	31.01	32.11	33.31	34.61	36.02	37.54	39.17	41.46
50.0	29.27	29.65	30.62	31.68	32.82	34.07	35.42	36.89	38.46	40.16	42.53
51.0	29.85	30.25	31.26	32.36	33.56	34.86	36.26	37.78	39.42	41.18	43.63
52.0	30.46	30.87	31.92	33.07	34.31	35.67	37.13	38.71	40.42	42.24	44.78
53.0	31.08	31.51	32.61	33.80	35.10	36.51	38.03	39.68	41.44	43.34	45.96
54.0	31.72	32.17	33.31	34.56	35.91	37.37	38.96	40.67	42.51	44.47	47.19
55.0	32.38	32.85	34.04	35.34	36.74	38.27	39.93	41.71	43.62	45.65	48.47
56.0	33.06	33.55	34.79	36.15	37.61	39.21	40.93	42.78	44.76	46.88	49.80
57.0	33.77	34.28	35.57	36.99	38.52	40.18	41.97	43.90	45.96	48.15	51.17
58.0	34.50	35.03	36.38	37.86	39.45	41.18	43.05	45.06	47.20	49.48	52.61
59.0	35.25	35.81	37.22	38.76	40.43	42.23	44.18	46.27	48.50	50.86	54.10
60.0	36.04	36.62	38.09	39.70	41.44	43.33	45.35	47.53	49.85	52.30	55.66
PERCENTAGE OF LOAN AMOUNT LEFT UNPAID AT DUE DATE											
	100.0	95.71	85.41	75.11	64.81	54.50	44.20	33.90	23.60	13.30	.00

DISCOUNT %	MONTHLY PAYBACK RATE (%) (MONTHLY PAYMENT DIVIDED BY LOAN AMOUNT)										
	.96	1.00	1.05	1.10	1.20	1.30	1.40	1.50	1.60	1.70	1.74
1.0	11.71	11.71	11.72	11.72	11.74	11.75	11.76	11.78	11.80	11.82	11.83
2.0	11.92	11.93	11.94	11.95	11.98	12.00	12.03	12.07	12.10	12.15	12.16
3.0	12.14	12.15	12.17	12.18	12.22	12.26	12.31	12.36	12.41	12.48	12.50
4.0	12.36	12.37	12.39	12.42	12.47	12.52	12.58	12.65	12.73	12.81	12.85
5.0	12.58	12.60	12.63	12.65	12.72	12.78	12.86	12.95	13.04	13.15	13.20
6.0	12.80	12.83	12.86	12.89	12.97	13.05	13.15	13.25	13.37	13.50	13.56
7.0	13.03	13.06	13.10	13.14	13.23	13.32	13.43	13.56	13.70	13.85	13.92
8.0	13.26	13.30	13.34	13.39	13.49	13.60	13.73	13.87	14.03	14.21	14.29
9.0	13.49	13.53	13.58	13.64	13.75	13.88	14.03	14.19	14.37	14.57	14.66
10.0	13.73	13.78	13.83	13.89	14.02	14.17	14.33	14.51	14.71	14.94	15.04
11.0	13.97	14.02	14.08	14.15	14.30	14.46	14.64	14.84	15.06	15.32	15.42
12.0	14.22	14.27	14.34	14.41	14.58	14.75	14.95	15.17	15.42	15.70	15.81
13.0	14.46	14.53	14.60	14.68	14.86	15.05	15.27	15.51	15.78	16.09	16.21
14.0	14.71	14.78	14.86	14.95	15.14	15.35	15.59	15.85	16.15	16.48	16.62
15.0	14.97	15.04	15.13	15.23	15.44	15.66	15.92	16.20	16.52	16.88	17.03
16.0	15.23	15.31	15.40	15.51	15.73	15.98	16.25	16.56	16.90	17.29	17.45
17.0	15.49	15.58	15.68	15.79	16.03	16.30	16.59	16.92	17.29	17.71	17.88
18.0	15.76	15.85	15.96	16.08	16.34	16.62	16.94	17.29	17.68	18.13	18.31
19.0	16.03	16.13	16.25	16.38	16.65	16.95	17.29	17.67	18.09	18.56	18.76
20.0	16.31	16.41	16.54	16.67	16.97	17.29	17.65	18.05	18.50	19.00	19.21
21.0	16.59	16.70	16.83	16.98	17.29	17.63	18.01	18.44	18.91	19.45	19.67
22.0	16.88	16.99	17.14	17.29	17.62	17.98	18.39	18.84	19.34	19.90	20.14
23.0	17.17	17.29	17.44	17.60	17.95	18.34	18.76	19.24	19.77	20.37	20.62
24.0	17.46	17.59	17.75	17.92	18.29	18.70	19.15	19.65	20.22	20.84	21.11
25.0	17.76	17.90	18.07	18.25	18.64	19.07	19.55	20.08	20.67	21.33	21.60
26.0	18.07	18.21	18.39	18.58	18.99	19.44	19.95	20.51	21.13	21.82	22.11
27.0	18.38	18.53	18.72	18.92	19.35	19.83	20.36	20.94	21.60	22.33	22.63
28.0	18.70	18.86	19.06	19.27	19.72	20.22	20.78	21.39	22.08	22.84	23.16
29.0	19.02	19.19	19.40	19.62	20.10	20.62	21.21	21.85	22.57	23.37	23.70
30.0	19.35	19.53	19.75	19.98	20.48	21.03	21.64	22.32	23.07	23.91	24.25
31.0	19.69	19.88	20.11	20.35	20.87	21.45	22.09	22.80	23.59	24.46	24.82
32.0	20.03	20.23	20.47	20.72	21.27	21.87	22.55	23.29	24.11	25.02	25.40
33.0	20.39	20.59	20.84	21.11	21.68	22.31	23.01	23.79	24.65	25.60	25.99
34.0	20.74	20.96	21.22	21.50	22.10	22.76	23.49	24.30	25.20	26.19	26.60
35.0	21.11	21.33	21.61	21.90	22.52	23.21	23.98	24.83	25.76	26.79	27.22
36.0	21.48	21.71	22.00	22.31	22.96	23.68	24.48	25.36	26.34	27.41	27.86
37.0	21.86	22.11	22.41	22.72	23.41	24.16	24.99	25.91	26.93	28.05	28.51
38.0	22.25	22.51	22.82	23.15	23.87	24.65	25.52	26.48	27.54	28.70	29.18
39.0	22.65	22.92	23.24	23.59	24.33	25.15	26.06	27.06	28.16	29.37	29.86
40.0	23.06	23.34	23.68	24.04	24.82	25.67	26.61	27.65	28.80	30.05	30.57
41.0	23.48	23.76	24.12	24.50	25.31	26.20	27.18	28.27	29.45	30.76	31.29
42.0	23.91	24.21	24.58	24.97	25.81	26.74	27.77	28.89	30.13	31.48	32.04
43.0	24.35	24.66	25.04	25.45	26.33	27.30	28.37	29.54	30.82	32.23	32.80
44.0	24.80	25.12	25.52	25.95	26.87	27.87	28.98	30.20	31.54	33.00	33.59
45.0	25.26	25.59	26.02	26.46	27.42	28.46	29.62	30.89	32.27	33.79	34.40
46.0	25.73	26.08	26.52	26.98	27.98	29.07	30.28	31.59	33.03	34.60	35.24
47.0	26.22	26.58	27.04	27.52	28.56	29.70	30.95	32.32	33.82	35.44	36.10
48.0	26.72	27.10	27.58	28.08	29.16	30.34	31.65	33.07	34.62	36.31	36.99
49.0	27.23	27.63	28.13	28.65	29.77	31.01	32.36	33.84	35.46	37.20	37.91
50.0	27.76	28.18	28.69	29.24	30.41	31.69	33.11	34.64	36.32	38.12	38.86
51.0	28.31	28.74	29.28	29.85	31.07	32.40	33.87	35.47	37.21	39.08	39.84
52.0	28.87	29.32	29.88	30.47	31.75	33.14	34.67	36.33	38.13	40.07	40.85
53.0	29.45	29.92	30.51	31.12	32.45	33.91	35.49	37.22	39.09	41.09	41.91
54.0	30.05	30.54	31.15	31.79	33.17	34.68	36.34	38.14	40.08	42.16	43.00
55.0	30.67	31.18	31.82	32.49	33.93	35.50	37.22	39.09	41.11	43.26	44.13
56.0	31.31	31.84	32.51	33.21	34.71	36.35	38.14	40.08	42.17	44.41	45.31
57.0	31.97	32.53	33.22	33.95	35.52	37.23	39.10	41.12	43.29	45.60	46.53
58.0	32.66	33.24	33.96	34.73	36.36	38.14	40.09	42.19	44.45	46.85	47.81
59.0	33.37	33.98	34.74	35.53	37.24	39.10	41.13	43.31	45.65	48.14	49.09
60.0	34.12	34.75	35.54	36.37	38.15	40.09	42.21	44.48	46.92	49.50	50.53

PERCENTAGE OF LOAN AMOUNT LEFT UNPAID AT DUE DATE

	.96	1.00	1.05	1.10	1.20	1.30	1.40	1.50	1.60	1.70	1.74
	100.0	94.66	88.25	81.84	69.03	56.21	43.40	30.58	17.77	4.95	.00

DISCOUNT %	MONTHLY PAYBACK RATE (%) (MONTHLY PAYMENT DIVIDED BY LOAN AMOUNT)										
	.96	1.00	1.05	1.10	1.15	1.20	1.25	1.30	1.40	1.50	1.60
1.0	11.69	11.70	11.70	11.71	11.71	11.72	11.73	11.74	11.75	11.77	11.79
2.0	11.89	11.90	11.91	11.92	11.93	11.95	11.96	11.98	12.01	12.05	12.10
3.0	12.09	12.10	12.12	12.13	12.15	12.18	12.20	12.22	12.27	12.33	12.40
4.0	12.29	12.31	12.33	12.35	12.38	12.41	12.44	12.47	12.54	12.62	12.71
5.0	12.49	12.51	12.54	12.57	12.61	12.64	12.68	12.72	12.81	12.91	13.02
6.0	12.70	12.73	12.76	12.80	12.84	12.88	12.93	12.97	13.08	13.20	13.34
7.0	12.91	12.94	12.98	13.03	13.07	13.12	13.18	13.23	13.36	13.50	13.67
8.0	13.12	13.16	13.21	13.26	13.31	13.37	13.43	13.50	13.64	13.81	13.99
9.0	13.34	13.38	13.43	13.49	13.55	13.62	13.69	13.76	13.93	14.12	14.33
10.0	13.55	13.60	13.66	13.73	13.80	13.87	13.95	14.03	14.22	14.43	14.67
11.0	13.78	13.83	13.90	13.97	14.05	14.13	14.22	14.31	14.52	14.75	15.01
12.0	14.00	14.06	14.14	14.22	14.30	14.39	14.49	14.59	14.82	15.08	15.37
13.0	14.23	14.30	14.38	14.47	14.56	14.66	14.77	14.88	15.12	15.41	15.72
14.0	14.46	14.53	14.62	14.72	14.82	14.93	15.05	15.17	15.44	15.74	16.09
15.0	14.70	14.78	14.87	14.98	15.09	15.21	15.33	15.46	15.75	16.09	16.46
16.0	14.94	15.02	15.13	15.24	15.36	15.49	15.62	15.76	16.08	16.43	16.83
17.0	15.18	15.27	15.39	15.51	15.63	15.77	15.92	16.07	16.41	16.79	17.22
18.0	15.43	15.53	15.65	15.78	15.91	16.06	16.22	16.38	16.74	17.15	17.61
19.0	15.68	15.79	15.91	16.05	16.20	16.36	16.52	16.69	17.08	17.52	18.01
20.0	15.94	16.05	16.19	16.33	16.49	16.66	16.83	17.02	17.43	17.89	18.41
21.0	16.20	16.32	16.46	16.62	16.79	16.96	17.15	17.35	17.78	18.28	18.83
22.0	16.46	16.59	16.74	16.91	17.09	17.27	17.47	17.68	18.14	18.67	19.25
23.0	16.73	16.87	17.03	17.21	17.39	17.59	17.80	18.02	18.51	19.06	19.68
24.0	17.01	17.15	17.32	17.51	17.71	17.92	18.14	18.37	18.89	19.47	20.12
25.0	17.29	17.44	17.62	17.82	18.02	18.25	18.48	18.72	19.27	19.88	20.56
26.0	17.57	17.73	17.92	18.13	18.35	18.58	18.83	19.09	19.66	20.31	21.02
27.0	17.86	18.03	18.23	18.45	18.68	18.93	19.18	19.46	20.06	20.74	21.49
28.0	18.16	18.33	18.55	18.78	19.02	19.28	19.55	19.83	20.47	21.18	21.96
29.0	18.46	18.64	18.87	19.11	19.36	19.63	19.92	20.22	20.88	21.63	22.45
30.0	18.77	18.96	19.20	19.45	19.72	20.00	20.30	20.61	21.31	22.09	22.95
31.0	19.08	19.28	19.53	19.80	20.08	20.37	20.69	21.02	21.74	22.56	23.46
32.0	19.40	19.61	19.87	20.15	20.44	20.75	21.08	21.43	22.19	23.04	23.98
33.0	19.73	19.95	20.22	20.51	20.82	21.15	21.49	21.85	22.65	23.54	24.51
34.0	20.07	20.29	20.58	20.88	21.20	21.54	21.90	22.28	23.11	24.04	25.06
35.0	20.41	20.65	20.94	21.26	21.60	21.95	22.33	22.72	23.59	24.56	25.62
36.0	20.76	21.01	21.32	21.65	22.00	22.37	22.76	23.18	24.08	25.09	26.19
37.0	21.11	21.37	21.70	22.05	22.41	22.80	23.21	23.64	24.58	25.63	26.78
38.0	21.48	21.75	22.09	22.45	22.84	23.24	23.67	24.12	25.10	26.19	27.38
39.0	21.85	22.14	22.49	22.87	23.27	23.69	24.14	24.61	25.63	26.77	28.00
40.0	22.24	22.53	22.90	23.30	23.71	24.15	24.62	25.11	26.17	27.36	28.64
41.0	22.63	22.94	23.33	23.74	24.17	24.63	25.11	25.62	26.73	27.96	29.29
42.0	23.03	23.35	23.76	24.19	24.64	25.12	25.62	26.15	27.31	28.58	29.96
43.0	23.45	23.78	24.20	24.65	25.12	25.62	26.14	26.69	27.90	29.22	30.65
44.0	23.87	24.22	24.66	25.12	25.61	26.13	26.68	27.25	28.50	29.88	31.36
45.0	24.30	24.67	25.13	25.61	26.12	26.66	27.23	27.83	29.13	30.56	32.10
46.0	24.75	25.13	25.61	26.11	26.65	27.21	27.80	28.43	29.78	31.26	32.85
47.0	25.21	25.61	26.11	26.63	27.19	27.77	28.39	29.04	30.44	31.98	33.63
48.0	25.69	26.10	26.62	27.16	27.74	28.35	29.00	29.67	31.13	32.73	34.44
49.0	26.17	26.60	27.14	27.71	28.32	28.95	29.62	30.32	31.84	33.50	35.27
50.0	26.68	27.12	27.69	28.28	28.91	29.57	30.27	31.00	32.57	34.30	36.13
52.0	27.73	28.22	28.83	29.47	30.16	30.87	31.63	32.42	34.12	35.97	37.93
54.0	28.85	29.38	30.05	30.75	31.49	32.27	33.09	33.94	35.78	37.78	39.88
56.0	30.06	30.64	31.36	32.12	32.93	33.77	34.66	35.59	37.57	39.72	41.97
58.0	31.35	31.98	32.77	33.60	34.48	35.40	36.36	37.37	39.51	41.83	44.24
60.0	32.75	33.44	34.30	35.21	36.16	37.17	38.21	39.30	41.63	44.12	46.71
62.0	34.28	35.03	35.97	36.96	38.00	39.10	40.24	41.42	43.94	46.63	49.41
64.0	35.94	36.76	37.80	38.88	40.02	41.22	42.47	43.76	46.49	49.40	52.38
66.0	37.77	38.67	39.81	41.01	42.26	43.57	44.93	46.34	49.32	52.46	55.67
68.0	39.79	40.80	42.05	43.37	44.75	46.19	47.69	49.23	52.47	55.88	59.34
70.0	42.06	43.18	44.57	46.03	47.55	49.14	50.79	52.48	56.02	59.72	63.46

◁Φ	PERCENTAGE OF LOAN AMOUNT LEFT UNPAID AT DUE DATE										
	100.0	93.49	85.67	77.85	70.03	62.22	54.40	46.58	30.95	15.31	.00

DISCOUNT %	MONTHLY PAYBACK RATE (%) (MONTHLY PAYMENT DIVIDED BY LOAN AMOUNT)										
	.96	1.00	1.05	1.10	1.15	1.20	1.25	1.30	1.35	1.40	1.49
1.0	11.68	11.68	11.69	11.70	11.70	11.71	11.72	11.73	11.74	11.75	11.77
2.0	11.86	11.87	11.88	11.90	11.91	11.93	11.94	11.96	11.98	12.00	12.04
3.0	12.05	12.06	12.08	12.10	12.12	12.14	12.17	12.19	12.22	12.26	12.32
4.0	12.23	12.25	12.28	12.31	12.33	12.37	12.40	12.43	12.47	12.52	12.60
5.0	12.43	12.45	12.48	12.51	12.55	12.59	12.63	12.68	12.73	12.78	12.88
6.0	12.62	12.65	12.69	12.73	12.77	12.82	12.87	12.92	12.98	13.05	13.17
7.0	12.81	12.85	12.89	12.94	12.99	13.05	13.11	13.17	13.24	13.32	13.47
8.0	13.01	13.05	13.11	13.16	13.22	13.29	13.36	13.43	13.51	13.60	13.77
9.0	13.21	13.26	13.32	13.38	13.45	13.53	13.60	13.69	13.78	13.88	14.07
10.0	13.42	13.47	13.54	13.61	13.69	13.77	13.86	13.95	14.05	14.16	14.38
11.0	13.63	13.69	13.76	13.84	13.92	14.02	14.11	14.22	14.33	14.45	14.70
12.0	13.84	13.90	13.98	14.07	14.16	14.27	14.37	14.49	14.61	14.75	15.02
13.0	14.05	14.12	14.21	14.31	14.41	14.52	14.64	14.76	14.90	15.05	15.34
14.0	14.27	14.35	14.44	14.55	14.66	14.78	14.91	15.05	15.20	15.35	15.68
15.0	14.49	14.58	14.68	14.79	14.91	15.05	15.18	15.33	15.49	15.67	16.01
16.0	14.72	14.81	14.92	15.04	15.17	15.31	15.46	15.62	15.80	15.98	16.36
17.0	14.95	15.04	15.16	15.30	15.44	15.59	15.75	15.92	16.11	16.31	16.71
18.0	15.18	15.28	15.41	15.55	15.70	15.87	16.04	16.22	16.42	16.63	17.06
19.0	15.41	15.53	15.67	15.82	15.98	16.15	16.33	16.53	16.74	16.97	17.42
20.0	15.66	15.77	15.92	16.08	16.25	16.44	16.63	16.84	17.07	17.31	17.79
21.0	15.90	16.03	16.19	16.36	16.54	16.73	16.94	17.16	17.40	17.66	18.17
22.0	16.15	16.28	16.45	16.63	16.83	17.03	17.25	17.49	17.74	18.01	18.56
23.0	16.40	16.55	16.72	16.92	17.12	17.34	17.57	17.82	18.09	18.38	18.95
24.0	16.66	16.81	17.00	17.20	17.42	17.65	17.90	18.16	18.44	18.75	19.35
25.0	16.93	17.09	17.28	17.50	17.73	17.97	18.23	18.51	18.81	19.12	19.76
26.0	17.20	17.36	17.57	17.80	18.04	18.30	18.57	18.86	19.17	19.51	20.17
27.0	17.47	17.65	17.87	18.10	18.36	18.63	18.91	19.22	19.55	19.90	20.60
28.0	17.75	17.93	18.17	18.42	18.68	18.97	19.27	19.59	19.94	20.31	21.04
29.0	18.03	18.23	18.47	18.73	19.01	19.31	19.63	19.97	20.33	20.72	21.48
30.0	18.33	18.53	18.79	19.06	19.35	19.67	20.00	20.35	20.73	21.14	21.94
31.0	18.62	18.84	19.11	19.39	19.70	20.03	20.38	20.75	21.14	21.57	22.40
32.0	18.93	19.15	19.43	19.73	20.05	20.40	20.76	21.15	21.57	22.01	22.88
33.0	19.24	19.47	19.77	20.08	20.42	20.78	21.16	21.56	22.00	22.46	23.37
34.0	19.55	19.80	20.11	20.44	20.79	21.16	21.56	21.99	22.44	22.92	23.87
35.0	19.88	20.13	20.46	20.80	21.17	21.56	21.98	22.42	22.89	23.39	24.38
36.0	20.21	20.48	20.81	21.18	21.56	21.97	22.40	22.86	23.36	23.88	24.90
37.0	20.55	20.83	21.18	21.56	21.96	22.39	22.84	23.32	23.83	24.38	25.44
38.0	20.90	21.19	21.56	21.95	22.37	22.81	23.29	23.79	24.32	24.89	25.99
39.0	21.25	21.56	21.94	22.35	22.79	23.25	23.75	24.27	24.82	25.41	26.56
40.0	21.62	21.94	22.34	22.77	23.22	23.71	24.22	24.76	25.34	25.95	27.14
41.0	21.99	22.32	22.74	23.19	23.66	24.17	24.70	25.27	25.87	26.51	27.74
42.0	22.38	22.72	23.16	23.62	24.12	24.65	25.20	25.79	26.42	27.08	28.36
43.0	22.77	23.13	23.59	24.07	24.59	25.14	25.71	26.33	26.98	27.66	28.99
44.0	23.18	23.55	24.03	24.53	25.07	25.64	26.24	26.88	27.56	28.27	29.65
45.0	23.59	23.99	24.48	25.01	25.57	26.16	26.79	27.45	28.15	28.89	30.32
46.0	24.02	24.43	24.95	25.50	26.08	26.70	27.35	28.04	28.77	29.53	31.01
47.0	24.46	24.89	25.43	26.00	26.60	27.25	27.93	28.64	29.40	30.19	31.73
48.0	24.92	25.36	25.92	26.52	27.15	27.82	28.52	29.27	30.05	30.88	32.47
49.0	25.39	25.85	26.43	27.05	27.71	28.41	29.14	29.91	30.73	31.59	33.23
50.0	25.87	26.35	26.96	27.61	28.29	29.02	29.78	30.58	31.43	32.32	34.02
52.0	26.89	27.41	28.07	28.77	29.52	30.30	31.13	31.99	32.91	33.86	35.68
54.0	27.97	28.54	29.26	30.02	30.83	31.68	32.57	33.51	34.49	35.52	37.47
56.0	29.14	29.76	30.54	31.37	32.25	33.17	34.14	35.15	36.21	37.31	39.40
58.0	30.40	31.08	31.93	32.83	33.78	34.78	35.83	36.92	38.07	39.25	41.50
60.0	31.76	32.50	33.43	34.42	35.45	36.54	37.68	38.86	40.10	41.37	43.78
62.0	33.25	34.06	35.08	36.16	37.28	38.47	39.70	40.98	42.32	43.69	46.27
64.0	34.88	35.77	36.89	38.07	39.30	40.59	41.94	43.32	44.77	46.25	49.02
66.0	36.69	37.67	38.89	40.19	41.54	42.95	44.41	45.92	47.48	49.08	52.06
68.0	38.70	39.78	41.13	42.55	44.04	45.58	47.18	48.83	50.52	52.25	55.46
70.0	40.95	42.15	43.65	45.22	46.86	48.56	50.31	52.10	53.94	55.82	59.29
▽φ	PERCENTAGE OF LOAN AMOUNT LEFT UNPAID AT DUE DATE										
	100.0	92.17	82.77	73.37	63.97	54.58	45.18	35.78	26.38	16.99	.00

DISCOUNT %	MONTHLY PAYBACK RATE (%) (MONTHLY PAYMENT DIVIDED BY LOAN AMOUNT)										
	.96	1.00	1.05	1.10	1.15	1.20	1.25	1.30	1.35	1.40	1.41
1.0	11.67	11.68	11.68	11.69	11.69	11.70	11.71	11.72	11.73	11.75	11.75
2.0	11.84	11.85	11.86	11.88	11.89	11.91	11.93	11.95	11.97	12.00	12.00
3.0	12.02	12.03	12.05	12.07	12.10	12.12	12.15	12.18	12.21	12.25	12.25
4.0	12.19	12.22	12.24	12.27	12.30	12.34	12.37	12.41	12.46	12.51	12.51
5.0	12.37	12.40	12.43	12.47	12.51	12.55	12.60	12.65	12.71	12.77	12.78
6.0	12.56	12.59	12.63	12.67	12.72	12.78	12.83	12.89	12.96	13.03	13.04
7.0	12.74	12.78	12.83	12.88	12.94	13.00	13.07	13.14	13.22	13.30	13.31
8.0	12.93	12.97	13.03	13.09	13.15	13.23	13.30	13.39	13.48	13.58	13.59
9.0	13.12	13.17	13.23	13.30	13.38	13.46	13.55	13.64	13.74	13.86	13.87
10.0	13.31	13.37	13.44	13.52	13.60	13.69	13.79	13.90	14.01	14.14	14.16
11.0	13.51	13.57	13.65	13.74	13.83	13.93	14.04	14.16	14.29	14.43	14.45
12.0	13.71	13.78	13.87	13.96	14.06	14.18	14.30	14.43	14.57	14.72	14.74
13.0	13.91	13.99	14.09	14.19	14.30	14.42	14.56	14.70	14.85	15.02	15.04
14.0	14.12	14.20	14.31	14.42	14.54	14.68	14.82	14.97	15.14	15.33	15.35
15.0	14.33	14.42	14.53	14.66	14.79	14.93	15.09	15.25	15.44	15.64	15.66
16.0	14.54	14.64	14.76	14.90	15.04	15.19	15.36	15.54	15.74	15.95	15.98
17.0	14.76	14.87	15.00	15.14	15.29	15.46	15.64	15.83	16.04	16.27	16.30
18.0	14.98	15.09	15.23	15.39	15.55	15.73	15.92	16.13	16.35	16.60	16.63
19.0	15.21	15.33	15.48	15.64	15.82	16.01	16.21	16.43	16.67	16.93	16.96
20.0	15.44	15.56	15.72	15.90	16.08	16.29	16.51	16.74	17.00	17.27	17.31
21.0	15.67	15.80	15.97	16.16	16.36	16.57	16.81	17.05	17.33	17.62	17.65
22.0	15.91	16.05	16.23	16.43	16.64	16.87	17.11	17.37	17.66	17.97	18.01
23.0	16.15	16.30	16.49	16.70	16.92	17.17	17.42	17.70	18.01	18.33	18.37
24.0	16.40	16.56	16.76	16.98	17.21	17.47	17.74	18.04	18.36	18.70	18.74
25.0	16.65	16.82	17.03	17.26	17.51	17.78	18.07	18.38	18.71	19.08	19.12
26.0	16.90	17.08	17.31	17.55	17.81	18.10	18.40	18.73	19.08	19.46	19.51
27.0	17.16	17.35	17.59	17.85	18.12	18.42	18.74	19.08	19.45	19.85	19.90
28.0	17.43	17.63	17.88	18.15	18.44	18.75	19.09	19.45	19.84	20.25	20.30
29.0	17.70	17.91	18.17	18.46	18.76	19.09	19.44	19.82	20.23	20.66	20.71
30.0	17.98	18.20	18.48	18.77	19.09	19.44	19.81	20.20	20.63	21.08	21.14
31.0	18.27	18.50	18.78	19.10	19.43	19.79	20.18	20.59	21.03	21.51	21.57
32.0	18.56	18.80	19.10	19.43	19.78	20.15	20.56	20.99	21.45	21.95	22.01
33.0	18.85	19.10	19.42	19.77	20.13	20.53	20.95	21.40	21.88	22.40	22.46
34.0	19.16	19.42	19.75	20.11	20.49	20.91	21.35	21.81	22.32	22.86	22.92
35.0	19.47	19.74	20.09	20.47	20.87	21.30	21.76	22.24	22.77	23.33	23.40
36.0	19.79	20.07	20.44	20.83	21.25	21.70	22.17	22.68	23.23	23.81	23.88
37.0	20.11	20.41	20.79	21.20	21.64	22.11	22.61	23.14	23.71	24.31	24.38
38.0	20.45	20.76	21.16	21.58	22.04	22.53	23.05	23.60	24.19	24.82	24.90
39.0	20.79	21.12	21.53	21.98	22.45	22.96	23.50	24.08	24.69	25.34	25.42
40.0	21.14	21.48	21.92	22.38	22.87	23.40	23.97	24.56	25.20	25.88	25.96
41.0	21.50	21.86	22.31	22.79	23.31	23.86	24.45	25.07	25.73	26.43	26.52
42.0	21.87	22.24	22.71	23.22	23.76	24.33	24.94	25.59	26.28	27.00	27.09
43.0	22.25	22.64	23.13	23.66	24.22	24.81	25.45	26.12	26.84	27.59	27.68
44.0	22.65	23.05	23.56	24.11	24.69	25.31	25.97	26.67	27.41	28.19	28.29
45.0	23.05	23.47	24.00	24.57	25.18	25.83	26.51	27.24	28.01	28.81	28.91
46.0	23.46	23.90	24.46	25.05	25.68	26.36	27.07	27.82	28.62	29.46	29.56
47.0	23.89	24.35	24.93	25.55	26.20	26.90	27.64	28.42	29.25	30.12	30.22
48.0	24.33	24.81	25.41	26.06	26.74	27.47	28.24	29.05	29.90	30.80	30.91
49.0	24.79	25.28	25.91	26.58	27.30	28.05	28.85	29.69	30.58	31.51	31.62
50.0	25.26	25.78	26.43	27.13	27.87	28.66	29.49	30.36	31.28	32.24	32.36
52.0	26.25	26.81	27.52	28.28	29.08	29.93	30.83	31.77	32.75	33.78	33.91
54.0	27.31	27.92	28.69	29.51	30.38	31.30	32.27	33.28	34.34	35.44	35.57
56.0	28.45	29.12	29.96	30.85	31.79	32.79	33.83	34.92	36.06	37.23	37.38
58.0	29.69	30.41	31.33	32.30	33.32	34.40	35.53	36.70	37.92	39.18	39.33
60.0	31.03	31.82	32.82	33.88	34.99	36.16	37.38	38.64	39.95	41.30	41.46
62.0	32.50	33.37	34.46	35.61	36.82	38.09	39.40	40.77	42.18	43.62	43.80
64.0	34.12	35.07	36.26	37.52	38.84	40.22	41.64	43.11	44.63	46.18	46.37
66.0	35.91	36.96	38.27	39.65	41.09	42.59	44.13	45.72	47.36	49.02	49.22
68.0	37.91	39.07	40.51	42.03	43.60	45.24	46.92	48.64	50.40	52.20	52.41
70.0	40.17	41.45	43.05	44.71	46.44	48.23	50.06	51.93	53.84	55.77	56.00
PERCENTAGE OF LOAN AMOUNT LEFT UNPAID AT DUE DATE											
	100.0	90.69	79.52	68.35	57.18	46.01	34.84	23.67	12.50	1.33	.00

DISCOUNT %	MONTHLY PAYBACK RATE (%) (MONTHLY PAYMENT DIVIDED BY LOAN AMOUNT)										
	1.25	1.50	1.75	2.00	2.25	2.50	2.75	3.00	3.25	3.50	4.00
1.0	11.71	11.77	11.83	11.89	11.95	12.01	12.07	12.13	12.19	12.24	12.36
2.0	11.92	12.05	12.17	12.29	12.41	12.53	12.65	12.77	12.88	13.00	13.23
3.0	12.13	12.33	12.51	12.70	12.88	13.06	13.24	13.42	13.59	13.77	14.11
4.0	12.35	12.61	12.86	13.11	13.35	13.59	13.83	14.07	14.31	14.54	15.01
5.0	12.57	12.90	13.22	13.53	13.83	14.14	14.44	14.74	15.04	15.33	15.92
6.0	12.79	13.19	13.57	13.95	14.32	14.69	15.05	15.42	15.78	16.13	16.84
7.0	13.02	13.49	13.94	14.38	14.82	15.25	15.68	16.10	16.53	16.95	17.78
8.0	13.25	13.79	14.31	14.82	15.32	15.83	16.31	16.80	17.29	17.77	18.73
9.0	13.49	14.10	14.69	15.26	15.83	16.40	16.96	17.51	18.06	18.61	19.70
10.0	13.73	14.41	15.07	15.71	16.35	16.98	17.61	18.23	18.85	19.46	20.69
11.0	13.97	14.73	15.46	16.17	16.88	17.58	18.27	18.96	19.65	20.33	21.68
12.0	14.22	15.05	15.85	16.64	17.42	18.18	18.95	19.71	20.46	21.21	22.70
13.0	14.47	15.38	16.25	17.11	17.96	18.80	19.64	20.46	21.29	22.11	23.73
14.0	14.73	15.71	16.66	17.59	18.51	19.43	20.33	21.23	22.13	23.01	24.78
15.0	14.99	16.05	17.08	18.08	19.08	20.06	21.04	22.01	22.98	23.94	25.85
16.0	15.26	16.40	17.50	18.58	19.65	20.71	21.76	22.81	23.85	24.88	26.93
17.0	15.53	16.75	17.93	19.09	20.24	21.37	22.50	23.62	24.73	25.84	28.03
18.0	15.81	17.11	18.37	19.61	20.83	22.04	23.25	24.44	25.63	26.81	29.16
19.0	16.09	17.48	18.82	20.14	21.44	22.73	24.01	25.28	26.55	27.80	30.30
20.0	16.38	17.85	19.27	20.67	22.05	23.42	24.78	26.13	27.48	28.81	31.47
21.0	16.68	18.23	19.74	21.22	22.68	24.13	25.57	27.00	28.43	29.84	32.65
22.0	16.98	18.62	20.21	21.77	23.32	24.85	26.38	27.89	29.39	30.89	33.86
23.0	17.28	19.02	20.69	22.34	23.97	25.59	27.20	28.79	30.38	31.96	35.09
24.0	17.60	19.42	21.19	22.92	24.64	26.34	28.03	29.71	31.38	33.05	36.35
25.0	17.92	19.83	21.69	23.51	25.32	27.11	28.88	30.65	32.41	34.15	37.63
26.0	18.24	20.25	22.20	24.11	26.01	27.89	29.75	31.61	33.45	35.29	38.93
27.0	18.58	20.68	22.72	24.73	26.72	28.68	30.64	32.58	34.52	36.44	40.26
28.0	18.92	21.12	23.26	25.36	27.44	29.50	31.55	33.58	35.61	37.62	41.62
29.0	19.27	21.57	23.80	26.00	28.17	30.33	32.47	34.60	36.72	38.82	43.01
30.0	19.63	22.03	24.36	26.66	28.93	31.18	33.42	35.64	37.85	40.05	44.43
31.0	19.99	22.50	24.93	27.33	29.69	32.04	34.38	36.70	39.01	41.31	45.88
32.0	20.37	22.98	25.51	28.01	30.48	32.93	35.37	37.79	40.20	42.59	47.36
33.0	20.75	23.47	26.11	28.71	31.28	33.84	36.38	38.90	41.41	43.91	48.87
34.0	21.15	23.97	26.72	29.43	32.11	34.77	37.41	40.03	42.65	45.25	50.42
35.0	21.55	24.49	27.35	30.16	32.95	35.72	38.46	41.20	43.92	46.62	52.00
36.0	21.97	25.02	27.99	30.92	33.81	36.69	39.55	42.39	45.21	48.03	53.63
37.0	22.39	25.56	28.65	31.69	34.70	37.68	40.65	43.61	46.54	49.47	55.29
38.0	22.83	26.12	29.32	32.48	35.60	38.70	41.79	44.86	47.91	50.95	56.99
39.0	23.28	26.69	30.01	33.29	36.53	39.75	42.95	46.14	49.31	52.46	58.73
40.0	23.74	27.28	30.73	34.12	37.49	40.83	44.15	47.45	50.74	54.01	60.52
41.0	24.22	27.88	31.46	34.98	38.46	41.93	45.37	48.80	52.21	55.61	62.36
42.0	24.71	28.51	32.21	35.85	39.47	43.06	46.63	50.18	53.72	57.24	64.25
43.0	25.21	29.14	32.98	36.76	40.50	44.22	47.93	51.61	55.27	58.92	66.18
44.0	25.73	29.80	33.77	37.69	41.57	45.42	49.26	53.07	56.87	60.65	68.17
45.0	26.27	30.48	34.59	38.64	42.66	46.65	50.62	54.57	58.51	62.43	70.22
46.0	26.83	31.18	35.43	39.63	43.79	47.92	52.03	56.12	60.20	64.26	72.33
47.0	27.40	31.90	36.30	40.64	44.95	49.23	53.48	57.72	61.94	66.14	74.50
48.0	27.99	32.65	37.20	41.69	46.14	50.57	54.98	59.36	63.73	68.08	76.74
49.0	28.60	33.42	38.12	42.77	47.38	51.96	56.52	61.06	65.58	70.15	79.04
50.0	29.24	34.21	39.08	43.88	48.65	53.39	58.11	62.81	67.48	72.15	81.42
51.0	29.90	35.03	40.07	45.04	49.97	54.88	59.76	64.61	69.46	74.28	83.88
52.0	30.58	35.89	41.09	46.23	51.33	56.41	61.46	66.48	71.49	76.48	86.42
53.0	31.29	36.77	42.15	47.47	52.75	57.99	63.22	68.42	73.60	78.76	89.05
54.0	32.02	37.69	43.25	48.75	54.21	59.63	65.04	70.42	75.78	81.13	91.77
55.0	32.79	38.64	44.39	50.08	55.72	61.34	66.93	72.50	78.04	83.57	94.59
56.0	33.59	39.64	45.58	51.46	57.30	63.10	68.89	74.65	80.39	86.11	97.51
57.0	34.42	40.67	46.81	52.89	58.93	64.94	70.93	76.89	82.83	88.75	100.55
58.0	35.29	41.75	48.10	54.39	60.63	66.85	73.04	79.21	85.36	91.49	103.70
59.0	36.19	42.87	49.44	55.94	62.41	68.84	75.25	81.63	88.00	94.35	106.99
60.0	37.14	44.04	50.83	57.57	64.26	70.91	77.55	84.16	90.75	97.32	110.41
⊕	NUMBER OF MONTHLY PAYMENTS NEEDED TO PAY OFF LOAN										
	152.6	106.8	83.2	68.4	58.2	50.7	44.9	40.4	36.6	33.5	28.7

262

DISCOUNT %	MONTHLY PAYBACK RATE (%) (MONTHLY PAYMENT DIVIDED BY LOAN AMOUNT)										
	.98	1.00	1.50	2.00	3.00	4.00	5.00	6.00	7.00	8.00	8.87
.5	12.28	12.28	12.30	12.32	12.35	12.39	12.44	12.49	12.55	12.63	12.70
1.0	12.82	12.82	12.85	12.89	12.96	13.04	13.13	13.24	13.36	13.51	13.66
1.5	13.36	13.36	13.41	13.46	13.57	13.69	13.83	13.99	14.18	14.40	14.63
2.0	13.90	13.91	13.97	14.03	14.18	14.34	14.53	14.75	15.00	15.29	15.60
2.5	14.45	14.45	14.53	14.61	14.80	15.00	15.24	15.51	15.82	16.20	16.58
3.0	15.00	15.00	15.10	15.20	15.42	15.66	15.95	16.27	16.66	17.11	17.57
3.5	15.55	15.56	15.67	15.78	16.04	16.33	16.66	17.05	17.49	18.02	18.57
4.0	16.11	16.11	16.24	16.37	16.67	17.00	17.38	17.82	18.34	18.94	19.57
4.5	16.67	16.67	16.82	16.97	17.30	17.68	18.11	18.61	19.19	19.87	20.58
5.0	17.23	17.24	17.40	17.57	17.94	18.36	18.84	19.40	20.04	20.81	21.60
5.5	17.79	17.80	17.98	18.17	18.58	19.04	19.58	20.19	20.91	21.75	22.62
6.0	18.36	18.37	18.57	18.77	19.22	19.73	20.32	20.99	21.78	22.70	23.66
6.5	18.93	18.94	19.16	19.38	19.87	20.43	21.06	21.80	22.65	23.66	24.70
7.0	19.51	19.52	19.75	19.99	20.52	21.12	21.81	22.61	23.53	24.63	25.75
7.5	20.09	20.10	20.35	20.61	21.18	21.83	22.57	23.43	24.42	25.60	26.81
8.0	20.67	20.68	20.95	21.23	21.84	22.54	23.33	24.25	25.32	26.58	27.88
8.5	21.26	21.27	21.55	21.85	22.51	23.25	24.10	25.08	26.22	27.57	28.95
9.0	21.85	21.86	22.16	22.48	23.18	23.97	24.87	25.92	27.13	28.57	30.04
9.5	22.44	22.46	22.78	23.11	23.85	24.69	25.65	26.76	28.05	29.57	31.13
10.0	23.04	23.06	23.39	23.75	24.53	25.42	26.43	27.61	28.97	30.58	32.24
10.5	23.64	23.66	24.01	24.39	25.21	26.15	27.22	28.46	29.90	31.60	33.35
11.0	24.25	24.26	24.64	25.03	25.90	26.89	28.02	29.32	30.84	32.63	34.47
11.5	24.86	24.87	25.27	25.68	26.60	27.63	28.82	30.19	31.79	33.67	35.60
12.0	25.47	25.49	25.90	26.34	27.29	28.38	29.63	31.07	32.74	34.71	36.74
12.5	26.08	26.10	26.54	26.99	28.00	29.14	30.44	31.95	33.70	35.77	37.89
13.0	26.71	26.72	27.18	27.66	28.71	29.90	31.26	32.84	34.67	36.83	39.04
13.5	27.33	27.35	27.82	28.32	29.42	30.66	32.09	33.73	35.65	37.90	40.21
14.0	27.96	27.98	28.47	28.99	30.14	31.43	32.92	34.64	36.63	38.98	41.39
14.5	28.59	28.61	29.13	29.67	30.86	32.21	33.76	35.55	37.63	40.07	42.58
15.0	29.23	29.25	29.78	30.35	31.59	32.99	34.60	36.46	38.63	41.17	43.78
15.5	29.87	29.89	30.45	31.03	32.32	33.78	35.46	37.39	39.64	42.28	44.99
16.0	30.52	30.54	31.11	31.72	33.06	34.58	36.32	38.32	40.66	43.40	46.21
16.5	31.17	31.19	31.79	32.42	33.80	35.38	37.18	39.26	41.68	44.53	47.44
17.0	31.82	31.85	32.46	33.12	34.55	36.18	38.05	40.21	42.72	45.67	48.68
17.5	32.48	32.51	33.14	33.82	35.31	37.00	38.93	41.17	43.76	46.82	49.94
18.0	33.14	33.17	33.83	34.53	36.07	37.82	39.82	42.13	44.82	47.98	51.20
18.5	33.81	33.84	34.52	35.25	36.84	38.64	40.71	43.10	45.88	49.14	52.48
19.0	34.48	34.51	35.22	35.97	37.61	39.48	41.61	44.08	46.95	50.32	53.77
19.5	35.16	35.19	35.92	36.69	38.39	40.31	42.52	45.07	48.04	51.52	55.07
20.0	35.84	35.87	36.62	37.42	39.17	41.16	43.44	46.07	49.13	52.72	56.38
20.5	36.53	36.56	37.33	38.16	39.96	42.01	44.36	47.07	50.23	53.93	57.70
21.0	37.22	37.25	38.05	38.90	40.76	42.87	45.29	48.09	51.34	55.15	59.04
21.5	37.92	37.95	38.77	39.64	41.56	43.74	46.23	49.11	52.46	56.39	60.39
22.0	38.62	38.65	39.50	40.40	42.37	44.61	47.18	50.15	53.60	57.64	61.75
22.5	39.32	39.36	40.23	41.15	43.18	45.49	48.14	51.19	54.74	58.90	63.13
23.0	40.04	40.07	40.97	41.92	44.01	46.38	49.10	52.24	55.89	60.17	64.52
23.5	40.75	40.79	41.71	42.69	44.83	47.28	50.07	53.30	57.06	61.45	65.92
24.0	41.48	41.52	42.46	43.46	45.67	48.18	51.05	54.37	58.23	62.75	67.34
24.5	42.20	42.24	43.21	44.25	46.51	49.09	52.04	55.45	59.42	64.06	68.77
25.0	42.94	42.98	43.98	45.03	47.36	50.01	53.04	56.54	60.61	65.38	70.22
25.5	43.68	43.72	44.74	45.83	48.22	50.93	54.05	57.65	61.82	66.71	71.68
26.0	44.42	44.46	45.51	46.63	49.08	51.87	55.07	58.76	63.05	68.06	73.15
26.5	45.17	45.22	46.29	47.44	49.95	52.81	56.09	59.88	64.28	69.42	74.64
27.0	45.93	45.97	47.08	48.25	50.83	53.76	57.13	61.01	65.53	70.80	76.15
27.5	46.69	46.74	47.87	49.07	51.71	54.72	58.17	62.16	66.78	72.19	77.67
28.0	47.46	47.50	48.66	49.90	52.60	55.69	59.23	63.31	68.05	73.59	79.21
28.5	48.23	48.28	49.47	50.73	53.51	56.67	60.29	64.48	69.34	75.01	80.77
29.0	49.01	49.06	50.28	51.57	54.41	57.65	61.37	65.66	70.64	76.45	82.34
29.5	49.80	49.85	51.09	52.42	55.33	58.65	62.45	66.85	71.95	77.90	83.92
30.0	50.59	50.64	51.92	53.27	56.25	59.65	63.55	68.05	73.27	79.36	85.53
PERCENTAGE OF LOAN AMOUNT LEFT UNPAID AT DUE DATE											
	100.0	99.74	93.40	87.07	74.40	61.73	49.06	36.40	23.73	11.06	.00

DISCOUNT %	MONTHLY PAYBACK RATE (%) (MONTHLY PAYMENT DIVIDED BY LOAN AMOUNT)										
	.98	1.00	1.25	1.50	1.75	2.00	2.50	3.00	3.50	4.00	4.70
.5	12.03	12.03	12.04	12.05	12.06	12.07	12.09	12.12	12.15	12.19	12.25
1.0	12.32	12.32	12.34	12.35	12.37	12.39	12.44	12.50	12.56	12.63	12.76
1.5	12.60	12.60	12.63	12.66	12.69	12.72	12.79	12.87	12.97	13.08	13.27
2.0	12.89	12.89	12.93	12.97	13.01	13.05	13.14	13.25	13.38	13.53	13.79
2.5	13.18	13.18	13.23	13.27	13.32	13.38	13.50	13.63	13.79	13.98	14.31
3.0	13.47	13.47	13.53	13.58	13.64	13.71	13.85	14.02	14.21	14.44	14.83
3.5	13.76	13.77	13.83	13.90	13.97	14.04	14.21	14.40	14.63	14.90	15.36
4.0	14.06	14.06	14.13	14.21	14.29	14.38	14.57	14.79	15.05	15.36	15.89
4.5	14.35	14.36	14.44	14.53	14.62	14.72	14.93	15.19	15.48	15.83	16.43
5.0	14.65	14.66	14.75	14.84	14.95	15.06	15.30	15.58	15.91	16.30	16.97
5.5	14.95	14.96	15.06	15.16	15.28	15.40	15.67	15.98	16.34	16.77	17.51
6.0	15.25	15.26	15.37	15.49	15.61	15.74	16.04	16.38	16.78	17.25	18.06
6.5	15.55	15.56	15.68	15.81	15.94	16.09	16.41	16.78	17.21	17.73	18.61
7.0	15.86	15.87	16.00	16.13	16.28	16.44	16.79	17.19	17.66	18.21	19.17
7.5	16.16	16.17	16.31	16.46	16.62	16.79	17.16	17.60	18.10	18.70	19.73
8.0	16.47	16.48	16.63	16.79	16.96	17.14	17.54	18.01	18.55	19.19	20.29
8.5	16.78	16.80	16.95	17.12	17.31	17.50	17.93	18.42	19.00	19.68	20.86
9.0	17.09	17.11	17.28	17.46	17.65	17.86	18.31	18.84	19.45	20.18	21.44
9.5	17.41	17.42	17.60	17.79	18.00	18.22	18.70	19.26	19.91	20.68	22.01
10.0	17.72	17.74	17.93	18.13	18.35	18.58	19.09	19.68	20.37	21.19	22.60
10.5	18.04	18.06	18.26	18.47	18.70	18.95	19.49	20.11	20.84	21.70	23.18
11.0	18.36	18.38	18.59	18.82	19.06	19.31	19.88	20.54	21.31	22.21	23.78
11.5	18.68	18.70	18.93	19.16	19.41	19.68	20.28	20.97	21.78	22.73	24.37
12.0	19.01	19.03	19.26	19.51	19.77	20.06	20.68	21.41	22.26	23.25	24.98
12.5	19.33	19.36	19.60	19.86	20.14	20.43	21.09	21.85	22.74	23.78	25.58
13.0	19.66	19.68	19.94	20.21	20.50	20.81	21.50	22.29	23.22	24.31	26.19
13.5	19.99	20.02	20.28	20.57	20.87	21.19	21.91	22.74	23.71	24.85	26.81
14.0	20.33	20.35	20.63	20.92	21.24	21.58	22.32	23.19	24.20	25.39	27.43
14.5	20.66	20.69	20.98	21.28	21.61	21.96	22.74	23.64	24.69	25.93	28.06
15.0	21.00	21.02	21.32	21.65	21.99	22.35	23.16	24.10	25.19	26.48	28.69
15.5	21.34	21.36	21.68	22.01	22.36	22.74	23.59	24.56	25.70	27.03	29.33
16.0	21.68	21.71	22.03	22.38	22.75	23.14	24.01	25.02	26.20	27.59	29.98
16.5	22.02	22.05	22.39	22.75	23.13	23.54	24.44	25.49	26.71	28.15	30.62
17.0	22.37	22.40	22.75	23.12	23.51	23.94	24.88	25.96	27.23	28.72	31.28
17.5	22.72	22.75	23.11	23.49	23.90	24.34	25.31	26.44	27.75	29.29	31.94
18.0	23.07	23.10	23.47	23.87	24.30	24.75	25.75	26.92	28.27	29.87	32.61
18.5	23.42	23.45	23.84	24.25	24.69	25.16	26.20	27.40	28.80	30.45	33.28
19.0	23.78	23.81	24.21	24.63	25.09	25.57	26.65	27.89	29.34	31.04	33.96
19.5	24.14	24.17	24.58	25.02	25.49	25.99	27.10	28.38	29.88	31.63	34.64
20.0	24.50	24.53	24.96	25.41	25.89	26.41	27.55	28.88	30.42	32.23	35.33
21.0	25.23	25.26	25.72	26.20	26.71	27.26	28.47	29.88	31.52	33.44	36.74
22.0	25.97	26.01	26.49	26.99	27.54	28.12	29.41	30.90	32.64	34.68	38.16
23.0	26.72	26.76	27.27	27.80	28.38	28.99	30.36	31.94	33.78	35.94	39.62
24.0	27.48	27.52	28.06	28.63	29.24	29.88	31.33	32.99	34.94	37.22	41.10
25.0	28.25	28.30	28.86	29.46	30.10	30.79	32.31	34.07	36.12	38.53	42.61
26.0	29.04	29.09	29.68	30.31	30.99	31.71	33.31	35.17	37.33	39.86	44.16
27.0	29.84	29.89	30.51	31.18	31.89	32.65	34.33	36.28	38.55	41.22	45.73
28.0	30.65	30.70	31.36	32.05	32.80	33.60	35.37	37.42	39.81	42.60	47.34
29.0	31.47	31.53	32.21	32.95	33.73	34.57	36.43	38.58	41.08	44.02	48.98
30.0	32.31	32.37	33.09	33.85	34.67	35.55	37.50	39.76	42.39	45.46	50.65
31.0	33.16	33.22	33.97	34.78	35.64	36.56	38.60	40.97	43.72	46.93	52.37
32.0	34.02	34.09	34.88	35.72	36.62	37.58	39.72	42.19	45.07	48.44	54.11
33.0	34.90	34.97	35.79	36.67	37.61	38.62	40.86	43.45	46.46	49.98	55.90
34.0	35.80	35.87	36.73	37.65	38.63	39.68	42.02	44.73	47.88	51.55	57.73
35.0	36.71	36.78	37.68	38.64	39.67	40.77	43.21	46.04	49.33	53.17	59.61
36.0	37.63	37.71	38.65	39.65	40.72	41.87	44.42	47.38	50.81	54.81	61.52
37.0	38.58	38.66	39.63	40.68	41.80	43.00	45.66	48.74	52.32	56.50	63.49
38.0	39.54	39.62	40.64	41.73	42.90	44.14	46.92	50.14	53.88	58.23	65.50
39.0	40.52	40.60	41.66	42.80	44.02	45.32	48.22	51.57	55.46	60.00	67.56
40.0	41.51	41.60	42.71	43.89	45.16	46.52	49.54	53.03	57.09	61.81	69.68
▽Φ PERCENTAGE OF LOAN AMOUNT LEFT UNPAID AT DUE DATE											
	100.0	99.44	92.71	85.99	79.26	72.53	59.08	45.63	32.17	18.72	.00

DISCOUNT %	MONTHLY PAYBACK RATE (%) (MONTHLY PAYMENT DIVIDED BY LOAN AMOUNT)										
	.98	1.00	1.25	1.50	1.75	2.00	2.25	2.50	2.75	3.00	3.31
.5	11.95	11.95	11.96	11.97	11.98	12.00	12.01	12.03	12.05	12.07	12.10
1.0	12.15	12.15	12.17	12.19	12.22	12.24	12.27	12.30	12.34	12.39	12.45
1.5	12.35	12.35	12.38	12.41	12.45	12.49	12.53	12.59	12.64	12.71	12.80
2.0	12.55	12.56	12.60	12.64	12.69	12.74	12.80	12.87	12.94	13.03	13.16
2.5	12.76	12.76	12.81	12.86	12.93	12.99	13.07	13.15	13.25	13.36	13.52
3.0	12.96	12.97	13.03	13.09	13.16	13.25	13.34	13.44	13.55	13.69	13.88
3.5	13.17	13.17	13.24	13.32	13.41	13.50	13.61	13.73	13.86	14.02	14.24
4.0	13.38	13.38	13.46	13.55	13.65	13.76	13.88	14.02	14.17	14.35	14.61
4.5	13.58	13.59	13.68	13.78	13.89	14.02	14.15	14.31	14.48	14.69	14.98
5.0	13.79	13.80	13.90	14.02	14.14	14.28	14.43	14.60	14.80	15.02	15.35
5.5	14.01	14.01	14.13	14.25	14.39	14.54	14.71	14.90	15.12	15.36	15.72
6.0	14.22	14.23	14.35	14.49	14.63	14.80	14.99	15.20	15.44	15.71	16.10
6.5	14.43	14.44	14.58	14.72	14.89	15.07	15.27	15.50	15.76	16.05	16.48
7.0	14.65	14.66	14.80	14.96	15.14	15.33	15.55	15.80	16.08	16.40	16.87
7.5	14.86	14.88	15.03	15.20	15.39	15.60	15.84	16.11	16.41	16.75	17.25
8.0	15.08	15.09	15.26	15.44	15.65	15.87	16.13	16.41	16.74	17.11	17.64
8.5	15.30	15.31	15.49	15.69	15.91	16.15	16.42	16.72	17.07	17.46	18.03
9.0	15.52	15.54	15.73	15.93	16.17	16.42	16.71	17.03	17.40	17.82	18.43
9.5	15.74	15.76	15.96	16.18	16.43	16.70	17.01	17.35	17.74	18.18	18.83
10.0	15.97	15.98	16.20	16.43	16.69	16.98	17.30	17.67	18.08	18.55	19.23
11.0	16.42	16.44	16.67	16.93	17.22	17.54	17.90	18.31	18.76	19.29	20.04
12.0	16.87	16.90	17.16	17.44	17.76	18.12	18.51	18.96	19.46	20.04	20.87
13.0	17.34	17.36	17.65	17.96	18.31	18.70	19.13	19.62	20.17	20.80	21.71
14.0	17.81	17.83	18.14	18.48	18.86	19.29	19.76	20.29	20.89	21.58	22.56
15.0	18.28	18.31	18.65	19.02	19.43	19.88	20.40	20.97	21.62	22.36	23.43
16.0	18.76	18.79	19.16	19.56	20.00	20.49	21.04	21.67	22.37	23.17	24.32
17.0	19.25	19.28	19.67	20.10	20.58	21.11	21.70	22.37	23.12	23.98	25.21
18.0	19.75	19.78	20.20	20.66	21.17	21.74	22.37	23.09	23.89	24.81	26.13
19.0	20.25	20.29	20.73	21.22	21.77	22.38	23.05	23.82	24.68	25.66	27.06
20.0	20.76	20.80	21.27	21.80	22.38	23.02	23.75	24.56	25.48	26.52	28.01
21.0	21.28	21.32	21.82	22.38	23.00	23.68	24.45	25.31	26.29	27.39	28.98
22.0	21.80	21.85	22.38	22.97	23.63	24.35	25.17	26.08	27.11	28.28	29.96
23.0	22.34	22.38	22.95	23.57	24.26	25.04	25.90	26.87	27.96	29.19	30.96
24.0	22.88	22.93	23.52	24.18	24.91	25.73	26.64	27.66	28.82	30.12	31.98
25.0	23.43	23.48	24.11	24.80	25.58	26.44	27.40	28.47	29.69	31.06	33.03
26.0	23.99	24.04	24.70	25.44	26.25	27.15	28.17	29.30	30.58	32.03	34.09
27.0	24.56	24.61	25.31	26.08	26.93	27.89	28.95	30.15	31.49	33.01	35.18
28.0	25.13	25.19	25.92	26.73	27.63	28.63	29.75	31.01	32.42	34.01	36.28
29.0	25.72	25.78	26.55	27.40	28.34	29.39	30.57	31.88	33.37	35.04	37.41
30.0	26.31	26.38	27.18	28.08	29.06	30.17	31.40	32.78	34.33	36.08	38.57
31.0	26.92	26.99	27.83	28.77	29.80	30.96	32.25	33.69	35.32	37.15	39.75
32.0	27.54	27.61	28.49	29.47	30.55	31.76	33.11	34.63	36.33	38.24	40.96
33.0	28.16	28.24	29.16	30.18	31.32	32.58	34.00	35.58	37.36	39.36	42.19
34.0	28.80	28.88	29.85	30.91	32.10	33.42	34.90	36.55	38.41	40.50	43.45
35.0	29.45	29.53	30.54	31.66	32.90	34.28	35.82	37.55	39.49	41.67	44.74
36.0	30.12	30.20	31.25	32.42	33.71	35.15	36.77	38.57	40.59	42.86	46.06
37.0	30.79	30.88	31.98	33.19	34.54	36.05	37.73	39.61	41.72	44.09	47.42
38.0	31.48	31.57	32.71	33.98	35.39	36.96	38.72	40.68	42.88	45.34	48.80
39.0	32.18	32.27	33.47	34.79	36.26	37.90	39.73	41.77	44.06	46.63	50.23
40.0	32.89	32.99	34.24	35.61	37.15	38.85	40.76	42.89	45.28	47.95	51.69
41.0	33.62	33.73	35.02	36.46	38.05	39.83	41.82	44.04	46.52	49.30	53.18
42.0	34.37	34.48	35.82	37.32	38.98	40.83	42.90	45.22	47.80	50.69	54.72
43.0	35.13	35.24	36.64	38.20	39.93	41.86	44.02	46.43	49.12	52.12	56.30
44.0	35.91	36.02	37.48	39.10	40.91	42.92	45.16	47.67	50.46	53.58	57.92
45.0	36.70	36.82	38.34	40.03	41.90	44.00	46.33	48.94	51.85	55.09	59.60
46.0	37.51	37.64	39.22	40.97	42.93	45.10	47.54	50.25	53.28	56.64	61.31
47.0	38.34	38.47	40.12	41.94	43.98	46.24	48.77	51.60	54.75	58.24	63.08
48.0	39.19	39.32	41.04	42.94	45.05	47.41	50.05	52.99	56.26	59.89	64.91
49.0	40.06	40.20	41.98	43.96	46.16	48.62	51.36	54.41	57.82	61.59	66.79
50.0	40.95	41.10	42.95	45.00	47.30	49.85	52.71	55.89	59.42	63.34	68.73
	PERCENTAGE OF LOAN AMOUNT LEFT UNPAID AT DUE DATE										
	100.0	99.11	88.38	77.65	66.92	56.19	45.47	34.74	24.01	13.28	.00

DISCOUNT %	MONTHLY PAYBACK RATE (%) (MONTHLY PAYMENT DIVIDED BY LOAN AMOUNT)										
	.98	1.00	1.10	1.20	1.40	1.60	1.80	2.00	2.20	2.40	2.62
.5	11.91	11.91	11.91	11.92	11.93	11.94	11.95	11.96	11.98	12.00	12.02
1.0	12.07	12.07	12.08	12.09	12.10	12.13	12.15	12.18	12.21	12.24	12.29
1.5	12.23	12.23	12.24	12.25	12.28	12.31	12.35	12.39	12.44	12.49	12.56
2.0	12.39	12.39	12.41	12.42	12.46	12.51	12.55	12.61	12.67	12.74	12.84
2.5	12.55	12.55	12.57	12.60	12.64	12.70	12.76	12.83	12.90	12.99	13.11
3.0	12.71	12.72	12.74	12.77	12.83	12.89	12.96	13.05	13.14	13.25	13.39
3.5	12.87	12.88	12.91	12.94	13.01	13.08	13.17	13.27	13.38	13.51	13.67
4.0	13.04	13.05	13.08	13.12	13.19	13.28	13.38	13.49	13.61	13.76	13.95
4.5	13.20	13.21	13.25	13.29	13.38	13.48	13.59	13.71	13.86	14.02	14.24
5.0	13.37	13.38	13.42	13.47	13.57	13.68	13.80	13.94	14.10	14.29	14.52
5.5	13.54	13.55	13.59	13.65	13.75	13.88	14.01	14.17	14.34	14.55	14.81
6.0	13.71	13.72	13.77	13.82	13.94	14.08	14.22	14.40	14.59	14.81	15.11
6.5	13.88	13.89	13.94	14.00	14.13	14.28	14.44	14.63	14.84	15.08	15.40
7.0	14.05	14.06	14.12	14.19	14.33	14.48	14.66	14.86	15.09	15.35	15.69
7.5	14.22	14.23	14.30	14.37	14.52	14.69	14.88	15.09	15.34	15.62	15.99
8.0	14.39	14.41	14.48	14.55	14.71	14.90	15.10	15.33	15.59	15.90	16.29
8.5	14.57	14.58	14.66	14.74	14.91	15.10	15.32	15.57	15.85	16.18	16.59
9.0	14.74	14.76	14.84	14.92	15.11	15.31	15.54	15.81	16.11	16.45	16.90
9.5	14.92	14.94	15.02	15.11	15.31	15.52	15.77	16.05	16.37	16.73	17.21
10.0	15.09	15.11	15.20	15.30	15.51	15.74	16.00	16.29	16.63	17.02	17.52
11.0	15.45	15.47	15.57	15.68	15.91	16.17	16.46	16.79	17.16	17.59	18.14
12.0	15.82	15.84	15.95	16.07	16.32	16.60	16.92	17.29	17.70	18.17	18.78
13.0	16.19	16.21	16.33	16.46	16.74	17.05	17.40	17.79	18.24	18.76	19.43
14.0	16.56	16.59	16.72	16.86	17.16	17.50	17.88	18.31	18.80	19.36	20.09
15.0	16.94	16.97	17.11	17.26	17.59	17.95	18.37	18.83	19.36	19.98	20.76
16.0	17.32	17.35	17.51	17.67	18.02	18.42	18.86	19.37	19.94	20.60	21.44
17.0	17.71	17.75	17.91	18.09	18.47	18.89	19.37	19.91	20.52	21.23	22.14
18.0	18.11	18.14	18.32	18.51	18.91	19.37	19.88	20.46	21.12	21.87	22.84
19.0	18.51	18.55	18.73	18.94	19.37	19.86	20.40	21.02	21.72	22.53	23.56
20.0	18.91	18.96	19.16	19.37	19.83	20.35	20.93	21.59	22.34	23.20	24.29
21.0	19.33	19.37	19.59	19.81	20.30	20.85	21.47	22.17	22.97	23.88	25.04
22.0	19.75	19.79	20.02	20.26	20.78	21.37	22.02	22.76	23.61	24.57	25.80
23.0	20.17	20.22	20.46	20.72	21.27	21.89	22.58	23.37	24.25	25.28	26.57
24.0	20.61	20.66	20.91	21.18	21.76	22.42	23.15	23.98	24.92	26.00	27.36
25.0	21.05	21.10	21.37	21.65	22.27	22.96	23.73	24.61	25.60	26.73	28.17
26.0	21.49	21.55	21.83	22.13	22.78	23.51	24.32	25.24	26.29	27.48	28.99
27.0	21.95	22.01	22.31	22.62	23.30	24.07	24.92	25.89	26.99	28.24	29.83
28.0	22.41	22.47	22.79	23.12	23.83	24.64	25.54	26.56	27.71	29.02	30.68
29.0	22.88	22.95	23.27	23.62	24.37	25.22	26.16	27.23	28.44	29.82	31.56
30.0	23.36	23.43	23.77	24.14	24.92	25.81	26.80	27.92	29.19	30.63	32.45
31.0	23.85	23.92	24.28	24.66	25.49	26.41	27.45	28.63	29.95	31.46	33.36
32.0	24.34	24.42	24.79	25.19	26.06	27.03	28.12	29.35	30.73	32.31	34.29
33.0	24.85	24.93	25.32	25.74	26.64	27.66	28.79	30.08	31.53	33.18	35.25
34.0	25.36	25.44	25.85	26.29	27.24	28.30	29.49	30.83	32.35	34.07	36.22
35.0	25.88	25.97	26.40	26.86	27.85	28.95	30.20	31.60	33.18	34.97	37.22
36.0	26.42	26.51	26.96	27.43	28.47	29.62	30.92	32.39	34.04	35.90	38.24
37.0	26.96	27.06	27.52	28.02	29.10	30.31	31.66	33.19	34.91	36.86	39.29
38.0	27.52	27.62	28.10	28.62	29.75	31.01	32.42	34.02	35.81	37.84	40.37
39.0	28.08	28.19	28.69	29.24	30.41	31.72	33.20	34.86	36.73	38.84	41.47
40.0	28.66	28.77	29.30	29.86	31.09	32.46	33.99	35.73	37.67	39.86	42.60
41.0	29.25	29.36	29.92	30.50	31.78	33.21	34.81	36.61	38.64	40.92	43.76
42.0	29.85	29.97	30.55	31.16	32.49	33.97	35.64	37.52	39.63	42.00	44.95
43.0	30.47	30.59	31.19	31.83	33.21	34.76	36.50	38.46	40.65	43.12	46.17
44.0	31.10	31.23	31.85	32.51	33.95	35.57	37.38	39.42	41.70	44.26	47.43
45.0	31.74	31.88	32.53	33.22	34.72	36.40	38.28	40.40	42.78	45.44	48.72
46.0	32.40	32.54	33.22	33.94	35.50	37.25	39.21	41.42	43.89	46.65	50.05
47.0	33.08	33.22	33.93	34.67	36.30	38.12	40.16	42.46	45.03	47.90	51.43
48.0	33.77	33.92	34.65	35.43	37.12	39.02	41.15	43.54	46.20	49.18	52.84
49.0	34.48	34.64	35.40	36.21	37.97	39.94	42.16	44.64	47.42	50.51	54.30
50.0	35.21	35.37	36.16	37.01	38.84	40.90	43.20	45.79	48.67	51.88	55.81
⬇⊕	PERCENTAGE OF LOAN AMOUNT LEFT UNPAID AT DUE DATE										
	100.0	98.73	92.64	86.55	74.37	62.19	50.01	37.83	25.65	13.47	.00

DISCOUNT %	MONTHLY PAYBACK RATE (%) (MONTHLY PAYMENT DIVIDED BY LOAN AMOUNT)										
	.98	1.00	1.10	1.20	1.30	1.40	1.50	1.60	1.80	2.00	2.21
.5	11.88	11.88	11.89	11.89	11.90	11.90	11.91	11.92	11.93	11.95	11.97
1.0	12.02	12.02	12.03	12.04	12.05	12.06	12.07	12.08	12.11	12.15	12.19
1.5	12.15	12.15	12.17	12.18	12.20	12.21	12.23	12.25	12.29	12.35	12.42
2.0	12.29	12.29	12.31	12.33	12.35	12.37	12.40	12.42	12.48	12.55	12.64
2.5	12.42	12.43	12.45	12.48	12.50	12.53	12.56	12.59	12.67	12.75	12.87
3.0	12.56	12.57	12.59	12.62	12.65	12.69	12.73	12.76	12.85	12.96	13.10
3.5	12.70	12.71	12.74	12.77	12.81	12.85	12.89	12.94	13.04	13.17	13.33
4.0	12.84	12.85	12.88	12.92	12.96	13.01	13.06	13.11	13.23	13.38	13.56
4.5	12.98	12.99	13.03	13.07	13.12	13.17	13.23	13.29	13.42	13.59	13.79
5.0	13.12	13.13	13.17	13.23	13.28	13.34	13.40	13.47	13.62	13.80	14.03
5.5	13.26	13.27	13.32	13.38	13.44	13.50	13.57	13.64	13.81	14.01	14.26
6.0	13.40	13.41	13.47	13.53	13.60	13.67	13.74	13.82	14.00	14.22	14.50
6.5	13.55	13.56	13.62	13.69	13.76	13.83	13.92	14.00	14.20	14.44	14.74
7.0	13.69	13.70	13.77	13.84	13.92	14.00	14.09	14.19	14.40	14.66	14.99
7.5	13.84	13.85	13.92	14.00	14.08	14.17	14.27	14.37	14.60	14.88	15.23
8.0	13.98	14.00	14.07	14.16	14.25	14.34	14.44	14.55	14.80	15.10	15.48
8.5	14.13	14.15	14.23	14.32	14.41	14.51	14.62	14.74	15.01	15.32	15.73
9.0	14.28	14.30	14.38	14.48	14.58	14.69	14.80	14.93	15.21	15.55	15.98
9.5	14.43	14.45	14.54	14.64	14.74	14.86	14.98	15.12	15.42	15.77	16.23
10.0	14.58	14.60	14.70	14.80	14.91	15.04	15.17	15.31	15.62	16.00	16.48
11.0	14.88	14.90	15.01	15.13	15.26	15.39	15.54	15.69	16.05	16.47	17.00
12.0	15.19	15.21	15.33	15.46	15.60	15.75	15.91	16.08	16.47	16.94	17.52
13.0	15.50	15.53	15.66	15.80	15.95	16.12	16.29	16.48	16.91	17.41	18.05
14.0	15.82	15.85	15.99	16.15	16.31	16.49	16.68	16.89	17.35	17.90	18.60
15.0	16.14	16.17	16.33	16.50	16.67	16.87	17.07	17.30	17.80	18.39	19.15
16.0	16.47	16.50	16.67	16.85	17.04	17.25	17.47	17.71	18.25	18.90	19.71
17.0	16.80	16.83	17.01	17.21	17.41	17.64	17.88	18.14	18.72	19.41	20.28
18.0	17.13	17.17	17.37	17.57	17.79	18.04	18.29	18.57	19.19	19.93	20.86
19.0	17.47	17.52	17.72	17.95	18.18	18.44	18.71	19.01	19.67	20.46	21.45
20.0	17.82	17.87	18.08	18.32	18.57	18.85	19.14	19.45	20.16	21.00	22.05
21.0	18.17	18.22	18.45	18.71	18.97	19.26	19.57	19.91	20.66	21.55	22.66
22.0	18.53	18.58	18.83	19.10	19.38	19.69	20.02	20.37	21.17	22.11	23.29
23.0	18.89	18.95	19.21	19.49	19.79	20.12	20.47	20.84	21.69	22.68	23.93
24.0	19.26	19.32	19.60	19.89	20.21	20.56	20.93	21.32	22.21	23.26	24.57
25.0	19.64	19.70	19.99	20.30	20.64	21.00	21.39	21.81	22.75	23.86	25.24
26.0	20.02	20.08	20.39	20.72	21.08	21.46	21.87	22.31	23.30	24.46	25.91
27.0	20.41	20.47	20.80	21.15	21.52	21.92	22.35	22.82	23.86	25.08	26.60
28.0	20.80	20.87	21.21	21.58	21.97	22.39	22.85	23.34	24.43	25.71	27.31
29.0	21.20	21.28	21.63	22.02	22.43	22.88	23.35	23.86	25.01	26.35	28.03
30.0	21.61	21.69	22.06	22.47	22.90	23.37	23.87	24.40	25.61	27.01	28.76
31.0	22.03	22.11	22.50	22.93	23.38	23.87	24.39	24.95	26.21	27.69	29.51
32.0	22.45	22.54	22.95	23.39	23.87	24.38	24.93	25.52	26.83	28.37	30.28
33.0	22.89	22.97	23.41	23.87	24.37	24.90	25.47	26.09	27.47	29.08	31.07
34.0	23.33	23.42	23.87	24.36	24.87	25.43	26.03	26.68	28.12	29.80	31.87
35.0	23.78	23.87	24.34	24.85	25.39	25.98	26.60	27.28	28.78	30.53	32.69
36.0	24.24	24.34	24.83	25.36	25.92	26.53	27.19	27.89	29.46	31.29	33.54
37.0	24.70	24.81	25.32	25.88	26.47	27.10	27.79	28.52	30.16	32.06	34.40
38.0	25.18	25.29	25.83	26.40	27.02	27.69	28.40	29.16	30.87	32.86	35.29
39.0	25.67	25.78	26.34	26.94	27.59	28.28	29.02	29.82	31.60	33.67	36.20
40.0	26.17	26.29	26.87	27.50	28.17	28.89	29.67	30.50	32.35	34.50	37.13
41.0	26.68	26.80	27.41	28.06	28.76	29.52	30.32	31.19	33.12	35.36	38.08
42.0	27.20	27.33	27.96	28.64	29.37	30.16	31.00	31.90	33.91	36.24	39.07
43.0	27.73	27.87	28.53	29.24	29.99	30.81	31.69	32.63	34.73	37.14	40.08
44.0	28.28	28.42	29.10	29.84	30.63	31.49	32.40	33.38	35.56	38.07	41.12
45.0	28.84	28.98	29.70	30.47	31.29	32.18	33.13	34.15	36.42	39.03	42.19
46.0	29.41	29.56	30.30	31.11	31.96	32.89	33.88	34.94	37.30	40.01	43.29
47.0	29.99	30.15	30.93	31.76	32.66	33.62	34.65	35.76	38.21	41.03	44.42
48.0	30.60	30.76	31.57	32.44	33.37	34.37	35.44	36.59	39.15	42.08	45.59
49.0	31.21	31.38	32.22	33.13	34.10	35.14	36.26	37.46	40.12	43.16	46.80
50.0	31.85	32.02	32.90	33.84	34.85	35.94	37.10	38.35	41.11	44.27	48.05
▽Φ	PERCENTAGE OF LOAN AMOUNT LEFT UNPAID AT DUE DATE										
	100.0	98.31	90.20	82.08	73.97	65.86	57.75	49.63	33.41	17.18	.00

DISCOUNT %	MONTHLY PAYBACK RATE (%) (MONTHLY PAYMENT DIVIDED BY LOAN AMOUNT)										
	.98	1.00	1.10	1.20	1.30	1.40	1.50	1.60	1.70	1.80	1.94
1.0	11.98	11.99	11.99	12.01	12.02	12.03	12.05	12.06	12.08	12.09	12.13
2.0	12.22	12.23	12.24	12.27	12.29	12.32	12.34	12.38	12.41	12.45	12.51
3.0	12.46	12.47	12.50	12.53	12.56	12.61	12.65	12.69	12.75	12.80	12.90
4.0	12.71	12.71	12.75	12.80	12.84	12.90	12.96	13.02	13.09	13.16	13.29
5.0	12.95	12.96	13.01	13.07	13.13	13.20	13.27	13.35	13.44	13.53	13.69
6.0	13.20	13.22	13.28	13.34	13.42	13.50	13.58	13.68	13.79	13.91	14.10
7.0	13.46	13.47	13.54	13.62	13.71	13.80	13.91	14.02	14.15	14.28	14.51
8.0	13.71	13.73	13.81	13.91	14.00	14.11	14.23	14.36	14.51	14.67	14.93
9.0	13.97	13.99	14.09	14.19	14.30	14.43	14.56	14.71	14.88	15.06	15.36
10.0	14.24	14.26	14.37	14.48	14.61	14.75	14.90	15.07	15.25	15.46	15.79
11.0	14.50	14.53	14.65	14.78	14.92	15.07	15.24	15.43	15.63	15.86	16.23
12.0	14.78	14.80	14.93	15.08	15.23	15.40	15.59	15.80	16.02	16.27	16.68
13.0	15.05	15.08	15.22	15.38	15.55	15.74	15.94	16.17	16.42	16.69	17.14
14.0	15.33	15.36	15.52	15.69	15.88	16.08	16.30	16.55	16.82	17.11	17.60
15.0	15.62	15.65	15.82	16.01	16.20	16.43	16.67	16.93	17.22	17.55	18.07
16.0	15.90	15.94	16.12	16.32	16.54	16.78	17.04	17.32	17.64	17.98	18.55
17.0	16.20	16.24	16.43	16.65	16.88	17.14	17.41	17.72	18.06	18.43	19.04
18.0	16.49	16.54	16.75	16.98	17.23	17.50	17.80	18.13	18.49	18.89	19.53
19.0	16.80	16.84	17.07	17.31	17.58	17.87	18.19	18.54	18.93	19.35	20.04
20.0	17.10	17.15	17.39	17.65	17.93	18.25	18.59	18.96	19.37	19.82	20.55
21.0	17.41	17.47	17.72	18.00	18.30	18.63	18.99	19.39	19.83	20.30	21.08
22.0	17.73	17.78	18.05	18.35	18.67	19.02	19.40	19.82	20.29	20.80	21.61
23.0	18.05	18.11	18.40	18.71	19.05	19.42	19.82	20.27	20.76	21.30	22.16
24.0	18.38	18.44	18.74	19.07	19.43	19.82	20.25	20.72	21.24	21.81	22.72
25.0	18.71	18.78	19.10	19.45	19.82	20.24	20.69	21.18	21.73	22.33	23.28
26.0	19.05	19.12	19.46	19.82	20.22	20.66	21.13	21.66	22.23	22.86	23.86
27.0	19.40	19.47	19.82	20.21	20.63	21.09	21.59	22.14	22.74	23.40	24.45
28.0	19.75	19.82	20.20	20.60	21.04	21.53	22.05	22.63	23.26	23.95	25.06
29.0	20.11	20.18	20.58	21.00	21.46	21.97	22.52	23.13	23.79	24.52	25.67
30.0	20.47	20.55	20.96	21.41	21.90	22.43	23.01	23.64	24.34	25.09	26.30
31.0	20.84	20.93	21.36	21.83	22.34	22.89	23.50	24.16	24.89	25.68	26.95
32.0	21.22	21.31	21.76	22.25	22.79	23.37	24.00	24.70	25.46	26.29	27.61
33.0	21.61	21.70	22.17	22.69	23.24	23.86	24.52	25.25	26.04	26.91	28.28
34.0	22.00	22.10	22.59	23.13	23.71	24.35	25.05	25.81	26.63	27.54	28.97
35.0	22.40	22.51	23.02	23.58	24.19	24.86	25.59	26.38	27.24	28.19	29.68
36.0	22.81	22.92	23.46	24.05	24.68	25.38	26.14	26.96	27.87	28.85	30.40
37.0	23.23	23.35	23.91	24.52	25.18	25.91	26.70	27.57	28.51	29.53	31.14
38.0	23.66	23.78	24.36	25.01	25.70	26.46	27.28	28.18	29.16	30.23	31.90
39.0	24.10	24.22	24.83	25.50	26.22	27.02	27.88	28.81	29.83	30.94	32.69
40.0	24.55	24.67	25.31	26.01	26.76	27.59	28.48	29.46	30.52	31.68	33.49
41.0	25.00	25.14	25.80	26.53	27.32	28.18	29.11	30.13	31.23	32.43	34.31
42.0	25.47	25.61	26.30	27.06	27.88	28.78	29.75	30.81	31.96	33.20	35.15
43.0	25.95	26.10	26.82	27.61	28.46	29.40	30.41	31.51	32.71	34.00	36.02
44.0	26.44	26.59	27.35	28.17	29.06	30.03	31.09	32.23	33.48	34.82	36.92
45.0	26.95	27.10	27.89	28.75	29.67	30.69	31.78	32.98	34.27	35.66	37.84
46.0	27.46	27.63	28.44	29.34	30.30	31.36	32.50	33.74	35.08	36.53	38.79
47.0	27.99	28.16	29.02	29.95	30.95	32.05	33.24	34.53	35.93	37.43	39.76
48.0	28.54	28.72	29.60	30.57	31.62	32.76	34.00	35.34	36.79	38.35	40.77
49.0	29.10	29.28	30.21	31.22	32.31	33.50	34.79	36.18	37.69	39.31	41.81
50.0	29.67	29.87	30.83	31.88	33.02	34.25	35.60	37.05	38.61	40.29	42.89
51.0	30.27	30.47	31.47	32.56	33.75	35.04	36.43	37.94	39.57	41.31	44.00
52.0	30.88	31.08	32.13	33.27	34.50	35.85	37.30	38.87	40.56	42.37	45.15
53.0	31.50	31.72	32.81	34.00	35.28	36.68	38.19	39.83	41.58	43.46	46.34
54.0	32.15	32.38	33.51	34.75	36.09	37.55	39.12	40.82	42.64	44.59	47.58
55.0	32.82	33.06	34.24	35.53	36.93	38.44	40.08	41.85	43.75	45.77	48.86
56.0	33.51	33.76	34.99	36.34	37.79	39.37	41.08	42.92	44.89	46.99	50.19
57.0	34.22	34.48	35.77	37.17	38.69	40.34	42.12	44.03	46.08	48.26	51.58
58.0	34.96	35.23	36.58	38.04	39.62	41.35	43.20	45.19	47.32	49.58	53.02
59.0	35.73	36.01	37.41	38.94	40.60	42.39	44.32	46.40	48.61	50.96	54.52
60.0	36.52	36.82	38.28	39.88	41.61	43.48	45.50	47.66	49.96	52.40	56.09
▽Φ PERCENTAGE OF LOAN AMOUNT LEFT UNPAID AT DUE DATE											
	100.0	97.84	87.45	77.07	66.68	56.29	45.91	35.52	25.14	14.75	.00

DISCOUNT %	MONTHLY PAYBACK RATE (%) (MONTHLY PAYMENT DIVIDED BY LOAN AMOUNT)										
	.98	1.00	1.05	1.10	1.20	1.30	1.40	1.50	1.60	1.70	1.75
1.0	11.96	11.96	11.97	11.97	11.99	12.00	12.01	12.03	12.05	12.07	12.08
2.0	12.18	12.18	12.19	12.20	12.23	12.25	12.28	12.31	12.35	12.39	12.42
3.0	12.39	12.40	12.41	12.43	12.47	12.51	12.55	12.60	12.66	12.72	12.76
4.0	12.61	12.62	12.64	12.66	12.71	12.77	12.83	12.89	12.97	13.06	13.10
5.0	12.84	12.85	12.87	12.90	12.96	13.03	13.11	13.19	13.29	13.39	13.46
6.0	13.06	13.08	13.11	13.14	13.22	13.30	13.39	13.49	13.61	13.74	13.81
7.0	13.29	13.31	13.34	13.38	13.47	13.57	13.68	13.80	13.93	14.09	14.18
8.0	13.52	13.54	13.58	13.63	13.73	13.84	13.97	14.11	14.27	14.44	14.55
9.0	13.76	13.78	13.83	13.88	14.00	14.12	14.27	14.42	14.60	14.80	14.92
10.0	14.00	14.02	14.08	14.14	14.27	14.41	14.57	14.74	14.94	15.17	15.30
11.0	14.24	14.27	14.33	14.39	14.54	14.70	14.87	15.07	15.29	15.54	15.69
12.0	14.49	14.52	14.58	14.66	14.82	14.99	15.18	15.40	15.65	15.92	16.08
13.0	14.74	14.77	14.84	14.92	15.10	15.29	15.50	15.74	16.01	16.31	16.48
14.0	14.99	15.02	15.11	15.19	15.38	15.59	15.82	16.08	16.37	16.70	16.89
15.0	15.25	15.28	15.37	15.47	15.67	15.90	16.15	16.43	16.75	17.10	17.30
16.0	15.51	15.55	15.65	15.75	15.97	16.21	16.48	16.78	17.12	17.51	17.72
17.0	15.77	15.82	15.92	16.03	16.27	16.53	16.82	17.15	17.51	17.92	18.15
18.0	16.04	16.09	16.20	16.32	16.57	16.85	17.17	17.51	17.90	18.34	18.59
19.0	16.32	16.37	16.49	16.61	16.88	17.18	17.52	17.89	18.30	18.77	19.03
20.0	16.60	16.65	16.78	16.91	17.20	17.52	17.87	18.27	18.71	19.21	19.49
21.0	16.88	16.94	17.07	17.21	17.52	17.86	18.24	18.66	19.13	19.65	19.95
22.0	17.17	17.23	17.37	17.52	17.85	18.21	18.61	19.05	19.55	20.11	20.42
23.0	17.46	17.53	17.68	17.84	18.18	18.56	18.99	19.46	19.98	20.57	20.90
24.0	17.76	17.83	17.99	18.16	18.52	18.92	19.37	19.87	20.42	21.04	21.39
25.0	18.07	18.14	18.30	18.48	18.87	19.29	19.76	20.29	20.87	21.52	21.89
26.0	18.38	18.45	18.63	18.81	19.22	19.67	20.16	20.72	21.33	22.01	22.40
27.0	18.69	18.77	18.95	19.15	19.58	20.05	20.57	21.15	21.80	22.52	22.92
28.0	19.01	19.09	19.29	19.50	19.95	20.44	20.99	21.60	22.28	23.03	23.45
29.0	19.34	19.42	19.63	19.85	20.32	20.84	21.42	22.05	22.77	23.55	24.00
30.0	19.67	19.76	19.98	20.21	20.70	21.25	21.85	22.52	23.26	24.09	24.55
31.0	20.01	20.11	20.33	20.57	21.09	21.66	22.30	23.00	23.77	24.64	25.12
32.0	20.36	20.46	20.70	20.95	21.49	22.09	22.75	23.48	24.30	25.20	25.70
33.0	20.71	20.82	21.07	21.33	21.90	22.52	23.22	23.98	24.83	25.77	26.30
34.0	21.08	21.18	21.44	21.72	22.31	22.97	23.69	24.49	25.38	26.36	26.91
35.0	21.44	21.56	21.83	22.12	22.74	23.42	24.18	25.02	25.94	26.96	27.53
36.0	21.82	21.94	22.22	22.52	23.17	23.89	24.68	25.55	26.51	27.58	28.17
37.0	22.21	22.33	22.63	22.94	23.62	24.36	25.19	26.10	27.10	28.21	28.83
38.0	22.60	22.73	23.04	23.37	24.08	24.85	25.71	26.66	27.71	28.86	29.50
39.0	23.00	23.14	23.46	23.80	24.54	25.35	26.25	27.24	28.33	29.52	30.19
40.0	23.42	23.56	23.89	24.25	25.02	25.87	26.80	27.83	28.96	30.21	30.90
41.0	23.84	23.98	24.34	24.71	25.51	26.39	27.37	28.44	29.62	30.91	31.62
42.0	24.27	24.42	24.79	25.18	26.02	26.94	27.95	29.07	30.29	31.63	32.37
43.0	24.72	24.87	25.26	25.66	26.54	27.49	28.55	29.71	30.98	32.37	33.14
44.0	25.17	25.34	25.74	26.16	27.07	28.06	29.16	30.37	31.69	33.14	33.93
45.0	25.64	25.81	26.23	26.67	27.61	28.65	29.80	31.05	32.43	33.92	34.75
46.0	26.12	26.30	26.73	27.19	28.18	29.26	30.45	31.75	33.18	34.73	35.59
47.0	26.61	26.80	27.25	27.73	28.75	29.88	31.12	32.48	33.96	35.57	36.45
48.0	27.12	27.31	27.78	28.28	29.35	30.52	31.81	33.23	34.76	36.43	37.35
49.0	27.64	27.84	28.33	28.85	29.96	31.19	32.53	34.00	35.59	37.32	38.27
50.0	28.17	28.38	28.90	29.44	30.60	31.87	33.27	34.79	36.45	38.24	39.23
51.0	28.73	28.95	29.48	30.04	31.25	32.58	34.03	35.62	37.34	39.20	40.21
52.0	29.30	29.52	30.08	30.67	31.93	33.31	34.82	36.47	38.26	40.18	41.23
53.0	29.89	30.12	30.70	31.31	32.63	34.07	35.64	37.35	39.21	41.20	42.29
54.0	30.49	30.74	31.34	31.98	33.35	34.85	36.49	38.27	40.20	42.26	43.39
55.0	31.12	31.38	32.01	32.67	34.10	35.66	37.37	39.22	41.22	43.36	44.53
56.0	31.77	32.04	32.70	33.39	34.88	36.51	38.29	40.21	42.29	44.51	45.71
57.0	32.44	32.72	33.41	34.13	35.69	37.38	39.24	41.24	43.40	45.70	46.94
58.0	33.14	33.43	34.15	34.91	36.53	38.30	40.23	42.31	44.55	46.94	48.23
59.0	33.86	34.17	34.92	35.71	37.40	39.25	41.26	43.43	45.76	48.23	49.56
60.0	34.62	34.94	35.72	36.54	38.31	40.24	42.34	44.60	47.01	49.58	50.96
⌀	PERCENTAGE OF LOAN AMOUNT LEFT UNPAID AT DUE DATE										
	100.0	97.30	90.83	84.36	71.42	58.48	45.54	32.60	19.66	6.72	.00

DISCOUNT %	MONTHLY PAYBACK RATE (%) (MONTHLY PAYMENT DIVIDED BY LOAN AMOUNT)										
	.98	1.00	1.05	1.10	1.15	1.20	1.25	1.30	1.40	1.50	1.61
1.0	11.94	11.95	11.95	11.96	11.96	11.97	11.98	11.98	12.00	12.02	12.05
2.0	12.14	12.15	12.16	12.17	12.18	12.20	12.21	12.22	12.26	12.30	12.35
3.0	12.34	12.35	12.36	12.38	12.40	12.42	12.44	12.47	12.52	12.58	12.65
4.0	12.54	12.55	12.58	12.60	12.63	12.65	12.68	12.71	12.78	12.86	12.96
5.0	12.75	12.76	12.79	12.82	12.85	12.89	12.93	12.96	13.05	13.15	13.28
6.0	12.96	12.97	13.01	13.04	13.08	13.13	13.17	13.22	13.32	13.44	13.60
7.0	13.17	13.19	13.23	13.27	13.32	13.37	13.42	13.47	13.60	13.74	13.92
8.0	13.38	13.40	13.45	13.50	13.55	13.61	13.67	13.74	13.88	14.04	14.25
9.0	13.60	13.62	13.68	13.73	13.80	13.86	13.93	14.00	14.17	14.35	14.59
10.0	13.82	13.85	13.91	13.97	14.04	14.11	14.19	14.27	14.46	14.66	14.93
11.0	14.05	14.07	14.14	14.21	14.29	14.37	14.46	14.55	14.75	14.98	15.28
12.0	14.27	14.30	14.38	14.46	14.54	14.63	14.73	14.83	15.05	15.30	15.63
13.0	14.50	14.54	14.62	14.71	14.80	14.90	15.00	15.11	15.36	15.63	15.99
14.0	14.74	14.78	14.86	14.96	15.06	15.17	15.28	15.40	15.67	15.97	16.36
15.0	14.98	15.02	15.11	15.22	15.32	15.44	15.56	15.69	15.98	16.31	16.73
16.0	15.22	15.26	15.37	15.48	15.59	15.72	15.85	15.99	16.30	16.65	17.11
17.0	15.47	15.51	15.62	15.74	15.87	16.00	16.15	16.30	16.63	17.01	17.49
18.0	15.72	15.76	15.88	16.01	16.15	16.29	16.44	16.60	16.96	17.37	17.88
19.0	15.97	16.02	16.15	16.29	16.43	16.59	16.75	16.92	17.30	17.73	18.28
20.0	16.23	16.28	16.42	16.57	16.72	16.89	17.06	17.24	17.65	18.10	18.69
21.0	16.49	16.55	16.70	16.85	17.01	17.19	17.37	17.57	18.00	18.48	19.11
22.0	16.76	16.82	16.98	17.14	17.31	17.50	17.70	17.90	18.36	18.87	19.53
23.0	17.03	17.10	17.26	17.44	17.62	17.82	18.02	18.24	18.72	19.27	19.96
24.0	17.31	17.38	17.55	17.74	17.93	18.14	18.36	18.59	19.10	19.67	20.40
25.0	17.59	17.67	17.85	18.04	18.25	18.47	18.70	18.94	19.48	20.08	20.85
26.0	17.88	17.96	18.15	18.36	18.57	18.80	19.05	19.30	19.87	20.50	21.31
27.0	18.17	18.26	18.46	18.67	18.90	19.14	19.40	19.67	20.26	20.93	21.78
28.0	18.47	18.56	18.77	19.00	19.24	19.49	19.76	20.04	20.67	21.37	22.26
29.0	18.78	18.87	19.09	19.33	19.58	19.85	20.13	20.43	21.08	21.82	22.75
30.0	19.09	19.18	19.42	19.67	19.93	20.21	20.51	20.82	21.51	22.28	23.25
31.0	19.41	19.51	19.75	20.01	20.29	20.59	20.90	21.22	21.94	22.74	23.76
32.0	19.73	19.84	20.09	20.37	20.66	20.97	21.29	21.63	22.38	23.22	24.28
33.0	20.06	20.17	20.44	20.73	21.03	21.35	21.69	22.05	22.84	23.72	24.82
34.0	20.40	20.52	20.80	21.10	21.42	21.75	22.11	22.48	23.30	24.22	25.37
35.0	20.75	20.87	21.16	21.48	21.81	22.16	22.53	22.92	23.78	24.73	25.93
36.0	21.10	21.22	21.53	21.86	22.21	22.58	22.96	23.37	24.26	25.26	26.51
37.0	21.46	21.59	21.91	22.26	22.62	23.00	23.41	23.83	24.76	25.80	27.10
38.0	21.83	21.97	22.30	22.66	23.04	23.44	23.86	24.31	25.28	26.36	27.70
39.0	22.21	22.35	22.70	23.08	23.47	23.89	24.33	24.79	25.80	26.93	28.33
40.0	22.60	22.75	23.11	23.50	23.91	24.35	24.81	25.29	26.35	27.51	28.97
41.0	23.00	23.15	23.53	23.94	24.37	24.82	25.30	25.80	26.90	28.12	29.62
42.0	23.40	23.57	23.96	24.39	24.84	25.31	25.81	26.33	27.47	28.74	30.30
43.0	23.82	23.99	24.41	24.85	25.31	25.81	26.33	26.87	28.06	29.37	30.99
44.0	24.25	24.43	24.86	25.32	25.81	26.32	26.86	27.43	28.66	30.03	31.71
45.0	24.69	24.88	25.33	25.81	26.31	26.85	27.41	28.00	29.29	30.70	32.45
46.0	25.15	25.34	25.81	26.31	26.84	27.39	27.98	28.59	29.93	31.40	33.20
47.0	25.61	25.81	26.30	26.82	27.37	27.95	28.56	29.20	30.59	32.12	33.99
48.0	26.09	26.30	26.81	27.35	27.93	28.53	29.17	29.83	31.28	32.86	34.80
49.0	26.59	26.80	27.34	27.90	28.50	29.13	29.79	30.48	31.98	33.63	35.63
50.0	27.10	27.32	27.88	28.47	29.09	29.75	30.43	31.16	32.71	34.42	36.50
52.0	28.17	28.41	29.02	29.66	30.33	31.04	31.79	32.57	34.25	36.09	38.32
54.0	29.31	29.57	30.23	30.93	31.66	32.43	33.24	34.09	35.91	37.89	40.27
56.0	30.53	30.82	31.54	32.29	33.09	33.93	34.81	35.72	37.69	39.82	42.38
58.0	31.85	32.16	32.94	33.77	34.63	35.55	36.50	37.50	39.63	41.92	44.66
60.0	33.27	33.61	34.47	35.37	36.31	37.31	38.35	39.43	41.73	44.21	47.15
62.0	34.82	35.19	36.13	37.11	38.14	39.23	40.36	41.54	44.04	46.71	49.87
64.0	36.51	36.92	37.95	39.03	40.16	41.34	42.58	43.86	46.58	49.47	52.86
66.0	38.37	38.83	39.96	41.14	42.38	43.69	45.04	46.44	49.32	52.54	56.17
68.0	40.44	40.94	42.19	43.50	44.87	46.30	47.78	49.32	52.54	55.93	59.87
70.0	42.75	43.31	44.69	46.15	47.66	49.24	50.87	52.56	56.08	59.77	64.02
⟆	PERCENTAGE OF LOAN AMOUNT LEFT UNPAID AT DUE DATE										
	100.0	96.71	88.80	80.89	72.99	65.08	57.17	49.27	33.46	17.64	.00

DISCOUNT %	MONTHLY PAYBACK RATE (%) (MONTHLY PAYMENT DIVIDED BY LOAN AMOUNT)										
	.98	1.00	1.05	1.10	1.15	1.20	1.25	1.30	1.35	1.40	1.50
1.0	11.93	11.93	11.94	11.95	11.95	11.96	11.97	11.98	11.99	12.00	12.02
2.0	12.12	12.12	12.13	12.14	12.16	12.17	12.19	12.21	12.23	12.25	12.29
3.0	12.30	12.31	12.33	12.35	12.37	12.39	12.42	12.44	12.47	12.50	12.57
4.0	12.49	12.50	12.53	12.55	12.58	12.61	12.64	12.68	12.72	12.76	12.85
5.0	12.68	12.70	12.73	12.76	12.80	12.84	12.88	12.92	12.97	13.02	13.14
6.0	12.88	12.89	12.93	12.97	13.01	13.06	13.11	13.16	13.22	13.29	13.43
7.0	13.08	13.09	13.14	13.19	13.24	13.29	13.35	13.41	13.48	13.56	13.73
8.0	13.28	13.30	13.35	13.40	13.46	13.53	13.59	13.67	13.75	13.83	14.03
9.0	13.48	13.50	13.56	13.62	13.69	13.76	13.84	13.92	14.01	14.11	14.34
10.0	13.69	13.71	13.78	13.85	13.92	14.01	14.09	14.18	14.29	14.39	14.65
11.0	13.90	13.93	14.00	14.08	14.16	14.25	14.35	14.45	14.56	14.68	14.96
12.0	14.11	14.14	14.22	14.31	14.40	14.50	14.61	14.72	14.84	14.98	15.28
13.0	14.33	14.36	14.45	14.55	14.65	14.76	14.87	14.99	15.13	15.27	15.61
14.0	14.55	14.59	14.68	14.78	14.89	15.01	15.14	15.27	15.42	15.58	15.94
15.0	14.77	14.81	14.92	15.03	15.15	15.28	15.41	15.56	15.72	15.89	16.28
16.0	15.00	15.04	15.16	15.28	15.41	15.54	15.69	15.85	16.02	16.20	16.63
17.0	15.23	15.28	15.40	15.53	15.67	15.82	15.97	16.14	16.33	16.52	16.98
18.0	15.46	15.52	15.65	15.79	15.93	16.09	16.26	16.44	16.64	16.85	17.34
19.0	15.70	15.76	15.90	16.05	16.20	16.38	16.56	16.75	16.96	17.18	17.70
20.0	15.95	16.01	16.15	16.31	16.48	16.66	16.86	17.06	17.28	17.52	18.07
21.0	16.20	16.26	16.42	16.58	16.76	16.96	17.16	17.38	17.61	17.87	18.45
22.0	16.45	16.52	16.68	16.86	17.05	17.25	17.47	17.70	17.95	18.22	18.84
23.0	16.70	16.78	16.95	17.14	17.34	17.56	17.79	18.03	18.30	18.58	19.23
24.0	16.97	17.04	17.23	17.43	17.64	17.87	18.11	18.37	18.65	18.95	19.64
25.0	17.23	17.31	17.51	17.72	17.94	18.19	18.44	18.71	19.01	19.32	20.05
26.0	17.51	17.59	17.80	18.02	18.25	18.51	18.78	19.06	19.37	19.70	20.47
27.0	17.78	17.87	18.09	18.32	18.57	18.84	19.12	19.42	19.75	20.10	20.90
28.0	18.07	18.16	18.39	18.63	18.90	19.18	19.47	19.79	20.13	20.49	21.33
29.0	18.35	18.45	18.69	18.95	19.23	19.52	19.83	20.16	20.52	20.90	21.78
30.0	18.65	18.75	19.00	19.27	19.56	19.87	20.20	20.55	20.92	21.32	22.24
31.0	18.95	19.06	19.32	19.61	19.91	20.23	20.58	20.94	21.33	21.75	22.71
32.0	19.26	19.37	19.65	19.94	20.26	20.60	20.96	21.34	21.75	22.19	23.19
33.0	19.57	19.69	19.98	20.29	20.62	20.98	21.35	21.75	22.18	22.63	23.68
34.0	19.89	20.01	20.32	20.65	20.99	21.36	21.76	22.17	22.62	23.09	24.18
35.0	20.22	20.35	20.67	21.01	21.37	21.76	22.17	22.60	23.07	23.56	24.69
36.0	20.56	20.69	21.02	21.38	21.76	22.16	22.59	23.05	23.53	24.05	25.22
37.0	20.90	21.04	21.39	21.76	22.16	22.58	23.03	23.50	24.00	24.54	25.76
38.0	21.25	21.40	21.76	22.15	22.56	23.00	23.47	23.96	24.49	25.05	26.32
39.0	21.61	21.77	22.15	22.55	22.98	23.44	23.93	24.44	24.99	25.57	26.89
40.0	21.98	22.14	22.54	22.96	23.41	23.89	24.40	24.93	25.50	26.11	27.48
41.0	22.36	22.53	22.94	23.38	23.85	24.35	24.88	25.44	26.03	26.66	28.08
42.0	22.75	22.93	23.36	23.82	24.31	24.83	25.37	25.95	26.57	27.22	28.70
43.0	23.15	23.33	23.78	24.26	24.77	25.31	25.88	26.49	27.13	27.81	29.34
44.0	23.56	23.75	24.22	24.72	25.25	25.81	26.41	27.04	27.71	28.41	29.99
45.0	23.99	24.18	24.67	25.19	25.74	26.33	26.95	27.60	28.30	29.03	30.67
46.0	24.42	24.63	25.14	25.68	26.25	26.86	27.51	28.19	28.91	29.67	31.37
47.0	24.87	25.08	25.61	26.18	26.78	27.41	28.09	28.79	29.54	30.33	32.09
48.0	25.33	25.55	26.11	26.70	27.32	27.98	28.68	29.41	30.19	31.01	32.83
49.0	25.81	26.04	26.62	27.23	27.88	28.57	29.29	30.06	30.86	31.71	33.60
50.0	26.30	26.54	27.14	27.78	28.46	29.17	29.93	30.72	31.56	32.44	34.40
52.0	27.33	27.59	28.25	28.94	29.67	30.45	31.27	32.13	33.03	33.97	36.07
54.0	28.43	28.72	29.43	30.19	30.98	31.82	32.71	33.63	34.61	35.62	37.87
56.0	29.62	29.93	30.71	31.53	32.39	33.31	34.26	35.27	36.32	37.41	39.82
58.0	30.90	31.24	32.09	32.98	33.92	34.91	35.95	37.03	38.17	39.34	41.93
60.0	32.29	32.66	33.58	34.56	35.58	36.66	37.79	38.96	40.19	41.45	44.22
62.0	33.81	34.21	35.22	36.29	37.41	38.58	39.81	41.08	42.40	43.77	46.74
64.0	35.47	35.92	37.02	38.19	39.41	40.70	42.03	43.41	44.84	46.31	49.51
66.0	37.31	37.80	39.02	40.30	41.64	43.04	44.50	46.00	47.55	49.14	52.58
68.0	39.36	39.90	41.25	42.66	44.13	45.67	47.26	48.89	50.58	52.30	56.00
70.0	41.66	42.27	43.76	45.32	46.94	48.63	50.37	52.15	53.99	55.86	59.86
PERCENTAGE OF LOAN AMOUNT LEFT UNPAID AT DUE DATE											
	100.0	96.03	86.51	76.99	67.47	57.95	48.43	38.91	29.39	19.87	.00

DISCOUNT %	MONTHLY PAYBACK RATE (%) (MONTHLY PAYMENT DIVIDED BY LOAN AMOUNT)										
	.98	1.00	1.05	1.10	1.15	1.20	1.25	1.30	1.35	1.40	1.42
1.0	11.92	11.92	11.93	11.94	11.94	11.95	11.96	11.97	11.98	11.99	12.00
2.0	12.09	12.10	12.11	12.13	12.14	12.16	12.18	12.20	12.22	12.24	12.25
3.0	12.27	12.28	12.30	12.32	12.34	12.37	12.40	12.42	12.46	12.49	12.51
4.0	12.45	12.46	12.49	12.52	12.55	12.58	12.62	12.66	12.70	12.75	12.77
5.0	12.63	12.65	12.68	12.71	12.75	12.80	12.84	12.89	12.95	13.01	13.03
6.0	12.82	12.83	12.87	12.92	12.96	13.02	13.07	13.13	13.20	13.27	13.30
7.0	13.00	13.02	13.07	13.12	13.18	13.24	13.30	13.37	13.45	13.54	13.57
8.0	13.19	13.22	13.27	13.33	13.39	13.47	13.54	13.62	13.71	13.81	13.85
9.0	13.39	13.41	13.47	13.54	13.62	13.70	13.78	13.87	13.98	14.09	14.13
10.0	13.58	13.61	13.68	13.76	13.84	13.93	14.03	14.13	14.24	14.37	14.42
11.0	13.78	13.81	13.89	13.98	14.07	14.17	14.27	14.39	14.52	14.65	14.71
12.0	13.98	14.02	14.10	14.20	14.30	14.41	14.53	14.65	14.79	14.94	15.01
13.0	14.19	14.23	14.32	14.42	14.53	14.66	14.78	14.92	15.08	15.24	15.31
14.0	14.40	14.44	14.54	14.65	14.77	14.91	15.05	15.20	15.36	15.54	15.62
15.0	14.61	14.66	14.77	14.89	15.02	15.16	15.31	15.47	15.65	15.85	15.93
16.0	14.83	14.88	15.00	15.13	15.27	15.42	15.58	15.76	15.95	16.16	16.25
17.0	15.05	15.10	15.23	15.37	15.52	15.68	15.86	16.05	16.26	16.48	16.57
18.0	15.27	15.33	15.46	15.62	15.78	15.95	16.14	16.34	16.56	16.80	16.90
19.0	15.50	15.56	15.71	15.87	16.04	16.23	16.43	16.64	16.88	17.13	17.24
20.0	15.73	15.79	15.95	16.12	16.31	16.51	16.72	16.95	17.20	17.47	17.59
21.0	15.97	16.03	16.20	16.38	16.58	16.79	17.02	17.26	17.53	17.81	17.94
22.0	16.21	16.28	16.46	16.65	16.86	17.08	17.32	17.58	17.86	18.17	18.29
23.0	16.45	16.53	16.72	16.92	17.14	17.38	17.63	17.90	18.20	18.52	18.66
24.0	16.70	16.78	16.98	17.20	17.43	17.68	17.95	18.24	18.55	18.89	19.03
25.0	16.95	17.04	17.25	17.48	17.72	17.99	18.27	18.58	18.91	19.26	19.41
26.0	17.21	17.30	17.53	17.77	18.03	18.30	18.60	18.92	19.27	19.64	19.80
27.0	17.48	17.57	17.81	18.06	18.33	18.63	18.94	19.27	19.64	20.03	20.19
28.0	17.75	17.85	18.10	18.36	18.65	18.96	19.28	19.64	20.02	20.43	20.60
29.0	18.03	18.13	18.39	18.67	18.97	19.29	19.64	20.01	20.41	20.83	21.01
30.0	18.31	18.42	18.69	18.98	19.30	19.64	20.00	20.38	20.80	21.25	21.44
31.0	18.60	18.71	19.00	19.30	19.63	19.99	20.37	20.77	21.21	21.68	21.87
32.0	18.89	19.01	19.31	19.63	19.98	20.35	20.74	21.17	21.62	22.11	22.32
33.0	19.19	19.32	19.63	19.97	20.33	20.72	21.13	21.57	22.05	22.56	22.77
34.0	19.50	19.63	19.96	20.31	20.69	21.09	21.53	21.99	22.49	23.01	23.24
35.0	19.81	19.95	20.30	20.66	21.06	21.48	21.93	22.41	22.93	23.48	23.71
36.0	20.14	20.28	20.64	21.02	21.44	21.88	22.35	22.85	23.39	23.96	24.20
37.0	20.47	20.62	20.99	21.40	21.83	22.29	22.78	23.30	23.86	24.46	24.71
38.0	20.81	20.96	21.36	21.78	22.22	22.71	23.22	23.76	24.34	24.96	25.22
39.0	21.15	21.32	21.73	22.17	22.63	23.13	23.67	24.23	24.84	25.48	25.75
40.0	21.51	21.68	22.11	22.57	23.05	23.58	24.13	24.72	25.35	26.02	26.30
41.0	21.88	22.06	22.50	22.98	23.49	24.03	24.61	25.22	25.88	26.57	26.86
42.0	22.25	22.44	22.90	23.40	23.93	24.50	25.10	25.73	26.42	27.13	27.43
43.0	22.64	22.84	23.32	23.84	24.39	24.98	25.60	26.27	26.97	27.71	28.03
44.0	23.04	23.24	23.75	24.28	24.86	25.47	26.12	26.81	27.54	28.31	28.64
45.0	23.45	23.66	24.18	24.75	25.34	25.98	26.66	27.37	28.13	28.93	29.27
46.0	23.87	24.09	24.64	25.22	25.85	26.51	27.21	27.96	28.74	29.57	29.92
47.0	24.30	24.53	25.10	25.71	26.36	27.05	27.78	28.55	29.37	30.23	30.59
48.0	24.75	24.99	25.59	26.22	26.90	27.62	28.38	29.17	30.02	30.91	31.28
49.0	25.22	25.46	26.08	26.75	27.45	28.20	28.99	29.82	30.69	31.61	32.00
50.0	25.69	25.95	26.60	27.29	28.02	28.80	29.62	30.48	31.39	32.34	32.74
52.0	26.70	26.98	27.68	28.43	29.22	30.07	30.95	31.88	32.86	33.88	34.30
54.0	27.78	28.09	28.85	29.66	30.52	31.43	32.39	33.39	34.44	35.53	35.98
56.0	28.94	29.28	30.11	30.99	31.92	32.91	33.94	35.02	36.14	37.31	37.80
58.0	30.20	30.56	31.47	32.43	33.44	34.51	35.63	36.79	38.00	39.25	39.77
60.0	31.57	31.97	32.96	34.00	35.10	36.26	37.47	38.72	40.02	41.36	41.91
62.0	33.07	33.50	34.58	35.73	36.92	38.18	39.49	40.84	42.24	43.68	44.27
64.0	34.72	35.20	36.38	37.63	38.94	40.30	41.72	43.18	44.69	46.23	46.86
66.0	36.55	37.07	38.38	39.74	41.17	42.66	44.20	45.78	47.40	49.06	49.74
68.0	38.60	39.18	40.61	42.11	43.68	45.30	46.97	48.68	50.44	52.23	52.96
70.0	40.90	41.55	43.13	44.79	46.51	48.28	50.11	51.97	53.87	55.80	56.58
PERCENTAGE OF LOAN AMOUNT LEFT UNPAID AT DUE DATE											
	100.0	95.28	83.94	72.61	61.27	49.94	38.60	27.27	15.94	4.60	.00

DISCOUNT %	MONTHLY PAYBACK RATE (%) (MONTHLY PAYMENT DIVIDED BY LOAN AMOUNT)										
	1.25	1.50	1.75	2.00	2.25	2.50	2.75	3.00	3.25	3.50	4.00
1.0	11.95	12.02	12.08	12.14	12.20	12.26	12.32	12.38	12.44	12.49	12.61
2.0	12.16	12.29	12.42	12.54	12.66	12.78	12.90	13.01	13.13	13.25	13.48
3.0	12.37	12.57	12.76	12.94	13.12	13.30	13.48	13.66	13.84	14.01	14.36
4.0	12.59	12.85	13.10	13.35	13.60	13.84	14.08	14.32	14.55	14.79	15.25
5.0	12.81	13.14	13.45	13.77	14.07	14.38	14.68	14.98	15.28	15.57	16.16
6.0	13.03	13.43	13.81	14.19	14.56	14.93	15.29	15.66	16.02	16.37	17.08
7.0	13.25	13.72	14.17	14.62	15.05	15.49	15.92	16.34	16.77	17.19	18.02
8.0	13.48	14.02	14.54	15.05	15.55	16.05	16.55	17.04	17.53	18.01	18.97
9.0	13.71	14.33	14.92	15.49	16.06	16.63	17.19	17.74	18.30	18.85	19.94
10.0	13.95	14.64	15.30	15.94	16.58	17.21	17.84	18.46	19.08	19.70	20.92
11.0	14.19	14.95	15.68	16.40	17.11	17.81	18.50	19.19	19.88	20.56	21.92
12.0	14.44	15.27	16.07	16.86	17.64	18.41	19.18	19.93	20.69	21.44	22.93
13.0	14.69	15.60	16.47	17.33	18.18	19.03	19.86	20.69	21.51	22.33	23.96
14.0	14.94	15.93	16.88	17.81	18.74	19.65	20.56	21.46	22.35	23.24	25.00
15.0	15.20	16.27	17.29	18.30	19.30	20.28	21.26	22.24	23.20	24.16	26.07
16.0	15.46	16.61	17.72	18.80	19.87	20.93	21.98	23.03	24.07	25.10	27.15
17.0	15.73	16.96	18.14	19.31	20.45	21.59	22.72	23.84	24.95	26.06	28.25
18.0	16.01	17.32	18.58	19.82	21.04	22.26	23.46	24.66	25.85	27.03	29.38
19.0	16.29	17.68	19.02	20.34	21.65	22.94	24.22	25.49	26.76	28.02	30.52
20.0	16.57	18.05	19.48	20.88	22.26	23.63	24.99	26.34	27.69	29.03	31.68
21.0	16.86	18.43	19.94	21.42	22.89	24.34	25.78	27.21	28.64	30.05	32.86
22.0	17.16	18.81	20.41	21.98	23.52	25.06	26.58	28.10	29.60	31.10	34.07
23.0	17.46	19.21	20.89	22.54	24.17	25.79	27.40	29.00	30.58	32.16	35.30
24.0	17.77	19.61	21.38	23.12	24.84	26.54	28.23	29.91	31.59	33.25	36.55
25.0	18.09	20.02	21.88	23.71	25.51	27.30	29.08	30.85	32.61	34.36	37.83
26.0	18.41	20.43	22.39	24.31	26.20	28.08	29.95	31.80	33.65	35.49	39.13
27.0	18.74	20.86	22.91	24.92	26.91	28.88	30.83	32.78	34.71	36.64	40.46
28.0	19.08	21.30	23.44	25.54	27.62	29.69	31.74	33.77	35.80	37.82	41.82
29.0	19.43	21.74	23.98	26.18	28.36	30.52	32.66	34.79	36.91	39.02	43.21
30.0	19.78	22.20	24.54	26.84	29.11	31.36	33.60	35.83	38.04	40.24	44.62
31.0	20.15	22.67	25.10	27.50	29.87	32.23	34.56	36.89	39.20	41.50	46.07
32.0	20.52	23.14	25.68	28.19	30.66	33.11	35.55	37.97	40.38	42.78	47.55
33.0	20.90	23.63	26.28	28.88	31.46	34.02	36.55	39.08	41.59	44.09	49.06
34.0	21.29	24.13	26.89	29.60	32.28	34.94	37.58	40.21	42.83	45.43	50.60
35.0	21.69	24.64	27.51	30.33	33.12	35.89	38.64	41.37	44.09	46.80	52.18
36.0	22.10	25.17	28.15	31.08	33.98	36.86	39.72	42.56	45.39	48.20	53.80
37.0	22.52	25.71	28.80	31.85	34.86	37.85	40.82	43.78	46.72	49.64	55.46
38.0	22.96	26.26	29.47	32.64	35.76	38.87	41.95	45.02	48.08	51.12	57.16
39.0	23.40	26.83	30.16	33.44	36.69	39.91	43.12	46.30	49.47	52.63	58.90
40.0	23.86	27.42	30.87	34.27	37.64	40.98	44.31	47.61	50.90	54.18	60.69
41.0	24.34	28.02	31.60	35.12	38.62	42.08	45.53	48.96	52.37	55.77	62.53
42.0	24.82	28.64	32.34	36.00	39.62	43.21	46.79	50.34	53.88	57.40	64.41
43.0	25.32	29.27	33.11	36.90	40.65	44.37	48.08	51.76	55.43	59.08	66.34
44.0	25.84	29.93	33.90	37.82	41.71	45.57	49.40	53.22	57.02	60.80	68.33
45.0	26.37	30.60	34.72	38.78	42.80	46.80	50.77	54.72	58.66	62.58	70.38
46.0	26.92	31.30	35.56	39.76	43.92	48.06	52.17	56.27	60.34	64.40	72.48
47.0	27.49	32.01	36.42	40.77	45.08	49.36	53.62	57.86	62.08	66.28	74.65
48.0	28.08	32.75	37.31	41.81	46.27	50.71	55.11	59.50	63.87	68.22	76.88
49.0	28.69	33.52	38.24	42.89	47.50	52.09	56.65	61.19	65.71	70.22	79.18
50.0	29.32	34.31	39.19	44.00	48.78	53.52	58.24	62.94	67.62	72.28	81.56
51.0	29.98	35.13	40.17	45.15	50.09	55.00	59.88	64.74	69.59	74.41	84.02
52.0	30.65	35.98	41.19	46.34	51.45	56.53	61.58	66.61	71.62	76.61	86.55
53.0	31.36	36.86	42.25	47.57	52.86	58.11	63.33	68.54	73.72	78.89	89.18
54.0	32.09	37.78	43.35	48.85	54.31	59.75	65.15	70.54	75.90	81.25	91.89
55.0	32.85	38.73	44.48	50.18	55.83	61.45	67.04	72.61	78.16	83.69	94.71
56.0	33.65	39.72	45.67	51.55	57.40	63.21	69.00	74.76	80.50	86.23	97.63
57.0	34.47	40.74	46.90	52.99	59.03	65.04	71.03	76.99	82.94	88.86	100.66
58.0	35.34	41.82	48.18	54.47	60.73	66.95	73.14	79.31	85.47	91.60	103.82
59.0	36.24	42.94	49.51	56.03	62.50	68.93	75.34	81.73	88.10	94.45	107.10
60.0	37.19	44.11	50.91	57.65	64.34	71.00	77.64	84.25	90.85	97.42	110.52
NUMBER OF MONTHLY PAYMENTS NEEDED TO PAY OFF LOAN											
	157.0	108.6	84.1	69.0	58.6	51.0	45.2	40.5	36.8	33.7	28.8

DISCOUNT %	MONTHLY PAYBACK RATE (%) (MONTHLY PAYMENT DIVIDED BY LOAN AMOUNT)										
	1.00	1.50	2.00	2.50	3.00	4.00	5.00	6.00	7.00	8.00	8.88
.5	12.53	12.55	12.57	12.58	12.60	12.64	12.69	12.74	12.80	12.88	12.95
1.0	13.07	13.10	13.14	13.17	13.21	13.29	13.38	13.49	13.61	13.76	13.91
1.5	13.61	13.66	13.71	13.76	13.82	13.94	14.08	14.24	14.43	14.65	14.88
2.0	14.16	14.22	14.28	14.35	14.43	14.59	14.78	14.99	15.25	15.54	15.85
2.5	14.70	14.78	14.86	14.95	15.05	15.25	15.49	15.76	16.07	16.44	16.83
3.0	15.25	15.35	15.45	15.55	15.67	15.91	16.20	16.52	16.90	17.35	17.82
3.5	15.81	15.92	16.03	16.16	16.29	16.58	16.91	17.29	17.74	18.27	18.82
4.0	16.36	16.49	16.62	16.77	16.92	17.25	17.63	18.07	18.59	19.19	19.82
4.5	16.92	17.07	17.22	17.38	17.55	17.93	18.36	18.86	19.44	20.12	20.83
5.0	17.48	17.65	17.82	18.00	18.19	18.61	19.09	19.64	20.29	21.06	21.85
5.5	18.05	18.23	18.42	18.62	18.83	19.29	19.82	20.44	21.15	22.00	22.88
6.0	18.62	18.82	19.02	19.24	19.47	19.98	20.56	21.24	22.02	22.95	23.92
6.5	19.19	19.41	19.63	19.87	20.12	20.68	21.31	22.04	22.90	23.91	24.96
7.0	19.77	20.00	20.24	20.50	20.77	21.37	22.06	22.86	23.78	24.87	26.01
7.5	20.35	20.60	20.86	21.14	21.43	22.08	22.82	23.67	24.67	25.84	27.07
8.0	20.93	21.20	21.48	21.78	22.09	22.79	23.58	24.50	25.57	26.82	28.14
8.5	21.52	21.80	22.10	22.42	22.76	23.50	24.35	25.33	26.47	27.81	29.22
9.0	22.11	22.41	22.73	23.07	23.43	24.22	25.12	26.16	27.38	28.81	30.30
9.5	22.71	23.03	23.36	23.72	24.10	24.94	25.90	27.00	28.29	29.81	31.39
10.0	23.31	23.64	24.00	24.38	24.78	25.67	26.68	27.85	29.22	30.82	32.50
10.5	23.91	24.26	24.64	25.04	25.46	26.40	27.47	28.71	30.15	31.84	33.61
11.0	24.51	24.89	25.29	25.71	26.15	27.14	28.27	29.57	31.09	32.87	34.73
11.5	25.12	25.52	25.93	26.38	26.85	27.88	29.07	30.44	32.03	33.91	35.86
12.0	25.74	26.15	26.59	27.05	27.54	28.63	29.88	31.31	32.98	34.95	37.00
12.5	26.35	26.79	27.24	27.73	28.25	29.39	30.69	32.19	33.95	36.01	38.15
13.0	26.98	27.43	27.91	28.42	28.96	30.15	31.51	33.08	34.91	37.07	39.31
13.5	27.60	28.07	28.57	29.10	29.67	30.91	32.34	33.98	35.89	38.14	40.48
14.0	28.23	28.72	29.24	29.80	30.39	31.68	33.17	34.88	36.88	39.22	41.66
14.5	28.86	29.38	29.92	30.50	31.11	32.46	34.01	35.79	37.87	40.31	42.85
15.0	29.50	30.04	30.60	31.20	31.84	33.24	34.85	36.71	38.87	41.41	44.05
15.5	30.14	30.70	31.29	31.91	32.57	34.03	35.70	37.63	39.88	42.52	45.26
16.0	30.79	31.37	31.97	32.62	33.31	34.83	36.56	38.57	40.90	43.64	46.48
16.5	31.44	32.04	32.67	33.34	34.05	35.63	37.43	39.51	41.92	44.77	47.71
17.0	32.10	32.72	33.37	34.06	34.80	36.43	38.30	40.45	42.96	45.90	48.96
17.5	32.76	33.40	34.07	34.79	35.56	37.25	39.18	41.41	44.00	47.05	50.21
18.0	33.42	34.08	34.78	35.53	36.32	38.07	40.07	42.37	45.06	48.21	51.48
18.5	34.09	34.77	35.50	36.27	37.09	38.89	40.96	43.34	46.12	49.38	52.75
19.0	34.76	35.47	36.22	37.01	37.86	39.72	41.86	44.33	47.19	50.56	54.04
19.5	35.44	36.17	36.94	37.76	38.64	40.56	42.77	45.31	48.27	51.75	55.34
20.0	36.12	36.88	37.67	38.52	39.42	41.41	43.68	46.31	49.37	52.95	56.66
20.5	36.81	37.59	38.41	39.28	40.21	42.26	44.61	47.32	50.47	54.16	57.98
21.0	37.51	38.30	39.15	40.05	41.01	43.12	45.54	48.33	51.58	55.38	59.32
21.5	38.20	39.03	39.90	40.82	41.81	43.99	46.48	49.36	52.70	56.62	60.67
22.0	38.91	39.75	40.65	41.60	42.62	44.86	47.43	50.39	53.83	57.87	62.04
22.5	39.61	40.48	41.41	42.39	43.43	45.74	48.38	51.43	54.97	59.12	63.41
23.0	40.33	41.22	42.17	43.18	44.26	46.63	49.35	52.48	56.13	60.40	64.80
23.5	41.04	41.97	42.94	43.98	45.08	47.52	50.32	53.54	57.29	61.68	66.21
24.0	41.77	42.71	43.72	44.78	45.92	48.43	51.30	54.61	58.47	62.97	67.63
24.5	42.50	43.47	44.50	45.59	46.76	49.34	52.29	55.69	59.65	64.28	69.06
25.0	43.23	44.23	45.29	46.41	47.61	50.26	53.29	56.78	60.85	65.60	70.51
25.5	43.97	45.00	46.08	47.24	48.47	51.18	54.29	57.89	62.06	66.94	71.97
26.0	44.72	45.77	46.88	48.07	49.33	52.12	55.31	59.00	63.28	68.29	73.44
26.5	45.47	46.55	47.69	48.90	50.20	53.06	56.34	60.12	64.51	69.65	74.94
27.0	46.23	47.33	48.50	49.75	51.08	54.01	57.37	61.25	65.76	71.02	76.44
27.5	46.99	48.12	49.32	50.60	51.96	54.97	58.42	62.40	67.02	72.41	77.97
28.0	47.76	48.92	50.15	51.46	52.86	55.94	59.47	63.55	68.29	73.82	79.50
28.5	48.53	49.72	50.98	52.33	53.76	56.92	60.54	64.72	69.57	75.24	81.06
29.0	49.32	50.53	51.82	53.20	54.66	57.90	61.61	65.89	70.87	76.67	82.63
29.5	50.10	51.35	52.67	54.08	55.58	58.90	62.70	67.08	72.18	78.12	84.22
30.0	50.90	52.17	53.53	54.97	56.51	59.90	63.79	68.29	73.50	79.58	85.83

▽∅	PERCENTAGE OF LOAN AMOUNT LEFT UNPAID AT DUE DATE										
	100.0	93.66	87.32	80.98	74.63	61.95	49.27	36.59	23.90	11.22	.00

DISCOUNT %	MONTHLY PAYBACK RATE (%) (MONTHLY PAYMENT DIVIDED BY LOAN AMOUNT)										
	1.00	1.25	1.50	1.75	2.00	2.50	3.00	3.50	4.00	4.50	4.71
.5	12.28	12.29	12.30	12.31	12.32	12.34	12.37	12.40	12.44	12.48	12.50
1.0	12.57	12.59	12.60	12.62	12.64	12.69	12.75	12.81	12.88	12.97	13.01
1.5	12.85	12.88	12.91	12.94	12.97	13.04	13.12	13.22	13.33	13.46	13.53
2.0	13.14	13.18	13.22	13.26	13.30	13.39	13.50	13.63	13.78	13.96	14.04
2.5	13.43	13.48	13.52	13.57	13.63	13.75	13.88	14.04	14.23	14.46	14.56
3.0	13.72	13.78	13.83	13.89	13.96	14.10	14.27	14.46	14.69	14.96	15.09
3.5	14.02	14.08	14.15	14.22	14.29	14.46	14.65	14.88	15.15	15.47	15.62
4.0	14.31	14.38	14.46	14.54	14.63	14.82	15.04	15.30	15.61	15.98	16.15
4.5	14.61	14.69	14.78	14.87	14.97	15.18	15.43	15.73	16.07	16.49	16.69
5.0	14.91	15.00	15.09	15.20	15.31	15.55	15.83	16.16	16.54	17.01	17.23
5.5	15.21	15.31	15.41	15.53	15.65	15.92	16.23	16.59	17.01	17.53	17.77
6.0	15.51	15.62	15.73	15.86	15.99	16.29	16.62	17.02	17.49	18.05	18.32
6.5	15.81	15.93	16.06	16.19	16.34	16.66	17.03	17.46	17.97	18.58	18.87
7.0	16.12	16.25	16.38	16.53	16.69	17.03	17.43	17.90	18.45	19.11	19.43
7.5	16.42	16.56	16.71	16.87	17.04	17.41	17.84	18.35	18.94	19.65	19.99
8.0	16.73	16.88	17.04	17.21	17.39	17.79	18.25	18.79	19.43	20.19	20.55
8.5	17.04	17.20	17.37	17.55	17.75	18.17	18.67	19.24	19.92	20.74	21.12
9.0	17.36	17.53	17.71	17.90	18.10	18.56	19.08	19.70	20.42	21.29	21.70
9.5	17.67	17.85	18.04	18.25	18.47	18.95	19.51	20.16	20.92	21.84	22.28
10.0	17.99	18.18	18.38	18.60	18.83	19.34	19.93	20.62	21.43	22.40	22.86
10.5	18.31	18.51	18.72	18.95	19.19	19.73	20.36	21.08	21.94	22.96	23.45
11.0	18.63	18.84	19.07	19.31	19.56	20.13	20.79	21.55	22.45	23.53	24.04
11.5	18.95	19.18	19.41	19.66	19.93	20.53	21.22	22.02	22.97	24.10	24.64
12.0	19.28	19.51	19.76	20.02	20.31	20.93	21.65	22.50	23.49	24.68	25.24
12.5	19.60	19.85	20.11	20.39	20.68	21.34	22.09	22.98	24.02	25.26	25.85
13.0	19.93	20.19	20.46	20.75	21.06	21.74	22.54	23.46	24.55	25.85	26.46
13.5	20.26	20.53	20.82	21.12	21.44	22.16	22.98	23.95	25.08	26.44	27.08
14.0	20.60	20.88	21.17	21.49	21.82	22.57	23.43	24.44	25.62	27.04	27.70
14.5	20.93	21.22	21.53	21.86	22.21	22.99	23.89	24.93	26.17	27.64	28.33
15.0	21.27	21.57	21.89	22.23	22.60	23.41	24.34	25.43	26.71	28.24	28.96
15.5	21.61	21.93	22.26	22.61	22.99	23.83	24.80	25.93	27.27	28.85	29.60
16.0	21.96	22.28	22.63	22.99	23.39	24.26	25.27	26.44	27.82	29.47	30.25
16.5	22.30	22.64	22.99	23.38	23.78	24.69	25.73	26.95	28.39	30.09	30.90
17.0	22.65	23.00	23.37	23.76	24.18	25.12	26.20	27.47	28.95	30.72	31.55
17.5	23.00	23.36	23.74	24.15	24.59	25.56	26.68	27.99	29.53	31.35	32.21
18.0	23.35	23.72	24.12	24.54	25.00	26.00	27.16	28.51	30.10	31.99	32.88
18.5	23.70	24.09	24.50	24.94	25.41	26.44	27.64	29.04	30.68	32.64	33.55
19.0	24.06	24.46	24.88	25.34	25.82	26.89	28.13	29.57	31.27	33.29	34.23
19.5	24.42	24.83	25.27	25.74	26.23	27.34	28.62	30.11	31.86	33.94	34.92
20.0	24.78	25.21	25.66	26.14	26.65	27.80	29.11	30.65	32.46	34.61	35.61
21.0	25.51	25.96	26.44	26.96	27.50	28.72	30.12	31.75	33.67	35.95	37.01
22.0	26.26	26.73	27.24	27.78	28.36	29.65	31.14	32.87	34.91	37.32	38.44
23.0	27.01	27.51	28.05	28.63	29.24	30.60	32.18	34.01	36.16	38.71	39.90
24.0	27.77	28.31	28.88	29.48	30.13	31.57	33.23	35.17	37.44	40.13	41.39
25.0	28.55	29.11	29.71	30.35	31.03	32.55	34.31	36.35	38.75	41.58	42.90
26.0	29.34	29.93	30.56	31.23	31.95	33.55	35.40	37.55	40.08	43.06	44.44
27.0	30.14	30.76	31.42	32.13	32.89	34.57	36.52	38.78	41.44	44.56	46.02
28.0	30.95	31.61	32.30	33.05	33.84	35.61	37.65	40.03	42.82	46.10	47.63
29.0	31.78	32.46	33.19	33.97	34.81	36.67	38.81	41.31	44.23	47.67	49.27
30.0	32.62	33.34	34.10	34.92	35.80	37.74	39.99	42.61	45.67	49.28	50.95
31.0	33.47	34.22	35.02	35.88	36.80	38.84	41.20	43.94	47.15	50.91	52.66
32.0	34.34	35.12	35.96	36.86	37.82	39.96	42.43	45.30	48.65	52.59	54.41
33.0	35.22	36.04	36.92	37.86	38.86	41.10	43.68	46.68	50.19	54.30	56.21
34.0	36.12	36.98	37.89	38.87	39.93	42.26	44.96	48.10	51.76	56.05	58.04
35.0	37.03	37.93	38.89	39.91	41.01	43.45	46.27	49.55	53.37	57.85	59.91
36.0	37.96	38.90	39.90	40.97	42.11	44.66	47.60	51.03	55.02	59.68	61.83
37.0	38.90	39.88	40.93	42.04	43.24	45.89	48.97	52.54	56.70	61.56	63.80
38.0	39.87	40.89	41.98	43.14	44.38	47.16	50.36	54.09	58.43	63.48	65.81
39.0	40.85	41.91	43.05	44.26	45.56	48.45	51.79	55.68	60.20	65.46	67.88
40.0	41.85	42.96	44.14	45.40	46.76	49.77	53.25	57.30	62.01	67.48	70.00
▽⌀	PERCENTAGE OF LOAN AMOUNT LEFT UNPAID AT DUE DATE										
	100.0	93.26	86.51	79.77	73.03	59.54	46.05	32.57	19.08	5.59	.00

MONTHLY PAYBACK RATE (%)
(MONTHLY PAYMENT DIVIDED BY LOAN AMOUNT)

DISCOUNT %	1.00	1.25	1.50	1.75	2.00	2.25	2.50	2.75	3.00	3.25	3.32
.5	12.20	12.21	12.22	12.23	12.24	12.26	12.28	12.29	12.32	12.34	12.35
1.0	12.40	12.42	12.44	12.47	12.49	12.52	12.55	12.59	12.63	12.68	12.70
1.5	12.60	12.63	12.66	12.70	12.74	12.78	12.83	12.89	12.96	13.03	13.05
2.0	12.81	12.85	12.89	12.94	12.99	13.05	13.12	13.19	13.28	13.38	13.41
2.5	13.01	13.06	13.11	13.17	13.24	13.32	13.40	13.49	13.60	13.73	13.77
3.0	13.22	13.28	13.34	13.41	13.49	13.58	13.69	13.80	13.93	14.08	14.13
3.5	13.42	13.49	13.57	13.65	13.75	13.85	13.97	14.11	14.26	14.44	14.50
4.0	13.63	13.71	13.80	13.90	14.01	14.13	14.26	14.42	14.59	14.80	14.86
4.5	13.84	13.93	14.03	14.14	14.26	14.40	14.55	14.73	14.93	15.16	15.23
5.0	14.05	14.15	14.26	14.39	14.52	14.68	14.85	15.04	15.27	15.52	15.60
5.5	14.26	14.38	14.50	14.63	14.78	14.95	15.14	15.36	15.61	15.89	15.98
6.0	14.48	14.60	14.73	14.88	15.05	15.23	15.44	15.68	15.95	16.26	16.36
6.5	14.69	14.83	14.97	15.13	15.31	15.52	15.74	16.00	16.29	16.63	16.74
7.0	14.91	15.05	15.21	15.39	15.58	15.80	16.05	16.32	16.64	17.01	17.12
7.5	15.12	15.28	15.45	15.64	15.85	16.09	16.35	16.65	16.99	17.39	17.51
8.0	15.34	15.51	15.69	15.90	16.12	16.37	16.66	16.98	17.35	17.77	17.90
8.5	15.56	15.74	15.94	16.15	16.39	16.66	16.97	17.31	17.70	18.15	18.29
9.0	15.78	15.97	16.18	16.41	16.67	16.96	17.28	17.64	18.06	18.54	18.69
9.5	16.01	16.21	16.43	16.67	16.95	17.25	17.59	17.98	18.42	18.93	19.09
10.0	16.23	16.44	16.68	16.94	17.22	17.55	17.91	18.32	18.79	19.32	19.49
11.0	16.68	16.92	17.18	17.47	17.79	18.15	18.55	19.00	19.52	20.12	20.30
12.0	17.14	17.40	17.69	18.01	18.36	18.75	19.20	19.70	20.27	20.93	21.13
13.0	17.61	17.89	18.21	18.55	18.94	19.37	19.86	20.41	21.03	21.75	21.97
14.0	18.08	18.39	18.73	19.11	19.53	20.00	20.53	21.13	21.81	22.59	22.83
15.0	18.56	18.89	19.26	19.67	20.13	20.64	21.21	21.86	22.59	23.44	23.70
16.0	19.04	19.40	19.80	20.24	20.73	21.28	21.90	22.60	23.39	24.30	24.58
17.0	19.53	19.92	20.35	20.82	21.35	21.94	22.61	23.36	24.21	25.18	25.49
18.0	20.03	20.45	20.90	21.41	21.98	22.61	23.32	24.13	25.04	26.08	26.40
19.0	20.53	20.98	21.47	22.01	22.62	23.29	24.05	24.91	25.88	26.99	27.33
20.0	21.05	21.52	22.04	22.62	23.26	23.98	24.79	25.70	26.74	27.92	28.28
21.0	21.57	22.07	22.62	23.24	23.92	24.69	25.55	26.51	27.61	28.86	29.25
22.0	22.09	22.63	23.22	23.87	24.59	25.40	26.31	27.34	28.50	29.83	30.24
23.0	22.63	23.19	23.82	24.51	25.27	26.13	27.09	28.18	29.41	30.81	31.24
24.0	23.17	23.77	24.43	25.16	25.97	26.87	27.89	29.04	30.34	31.81	32.27
25.0	23.73	24.35	25.05	25.82	26.67	27.63	28.70	29.91	31.28	32.83	33.31
26.0	24.29	24.95	25.68	26.49	27.39	28.40	29.53	30.80	32.24	33.87	34.38
27.0	24.86	25.55	26.32	27.17	28.12	29.18	30.37	31.71	33.22	34.93	35.46
28.0	25.44	26.17	26.97	27.87	28.87	29.98	31.23	32.64	34.22	36.02	36.57
29.0	26.02	26.79	27.64	28.58	29.63	30.79	32.11	33.58	35.24	37.13	37.71
30.0	26.62	27.43	28.32	29.30	30.40	31.63	33.00	34.55	36.29	38.26	38.86
31.0	27.23	28.08	29.01	30.04	31.19	32.47	33.91	35.53	37.35	39.41	40.04
32.0	27.85	28.73	29.71	30.79	31.99	33.34	34.84	36.54	38.44	40.59	41.25
33.0	28.48	29.40	30.42	31.55	32.81	34.22	35.80	37.57	39.56	41.80	42.49
34.0	29.12	30.09	31.15	32.33	33.65	35.12	36.77	38.62	40.70	43.03	43.75
35.0	29.78	30.78	31.90	33.13	34.51	36.04	37.76	39.70	41.86	44.30	45.05
36.0	30.44	31.49	32.65	33.94	35.38	36.99	38.78	40.80	43.06	45.59	46.37
37.0	31.12	32.22	33.43	34.77	36.27	37.95	39.82	41.92	44.28	46.92	47.73
38.0	31.81	32.96	34.22	35.62	37.19	38.93	40.89	43.08	45.53	48.28	49.12
39.0	32.52	33.71	35.03	36.49	38.12	39.94	41.98	44.26	46.82	49.67	50.54
40.0	33.24	34.48	35.85	37.38	39.08	40.97	43.10	45.47	48.13	51.10	52.00
41.0	33.97	35.26	36.69	38.28	40.05	42.03	44.24	46.72	49.48	52.56	53.51
42.0	34.72	36.06	37.55	39.21	41.06	43.12	45.42	47.99	50.87	54.07	55.05
43.0	35.48	36.88	38.43	40.16	42.08	44.23	46.63	49.31	52.29	55.62	56.63
44.0	36.26	37.72	39.34	41.13	43.13	45.37	47.87	50.65	53.76	57.21	58.26
45.0	37.06	38.58	40.26	42.13	44.21	46.54	49.14	52.04	55.26	58.84	59.93
46.0	37.88	39.45	41.20	43.15	45.32	47.74	50.45	53.46	56.81	60.52	61.65
47.0	38.71	40.35	42.17	44.20	46.46	48.98	51.79	54.93	58.41	62.26	63.43
48.0	39.56	41.27	43.17	45.28	47.63	50.25	53.18	56.44	60.05	64.04	65.26
49.0	40.44	42.21	44.19	46.38	48.83	51.56	54.60	57.99	61.75	65.89	67.14
50.0	41.33	43.18	45.23	47.52	50.07	52.91	56.08	59.60	63.50	67.79	69.09
PERCENTAGE OF LOAN AMOUNT LEFT UNPAID AT DUE DATE											
	100.0	89.23	78.46	67.69	56.92	46.15	35.38	24.62	13.85	3.08	.00

DISCOUNT %	MONTHLY PAYBACK RATE (%) (MONTHLY PAYMENT DIVIDED BY LOAN AMOUNT)										
	1.00	1.10	1.20	1.30	1.40	1.60	1.80	2.00	2.20	2.40	2.63
.5	12.16	12.16	12.17	12.17	12.18	12.19	12.20	12.21	12.23	12.24	12.27
1.0	12.32	12.32	12.33	12.34	12.35	12.37	12.40	12.43	12.45	12.49	12.54
1.5	12.48	12.49	12.50	12.52	12.53	12.56	12.60	12.64	12.68	12.74	12.81
2.0	12.64	12.65	12.67	12.69	12.71	12.75	12.80	12.86	12.92	12.99	13.09
2.5	12.80	12.82	12.84	12.87	12.89	12.95	13.00	13.07	13.15	13.24	13.36
3.0	12.96	12.99	13.02	13.04	13.07	13.14	13.21	13.29	13.38	13.49	13.64
3.5	13.13	13.16	13.19	13.22	13.26	13.33	13.42	13.51	13.62	13.75	13.92
4.0	13.29	13.33	13.36	13.40	13.44	13.53	13.62	13.74	13.86	14.01	14.21
4.5	13.46	13.50	13.54	13.58	13.63	13.73	13.83	13.96	14.10	14.27	14.49
5.0	13.63	13.67	13.72	13.76	13.81	13.92	14.04	14.19	14.34	14.53	14.78
5.5	13.80	13.84	13.89	13.95	14.00	14.12	14.26	14.41	14.59	14.79	15.07
6.0	13.97	14.02	14.07	14.13	14.19	14.32	14.47	14.64	14.83	15.06	15.36
6.5	14.14	14.19	14.25	14.31	14.38	14.53	14.69	14.87	15.08	15.32	15.65
7.0	14.31	14.37	14.43	14.50	14.57	14.73	14.90	15.10	15.33	15.59	15.95
7.5	14.48	14.55	14.62	14.69	14.77	14.93	15.12	15.34	15.58	15.86	16.25
8.0	14.65	14.72	14.80	14.88	14.96	15.14	15.34	15.57	15.83	16.14	16.55
8.5	14.83	14.90	14.98	15.07	15.16	15.35	15.56	15.81	16.09	16.41	16.85
9.0	15.00	15.08	15.17	15.26	15.35	15.56	15.79	16.05	16.35	16.69	17.16
9.5	15.18	15.27	15.36	15.45	15.55	15.77	16.01	16.29	16.61	16.97	17.47
10.0	15.36	15.45	15.55	15.65	15.75	15.98	16.24	16.53	16.87	17.25	17.78
11.0	15.72	15.82	15.93	16.04	16.16	16.41	16.70	17.03	17.40	17.82	18.41
12.0	16.09	16.20	16.31	16.44	16.57	16.85	17.16	17.52	17.93	18.40	19.04
13.0	16.46	16.58	16.71	16.84	16.98	17.29	17.64	18.03	18.48	19.00	19.69
14.0	16.83	16.96	17.10	17.25	17.40	17.74	18.12	18.55	19.03	19.59	20.35
15.0	17.21	17.35	17.51	17.66	17.83	18.20	18.60	19.07	19.60	20.20	21.03
16.0	17.60	17.75	17.92	18.08	18.27	18.66	19.10	19.60	20.17	20.82	21.71
17.0	17.99	18.16	18.33	18.51	18.71	19.13	19.60	20.14	20.75	21.45	22.41
18.0	18.39	18.56	18.75	18.95	19.16	19.61	20.12	20.69	21.35	22.10	23.11
19.0	18.79	18.98	19.18	19.39	19.61	20.10	20.64	21.25	21.95	22.75	23.83
20.0	19.20	19.40	19.61	19.84	20.07	20.59	21.17	21.82	22.56	23.42	24.57
21.0	19.62	19.83	20.06	20.29	20.55	21.09	21.71	22.40	23.19	24.09	25.31
22.0	20.04	20.26	20.50	20.76	21.02	21.60	22.25	22.99	23.83	24.79	26.08
23.0	20.47	20.71	20.96	21.23	21.51	22.12	22.81	23.59	24.48	25.49	26.85
24.0	20.90	21.16	21.42	21.70	22.00	22.65	23.38	24.21	25.14	26.21	27.64
25.0	21.34	21.61	21.89	22.19	22.51	23.19	23.96	24.83	25.81	26.94	28.45
26.0	21.79	22.08	22.37	22.69	23.02	23.74	24.55	25.47	26.50	27.69	29.27
27.0	22.25	22.55	22.86	23.19	23.54	24.30	25.15	26.11	27.20	28.45	30.11
28.0	22.72	23.03	23.36	23.70	24.07	24.87	25.76	26.78	27.92	29.22	30.97
29.0	23.19	23.52	23.86	24.22	24.61	25.45	26.39	27.45	28.65	30.02	31.85
30.0	23.67	24.01	24.38	24.76	25.16	26.04	27.02	28.14	29.40	30.83	32.74
31.0	24.16	24.52	24.90	25.30	25.72	26.64	27.67	28.84	30.16	31.66	33.66
32.0	24.66	25.03	25.43	25.85	26.29	27.26	28.34	29.56	30.94	32.50	34.59
33.0	25.17	25.56	25.97	26.41	26.88	27.88	29.02	30.30	31.74	33.37	35.55
34.0	25.68	26.09	26.53	26.98	27.47	28.53	29.71	31.05	32.55	34.26	36.53
35.0	26.21	26.64	27.09	27.57	28.08	29.18	30.42	31.81	33.38	35.16	37.53
36.0	26.75	27.19	27.67	28.17	28.70	29.85	31.14	32.60	34.24	36.09	38.55
37.0	27.29	27.76	28.26	28.78	29.33	30.53	31.88	33.40	35.11	37.04	39.60
38.0	27.85	28.34	28.86	29.40	29.98	31.23	32.64	34.22	36.00	38.02	40.68
39.0	28.42	28.93	29.47	30.04	30.64	31.94	33.41	35.06	36.92	39.02	41.78
40.0	29.01	29.53	30.10	30.69	31.31	32.68	34.20	35.93	37.86	40.04	42.92
41.0	29.60	30.15	30.74	31.35	32.00	33.42	35.02	36.81	38.83	41.09	44.08
42.0	30.21	30.78	31.39	32.03	32.71	34.19	35.85	37.72	39.82	42.17	45.27
43.0	30.83	31.43	32.06	32.73	33.44	34.98	36.71	38.65	40.84	43.28	46.50
44.0	31.46	32.08	32.75	33.44	34.18	35.78	37.59	39.61	41.88	44.43	47.76
45.0	32.11	32.76	33.45	34.17	34.94	36.61	38.49	40.60	42.96	45.60	49.06
46.0	32.77	33.45	34.17	34.92	35.72	37.46	39.41	41.61	44.06	46.81	50.39
47.0	33.46	34.16	34.90	35.69	36.52	38.33	40.37	42.65	45.20	48.05	51.77
48.0	34.15	34.88	35.66	36.47	37.34	39.23	41.35	43.72	46.38	49.34	53.19
49.0	34.87	35.63	36.43	37.28	38.19	40.15	42.35	44.83	47.59	50.66	54.65
50.0	35.60	36.39	37.23	38.12	39.06	41.10	43.39	45.97	48.84	52.03	56.17
PERCENTAGE OF LOAN AMOUNT LEFT UNPAID AT DUE DATE											
	100.0	93.88	87.76	81.63	75.51	63.27	51.02	38.78	26.53	14.29	.00

DISCOUNT %	MONTHLY PAYBACK RATE (%) (MONTHLY PAYMENT DIVIDED BY LOAN AMOUNT)										
	1.00	1.10	1.20	1.30	1.40	1.50	1.60	1.70	1.80	2.00	2.22
.5	12.13	12.14	12.14	12.15	12.15	12.16	12.17	12.17	12.18	12.20	12.22
1.0	12.27	12.28	12.29	12.30	12.31	12.32	12.33	12.35	12.36	12.40	12.44
1.5	12.40	12.42	12.43	12.45	12.46	12.48	12.50	12.52	12.54	12.60	12.67
2.0	12.54	12.56	12.58	12.60	12.62	12.64	12.67	12.70	12.73	12.80	12.89
2.5	12.68	12.70	12.72	12.75	12.78	12.81	12.84	12.88	12.91	13.00	13.12
3.0	12.81	12.84	12.87	12.90	12.94	12.97	13.01	13.06	13.10	13.21	13.35
3.5	12.95	12.99	13.02	13.06	13.10	13.14	13.19	13.24	13.29	13.41	13.58
4.0	13.09	13.13	13.17	13.21	13.26	13.31	13.36	13.42	13.48	13.62	13.81
4.5	13.23	13.28	13.32	13.37	13.42	13.48	13.54	13.60	13.67	13.83	14.05
5.0	13.38	13.42	13.47	13.52	13.58	13.65	13.71	13.78	13.86	14.04	14.28
5.5	13.52	13.57	13.63	13.68	13.75	13.82	13.89	13.97	14.05	14.25	14.52
6.0	13.66	13.72	13.78	13.84	13.91	13.99	14.07	14.16	14.25	14.47	14.76
6.5	13.81	13.87	13.93	14.00	14.08	14.16	14.25	14.34	14.45	14.68	15.00
7.0	13.95	14.02	14.09	14.16	14.25	14.34	14.43	14.53	14.64	14.90	15.24
7.5	14.10	14.17	14.25	14.33	14.42	14.51	14.61	14.72	14.84	15.12	15.49
8.0	14.24	14.32	14.40	14.49	14.59	14.69	14.80	14.92	15.04	15.34	15.74
8.5	14.39	14.47	14.56	14.66	14.76	14.87	14.98	15.11	15.25	15.56	15.99
9.0	14.54	14.63	14.72	14.82	14.93	15.05	15.17	15.31	15.45	15.78	16.24
9.5	14.69	14.79	14.89	14.99	15.11	15.23	15.36	15.50	15.66	16.01	16.49
10.0	14.84	14.94	15.05	15.16	15.28	15.41	15.55	15.70	15.86	16.24	16.74
11.0	15.15	15.26	15.38	15.50	15.63	15.78	15.93	16.10	16.28	16.70	17.26
12.0	15.46	15.58	15.71	15.85	15.99	16.15	16.32	16.51	16.71	17.17	17.79
13.0	15.77	15.91	16.05	16.20	16.36	16.53	16.72	16.92	17.14	17.64	18.32
14.0	16.09	16.24	16.39	16.55	16.73	16.92	17.12	17.35	17.58	18.13	18.86
15.0	16.42	16.57	16.74	16.91	17.11	17.31	17.53	17.77	18.03	18.62	19.41
16.0	16.74	16.91	17.09	17.28	17.49	17.71	17.95	18.21	18.49	19.12	19.98
17.0	17.08	17.26	17.45	17.66	17.88	18.12	18.37	18.65	18.95	19.63	20.55
18.0	17.42	17.61	17.82	18.04	18.27	18.53	18.80	19.10	19.42	20.15	21.13
19.0	17.76	17.96	18.19	18.42	18.68	18.95	19.24	19.56	19.90	20.68	21.72
20.0	18.11	18.33	18.56	18.81	19.08	19.37	19.69	20.02	20.39	21.22	22.33
21.0	18.46	18.69	18.95	19.21	19.50	19.81	20.14	20.50	20.89	21.77	22.94
22.0	18.82	19.07	19.33	19.62	19.92	20.25	20.60	20.98	21.39	22.32	23.57
23.0	19.19	19.45	19.73	20.03	20.35	20.70	21.07	21.47	21.91	22.89	24.21
24.0	19.56	19.84	20.13	20.45	20.79	21.16	21.55	21.98	22.43	23.47	24.86
25.0	19.94	20.23	20.54	20.87	21.24	21.62	22.04	22.49	22.97	24.06	25.52
26.0	20.32	20.63	20.96	21.31	21.69	22.10	22.53	23.01	23.52	24.67	26.20
27.0	20.71	21.04	21.38	21.75	22.15	22.58	23.04	23.54	24.07	25.28	26.89
28.0	21.11	21.45	21.81	22.20	22.62	23.07	23.56	24.08	24.64	25.91	27.60
29.0	21.51	21.87	22.26	22.66	23.10	23.58	24.09	24.63	25.22	26.56	28.32
30.0	21.93	22.30	22.70	23.13	23.59	24.09	24.62	25.20	25.82	27.21	29.06
31.0	22.35	22.74	23.16	23.61	24.09	24.61	25.17	25.77	26.42	27.88	29.81
32.0	22.77	23.19	23.63	24.10	24.60	25.15	25.73	26.36	27.04	28.57	30.58
33.0	23.21	23.64	24.10	24.59	25.13	25.69	26.31	26.97	27.67	29.27	31.37
34.0	23.65	24.10	24.59	25.10	25.66	26.25	26.89	27.58	28.32	29.99	32.18
35.0	24.11	24.58	25.08	25.62	26.20	26.82	27.49	28.21	28.98	30.72	33.00
36.0	24.57	25.06	25.59	26.15	26.76	27.41	28.10	28.86	29.66	31.47	33.85
37.0	25.04	25.55	26.10	26.69	27.32	28.00	28.73	29.51	30.36	32.25	34.71
38.0	25.52	26.06	26.63	27.24	27.90	28.61	29.37	30.19	31.07	33.04	35.60
39.0	26.02	26.57	27.17	27.81	28.50	29.24	30.03	30.88	31.80	33.85	36.51
40.0	26.52	27.10	27.72	28.39	29.11	29.88	30.70	31.59	32.55	34.68	37.45
41.0	27.03	27.64	28.29	28.98	29.73	30.53	31.39	32.32	33.31	35.53	38.41
42.0	27.56	28.19	28.87	29.59	30.37	31.21	32.10	33.07	34.10	36.41	39.40
43.0	28.09	28.75	29.46	30.21	31.02	31.90	32.83	33.84	34.91	37.31	40.41
44.0	28.64	29.33	30.07	30.85	31.70	32.60	33.58	34.62	35.74	38.24	41.45
45.0	29.21	29.92	30.69	31.51	32.39	33.33	34.35	35.43	36.60	39.19	42.53
46.0	29.79	30.53	31.33	32.18	33.10	34.08	35.14	36.27	37.48	40.17	43.63
47.0	30.38	31.15	31.98	32.87	33.82	34.85	35.95	37.13	38.39	41.18	44.77
48.0	30.98	31.79	32.65	33.58	34.57	35.64	36.78	38.01	39.32	42.23	45.95
49.0	31.61	32.45	33.35	34.31	35.35	36.46	37.65	38.92	40.29	43.31	47.16
50.0	32.25	33.12	34.06	35.06	36.14	37.30	38.54	39.86	41.28	44.42	48.41
▽φ	PERCENTAGE OF LOAN AMOUNT LEFT UNPAID AT DUE DATE										
	100.0	91.83	83.67	75.50	67.33	59.17	51.00	42.83	34.66	18.33	.00

DISCOUNT %	MONTHLY PAYBACK RATE (%) (MONTHLY PAYMENT DIVIDED BY LOAN AMOUNT)										
	1.00	1.10	1.20	1.30	1.40	1.50	1.60	1.70	1.80	1.90	1.96
1.0	12.23	12.24	12.26	12.27	12.28	12.29	12.31	12.33	12.34	12.37	12.38
2.0	12.47	12.49	12.52	12.54	12.56	12.59	12.62	12.66	12.69	12.74	12.76
3.0	12.72	12.75	12.78	12.81	12.85	12.89	12.94	12.99	13.05	13.11	13.15
4.0	12.96	13.00	13.05	13.09	13.14	13.20	13.26	13.33	13.41	13.50	13.55
5.0	13.21	13.26	13.32	13.37	13.44	13.51	13.59	13.68	13.77	13.88	13.95
6.0	13.46	13.52	13.59	13.66	13.74	13.83	13.92	14.03	14.15	14.28	14.36
7.0	13.72	13.79	13.87	13.95	14.05	14.15	14.26	14.39	14.52	14.68	14.77
8.0	13.98	14.06	14.15	14.25	14.36	14.47	14.60	14.75	14.91	15.09	15.19
9.0	14.24	14.33	14.44	14.55	14.67	14.81	14.95	15.12	15.30	15.50	15.62
10.0	14.50	14.61	14.73	14.85	14.99	15.14	15.31	15.49	15.69	15.92	16.06
11.0	14.77	14.89	15.02	15.16	15.31	15.48	15.67	15.87	16.09	16.35	16.50
12.0	15.05	15.18	15.32	15.47	15.64	15.83	16.03	16.26	16.50	16.78	16.95
13.0	15.33	15.47	15.62	15.79	15.98	16.18	16.40	16.65	16.92	17.22	17.40
14.0	15.61	15.76	15.93	16.12	16.32	16.54	16.78	17.05	17.34	17.67	17.87
15.0	15.89	16.06	16.25	16.44	16.66	16.90	17.16	17.45	17.77	18.13	18.34
16.0	16.18	16.36	16.56	16.78	17.01	17.27	17.55	17.87	18.21	18.59	18.82
17.0	16.48	16.67	16.89	17.12	17.37	17.65	17.95	18.29	18.65	19.07	19.31
18.0	16.78	16.99	17.22	17.46	17.73	18.03	18.35	18.71	19.11	19.55	19.81
19.0	17.08	17.31	17.55	17.81	18.10	18.42	18.77	19.15	19.57	20.04	20.32
20.0	17.39	17.63	17.89	18.17	18.48	18.82	19.19	19.59	20.04	20.54	20.83
21.0	17.70	17.96	18.23	18.53	18.86	19.22	19.61	20.04	20.52	21.05	21.36
22.0	18.02	18.29	18.59	18.90	19.25	19.63	20.05	20.50	21.01	21.56	21.90
23.0	18.35	18.63	18.94	19.28	19.65	20.05	20.49	20.97	21.50	22.09	22.44
24.0	18.68	18.98	19.31	19.66	20.05	20.48	20.94	21.45	22.01	22.63	23.00
25.0	19.01	19.33	19.68	20.05	20.46	20.91	21.40	21.94	22.53	23.18	23.57
26.0	19.36	19.69	20.06	20.45	20.88	21.35	21.87	22.44	23.06	23.75	24.15
27.0	19.70	20.06	20.44	20.86	21.31	21.81	22.35	22.95	23.60	24.32	24.74
28.0	20.06	20.43	20.83	21.27	21.75	22.27	22.84	23.46	24.15	24.91	25.35
29.0	20.42	20.81	21.23	21.69	22.19	22.74	23.34	23.99	24.71	25.50	25.97
30.0	20.79	21.19	21.64	22.12	22.65	23.22	23.85	24.54	25.29	26.11	26.60
31.0	21.16	21.59	22.06	22.56	23.11	23.71	24.37	25.09	25.88	26.74	27.25
32.0	21.54	21.99	22.48	23.01	23.59	24.22	24.90	25.66	26.48	27.38	27.91
33.0	21.93	22.40	22.91	23.47	24.07	24.73	25.45	26.23	27.09	28.03	28.59
34.0	22.33	22.82	23.36	23.93	24.57	25.25	26.01	26.83	27.72	28.70	29.28
35.0	22.74	23.25	23.81	24.41	25.07	25.79	26.58	27.43	28.37	29.39	29.99
36.0	23.15	23.69	24.27	24.90	25.59	26.34	27.16	28.06	29.03	30.09	30.72
37.0	23.57	24.13	24.74	25.40	26.12	26.91	27.76	28.69	29.70	30.81	31.46
38.0	24.01	24.59	25.22	25.91	26.66	27.48	28.37	29.34	30.40	31.55	32.22
39.0	24.45	25.06	25.72	26.44	27.22	28.07	29.00	30.01	31.11	32.31	33.01
40.0	24.90	25.53	26.23	26.97	27.79	28.68	29.65	30.70	31.84	33.09	33.81
41.0	25.36	26.02	26.74	27.52	28.38	29.30	30.31	31.41	32.59	33.89	34.64
42.0	25.83	26.52	27.28	28.09	28.98	29.94	30.99	32.13	33.37	34.71	35.49
43.0	26.32	27.04	27.82	28.67	29.59	30.60	31.69	32.88	34.16	35.55	36.36
44.0	26.82	27.57	28.38	29.26	30.23	31.27	32.41	33.64	34.98	36.42	37.26
45.0	27.32	28.11	28.96	29.88	30.88	31.97	33.15	34.43	35.82	37.31	38.18
46.0	27.85	28.66	29.55	30.50	31.55	32.68	33.91	35.25	36.68	38.24	39.13
47.0	28.38	29.23	30.15	31.15	32.24	33.42	34.70	36.08	37.58	39.19	40.12
48.0	28.93	29.82	30.78	31.82	32.95	34.18	35.51	36.95	38.50	40.17	41.13
49.0	29.50	30.42	31.42	32.50	33.68	34.96	36.35	37.84	39.45	41.18	42.17
50.0	30.08	31.04	32.08	33.21	34.44	35.77	37.21	38.76	40.43	42.22	43.26
51.0	30.68	31.68	32.76	33.94	35.22	36.60	38.10	39.72	41.45	43.30	44.37
52.0	31.30	32.34	33.47	34.69	36.02	37.47	39.02	40.70	42.50	44.42	45.53
53.0	31.93	33.01	34.19	35.47	36.86	38.36	39.98	41.72	43.59	45.58	46.72
54.0	32.59	33.72	34.94	36.27	37.72	39.28	40.97	42.78	44.72	46.78	47.97
55.0	33.26	34.44	35.72	37.11	38.62	40.24	42.00	43.88	45.89	48.03	49.25
56.0	33.96	35.19	36.53	37.97	39.54	41.24	43.06	45.02	47.11	49.32	50.59
57.0	34.69	35.97	37.36	38.87	40.51	42.27	44.17	46.21	48.37	50.67	51.98
58.0	35.43	36.77	38.23	39.80	41.51	43.35	45.33	47.44	49.69	52.07	53.43
59.0	36.21	37.61	39.12	40.77	42.55	44.47	46.53	48.73	51.06	53.53	54.94
60.0	37.02	38.47	40.06	41.77	43.64	45.64	47.78	50.07	52.50	55.06	56.52
▽Φ	PERCENTAGE OF LOAN AMOUNT LEFT UNPAID AT DUE DATE										
	100.0	89.53	79.06	68.59	58.12	47.65	37.17	26.70	16.23	5.76	.00

DISCOUNT %	MONTHLY PAYBACK RATE (%) (MONTHLY PAYMENT DIVIDED BY LOAN AMOUNT)										
	1.00	1.05	1.10	1.15	1.20	1.30	1.40	1.50	1.60	1.70	1.77
1.0	12.21	12.22	12.22	12.23	12.24	12.25	12.26	12.28	12.30	12.32	12.33
2.0	12.43	12.44	12.45	12.46	12.47	12.50	12.53	12.56	12.60	12.64	12.67
3.0	12.65	12.66	12.68	12.70	12.72	12.75	12.80	12.85	12.90	12.97	13.01
4.0	12.87	12.89	12.91	12.94	12.96	13.01	13.07	13.14	13.21	13.30	13.36
5.0	13.09	13.12	13.15	13.18	13.21	13.27	13.35	13.43	13.53	13.64	13.71
6.0	13.32	13.35	13.39	13.42	13.46	13.54	13.63	13.73	13.85	13.98	14.07
7.0	13.55	13.59	13.63	13.67	13.72	13.81	13.92	14.04	14.17	14.32	14.43
8.0	13.79	13.83	13.88	13.93	13.98	14.09	14.21	14.35	14.50	14.68	14.80
9.0	14.02	14.07	14.13	14.18	14.24	14.37	14.51	14.66	14.84	15.04	15.18
10.0	14.27	14.32	14.38	14.44	14.51	14.65	14.81	14.98	15.18	15.40	15.56
11.0	14.51	14.57	14.64	14.71	14.78	14.94	15.11	15.31	15.52	15.77	15.95
12.0	14.76	14.83	14.90	14.98	15.06	15.23	15.42	15.64	15.88	16.15	16.35
13.0	15.01	15.09	15.16	15.25	15.34	15.52	15.74	15.97	16.24	16.53	16.75
14.0	15.27	15.35	15.43	15.53	15.62	15.83	16.06	16.31	16.60	16.92	17.16
15.0	15.53	15.61	15.71	15.81	15.91	16.13	16.38	16.66	16.97	17.32	17.57
16.0	15.79	15.89	15.99	16.09	16.21	16.44	16.71	17.01	17.35	17.72	17.99
17.0	16.06	16.16	16.27	16.38	16.50	16.76	17.05	17.37	17.73	18.13	18.42
18.0	16.33	16.44	16.56	16.68	16.81	17.08	17.39	17.74	18.12	18.55	18.86
19.0	16.61	16.72	16.85	16.98	17.12	17.41	17.74	18.11	18.52	18.98	19.31
20.0	16.89	17.01	17.15	17.29	17.43	17.75	18.10	18.49	18.93	19.41	19.77
21.0	17.17	17.31	17.45	17.60	17.75	18.09	18.46	18.88	19.34	19.86	20.23
22.0	17.47	17.61	17.76	17.91	18.08	18.43	18.83	19.27	19.76	20.31	20.70
23.0	17.76	17.91	18.07	18.24	18.41	18.79	19.21	19.67	20.19	20.77	21.18
24.0	18.06	18.22	18.39	18.56	18.75	19.15	19.59	20.08	20.63	21.24	21.68
25.0	18.37	18.54	18.71	18.90	19.10	19.51	19.98	20.50	21.08	21.72	22.18
26.0	18.68	18.86	19.05	19.24	19.45	19.89	20.38	20.93	21.53	22.21	22.69
27.0	19.00	19.19	19.38	19.59	19.81	20.27	20.79	21.36	22.00	22.71	23.21
28.0	19.32	19.52	19.73	19.94	20.17	20.66	21.20	21.80	22.47	23.22	23.75
29.0	19.65	19.86	20.08	20.30	20.54	21.06	21.63	22.26	22.96	23.74	24.29
30.0	19.99	20.21	20.43	20.67	20.92	21.46	22.06	22.72	23.46	24.27	24.85
31.0	20.33	20.56	20.80	21.05	21.31	21.88	22.50	23.20	23.97	24.82	25.42
32.0	20.69	20.92	21.17	21.43	21.71	22.30	22.96	23.68	24.49	25.38	26.01
33.0	21.04	21.29	21.55	21.83	22.12	22.73	23.42	24.18	25.02	25.95	26.60
34.0	21.41	21.67	21.94	22.23	22.53	23.18	23.89	24.69	25.56	26.53	27.22
35.0	21.78	22.05	22.34	22.64	22.95	23.63	24.38	25.21	26.12	27.13	27.84
36.0	22.16	22.45	22.74	23.06	23.39	24.09	24.88	25.74	26.69	27.74	28.48
37.0	22.55	22.85	23.16	23.49	23.83	24.57	25.39	26.29	27.28	28.37	29.14
38.0	22.95	23.26	23.59	23.93	24.29	25.06	25.91	26.85	27.88	29.02	29.82
39.0	23.36	23.68	24.02	24.38	24.75	25.55	26.44	27.42	28.50	29.68	30.51
40.0	23.77	24.11	24.47	24.84	25.23	26.07	26.99	28.01	29.13	30.36	31.22
41.0	24.20	24.55	24.92	25.31	25.72	26.59	27.56	28.62	29.78	31.06	31.95
42.0	24.64	25.01	25.39	25.80	26.22	27.13	28.14	29.24	30.45	31.78	32.71
43.0	25.09	25.47	25.87	26.29	26.74	27.68	28.73	29.88	31.14	32.52	33.48
44.0	25.55	25.95	26.37	26.81	27.27	28.25	29.34	30.54	31.85	33.28	34.27
45.0	26.02	26.44	26.87	27.33	27.81	28.84	29.97	31.22	32.58	34.06	35.09
46.0	26.51	26.94	27.39	27.87	28.37	29.44	30.62	31.92	33.33	34.87	35.94
47.0	27.01	27.46	27.93	28.43	28.95	30.06	31.29	32.64	34.11	35.70	36.81
48.0	27.52	27.99	28.48	29.00	29.54	30.70	31.98	33.38	34.91	36.56	37.71
49.0	28.05	28.54	29.05	29.59	30.15	31.36	32.70	34.15	35.73	37.45	38.63
50.0	28.59	29.10	29.63	30.20	30.79	32.05	33.43	34.94	36.59	38.36	39.59
51.0	29.15	29.68	30.24	30.82	31.44	32.75	34.19	35.76	37.47	39.31	40.58
52.0	29.73	30.28	30.86	31.47	32.11	33.48	34.98	36.61	38.39	40.30	41.61
53.0	30.32	30.90	31.51	32.14	32.81	34.23	35.80	37.49	39.33	41.31	42.68
54.0	30.94	31.54	32.17	32.83	33.53	35.01	36.64	38.41	40.32	42.37	43.78
55.0	31.57	32.20	32.86	33.55	34.28	35.82	37.52	39.36	41.34	43.47	44.92
56.0	32.23	32.89	33.58	34.30	35.05	36.67	38.43	40.34	42.40	44.61	46.11
57.0	32.91	33.60	34.32	35.07	35.86	37.54	39.38	41.37	43.51	45.79	47.35
58.0	33.62	34.34	35.09	35.87	36.70	38.45	40.36	42.43	44.66	47.03	48.64
59.0	34.36	35.10	35.89	36.71	37.57	39.40	41.39	43.55	45.86	48.31	49.99
60.0	35.12	35.90	36.72	37.58	38.47	40.39	42.47	44.71	47.11	49.66	51.39
PERCENTAGE OF LOAN AMOUNT LEFT UNPAID AT DUE DATE											
	100.0	93.47	86.93	80.40	73.87	60.80	47.73	34.66	21.60	8.53	.00

DISCOUNT %	MONTHLY PAYBACK RATE (%) (MONTHLY PAYMENT DIVIDED BY LOAN AMOUNT)										
	1.00	1.05	1.10	1.15	1.20	1.25	1.30	1.35	1.40	1.50	1.63
1.0	12.20	12.20	12.21	12.21	12.22	12.23	12.23	12.24	12.25	12.27	12.30
2.0	12.39	12.41	12.42	12.43	12.44	12.46	12.47	12.49	12.51	12.54	12.60
3.0	12.60	12.61	12.63	12.65	12.67	12.69	12.71	12.74	12.76	12.82	12.91
4.0	12.80	12.82	12.85	12.87	12.90	12.93	12.96	12.99	13.03	13.10	13.22
5.0	13.01	13.04	13.07	13.10	13.13	13.17	13.21	13.25	13.29	13.39	13.53
6.0	13.22	13.25	13.29	13.33	13.37	13.41	13.46	13.51	13.56	13.68	13.86
7.0	13.43	13.47	13.52	13.56	13.61	13.66	13.72	13.78	13.84	13.98	14.18
8.0	13.65	13.69	13.74	13.80	13.86	13.92	13.98	14.05	14.12	14.28	14.51
9.0	13.87	13.92	13.98	14.04	14.10	14.17	14.24	14.32	14.40	14.58	14.85
10.0	14.09	14.15	14.21	14.28	14.36	14.43	14.51	14.60	14.69	14.90	15.19
11.0	14.32	14.38	14.45	14.53	14.61	14.70	14.78	14.88	14.98	15.21	15.54
12.0	14.55	14.62	14.70	14.78	14.87	14.96	15.06	15.17	15.28	15.53	15.90
13.0	14.78	14.86	14.95	15.04	15.13	15.24	15.34	15.46	15.59	15.86	16.26
14.0	15.02	15.10	15.20	15.30	15.40	15.51	15.63	15.76	15.89	16.19	16.62
15.0	15.26	15.35	15.45	15.56	15.68	15.80	15.92	16.06	16.21	16.53	17.00
16.0	15.50	15.60	15.71	15.83	15.95	16.08	16.22	16.37	16.53	16.87	17.38
17.0	15.75	15.86	15.98	16.10	16.24	16.38	16.52	16.68	16.85	17.22	17.76
18.0	16.00	16.12	16.25	16.38	16.52	16.67	16.83	17.00	17.18	17.58	18.16
19.0	16.26	16.39	16.52	16.66	16.82	16.98	17.15	17.33	17.52	17.95	18.56
20.0	16.52	16.66	16.80	16.95	17.11	17.28	17.46	17.66	17.86	18.32	18.97
21.0	16.79	16.93	17.08	17.24	17.42	17.60	17.79	18.00	18.21	18.69	19.39
22.0	17.06	17.21	17.37	17.54	17.73	17.92	18.12	18.34	18.57	19.08	19.81
23.0	17.33	17.49	17.67	17.85	18.04	18.25	18.46	18.69	18.94	19.47	20.25
24.0	17.61	17.78	17.97	18.16	18.36	18.58	18.80	19.05	19.31	19.87	20.69
25.0	17.90	18.08	18.27	18.47	18.69	18.92	19.16	19.41	19.69	20.28	21.14
26.0	18.19	18.38	18.58	18.80	19.02	19.26	19.52	19.79	20.07	20.70	21.60
27.0	18.48	18.69	18.90	19.12	19.36	19.62	19.88	20.17	20.47	21.13	22.07
28.0	18.79	19.00	19.22	19.46	19.71	19.98	20.26	20.56	20.87	21.56	22.55
29.0	19.10	19.32	19.55	19.80	20.07	20.34	20.64	20.95	21.28	22.01	23.04
30.0	19.41	19.64	19.89	20.15	20.43	20.72	21.03	21.36	21.70	22.46	23.55
31.0	19.73	19.98	20.23	20.51	20.80	21.10	21.43	21.77	22.14	22.93	24.06
32.0	20.06	20.32	20.59	20.87	21.18	21.50	21.84	22.20	22.58	23.41	24.59
33.0	20.39	20.66	20.95	21.25	21.56	21.90	22.25	22.63	23.03	23.89	25.13
34.0	20.74	21.02	21.31	21.63	21.96	22.31	22.68	23.07	23.49	24.39	25.68
35.0	21.09	21.38	21.69	22.02	22.37	22.73	23.12	23.53	23.96	24.91	26.24
36.0	21.44	21.75	22.07	22.42	22.78	23.16	23.57	24.00	24.45	25.43	26.82
37.0	21.81	22.13	22.47	22.83	23.21	23.61	24.03	24.47	24.95	25.97	27.42
38.0	22.18	22.52	22.87	23.25	23.64	24.06	24.50	24.97	25.46	26.52	28.03
39.0	22.57	22.92	23.29	23.68	24.09	24.52	24.98	25.47	25.98	27.09	28.65
40.0	22.96	23.32	23.71	24.12	24.55	25.00	25.48	25.99	26.52	27.67	29.30
41.0	23.36	23.74	24.14	24.57	25.02	25.49	25.99	26.52	27.07	28.27	29.96
42.0	23.78	24.17	24.59	25.03	25.50	25.99	26.51	27.06	27.64	28.89	30.63
43.0	24.20	24.61	25.05	25.51	26.00	26.51	27.05	27.62	28.23	29.52	31.33
44.0	24.63	25.07	25.52	26.00	26.51	27.04	27.61	28.20	28.83	30.18	32.05
45.0	25.08	25.53	26.01	26.51	27.04	27.59	28.18	28.80	29.45	30.85	32.79
46.0	25.54	26.01	26.50	27.03	27.58	28.16	28.77	29.41	30.09	31.54	33.56
47.0	26.01	26.50	27.02	27.56	28.14	28.74	29.37	30.04	30.75	32.26	34.35
48.0	26.50	27.01	27.55	28.11	28.71	29.34	30.00	30.70	31.43	33.00	35.16
49.0	27.00	27.53	28.09	28.68	29.31	29.96	30.65	31.37	32.13	33.76	36.00
50.0	27.52	28.07	28.65	29.27	29.92	30.60	31.31	32.07	32.86	34.55	36.87
52.0	28.60	29.20	29.84	30.50	31.21	31.95	32.72	33.54	34.39	36.21	38.70
54.0	29.76	30.41	31.10	31.83	32.59	33.39	34.23	35.12	36.04	38.00	40.67
56.0	31.00	31.71	32.46	33.25	34.08	34.95	35.86	36.82	37.81	39.93	42.79
58.0	32.34	33.12	33.93	34.79	35.70	36.64	37.63	38.66	39.74	42.02	45.09
60.0	33.79	34.63	35.53	36.46	37.45	38.48	39.55	40.67	41.84	44.34	47.59
62.0	35.36	36.29	37.26	38.29	39.36	40.49	41.65	42.87	44.14	46.79	50.33
64.0	37.08	38.10	39.17	40.29	41.47	42.70	43.97	45.30	46.67	49.54	53.34
66.0	38.98	40.10	41.28	42.51	43.80	45.14	46.54	47.98	49.47	52.58	56.68
68.0	41.09	42.32	43.62	44.98	46.40	47.88	49.40	50.98	52.61	55.98	60.40
70.0	43.45	44.82	46.26	47.77	49.33	50.96	52.63	54.37	56.14	59.81	64.58
	PERCENTAGE OF LOAN AMOUNT LEFT UNPAID AT DUE DATE										
	100.0	92.00	84.01	76.01	68.01	60.02	52.02	44.03	36.03	20.04	.00

MONTHLY PAYBACK RATE (%)
(MONTHLY PAYMENT DIVIDED BY LOAN AMOUNT)

DISCOUNT %	1.00	1.05	1.10	1.15	1.20	1.25	1.30	1.35	1.40	1.45	1.52
1.0	12.18	12.19	12.19	12.20	12.21	12.22	12.22	12.23	12.24	12.26	12.27
2.0	12.37	12.38	12.39	12.41	12.42	12.44	12.45	12.47	12.49	12.51	12.55
3.0	12.56	12.57	12.59	12.61	12.64	12.66	12.69	12.72	12.74	12.78	12.83
4.0	12.75	12.77	12.80	12.83	12.86	12.89	12.92	12.96	13.00	13.04	13.11
5.0	12.94	12.97	13.01	13.04	13.08	13.12	13.16	13.21	13.26	13.32	13.40
6.0	13.14	13.18	13.22	13.26	13.31	13.35	13.41	13.46	13.52	13.59	13.69
7.0	13.34	13.38	13.43	13.48	13.53	13.59	13.65	13.72	13.79	13.87	13.99
8.0	13.54	13.59	13.65	13.70	13.77	13.83	13.90	13.98	14.07	14.16	14.29
9.0	13.75	13.80	13.87	13.93	14.00	14.08	14.16	14.25	14.34	14.44	14.60
10.0	13.96	14.02	14.09	14.16	14.24	14.33	14.42	14.52	14.62	14.74	14.91
11.0	14.17	14.24	14.32	14.40	14.49	14.58	14.68	14.79	14.91	15.04	15.23
12.0	14.38	14.46	14.55	14.64	14.74	14.84	14.95	15.07	15.20	15.34	15.55
13.0	14.60	14.69	14.78	14.88	14.99	15.10	15.22	15.36	15.50	15.65	15.88
14.0	14.82	14.92	15.02	15.13	15.25	15.37	15.50	15.65	15.80	15.97	16.22
15.0	15.05	15.15	15.26	15.38	15.51	15.64	15.78	15.94	16.11	16.29	16.56
16.0	15.28	15.39	15.51	15.64	15.77	15.92	16.07	16.24	16.42	16.61	16.90
17.0	15.51	15.63	15.76	15.90	16.04	16.20	16.37	16.55	16.74	16.95	17.26
18.0	15.75	15.88	16.02	16.16	16.32	16.49	16.66	16.86	17.06	17.28	17.62
19.0	15.99	16.13	16.28	16.43	16.60	16.78	16.97	17.17	17.39	17.63	17.98
20.0	16.24	16.39	16.54	16.71	16.89	17.08	17.28	17.50	17.73	17.98	18.36
21.0	16.49	16.65	16.81	16.99	17.18	17.38	17.59	17.83	18.07	18.34	18.74
22.0	16.75	16.91	17.09	17.27	17.48	17.69	17.92	18.16	18.42	18.71	19.13
23.0	17.01	17.18	17.37	17.56	17.78	18.00	18.24	18.50	18.78	19.08	19.52
24.0	17.27	17.45	17.65	17.86	18.09	18.33	18.58	18.85	19.15	19.46	19.93
25.0	17.54	17.74	17.94	18.16	18.40	18.65	18.92	19.21	19.52	19.85	20.34
26.0	17.81	18.02	18.24	18.47	18.72	18.99	19.27	19.58	19.90	20.25	20.76
27.0	18.10	18.31	18.54	18.79	19.05	19.33	19.63	19.95	20.29	20.65	21.19
28.0	18.38	18.61	18.85	19.11	19.39	19.68	19.99	20.33	20.69	21.07	21.63
29.0	18.67	18.91	19.17	19.44	19.73	20.04	20.36	20.72	21.09	21.49	22.08
30.0	18.97	19.22	19.49	19.77	20.08	20.40	20.75	21.11	21.51	21.92	22.54
31.0	19.28	19.54	19.82	20.12	20.44	20.78	21.13	21.52	21.93	22.37	23.01
32.0	19.59	19.86	20.16	20.47	20.80	21.16	21.53	21.94	22.37	22.82	23.49
33.0	19.91	20.19	20.50	20.83	21.18	21.55	21.94	22.36	22.81	23.29	23.99
34.0	20.23	20.53	20.85	21.20	21.56	21.95	22.36	22.80	23.27	23.76	24.49
35.0	20.56	20.88	21.22	21.57	21.96	22.36	22.79	23.25	23.74	24.25	25.01
36.0	20.90	21.23	21.59	21.96	22.36	22.78	23.23	23.71	24.21	24.75	25.54
37.0	21.25	21.60	21.96	22.35	22.77	23.21	23.68	24.18	24.71	25.27	26.09
38.0	21.61	21.97	22.35	22.76	23.19	23.65	24.14	24.66	25.21	25.79	26.65
39.0	21.97	22.35	22.75	23.18	23.63	24.11	24.62	25.16	25.73	26.34	27.22
40.0	22.35	22.74	23.16	23.60	24.08	24.58	25.10	25.67	26.26	26.89	27.81
41.0	22.73	23.14	23.58	24.04	24.53	25.05	25.60	26.19	26.81	27.46	28.42
42.0	23.13	23.56	24.01	24.49	25.01	25.55	26.12	26.73	27.37	28.05	29.04
43.0	23.53	23.98	24.45	24.96	25.49	26.06	26.65	27.29	27.95	28.66	29.68
44.0	23.95	24.42	24.91	25.43	25.99	26.58	27.20	27.86	28.55	29.28	30.34
45.0	24.38	24.87	25.38	25.92	26.50	27.12	27.76	28.45	29.17	29.93	31.03
46.0	24.82	25.33	25.86	26.43	27.03	27.67	28.34	29.05	29.80	30.59	31.73
47.0	25.28	25.80	26.36	26.95	27.58	28.24	28.94	29.68	30.46	31.27	32.45
48.0	25.74	26.29	26.88	27.49	28.15	28.84	29.56	30.33	31.14	31.98	33.20
49.0	26.23	26.80	27.41	28.05	28.73	29.45	30.20	31.00	31.84	32.71	33.98
50.0	26.73	27.32	27.95	28.62	29.33	30.08	30.86	31.69	32.56	33.47	34.78
52.0	27.77	28.42	29.11	29.83	30.60	31.41	32.26	33.15	34.09	35.06	36.46
54.0	28.90	29.60	30.35	31.14	31.97	32.84	33.76	34.73	35.73	36.78	38.28
56.0	30.10	30.87	31.68	32.54	33.44	34.39	35.38	36.43	37.51	38.63	40.24
58.0	31.41	32.24	33.13	34.06	35.04	36.07	37.14	38.27	39.44	40.64	42.36
60.0	32.82	33.74	34.70	35.72	36.79	37.90	39.06	40.28	41.54	42.84	44.67
62.0	34.36	35.37	36.42	37.53	38.70	39.91	41.17	42.48	43.84	45.24	47.21
64.0	36.06	37.16	38.32	39.53	40.80	42.12	43.49	44.92	46.38	47.88	50.00
66.0	37.94	39.15	40.42	41.75	43.14	44.58	46.07	47.61	49.20	50.82	53.09
68.0	40.03	41.36	42.76	44.23	45.75	47.33	48.96	50.63	52.35	54.10	56.55
70.0	42.38	43.86	45.41	47.03	48.70	50.43	52.21	54.04	55.90	57.80	60.43

◁Φ	PERCENTAGE OF LOAN AMOUNT LEFT UNPAID AT DUE DATE										
	100.0	90.36	80.71	71.07	61.42	51.78	42.13	32.49	22.84	13.20	.00

DISCOUNT %	MONTHLY PAYBACK RATE (%) (MONTHLY PAYMENT DIVIDED BY LOAN AMOUNT)										
	1.00	1.05	1.08	1.10	1.15	1.20	1.25	1.30	1.35	1.40	1.43
1.0	12.17	12.18	12.18	12.19	12.19	12.20	12.21	12.22	12.23	12.24	12.25
2.0	12.35	12.36	12.37	12.37	12.39	12.41	12.42	12.44	12.46	12.49	12.50
3.0	12.53	12.55	12.56	12.57	12.59	12.61	12.64	12.67	12.70	12.74	12.76
4.0	12.71	12.73	12.75	12.76	12.79	12.83	12.86	12.90	12.94	12.99	13.02
5.0	12.89	12.92	12.94	12.96	13.00	13.04	13.09	13.13	13.19	13.25	13.29
6.0	13.08	13.12	13.14	13.16	13.21	13.26	13.31	13.37	13.44	13.51	13.56
7.0	13.27	13.31	13.34	13.36	13.42	13.48	13.54	13.61	13.69	13.77	13.83
8.0	13.46	13.51	13.55	13.57	13.63	13.70	13.78	13.86	13.95	14.04	14.11
9.0	13.65	13.72	13.75	13.78	13.93	13.93	14.02	14.11	14.21	14.32	14.40
10.0	13.85	13.92	13.97	14.00	14.08	14.17	14.26	14.36	14.47	14.59	14.68
11.0	14.05	14.13	14.18	14.21	14.30	14.40	14.51	14.62	14.74	14.88	14.98
12.0	14.26	14.34	14.40	14.43	14.53	14.64	14.76	14.88	15.02	15.17	15.28
13.0	14.46	14.56	14.62	14.66	14.77	14.89	15.01	15.15	15.30	15.46	15.58
14.0	14.68	14.78	14.84	14.89	15.01	15.13	15.27	15.42	15.58	15.76	15.89
15.0	14.89	15.00	15.07	15.12	15.25	15.39	15.54	15.70	15.87	16.06	16.20
16.0	15.11	15.23	15.30	15.36	15.50	15.65	15.81	15.98	16.17	16.37	16.52
17.0	15.33	15.46	15.54	15.60	15.75	15.91	16.08	16.27	16.47	16.69	16.85
18.0	15.56	15.70	15.78	15.84	16.00	16.18	16.36	16.56	16.78	17.01	17.18
19.0	15.79	15.94	16.03	16.09	16.26	16.45	16.64	16.86	17.09	17.34	17.52
20.0	16.02	16.18	16.28	16.35	16.53	16.72	16.93	17.16	17.41	17.67	17.87
21.0	16.26	16.43	16.53	16.61	16.80	17.01	17.23	17.47	17.73	18.01	18.22
22.0	16.50	16.68	16.79	16.87	17.08	17.30	17.53	17.79	18.06	18.36	18.58
23.0	16.75	16.94	17.06	17.14	17.36	17.59	17.84	18.11	18.40	18.71	18.95
24.0	17.01	17.20	17.33	17.42	17.64	17.89	18.16	18.44	18.75	19.08	19.32
25.0	17.26	17.47	17.60	17.70	17.94	18.20	18.48	18.77	19.10	19.45	19.70
26.0	17.53	17.75	17.89	17.98	18.24	18.51	18.80	19.12	19.46	19.82	20.09
27.0	17.79	18.03	18.17	18.28	18.54	18.83	19.14	19.47	19.83	20.21	20.49
28.0	18.07	18.31	18.47	18.57	18.85	19.16	19.48	19.83	20.20	20.60	20.90
29.0	18.35	18.60	18.77	18.88	19.17	19.49	19.83	20.19	20.59	21.01	21.32
30.0	18.63	18.90	19.07	19.19	19.50	19.83	20.19	20.57	20.98	21.42	21.74
31.0	18.92	19.21	19.39	19.51	19.83	20.18	20.56	20.95	21.38	21.84	22.18
32.0	19.22	19.52	19.71	19.84	20.18	20.54	20.93	21.35	21.80	22.28	22.63
33.0	19.53	19.84	20.04	20.17	20.53	20.91	21.32	21.75	22.22	22.72	23.09
34.0	19.84	20.17	20.37	20.51	20.88	21.28	21.71	22.16	22.65	23.17	23.55
35.0	20.16	20.50	20.71	20.86	21.25	21.67	22.11	22.59	23.10	23.64	24.03
36.0	20.49	20.84	21.07	21.22	21.63	22.06	22.53	23.02	23.55	24.12	24.53
37.0	20.82	21.19	21.43	21.59	22.01	22.47	22.95	23.47	24.02	24.61	25.03
38.0	21.17	21.55	21.80	21.97	22.41	22.88	23.39	23.92	24.50	25.11	25.55
39.0	21.52	21.92	22.18	22.36	22.82	23.31	23.84	24.39	24.99	25.62	26.09
40.0	21.88	22.30	22.57	22.75	23.23	23.75	24.30	24.88	25.50	26.16	26.63
41.0	22.25	22.69	22.97	23.16	23.66	24.20	24.77	25.37	26.02	26.70	27.20
42.0	22.64	23.09	23.38	23.58	24.11	24.67	25.26	25.89	26.56	27.26	27.78
43.0	23.03	23.51	23.81	24.02	24.56	25.14	25.76	26.41	27.11	27.84	28.38
44.0	23.43	23.93	24.25	24.46	25.03	25.64	26.28	26.96	27.68	28.44	28.99
45.0	23.85	24.37	24.70	24.92	25.51	26.14	26.81	27.51	28.26	29.05	29.63
46.0	24.28	24.82	25.16	25.40	26.01	26.67	27.36	28.09	28.87	29.69	30.28
47.0	24.72	25.28	25.64	25.88	26.52	27.21	27.93	28.69	29.50	30.34	30.95
48.0	25.17	25.76	26.13	26.39	27.06	27.77	28.51	29.30	30.14	31.02	31.65
49.0	25.64	26.26	26.64	26.91	27.60	28.34	29.12	29.94	30.81	31.72	32.37
50.0	26.13	26.77	27.17	27.45	28.17	28.94	29.75	30.60	31.50	32.44	33.12
52.0	27.15	27.85	28.29	28.59	29.37	30.20	31.08	31.99	32.96	33.97	34.69
54.0	28.25	29.01	29.48	29.81	30.66	31.56	32.50	33.49	34.53	35.61	36.39
56.0	29.43	30.26	30.77	31.13	32.05	33.03	34.05	35.12	36.23	37.39	38.22
58.0	30.72	31.61	32.18	32.56	33.57	34.62	35.73	36.88	38.08	39.32	40.21
60.0	32.11	33.09	33.71	34.13	35.22	36.36	37.56	38.80	40.09	41.43	42.37
62.0	33.64	34.71	35.38	35.84	37.03	38.28	39.57	40.91	42.30	43.73	44.75
64.0	35.32	36.50	37.23	37.74	39.03	40.39	41.79	43.24	44.74	46.28	47.36
66.0	37.19	38.48	39.29	39.84	41.26	42.74	44.26	45.83	47.45	49.10	50.27
68.0	39.28	40.71	41.59	42.20	43.75	45.37	47.03	48.73	50.48	52.26	53.51
70.0	41.64	43.22	44.20	44.87	46.57	48.34	50.15	52.01	53.90	55.82	57.17
	PERCENTAGE OF LOAN AMOUNT LEFT UNPAID AT DUE DATE										
	100.0	88.50	81.60	77.00	65.49	53.99	42.49	30.99	19.49	7.98	.00

MONTHLY PAYBACK RATE (%)

(MONTHLY PAYMENT DIVIDED BY LOAN AMOUNT)

DISCOUNT %	1.25	1.50	1.75	2.00	2.25	2.50	2.75	3.00	3.25	3.50	4.00
1.0	12.20	12.27	12.33	12.39	12.45	12.51	12.57	12.63	12.68	12.74	12.86
2.0	12.41	12.54	12.66	12.78	12.91	13.02	13.14	13.26	13.38	13.49	13.72
3.0	12.61	12.81	13.00	13.19	13.37	13.55	13.73	13.90	14.08	14.26	14.60
4.0	12.83	13.09	13.34	13.59	13.84	14.08	14.32	14.56	14.80	15.03	15.50
5.0	13.04	13.37	13.69	14.01	14.31	14.62	14.92	15.22	15.52	15.82	16.40
6.0	13.26	13.66	14.05	14.43	14.80	15.17	15.53	15.90	16.26	16.61	17.33
7.0	13.48	13.95	14.41	14.85	15.29	15.72	16.15	16.58	17.00	17.42	18.26
8.0	13.71	14.25	14.77	15.28	15.79	16.29	16.78	17.27	17.76	18.25	19.21
9.0	13.94	14.55	15.15	15.72	16.30	16.86	17.42	17.98	18.53	19.08	20.17
10.0	14.17	14.86	15.52	16.17	16.81	17.44	18.07	18.69	19.31	19.93	21.15
11.0	14.41	15.17	15.91	16.63	17.33	18.04	18.73	19.42	20.11	20.79	22.15
12.0	14.65	15.49	16.30	17.09	17.87	18.64	19.40	20.16	20.92	21.67	23.16
13.0	14.90	15.82	16.69	17.56	18.41	19.25	20.08	20.91	21.74	22.56	24.19
14.0	15.15	16.14	17.10	18.03	18.96	19.87	20.78	21.68	22.58	23.46	25.23
15.0	15.41	16.48	17.51	18.52	19.52	20.50	21.48	22.46	23.42	24.39	26.29
16.0	15.67	16.82	17.93	19.01	20.09	21.15	22.20	23.25	24.29	25.32	27.38
17.0	15.93	17.17	18.35	19.52	20.67	21.80	22.93	24.05	25.17	26.28	28.48
18.0	16.20	17.52	18.79	20.03	21.26	22.47	23.68	24.87	26.06	27.25	29.59
19.0	16.48	17.88	19.23	20.55	21.86	23.15	24.43	25.71	26.97	28.23	30.73
20.0	16.76	18.25	19.68	21.08	22.47	23.84	25.20	26.56	27.90	29.24	31.90
21.0	17.05	18.62	20.14	21.62	23.09	24.54	25.99	27.42	28.85	30.26	33.08
22.0	17.34	19.01	20.61	22.18	23.73	25.26	26.79	28.30	29.81	31.31	34.28
23.0	17.64	19.40	21.08	22.74	24.37	25.99	27.60	29.20	30.79	32.37	35.51
24.0	17.95	19.79	21.57	23.31	25.03	26.74	28.43	30.12	31.79	33.45	36.76
25.0	18.26	20.20	22.07	23.90	25.71	27.50	29.28	31.05	32.81	34.56	38.04
26.0	18.58	20.61	22.57	24.50	26.39	28.28	30.15	32.00	33.85	35.69	39.34
27.0	18.91	21.04	23.09	25.11	27.10	29.07	31.03	32.97	34.91	36.84	40.66
28.0	19.24	21.47	23.62	25.73	27.81	29.88	31.93	33.97	36.00	38.01	42.02
29.0	19.59	21.91	24.16	26.36	28.54	30.70	32.85	34.98	37.10	39.21	43.40
30.0	19.94	22.37	24.71	27.01	29.29	31.55	33.79	36.01	38.23	40.43	44.81
31.0	20.30	22.83	25.28	27.68	30.05	32.41	34.75	37.07	39.39	41.69	46.26
32.0	20.67	23.30	25.85	28.36	30.83	33.29	35.73	38.15	40.57	42.96	47.73
33.0	21.04	23.79	26.45	29.05	31.63	34.19	36.73	39.26	41.77	44.27	49.24
34.0	21.43	24.29	27.05	29.77	32.45	35.11	37.76	40.39	43.01	45.61	50.79
35.0	21.83	24.80	27.67	30.49	33.29	36.06	38.81	41.55	44.27	46.98	52.37
36.0	22.23	25.32	28.31	31.24	34.14	37.02	39.89	42.73	45.56	48.38	53.98
37.0	22.65	25.86	28.96	32.01	35.02	38.01	40.99	43.94	46.89	49.82	55.64
38.0	23.08	26.41	29.63	32.79	35.92	39.03	42.12	45.19	48.25	51.29	57.34
39.0	23.53	26.97	30.31	33.60	36.85	40.07	43.28	46.46	49.64	52.80	59.08
40.0	23.98	27.55	31.02	34.42	37.79	41.14	44.46	47.77	51.07	54.34	60.86
41.0	24.45	28.15	31.74	35.27	38.77	42.24	45.68	49.12	52.53	55.93	62.69
42.0	24.93	28.76	32.48	36.14	39.77	43.36	46.94	50.49	54.04	57.56	64.57
43.0	25.43	29.40	33.25	37.04	40.79	44.52	48.22	51.91	55.58	59.24	66.50
44.0	25.94	30.05	34.03	37.96	41.85	45.71	49.55	53.37	57.17	60.96	68.49
45.0	26.47	30.72	34.85	38.91	42.94	46.94	50.91	54.87	58.81	62.73	70.53
46.0	27.02	31.41	35.68	39.89	44.06	48.20	52.31	56.41	60.49	64.55	72.63
47.0	27.59	32.12	36.54	40.90	45.21	49.50	53.76	58.00	62.22	66.43	74.80
48.0	28.17	32.86	37.43	41.94	46.40	50.84	55.25	59.64	64.01	68.36	77.03
49.0	28.78	33.62	38.35	43.01	47.63	52.22	56.78	61.32	65.85	70.36	79.33
50.0	29.40	34.41	39.30	44.12	48.90	53.64	58.37	63.07	67.75	72.42	81.70
51.0	30.05	35.23	40.28	45.27	50.21	55.12	60.00	64.87	69.72	74.54	84.15
52.0	30.73	36.08	41.30	46.45	51.56	56.64	61.70	66.73	71.75	76.74	86.69
53.0	31.43	36.95	42.35	47.68	52.97	58.22	63.45	68.66	73.85	79.02	89.31
54.0	32.16	37.86	43.44	48.95	54.42	59.86	65.27	70.65	76.02	81.37	92.02
55.0	32.91	38.81	44.58	50.28	55.93	61.55	67.15	72.72	78.28	83.81	94.83
56.0	33.70	39.79	45.76	51.65	57.50	63.31	69.10	74.87	80.62	86.34	97.75
57.0	34.53	40.82	46.98	53.08	59.13	65.14	71.13	77.10	83.05	88.97	100.78
58.0	35.39	41.89	48.26	54.56	60.82	67.04	73.24	79.42	85.57	91.71	103.93
59.0	36.29	43.00	49.59	56.11	62.59	69.03	75.44	81.83	88.20	94.55	107.21
60.0	37.23	44.17	50.98	57.73	64.43	71.09	77.73	84.35	90.95	97.52	110.62

NUMBER OF MONTHLY PAYMENTS NEEDED TO PAY OFF LOAN

	1.25	1.50	1.75	2.00	2.25	2.50	2.75	3.00	3.25	3.50	4.00
	161.7	110.4	85.2	69.7	59.1	51.3	45.4	40.7	37.0	33.8	28.9